Ciudadanos

Ciudadanos

Una crónica de la Revolución francesa

SIMON SCHAMA

Traducción de
Aníbal Leal

Papel certificado por el Forest Stewardship Council®

MIXTO
Papel | Apoyando la
silvicultura responsable
FSC® C117695
FSC
www.fsc.org

Penguin
Random House
Grupo Editorial

Título original: *Citizens. A Chronicle of the French Revolution*

Primera edición con esta encuadernación: abril de 2024

© 1989, Simon Schama
© 2019, Penguin Random House Grupo Editorial, S. A. U.
Travessera de Gràcia, 47-49. 08021 Barcelona
© Aníbal Leal, por la traducción

Printed in Spain — Impreso en España

ISBN: 978-84-19951-87-8
Depósito legal: B-1.863-2024

Compuesto en Pleca Digital, S. L. U.
Impreso en Arteos Digital, S. L.

C 9 5 1 8 7 8

A Jack Plumb

Índice

PRIMERA PARTE
Alteraciones
La Francia de Luis XVI

SEGUNDA PARTE
Expectativas

J'avais rêvé une république que tout le monde
eût adorée. Je n'ai pu croire que les hommes
fussent si féroces et si injustes.

«Había soñado con una república venerada por el
mundo entero. No podía creer que los hombres
fuesen tan feroces y tan injustos.»

CAMILLE DESMOULINS
a su esposa desde la prisión
4 de abril de 1794

[...] Fue en verdad una hora
de fermento universal; los hombres más apacibles
estaban agitados, y las conmociones, el choque
de la pasión y la opinión resonaban en los muros
de los pacíficos hogares con turbadores sonidos.
El suelo de la vida común era en aquel tiempo
demasiado abrasador para pisarlo; a menudo dije entonces,
y no solo entonces, «¡qué burla es esta
de la historia; del pasado y lo que vendrá!
Ahora siento cómo he sido engañado
leyendo la crónica de las naciones y sus obras, creyendo,
confianza otorgada a la vanidad y el vacío;
¡oh! qué burla merece la página que refleje
en los tiempos futuros el rostro de lo que es ahora».

WILLIAM WORDSWORTH,
El Preludio (1805)
IX, 164-177

L'histoire accueille et renouvelle ces gloires déshéritées; elle donne nouvelle vie à ces morts, les ressuscite. Sa justice associe ainsi ceux qui n'ont pas vécu en même temps, fait réparation à plusieurs qui n'avaient paru qu'un moment pour disparaître. Ils vivent maintenant avec nous qui nous sentons leurs parents, leurs amis. Ainsi se fait une famille, une cité commune entre les vivants et les morts.

«La historia acoge y renueva estas pasadas glorias; confiere nueva vida a estos muertos, los resucita. Su justicia asocia así a los que no fueron contemporáneos, otorga una reparación a varios que habían aparecido solo un momento para desaparecer. Viven ahora con nosotros de modo que sintamos a sus padres y sus amigos. Así se forma una familia, una ciudad común entre los vivos y los muertos.»

JULES MICHELET,
Prefacio a *Histoire
du XIXᵉ Siècle, II*

Prefacio

Cuando se le preguntó acerca de la importancia de la Revolución francesa, se dice que el primer ministro Chu En-lai contestó: «Es demasiado pronto para decirlo». Doscientos años aún puede ser demasiado pronto (o quizá demasiado tarde) para decirlo.

Los historiadores han depositado una excesiva confianza en el saber aportado por la distancia, pues han creído que, en cierto modo, esta confiere objetividad, uno de esos inalcanzables valores en los cuales han depositado tanta fe. Tal vez haya argumentos favorables a la proximidad. Lord Acton, que pronunció sus primeras y famosas conferencias acerca de la Revolución francesa en Cambridge durante la década de 1870, aún podía escuchar de primera mano, de labios de uno de los miembros de la dinastía de los Orleans, el recuerdo de este hombre sobre «Dumouriez balbuciendo en las calles de Londres cuando oyó la noticia de Waterloo».

La sospecha de que el partidismo ciego perjudicó fatalmente las grandes crónicas románticas de la primera mitad del siglo XIX dominó la reacción de los estudiosos durante la segunda mitad. A medida que los historiadores se institucionalizaron para convertir su disciplina en una profesión académica, llegaron a creer que la concienzuda investigación en los archivos podía aportar imparcialidad: la condición previa para extraer las misteriosas verdades de causa y efecto. El resultado que se buscaba debía ser científico más que poético, impersonal más que apasionado. Y si bien durante cierto tiempo los relatos históricos continuaron enfrascados en el ciclo vital de los estados-naciones europeos —las guerras, los tratados y los derrocamientos—, la atracción magnética de las ciencias sociales fue tal que las «estructuras», tanto sociales como políticas, parecieron convertirse en los objetos principales de la búsqueda.

En el caso de la Revolución francesa esto implicó apartar la atención de los hechos y de las personalidades que habían dominado las crónicas épicas de las décadas de 1830 y 1840. El brillante estudio de Tocqueville *El Antiguo Régimen y la Revolución*, fruto de su propia investigación en los archivos, suministró un caudal de fría razón allí donde antes solo existían las ardientes riñas del partidismo. El carácter excepcional de su visión reforzó (aunque desde un punto de vista liberal) la afirmación científica marxista de que la importancia de la Revolución debía buscarse en cierto gran cambio sobrevenido en el equilibrio del poder social. Desde ambos puntos de vista, las manifestaciones de los oradores eran poco más que mera verborrea, que disfrazaba mal la impotencia que padecían a manos de las fuerzas históricas impersonales. Asimismo, el flujo y el reflujo de los hechos podía llegar a ser inteligible solo si se desplegaba de manera que revelase las verdades «esenciales», sobre todo sociales, de la Revolución. En el núcleo de estas verdades había un axioma, compartido por los liberales, los socialistas y también por los nostálgicos realistas cristianos; a saber, la Revolución, en efecto, había sido el crisol de la modernidad: el recipiente en el que se habían vertido, para bien o para mal, todas las características del mundo social moderno.

En el mismo sentido, si todo lo ocurrido poseía este significado trascendente, las causas que lo generaban debían poseer por fuerza una magnitud similar. Un fenómeno de intensidad tan incontrolable que, evidentemente, había barrido un universo entero de costumbres, mentalidades e instituciones tradicionales solo podía ser el resultado de contradicciones que estaban profundamente imbricadas en la textura del «antiguo régimen». Así, entre el centenario de 1889 y la Segunda Guerra Mundial, aparecieron gruesos volúmenes que documentaron todos los aspectos de estos fallos estructurales. Las biografías de Danton y Mirabeau desaparecieron, al menos del catálogo de las ediciones eruditas respetables, y las reemplazaron estudios de las fluctuaciones de los precios en el mercado del trigo. En una etapa aún más tardía, los grupos sociales determinados, colocados en una clara oposición de unos contra otros —la *bourgeoisie*, los *sans-culottes*—, fueron definidos y disecados, y los números de su baile dialéctico se convirtieron en la única coreografía posible de la política revolucionaria.

Durante los cincuenta años que pasaron desde el sesquicentenario, se observó una grave pérdida de confianza en este enfoque. Los drásticos cambios sociales imputados a la Revolución parecen desdibujados o, en verdad, invisibles. La *bourgeoisie*, que según las versiones marxistas clásicas representaba a los autores y los beneficiarios de los hechos, se ha convertido en un conjunto de zombis sociales, en el producto de obsesiones historiográficas más que de realidades históricas. Otras alteraciones en la modernización de la sociedad y las instituciones francesas dan la impresión de haber sido anticipadas por la reforma del Antiguo Régimen. Lo que persiste destaca tanto como lo que se quiebra.

Tampoco parece que la Revolución se ajuste a un gran proyecto histórico, predeterminado por fuerzas inexorables de cambio social. Al contrario, podría decirse que se trata de un fenómeno formado por azares y consecuencias imprevistas (no es la menor de ellas la convocatoria de los propios Estados Generales). Numerosos y excelentes estudios de las provincias han demostrado que, en lugar de una sola revolución impuesta por París al resto de la Francia homogénea, a menudo aquella fue un fenómeno determinado por las pasiones y los intereses locales. Al mismo tiempo que se observó la recuperación del lugar como algo determinante, otro tanto sucedió con las personas; ya que, al perder fuerza los imperativos de la «estructura», los relacionados con la acción individual y sobre todo con la manifestación revolucionaria cobraron, en consecuencia, más relevancia.

Ciudadanos es un intento de sintetizar gran parte de la vuelta a este planteamiento y de impulsar todavía más la línea argumental. He concedido a uno de los elementos esenciales de la argumentación de Tocqueville —su comprensión de los efectos desestabilizadores de la modernización «antes» de la Revolución— más importancia de la que le da su propia versión. Si prescindimos de la frase revolucionaria acerca del «antiguo régimen», con su pesada carga semántica ya obsoleta, quizá sea posible percibir la cultura y la sociedad francesas del reinado de Luis XVI como una entidad alterada más por el apego que por la resistencia al cambio. Al contrario, me parece que gran parte de la ira que fue el detonante de la violencia revolucionaria se originó en la hostilidad hacia la modernización, más que en la impaciencia provocada por la rapidez de sus avances.

Por lo tanto, la versión ofrecida en las páginas siguientes quizá subraya demasiado los aspectos vivos de la Francia prerrevolucionaria, sin cerrar los ojos ante lo que verdaderamente obstruía y era muy antiguo. Importante para su argumentación es la afirmación de que la cultura patriótica de la ciudadanía se creó en las décadas que siguieron a la guerra de los Siete Años y que aquella fue la causa más que el resultado de la Revolución francesa.

Tres temas se desarrollan en el curso de esta exposición. El primero se refiere a la difícil relación entre el patriotismo y la libertad, un aspecto que, en la Revolución, se convierte en una competencia brutal entre el poder del Estado y la agitación política. El segundo se refiere a la creencia, propia del siglo XVIII, de que la ciudadanía era, en parte, la expresión pública de una familia idealizada. El estereotipo de las relaciones morales entre los sexos, entre los padres y los hijos, y entre los hermanos resulta, quizá de manera inesperada, una clave importante del comportamiento revolucionario. Finalmente, el libro intenta afrontar de manera directa el arduo problema de la violencia revolucionaria. Movidos por el ansia de evitar el sensacionalismo o que se les confundiera con los fiscales contrarrevolucionarios, los historiadores han tendido a la mojigatería en el tratamiento de esta cuestión. He devuelto el asunto al centro del relato, pues a mi juicio no fue solo una lamentable consecuencia de la política o el molesto instrumento que permitió alcanzar otros fines más virtuosos o rechazar los perversos. En un sentido por desgracia inevitable, la violencia fue la propia Revolución.

He preferido presentar estos argumentos en forma de relato. Si en realidad la Revolución fue un acontecimiento mucho más azaroso y caótico, y mucho más el fruto de la actividad humana que el de determinantes estructurales, la cronología parece indispensable para lograr que sus sesgos y complicados giros resulten inteligibles. Por lo tanto, *Ciudadanos* retorna a la forma de las crónicas del siglo XIX y permite que los diferentes intereses y las cuestiones plasmen el flujo del relato a medida que aquellos se manifiestan, año tras año, mes tras mes. Asimismo, quizá perversamente, he esquivado de forma intencionada el formato convencional del «panorama general», mediante el cual distintos aspectos de la sociedad del Antiguo Régimen pasan por cierta selección antes de intentar la exposición política. La inclusión de esos imponentes capítulos acerca de «la economía», «el campesinado», «la nobleza» y otros temas semejantes en el primer plano de los libros privilegia por sí misma, a mi juicio, su capacidad expositiva. Albergo la esperanza de no haber olvidado ninguno de estos grupos sociales, pero he intentado incorporarlos en los puntos del relato en que afectan el curso de los hechos. A su vez, esto ha impuesto un enfoque pasado de moda, de tipo «de arriba abajo», más que «de abajo arriba».

Los relatos han sido descritos por Hayden White, entre otros, como una especie de recurso novelístico utilizado por el historiador para imponer un orden tranquilizador a los fragmentos casuales de información sobre los muertos. Hay cierta verdad en esta crítica idea, pero el punto de partida me lo proporcionó un artículo muy sugerente de David Carr en *History and Theory* (1986), donde presentó una tesis diferente y muy ingeniosa en defensa de la validez del relato. Por artificiales que puedan ser los relatos escritos, a menudo corresponden a los modos en que los protagonistas históricos conciben los hechos. Es decir, muchos, si no la mayoría de los hombres públicos, consideran su conducta situada parcialmente entre los modelos de un pasado heroico y las expectativas acerca del juicio de la posteridad. Si esto fue cierto alguna vez, sin duda sucedió así en el caso de la generación revolucionaria francesa. Catón, Cicerón y Junio Bruto se alzaban sobre los hombros de Mirabeau, Vergniaud y Robespierre, pero muy a menudo sugerían a sus admiradores formas de conducta que serían juzgadas por las generaciones futuras.

Finalmente, como resultará obvio, el relato teje su trama entre la vida pública y la privada de los ciudadanos que aparecen en sus páginas. Esto se realiza no solo con el fin de comprender la motivación de dichos ciudadanos más profundamente de lo que es posible mediante la mera formulación pública, sino también porque muchos de ellos, a menudo con perjuicio para su existencia personal, percibieron su propia vida como un todo sin costuras, de manera que su calendario del nacimiento, el amor, la ambición y la muerte estaba impreso en el almanaque de los grandes acontecimientos. Esta necesaria imbricación entre la historia personal y la pública fue clara de por sí en muchos de los relatos del siglo xix y, en la medida en que he seguido ese precedente, lo que puedo ofrecer también corre el riesgo de interpretarse como un fragmento maliciosamente anticuado de un relato. Difiere de los relatos anteriores a Tocqueville en que aparece más como testigo que como juicio. Sin embargo, a semejanza de esas versiones más tempranas, trata de escuchar atentamente la voz de esos ciudadanos cuyas vidas describe, incluso cuando dichas voces forman la más estridente cacofonía. También en este sentido se inclina por la autenticidad caótica más que por la imperiosa pulcritud de la convención histórica.

Richard Cobb fue el primero que defendió el «enfoque biográfico» de la historia de la Revolución hace veinte años, aunque tenía en mente sobre todo a las víctimas menospreciadas del torbellino revolucionario más que a los que habían sido responsables de este. Debido a ello, albergo la esperanza de que no tome a mal mi propia declaración de fidelidad a ese enfoque. En su inolvidable seminario en el Balliol College, a finales de la década de 1960, aprendí a no tratar de concebir la Revolución como un desfile de abstracciones e ideologías, sino como acontecimientos humanos de resultados complejos y, a menudo, trágicos. Otros miembros de ese seminario —Colin Lucas, Olwen Hufton, que ahora es mi colega en la Universidad de Harvard, y Marianne Elliott— han sido en el transcurso de los años una enorme fuente de ilustración y de amistad entre estudiosos, y por todo ello este libro es un gesto un tanto torpe de gratitud.

He contraído una de mis mayores deudas con otro de mis colegas, Patrice Higonnet, que ha tenido la bondad de leer el manuscrito y evitarme muchos (aunque, me temo, no todos) de los errores y de las confusiones. Gran parte de lo que tengo que decir, sobre todo acerca del grupo al que denomino la «nobleza ciudadana», debe su origen a una obra importante y original, titulada *Class, Ideology and the Rights of Nobles During the French Revolution* (Oxford, 1981). Otros amigos —John Brewer, John Clive y David Harris Sacks— también leyeron partes de la obra y fueron, como siempre, generosos en sus comentarios y útiles en sus críticas.

Mi interés por la revisión de la oratoria de la Revolución y por la toma de conciencia de la élite política se origina en un trabajo presentado al Consorcio sobre la Europa Revolucionaria en Charleston, Carolina del Sur, en 1979. Agradezco profundamente a Owen Connelly haberme invitado a participar en una inolvidable mesa redonda que también incluyó a Elisabeth Eisenstein y a George V. Taylor. En Charleston las prolongadas conversaciones con Lynn Hunt contribuyeron a reavivar mi interés en la fuerza del lenguaje revolucionario y agradezco a esta estudiosa y a Tom Laqueur el interés y el estímulo que me proporcionaron. Robert Darnton, cuyo primer libro acerca del mesmerismo y el Iluminismo tardío me indujeron a reflexionar hace muchos años sobre las fuentes de la exageración verbal revolucionaria, ha tenido que escucharme en muchas más ocasiones de las que él merecía que lo molestaran.

Siempre me aportó consejos útiles y amables rectificaciones, y ha sido una constante fuente de inspiración.

El libro no podría haber sido escrito sin la ayuda póstuma de uno de los más extraordinarios estudiosos de Harvard: Archibald Cary Coolidge, bibliotecario universitario durante la década de 1920. Al adquirir toda la biblioteca de Alphonse Aulard, el primer profesor de historia de la Revolución de la Sorbona, Coolidge creó una fuente de valor inapreciable para los estudiosos que trabajan en este campo: una colección con tal abundancia de periódicos y de folletos como de obras de historia local muy raras y desconocidas. Estoy muy agradecido, como siempre, al espléndido personal de la Houghton Library, sin cuya paciencia y eficacia los profesores sobrecargados de tareas no podrían realizar trabajos de investigación en un año docente activo. Susan Reinstein Rogers y sus colegas de la Kress Library, perteneciente a la Harvard Business School, fueron de gran ayuda, como siempre, y proporcionaron magníficas fotografías de sus espectaculares ediciones de *Descriptions des Arts et Métiers*.

También debo agradecer a Philippe Bordes, del Musée de la Révolution Française, en Vizille, su ayuda en la búsqueda de material relacionado con la Jornada de las Tejas. Emma Whitelaw me recordó la importancia de las memorias de madame De La Tour du Pin.

Muchos colegas y estudiosos aportaron generosamente tiempo, paciencia y amistad para hacer posible este libro cuando este parecía imposible, y me refiero sobre todo a Judith Coffin, Roy Mottahedeh y Margaret Talbot. También doy las gracias a Philip Katz, que me permitió leer su importante tesina sobre la iconología de Benjamin Franklin. Los amigos del Centro de Estudios Europeos, en particular Abby Collins, Guido Goldman, Stanley Hoffmann y Charles Maier, me mantuvieron sobre los rieles en el momento en que yo amenazaba con descarrilar y moderaron del modo más académico su incredulidad ante la totalidad del proyecto.

En Alfred A. Knopf, contraje una gran deuda de gratitud con mi editora Carol Janeway, que me estimuló para concluir la obra y mantuvo su confianza en que esta se realizaría. Robin Swados ha sido un pilar de refuerzo en todos los aspectos posibles y también estoy muy agradecido a Nancy Clements e Iris Weinstein, que revisaron la obra hasta su versión definitiva. Peter Matson, en Nueva York, y Michael Sissons, en Londres, como de costumbre me aportaron su enorme y constante apoyo, y ambos han demostrado que los buenos agentes literarios también son buenos amigos.

Fiona Grigg hizo casi todo por este libro, excepto escribirlo. Su ayuda en la búsqueda de ilustraciones, la lectura de pruebas, la relación diplomática con los museos y la labor de calmar los nervios alterados con generosas dosis de inteligencia y buena voluntad hicieron posible todo el libro. Jamás podré agradecerle lo suficiente su colaboración.

Mientras escribía la obra, mis hijos, Chloë y Gabriel, y mi esposa, Ginny, soportaron más de lo que podrían esperar, por lo que se refiere a mi mal humor, las horas frenéticas y mi habitual conducta insoportable. En cambio, recibí de ellos amor y tolerancia en dosis más generosas de lo que merecía. Ginny aportó constantemente su criterio infalible en todo tipo de problemas suscitados por el libro, desde el argumento hasta el diseño. Si hay una lectora a quien dedico todo mi trabajo, es precisamente ella.

Peter Carson, de Penguin Books, me sugirió primero la idea de escribir una historia de la Revolución francesa y, cuando respondí proponiendo un relato completo de acuerdo con criterios que ya eran estrafalarios, jamás se echó para atrás. Le agradezco mucho todo su apoyo y estímulo en el transcurso de los años, aunque me temo que el resultado final no es el que él tuvo en mente al principio.

Sin embargo, la idea de que yo podía abordar este tema surgió de mi viejo amigo y maestro Jack Plumb. Creo que me impulsó a trabajar en esto con la vana esperanza de que al final pudiese ser capaz de escribir un libro breve. Lamento decepcionarle de un modo tan abrumador, pero albergo la esperanza de que verá en la extensión de esta obra parte de su propia preocupación por lograr que la historia sea tanto síntesis como análisis, tanto crónica como texto. También me alentó a ignorar los obstáculos convencionales que se elevan como una alambrada intelectual en relación con las subdivisiones de nuestra disciplina, y confío en que le complacerá este intento de derribar esas vallas. Me enseñó sobre todo que escribir historia sin la ayuda de la imaginación es cavar una tumba intelectual, de modo que en *Ciudadanos* intenté infundir vida a un mundo más que sepultarlo en un discurso erudito. Como las posibles virtudes de este libro deben mucho a su enseñanza, se lo dedico con afecto y amistad profundos.

Lexington, Massachusetts, 1988

Capacidad de evocación, cuarenta años después

Entre 1814 y 1846 un elefante de yeso se alzaba en el emplazamiento de la Bastilla. Durante gran parte de este periodo fue un espectáculo lamentable. Los peregrinos que venían a buscar inspiración revolucionaria se detenían estupefactos ante la visión, maciza y lúgubre, de la esquina sudeste de la plaza. Hacia 1830, cuando estalló de nuevo la revolución en París, el elefante se encontraba en avanzado estado de descomposición. Se le había caído un colmillo y el otro estaba reducido a un muñón polvoriento. Su cuerpo se encontraba ennegrecido a causa de la lluvia y el hollín y los ojos se le habían hundido, lo que había hecho que perdiera todo parecido natural, en los pliegues y en los hoyos de la cabeza grande y gastada.

Esto no era lo que Napoleón había deseado. Dominado por el deseo de borrar el recuerdo revolucionario, primero había pensado en instalar un gran arco de triunfo en el espacio vacío dejado por la fortaleza demolida; pero el este de París no era una zona elegante y se decidió trasladar el arco al oeste de la ciudad. Al pasar revista a las quimeras de la antigüedad, Napoleón concibió otra idea que, según creyó, revelaría con la misma fuerza la superioridad de la conquista imperial sobre la caótica insurrección. No importaba que los elefantes pertenecieran al bando perdedor de las guerras púnicas. Para el codicioso emperador evocaban tanto a Alejandro como a Aníbal, los trofeos de Egipto, la tricolor que flameaba desde Acre hasta Lisboa. Se fundiría el elefante con bronce extraído de los cañones enemigos capturados en España y tendría tales proporciones que los visitantes podrían ascender por una escalera interior hasta la torre erigida sobre su lomo. Del tronco brotaría agua. Sería heroico y fascinante y todos los que lo contemplasen olvidarían el año 1789, olvidarían la Bastilla y en cambio se sumirían en una especie de autocomplacencia imperial.

Sin embargo, 1789, el comienzo de la Revolución francesa, ha sido siempre más memorable que 1799, el año en que Bonaparte proclamó su final. La Bastilla y sus conquistadores han sido conmemorados y en cambio se ha olvidado al elefante. En realidad, desde el principio estaba condenado a padecer la arrogancia. Las opiniones de los encargados de esa tarea poco grata se encontraban divididas y, cuando se llegó a concertar cierto acuerdo, la suerte del imperio había cambiado. Las victorias en España fueron muy caras y se vieron seguidas por masacres tan onerosas que resultaba difícil distinguirlas de las derrotas. Hacia 1813, la fecha en que debía erigirse el elefante, no era posible prescindir de los cañones y tampoco había dinero. De manera que, en lugar de un monolito de bronce, un modelo de yeso ocupó su lugar en la plaza de la Bastilla, a la espera de los planes definitivos que precederían a una grandiosa remodelación del lugar.

En un principio, sin duda fue difícil no hacerle caso. Tenía la altura de una casa de tres pisos y el Elefante del Olvido de la Revolución aguardaba por encima del recuerdo subversivo de las turbas encolerizadas, de las destrucciones a manos de la plebe, de las humillaciones reales. De manera que, cuando el imperio se derrumbó definitivamente, después de Waterloo, los gobiernos Borbones de la Restauración, con su temor a los recuerdos revolucionarios, podían aprovechar bien la distracción que el elefante aportaba. Sin embargo, ahora sería esculpido en pacífico mármol más que en bélico bronce y estaría rodeado por otros monumentos alegóricos más convencionales: representaciones de París, de las estaciones, de las artes y las ciencias útiles, como la cirugía, la historia y la danza. Los ministros que soñaban con la creación de nuevos imperios en África del Norte quizá incluso consideraron oportunas las elefantinas alusiones a Cartago. Sin embargo, si el imperio tardío se había visto en aprietos, la Restauración (y sobre todo Luis XVIII) se mostró avara. Lo único que pudo aportar fue la suma de ochocientos francos pagados a un sereno llamado Levasseur, que sobrevivió a la denuncia de que era bonapartista y se fue a vivir con las ratas en una de las resquebrajadas patas de la criatura.

El *concierge* del elefante podía evitar el ataque de los vándalos o las celebraciones clandestinas de la memoria de 1789. Sin embargo, no podía luchar contra la venganza del tiempo. La plaza de la Bastilla era un desierto urbano: un lodazal en invierno, un cuenco de polvo en verano. Las excavaciones destinadas al canal d'Ourcq y los repetidos esfuerzos por nivelar el terreno habían dejado al elefante cada vez más hundido en una depresión lodosa, como si estuviese desplomándose de forma gradual a causa de la edad y el agotamiento. Además, la naturaleza había añadido sus propios ultrajes. Cuando el cascarón de yeso se resquebrajó, el plinto quedó cubierto por dientes de león y cardos. Se abrieron grandes cavidades en el torso y estas atrajeron a los roedores, a los gatos callejeros y a los vagabundos que no tenían ningún sitio donde pasar la noche. El problema de las ratas llegó a ser tan grave que los residentes locales descubrieron que sus propias casas estaban siendo colonizadas por grupos de asalto que habían salido del elefante. A partir de finales de la década de 1820 solicitaron de forma continuada, pero sin éxito, que fuera demolido. Las autoridades de la Restauración estaban en un aprieto. Quizá podía ser repintado y trasladado a un lugar más inocuo, como los Inválidos o incluso las Tullerías. Sin embargo, la indecisión prevaleció. El elefante, o lo que restaba de él, permaneció allí.

Solo en 1832, cuando el recuerdo revolucionario había llegado a las calles durante el alzamiento que reemplazó a los Borbones con el «rey ciudadano» Luis-Felipe, el elefante se vio acompañado, en el extremo opuesto de la plaza, por una elevada columna (que perdura) y que no recuerda el año 1789, sino a los caídos en la revolución de julio de 1830. Por fin, en 1846 el golpe de gracia acabó con los sufrimientos del armatoste que estaba deshaciéndose. Y como si la memoria se hubiese liberado de esta prisión, pronto hubo una nueva revolución y una nueva república.

Por lo tanto, el Elefante del Olvido Intencionado no fue rival para la persistencia de la memoria revolucionaria; pero refrescar la memoria es por lo menos tan difícil como la amnesia histórica. Después de todo, la Revolución francesa fue una gran demolición y los repetidos intentos de rendirle homenaje con monumentos se han visto frustrados por esta contradicción. De todos modos, hubo intentos, que comenzaron con la Fuente de la Regeneración jacobina, construida en 1793: una versión de yeso de la diosa Isis, de cuyos pechos brotaba (en las ocasiones ceremoniales) la leche de la Libertad. En el Festival de la Unidad, que conmemoró la caída de la monarquía, Hérault de Séchelles, presidente de la

Convención, bebió este néctar republicano en un vaso fabricado para la ocasión, que levantó frente a la multitud reunida en un gesto de saludo. Ocho años después, la fuente se derrumbó y retiraron los restos en varios carros. Otros proyectos —un nuevo ayuntamiento, un teatro del pueblo, una asamblea legislativa— fueron concebidos y desechados. En cambio, perduró un espacio vacío en la frontera exacta entre el París de los nobles y el París de los artesanos: una tierra de nadie de la memoria histórica.

La conmemoración resultó más fácil cuando fue menos monumental. La pirotecnia y los bailes anuales del 14 de julio fueron más eficaces que los proyectos arquitectónicos grandiosos; pero correspondió a la primera generación de historiadores románticos la hazaña de celebrar la Revolución encendiendo hogueras en su propia prosa. En el momento en que el elefante se convertía lentamente en polvo y escombros, el triunfal relato de Jules Michelet convertía la Revolución en una especie de actuación espectacular, a la vez escritura, drama o evocación. Siguieron otras crónicas —de Lamartine y Victor Hugo— y ninguna pudo imponerse al poderoso estruendo de la épica de Michelet. La culminación fue la historia como mímesis: Lamartine acabaría arengando a las multitudes en una tercera revolución, la de 1848.

La apoteosis de la historia romántica fue también su afán de destrucción. En 1850, cuando los vapores retóricos de la II República desaparecían ante la dura e inexorable realidad del dinero, del poder y de la violencia estatal, sobrevino un gran enfriamiento histórico. En 1848 en toda Europa, aunque de un modo muy sangriento en París, la retórica revolucionaria había sido vencida en las barricadas por el cálculo contrarrevolucionario; la pasión había sido dominada por la desaparición de esta; los artesanos, por la artillería. No es sorprendente entonces que la historia escrita pasara de la lucha poética al análisis científico, del desenfadado subjetivismo a la fría objetividad. Si antes el éxito de la Revolución había parecido depender de la adhesión espontánea, ahora daba la impresión de deberse a la lúcida comprensión. A partir de Alexis de Tocqueville y Karl Marx (aunque de modos muy distintos), los historiadores trataron de conferir rigor científico a sus crónicas. Por primera vez se apartaron del seductor drama de los hechos —la brillante superficie de la crónica histórica— para explorar más hondo en las fuentes de los archivos o en las leyes generales de la conducta social. Se procedió a despersonalizar las causas de la Revolución francesa, a desprenderlas del discurso y la conducta de los grandes hombres, para situarlas en cambio en lo profundo de la estructura social que la había precedido. La clase, más que la formulación, el pan, más que la convicción, aparecieron como determinantes de esa fidelidad. La historia científica —o por lo menos sociológica— había llegado y, con ella, la degradación de la crónica a mera anécdota secundaria. De modo que ahora, y desde hace mucho tiempo, envueltos en el manto de la rigurosa objetividad, los historiadores se han ocupado de la estructura, de la causa y el efecto; de la verosimilitud y de lo imprevisto; de gráficos y diagramas; de la semiótica y de la antropología; de las microhistorias de los *départements*, los distritos, los cantones, las aldeas, los villorrios.

Apenas necesito señalar que lo que sigue no es ciencia. No pretende hacer gala de falta de pasión. Aunque de ningún modo es ficción (pues no hay invención intencionada), puede impresionar al lector como relato más que como historia. Se trata de un ejercicio de descripción viva, un diálogo con la memoria de doscientos años sin ninguna pretensión de cerrar definitivamente el tema. Y tanto la forma del relato como el contenido elegido suponen un pretendido distanciamiento con respecto a la historia analítica para aproximarnos a los hechos y a las personas, ambos prohibidos durante mucho tiempo o desechados como mera espuma sobre las grandes olas de la historia. No es un relato por defecto, sino por elección: un principio, un medio y un fin que tratan de ajustarse al sentido enormemente desarrollado del pasado, del presente y de la posteridad de los protagonistas; pues no resulta un hecho fortuito que la creación del mundo político moderno coincida exactamente con el nacimiento de la novela moderna.

La mayoría de las historias de las revoluciones tienen un carácter lineal: el paso en el tiempo de lo antiguo a lo nuevo; pero difícilmente pueden evitar cierta circularidad. En su uso temprano, la palabra «revolución» era una metáfora extraída de la astronomía y aludía al movimiento circular periódico de las esferas. Implicaba la previsibilidad, no la imposibilidad de prever. «El mundo patas arriba», como se denominaba al popular himno de la Revolución estadounidense, paradójicamente implicaba una adaptación a dicha inversión. En el mismo sentido, los hombres de 1776 (y aún más los creadores de la Constitución) estaban más interesados en preservar el orden que en perpetuar el cambio. Parte de la misma inquietud se manifiesta en Francia en el modo en que los hombres de 1789 usaron la palabra. Sin embargo, en su caso, la retórica transformadora se impuso a todo lo que fuera una inquieta reserva. Por extraño que parezca, los que abrigaban la esperanza de un cambio limitado en 1789 fueron los más propensos a la hipérbole de lo irreversible. Y a partir de ese momento, «revolución» sería una palabra para hacer referencia a la inauguración, no a la repetición.

En 1830 la «Revolución francesa» se convirtió en una entidad transferible; dejó de ser una serie finita de acontecimientos unida a determinado amarre histórico (es decir, 1789-1794). En cambio, la memoria (principalmente escrita, pero también cantada, grabada y hablada) organizó la realidad política. Siempre había existido una veta de rememoración romántica que había afrontado la eliminación real de gran parte de la Revolución francesa al proclamar su inmortalidad en la memoria patriótica. En su intento de estimular a un país que ya estaba sometido a la ocupación en 1815, Napoleón, que había sido el más entusiasta enterrador de la Revolución, intentó arrancarla de la tumba. Envuelto en lemas y emblemas revolucionarios, trató de invocar el temor y la camaradería de 1792: *la patrie en danger*; pero Waterloo habría de concluir lo que la batalla de Valmy había comenzado.

Restaurados en el trono por la invasión extranjera, los Borbones apreciaron que todo lo que fuese una esperanza acerca de su legitimidad dependía de un acto de prudente olvido. El primer rey, Luis XVIII, con sus sumamente burgueses deseos de dinero y comida, resultaba eficaz para el olvido político. Apenas se resistió a la designación de ministros que habían servido a la Revolución y al imperio, y evitó por completo una coronación formal. Sin embargo, su hermano Carlos X era prisionero de un recuerdo de mayor agitación. Al igual que hizo todo lo posible para enfrentarse al pasado revolucionario —se coronó con todo el rito tradicional en la catedral de Reims—, también removió los fantasmas revolucionarios sepultados en la tumba del recuerdo. Pese a que esos recuerdos le agobiaban, su conducta garantizó que reaparecieran. Su último y más recalcitrante ministro fue un Polignac, perteneciente a lo que quizá era el clan aristocrático más universalmente odiado durante la década de 1780. En 1830, varios decretos arbitrarios recordaron a los de 1788 y, para hacerles frente, el manojo de emotivos gritos de guerra, de costumbres, de banderas y de canciones, que se había transmitido como un caudal histórico de generación en generación, cobró forma de nuevo en las barricadas.

Había muchos asuntos que provocaban la ira popular en 1830. Una crisis comercial que elevó de forma inmediata el precio del pan y aumentó el desempleo había provocado que grupos de airados artesanos se reuniesen en el faubourg Saint-Antoine para escuchar a periodistas y oradores que denunciaban al Gobierno. Sin embargo, lo que desencadenó los sentimientos de este público y avivó su decisión fue la exhibición de los recuerdos revolucionarios como reliquias sagradas: la bandera tricolor desplegada nuevamente en Notre Dame; los cuerpos atravesados por las bayonetas de las tropas reales, envueltos en sábanas ensangrentadas y paseados por las calles como incitación a la revuelta. De nuevo el Hôtel de Ville fue asediado por los ebanistas, por los sombrereros y por los fabricantes de guantes del faubourg Saint-Antoine, que esta vez solo debían enfrentarse a los restos mutilados de un elefante de yeso para avanzar hacia el oeste. Resonó nuevamente «La Marsellesa», las cabezas sin peluca lucieron los sombreros rojos de la libertad (no más anacrónicos en 1830 que en 1789) y los oxidados cañones de diez libras de nuevo fueron arrastrados sobre los adoquines. Un duque de Orleans conspiró otra vez (con éxito ahora) para beneficiarse del derrocamiento de un monarca Borbón. Incluso el mariscal Marmont, encargado de la defensa de París, pareció caer prisionero de esta ensoñación histórica. Cuando vio que la fidelidad de los militares caía, no encontró nada mejor que repetir textualmente a su rey las palabras del duque de La Rochefoucauld-Liancourt a Luis XVI el 15 de julio de 1789: «Señor, esto no es un motín, es una revolución». Sin embargo, si Luis no había acertado de ningún modo a la hora de comprender el significado de un vocabulario político que había cambiado, Carlos X sabía exactamente lo que esas palabras presagiaban. Había leído el guion. Había leído los relatos. Hasta su destino estaba organizado de un modo que no repitiese el de Luis, sino su propia conducta en 1789, pues entonces este se había apresurado a partir y ahora aquel se apresuró todavía más.

Si bien los textos eran los mismos, los protagonistas, sin embargo, habían envejecido mucho. La avanzada edad de muchos de los principales actores de la Revolución de julio de 1830 constituía un motivo de preocupación. Ya no servía la fórmula: «Bienaventurados los que en esa alborada estaban vivos, pero ser viejo suponía que uno era ponderado». Los veteranos representaban los papeles que debían corresponder a las jóvenes promesas. Las revoluciones pertenecen a los jóvenes. Michelet, que había nacido cuatro años después del Terror, hablaba del rejuvenecimiento en aulas atestadas de alumnos que chocheaban. En su intenso relato, los jóvenes de 1789 habían tomado ramitas verdes como insignias en el jardín del Palais-Royal el 12 de julio, para simbolizar la primavera de una nueva Francia. Los viejos de la Bastilla eran los canallas o las víctimas: los guardias de los Inválidos que vigilaban las torres; el conde de Solages (detenido por su propia familia), que con su barba blanca, útil y conmovedora, con su forma enjuta y con sus eternas arrugas, parecía señalar, aunque solo fuera por la apariencia, la longevidad del despotismo. De acuerdo con las ideas de Rousseau, mentor de la Revolución, ser joven significaba ser inocente y estar sin contaminar, y así el propio propósito de la Revolución consistía en liberar al hijo de la naturaleza encerrado en el caparazón de la madurez. Los discípulos jóvenes más fervorosos de Rousseau se habían consumido en la Virtud durante la Revolución y, después, se habían masacrado unos a otros antes de sufrir la desilusión de viejos recuerdos. El Terror incluso beatificó a los jóvenes muertos, pero inmortales. El inmortal Bara, de trece años, fue abatido porque se negó a entregar caballos a los rebeldes, a quienes denominaba «bandidos»; el joven Darruder vio caer a su padre en el campo de batalla, recogió el tambor y encabezó la carga. Camille Desmoulins ya era un veterano revolucionario de veintiocho años cuando murió a manos de Saint-Just, guillotinado a su vez a los veintiséis años.

Resultaba difícil tomar en serio a los viejos revolucionarios. Corrían el riesgo de ser ridiculizados, del cual ninguna revolución puede recobrarse. Los hombres que hicieron posible el movimiento de 1830 —estudiantes de la Politécnica, trabajadores de las imprentas y guardias nacionales— representaban, desde luego, a una nueva generación. Y si bien los periodistas y los políticos liberales que se comprometían con un cambio directo del régimen no estaban en la flor de la juventud, tampoco eran ancianos. Sin embargo, los principales actores de los días de Julio (y, en mayor medida aún los Notables que formaban la nueva élite de la monarquía constitucional: los banqueros, los burócratas y los abogados) habían alcanzado una edad visiblemente madura. Las ácidas caricaturas de Daumier, que mostraban cráneos calvos y mejillas arrugadas, vientres rotundos y brazos delgados, se acercaban a la realidad de forma más arriesgada que la atlética Libertad de Delacroix en las barricadas. A lo largo de 1830 y durante las dos décadas siguientes, los jóvenes atemorizaron a los viejos, lo visceral intimidó a lo cerebral. La Revolución y la Restauración derrocada por aquella eran curiosidades históricas, extraídas del pasado, revestidas con nuevos atuendos para ir al encuentro de los viejos huesos que entrechocaban bajo el disfraz. Carlos X, un rey pretenciosamente piadoso, era una débil reencarnación de una célebre y antigua personalidad, el conde de Artois, que había sido el más atrevido de los jóvenes de Versalles: un destacado alborotador en la cacería, en el salón de baile y en la cama. Había escupido a los ojos a la Revolución de 1789, había pisoteado las escarapelas y había convertido «O Richard mon roi» en el himno de la contrarrevolución. El futuro príncipe, Luis-Felipe, un blando facsímil de su padre regicida «Felipe Igualdad», difundía sus memorias para intentar presentarse como el joven soldado-ciudadano de los ejércitos revolucionarios de Jemappes en 1792; aunque con escasos resultados. Y él fundó la galería de las Batallas en Versalles con un cuadro tras otro de Horace Vernet con el fin de ser identificado con la virilidad de las armas francesas. Sin embargo, para el público más amplio, que se reía con las caricaturas de Philipon y Daumier, la espada protectora de Francia —la Joyeuse— se transmutaba de forma cómica en el omnipresente paraguas de Luis-Felipe. O, lo que era incluso peor, la majestuosa figura se había transformado en la forma letal y absurda de una pera.

Si bien era una desgracia ser viejo en 1830, la edad, por sí sola, no determinaba la conducta. En el caso particular de dos septuagenarios que eran historias andantes, la evocación del recuerdo revolucionario significaba asuntos muy distintos. En el de Gilbert de Lafayette, héroe de los Dos Mundos, un juvenil y airoso individuo de setenta y tres años, representaba la ilusión de la juventud, el reavivamiento de la pasión y la aceleración del pulso. Por su parte, los fisonomistas creyeron seguramente que su cutis sugería un temperamento destinado a la ignición. Y Lafayette complementaba esta irradiación perennemente rubicunda con una peluca áspera y rojiza, de modo que ambas cosas anunciaban que el fuego de la acción revolucionaria conservaba aún sus brasas interiores.

En contraste con el entusiasmo revolucionario de Lafayette, Maurice de Talleyrand, príncipe de Bénévent, ofrecía al mundo una apariencia externa de imperturbable serenidad. De setenta y cinco años, tenía dos más que Lafayette y poseía recuerdos revolucionarios al menos tan abundantes. Esta crisis más reciente tenía un cansado aire de *déjà vu*, pero de todos modos permitía cuidadosas maniobras y evitaba los gestos impulsivos. Mientras uno de los ancianos oía el cacareo del gallo sobre la Francia renacida, el otro escuchaba «La Marsellesa» como una cacofonía que turbaba su sereno atardecer. A los ojos de Lafayette el momento aportaba celebridad; a los de Talleyrand sugería discreción. Y mientras Lafayette cabalgaba hacia París para comparecer ante una multitud entregada, Talleyrand retiraba la placa de bronce de la fachada de su casa en la ciudad para evitar ser reconocido.

Lafayette se tomaba en serio su recuerdo y sabía emplearlo como un arma. Adecuadamente perfilado para eliminar el desconcierto, que era tan grande como sus triunfos, su recuerdo revolucionario fue un último requerimiento para la posteridad. «Que todos tengan la certeza —prometió a la multitud en 1830— de que mi conducta a la edad de setenta y tres años será la misma que tuve a la edad de treinta y dos.» «La Restauración adoptó como lema "Unión y Olvido" —dijo a una legión de la Guardia Nacional—, el mío será "Unión y Recuerdo".» Y en efecto, recordó. En Grenoble, en uno de los muchos banquetes que señalaron su avance triunfal a través de Francia, respondió a un brindis para recordar a la ciudadanía su «Jornada de las Tejas» en 1787, cuando la multitud se enfrentó a las tropas reales. Precisamente porque Lafayette había sido comandante de la Guardia Nacional en 1789 los inquietos jefes de la oposición consideraron que su reasunción del cargo constituiría una iniciativa prudente. Lafayette volvió a vestir debidamente su viejo uniforme y con falsa modestia dijo públicamente que «un veterano puede prestar cierto servicio en esta grave crisis». Cuando llegó al Hôtel de Ville acompañado por una alborotada multitud, como comandante de la Guardia Nacional, un oficial, con buena intención, trató de mostrarle el camino. «Lo conozco —replicó con especial hincapié—, ya he estado aquí antes.»

Recordaba sobre todo el modo de saludar a la musa revolucionaria: con un fraternal abrazo. De modo que Lafayette besó la bandera tricolor; besó a los oficiales de su Guardia Nacional; besó al duque de Orleans, mientras le concedía su bendición. Besó con tanto ardor a la nueva época que su besuqueo llegó a ser célebre y se burlaban de él y decían que era el incorregible Père Biseur. Pero ¿cuántos hombres tienen tres apoteosis en una sola vida? Acostumbrado a ocupar el centro de la escena, Lafayette comprendía de manera instintiva la llamada del teatro político: la de los gestos, la del lenguaje del cuerpo, la de la retórica física tanto como la verbal aplicada a los momentos decisivos. En América, durante la última marcha triunfal, apenas cinco años antes, se había convertido en la primera creación de la política populista, transformado en «Marcus D. Lafayette», y se había regodeado con el aplauso y con los pétalos de rosa que llovían sobre él desde Maine hasta Virginia; había apretado incansable la carne, había estrechado manos hasta que las suyas se desollaron; y, con diáfana sinceridad, había repetido continuamente ante las multitudes extasiadas: «Zo appy; zo appy». Ante la multitud reunida frente al ayuntamiento, ante las muchas personas que veían en el viejo mariscal la oportunidad de dar paso a una república, envolvió a Luis-Felipe en la bandera tricolor, como si esta hubiera sido la toga de su constitucionalismo, y le empujó sin ceremonias hacia el balcón. En un gesto de vodevil, Lafayette se convirtió en el centro del espectáculo y privó de su filo al republicanismo. Sin duda, recordó el desconcierto de Luis XVI cuando fijaron a su sombrero una mera escarapela en las secuelas de la toma de la Bastilla. Si un monarca quería sobrevivir, necesitaba nada menos que una gran envoltura tricolor.

Lafayette fue el Gran Recordador. En 1815, cuando incluso después del desastre de Waterloo hubo un intento de preservar el Imperio napoleónico, Lafayette pronunció un discurso devastador que evocó, como testigos de la acusación, a los fantasmas de millones de soldados a quienes el «gran hombre» había dejado morir en Egipto, en Rusia y en Alemania. En América siempre trató de reforzar, mediante una continua apelación a las libertades fraternales, una amistad que se había visto gravemente deteriorada desde 1783. Por esa razón ofreció a George Washington una llave de la Bastilla. Para Lafayette, la memoria era el acicate de la acción y la Revolución era en sí misma parte del proceso de perpetua renovación, el modo en que Francia podía recobrar su *élan vital*.

Talleyrand no sentía ningún interés hacia el reclamo de las primaveras políticas. Se había reconciliado gratamente con el invierno político. Sus propios recuerdos le agotaban más que le reanimaban y el impulso romántico siempre había sido para él una actitud inadmisible. La cojera le había afectado desde sus primeros años y hacía mucho tiempo que había aprendido a cultivar una especie de estudiada languidez que irritaba a los mediocres. A lo largo de toda su vida había sido un anatema para los apóstoles de Rousseau, pues confiaba en el disimulo más que en la sinceridad; en la cortesía, más que en la espontaneidad; en la reflexión, más que en el impulso; en la diplomacia, más que en la agresión; en la negociación a puerta cerrada, más que en los discursos pronunciados en las asambleas públicas. Menospreciado siempre como un fósil político, como un arcaico superviviente del Antiguo Régimen, conocía mejor que nadie que todas esas artes eran necesarias tanto para el futuro político como para el pasado.

En 1830 solo deseaba una vida tranquila para sí y para Francia. En Valençay, su castillo renacentista de sorprendente belleza, actuaba como un terrateniente, amoldado a su papel de intendente, experimentando con nuevas variedades de escarola y de zanahoria, y cuidando de su vivero de pinos escoceses. En Rochecotte, la residencia de su compañera Dorothée de Dino, una mujer mucho más joven, gozaba de placeres incluso más sencillos y obtenía melocotones de sus propios injertos y los comía con brie, el «rey de los quesos» («el único rey al que ha sido fiel», dijo uno de sus muchos detractores). En París rara vez salía del gran *hôtel* de la rue Saint-Florentin, donde se sentaba sobre gruesos almohadones (incluso cuando se acostaba, pues temía mucho caerse de noche y golpearse), mordisqueaba un bizcocho, bebía su madeira y leía, sin ayuda de gafas, algún libro de su inmensa e impresionante biblioteca privada. Pues Talleyrand aún tenía sus manías: empolvaba su gruesa peluca y la rizaba para formar bucles rubios, comprimía su barba con un cuello alto de estilo Directorio y sometía su famosa nariz respingona (que aún podía erguir como un arma letal) a una peculiar operación de lavado al final de la única comida que se permitía a diario.

A los ojos de Ary Scheffer, que lo retrató en 1828, tenía el aspecto de la muerte vestida de seda negra. Sin embargo, como una magnífica y viejísima tortuga, Talleyrand podía apurar al máximo la vida al tratarla con reflexión y cautela. De ahí que la miope estupidez de Carlos X le exasperase tanto, pues con su temeraria decisión de enfrentarse a todos los fanáticos, excepto a los más reaccionarios, había condenado a Francia a vivir otro periodo de «anarquía, una guerra revolucionaria, y todos los restantes males de los cuales Francia fue rescatada con tanta dificultad en 1815». Si la revolución llegaba a Lafayette como una avalancha de sentimientos, como un elixir de la juventud, en el caso de Talleyrand el toque a rebato hacía saltar la alarma de su inteligencia. Para Lafayette, 1830 debía ser el presagio de la libertad y la democracia, no solo para Francia, sino para todo el mundo (y, en particular, para Polonia). A los ojos de Talleyrand el único sentido de un cambio de régimen era el control de daños.

Si el brillante histrionismo de Lafayette con la bandera tricolor y su bendición frente a la multitud —«Voilà la meilleure des républiques»— habían sido de hecho la coronación popular de Luis-Felipe, Talleyrand (que había presenciado tres coronaciones, la de Luis XVI, la de Napoleón y la de Carlos X) proporcionó el candidato. De modo que, mientras Lafayette ocupaba el centro de la escena, Talleyrand controlaba toda la acción entre bambalinas. Los dos hombres siempre habían mantenido esta relación extrañamente simbiótica, de actor y productor, de intérprete y titiritero, y siempre habían discrepado acerca del punto en que se encontraba la realidad del poder revolucionario. A juicio de Lafayette, las expresiones, las formas, los atavíos, los símbolos y la creencia en las causas justas entendidas como misión constituían la única ética histórica que merecía ser recordada. En el caso de Talleyrand, estas mismas construcciones simbólicas eran mascaradas históricas, pócimas para los crédulos, la jerga secular que había reemplazado el lenguaje de las reliquias y los milagros. Tales actuaciones eran piruetas circenses, indispensables y espurias al mismo tiempo. Había visto antes a Lafayette montando un caballo blanco: el día en que, como comandante de la Guardia Nacional, era el centro de atención de cuatrocientos mil entusiastas revolucionarios, en el momento de prestar juramento a la nación en el Campo de Marte, el 14 de julio de 1790. Sin embargo, era Talleyrand, el ciudadano-obispo de Autun, quien había escrito la misa que aportó su bendición a esta ceremonia y quien había continuado calculando; pues, mientras Lafayette se bañaba en el resplandor de la celebridad revolucionaria, Talleyrand hacía saltar la banca en las mesas de juego.

Aunque, una vez más, Lafayette representaba para la galería, Talleyrand jugaba a la bolsa («Jouez à la baisse», recomendó a los amigos tres días antes de que comenzara la lucha callejera en París). Asimismo, las operaciones de limpieza de los dos hombres exhibían un sorprendente contraste, pero estaban relacionadas entre sí. Lafayette compensó su deserción de la causa republicana en 1830 mediante la proclamación del internacionalismo revolucionario mesiánico y la inmediata liberación de

Polonia. Talleyrand ocupó su último cargo oficial en 1830 como embajador francés en Londres, donde se dedicó a apagar los fuegos que Lafayette había encendido tan libremente y a prometer a su antiguo *doppelgänger* de Viena, el duque de Wellington, que el arma más peligrosa de Luis-Felipe era un paraguas plegado. *Tout va bien*.

En sus propias personas, Lafayette y Talleyrand expresaban la personalidad dividida de la Revolución francesa; pues, si bien resulta habitual reconocer que la Revolución dio a luz un nuevo tipo de mundo político, se advierte con menos frecuencia que ese mundo fue fruto de dos intereses irreconciliables —la creación de un Estado poderoso y la de una comunidad de ciudadanos libres—. La ficción de la Revolución fue imaginar que era posible servir a cada uno sin perjudicar al otro y la historia de esta Revolución se corresponde con la comprensión de dicha imposibilidad.

Sin embargo, el peor de los errores sería suponer desde el principio la existencia de un tono demasiado paradójico frente a la más idealista de estas metas. Talleyrand, que se inclinaba por adoptar justo esa actitud, fue por una sublime ironía el abuelo indirecto de la más persistente de todas las imágenes de la exaltación revolucionaria: *La Libertad guiando al pueblo*, de Eugène Delacroix. De pie, sobre los escombros de una barricada, la Marianne del pueblo, con los pechos desnudos, tocada con el sombrero rojo de los *sans-culottes*, exhorta a los obreros y a los estudiantes a marchar hacia el vago destino de la Arcadia revolucionaria. Notre Dame de la Liberté aparece sobre el trasfondo de Notre Dame de París, ya conquistada por la Libertad, de modo que la bandera tricolor ondea en sus torres.

¿Y Talleyrand? ¿Qué tenía que ver él con esta tormenta de óleos, visceralmente tan arrebatadora que Luis-Felipe se asustó y compró el cuadro de Delacroix con el fin de esconderlo durante una generación a los ojos del público? Talleyrand no había traído al mundo este imperecedero estorbo revolucionario, pero según parece había creado a Eugène Delacroix. Durante el año revolucionario VI (1798), cuando la primera revolución estaba siendo desechada de forma discreta por sus corruptos custodios de París y era destruida a golpes por sus generalísimos en el campo, Talleyrand había demostrado ser más perverso que de costumbre. Al ocupar el cargo de Charles Delacroix, ministro de Relaciones Exteriores (enviado al exilio y al ingrato tedio de la embajada francesa en La Haya), Talleyrand también lo reemplazó en el lecho de madame Dela-

34

croix. Podemos suponer que ella se mostró receptiva a las insinuaciones de Talleyrand, pues su esposo se había visto incapacitado durante un tiempo por un monstruoso tumor que se extendía desde el vientre hasta la ingle. La extirpación realizada con éxito por los cirujanos más brillantes de París fue una *cause célèbre* de la medicina, y la deformidad del señor Delacroix constituyó un episodio histórico ampliamente comentado. La deformidad del propio Talleyrand, el pie que le obligaba a cojear y que arrastraba calzado con un zapato de diseño especial, nunca había sido un obstáculo para sus éxitos de alcoba. Talleyrand creía que el poder y la inteligencia eran el aroma de la galantería y los esgrimía con un encanto letal. La señora Delacroix sucumbió a su debido tiempo. El hijo de ambos fue Eugène: el mayor romántico de la nueva etapa había sido procreado por el más extraordinario escéptico de la antigua.

Por lo tanto, la sangre de la pasión revolucionaria provino de la carne de la inteligencia revolucionaria. Esos dos temperamentos —retórico y racional, visceral y cerebral, sentimental y brutal— no deben caminar separados en esta historia. En efecto, su imperfecta unión determinó el nacimiento de una nueva política.

PRIMERA PARTE

Alteraciones

La Francia de Luis XVI

1

Hombres nuevos

En la brillante primavera de 1778, Talleyrand fue a presentar sus respetos a Voltaire. Incluso en una sociedad en que la mundanidad del clero era notoria, el hecho era un tanto inadecuado. Apenas se había secado la tinta en su diploma de teólogo de la Sorbona cuando el joven sacerdote, que ya gozaba de un beneficio en Reims y era delegado a la Asamblea del Clero, se apresuraba a rendir homenaje al más famoso azote de la Iglesia. La visita tenía cierto sabor de impiedad filial, pues Talleyrand, sin duda, estaba buscando una figura de padre más satisfactoria que sus progenitores naturales. Estos le habían puesto en manos de una niñera y ella le había dejado caer desde un armario, lo que había hecho que se rompiera un hueso del pie que nunca se soldó. Además de la vergüenza que le provocaba su cojera, el joven Talleyrand de hecho también se vio desheredado. Pues un joven que no podía practicar esgrima, ni bailar no tenía ni la más mínima esperanza de alcanzar éxito en la corte o el ejército, las dos únicas vocaciones apropiadas para un retoño del linaje de Périgord. Solo podía seguir un curso: una carrera en la Iglesia, donde podía conquistar riqueza y distinción, pero hacia la cual, como se vio muy pronto, manifestaba el más profundo rechazo. En el Collège d'Harcourt, adonde fue enviado a la edad de siete años, se le ordenó obedecer y creer, cuando todos sus instintos y su inteligencia le inducían a desobedecer y a poner en duda. En el seminario de Saint-Sulpice se le exigió, además, respetar la autoridad. En cambio, comenzó a conformar una biblioteca de obras de los filósofos iluministas más escépticos, así como de picantes obras de pornografía, en las que se destacaba de manera notoria la libido de los sacerdotes y de las monjas. Destinado por sus infortunios y sus inclinaciones intelectuales a representar el papel de un extraño, se sintió aplaudido por otros extraños. Una húmeda noche de 1771, después de misa, ofreció su paraguas a una joven actriz de origen judío, Dorothée Dorinville, conocida con el nombre de Luzy en la escena de la Comédie-Française. Fue la primera de una larga serie de *amours* y quizá la más tierna: el seminarista hereje avanzaba cojeando vestido con su sotana negra, acompañado por la piadosa conversa, hacia lo que él mismo denominaba el «santuario» de la actriz en la rue Férou.

Para Talleyrand, el encuentro con Voltaire fue una suerte de bendición paternal: la imposición de las manos agarrotadas sobre los largos y perfumados cabellos rubios. Sesenta y un años separaban al antipadrino del acólito, al joven de veintitrés años del anciano de ochenta y cuatro. Mientras el mundano clérigo joven buscaba el coraje de sus convicciones, el viejo filósofo tendía un velo sobre las suyas. Exiliado de Francia durante veintisiete años, Voltaire había regresado en febrero de 1778 para recibir una apoteosis ruidosa y pública. Era viejo, no se sentía bien y el largo viaje desde Ferney, en la frontera suiza, no había mejorado sus dolencias. De manera periódica, en la residencia urbana del marqués de Villette, donde se alojaba, sufría accesos de tos con esputo y sangre. Llamaban entonces al doctor Tronchin, el famoso médico suizo que en cierto modo se había trasladado a Francia para atender a sus propios pacientes (el otro era Rousseau). En la prensa aparecían frases de inquietud. Sin embargo, Voltaire estaba decidido a sobrevivir el tiempo necesario para gozar de la adoración de los jóvenes discípulos que acudían en tropel a verle, así como de la preocupación de los amigos más antiguos, los que correspondían a épocas más tranquilas, que ahora acudían en busca de consuelo y perdón. Sin embargo, al margen de sus propios sentimientos contradictorios, Voltaire mostraba únicamente su aspecto más cordial a los admiradores que hacían fila para ser llevados a su presencia. «Es posible que me ahogue —se quejaba con sorna—, pero será bajo una lluvia de rosas.»

Cuando el tiempo y su salud mejoraban como para permitirle salir, se presentaba en el Théâtre-Français para dirigir los ensayos de su tragedia *Irene*. En el estreno del 16 de marzo toda la familia real, excepto el propio rey, acudió a saludar al autor. Y al final de la sexta representación, el 30 de marzo, se instaló sobre la escena un busto especialmente encargado a Caffieri, que fue coronado de laureles por los actores. Todo el público se puso en pie para ovacionarle, mientras el anciano absorbía el aplauso. No disimuló en absoluto que le complacía esta previa inmortalidad. Incluso su lecho de muerte, a finales de mayo, se convirtió en un hecho semipúblico, y *le Tout-Paris* observó para comprobar si sucumbía a las artimañas del confesor que, hasta el final, intentó imponer un ortodoxo rito de absolución, en lugar de la fórmula astutamente neutra concebida por Voltaire: «Muero en la religión católica, en la cual nací». Incluso sus presuntas últimas palabras para negarse a condenar al demonio («¿Es este el momento oportuno para hacerse enemigos?») fueron rigurosamente apócrifas, y el verdadero rechazo que sufrió el obstinado sacerdote fue casi tan bueno: «Dejadme morir en paz».

De modo que algo de veneración hubo en la visita de Talleyrand. Algunas versiones afirman incluso que se arrodilló ante Voltaire en actitud de sacrílega veneración. Y no cabe duda de que el joven y mundano sacerdote idolatraba al perverso y anciano deísta, cuyo grito de batalla había sido «écrasez l'infame» («aplastad a la infame», es decir, la Iglesia). Fue llevado al Hôtel de la Villette, en la rue de Beaune, por su condiscípulo el caballero de Chamfort. Introdujeron a Talleyrand en un pequeño cuarto, casi completamente a oscuras, excepto por una persiana abierta estratégicamente para permitir el paso de un solo rayo de luz de sol que acariciaba los rasgos arrugados y encogidos de Voltaire: el Iluminismo iluminado. Durante un momento, la puntillosidad del joven se sintió desconcertada, incluso repelida por el espectáculo de las piernas ahusadas y los pies enjutos que sobresalían bajo la bata suelta. Desde algún lugar en las sombras, madame Denis, sobrina de Voltaire, que ya no era *belle et bonne*, si alguna vez lo había sido, se atareaba con el chocolate, y los hilos de vapor dulzón se esparcían por la habitación mientras el filósofo indagaba, cortés y admirado, sobre la familia de Périgord. A partir de este comienzo trivial, la conversación de Voltaire cobró impulso, de modo que su impresionable y joven admirador pensó que el famoso *esprit* desplegaba las alas. Las palabras «fluían de él, tan rápidas, tan pulcras y al mismo tiempo tan perfiladas y tan claras [...]. Habló rápida y nerviosamente, con un movimiento en las facciones que nunca vi en ningún hombre, salvo en él [...]. Su ojo se animaba con un vívido fulgor y casi deslumbraba». Todo fue como había previsto: ese cráneo en quien se manifestaba tan brillante animación hablaba y hablaba a su silencioso y devoto discípulo. Fue uno de los momentos decisivos de la vida de Talleyrand. «Cada línea de esa extraordinaria faz está grabada en mi memoria —recordaba en su propia vejez—. La veo ahora ante mí, con los ojos pequeños y ardientes mirando desde las cuencas hundidas, ojos no muy distintos de los de un camaleón.» Y aunque durante el tiempo que necesitó para llegar al Palais-Royal, después del encuentro, Talleyrand olvidó qué era exactamente lo que Voltaire le había dicho, jamás pudo dejar de acordarse del modo en que le habló, ni de la peculiar amabilidad de su despedida. Era, según dijo, un adiós paternal.

Es posible que, para Talleyrand, la Revolución comenzara con esta confirmación de descreimiento en la rue de Beaune. Para Lafayette, empezó con un acto de fe. Y es indudable que, para Francia, la Revolución se inició en América.

Mientras Talleyrand se arrodillaba a los pies de su patrono intelectual, Lafayette temblaba en Valley Forge, Pennsylvania. Allí, entre las «pequeñas cabañas, apenas más alegres que las celdas de una mazmorra» que albergaban al pobre residuo del ejército continental, el marqués de veinte años había hallado a su padre adoptivo en la imponente figura de George Washington. Su primera descripción del general, escrita a su esposa Adrienne después de reunirse con Washington en Filadelfia durante el mes de julio precedente, lo mostraba como «un caballero discreto y reservado, que tiene edad suficiente para ser mi padre», aunque se distinguía fácilmente «por la majestad de su rostro y de su porte». Y fue durante lo que Lafayette denominó «la gran conversación» del 14 de octubre de 1777 —quizá para compensar la imposibilidad de otorgar al marqués la división que él ansiaba— cuando Washington comentó que le complacería gozar de su confianza «como amigo y como padre». Por casual que fuese el modo en que el virginiano deslizó este gentil cumplido, fue el gran momento revelador para Lafayette. En adelante se convirtió en el hijo adoptivo, consagrado casi hasta el extremo del servilismo a la causa de su nuevo padre, de modo que ahora la *patrie* y el *pater* estaban imbricados estrechamente en una unión afectiva.

Si Talleyrand había pensado que era de hecho huérfano, «el único hombre de cuna distinguida y perteneciente a una familia numerosa [...] que nunca gozó, siquiera durante una semana de su vida, la alegría de vivir bajo el techo paterno», Lafayette sintió su propia pérdida con un dolor más acerbo. Cuando Lafayette tenía dos años, su padre, coronel de los granaderos de Francia, había caído en la batalla de Minden. Su tío había muerto en el sitio de Milán, en 1733, durante la guerra de Sucesión polaca. De modo que el joven Gilbert fue criado en la propiedad de Chavaniac, en Auvernia, con su mente poblada por sueños de gloria militar. Cerca del castillo había algunos campos llamados por los campesinos los «champs de bataille» y allí Lafayette comulgaba con las sombras de Vercingétorix armadas para la lucha; pero si su cabeza estaba llena de aventuras históricas, su corazón tendía a la defensa dinástica. Mucho más tarde descubriría la identidad del mayor Philips, que había mandado la batería responsable de la destrucción del regimiento de su padre, y saldría a buscarlo. Sin embargo, en su adolescencia le bastó con responder a la causa estadounidense, porque constituía una oportunidad idónea para la venganza: tanto por las humillaciones sufridas por Francia en la guerra de los Siete Años como por la concreta participación de su familia en esas pérdidas. En octubre de 1777 escribió a Vergennes, ministro francés de Relaciones Exteriores, que en ese momento aplicaba todavía con el mayor rigor una política proestadounidense:

> Firmemente persuadido de que perjudicar a Inglaterra es servir (me atrevo a decir vengar) a mi país, creo en la idea de utilizar todos los recursos de todos los individuos que tienen el honor de ser franceses.

El *pater* y la *patrie* se unieron en una pasión que abrasó el pecho sentimental del marqués huérfano (pues su madre había fallecido en 1770, cuando él tenía solo trece años). Y la misma agitación marcial afectó a muchos de sus contemporáneos. «Estábamos asqueados de la *longueur* de la paz, que había durado diez años —escribió el conde de Ségur, un voluntario colega de Lafayette—, y cada uno de nosotros ardía en el deseo de reparar las afrentas de las últimas guerras, de combatir a los ingleses y volar en ayuda de la causa estadounidense.» La experiencia en la corte de Luis XV en Versalles, donde la riqueza de Lafayette y sus relaciones (incluso su matrimonio a los quince años, con la consiguiente incorporación al gran clan de los Noailles) imponían cierta presencia, nada hizo para calmar estas desazones afectivas. Aunque no estaba cojo, como Talleyrand, Lafayette era tan torpe en la danza que su caso hubiera podido ser similar. Muy consciente de su provinciana carencia de refinamiento, ya intuía que sus cualidades directas e inmediatas eran tanto ventajas como desventajas, pues le habían permitido conservar los rasgos propios de la virilidad natural. «La torpeza de mis modales, aunque no estaba fuera de lugar en los grandes acontecimientos —escribió más tarde en sus memorias—, no permitía que me rindiese a las elegancias de la corte.»

Esa misma incapacidad para convivir con los arreos más que con la esencia de la vida militar le indujo a promover cierto tipo de *action d'éclat*. Hacia 1775 ya había sufrido bastante las payasadas que pasaban por osadías en su círculo de ricos y aristocráticos amigos que se reunían en su posada predilecta, la Epée de Bois. A esta Compañía de la Espada de Madera pertenecían varios jóvenes —La Rochefoucauld, Noailles, Ségur— que no solo abrazarían la causa de los «insurgentes» estadounidenses sino que se contarían entre los más destacados nobles-ciudadanos de 1789. Y mientras Lafayette servía con otro militar noble de ideas avanzadas, el duque de Broglie, decidió utilizar su enorme fortuna (ciento veinte mil libras anuales, heredadas de su abuelo materno) para transformar las inmaduras inquietudes en acción concreta. Por paradójico que parezca, De Broglie había asumido, con su condición de camarada del padre de Lafayette, la misión de vigilar al impaciente joven y de disuadirle de todo lo que fuese una actividad tan atrevida que pudiera amenazar lo que quedaba de la línea masculina de la familia. Sin embargo, después de una elocuente defensa de la causa estadounidense nada menos que por el duque de Gloucester, hermano de Jorge III, el compromiso de Lafayette fue tal que, tras un intento de razonar con él, De Broglie se resignó a aceptar (o por lo menos a abstenerse de impedir físicamente) algún tipo de aventura estadounidense. Más aún, lejos de detener a Lafayette, en realidad De Broglie decidió, con Ségur y Noailles, unirse a su séquito.

Las causas de la defensa personal, familiar y patriótica, unidas a una sed prerromántica de gloria, tuvieron un papel primordial a la hora de motivar a Lafayette a equipar la *Victoire* y partir en dirección a América durante el otoño de 1777. Sin embargo, en su decisión hubo otro factor casi tan esencial: su compromiso, profundamente sentido, con la causa de la Libertad. De acuerdo con su propio relato, este elemento apareció muy pronto y llegó de forma natural. Desde luego, la mejor clave para entender sus posteriores encaprichamientos políticos se encuentra en la veta romántica de su autobiografía, que describe al joven marqués como un hijo de la naturaleza que simpatiza con los seres libres y no domesticados. Las mesetas irregulares y boscosas de Auvernia, donde él creció, estaban muy alejadas de los refinamientos urbanos de la sociedad parisiense y, en ese marco, la imaginación romántica de Lafayette pudo desbocarse con alegría. En 1765, cuando tenía ocho años, una bestia llamada la «hiena del Gévaudan», descrita en los avisos como un animal «de las proporciones de un toro joven», no solo estaba masacrando al ganado, sino, según se afirmaba, «atacando sobre todo a las mujeres y a los niños para beberse su sangre». Grupos de campesinos salieron a perseguir al «monstruo», pero el niño Lafayette se identificó con el carnívoro fugitivo y, en compañía de un amigo, recorrió los bosques con la esperanza de que hubiese un encuentro casual. «Incluso a la edad de ocho años —escribió—, mi corazón simpatizaba con la hiena.» Años más tarde, cuando asistía al Collège du Plessis en París, que había pertenecido con anterioridad a los jesuitas, se le pidió que redactase un ensayo en el que debía describir al caballo perfecto. Como respuesta, Lafayette redactó el panegírico de un animal que brincaba, corcoveaba y desmontaba al jinete apenas sentía el látigo (un gesto de descaro por el cual fue debidamente azotado).

La insubordinación creadora de Lafayette en el Collège tiene una importancia que supera lo anecdótico. Desde los tiempos del gran instructor de equitación Pluvinel, durante el reinado de Enrique IV, el dominio de la equitación había sido al mismo tiempo una metáfora y una preparación literal para el ejercicio del poder público. A partir de Richelieu, una serie de gobernantes había aprendido, gracias a la comparación didáctica entre la destreza del jinete y la del estadista, la importancia del autocontrol, el modo de adiestrar el espíritu y mostrar autoridad. Sin embargo, durante la década de 1760, el culto cada vez más difundido a la sensibilidad, que tendía a acentuar de manera teatral lo natural más que lo artificial, así como la libertad más que la disciplina, había proporcionado un modelo diferente de la conducta social y hasta política. Y lo que comenzó con una infantil muestra de simpatía hacia los animales contumaces no mucho después florecería en una generalizada predilección por la libertad en vez de por la autoridad, por la espontaneidad en vez de por el cálculo, por la sinceridad en vez de por el artificio, por la amistad en vez de por la jerarquía, por el corazón en vez de por la cabeza y por la naturaleza en vez de por la cultura. Así se forjaba un temperamento revolucionario. «Reconocerás, corazón mío», escribió Lafayette a Adrienne cuando se disponía a embarcar en la *Victoire*,

> que la actividad y la vida hacia las cuales me encamino son muy distintas de aquellas a las que estaba destinado en ese fútil viaje italiano [un Grand Tour por lugares de interés cultural]. Defensor de esa libertad que venero, mi propia persona es absolutamente libre y voy como amigo a ofrecer mis servicios a la más interesante de las repúblicas, y aporto al servicio solo mi sinceridad y mi buena voluntad, sin ambición ni motivo. Trabajando para mi propia gloria llegaré a trabajar para la felicidad de ese pueblo.

Para muchos de los contemporáneos de Lafayette que eran miembros de la nobleza francesa, América se correspondía exactamente con su visión ideal de una sociedad felizmente apartada del cinismo y de la decrepitud del Viejo Mundo. Su paisaje, amorosamente descrito por el abate Delaporte, incluso sus salvajes, idealizados en la escena parisiense en obras como *Hirza ou les Illinois*, de Billardon de Sauvigny, y sus colonos representaban todos, en mayor o menor grado, las admiradas cualidades de inocencia, de áspera franqueza y de libertad. Al llegar a Charleston, durante el verano de 1777, Lafayette ya afirmó que percibía esta fraternidad sin mácula en los habitantes locales. (La presencia de un nutrido sector hugonote quizá reforzó la impresión.) «Son tan cordiales como mi entusiasmo lleva a representarlos —escribió a Adrienne—. La sencillez de sus costumbres, su disposición a servir, su amor al país y la libertad y una grata igualdad prevalecen aquí. Los más ricos y los más pobres están en el mismo nivel y, aunque hay inmensas fortunas, desafío a cualquiera a que descubra la más mínima diferencia en el comportamiento de unos hacia otros.»

En George Washington todas estas cualidades se agigantaban y, a ojos de Lafayette, se les sumaban las virtudes de los héroes de la Antigüedad: el estoicismo, la fortaleza ante la adversidad, el coraje personal y el sacrificio, la incorruptibilidad, la ausencia de ambición personal, el desprecio hacia los bandos y la intriga, la excelsitud del alma, incluso la callada reserva que rechazaba la insincera locuacidad de las costumbres del Viejo Mundo. Desde luego, gran parte de la decisión de Lafayette de permanecer en América, a pesar de la decepción que sentía por el hecho de que no se le hubiera concedido su codiciada división, cuando muchos de sus compañeros franceses se preparaban para regresar a casa, surgió de su ardiente decisión de demostrar lo que valía ante la su figura de padre. Herido en el combate de Brandywine Creek, compartió los rigores de Valley Forge y aceptó encabezar una expedición claramente inútil al norte, es decir, a Canadá, con la nieve invernal. Firme en su compromiso con Washington asumió la tarea de defender al general de los falaces ataques de los rivales y los críticos del ejército continental. Se indignó por la actitud de los que se atrevían a comparar al general Gates con Washington y, en todo caso, la ingenua pasión de su defensa cobró más fuerza gracias al inglés defectuoso en que la manifestó.

> ¿Qué marchas, qué movimientos, qué hizo él de modo que se le pueda comparar con ese héroe que, a la cabeza de mil seiscientos campesinos, persiguió el invierno pasado a un ejército fuerte y disciplinado a través de una región abierta y dilatada; con ese gran general que nació para salvar a su país y merecer la admiración del universo? Sí, señor, esa misma campaña del último invierno sería uno de los capítulos más hermosos de la vida de César, Condé, Turenne y los hombres que ningún soldado puede evocar sin entusiasta adoración.

Reflejado en la mirada embelesada del hijo adoptivo, Washington se convirtió en el paradigma de todas las virtudes: marciales, personales y políticas. En un grado sorprendente se asemejó al jefe perfecto, porque también parecía el padre perfecto: fuerte y compasivo a la vez, justo y solícito, el ciudadano-general que cuidaba paternalmente de sus hombres y, por extensión, de la nueva nación. Y aunque al principio Washington se sintió desconcertado ante el ardor de la devoción infantil de Lafayette, después se acostumbró, no sin cierto placer, al papel de padre adoptivo. Cuando Lafayette cayó herido, se ocupó de que le atendiese su médico personal. Manifestó un interés directo y activo hacia la vida y la familia de Lafayette, y le mostró su más profunda condolencia cuando su hija murió en Francia. A su vez, Adrienne Lafayette bordó un delantal masónico para el general (pues este era otro vínculo compartido por los dos hombres, ya que el marqués se había incorporado, de manera bastante acertada, a la logia Saint-Jean de la Candeur en 1775). Y Washington llevó este delantal cuando presidió el acto sumamente masónico de poner la primera piedra del Capitolio. No resulta sorprendente que Lafayette bautizara a su primer varón (nacido en 1780) George Washington, «como un tributo de amor y respeto a mi querido amigo». (Una hija fue bautizada como Virginia.) Y más tarde, George hijo sería enviado a Mount Vernon para ponerse bajo la tutela de su homónimo, cuando las responsabilidades paternas de Lafayette se vieron constreñidas por el internamiento en la cárcel austriaca. Más aún, a veces las líneas de paternidad se complicaban. Una anécdota, que tal vez no sea apócrifa, afirma que cuando un joven oficial estadounidense tuvo que regresar de Francia a su patria, visitó antes a madame Lafayette y se ofreció a llevar algún mensaje a su esposo; se dice que el hijito del matrimonio respondió: «Faites mon amour à mon papa Fayette et à mon papa Washington» («Envíe mi afecto a mi papá Fayette y a mi papá Washington»).

HÉROES CONTEMPORÁNEOS

Si el aura de autoridad paternal de Washington solo hubiese influido sobre Lafayette, el hecho aún tendría una importancia más que biográfica, porque proporcionó al joven rico e impresionable un modelo de papel heroico que gravitaría sobre su propia personalidad pública en momentos decisivos de la historia francesa y sobre todo en 1789 y 1830. Sin embargo, la reputación del general estadounidense alcanzó una celebridad mucho más amplia y de una gran fuerza, como expresión de un tipo nuevo de ciudadano-soldado: la reencarnación de los héroes republicanos romanos. Y hubo otro destacado ingrediente en la extraordinaria atracción que ejerció en Francia (así como en otros lugares de Europa). La religión secular de la sensibilidad, en parte importada de Inglaterra, debido a la importancia que atribuía a la verdad emocional, a la sinceridad y a la naturalidad, había recibido su forma definitiva en los escritos de Rousseau, de principios de la década de 1760, sobre este asunto. Una de las muchas consecuencias relevantes de esta revolución del gusto moral fue la depuración del egoísmo. Gracias al predominio del romanticismo, llegaron a ser posibles los cultos a la personalidad sensible. Paradójicamente, cuando el sujeto parecía más discreto y modesto, más poderosa era su celebridad y, en esta fórmula, el patriotismo y la paternidad se encontraban indisolublemente ligados.

El episodio Asgill constituye un ejemplo apropiado. El capitán Asgill era un soldado británico, apresado en Yorktown y condenado a muerte en represalia por el ahorcamiento sumario del capitán estadounidense Joshua Huddy por los realistas. A Washington le parecía inoportuna la sentencia e intervino para postergar la ejecución, pero, debido a su condición de comandante, al principio sintió que no podía revocarla. Solo cuando la madre de Asgill fue a ver a Vergennes para implorarle que interviniese, y el ministro francés, a su vez, mostró la carta de la dolida madre al rey y la reina, Washington actuó al final para conmutar la sentencia. No parece necesario aclarar que el caso Asgill se convirtió en un episodio de cierta importancia en Francia, transformado en una novela sentimental, en poemas y en una extraña pieza teatral de Billardon de Sauvigny (más tarde autor, durante la Revolución, de la obra *Vashington*) en que la escena se traslada a una mítica Tartaria y Washington aparecía apenas disfrazado con el nombre de Wazirkan. Por ligero que fuese este disfraz, el texto de Wazirkan («Je commande aux soldats et j'obéis aux lois») anunciaba el mayor conflicto del héroe contemporáneo: cómo armonizar los valores públicos y privados; cómo reconciliar la justicia con el sentimiento.

Este fue el tema estándar de muchos de los «relatos morales» presentados en la escena parisiense durante las décadas de 1760 y 1770, y el sesgo de las renovadas producciones del repertorio trágico clásico de Racine y Corneille. También aportó su intensidad narrativa a algunos de los cuadros más escandalosamente grandilocuentes de Greuze; por ejemplo, *El hijo ingrato castigado*; *Belisario mendigando*, de Jacques-Louis David, exhibido en 1779, la obra que indujo a Diderot a señalar que el joven artista demostraba que tenía «alma» y que en su corazón se libraba la batalla entre los padres adoptivos buenos y malos. El asunto era que un joven soldado reconocía al general Belisario, reducido a la condición de un mendigo ciego por la ingratitud y la crueldad del emperador Justiniano. El conflicto entre el sentimiento familiar y el deber patriótico se manifestaba asimismo en la obra maestra del mismo artista, *El juramento de los Horacios*, presentada en la exposición bienal de cuadros de París conocida con el nombre de Salón, al mismo tiempo que la pieza de Billardon de Sauvigny sobre Asgill se representaba en el Théâtre-Français. Y tanto *La muerte de Sócrates*, donde los alumnos del maestro lloran ante el suicidio patriótico de Sócrates, como de forma más específica *Los lictores devuelven a Bruto los cuerpos de sus hijos*, en que un padre implacablemente virtuoso ha sacrificado a sus propios hijos a la Res Publica, recapitulaban este asunto del modo más sincero. Sin embargo, mientras la línea oficial adoptada por los jacobinos revolucionarios subordinaba el sentimiento personal y familiar al deber público y patriótico, el poder de atracción de Washington residía justo en que él (y de manera más improbable Vergennes) había sucumbido ante las lágrimas de una madre desconsolada; la señora Asgill a María Antonieta, una madre a otra madre; Luis a Washington, un padre a otro padre, el impacto sentimental no podía superarse.

Del padre a la patria mediaba solo un breve paso. El hecho de que, en Francia, Washington expresara ambos seducía porque existía un deseo más profundo y más general de promover a una nueva generación de héroes patrióticos. Algunos jóvenes aristócratas se politizaron precisamente porque no alcanzaron a ver en una personalidad de la corte y de la monarquía (sobre todo durante los últimos años de Luis XV) las virtudes propias de la severidad patriótica. Desde luego, a veces acusaron a la corte de mancillar la reputación de los patriotas por razones de autojustificación y de ruin necesidad práctica. Por ejemplo, el joven Lally-Tollendal inició el curso que habría de convertirle en un aristócrata revolucionario por obra de su cruzada, destinada a reivindicar la reputación de su padre, que había sido juzgado y ejecutado como chivo expiatorio del fracaso militar francés en la India. Tan terrible fue esta vergüenza que se educó al niño de manera que ignorase absolutamente todo lo que se refería a su padre. Incluso se modificó su apellido y se le dio el de Trophime, su nombre de pila, para ahorrarle la mácula. Sin embargo, a los cinco años, descubrió por descuido la verdad gracias a un antiguo camarada de su padre y, como escribió más tarde, corrió a «revisar los archivos judiciales»

> para ofrecer [a mi padre] mi primer homenaje y mi adiós eterno; para permitir que por lo menos oyese la voz de su hijo entre las burlas de sus verdugos, y para abrazarle sobre el patíbulo donde pereció.

Después de una obstinada campaña de diez años para revocar la injusticia, el nuevo reinado prestó atención. En 1778, después de discutir el asunto a lo largo de treinta y dos sesiones, el consejo real de Luis XVI anuló el proceso contra Lally padre, aunque el caso aún debía pasar por el Parlamento de Ruán para obtener la anulación formal. Cuando se anunció la noticia de la decisión del consejo, Lally fue a ver a Voltaire, que se había unido a la causa y, en su lecho de muerte, el viejo guerrero apoyó las manos sobre la cabeza del joven noble, como un acto final de bendición paternal.

Se trataba de una historia bastante acertada para los romanos, con quienes constantemente se comparaba a las víctimas de la injusticia imperial. (La comparación entre la suerte de Lally y el repudio de Belisario por Justiniano se realizaba con frecuencia.) Los jóvenes de la generación de Lafayette y Lally se habían empapado en la escuela con las virtudes de la República romana, descritas en las historias de Plutarco, de Tito Livio y de Tácito. Sin embargo, el concepto que ellos tenían del *exemplum virtutis* no se limitaba exclusivamente a los modelos ofrecidos por la Antigüedad. En su *Histoire du Patriotisme Français*, publicada en 1769, el abogado Rossel afirmaba que los sentimientos patrióticos «son más vivos y generosos en el ciudadano francés que en el romano más patriota». Después de la derrota de la guerra de los Siete Años, hubo señales claras de que se había producido una búsqueda nueva, aunque selectiva, en los anales de la historia francesa, para dar con héroes que representasen sus mejores momentos. San Luis fue un eterno favorito, pero algo similar a un culto a Enrique IV se generó en el ambiente de los jóvenes cortesanos de Versalles. Se celebraba explícitamente a Luis XII, porque los Estados Generales de 1506 le habían proclamado como el Padre del Pueblo. El renovado interés despertado por Guillermo el Conquistador, idealizado en el gran cuadro histórico de Lépicié —una obra de casi nueve metros de largo, con mucho la más grande del Salón de 1769—, también resultó ser un consuelo.

La publicación de una antología histórica, los *Portraits des Grands Hommes Illustres de la France*, fue un hecho importante en la creación de un nuevo panteón de héroes, exclusivamente franceses, porque extrajo muchos de la historia medieval y, además, prefirió las figuras que eran inequívocamente parte de la *patrie* antes que los ejemplos más alejados de la Antigüedad romana. A excepción de Enrique IV, faltaban los Borbones, de modo que, mientras que sí incluía a Turenne y a Condé, no se hacía lo mismo con Luis XIV. Y la obra *Hommes Illustres...* ampliaba sus criterios sobre aquellos que merecían un lugar e incluía hechos y figuras de la vida civil, como el canciller D'Aguesseau, recordado porque había «salvado del hambre a Francia» a principios del siglo XVIII, o el filósofo

Fontenelle, «que contemplaba la pluralidad de los mundos». Era frecuente hallar héroes modernos, como François de Chevert, héroe de la retirada de Praga en la guerra de Sucesión austriaca, elogiado por la modestia de sus orígenes, su loable cercanía al soldado raso y una carrera que dependía «del mérito más que de la lisonja o de la intriga». El epitafio de De Chevert en la iglesia de Saint-Eustache de París, citado en el libro, comenzaba: «Sin antepasados nobles, sin fortuna, sin apoyos poderosos, huérfano desde la infancia, se incorporó al servicio a la edad de once años». Se incluía a mujeres de patriotismo ejemplar, sobre todo cuando este se orientaba, como en el caso de Juana de Arco, contra los británicos. Más aún, las alabanzas más extravagantes se reservaban quizá para los que habían muerto en combate contra el odiado enemigo, ninguno de modo más sublime que el marqués de Montcalm en las llanuras de Abraham, en Quebec. El tono general de la obra era optimista, aunque no triunfal, y anunciaba una nueva era de patriotismo en la que los héroes sobresaldrían al contraponerse a las vanidades cortesanas por su sencillez, su sobriedad y su estoicismo. A la cabeza de la galería aparecía, sin el más mínimo atisbo de sarcástica incongruencia, el propio Luis XVI, celebrado como el benefactor de la independencia estadounidense en compañía de Franklin, «Waginston» (George) y la personificación de América, que aparecía sosteniendo en alto el gorro de la libertad y pisoteando a una bestia imperial británica, más leopardo que león.

En esta campaña destinada a crear un canon patriótico moderno, nadie trabajó más intensamente para reemplazar los paradigmas históricos clásicos con los franceses que el dramaturgo Pierre de Belloy. En el prefacio de su obra *El sitio de Calais* (dedicada a Luis XV con el atuendo un tanto inverosímil de *Père de la Patrie*), De Belloy formulaba específicamente su proyecto de reforma del contenido de la tragedia histórica con el propósito de incluir la historia francesa. Aunque fuera solo en el plano de la tarea educativa, De Belloy consideraba que este programa urgía.

> Sabemos exactamente todo lo que hicieron César, Tito y Escipión, pero ignoramos por completo los actos más famosos de Carlomagno, Enrique IV y el gran Condé. Pregúntese a un niño que abandona la escuela quién fue el general victorioso en Maratón [...], y lo dirá inmediatamente; pregúntese qué rey o qué general francés ganó la batalla de Bouvines, la batalla de Ivry [...], y guardará silencio [...].

Estimulando la veneración de Francia por los grandes hombres que ha producido, es posible inspirar a la nación la dignidad y el respeto hacia sí misma, que es el único factor que le permitirá regresar a lo que fue antaño. La admiración induce al alma a imitar las virtudes [...] [no debería] continuar sucediendo que uno siempre diga, al salir del teatro, «los grandes hombres a quienes acabo de ver representados eran romanos y, como yo no he nacido en ese país, no puedo parecerme a ellos». Más bien debería decirse, por lo menos a veces: «Acabo de ver a un héroe francés; yo puedo ser un héroe como él».

Y en otro pasaje, De Belloy llegaba más lejos y atacaba la anglomanía:

¿Debemos suponer que imitando, buenos o malos, sus carruajes, sus juegos de naipes, sus paseos, su teatro e incluso su presunta independencia merecemos el aprecio de los ingleses? No, se trata de amar y servir a nuestra Patrie como ellos aman a la suya.

De Belloy hizo todo lo posible para promocionar este programa por medio de su propio teatro y escribió una serie de melodramas históricos que, al publicarse, fueron avalados por el autor con lo que entonces era un impresionante conjunto de notas históricas. Le perjudicaba, como destacaron sus críticos más implacables, por ejemplo, La Harpe, el furioso director del *Journal Littéraire et Politique*, una insuperable mediocridad como dramaturgo, sobre todo cuando se trataba de desarrollar los personajes. En *Gaston et Bayard*, basada libremente en la tormentosa amistad de Gaston de Foix (duque de Nemours) y el caballero Bayard (la flor de la caballería renacentista francesa), La Harpe se quejó con razón de que De Belloy había asignado al joven Gaston todas las características de la severa edad madura, y a Bayard, de mayor edad, las de la impetuosa juventud. Sin embargo, el carácter visiblemente mediocre de las piezas no impidió que gozaran de éxito popular.

El sitio de Calais fue, sin duda, la obra más importante para De Belloy como ejercicio de instrucción patriótica, entre otras razones porque fue un drama extraído de la historia de su ciudad natal. Cuando se publicó la pieza, le enorgulleció en particular imprimir debajo de su nombre (y sobre la indicación de su condición de miembro de la Académie Française) que él era CIUDADANO DE CALAIS. El drama —que se toma algunas libertades con la historia y reproduce la famosa intercesión de la reina Felipa ante Eduardo III por la vida de los burgueses— es, hasta cierto punto, un manifiesto sobre la ciudadanía patriótica, trasplantado de la antigua Roma a la Francia medieval. Por supuesto, no era casual que el malvado de la pieza fuese el Plantagenet Eduardo III, un hombre casi implacable, ni que los héroes fuesen Eustache de Saint-Pierre, el sencillo alcalde, y sus cinco ciudadanos burgueses, que ofrecen sacrificar la vida para desviar la ira del rey inglés y evitar que esta recaiga sobre el resto de los habitantes de la ciudad. Y de nuevo, la relación padre-hijo ocupaba el centro del drama, pues la escena de Felipa fue reemplazada por un lacrimoso fragmento en el que el propio hijo de Saint-Pierre (llamado inverosímilmente Aurelius-Aurèle) implora al inflexible rey que él pueda ascender el primero al patíbulo y fuera de la vista de su atribulado padre. Y por supuesto, justo en este momento, Eduardo se apacigua, impresionado y sobrecogido ante la generosidad y el coraje de los patrióticos mártires.

La pieza de De Belloy fue un éxito notable. En 1765 y en la Comédie-Française, se ofreció una representación gratuita que atrajo a un público formado por personas de todos los estratos de la sociedad parisiense, entre ellas artesanos y tenderos. Diecinueve mil personas vieron la obra durante la primera escena, lo cual, sin duda, habría constituido un récord absoluto si aquella no se hubiese visto interrumpida por una grave pelea entre los actores —uno de los habituales problemas del teatro en el siglo XVIII—. Ese mismo año *El sitio de Calais* fue la primera pieza francesa publicada en la América francesa, donde el conde D'Estaing, gobernador de Santo Domingo (la actual Haití), ordenó que una edición especial se distribuyese gratuitamente entre la población y la guarnición local. Su primera representación en las Antillas francesas, el 7 de julio, coincidió con una asamblea de la milicia, a la cual, sin duda, estaba dirigida. Y para evitar que la idea básica pasara inadvertida, esa noche las luces resaltaron de manera destacada versos muy apropiados extraídos del drama.

«Reveló a los franceses el secreto de su amor al Estado y les enseñó que el patriotismo no pertenecía solo a las repúblicas», dijo el panegirista de De Belloy, después de su muerte, en 1775. Era una gran tarea y parecía muy improbable que el mediocre dramaturgo obtuviese gran cosa, pero, en todo caso, sus inquietudes y su despreocupado uso de términos como *patrie*, *patriotique*, *la Nation* y *citoyen* apuntaban directamente al vocabulario habitual de la incitación revolucionaria. Más aún, en la trabajada métrica de De Belloy puede hallarse esa equiparación superficial e imprecisa de «libertad» y «patriotismo» que estimuló la devoción a la causa estadounidense de la joven nobleza liberal.

En el transcurso de la guerra hubo oportunidades de pasar de la esfera del melodrama histórico al heroísmo contemporáneo. El ejemplo más espectacular (aunque, de ningún modo, el único) de la nueva mitología patriótica fue el de un héroe naval, el caballero Du Couëdic. El Sieur du Couëdic de Kergoaler, oficial de carrera, para dotar de una completa grandeza a su nombre bretón, se embarcó a los dieciséis años. Durante la guerra de los Siete Años había caído prisionero de los británicos (siempre un acicate personal de la defensa personal y patriótica). Después, se unió a su amigo bretón Kerguéulen en uno de los viajes de circunnavegación a Australia, que devolvió a los franceses el sentimiento de que, en todos los sentidos, eran iguales a los británicos como precursores de la geografía imperial. La mañana del 5 de noviembre de 1779, Du Couëdic salió de Brest con su balandra *La Surveillante* y se encontró de pronto con una fragata británica, la *Quebec*, que estaba reconociendo la costa. Los dos buques, en lugar de batirse al momento en retirada o iniciar una serie de maniobras a favor del viento para obtener una ventaja marginal, se trabaron, uno al lado del otro, en un cañoneo terriblemente implacable que duró seis horas y media. Alrededor de las cuatro y media de la tarde, lo que restaba de la *Quebec* voló, de modo que *La Surveillante* obtuvo un triunfo pírrico. Despojada de sus mástiles, con el maderamen casi destrozado, *La Surveillante* fue remolcada de regreso a Brest, llevando consigo a cuarenta y tres marinos británicos que fueron salvados antes de que se ahogaran. El capitán del barco, todavía ataviado con sus zapatos de hebilla y las medias de seda, estaba tan gravemente herido que fue necesario desembarcarlo. La multitud reunida en el puerto, que había acudido para aclamar a sus héroes, quedó horrorizada, en cambio, ante el sangriento desastre al que la tripulación y la nave habían quedado reducidas por la salvaje batalla.

Du Couëdic, en efecto, murió de sus heridas tres meses después, pero no antes de convertirse en símbolo de la renacida fortaleza patriótica de Francia. Se habían alcanzado antes victorias navales importantes y muy famosas, sobre todo el éxito de la *Belle-Poule*, que cortó el paso a la *Arethusa* en 1778 (el combate que lanzó el peinado «Belle-Poule»: las mujeres elegantes se adornaban el cabello con miniaturas de barcos que se balanceaban sobre las ondas de los rizos empolvados). Sin embargo la propia crueldad del caso de *La Surveillante* le confirió un trágico prestigio. En unos momentos en que se veía frustrada la prometida invasión de Gran Bretaña, la historia aportaba a los franceses un modelo de resistencia heroica: un *chevalier* antiguo y moderno, valeroso y compasivo. En la alabanza fúnebre pronunciada en los estados de Bretaña se destacaban las cualidades más admiradas por los devotos de la *sensibilité*. Así, se describía a Du Couëdic como un «ciudadano benévolo» (*citoyen bienfaisant*); un amigo generoso, un «buen amo para sus servidores, que le adoraban; un padre muy dulce, que, cuando estaba en Quimperlé, consagraba la parte principal de la mañana a jugar con sus hijos, que le adoraban». Y por su lado, el Gobierno francés respondió en el mismo tono de buena voluntad hacia la familia al anunciar que la viuda de Du Couëdic recibiría una pensión de dos mil libras, y cada uno de los hijos, quinientas, como reconocimiento a la contribución especial del padre a la *patrie*. Por orden del rey, que sentía un apasionado interés por las cosas navales, debía erigirse un gran mausoleo en la iglesia de Saint-Louis en Brest, con una inscripción especial destinada a la edificación de los cadetes locales: «Jóvenes alumnos de la Marina, admirad e imitad el ejemplo del valeroso Couëdic». Y cuando Sartine, ministro de Marina, propuso llevar a cabo un plan completo de cuadros destinados a conmemorar las victorias de la guerra estadounidense, se asignó un lugar central al combate de Du Couëdic.

El atractivo de Du Couëdic, como una especie de moderno caballero andante marítimo, es importante, pues las raíces culturales de la Revolución deben buscarse en la cúspide más que en un imaginario sector medio de la sociedad francesa. Si la búsqueda de una burguesía visiblemente descontenta tiende a ser inútil, la presencia de una joven aristocracia «patriótica» descontenta o por lo menos decepcionada se pone de manifiesto de golpe desde el momento en que Francia se comprometió con la Revolución estadounidense. Contra lo que a veces se cree, esa Revolución no creó el patriotismo francés; más bien le ofreció la oportunidad de definirse por referencia a la «libertad» y de ponerse a prueba con un espectacular éxito militar. En el ambiente de los Noailles y de los Ségur —incluso en el propio corazón de la corte—, las pasiones se inflamaron más que en cualquier otro lugar durante la década de 1770. La eufórica bienvenida que se ofreció a Lafayette cuando regresó de América en 1779 constituye un síntoma de ese estado de cosas. El joven provinciano ridículamente impulsivo se había transformado, a los ojos de *les Grands*, en un modelo de la caballerosidad francesa contemporánea. El hecho de que se le impusiera una forma simbólica de «arresto domiciliario» durante una semana entera en París, que le obligó a vivir en la residencia urbana de la familia de su esposa en vista de la temeridad con que había viajado a América pese a la negativa del rey, sirvió como mucho para separar el estilo del nuevo patriotismo de la almidonada tradición. Además, ahora que Francia había firmado formalmente un tratado con el Congreso, Lafayette tenía ante sí la mejor defensa posible, por lo que escribió al rey con un aire de modesta pero clara autojustificación: «Mi amor por mi país, mi deseo de presenciar la humillación de sus enemigos, cierto instinto político que parecía verse justificado por el tratado reciente [...] son, Sire, las razones que determinaron el papel que representé en la causa estadounidense».

Luis manifestó su favor invitando a Lafayette a acompañarle en una cacería y María Antonieta, que hacía no mucho que había desechado a Lafayette por considerarlo un vanidoso patán, se esforzaba ahora todo lo que podía por elevar su jerarquía. Gracias a su intervención, se le otorgó un drástico ascenso, de modo que se convirtió en comandante en jefe (a la edad de veintiún años) de los dragones reales. La fama de Lafayette sobrepasó los límites de la corte y llegó al público en general de París, que ansiaba contar con héroes jóvenes a quienes celebrar. Madame Campan, dama de compañía de la reina, afirmó que algunos versos de *Gaston et Bayard*, de De Belloy, eran interpretados por el público del teatro como una alabanza a su caballero andante.

> *J'admire sa prudence et j'aime son courage*
> *Avec ces deux vertus un guerrier n'a point d'âge.*

> («Admiro su prudencia y amo su coraje.
> Con estas dos virtudes qué importa la edad de un guerrero».)

«Estos versos —escribió madame Campan— fueron aplaudidos y se pidió y volvió a pedir su repetición en el Théâtre-Français [...], no hubo un lugar en el que la ayuda prestada por el Gobierno francés a la causa de la independencia estadounidense no fuese aplaudida con entusiasmo.»

La celebridad de Lafayette constituye un momento importante en la creación de un nuevo patriotismo, pues dotó de un carácter autóctono y moderno a un género que antes había estado confinado a los ideales clásicos. También aportó a ese patriotismo un color ideológico específico, por muy tenue que fuese el matiz. Resultaría ingenuo imaginar que por sí sola la popularidad podía impulsar a Francia por el camino que llevaba a una intervención más agresiva en la guerra estadounidense, si Vergennes y Maurepas, los ministros del rey, no hubiesen decidido ese curso por razones completamente separadas de la «libertad» o de otros abstractos conceptos modernos. Sin embargo, como veremos más adelante, en la Francia de Luis XVI la permanencia en el cargo ministerial y los programas políticos asociados a los propios ministros ya estaban hasta cierto punto regidos por un favor que se extendía mucho más allá de Versalles. En todo caso, la orquestada campaña de vivas que saludó el regreso de Lafayette y el carácter sensacionalista de sus hazañas en América no perjudicó en absoluto a los miembros del Gobierno, que estaban decididos a presionar sobre la política exterior para llegar a una guerra total contra el Imperio británico.

Por supuesto, no fue el propio Lafayette quien lo organizó todo. Pues tanto su propia fama como la del lejano «héroe semejante a un Dios», es decir, Washington, se vieron iluminadas con más brillo por la extraordinaria electricidad generada por Benjamin Franklin. Por ejemplo, Franklin fue quien convirtió en una importante oportunidad de promoción el mandato del Congreso de regalar a Lafayette una espada que conmemorara sus servicios. Ordenó a los mejores artesanos parisienses que trabajasen en la espada, que tenía grabado en el mango el involuntariamente adecuado lema de Lafayette: *Cur non* (¿por qué no?). Sin embargo, Lafayette también añadió la imagen de la luna que se eleva y el lema *Crescam ut prosim* (que yo crezca para beneficio de la humanidad), un recurso que de forma incontrovertible asociaba la causa de América a la felicidad de la humanidad, tema destacado de la propaganda diplomática de Franklin. Sobre la vaina había medallones alegóricos que representaban a Francia aplastando al león británico y a América concediendo laureles a Lafayette, así como escenas de batallas militares del marqués. La espada fue presentada a Lafayette en nombre del Congreso por el nieto de Franklin, en el acuartelamiento de Le Havre, que debía ser la fuerza expedicionaria destinada a invadir Inglaterra. Y Lafayette representó su papel cuando se puso a la altura de la circunstancia y expresó la esperanza de hundir la espada «en el corazón de Inglaterra», una esperanza que le fue negada por la incompetencia de la flota francesa y la imprevisible violencia de los elementos en el Canal. Por supuesto, todo el episodio, dotado de una intensa carga simbólica, fue reproducido ampliamente en la prensa francesa y tanto la propia espada como los grabados en que se basaban sus diseños fueron reproducidos para el consumo popular.

La popularidad de Franklin era tan amplia que no parece exagerado decir que se había convertido en una obsesión. Rodeado por una multitud adondequiera que iba, sobre todo siempre que salía de su casa en Passy, quizá era más conocido de vista que el rey y su imagen podía hallarse en el cristal tallado, en la porcelana pintada, en los algodones estampados, en las cajas de rapé y en los tinteros, así como en las creaciones más previsibles de los grabados populares editados en la rue Saint-Jacques de París. En junio de 1779 escribió a su hija que todas esas reproducciones «han logrado que la cara de tu padre sea tan conocida como la de la luna [...], por el número de muñecos que ahora se fabrican y que reproducen su figura, bien puede decir que en este país se lo idolatra». En una famosa ocasión, su prestigio incluso indujo al rey a realizar un acto solitario de ingenio, pues, con el fin de lograr que Diane de Polignac renunciara a sus loas cotidianas al gran hombre, ordenó que se pintase el interior de un orinal de Sèvres con la imagen de Franklin.

Naturalmente, Franklin fue el promotor de su propia y excepcional celebridad y, por extensión, de la causa patriótica a ambos lados del Atlántico. Consciente de que los franceses idealizaban América como un lugar de inocencia natural, de sinceridad y de libertad, explotó ese estereotipo hasta el máximo. Aunque no era un cuáquero muy típico, también aprovechó la reputación de probidad y de sencillez de ese grupo, no muy bien comprendida, para afianzarse todavía más en la opinión culta francesa. Y Franklin sabía que esta imagen del anciano incorruptible y virtuoso caía tan bien justo porque destacaba de un modo poco halagador los aspectos más sibaríticamente rococós del estilo cortesano (los cuales, en realidad, ya comenzaban a desaparecer a causa del estilo en general más sobrio de los nuevos monarcas). De ahí que a veces llevara el peculiar gorro de piel de castor —utilizado en muchos de sus retratos impresos con fines de promoción— que procedía directamente de imágenes anteriores de Jean-Jacques Rousseau. Los despeinados mechones de cabellos blancos de Franklin y su chaqueta parda pretenciosamente desprovista de pretensión, usada de forma deliberada en las recepciones de la corte, tenían explícitamente presente la sensación que provocaban en el público y alcanzaron un enorme éxito. Madame Campan describió ingenuamente una de sus apariciones en la corte, en la que se presentó «con el atuendo de un agricultor estadounidense», pero destacó que esto contrastaba de manera llamativa con «las chaquetas adornadas con encajes y bordados, y los cabellos empolvados y perfumados de los cortesanos de Versalles». El mediocre panegirista y cronista Hilliard d'Auberteuil llegó incluso a ir más lejos y de hecho convirtió a Franklin en un producto de la imaginación de Rousseau o en uno de los «buenos ancianos» de un melodrama de Greuze: «En él todo anunciaba la sencillez y la inocencia de la moral primitiva [...]. Mostraba a la asombrada multitud una cabeza digna del pincel de Guido [Reni], sobre un cuerpo erguido y vigoroso vestido con las prendas más sencillas [...]. Hablaba poco. Sabía ser descortés, sin mostrarse grosero, y su orgullo parecía ser el de la naturaleza. Una persona así estaba destinada a excitar la curiosidad de París. La gente se reunía alrededor de su persona cuando pasaba y decía: "¿Quién es este viejo agricultor que tiene un aire tan noble?"».

Apodado el «embajador eléctrico», Franklin también tenía una clara conciencia del ansia de saber científico que dominaba a la élite francesa, así como del modo de aprovecharla. «En Francia todos creen —escribió John Adams, no sin cierta amargura— que su varita eléctrica ha realizado toda esta revolución.» Y la ciencia de Franklin se convirtió en un rasgo fundamental de su atractivo, porque parecía ser obra del corazón tanto como de la cabeza: era el saber moralizado. De ahí que su *Poor Richard's Almanack* fuera traducido como *La Science du Bonhomme Richard* y, en tal sentido, se convirtió en una de las obras más vendidas en 1778. En todo caso, la sociedad parisiense contemporánea ansiaba el saber científico y no había escasez de científicos tanto aficionados como profesionales, desde los fraudes más inverosímiles hasta los empiristas más rigurosos, todos deseosos de difundir sus descubrimientos. Casi todos los números del *Journal de Paris* traían muchos informes de experimentos realizados en la provincia, así como en la capital, y anuncios de series de conferencias públicas pronunciadas por las luminarias más conocidas, por ejemplo, De Fourcroy y Pilâtre de Rozier. Así, la imagen de Franklin, que podía obligar a los cielos a suministrar el fuego celestial de la electricidad, se entretejió con la celebración de sus restantes virtudes «americanas», y sobre todo la virtud de la libertad. Es posible que Turgot acuñase el famoso epigrama *Eripuit Coelo Fulmen, Sceptrumque Tyrannis* (arrancó el fuego a los cielos y el cetro a los tiranos) como un anodino juego de palabras, pero él mismo pronto se convirtió en una especie de santo y seña del papel de Franklin como precursor de la libertad. Popularizado primero en un medallón que mostraba su imagen y, después, en varios grabados, el tema con su iconografía estándar de rayos y leones británicos abatidos se convirtió en un asunto corriente de la porcelana pintada y de las telas estampadas, incluso de las que se mostraban en Versalles. Convertido en un asunto ligeramente respetable, el vínculo entre la caída de los tiranos y el fuego celestial tenía siniestras implicaciones para la Francia absolutista, pues sugería de forma inevitable, en un sentido romántico, que la libertad era una fuerza natural y, por lo tanto, en definitiva invencible, y contribuía todavía más a la creciente polaridad de lo natural, por una parte (la «humanidad», la «libertad», el «patriotismo»), y, por otra, lo artificial (el «privilegio», el «despotismo», la corte). No es sorprendente que esta equiparación entre la libertad y el rayo fuese ratificada con entusiasmo durante la Revolución, y así, por ejemplo, en la reseña pictórica de *El juramento del Juego de Pelota*, de Jacques-Louis David, una descarga de la libertad saturada de electricidad crepita sobre Versalles, mientras una gran ráfaga de viento irrumpe con su aire fresco a través de las ventanas ocupadas por la multitud.

Hasta cierto punto, el encaprichamiento de la sociedad elegante con la causa americana era algo superficial: la última novedad, después de las novelas inglesas y la ópera italiana. Resulta difícil determinar si los bellos diseños textiles confeccionados por Jean-Baptiste Huet en Joüy en el año 1784 para celebrar la «Libertad Americana» y a la «América Independiente», con recursos alegóricos y retratos de Washington y Franklin, dan prueba de la seriedad con que se tomaba la Revolución o eran fruto de una moda de los consumidores. Cuando madame Campan describe a las más seductoras de las trescientas damas de la corte elegidas para adornar la venerable cabeza de Franklin con una corona de laurel, la locura por los «insurgentes» parece reducida al nivel de un concurso de belleza. Sin embargo, hay otros indicios de un compromiso más serio con la causa estadounidense, que se extendía bastante más allá de *le monde* de la corte y de la sociedad elegante. Por ejemplo, en marzo de 1783 el *Journal de Paris* anunció un conjunto completo de grabados con comentarios textuales, referidos a las batallas de la guerra americana por solo una libra: un precio elevado para un artesano, pero que estaba totalmente al alcance del público lector más amplio de las pequeñas profesiones y los oficios. En Marsella, las funestas connotaciones del número 13 fueron puestas del revés por un grupo de ciudadanos que expresó su solidaridad con las colonias insurgentes y convirtió el número en un fetiche. En este grupo de 13, cada uno usaba el emblema de una de las colonias y todos hacían comidas campestres el 13 del mes y se brindaba 13 veces por los estadounidenses. En otra representación festiva, el 13 de diciembre de 1778, Pidanzat de Mairobert recitó un poema heroico de 13 estrofas y la decimotercera estaba reservada al elogio de Lafayette.

Las consecuencias del compromiso francés en la guerra revolucionaria de hecho fueron profundamente subversivas e irreversibles. El historiador estadounidense Forrest Macdonald intentó demostrar la existencia de un alto grado de correspondencia entre el regreso de los veteranos franceses de la guerra y el estallido de la violencia rural en 1789. Últimamente, la investigación más rigurosa ha demostrado que esta tesis debe tomarse con reservas, aunque de todos modos se conocen casos sorprendentes de soldados que volvieron y que aparecen en la crónica de la Revolución, sobre todo el teniente Elie y Louis La Reynie, ambos «conquistadores» de la Bastilla el 14 de julio. Sin embargo, la argumentación en favor de una causa «americana» de la Revolución francesa no necesita apoyarse en este tipo de literalidad geográfica. Un enfoque más cualitativo tiene que registrar de forma inevitable la importancia del coqueteo con la libertad armada de un sector de la aristocracia, que era rico, poderoso e influyente. De por sí, no hubiera podido formar nada parecido a una oposición «revolucionaria» independiente frente a la corona; pero, tan pronto como la crisis financiera de la monarquía se transformó en un argumento político, el vocabulario de la «libertad» tendería a cobrar vida propia —y sería utilizable por los que estaban dispuestos a jugar a la política apostando muy fuerte—. Ségur, que era un participante de este tipo, escribió a su esposa en 1782, antes de embarcarse con el ejército francés, que «el poder arbitrario gravita pesadamente sobre mí. La libertad por la cual voy a luchar me inspira el más vivo entusiasmo, y desearía que mi propio país gozara de una libertad compatible con nuestra monarquía, con nuestra posición y con nuestras costumbres». El hecho de que Ségur, que pertenecía a la más alta jerarquía de la nobleza, pudiese suponer despreocupadamente que dicha transformación sería compatible con la monarquía puede sugerir, por su parte, una miope ingenuidad, pero también explica cuántos de sus iguales podían tomarse en serio el carácter ejemplar de América sin soñar jamás que conduciría a una Dictadura de la Virtud.

Durante la euforia que saludó un gran triunfo militar y una paz brillante en 1783, pocos comentaristas estaban dispuestos a verter un jarro de agua fría sobre el regocijo. Resultaba más habitual que escritores como el abate Gentil creyesen que el ejemplo estadounidense contribuía de un modo afable y, al mismo tiempo, confuso a la «regeneración» de Francia o incluso, de un modo aún más general, de todo el mundo. «En el corazón de esta república recién nacida —escribió— estarán los auténticos tesoros que enriquecerán al mundo.» Y en 1784, una academia literaria y polémica de Toulouse fijó como tema principal de un concurso de ensayos la importancia de la Revolución estadounidense. El vencedor fue un capitán de un regimiento militar bretón, sin duda ardoroso discípulo de Rousseau, que vio en aquella Revolución un faro de virtud y felicidad, y un modelo que Francia debía emular. Y gran parte de las reseñas de la guerra, en particular las escritas por comentaristas que no habían sido testigos oculares, destacaban aspectos que presentaban a los americanos como presagios de una especie de nueva edad de oro de amor y armonía casi infantiles. Por ejemplo, el abate Robin (un importante masón), que había escrito ampliamente acerca del paisaje y los habitantes de América, señaló que, cuando acampaban, los americanos tocaban música.

> Y entonces, los oficiales, los soldados, las mujeres y los hombres de América del Norte se reúnen todos y bailan. Es el Festival de la Igualdad [...]. Estas personas todavía se encuentran en la época feliz en que las distinciones de la cuna y el rango son ignoradas, de modo que pueden ver, con los mismos ojos, al soldado raso y al oficial.

Sin embargo, había algunos pesimistas que compensaban con su sagaz clarividencia lo que les faltaba en cifras. Se decía que la reina alimentaba sentimientos muy contradictorios frente al entusiasmo con que tanto la élite como los plebeyos se regocijaban por la humillación de una monarquía. Y de un modo más concreto, Turgot, el más lúcido de todos los ministros de Luis XVI, había argumentado agriamente contra la intervención activa en América, al pronosticar que sus costes serían tan abrumadores que obligarían a postergar, quizá de forma definitiva, todos los intentos de una reforma necesaria. Incluso llegó al extremo de sugerir que el destino de la monarquía podía depender de esta tremenda decisión; pero perdió en su disputa frente a Vergennes, el ministro de Relaciones Exteriores, inmensamente poderoso y un hombre para quien el aprieto en que la corona británica se veía en América resultaba sencillamente una oportunidad tan propicia que no cabía desaprovecharla. Vergennes no era un defensor de la guerra, sino un diplomático profesional que de hecho tenía la actitud de un fiel partidario del concepto de «equilibrio de poder», corriente durante el siglo XVIII. Aun así, después de la desastrosa y desigual guerra de los Siete Años, llegó a la conclusión, no del todo descabellada, de que Gran Bretaña era el poder imperial agresivo e insaciable, y de que mantener a los británicos en la línea establecida en 1763 en el tratado de París exigía alguna forma de saludable castigo. Aliado con la «corona de familia» de los Borbones españoles, así como con la República Holandesa, Vergennes trazó una política exterior destinada a presentar como agresor a Gran Bretaña y a la coalición como una fuerza que intervenía solo para preservar la independencia justamente reclamada por los americanos. Las razones que movieron a Vergennes a lograr que Francia cruzase el Atlántico-Rubicón fueron, por lo tanto, solo pragmáticas, y según él creía carecían de riesgos ideológicos. Nada podía estar más lejos de su mente que la promoción de cierto mensaje de «libertad» definido de forma imprecisa. Después de todo, en 1782 Vergennes intervino militarmente del lado de la reacción en los asuntos de la República de Ginebra, un país que poseía una relevancia estratégica y en que el patriciado gobernante había sido derrocado por una coalición de ciudadanos y de artesanos de orientación democrática. Y según él mismo explicó, su razonamiento en el caso ginebrino tanto como en el americano era pragmáticamente el mismo:

> Los rebeldes a quienes estoy expulsando de Ginebra son agentes de Inglaterra, y en cambio los rebeldes estadounidenses son futuros amigos. He tratado con ambos, pero no a causa de sus sistemas políticos, sino de su actitud hacia Francia. Estas son mis razones de Estado.

Y a decir verdad, en 1778, cuando se adoptaron las decisiones fundamentales que permitieron concertar relaciones pactadas con Estados Unidos, o incluso en 1783, cuando se firmó el tratado de Fontainebleau, la optimista visión de la guerra que tenía Vergennes parecía haber sido defendida. A pesar de toda la tinta roja usada en los libros de cuentas del Gobierno, nadie se atrevía seriamente a sugerir que la política americana había sido un terrible error, fuese por razones fiscales o de carácter político. Francia era una gran potencia y había hecho, de un modo brillante, lo que las grandes potencias llevan a cabo para mantener su supremacía en el mundo y frustrar a los rivales. Parecía probable que el Tesoro británico estuviese padeciendo de forma tan severa como el francés y que su política quizá soportara un desorden todavía más grave. Las Antillas francesas estaban volcando en la madre patria el dinero generado en la economía del azúcar y los éxitos de la flota de Suffren en la India meridional sugerían que incluso allí las perspectivas de recuperación económica eran más sólidas. Como dijo la vizcondesa de Fars-Fausselandry: «La causa americana parecía la nuestra; nos enorgullecíamos de sus victorias, gemíamos con sus derrotas, nos apoderábamos de los boletines y los leíamos en todas nuestras casas. Ninguno de nosotros reflexionó en el peligro que el Nuevo Mundo podía representar para el viejo». O como comentó otro de los «insurgentes» franceses, el conde de Ségur, en la lamentable secuela de la Revolución estadounidense: «Avanzábamos alegremente sobre una alfombra de flores, imaginando apenas el abismo que había debajo».

2

Horizontes azules, tinta roja

Como toda su generación, Luis XVI fue educado de modo que sintiese preocupación por la felicidad. Su abuelo Luis XV había diseñado de nuevo Versalles centrando sus esfuerzos en la persecución de aquella y tenía una aptitud natural para vivirla. Sin embargo, para su joven sucesor, la felicidad era trabajar con ahínco, y la condición de rey de Francia la ponía prácticamente fuera de su alcance. Dominado de forma paulatina por la ansiedad, más tarde recordaría solo dos ocasiones en que la condición de rey le hizo realmente feliz. La primera fue su coronación, en junio de 1775; la segunda, su visita a Cherburgo, en junio de 1786. En la primera ocasión se envolvió en el manto del arcano misterio real; en la segunda, demostró que era un hombre moderno: científico, marino e ingeniero. Para los espectadores de ambas ocasiones, las paradojas de la personalidad real fueron motivo de comentario, quizá incluso de preocupación. Sin embargo, era parte de la inocencia de Luis el hecho de que nunca percibiese un problema. Si su autoridad debía algo al pasado, su sentido excesivamente desarrollado del deber le impulsaba con firmeza hacia el futuro. La Revolución representaría esta característica semejante a la de Jano como duplicidad más que como indecisión; pero solo debido a esta equiparación del pasado-futuro con la traición-patriotismo el rey se encontró ante el dilema que terminaría con su reino y con su vida. Comenzó en 1774, con las mayores expectativas, que se hicieron eco en toda Francia, en el sentido de que el futuro se vería agraciado con un resurgimiento de la edad de oro.

El símbolo de estas esperanzas era el sol. En la coronación celebrada en Reims, cuando Luis tenía veinte años, los rayos solares, que de la manera más obvia evocaban el apogeo de la monarquía bajo Luis XIV, adornaban todas las columnas y el arco triunfal erigido para la ceremonia. Y el tema del resurgimiento se repetía en el pedestal de una estatua que representaba a la Justicia en una inscripción que proclamaba la alborada de *les beaux jours*. De todos modos, la coronación no fue una exaltación sin mácula, pues la tensión entre el pasado y el futuro gravitaba sobre las preocupaciones sobre el presente, en especial porque, mientras se planeaban las ceremonias, Francia estaba al borde de los más graves disturbios por el trigo que se habían visto desde hacía años. En estas circunstancias, el interventor general Turgot exhortó a Luis a mostrar una moderación ejemplar: la simplificación de los ritos y su celebración en París en vez de en Reims. En privado, afirmó que «de todos los gastos inútiles, el más inútil y el más ridículo era la *sacre*». Sin embargo, si era necesario que hubiese una coronación, decía Turgot, más valía que fuese en presencia de los parisienses, cuyos sentimientos monárquicos podían aprovechar cierto grado de cultura. Los extranjeros se sentirían impresionados y se distraería a las multitudes. Y la factura sería bastante inferior a los siete millones de libras calculados para Reims.

Luis se mostró inflexible. Quizá influido por el celo del confesor de la corte, el abate de Beauvais, así como por el arzobispo de París, que, a su vez, ansiaba que las ceremonias no se celebrasen en Notre Dame, sino en Reims, el rey insistió en las formas tradicionales y hasta en el juramento «de extirpar a los herejes», que parecía innecesariamente ofensivo para la tolerante sensibilidad de la década de 1770. Fue revelador de la personalidad dividida de Luis el hecho de que, después de prestar debidamente ese juramento, pasara a apoyar la emancipación de los protestantes y ratificase con su autoridad personal la sanción de 1787.

Resultaría erróneo suponer que la reaccionaria piedad o la complacencia dinástica fueran los factores que indujeron a Luis a abrazar con tanto ardor toda la panoplia medieval de su coronación. Era mucho más probable que, al menos intuitivamente, compartiese la opinión bastante avanzada de un joven abogado y folletinista lorenés, Martin de Morizot, que apoyaba la *sacre* como una forma de «elección nacional»: una expresión de la alianza matrimonial entre el príncipe y su pueblo. De acuerdo con este criterio, el espectáculo debía aproximarse del modo más fiel posible al matrimonio de Venecia y el mar que el Dogo presidía todos los años y que simbolizaba el bien público, más que un rito o un reflejo recargado. Y había ciertos gestos rituales —la liberación de prisioneros gracias a la clemencia real; la peculiar ceremonia en que se tocaba a los escrofulosos para conmemorar el poder curador taumatúrgico de las manos reales— que podían atestiguar estas buenas intenciones. De todos modos, como en muchas ocasiones futuras, Luis permitió la intervención de otras personas que tenían un conocimiento de la opinión pública aún menor que el suyo, con resultados lamentables para su reputación. En este caso, el clero responsable de la organización de las órdenes sobre la ceremonia modificó de modo significativo justo el aspecto que más se podía interpretar como un símbolo de la relación entre el príncipe y el pueblo. Antes de los Borbones, había existido un momento en que, después del primer juramento, se invitaba al pueblo a expresar su asentimiento mediante la aclamación *Oui*. Desde la época de Enrique IV esa palabra había sido representada por una forma más oficial, *tacit consent*, pero en la coronación de Luis XVI la apelación formal al pueblo fue omitida del todo. Este gesto desprovisto de tacto no pasó inadvertido, sobre todo por la prensa clandestina, que afirmó que el hecho había provocado una gran «indignación» en los auténticos patriotas.

De modo que la gran ocasión destinada a ser un placebo de los disturbios de la harina y del trigo acabó complaciendo a muy pocas personas. Los artesanos locales se sintieron desconcertados, porque se llamó a carpinteros y decoradores parisienses para trabajar en los arcos triunfales y en la larga galería enarcada que conducía al porche de la catedral. Hubo muchos refunfuños acerca de los aposentos que debían fabricarse para uso particular de la reina, entre los que se incluían retretes ingleses. Las familias campesinas de la región se enojaron en gran medida porque sus hombres fueron obligados a reconstruir la entrada de la ciudad en Soissons, con el fin de que pudiera pasar el carruaje de la coronación, en un momento en que la fuerza de trabajo era muy necesaria en los campos. Los vendedores manifestaron su descontento porque pocos extranjeros acudieron para gastar de forma generosa y dejarse impresionar. Más aún, en las posadas de los alrededores de Reims, había una vergonzosa disponibilidad de camas, pues incluso los nobles del norte y del este de Francia, que, según se esperaba, debían acudir en gran número, se vieron disuadidos por los desorbitados precios que los posaderos locales reclamaban.

Para reformadores como Turgot el episodio resultó ser un entretenimiento caro y mal administrado que utilizaba ridículos anacronismos, como la ampolla sagrada de óleo, supuestamente entregada al rey Clodoveo por una paloma enviada por la divinidad. Para tradicionalistas como el duque de Croy, todo el asunto era un tanto vulgar. Comentó que el aplauso que saludó al rey y la reina era el resultado de la nueva e indeseable costumbre de saludarlos en las representaciones teatrales públicas. Todo el asunto se había convertido en una ópera; aunque, como ópera, no carecía de cierta fuerza que conmovía a los espectadores presentes. El joven Talleyrand, al ver a su padre pavoneándose con el gran sombrero de plumas negras, señaló que la vanidad y la pasión podían unir sus fuerzas para generar un ardor irracional. Cuando se admitió al populacho y una gran multitud entró en la catedral con el resonar de los tedeums, vio como lágrimas de alegría descendían por las mejillas del rey-muchacho, mientras la joven reina, abrumada, se dirigía hacia la salida.

Si Luis había comenzado su reinado con una gran fanfarria de celebración arcaica, lo continuaría con un estilo opuesto: el de la consciente sobriedad. Nada le complacía tanto como la mecánica y, hasta donde pudo, decidió vivir en un mundo de números, más que de palabras; de listas, más que de manifestaciones. Todo lo que él apreciaba estaba enumerado de forma compulsiva: los 128 caballos que había montado; los 852 viajes que había realizado entre 1756 y 1769. (Su existencia fue menos nómada que lo que se desprende de la lista, pues la mayoría de estos *voyages* consistían en desplazamientos reales dentro de un área estrechamente circunscrita de la Isla de Francia, donde se levantaban la mayoría de los castillos y de los refugios de caza. Sin embargo, Luis transcribía fielmente cada aburrido viaje de Versalles a Marly [seis veces], de Versalles a Fontainebleau [seis].) Incluso el pasatiempo al que se entregó con mayor entusiasmo —la caza— se veía reducido por escrito a rutinarias listas diarias. De manera que, en julio de 1789 —el mes en que se derrumbó su monarquía—, sabemos más de su cacería cotidiana que de sus opiniones sobre los sucesos políticos de París.

Sin embargo, como ha señalado François Bluche, no había nada trivial en la afición de Luis XVI a la caza. Era el único teatro en que destacaba de manera indiscutible y en el que representaba bien el papel del monarca ecuestre: *chevalier et imperator*, el guerrero del bosque. A caballo era valeroso e incluso elegante: una cualidad que en el siglo XVIII

tenía mucho valor y que, a juicio de los contemporáneos, estaba totalmente ausente en las otras representaciones públicas. Sin embargo, había
otro mundo en el que este hombre físicamente torpe se sentía cómodo.
Era su estudio privado, atestado de instrumentos matemáticos, de mapas
coloreados a mano y de cartas náuticas, de telescopios y de sextantes, así
como de los cerrojos que el propio rey diseñaba y fabricaba. El esfuerzo
por obtener el cerrojo perfecto constituía un símbolo de sublime eficacia para el monarca, que en repetidas ocasiones fracasó en el intento de
lograr que las cosas respondieran como él deseaba; pero, en sus *appartements privés*, se movía silencioso, con toda la libertad y el poder de un
mago, ataviado con su sencilla levita, entre lentes pulidos, esferas armila-
res, bronces bruñidos y planetarios.

En el mundo náutico todas estas cualidades podían confluir. Al igual
que su padre y que su abuelo, Luis había jugado con galeones y barcas en
miniatura en el estanque denominado «la petite Venise» de Versalles. Su
tutor personal, Nicolas-Marie Ozanne, había enseñado dibujo naval a los
cadetes de Brest y había inculcado a su entusiasta alumno tanto el saber
como la vocación por el mar. De modo que Luis se convirtió en un experto apasionado y muy instruido en todo lo que fuese naval: de los diseños de barcos a la artillería náutica, las enfermedades marinas y su curación, el cordaje y los movimientos de las mareas, los cálculos del lastre
y la carga, las maniobras militares y el lenguaje de las señales con bande-
rines. Incluso insistió en que se crearan nuevos uniformes y colaboró en
su diseño, con el propósito de anular la antigua costumbre que distinguía
a los oficiales nobles de los plebeyos. El viaje a las antípodas de La Pérou-
se fue planeado personalmente por el rey junto con el explorador y el
monarca siguió sus progresos en cartas de navegación especiales, hasta
que se llegó a la penosa conclusión de que el navegante había sufrido un
grave tropiezo en algún lugar del Pacífico australiano. No necesitó que
nadie le demostrase que el modo de recobrar el poder colonial perdido
por su abuelo en la guerra de los Siete Años consistía en iniciar un programa radical de astilleros navales. De modo que puso un gran cuidado
en confiar la dirección de la Marina solo a los hombres más capaces y de
mayor talento: al principio, el propio Turgot; después, el brillante Sartine,
quien equipó la armada con la flota británica; y, después de su caída, a
De Castries, un poco menos visionario (pero quizá menos responsable
en cuanto a los gastos) que su predecesor. Para el rey, como para sus mi-

nistros, el futuro de la Francia imperial, en efecto, estaba en la Marina: el horizonte azul de un gran Atlántico y, tal vez, incluso de un Imperio oriental.

Por tanto, no debe sorprendernos descubrir que, después de la coronación, el episodio de su reinado que Luis recordó con mayor satisfacción fue su visita al nuevo puerto militar de Cherburgo, en la península normanda del Cotentin. El nuevo puerto y las fortificaciones de Cherburgo, que apuntaban directamente a la costa meridional de Inglaterra, tendrían una importancia fundamental para el amor propio patriótico de los franceses, así como desde el punto de vista de la estrategia práctica. En 1759, el puerto había sufrido un ataque naval británico y la ocupación dirigida por el capitán William Bligh, un hecho que, unido a una cláusula secreta del tratado que prohibía los astilleros navales franceses en Dunquerque (y que incluso contemplaba las inspecciones británicas en el lugar), constituyó una amarga humillación. Comprometido con una política de hostilidad hacia los británicos en América, Vergennes había eliminado de Dunquerque la presencia británica, una ocasión que fue descrita como la causa de una «gran alegría nacional». Sin embargo, la vulnerabilidad de los puertos del Canal todavía representaba un papel en los ambiciosos planes franceses de invasión, frustrados en 1779 (como con mucha frecuencia antes y después) por el tenaz mal tiempo. Un nuevo puerto, fuertemente protegido, suministraría exactamente el abrigo necesario a las asediadas flotas francesas, sin necesidad de abandonar por completo las expediciones. Así, y no por casualidad, la noticia de la transformación de Cherburgo fue recibida con una enorme preocupación y con un gran enfado en Westminster. Con vientos favorables, se necesitaban solo tres o cuatro horas de viaje desde Portsmouth.

En 1774, cuando Luis comenzó su reinado, Cherburgo no era más que una sucia aldea pesquera de unas seis mil almas, que vivían en una monotonía barrida por los vientos alrededor de los restos de la mampostería destruida por la Royal Navy. Por la época de la Revolución, su población casi se había duplicado, pero, lo que es más importante, se había convertido en la sede de una impresionante concentración de capital, de fuerza de trabajo y de ingeniería aplicada. La nueva Cherburgo era, por lo menos para el rey y para su ingeniero jefe, De Cessart, el símbolo de una Francia renacida a la luz de la ciencia aplicada y la energía marítima. El proyecto de crear un puerto fue descomunal tanto por la concepción como por la ejecución. En una época en que los cuadros y los grabados de los colosos de la Antigüedad estaban de moda, seguramente dio la impresión de ser un proyecto al mismo tiempo antiguo por su grandiosidad y futurista por la imaginación. El más modesto de los dos ingenieros, es decir, De Bretonnière, propuso construir un gran muro marino o dique de contención, detrás del cual podía crearse el puerto. Sin embargo, el plan más espectacular e improbable presentado por De Cessart fue el que más atrajo al comandante recién designado de Cherburgo, un oficial de carrera llamado Charles-François Dumouriez, que había llegado poco antes, después de participar en la conquista de Córcega. También quedó impresionado por las impredecibles fantasías del rey y de De Castries, su ministro de Marina.

El plan propuesto por De Cessart contemplaba la construcción de inmensos cofres huecos de roble, cada uno con la forma de un cono truncado estabilizado con lastres de piedra, para formar una especie de barrera en los accesos. El espacio clausurado así formaría después el puerto. Cada cono tenía cuarenta y tres metros de diámetro en la base y se elevaba dieciocho metros desde la línea de flotación hasta la cima plana. Se necesitaban cinco mil metros cúbicos de madera para la construcción, y, una vez llenos, pesaban cuarenta y ocho toneladas. La manipulación de estos monstruos resultaba difícil, pues había que remolcarlos desde la costa hasta el lugar de anclado, llenándolos solo con la proporción de lastre necesario para impedir que se hundiesen. Una vez en su lugar, se llenaban con el caudal restante de piedras, utilizando treinta aberturas practicadas en los lados del cono. Cuando alcanzaban un peso suficiente para sumergirse bien, se cerraban con cemento y, de ese modo, el extremo superior formaba una especie de plataforma. El plan original de De Cessart exigía por lo menos noventa y uno de estos objetos extraordinarios. Se trataba de un plan absurdo como para atraer a una cultura seducida por las más disparatadas pretensiones de la ciencia. Después de la electricidad de Franklin —el rayo luminoso y patriótico—, todo era posible. Los hombres ya se elevaban a los cielos sobre Versalles en los globos llenos de gas; otros se sumergían en bañeras de cobre para experimentar el poder terapéutico del magnetismo animal. En esta atmósfera de delirio científico, las cadenas montañosas submarinas de De Cessart seguramente parecieron casi discretas.

El primer cono fue sumergido con éxito en junio de 1784 en presencia del ministro naval De Castries. Alentado por los progresos del proyecto, el rey envió a su hermano menor, Artois, con la misión de observar la inmersión del octavo cono, en mayo de 1786; y el entusiasta informe de Artois indujo al rey a realizar una expedición especial a Cherburgo con el propósito de inspeccionar en persona las obras. Se trataba de una extraordinaria novedad. Desde principios del reinado de Luis XIV, los Borbones habían abandonado todas las «incursiones» a través de Francia y habían conferido a la monarquía un carácter sedentario al amparo de la enorme corte acuartelada de Versalles. Francia, o la parte de ella que «importaba», se acercaba al rey, y no a la inversa. De modo que, como Napoleón observó secamente más tarde, cuando Luis anunció su intención de ir a Normandía, «fue un gran acontecimiento».

De modo que el 21 de junio, con lo que entonces era un séquito modesto de cincuenta y seis personas, los reyes partieron de Versalles en dirección a la costa occidental de Normandía. Luis había ordenado que le confeccionaran una chaqueta escarlata bordada con flores de lis doradas, una prenda especial para la ocasión; pero es evidente que le interesaba presentarse ante el pueblo con un estilo familiar más que real: *le bon père du peuple*, como se había dicho de Luis XII. En el Château d'Harcourt, donde hizo noche con el gobernador de Normandía, indultó a seis desertores de la Marina que habían sido condenados a muerte por el tribunal de Caen. Y en la propia Caen, las calles estaban ocupadas por las multitudes entusiastas cuando el alcalde presentó las llaves de la ciudad bajo los arcos triunfales tapizados de flores. Luis llegó a Cherburgo el 23. Impaciente por ver las obras del puerto, el rey asistió a misa a las tres de la madrugada y fue llevado en una barcaza, impulsada por veinte remeros ataviados de escarlata y blanco, hasta el lugar del noveno cono. Al mismo tiempo, se remolcó el cono hasta el lugar asignado y, dos horas después, quedó estabilizado con éxito. Una vez que ocupó su lugar, se abrieron las compuertas y se introdujeron piedras hasta que el rey pudo ordenar la inmersión. Este proceso llevó exactamente veintiocho minutos (por supuesto, registrados en el diario de Luis). En el momento de hundirse, un cable demasiado tenso que partía de uno de los barriles destinados a estabilizar el cono arrojó al agua a tres hombres; uno de ellos no tardó en ahogarse. Entre los vivas y los saludos navales que acompañaron la inmersión, los gritos de los hombres pasaron inadvertidos; pero Luis, que observaba con un telescopio desde la plataforma del cono siguiente, vio todo con nitidez. Apesadumbrado por el accidente, más tarde ofreció una pensión a la viuda.

Se necesitaba más que una muerte accidental para amortiguar el entusiasmo de la ocasión. Entre los constantes aplausos, el grupo procedente de la corte se sentó para ingerir una colación fría preparada con ese fin bajo una tienda montada en la cima de uno de los conos. Nunca antes el esplendor y el absurdo se habían unido de manera tan estrecha.

El resto de la visita estuvo dedicado a la revista de la flota, el seguimiento de las maniobras, que durante el reinado de Luis XVI se habían convertido en una práctica naval corriente, y la cena a bordo de una nave de nombre significativo: *Patriote*. Cuando hablaba con los oficiales y con los hombres, Luis los trataba con desenvuelta familiaridad, más o menos como la actual familia real británica, y mostraba que poseía un detallado conocimiento de la técnica; pero, sin duda, para el rey esto constituía tanto un deleite como un deber, y un órgano como *Mémoires secrètes*, que solía adoptar una actitud injuriosa y crítica, informó de que, en este viaje,

el rey conoce muy bien todo lo que se refiere a la Marina y parece familiarizado tanto con la construcción y el equipo, como con las maniobras de las naves. Parece claro que incluso la terminología de este bárbaro idioma no representa nada nuevo para él y lo maneja como un marinero.

En efecto, el célebre y burdo sentido del humor del rey, que horrorizaba a la corte y al *monde* parisiense (sobre todo, le agradaba poner en funcionamiento las fuentes de Versalles para empapar a los paseantes desprevenidos), se ajustaba muy bien a Cherburgo. Cuando su séquito comenzó a vomitar sobre la cubierta del *Patriote* a causa de las olas del puerto que zarandeaban la nave, el monarca soltó unas risotadas muy poco comprensivas. Durante otro difícil cruce del estuario del Sena, de Honfleur a Le Havre, durante el viaje de regreso, el capitán del ferri maldijo en voz alta tras errar en una maniobra, se dominó y se deshizo en disculpas ante el rey. «No hay motivo para disculparse —replicó Luis—. Es el lenguaje de su oficio y yo habría dicho por lo menos otro tanto.»

Para todos los interesados, excepto quizá los cortesanos que padecieron mareos, la visita fue un brillante éxito. Las ediciones y los grabados populares, así como el acostumbrado torrente de eufóricos versos, proclamaron el triunfo. Sin embargo, las multitudes que tuvieron la rara oportunidad de ver al rey parecieron adoptar una actitud de auténtico afecto y Luis respondió con afabilidad natural, una cualidad que le abandonaría por completo durante los días cruciales de 1789. A los gritos de «Vive le roi» en las calles de Cherburgo, el monarca replicó, sin que nadie se lo pidiese: «Vive mon peuple». En 1786 la respuesta sonó, como en efecto era, benigna y espontánea. En 1789 parecería, como realmente era, forzada y a la defensiva.

Más aún, la historia de *les beaux jours* en el Cotentin tiene una importante nota al pie. Pues, si bien mostraron a la monarquía bajo la mejor luz posible —familiar, afectuosa, enérgica, patriótica: un monarca para los ciudadanos, más que para los súbditos—, esta espléndida impresión tuvo su precio, ya que el gran proyecto del puerto de Cherburgo fue, en realidad, una costosa fantasía y hasta quizá un ruinoso fiasco. El coste de los conos se elevó de manera alarmante y resultó claro que no era posible gastar indefinidamente tiempo y dinero en la construcción y en la inmersión. De noventa, el número total proyectado descendió a sesenta y cuatro. Por consiguiente, se amplió la distancia entre ellos y, como resultado de este cambio, las cadenas se desprendían con frecuencia; los conos caían unos sobre otros y el mar destrozaba los recipientes de roble. Los cofres restantes fueron atacados por gusanos marinos, bromas de voraz apetito que perforaron tanto los conos que algunos parecían enormes coladores de madera, de cuyos orificios caían las piedras. Es más, cuando se puso de manifiesto que los conos podían instalarse con éxito solo durante dos o tres meses al año, se llegó muy pronto al cómputo de que se necesitarían dieciocho años para terminar la obra.

Por consiguiente, en 1788 se abandonó, no sin pesar, la labor de instalar más conos y, un año más tarde, el proyecto se suspendió y fue reemplazado por los planes originales, que contemplaban la construcción de un dique marino de menores dimensiones. Entre 1784, en que se sumergió el primer cono, y diciembre de 1789, en que se interrumpió el proyecto, se habían gastado por lo menos veintiocho millones de libras, una suma increíble. Se trataba, desde cualquier punto de vista, de una «espectacular iniciativa de defensa estratégica» para su tiempo y se convirtió en un costoso y ridículo fracaso. Cuando en 1800, con la vista puesta en el Canal todavía inhóspito, los ingenieros del primer cónsul acudieron a inspeccionar el puerto de Cherburgo, encontraron un solo cono todavía golpeado por las olas. Era el noveno, el cono real. Había sobrevivido siete años a aquel rey náutico que había alzado una copa de vino tinto al lado del artefacto para brindar por su larga vida.

OCÉANOS DE DEUDA

Una tibia mañana de 1783, en el puerto atlántico de Brest, René de Chateaubriand tuvo una visión. De acuerdo con su propia confesión, ya era un joven romántico, pero de todos modos no estaba preparado para el tipo de exaltación que habría de sentir al contemplar el regreso a puerto de la armada de Luis XVI.

> Un día dirigí mis pasos hacia el extremo más lejano del puerto, del lado del mar. Hacía calor y me tumbé en la playa y dormí. De pronto, me despertó un grandioso sonido; abrí los ojos como Augusto cuando vio los trirremes que aparecían en los pasos sicilianos, después de la victoria de Sexto Pompeyo. El cañoneo resonaba constantemente; el puerto estaba atestado de naves; la gran flota francesa había regresado después de la firma de la paz [de Versalles]. Los navíos maniobraban con las velas desplegadas; estaban envueltos en fuego y luz; adornados con banderas; mostrando las proas, las popas y los costados; deteniéndose y echando el ancla en medio de su curso o continuando la navegación sobre las olas. Nada me ha ofrecido jamás una idea más excelsa del espíritu humano.

Para muchos de los contemporáneos de Chateaubriand el éxito de las armas francesas, tanto en el océano Atlántico como en el Índico (pues Suffren fue el mayor héroe), era, en verdad, emocionante. Por ejemplo, en 1785 los estados de Bretaña (que no habían mantenido las mejores relaciones con los Borbones) votaron la erección de una estatua de Luis XVI para glorificar el papel que había tenido en la restauración de la fuerza de la Marina. Y se decidió instalar la imagen junto a la colina del Château de Brest, de modo que la viesen, como al Coloso de Rodas, todas las naves que accedieran al gran puerto.

Sin embargo, el deleite de presenciar el deterioro imperial británico y la tardía satisfacción por las derrotas de la guerra de los Siete Años implicaban pagar un precio muy alto. En un solo año —1781, el año de Yorktown— se gastaron 227 millones de libras en la campaña estadounidense y, de ese total, 147 millones correspondieron solo a la Marina. Eso significaba el «quíntuplo» del monto asignado en general a la Marina en tiempo de paz, incluso en el nivel de la renovada fuerza de Luis XVI. Se pedía a esta fuerza que cumpliese cuatro tareas igualmente arduas. La primera era llevar soldados a América y mantener su abastecimiento; la segunda, frustrar los intentos británicos de enviar refuerzos (si era necesario, buscando de forma agresiva el enfrentamiento); la tercera consistía en defender las principales instalaciones navales metropolitanas (una lección aprendida en la guerra global precedente); y, finalmente, Vergennes y sus ministros navales abrigaban la esperanza de abreviar la duración de la guerra, mediante amenazas o invadiendo de veras por mar Gran Bretaña en 1779. El escaso éxito de las flotas francesas en la ejecución de todas estas misiones alargó la duración y, por tanto, aumentó el coste de la guerra. Después de la desastrosa batalla de los Santos, hubo una apremiante apelación en favor de una «suscripción patriótica» con el fin de reequipar la flota y, en 1762, varios organismos públicos y privados dieron un paso al frente. Entre otros, la Cámara de Comercio de Marsella contribuyó con más de un millón de libras a la construcción de un extraordinario navío de línea de setenta y cuatro cañones, que, en señal de gratitud, fue bautizado como *Le Commerce de Marseille*. Tal fue el ardor patriótico de los concejales y de los burgueses del puerto del Midi, que añadieron otras 312.414 libras para mantener a las familias de los marinos que habían muerto. Otras instituciones imitaron el ejemplo, entre ellas los estados de Borgoña y de Bretaña, así como también la muy vilipendiada compañía privada de recaudación de impuestos de los Recaudadores-Generales, cuya nave fue denominada sin sonrojo *La Ferme*. Sin embargo, en la década de 1780 no era posible hacer la guerra mediante donaciones patrióticas, como no lo había sido antes y no lo sería después. Y los interventores generales de Luis XVI tuvieron que acudir al mercado de préstamos, mucho menos altruista, para solventar sus obligaciones militares. Pues, mientras la anterior guerra naval se había financiado, en parte, con préstamos y, en parte, con nuevos impuestos directos, aplicados de manera provisional y cobrados a todas las clases de la población, el 91 por ciento de los caudales necesarios para sufragar la guerra estadounidense procedió de préstamos.

Los mejores cálculos del coste de la alianza americana, tanto en su forma soterrada como en la claramente militar —de 1776 a 1783—, elevan la cifra a mil trescientos millones de libras, excluidos los pagos de intereses por las nuevas deudas en que como consecuencia el Gobierno había incurrido. De modo que, sin miedo a exagerar, puede afirmarse que los costes de la política estratégica global de Vergennes provocaron la crisis terminal de la monarquía francesa. Para la ejecución de una política «dinámica» en los océanos Atlántico e Índico no se debía deteriorar el papel tradicional de Francia en el mantenimiento del equilibrio del poder en la Europa dinástica. El mantenimiento de esa «vieja» diplomacia todavía exigía la presencia de un ejército de por lo menos ciento cincuenta mil hombres. Ninguna de las restantes potencias europeas intentaba mantener simultáneamente un gran ejército continental y una marina transcontinental. (Y puede afirmarse que ninguna llegó a debilitar su estabilidad financiera sin incurrir en costes de largo alcance.) Más que por la desigualdad de una sociedad basada en el privilegio o por las violentas muestras del hambre que afectaron a Francia durante la década de 1780, la Revolución fue el resultado de estas decisiones oficiales.

Si las causas que provocaron la Revolución francesa son complejas, no puede decirse lo mismo de las que hicieron que la monarquía cayera. Los dos fenómenos no son idénticos, pues el fin del absolutismo en Francia no implicó de por sí una revolución de fuerza transformadora tal como la que, en realidad, sobrevino en Francia. Sin embargo, el fin del Antiguo Régimen fue la condición necesaria del comienzo de uno nuevo y resultado, ante todo, de una crisis del flujo de fondos. La politización de la crisis monetaria fue la que impuso la convocatoria de los Estados Generales.

Para hacerles justicia, debemos señalar que los ministros de Luis XVI estaban penosamente atrapados entre los extremos de un dilema. Era muy razonable que ellos desearan restablecer la posición de Francia en el Atlántico, pues percibían acertadamente que las principales fortunas estaban amasándose en las islas azucareras del Caribe y en los mercados potenciales de las colonias anglófonas. En este sentido, una prudente estrategia económica exigía una política de intervención del lado de los estadounidenses. Tanto durante la guerra como después de la paz de

1783, las declaraciones oficiales defendieron esa intervención al afirmar que no estaban destinadas a anexionar posiciones imperiales, sino, más bien, a garantizar la libertad de comercio. Y en esa postura —la de protector de la libre navegación— aparece Luis XVI en la mayor parte de los grabados conmemorativos. No cabe duda de que a corto plazo se alcanzaron esas metas, pues el comercio a través del Atlántico, entre Nantes y Burdeos, por una parte, y las Antillas francesas, por otra, alcanzó un nivel sin precedentes de prosperidad en la década anterior a la Revolución. En este sentido, la inversión militar en los despojos del imperio había aportado notables frutos.

Sin embargo, las consecuencias económicas de esa misma política la convirtieron en una victoria pírrica. Pues la inflación del déficit debilitó de tal modo a los *nerfs* —los tendones— del Estado que, hacia 1787, su política exterior carecía de auténtica libertad de acción. Pues ese año la mera presión financiera impidió que Francia interviniese de forma decisiva en la guerra civil de la República Holandesa para apoyar a sus propios partidarios, que se autodenominaban «patriotas». Por lo tanto, de forma paradójica, una guerra que había sido concebida para restablecer el poder imperial de Francia acabó comprometiéndola tan seriamente que el rey y la *patrie* dieron la impresión de ser dos entidades diferentes y, en poco tiempo, irreconciliables. No pasó mucho tiempo antes de que este proceso se agravara aún más, de modo que la propia corte acabó pareciendo un extraño parásito que se alimentaba del cuerpo de la «auténtica» nación.

Debe subrayarse que determinadas medidas —fiscales y políticas tanto como militares— provocaron el derrocamiento de la monarquía. Excesivamente influidos por el tácito abandono de la terminología del *ancien régime* (un término que no fue utilizado hasta 1790, en una carta de Mirabeau al rey, con el significado de «precedente» y no de «arcaico»), los historiadores se han acostumbrado a buscar las fuentes del aprieto financiero de Francia en la estructura de sus instituciones, más que en determinadas decisiones adoptadas por su Gobierno. La gran relevancia atribuida a la historia institucional y social a costa de la política ha reforzado la impresión de que se trataba de gobiernos irremediablemente aferrados a un sistema que, más tarde o más temprano, debía derrumbarse bajo la presión de sus propias contradicciones.

Como veremos, nada de eso era cierto. Lo que desde el ángulo de la

Revolución podía parecer tercamente rígido de hecho estaba abierto a una serie de enfoques a la hora de afrontar los problemas financieros franceses. El problema residía más en las dificultades políticas que era necesario vencer para sostener estas decisiones concretas hasta el momento en que podrían haber aportado resultados, así como en las repetidas retiradas del rey, hasta lo que él creía que era la alternativa política provisionalmente menos dolorosa. En todo caso, como señaló De Tocqueville, no fue la aversión a la reforma, sino el obsesionarse con ella, lo que determinó que una administración financiera consecuente resultase difícil, si no imposible. Sin embargo, donde De Tocqueville se equivocó fue en suponer que las instituciones francesas eran de por sí intrínsecamente incapaces de resolver los problemas fiscales del régimen. De acuerdo con esta visión, no existían problemas a corto plazo y sí, únicamente, problemas estructurales muy arraigados que no podían modificarse —ni siquiera por la Revolución—, pues él creía ver los mismos males de la centralización y la pesada mano del despotismo burocrático repitiéndose interminablemente y sin esperanza a lo largo de la historia francesa.

¿Cuál era la gravedad de las dificultades financieras de Francia después de la guerra estadounidense? Es cierto que había contraído una deuda muy importante, pero esta no era peor que otras similares en que había incurrido al librar otras guerras consideradas igual de esenciales para mantener la posición nacional de gran potencia. Los que se apresuran a condenar a los ministros de Luis XVI por su desesperado derroche deberían detenerse a reflexionar que ningún gran Estado que aliente pretensiones imperiales ha subordinado jamás los intereses militares, que juzga irreductibles, a las necesidades de un presupuesto equilibrado. Y a semejanza de los defensores de una gran fuerza militar en Estados Unidos y la Unión Soviética del siglo XX, los valedores de análogos recursos «indispensables» en la Francia del siglo XVIII destacaban los grandes recursos demográficos y económicos del país y de una economía floreciente, con todo lo cual podía soportarse la carga. Desde luego, afirmaban que la prosperidad de esa economía dependía de tales desembolsos militares, tanto directamente en las bases navales, como Brest y Tolón, como indirectamente en la protección que la fuerza armada dispensaba al sector más dinámico de la economía.

Más aún, en cada ocasión, después de las guerras del siglo XVIII, se había asistido a un periodo de dolorosa pero necesaria adaptación para permitir que las finanzas del reino se ajustasen de nuevo a un orden razonable. Por ejemplo, el desastroso fin de las guerras de Luis XIV contempló a la vez el fantasma de la quiebra, la práctica desintegración del ejército francés en operaciones, las revueltas contra los impuestos y el hambre a gran escala.Y hacia 1714, se estimaba que la deuda rondaba los 2.600 millones de libras *tournois* o, en una población de 23 millones, la cifra de ciento trece libras —alrededor de las dos terceras partes del ingreso anual de un maestro carpintero o de un sastre— por cada súbdito del Rey Sol. Durante el periodo siguiente, más tranquilo, hubo un intento de aprender del bando angloneerlandés «victorioso» aplicando sus principios bancarios a las finanzas públicas francesas. Se ofreció a John Law, un emprendedor escocés, la oportunidad de administrar y, con el tiempo, saldar la deuda francesa a cambio de la licencia exclusiva para administrar un Banco de Francia de reciente creación. Por desgracia, Law utilizó el capital suscrito del banco para especular con ficticias compañías estadounidenses de tierras y, cuando la inflada burbuja explotó, la misma suerte corrió el principio de un déficit nacional administrado por el banco. De hecho, las especulaciones de Law no eran más abusivas o siquiera más censurables que las análogas maniobras de la Compañía de los Mares del Sur en Gran Bretaña. Sin embargo, el principio de un banco público sobrevivió mejor allí al desastre, porque dichas instituciones financieras se vieron sometidas a un control parlamentario más riguroso. En Francia no existía una institución parecida que pudiera desempeñar un papel de perro guardián digno de confianza y que, por lo tanto, apaciguara a los depositantes y a los futuros acreedores del Gobierno. Michel Morineau señaló con acierto que la diferencia entre las dos deudas era que el déficit francés tenía el inconveniente de que el público en general lo consideraba un déficit «real» y en cambio entendía que la deuda británica era «nacional».

A falta de un sistema de préstamos administrado por el banco, los gobiernos franceses disponían de estrategias financieras que les permitían mantener la deuda en un nivel controlable. Los interventores generales del periodo de la Regencia que siguió a la muerte de Luis XIV promovieron una drástica reducción de la escala de la deuda e intervinieron drásticamente en los programas de rescate. En realidad, esta era una especie de quiebra en cuotas, pero, aunque parezca sorprendente esta actitud, no deterioró gravemente el crédito futuro de la corona francesa. Mientras hubo capital, en el país y el extranjero, que buscaba rendimientos, aunque fuesen ligeramente superiores a otros tipos de inversión interna, Francia no careció de prestamistas. Hacia 1726 el presupuesto francés estaba más o menos equilibrado y, con la ayuda de la inflación, que redujo el valor real de la deuda, las finanzas nacionales incluso sobrevivieron a la guerra de la Partición de Polonia, durante la década de 1730, sin que se impusieran nuevas cargas abusivas.

Sin embargo, la situación fue muy diferente con las dos grandes guerras que siguieron: la guerra de Sucesión de Austria (1740-1748) y, de un modo aún más terrible, la guerra de los Siete Años (1756-1763). El primer conflicto, librado esencialmente en tierra, costó alrededor de mil millones de libras, y el segundo, que fue a la vez una guerra naval y terrestre, mil ochocientos millones. Hacia 1753 el capital del déficit se había elevado a mil doscientos millones y los intereses anuales eran ochenta y cinco millones de libras, es decir, ya un 20 por ciento de la renta corriente. Sin embargo, Machault d'Arnouville, interventor general durante la posguerra, proyectaba la liquidación del déficit en un plazo de cincuenta a sesenta años, en el supuesto de que no hubiese otras guerras. Lo cual, naturalmente, equivalía a conjeturar que Francia no existiría o, lo que era aún más grave, que no existiría Gran Bretaña. En 1764, después de la guerra siguiente, el déficit se elevó a 2.324 millones de libras y el capital más el servicio de la deuda por sí solos se llevaban alrededor del 60 por ciento del presupuesto, es decir, el doble de la proporción de la década de 1750. En trece años la deuda había aumentado en mil millones de libras.

Si bien estas cifras eran datos desalentadores (aunque conocidos) para los economistas, de por sí no impulsaban a Francia por el camino de la Revolución. A mediados del siglo XVIII se presenció una enorme expansión, tanto cuantitativa como cualitativa, en la escala y el perfeccionamiento de la guerra, y este cambio había representado una pesada carga para las grandes potencias beligerantes. La Prusia de los Hohenzollern, a la cual solemos atribuir una actuación de gran éxito en el área del militarismo burocrático, se encontraba en un desesperado aprieto al final de la guerra de los Siete Años, pese a que la ayuda financiera británica la había mantenido a flote. El remedio que aplicó a sus males fue, en realidad, importar el sistema francés de administración impositiva: la *régie*, que, en realidad, le restituyó cierto grado de solidez fiscal. Ni siquiera los neutrales se salvaron, pues la República Holandesa, que había estado muy activa financiando a todos y a cada uno de los clientes, sufrió una grave crisis en 1763-1764.Y Gran Bretaña, considerada el otro ejemplo destacado de competencia fiscal, se endeudó (como haría durante la guerra estadounidense) exactamente en la misma escala y con la misma magnitud que su archienemiga. No solo sabemos ahora que la carga impositiva británica per cápita era tres veces más pesada que en Francia, sino que, hacia 1782, el porcentaje de la renta pública consumida por el servicio de la deuda —del orden del 70 por ciento— era también considerablemente más elevado que el equivalente francés.

De modo que, en términos absolutos, incluso después del inmenso desastre fiscal provocado por la guerra estadounidense, existen pocas razones para pensar que la escala del déficit francés llevaba «necesariamente» a la catástrofe. Sin embargo, no fue la realidad, sino la percepción interna de los problemas financieros el factor que llevó a sucesivos gobiernos franceses de la inquietud a la alarma y al pánico total. Por tanto, todos los elementos que determinaron la crisis monetaria del Estado francés fueron políticos y psicológicos, no institucionales o fiscales. En cada caso —por ejemplo, después de las costosas guerras de mediados de siglo— hubo importantes debates acerca de la administración de la deuda y de la relativa conveniencia de aplicar nuevos impuestos comparados con las diferentes posibilidades de préstamo. Estas polémicas llevaron a modificaciones técnicas aparentemente secundarias de la estrategia financiera, que, como demostró James Riley en una brillante historia del problema, provocaron daños desproporcionados. Uno de estos cambios fue la inquietud cada vez más acentuada hacia el calendario de amortización. La impaciencia por atrapar el más esquivo de todos los fuegos fatuos —el rescate del capital— convenció a los gobiernos franceses de la conveniencia de desplazar las ofertas de préstamos de las llamadas «anualidades perpetuas» (que podían prolongarse más allá del término de una sola vida) a las «anualidades vitalicias», que finalizaban con el titular. Si bien esto pudo parecer una idea excelente a los administradores preocupados por el rescate, en la práctica significaba que la corona pagaba ahora el 10 por ciento a sus acreedores, en lugar del 5 por ciento que pagaba por los préstamos perpetuos. Esta variación agravó en gran medida la carga real del servicio para el futuro.

En segundo lugar, en la secuela de la guerra de Austria y de la de los

Siete Años, los interventores generales que intentaron perpetuar los impuestos directos provisionales del periodo de la guerra chocaron de frente con una resistencia política poderosa y orgánica. El motivo de toda esa indignación en nombre de las «libertades» francesas fue que esos impuestos se aplicaban a todos los sectores de la población, al margen de la jerarquía social. Puede parecernos extraño que el «público» francés (pues ya existía lo que se denomina «opinión pública») no advirtiese que esta oposición estaba motivada por la protección egoísta de las exenciones impositivas privilegiadas; pero, durante las décadas de 1750 y 1760, cuando se lanzaron estos ataques contra el despotismo ministerial, ese «público» político estaba formado sobre todo por individuos ya incluidos en el sistema del privilegio o por los que tenían buenas posibilidades de incorporarse a él. Y en estas circunstancias el «privilegio» se convirtió en sinónimo de las «libertades». Aún no era concebible la idea de una posición «moderna», gracias a la cual la corona hubiese apelado, pasando por encima de los grupos privilegiados, al apoyo público a sus impuestos sin exenciones. Incluso en 1789 lo hizo con mucha renuencia. Veinte años antes, esa posibilidad hubiera resultado inverosímil. Por ejemplo, en 1759 el interventor general Silhouette había propuesto un impuesto sobre los artículos suntuarios como la vajilla de oro y plata, las joyas, los carruajes —así como el celibato— y fue expulsado por su temeridad, y execrado por todos. En sus últimos años, que mostraron una decisión poco usual, Luis XV estuvo dispuesto a promover medidas financieras impopulares mediante la apelación al *fiat* real del *lit de justice*. Sin embargo, como su nieto era más sensible al tema de la popularidad, los ministros de Luis XVI trataron de evitar todo lío que sugiriese un Gobierno arbitrario. «Ni quiebras, ni impuestos, ni préstamos» fue la optimista fórmula con la cual Turgot anunció sus medidas en 1775. Y Jacques Necker, el ginebrino que fue director general de Finanzas, decidió pagar la guerra estadounidense en una proporción abrumadora mediante préstamos más que con impuestos. La verdadera diferencia entre las dificultades británicas y las francesas después de esa guerra fue que William Pitt pudo obtener ingresos con nuevos impuestos sin correr el riesgo de una crisis política, es decir, una alternativa que no estaba al alcance de sus colegas franceses.

Desde hace mucho tiempo los historiadores han sostenido que lo que los ministros de la corona francesa hicieron o se abstuvieron de hacer con la deuda tiene una importancia secundaria, pues el verdadero problema estaba en la propia naturaleza de la monarquía del Antiguo Régimen. Basado en el privilegio, ¿cómo podía pretender un mínimo de eficacia burocrática un Gobierno formado por hombres que compraban o heredaban sus cargos? Incluso con la mejor voluntad del mundo y con servidores públicos capaces (no podía contarse con ninguna de las dos cosas), el Gobierno francés era un vacío presidiendo el caos. Añádase a esto el descomunal déficit...; lo que asombra no es que terminara mal, sino que sobreviviese tanto tiempo.

Pero ¿este argumento es válido? En primer lugar, supone que, para funcionar adecuadamente, el Estado del siglo XVIII habría debido parecerse a una versión temprana de Gobierno del tipo del «servicio civil». Podría definirse este como un cuerpo político en que las funciones públicas son el monopolio de funcionarios a sueldo, educados para formar la burocracia, empleados según el mérito, apartados de todo lo que fuese el interés personal en la jurisdicción en que sirven y responsables ante cierta forma de cuerpo soberano desinteresado. Es cierto que los perfiles de este género de mecanismo burocrático se formaron en la «ciencia» del siglo XVIII acerca del «Gobierno de las Cámaras» y que, por primera vez, los profesores de dicha *Kameral-und-polizeiwissenschaft* —lo que denominaríamos «Gobierno y finanzas»— ocupaban cátedras creadas especialmente en las universidades, y sobre todo en el mundo de habla alemana. Sin embargo, basta con echar una ojeada a la realidad del Gobierno del siglo XVIII en Europa para comprobar que estos principios brillaban por su ausencia. Por ejemplo, la celebrada burocracia prusiana estaba saturada de corrupción y era el juguete de las dinastías de nobles que formaban verdaderos enjambres en sus oficinas. Y en ese Estado no se designaba a los funcionarios del Gobierno local por lo que los separaba de la sociedad local de terratenientes, sino por lo que los unía a esta. En comparación, los *intendants* franceses eran modelos de integridad y de objetividad. Incluso en Gran Bretaña, el Gobierno hannoveriano era célebre por las sinecuras creadas con el fin de generar cadenas de fidelidad política. No sugiero con esto que la competencia burocrática no fuese posible en dicho sistema, pero el mismo concepto puede aplicarse al Gobierno francés tanto como a otro cualquiera.

Se afirma que las metas del Gobierno sobre todo se extraviaron en las selvas del privilegio que crecieron con exuberancia en Francia. Después de todo, el privilegio se definía de acuerdo con la exención impositiva. Y la inmunidad de la nobleza y del clero frente a los impuestos directos negaba del modo más palmario los fondos que el Tesoro real necesitaba de forma desesperada. Sin embargo, resulta engañoso percibir *en bloc* a las clases privilegiadas, separándolas por completo de la base rentística del Estado. Los nobles estaban sujetos al impuesto de *capitation* y a diferentes impuestos directos sobre la propiedad, por ejemplo, el *vingtième*, que representaba el 5 por ciento de la propiedad. En ciertos casos, incluso estaban sometidos a la *taille*: el principal impuesto directo del Antiguo Régimen; pues, mientras en ciertas áreas la *taille* recaía sobre las personas, en otras se aplicaba a la propiedad. De modo que si, por ejemplo, un joven noble recibía una propiedad como parte de una dote de una familia que originariamente había sido burguesa, él y sus herederos debían pagar la *taille* sobre el dominio. Y como un esquema muy fluido de herencia y de intercambio de la propiedad entre diferentes grupos sociales se generalizaba cada vez más en Francia, resulta muy probable que el número de nobles que debían pagar la *taille* también aumentase.

Por tanto, la inmunidad fiscal como aspecto del privilegio estaba desintegrándose constantemente, hasta el extremo de que, mucho antes de la Revolución, los principales escritores aristocráticos podían proponer alegremente su abolición total. Sin embargo, por eso mismo, si se hubiese incorporado totalmente a los privilegiados al grupo de las clases imponibles mucho antes, es muy improbable que la renta suplementaria hubiera modificado mucho los problemas del déficit. A lo sumo, puede afirmarse que el principio de la exención en la cima de la sociedad se debilitó, lo mismo que la necesidad de la evasión en la base. De modo que muchos en Francia —como atestiguan de modo muy elocuente las peticiones de quejas antes de la Revolución— entendían su relación con el Estado como una especie de juego fiscal de suma cero. En el caso del campesino empobrecido, esto implicaba trasladar unas pocas cosas propias —una cama, algunas ollas y una cabra medio muerta de hambre— a una aldea diferente de la que correspondía a su propia parroquia, para evitar la tasación, pues la parroquia era la unidad de la *taille*. Este tipo de táctica desesperada mal podía llevar a la formación del «capital rural del cultivador», como fantaseaban los teóricos de la economía contemporánea. En el ámbito del burgués urbano, significaba acumular dinero suficiente para comprar uno de los muchos miles de pequeños cargos municipales que permitían alcanzar la exención impositiva. De modo que, en todas las ciudades importantes y, en particular, en París, había delegados de la corporación de vendedores de ostras y medidores del queso y los sueros e inspectores de tripas que se enorgullecían de sus pequeñas dignidades y de sus exenciones.

Vinculada con el privilegio, pero no como sinónimo de este, la venta y compra de cargos era quizá una plaga más grave y, desde luego, un impedimento mayor si se quería contener la hemorragia de la corona, pues estaba más profunda y más generalmente arraigada en Francia que en los restantes países relevantes de Europa. Había comenzado como una práctica medieval, pero en 1604 Enrique IV había institucionalizado la venta de cargos como un modo de obtener rentas para la corona. De hecho, el comprador prestaba al Gobierno cierto capital (el precio de compra) y a cambio recibía ciertas sumas y beneficios (los *gages*) del cargo. También alcanzaba jerarquía (incluso la exención impositiva). Y fueron precisamente los aspectos no pecuniarios del cargo corrupto los que determinaron que los franceses se mostrasen tan reacios a su abolición.

Durante el reinado de Luis XVI varios ministros realizaron animosos esfuerzos para reducir la dependencia de la corona respecto a este tipo de ingresos, pero, después de la caída de Necker, aún parecía un recurso irrenunciable en periodos de crisis fiscal. La tasa real pagada por la monarquía en el caso de los antiguos cargos o de la creación de otros nuevos oscilaba, después de todo, entre el 1 y el 3 por ciento, mucho menos que en otros tipos de préstamos. De acuerdo con David D. Bien, entre la Revolución estadounidense y la francesa se recaudaron alrededor de cuarenta y cinco millones de libras mediante la venta de cargos, una suma que no era muy elevada si se distribuía entre todos esos años, pero que por lo menos aportaba un indicador de las trabas contra la reforma radical. De modo que, al mismo tiempo que la meta a largo plazo del Gobierno era tratar de «extender» el control sobre sus propias finanzas y funciones, las necesidades, a corto plazo, determinaban que cumplir ese objetivo fuese más difícil y no más fácil.

El problema era también una cuestión de actitud. Justo porque los privilegios eran tan ampliamente asequibles y ya, de ningún modo, sinónimos de la cuna o de la clase, los que podían perder jerarquía y dinero formaban una coalición cada vez más amplia. Incluso en el caso de los escritores favorables a la reforma, que podían indignarse ante todos los restantes tipos de abusos y anacronismos, había escaso entusiasmo cuando se trataba de la formación de cierto tipo de Estado burocrático e inmune a la venta y compra de cargos. Por ejemplo, Voltaire y D'Alembert estaban tan ansiosos como cualquiera de conseguir un cargo que, como el de *secrétaire du roi*, era el primer paso hacia cosas mucho mejores. Los ministros reformadores de Luis XVI conocían muy bien el problema, pero les inquietaba la posibilidad de una ofensiva general. Solo Necker, que era célebremente inmune a la mayoría de las faltas leves, estaba dispuesto a enfrentarse a los reticentes beneficiarios de los cargos. Incluso sucedió así en la corte —que siempre era un blanco popular—, donde encontró la posibilidad de eliminar los cargos cuya inutilidad era más flagrante. Sin embargo, mientras se considerase que esos puestos eran simplemente otra forma de propiedad privada, nadie podía concebir su expropiación sin la debida indemnización. Se ha calculado que, en vísperas de la Revolución, había en Francia alrededor de cincuenta y un mil cargos sobornables de este tipo, que representaban un capital de seiscientos a setecientos millones de libras. Rescatarlos todos de una vez habría costado al Estado, aproximadamente, el equivalente de la renta de un año. Y eso habría supuesto clausurar durante un año Francia, hasta que, por así decirlo, la carga pudiera desplazarse hacia el sector público.

El concepto de un cargo oficial como una forma de propiedad privada se presenta ante la sensibilidad moderna como un estado de cosas irreconciliable por definición con el interés público. En efecto, el rasgo más crónicamente «antiguo» del *ancien régime* parece consistir en que no supo distinguir de manera adecuada entre los dominios público y privado en cuestiones tan fundamentales como sus propias finanzas. Sin embargo, incluso aquí se necesita cierta perspectiva para juzgar los fallos de la monarquía francesa de acuerdo con sus propias normas, más que apelando a las que usa la moderna teoría administrativa. Durante este periodo —y, después, durante mucho tiempo— todos los Estados bélicos de Europa obtuvieron sus rentas de tres fuentes: los impuestos directos, generalmente (como en Francia) recaudados por funcionarios oficiales; los préstamos procedentes de grupos, instituciones e individuos, todos los cuales, desde luego, alineaban su interés privado con el interés del Estado; y, finalmente, los impuestos indirectos, un título que, en ciertos lugares, era administrado por los burócratas y, en otros, arrendado a individuos privados, que adelantaban al Estado cierta suma de dinero a cambio del derecho a recaudar ellos los impuestos. La diferencia entre lo que habían prestado y lo que recaudaban era la ganancia, que solventaba el coste operativo. El Estado napoleónico, considerado a veces el Estado burocrático *par excellence*, utilizó, en realidad, los tres métodos, como había hecho el Antiguo Régimen, e incluso mantuvo ordenadas de este modo sus finanzas apelando solo a las formas más vulgares de extorsión militar, arrancando a la fuerza gigantescas sumas de dinero a los países «liberados» por el ejército francés.

Por consiguiente, ¿hasta dónde fueron importantes los resultados de la combinación entre actividad empresarial y burocrática aplicada por la monarquía del siglo XVIII a la administración de sus propias finanzas? Durante mucho tiempo se ha dicho que, por ejemplo, el desorden de estos arreglos retrasó la aparición de un presupuesto sistemático, hasta que Necker intentó aportar el suyo, publicado en 1781. Sin embargo, como ha demostrado Michel Morineau en un estudio insuperable sobre estas cuestiones, aunque no había un registro público, sí había *arrangements* que permitían que los interventores generales distribuyesen los gastos entre los departamentos oficiales y comprobasen con bastante exactitud cuánto dinero se desembolsaba realmente con destino a dichos departamentos. Y los historiadores han llegado también a la conclusión de que, si la monarquía hubiese tenido el valor de afrontar directamente la labor de administrar y recaudar los impuestos indirectos, habría logrado soslayar los beneficios reconocidamente desmesurados que iban a manos de los «intermediarios» comerciales que realizaban la recaudación en nombre de aquella. Sin embargo, por otra parte, habría tenido que soportar el coste suplementario de la administración, que bien podría haber compensado las ganancias, sin hablar de la hostilidad que inevitablemente provocaba la recaudación de impuestos aplicados a los artículos básicos. Se ha calculado que los «gastos generales» de la recaudación de impuestos en Francia equivalía al 13 por ciento del total, comparado con el 10 por ciento en el caso de Gran Bretaña, donde una burocracia centralizada administraba en efecto las aduanas y los impuestos al consumo. Esto era lo que realmente estaba en juego y no puede extrañar que los interventores generales se resistieran a trastornar su régimen habitual en beneficio de cierta forma de soberanía teórica sobre los negocios públicos.

Las medidas aplicadas por el Antiguo Régimen, más que su estructura operativa, fueron el factor que llevó al borde de la quiebra y al desastre político. Comparadas con las consecuencias que emanaban de las grandes decisiones de la política exterior, el privilegio, la venta y compra de cargos y la administración indirecta de las rentas tenían una importancia mucho menor. En la raíz de sus problemas estaba el gasto armamentístico cuando este se sumaba a la resistencia política provocada por los nuevos impuestos y la tendencia cada vez más acentuada de los gobiernos a aceptar obligaciones que devengaban intereses cada vez más elevados por los préstamos de los acreedores nacionales y, en un grado cada vez mayor, extranjeros. Sin duda, resultaba imprudente que los gobiernos franceses de la década de 1780 se crearan tantas dificultades, pero se necesita una forma muy superior de mirada retrospectiva por parte de un estadounidense de la década de 1980 para desecharlas con la afirmación de que los gobernantes eran irremediablemente torpes.

La recaudación monetaria y las guerras de la sal

Es posible que el Antiguo Régimen fuera más eficaz en la consecución de sus propios ingresos, incluso en su administración, de lo que suele reconocerse. Sin embargo, para el campesino que huía del recaudador de impuestos de la parroquia este asunto apenas importaba. De hecho, si hay un aspecto del panorama tradicional de la monarquía que se muestre férreamente impermeable a la investigación reciente es el revelador odio de casi todos los sectores de la sociedad (pero que adquiere ribetes de más radical desesperación en la base) a la estructura recaudadora de impuestos del Estado y el *seigneur*. Como atestiguan los memoriales de agravios (*cahiers de doléances*) que acompañaron a las elecciones para los Estados Generales, los que imponían gravámenes en nombre del rey eran enemigos del pueblo. En el nivel social más simple, esta condena recaía sobre la cabeza del desafortunado individuo a quien se encomendaba la función de recaudador parroquial de la *taille*. Si no atinaba a producir la porción asignada a su sector por la oficina del intendente, bien podía suceder que se le arrebatase brutalmente su propiedad y hasta su libertad. Sin embargo, si se mostraba demasiado eficaz en su labor, podía recaer sobre su persona una suerte aún peor, impuesta por los habitantes de su aldea durante la noche cerrada.

En la cúspide de la sociedad, una forma análoga de hostilidad apuntaba hacia la plutocracia de los mercaderes financieros, las *gens de finance*. En la polémica obra de Darigrand titulada *L'Anti-Financier*, publicada en 1763, el grabado del frontispicio mostraba a Francia de rodillas frente a Luis XV, a quien se agradecía (un tanto prematuramente) la creación de un solo impuesto sobre la propiedad, lo que implicaba despojar de su razón de ser a los contratistas financieros. La justicia con la espada en alto obligaba al *financier* a vomitar sus ganancias mal conseguidas a los pies del campesino pobre. En la misma publicación, se retrataba a los *financiers* como «sanguijuelas [*sangsues*] que engordan con la esencia del pueblo». Una pieza teatral del satírico Lesage creaba el grotesco personaje de Turcaret: de baja cuna, grosero, codicioso y vengativo: un minúsculo barón del mundo del dinero cuya infamia solo era soportable gracias a su cómica vulgaridad. Muchos temas de lo que podría denominarse el «patriotismo romántico» cristalizaron en forma de hostilidad hacia los *financiers*: la ciudad devora la esencia de la inocente campiña; el lujo se alimenta mediante la perpetuación de la pobreza; la corrupción y la brutalidad unidas contra la rústica sencillez. Y polemistas como Darigrand adoptaron sobre todo la apariencia de ciudadanos patriotas para atacar el egoísmo de las *gens de finance*, al poner en práctica justo lo que los revolucionarios jacobinos dirían cuando estigmatizaran como *riches égoïstes* a los capitalistas.

Aunque cualquiera de los destacados acreedores de la corona podía sufrir este tipo de tratamiento, muchas de las invectivas más ásperas estaban reservadas para los recaudadores generales. Después de todo, su poder se hallaba en el centro del sistema y eran quizá los responsables de un tercio de todas las rentas de Francia. Cada seis años, la corona contrataba con un sindicato de estos hombres un *bail* o arriendo, que les imponía adelantar determinada suma al Tesoro a cambio del derecho de «recaudar» determinados impuestos indirectos. Se trataba sobre todo de los muy conocidos impuestos sobre la sal y el tabaco (*gabelle, tabac*), así como una serie de otras obligaciones menores sobre mercancías como el cuero, el hierro y el jabón, denominadas en conjunto *aides*. (Otros impuestos indirectos adoptaban la forma de derechos —los *octrois*— aplicados en especial al vino cuando pasaba de una zona aduanera a otra o entraba y salía de las ciudades.)

Los recaudadores no concitaban una parte desproporcionada de odio porque fuesen el ingrediente más reaccionario de la estructura fiscal del Estado, sino porque eran los que mostraban una eficacia más brutal. Se decía que, en los centros recaudadores, el trecho entre lo que el pueblo pagaba y lo que el Tesoro real recibía era más llamativo que en otros lugares. El hecho de que su ganancia —o la diferencia entre lo que recaudaban y lo que pagaban a la corona— continuase siendo un secreto comercial no contribuía a desdibujar este estereotipo de una pandilla de bandidos rapaces que actuaban con autorización real. Si había un símbolo de la cruel indiferencia del antiguo régimen frente a las necesidades elementales del pueblo, los recaudadores generales la expresaban en sus personas colectivas e individuales.

No puede sorprender que atrajesen la atención especial de la Revolución. En 1782, el escritor popular y periodista Louis-Sébastien Mercier escribió que nunca podía pasar frente al Hôtel des Fermes, en la rue Grenelle-Saint-Honoré, sin sentirse consumido por el deseo «de destruir esta máquina inmensa e infernal que aferra por el cuello a cada ciudadano y le extrae la sangre». Uno de los primeros y más espectaculares actos del gran alzamiento de París en julio de 1789 fue demoler los puestos aduaneros de los recaudadores, levantados para impedir el movimiento de los contrabandistas. Su persona correría peor suerte aún que su propiedad. Perseguidos por su reputación de vampiros económicos, también se había extendido el rumor de que habían retirado de forma soterrada entre tres y cuatro millones de libras de su botín. «Temblad, vosotros, los que habéis chupado la sangre de los pobres y desdichados infelices», advirtió Marat, y, en noviembre de 1793, Léonard Bourdon exigió que «estas sanguijuelas públicas» (a esas alturas, ya era el sinónimo que identificaba de forma expresa a los recaudadores) aportasen una cuenta de sus hurtos y devolviesen a la nación lo que le habían robado o bien «fuesen entregados a la cuchilla de la ley». En mayo de 1794, en una de las más espectaculares ejecuciones colectivas, fue guillotinado un grupo de ellos, incluido el gran químico Lavoisier.

Sin embargo, los recaudadores generales no solo especulaban con la deuda de la corona y explotaban al pueblo. Eran un Estado dentro del Estado. Medio compañía comercial y financiera, medio gobierno, con un personal cuyo número alcanzaba por lo menos la cifra de treinta mil individuos, eran la principal empresa de Francia después del ejército y la Marina del rey. De ese número, veintiún mil formaban una fuerza paramilitar, uniformada y equipada no solo con armas, sino con el derecho de entrar y registrar, así como de incautarse de la propiedad o la vivienda que les pareciese sospechosa. Para sus fines fiscales tenían su propio mapa de Francia, dividido en múltiples jurisdicciones separadas (*la grande gabelle*, *pays de quart bouillon*, etcétera) en función cada uno de los artículos que gravaban. Tampoco eran solo recaudadores de impuestos y cobradores de los gravámenes al consumo; en los principales artículos que les interesaban —sobre todo la sal y el tabaco—, eran productores, manufactureros, refinadores, dueños de depósitos, mayoristas, reguladores de los precios y minoristas que usufructuaban monopolios.

Para apreciar de qué modo la actividad de los recaudadores generales impregnaba la vida cotidiana de cada hogar francés basta con seguir el tortuoso recorrido de un saco de sal desde los pantanos de Bretaña hasta la cocina. En cada etapa era vigilado, examinado, registrado, guardado, examinado de nuevo, registrado otra vez y sobre todo gravado antes de pasar al consumidor. Desde el principio hasta el fin del proceso, el artículo estaba sometido al derecho de los recaudadores a imponer una férrea reglamentación. Todo dependía del control que ellos ejercían sobre la fijación de los precios. Por ejemplo, en 1760, los productores de sal de los pantanos que se extendían al oeste de Nantes debían vender su producto a los recaudadores a los precios fijados después de una negociación unilateral. De allí, la sal se despachaba a los depósitos costeros, en la desembocadura de los ríos, y se empaquetaba en sacos registrados y sellados. A cada uno de estos depósitos se le había asignado la tarea de abastecer a un grupo de depósitos del interior, a los que enviaban la sal en barcazas. Este segundo grupo de depósitos estaba instalado en los límites navegables de los ríos y, desde allí, el producto pasaba a otro conjunto de depósitos, transportado en carretas, que tenían que soportar inspecciones en cada etapa del viaje. Finalmente, acababan en los principales *greniers à sel*, los depósitos centrales arrendados por los recaudadores. Eran grandes edificios atendidos por un número considerable de empleados y de guardias, subordinados a un jefe que era el responsable de la venta de la sal (por supuesto, debidamente gravada al consumidor). Cada transacción debía ir acompañada por una factura y un recibo por duplicado. En el caso de los que residían demasiado lejos del *grenier* para comprar, había pequeñas concesiones aldeanas, que estaban autorizadas a vender a la población local, pero a un precio levemente superior a la tarifa oficial de los recaudadores.

Incluso si los recaudadores no hubiesen tenido derecho a fijar el precio de la sal, el mero peso burocrático de su distribución oficial habría aumentado enormemente el precio. Pocos hogares podían arreglarse sin este artículo esencial, pero no se les ofrecía siquiera la posibilidad de desecharlo, pues legalmente estaban obligados a comprar una cantidad mínima anual, determinada de acuerdo con una evaluación individual. Prisionero de este asombroso sistema de control e imposición, el agobiado consumidor tenía una solución, aunque ilegal: el contrabando. Y en este aspecto, el mapa fiscal de los recaudadores actuaba en contra de su propia seguridad. Como podía obtenerse sal pasando la frontera de los *pays de grande gabelle* a un precio casi menor que el de los recaudadores, resultó algo natural que el contrabando prosperase a lo largo de las irregulares fronteras de las aduanas. Esta afirmación era aún más válida en el caso de los regímenes relacionados con el tabaco, próximos a la frontera española en el oeste y a Saboya en el este. Sin embargo, el contrabando de sal alcanzó un estatus casi épico en una guerra total entre el ejército de los recaudadores generales y las bandas de contrabandistas que se concentraban sobre todo en el oeste. Para disuadir a los contrabandistas, el Estado había decretado condenas draconianas: el látigo, la marca a fuego, las galeras o (en el caso de los ataques a los guardias) la muerte en la rueda. Sin embargo, cientos y quizá incluso miles de personas —hombres, mujeres, niños y hasta perros adiestrados— colaboraban en este tráfico peligroso pero lucrativo a través de la Francia occidental. Necker —que tenía la costumbre de medir todo con cifras sospechosamente redondas— calculaba que el número de personas comprometidas en el contrabando de sal se elevaba a sesenta mil. Por supuesto, era una exageración, pero entre 1780 y 1783 2.342 hombres, 896 mujeres y 201 niños fueron capturados en la región de Angers a lo largo de la frontera con Bretaña. Y era posible que, por cada condena, hubiese cinco arrestos en los que se disponía de escasas pruebas para sustanciar el juicio.

Con su propio personal, los recaudadores se mostraban mucho más benignos. Aunque se pagaba mal a los guardias y a los empleados, sus trabajos eran bastante seguros y se veían complementados por inverosímiles beneficios marginales. Al parecer, en 1768, los recaudadores inventaron el primer plan de jubilaciones con aportaciones formadas mediante descuentos en los salarios, a los que la compañía sumaba su propia contribución. (Hacia 1774, este fondo de pensiones ya valía alrededor de doscientas sesenta mil libras.) Después de pagar veinte años, un guardia podía retirarse con una jubilación vitalicia cuyo monto se basaba en su rango y su antigüedad.

La recaudación era una versión concentrada del Gobierno del Antiguo Régimen y expresaba en gran medida tanto sus virtudes como sus vicios. En el plano local mostraba una extraordinaria mezcla de paternalismo corporativo y de mercantilismo sin ataduras, de reglamentación e iniciativa, de administración eficaz y ponderada burocracia, de procedimientos complejos y de azarosa brutalidad militar. En el centro de sus asuntos, en París, exhibía una faz completamente distinta: era una entidad refinada, urbana, tecnocrática y sobre todo abrumadoramente rica. Por muchas ofensas públicas que se le infligieran en la escena teatral y en los folletos, los recaudadores sabían que eran el blanco de todas las miradas. Sus casas eran las más espléndidas, sus salones contenían impresionantes obras de arte, gran parte de todo eso consecuencia de un audaz gusto por los cuadros holandeses de interiores, así como por el género francés y las naturalezas muertas. Sus hijas, codiciadas como presas de inestimable valor, a menudo se casaban con miembros de la crema de la antigua nobleza, sobre todo de la aristocracia de la abogacía, cuyos oradores denunciaban a los recaudadores en el mismo instante en que calculaban el monto de las dotes de sus futuras esposas.

Los recaudadores estaban lejos de ser los hombres incultos, advenedizos, vulgares y toscos que la caricatura teatral de Turcaret sugería. El *philosophe* Helvecio no desentonaba por combinar la audaz especulación intelectual con una prudente especulación financiera. En 1771, al fallecer, dejó una gran fortuna a su viuda, la condesa de Ligniville d'Autricourt, que tenía el salón más brillante de París y vivía rodeada por una nutrida tropa de gatos de Angora, cada uno de los cuales tenía su propio nombre y estaba adornado con cintas de seda. Igualmente notable era la dinastía Laborde, en su origen comerciantes bordeleses que negociaban con el azúcar de las Antillas. Jean-Benjamin, el tercer recaudador de la estirpe, además de ratificar la inteligencia financiera y comercial de la familia, fue un compositor prolífico, hombre de ciencia y autor de varias obras de medicina, geología y arqueología, con una enorme variedad de temas. Sin embargo Antoine Lavoisier fue, con mucho, el más extraordinario de todos estos hombres y alcanzó una enorme celebridad porque se convirtió en el mayor químico de Francia.

Lavoisier era un fenómeno, pero el hecho de que pudiese aplicar su inventiva científica a una actividad visiblemente tan vetusta y represiva como la gran barrera aduanera que los recaudadores estaban levantando alrededor de París dice mucho de las contradicciones de la Francia de Luis XVI. Como tantas otras figuras de la cultura de la Francia contemporánea, Lavoisier era al mismo tiempo precursor y arcano, un hombre libre intelectualmente y un prisionero desde el punto de vista institucional, un individuo dotado de espíritu cívico, pero empleado en la corporación privada más tristemente célebre por su interés egoísta. Sin embargo, no cabe duda de que Lavoisier creía que su ciencia era compatible con su profesión (y hasta fundamental para ella) y que, al dirigir a los recaudadores aplicando al asunto sus mejores luces, estaba sirviendo a Francia en el auténtico espíritu de la ciudadanía patriótica.

Desde luego, su rutina de trabajo no era la del estereotipo de aristócrata del Antiguo Régimen, un lánguido individuo que vivía para el placer y que utilizaba los servicios de enjambres de obsequiosos servidores. Se levantaba al alba y trabajaba desde las seis hasta las nueve en los papeles de los recaudadores o en su laboratorio privado. Hasta bien entrada la tarde, en su oficina del Hôtel des Fermes asistía a las reuniones de una, o más, de las cinco comisiones a las que estaba asignado (incluso la administración de las fábricas reales de salitre y pólvora). Después de cenar, más o menos frugalmente, regresaba a su laboratorio, donde volvía a trabajar desde las siete hasta las diez de la noche. Dos veces por semana reunía a amigos y colegas de las ciencias y de la filosofía para escuchar la lectura de trabajos y comentar informalmente los proyectos en curso. Y su vida de familia era no menos dinámica y productiva. Su esposa era una excelente artista por méritos propios y el brillante y alegre retrato doble de Jacques-Louis David muestra al marido y la mujer como socios profesionales y amigos conyugales.

A semejanza de otros altos funcionarios de los recaudadores, Lavoisier no se contentaba con supervisar desde lejos el trabajo de la estructura. Periódicamente realizaba una *tournée* de inspección a las oficinas y los depósitos provinciales. Aunque viajaba con cierto estilo, con un séquito de dieciocho personas (incluso guardias armados y uniformados) y un grupo de empleados y contables, estos viajes eran largos y cansados, y a veces duraban incluso varios meses. Sabemos que en una *tournée* similar, realizada en 1745-1746, un recaudador llamado M. Caze visitó por lo menos treinta y dos depósitos de sal, treinta y cinco puestos aduaneros y veintidós depósitos de tabaco; solucionó disputas entre funcionarios locales de los recaudadores; e inspeccionó el mayor número posible de puestos de guardias militares. Parece improbable que Lavoisier se mostrase menos meticuloso.

Aunque la calidad y la amplitud de las aptitudes de Lavoisier le hacían destacar como algo semejante a un prodigio, en la Francia de Luis XVI no era nada desacostumbrado que los hombres públicos fuesen al mismo tiempo intelectuales, administradores y empresarios. En los tres papeles, estos hombres corrían ciertos riesgos. Como hombre de ciencia, Lavoisier podía encumbrarse y caer con el caprichoso flujo y reflujo de la moda científica, la cual, en la década de 1780, era de lejos el aspecto más importante de la vida cultural francesa. Su seguridad financiera no estaba a salvo de los impredecibles cambios de la política oficial; pues, aunque los *financiers* eran presentados polémicamente como especuladores impermeables al riesgo, en su carácter de titulares de bonos eran vulnerables al súbito e imprevisto refugio parcial del tipo que se había utilizado en la década de 1720 y en 1770 para imponer cierto control a la magnitud del déficit. Había por lo menos tantos *financiers* en bancarrota como millonarios.

Lavoisier fue la típica expresión de la mayoría de los recaudadores, pues no había financiado con sus propios fondos el enorme depósito necesario para instalarse y sí en cambio lo había tomado en préstamo, al mismo tiempo que había aceptado socios comanditarios (los llamados *croupiers*, de la palabra *croupe*, es decir, la grupa desnuda del caballo, que puede utilizarse para recibir a otro jinete). Estos socios le suministraron una parte de su capital y él los recompensaba con una parte de su sueldo y de sus ganancias. De hecho, eso significaba que estaba operando sobre el margen y que, si sobrevenían imprevisibles condiciones adversas, no sería del todo el amo de su propio destino. Si el Gobierno decidía modificar o anular las condiciones de un contrato, inmediatamente se desencadenaba una estampida para desprenderse de los *billets de ferme*, los documentos negociables que los recaudadores podían emitir mediante el respaldo de su propia garantía personal. Es lo que sucedió en 1783, cuando el interventor general D'Ormesson intentó derogar el arriendo Salzard (cada arriendo llevaba el nombre de su principal contratista). Sin embargo, los recaudadores rehusaron reconocer sus documentos con el argumento de que el Gobierno había incurrido en la correspondiente responsabilidad al intervenir en la aplicación del arriendo. Enfrentado a la furia popular, el Gobierno se retiró y restableció el anterior arriendo.

Esta crisis fue sintomática del deterioro del interés mutuo que había unido a la monarquía con los recaudadores generales. Por otra parte, la corona necesitaba, más desesperadamente que nunca, el tipo de ingreso líquido que los recaudadores suministraban de un modo tan servicial y tenía pocos deseos de asumir la enorme empresa de recaudar por su cuenta los impuestos indirectos. Por otra parte, los espíritus más valerosos del Gobierno comenzaban a comprender que el precio de las repetidas transferencias de fondos inmediatos era la creciente dependencia respecto del precio que pidiesen los recaudadores (y otros acreedores, entre ellos algunos neerlandeses o ginebrinos). Para los recaudadores, ese precio era la existencia de altos niveles de beneficio que no se cuestionaban; para los acreedores, la fijación de altas tasas de interés, que alcanzaban niveles tan elevados que, hacia 1788, el servicio de la deuda estaba consumiendo casi el 50 por ciento de todas las rentas corrientes. Y como veremos, justo en esa etapa el Gobierno no tuvo más alternativa que abandonar los ajustes fiscales para volverse, en cambio, hacia las soluciones políticas drásticas de sus problemas. En definitiva, estas soluciones tuvieron un carácter revolucionario.

LAS ÚLTIMAS ESPERANZAS: EL PROMOTOR

La bancarrota pública es un estado de ánimo. El punto exacto en que un Gobierno decide que ha agotado todos los recursos de un modo tan definitivo que ya no puede cumplir su más importante función, es decir, la protección de su soberanía, es absolutamente arbitrario, pues las grandes potencias nunca se ven embargadas. Por terrible que sea la situación financiera en que se encuentren, siempre habrá prestamistas que acechen entre bambalinas dispuestos a ayudarlas; eso sí, por un precio. Solo en los últimos tiempos ese precio ha sido cierto tipo de abdicación parcial de la soberanía; por ejemplo, ante los decretos del Fondo Monetario Internacional o, en la época del imperialismo victoriano, las condiciones internacionales de la deuda que los británicos y sus asociados imponían a los cadáveres fiscalmente postrados de egipcios y chinos. En el caso de la monarquía francesa de finales de la década de 1780, el momento de la verdad pareció llegar cuando aquella no pudo proponer «previsiones» de ingresos futuros para garantizar nuevos préstamos. Y estos últimos eran necesarios para pagar los intereses de otros anteriores. En ese punto, dio la impresión de que la estructura técnica del reembolso se había deteriorado. Si bien no existía un organismo financiero internacional que esperase entre bambalinas para afrontar la deuda e imponer los términos del reembolso, el regreso de Jacques Necker, relacionado con el mercado monetario internacional, fue lo que más se pareció a una entidad de ese género. Sin embargo, solamente una forma más popular de autoridad política interna conquistaría la confianza pública necesaria para asegurar el crédito oficial. Por lo tanto, el rescate financiero dependía del cambio político.

Esto había quedado claro para una sucesión de ministerios de Luis XVI, cada uno de los cuales, sin duda, se sentía presionado por la necesidad de reformar el modo en que la corona obtenía sus ingresos. En efecto, incluso bajo Luis XV, esa había sido la prioridad más apremiante de los interventores generales, pero, durante la década de 1750, y todavía más durante la de 1760, el brazo político que ellos habían movilizado para imponer la reforma impositiva había sido el del absolutismo. Durante la década de 1760, en repetidas ocasiones, Luis XV había convocado a un *lit de justice* para formular el mandato más enfático del vocabulario real: «Le roi le veult» (el rey lo quiere). Frente a ese mandato, no había apelación.

Sin embargo, como cumplía con su carácter de incoherente afabilidad, Luis XVI ascendió al trono con el deseo de ser amado. Esta conmovedora pasión sobrevivió incluso a las nefastas guerras de las harinas, que alteraron los primeros años de su reinado, cuando turbas de agitadores fueron rechazadas ante las puertas del palacio real en Versalles (la corte, prudentemente, había sido evacuada). De manera que Luis XVI se desprendió de los ministros identificados con el enérgico absolutismo de su abuelo y los reemplazó por reformadores de quienes se esperaba que originasen cambios que pudieran ser al mismo tiempo políticamente liberales y fiscalmente copiosos. El inconveniente era que no había dos ministros que tuviesen las mismas ideas acerca de las necesarias estrategias de cambio. No solo los programas de estos ministros no eran congruentes, sino que cada uno prácticamente definía su Gobierno como el contrario absoluto del precedente, tanto por los hombres como por las medidas. No resulta necesario decir que esto no permitió obtener resultados positivos.

Los interventores generales habían lidiado con la carga cada vez más pesada de las finanzas oficiales francesas mediante tres métodos clásicos: las quiebras disimuladas, los préstamos suministrados por sindicatos nacionales y extranjeros, y los nuevos impuestos. El último interventor de Luis XV, el abate de Terray, había empleado los tres métodos. Turgot, el primer interventor de Luis XVI, había repudiado los tres. En cambio, propuso aprovechar las lecciones de la teoría económica liberal, sobre todo la de la fisiocracia, a la que, según afirmó, podía proclamarse como «ley natural» y, por tanto, irrefutable.

La «secta» de los fisiócratas argumentaba que el corporativismo, la reglamentación y la protección —la pesada mano oficial— constituían los elementos que reprimían la productividad y la iniciativa francesas. Las barreras aduaneras interiores, las restricciones impuestas al transporte de los cereales y de otros productos básicos, las complicadas tarifas de los peajes y los impuestos al consumo tenían que desaparecer, de modo que la economía pudiera respirar el aire puro y vivificador del mercado. El abigarrado dibujo de los impuestos indirectos y las cargas sobre la propiedad en algunas partes de Francia (no en todas) debía ser anulado y sustituido por un solo impuesto sobre la propiedad —el *impôt unique*—. Esto permitiría que los agricultores —los únicos y verdaderos productores de riqueza— estimasen exactamente sus costes y se dirigieran a abastecer el mercado, donde, en el orden natural de las cosas, los precios más elevados reforzarían los ingresos rurales y crearían acumulación de capital en la tierra. Estos ahorros y ganancias revertirían después en la forma de mejoras técnicas, lo cual a su vez mejoraría la productividad y crearía una renta disponible que podría gastarse en los artículos manufacturados producidos en las ciudades. De ese modo, los sectores urbanos y rurales coexistirían en feliz reciprocidad y Francia estaría poblada por rústicos satisfechos y racionales, todos arando, produciendo, ahorrando y gastando de acuerdo con el intenso ritmo del mercado.

En todo caso, esta era la teoría. Sus autores más conocidos eran el médico de corte Quesnay y su temperamental antagonista, el explosivo marqués de Mirabeau (padre del orador revolucionario). Por extraño que parezca, Mirabeau había conquistado renombre denunciando la penetración del capitalismo y del individualismo en lo que él ingenuamente imaginaba eran las virtudes paternalistas del feudalismo señorial. En el curso de una prolongada entrevista personal, descrita más tarde por Mirabeau como «la rotura del cráneo de Goliat», él se convirtió al *laissez-faire*. Para mejor o para peor, fue el caso de una serie de interventores generales de Luis XV, que, durante la década de 1760, procedieron a eliminar todas las restricciones impuestas a los movimientos internos y externos de cereales, así como los reglamentos locales respecto a la venta y los precios. El resultado fue la carestía inmediata y los disturbios. Se procedió a saquear los graneros, se interrumpió el movimiento de las barcazas antes de que pudiesen partir y los comerciantes se vieron obligados a vender a la tarifa considerada «justa» por la muchedumbre. En 1770, Terray reinstauró la mayoría de las restricciones y obligó de nuevo a los comerciantes a contar con una licencia oficial y a vender su producto únicamente en los mercados establecidos. Volvió la calma.

Sin embargo, todas las medidas de Terray, algunas muy razonables, se vieron gravemente amenazadas por el modo en que él y su colega Maupeou habían decidido ejecutarlas: mediante el mandato absoluto del decreto real. Cuando Turgot ocupó el cargo de interventor general en 1774, después de haber servido brevemente durante un periodo como ministro de Marina, no lo hizo como un mero economista, sino como un político liberal. Solo si podía depender del apoyo de los parlamentos nobles lograría formular medidas que evitasen los excesos más arbitrarios del reinado precedente en relación con las quiebras, con los préstamos y con los impuestos. Así, con el cordial respaldo del rey, rescató a los parlamentos del limbo en que los había hundido el canciller Maupeou. Su errónea suposición fue que los parlamentos apoyarían las reformas que él proponía, por una combinación de gratitud y racionalidad; pero nada era tan sencillo en la Francia de Luis XVI.

De la afinidad de Turgot hacia las ideas fisiocráticas se desprendía que la liberalización de la economía francesa determinaría de por sí el tipo de prosperidad que podía resolver los problemas financieros del Gobierno. Esto sucedería de dos modos: la confianza pública, la entidad económica más estrechamente relacionada con la alquimia, llegaría a revivir, eliminando la necesidad de nuevos préstamos, puesto que los antiguos, debidamente satisfechos, serían suficientes; el comercio y las manufacturas florecerían hasta el extremo de que también ellos, gracias al aumento de la producción, aportarían rentas suficientes para reparar el daño. Por supuesto, todo esto era el antecedente directo de unas finanzas públicas orientadas hacia la oferta y tenía tantas posibilidades de éxito como las de su nueva versión doscientos años después, en un imperio diferente, pero abrumado por tensiones fiscales similares.

Para evitar que este comentario parezca excesivamente sarcástico, debe señalarse enseguida que Turgot no era un Pangloss ministerial. Se trataba de un hombre más bien pesimista, reflexivo, cuya principal distracción era el trabajo, con una visión excesivamente sombría de la naturaleza humana, pero también excesivamente optimista con respecto a las posibilidades de esta para mejorar. En resumen, era una expresión típica de los años posteriores del Iluminismo. Nacido en el seno de una familia que se había distinguido durante mucho tiempo por su entrega al servicio público, Turgot *père* había sido *prévôt des marchands* en París, había coronado su carrera como experto en diseño urbano y había proyectado y construido una gran cloaca en la orilla derecha del Sena. Su hijo Anne-Robert llegó a interventor después de pasar muchos años como un *intendant* brillante y excepcionalmente trabajador en la empobrecida provincia del Limousin, en el sudoeste de Francia. Allí se había ocupado intensamente de hacer el bien: había abierto caminos y había convencido a los agricultores de la conveniencia de plantar y de consumir patatas, un cultivo al que con anterioridad no se creía apto ni para los animales y que, desde luego, se pensaba que era menos nutritivo que las castañas cocidas y las gachas de alforfón, que había sido el alimento habitual del Limousin.

Por desgracia, la región del Limousin era particularmente inadecuada para la aplicación de sus ideas más valiosas, sobre todo las que había promocionado sobre la acumulación del capital, pues resultaba difícil reunir capital mientras uno vivía de castañas cocidas o de patatas. Solo cuando Turgot se convirtió en interventor general se le ofreció la oportunidad de aplicar esas ideas a escala nacional. A gran distancia de los sucesivos y pragmáticos interventores generales que asumían el cargo sin tener en sus mentes mucho más que la supervivencia personal y nacional, como dijo Carlyle, Turgot «llegó al consejo del rey con una revolución pacífica completa en su cabeza». El memorándum enviado al rey en 1775 reveló cuán amplia era su visión de una Francia transformada por la libertad económica y política. «En diez años —afirmó—, será imposible reconocer a la nación [...], por su lucidez, por su moral, por el entusiasmo con que os servirá y se entregará a la *patrie*, Francia aventajará a todos los pueblos que existen y que hayan existido jamás.»

El modo de actuar básico de Turgot fue eliminar todos los obstáculos que se oponían al movimiento de libre comercio, a la fuerza de trabajo libre y a la fijación libre de precios en el mercado, al mismo tiempo que impulsaba activamente a aquellas empresas que, a su juicio, adelantaban el futuro. Ese estímulo adoptó la forma de la formación y el subsidio directo. Hombres serios tocados con tricornios fueron enviados a estudiar la industria británica del carbón mientras se concedían subsidios, como una Cámara Alta de Comercio, a los telares mecánicos de seda en Lyon, a las máquinas laminadoras del plomo en Ruán y —lo que era previsible— a las fábricas de porcelana en Limoges. Sus eruditos amigos Condorcet y D'Alembert fueron reclutados con el fin de que actuasen en una comisión que debía estudiar la navegación fluvial y la contaminación; y, en el mismo espíritu de los grandes planes de su padre, el interventor general comenzó la construcción de la «machine Turgot», que supuestamente debía romper los bloques de hielo en la boca del Marne y el Sena. En cambio, la máquina provocó sus propios desperfectos, después de originar considerables gastos. Con un mejor resultado, la creación de un nuevo sistema de transporte de correos y pasajeros, las *messageries royales*, basadas en carruajes ligeros llamados Turgotines, redujo a la mitad el tiempo de los viajes entre las ciudades francesas y logró que el sueño de un mercado nacional fuese un poco menos absurdo.

Sin embargo, la principal ofensiva de Turgot estuvo dirigida contra los obstáculos que se oponían a la economía de libre mercado. Los primeros en desaparecer fueron los peajes locales aplicados al cereal (excepto en París y en Marsella) y, con ellos, desaparecieron todos los monopolios de los carreteros, de los mercaderes y de los porteadores. Si bien esto implicaba el desmantelamiento del sistema de oferta regulada por Terray, Turgot mantuvo con sensatez la prohibición de exportar. De todos modos, eligió el peor momento posible para ejecutar la reforma. El año 1774 presenció el regreso de las malas cosechas y, por tanto, la reaparición de la escasez, de los precios elevados y de la ira que se dirigía hacia los acaparadores, acusados de retener el producto para beneficiarse con el aumento de los precios. La consecuencia natural de esta situación, hacia la primavera de 1775, fue que se reanudaron los disturbios que habían estallado a mediados de la década de 1760: las barcazas detenidas en las escalas fluviales, los ataques a los graneros y los molinos, y las ventas compulsivas a los precios exigidos por la muchedumbre. En París, la milicia de los *gardes françaises* no pudo impedir que una turba saqueara la abadía Saint-Victor, porque asistía en ese momento a la bendición de las banderas de los regimientos de Notre Dame.

La respuesta de Turgot a esta impertinente interrupción del libre comercio consistió en convocar a veinticinco mil soldados, crear tribunales sumarios y realizar ejecuciones ejemplarizantes en la horca. El príncipe de Poix, comandante de los guardias reales de Versalles, que se había apresurado a prometer harina a dos *sous* la libra a la multitud de cinco mil personas que se disponían a asaltar el palacio de Versalles, fue reprendido por su temeridad. Como habían hecho en el último episodio de libre comercio con el cereal, la policía y los magistrados locales en general no hicieron caso de los edictos de Turgot en favor de la paz pública inmediata, y esta actitud, así como una cosecha más abundante, más que la ley marcial, fue el factor que restableció un poco la calma hacia el verano de 1775. Herido por los violentos argumentos de los panfletos publicados contra su política, Turgot creyó (lo mismo que hoy o muchos historiadores que simpatizan con él) que la «guerra de las harinas» era una complicada conspiración y que el pueblo fingía tener hambre para avergonzar a su ministerio.

Turgot estaba decidido de todos modos a eliminar las regulaciones que afectaban al comercio de la carne. Y en este caso, no se detuvo ante las puertas de París y en cambio sí se deshizo directamente del gran número de empleados y funcionarios de la denominada Bourse de Sceaux et Poissy, que ejercía el derecho de fijar el precio en que los ganaderos debían vender sus animales a los carniceros. De acuerdo con los antiguos reglamentos, el sebo y la grasa (esenciales para la iluminación con velas) no podían recogerlos los carniceros después de la matanza, sino que pertenecían a ciertas corporaciones que ejercían el monopolio de su venta. También estos cayeron bajo el hacha de Turgot. Esto sucedió en el momento menos propicio para el éxito, pues 1775 presenció una epidemia de fiebre aftosa que devastó los rebaños nacionales; y, cuando intentaron tender un *cordon sanitaire* donde se exigía a los campesinos que inmolaran a los animales infectados y sepultaran en cal viva los despojos, los bienintencionados *intendants* de Turgot tropezaron con la resistencia local.

Sobre todo en el sudoeste, los prados y los bosques estaban poblados por misteriosas procesiones nocturnas de campesinos que intentaban hacer contrabando de bovinos a través del cordón sanitario.

Con los *six édits*, las medidas de Turgot sufrieron un serio revés. Los elementos principales de esta serie de reformas tenían que ver con la abolición de las corporaciones de oficios, que habían confinado la fuerza de trabajo, la producción y la venta de las mercancías a corporaciones autorizadas que tenían su propio monopolio interno sobre la instrucción, los bienes y los servicios. El sistema de corporaciones contrariaba del todo la visión de Turgot con respecto al mercado que determinaba los salarios, la demanda y la oferta de todos estos factores económicos. Su reforma habría eliminado la mayoría de las corporaciones, excepto los barberos, los fabricantes de pelucas y los encargados de las casas de baños, en cuyo caso se habría exigido un reembolso especial. También estaban exentos los orfebres, los farmacéuticos y los impresores, pero sobre la base de argumentos muy distintos: correspondía al interés público que los respectivos oficios (la riqueza, la salud y el saber) se sujetasen a cierto tipo de licencia. De un modo más amenazador, los edictos prohibían rigurosamente cualquier tipo de asamblea de los maestros o de los jornaleros con el fin de realizar negociaciones salariales u otras cosas similares, un principio que la Revolución mantendría en 1791.

La otra propuesta importante era la abolición del servicio de trabajo obligatorio, la *corvée*, que los plebeyos debían al Estado y que permitía la realización de gran parte del programa de construcción de caminos. Turgot acertaba al suponer que la *corvée* merecería el rechazo general de la campiña francesa, porque se apoderaba de una valiosa fuente (a menudo la única) de mano de obra de la minúscula finca familiar justo cuando más se necesitaba para llevar a cabo labores indispensables como, por ejemplo, el arado o la recolección. Podía canjearse la *corvée* por el pago de una suma de dinero, pero eso presuponía que el campesino pertenecía a un tipo de economía monetaria en que esto era viable y, en el caso de la gran mayoría del campesinado francés, nada semejante podía aplicarse. Sin embargo, el componente más arriesgado y polémico de la reforma fue la propuesta de reemplazar la *corvée* por un impuesto sobre la propiedad, pagadero por «todos los sectores de la población». Con los ingresos reunidos de este modo, el Estado ordenaría la construcción de los caminos a contratistas y haría públicas las condiciones del contrato, para demostrar la relación entre el costo de las obras locales y las rentas dedicadas a su financiación. Por consiguiente, esta medida habría redistribuido la carga de la financiación de los caminos y los canales entre todos los miembros de la población, y de hecho habría traído consigo la anulación de otro privilegio de las clases que gozaban de exenciones.

Como podía preverse, la abolición del servicio de trabajo obligatorio fue recibida con intensa y expresiva hostilidad por parte de los nobles mediante su voz colectiva en los parlamentos. Además de la reducción del privilegio, la abolición también amenazaba, por ejemplo, el derecho de los nobles a exigir servicios análogos de sus propios campesinos en las propiedades, un efecto que Turgot quizá tenía presente. En la defensa de su reforma se vio arrastrado a un extraordinario pero interesante intercambio de opiniones con Miromesnil, guardián de los Sellos (de hecho, ministro de Justicia), acerca de la legitimidad del privilegio. Miromesnil afirmó que los privilegios se fundaban en las exenciones concedidas a la casta guerrera en compensación por la ofrenda de su sangre a la corona. «Si se revocan las distinciones de la nobleza, se destruye el carácter nacional, y una nación que cese de alimentar su espíritu guerrero pronto será presa de las naciones vecinas.» La estupidez de esta afirmación indujo a Turgot a recordar a su oponente el lugar común de que «las naciones en que la nobleza paga impuestos como hace el resto del pueblo no son menos marciales que la nuestra [...], y en las provincias de la *taille réelle*, donde se trata del mismo modo a los nobles y a los plebeyos [...], los nobles no son menos valientes, ni se muestran menos fieles a la corona». De hecho, arguyó, él no podía recordar ninguna sociedad en que la idea de eximir a los nobles del pago de los impuestos «fuera vista como otra cosa que una anticuada pretensión abandonada por todos los hombres inteligentes, incluso en la clase de los nobles».

Otros intereses creados igualmente egoístas fueron responsables de una actitud similar de oposición a la abolición de las corporaciones. Turgot defendió la medida con la retórica infladamente filosófica de los derechos naturales económicos. «Al otorgar al hombre ciertas necesidades y subordinar estas al recurso del trabajo, Dios ha convertido el derecho al trabajo en propiedad de todos los hombres, y esa propiedad es esencial, la más sagrada e imprescriptible de todas las propiedades.» Sin embargo, a juicio de sus oponentes, la medida destruía más que protegía la propiedad, pues una serie de maestros de dichas corporaciones estaban lejos de ser hombres de manos callosas, hijos del trabajo esforzado protegidos por delantales de cuero. En realidad, eran los compradores aristocráticos de sinecuras y de dignidades municipales, y no deseaban ver que estas desaparecieran en nombre de una teórica interpretación del bien general. De hecho, tampoco lo deseaban los auténticos artesanos, que habían invertido un valioso capital, sin hablar de años de aprendizaje, en un sistema que les garantizaba tanto una fuerza de trabajo especializada como buenos precios. Comparado con estas situaciones seguras, el magnífico y nuevo mundo de la libertad económica de Turgot se presentaba con gran incertidumbre.

Sin embargo, lo que propició esta oposición no fue tanto el contenido de las reformas de Turgot como el modo en que intentó aplicarlas; pues, tan pronto como llegó a quedar claro que sus parlamentos restaurados no estaban dispuestos a actuar como dóciles criaturas de la reforma real, Turgot retrocedió justo hacia la misma aplicación legal de carácter absolutista que le había parecido tan repulsiva en Maupeou y Terray. No llegó al extremo de abolir las cortes opositoras, pero, en efecto, exhortó a Luis XVI, que se oponía firmemente a representar el papel del absolutismo, a adoptar sin remilgos el recurso de un *lit de justice*, si era necesario. Este modo clásicamente autoritario de proceder parecía muy negativo desde que el mismo Turgot había alentado la restitución del poder a las asambleas provinciales y había fundado dos de estos organismos en las provincias de Berry y Haute-Guienne en 1774. Considerado el más liberal de los interventores generales, fue quien de hecho utilizó más ampliamente el arresto arbitrario autorizado por las *lettres de cachet*, y así toda una serie de adversarios de sus medidas acabaron en la Bastilla.

Esto significó el fracaso del ministro, pues determinó que, además de sus muchos enemigos personales en la corte, Turgot ya no pudiera apoyarse en figuras del ministerio que antes habían sido sus aliadas. Hacia la primavera de 1776, estaba quejándose al rey acerca de las camarillas que se manifestaban con franqueza en el consejo y exigía que Luis volcase todo el peso de su autoridad para apoyar las reformas. Su modo de expresarlo no demostró ningún tacto.

Sois demasiado joven para juzgar a los hombres y vos mismo habéis dicho, Sire, que carecéis de experiencia y necesitáis un guía. ¿Quién será ese guía? [...] Sire, algunas personas creen que sois débil, y de hecho a veces he temido que vuestro carácter padeciese ese defecto. Por otra parte, en ocasiones más difíciles, he visto que demostráis auténtico coraje.

Este planteamiento de maestro de escuela no resultó eficaz. Trece días más tarde Turgot fue despedido, acompañado por los acostumbrados vivas del despotismo al acecho. Con él se retiraron algunos de sus hombres y dejaron de aplicarse muchas de sus medidas. Se restablecieron las corporaciones, aunque en forma atenuada, y se otorgó a las parroquias locales el derecho de determinar si aportarían la *corvée* o la reemplazarían por un impuesto.

Esto estaba muy lejos de la revolución pacífica que Turgot había creído realizar. Casi por definición, su enfoque macroeconómico, planteado para resolver los problemas económicos y financieros de Francia, necesitaba tiempo si se quería que tuviese alguna posibilidad de éxito. Su colega más flexible y mundano, Maurepas, que durante sus setenta años había visto que los ministros iban y venían con las estaciones, le aconsejó distribuir sus reformas a lo largo de varios años, en lugar de aplicarlas en una enérgica acometida. Sin embargo, Turgot tenía una prisa frenética. La muerte le presionaba: «En nuestra familia morimos a los cincuenta años», replicó a Maurepas. Y sentía que había una muerte más urgente, la del régimen. Sin una acción drástica, dijo al rey, «el primer disparo [de una nueva guerra] empujará a la bancarrota al Estado».

LAS ÚLTIMAS ESPERANZAS: EL BANQUERO

Los fisiócratas, Turgot incluido, siempre habían sido fuertes en los fines, pero débiles en los medios. A pesar de sus grandes esfuerzos intelectuales, no alcanzaban a ver una contradicción en el hecho de que su autoritario liberalismo se realizara con los instrumentos del absolutismo. Incluso hasta cierto punto se enorgullecieron al afirmar que una política absolutista era el «despotismo legal» necesario para obtener el prometido reino del trabajo libre, el libre comercio y los mercados libres. Tampoco tuvieron en cuenta el tipo de trastornos a corto plazo —por ejemplo los disturbios y las guerras— que formaban la realidad cotidiana del Estado del siglo XVIII. Era comprensible —sobre todo después de las aciagas advertencias de Turgot sobre las calamidades que sobrevendrían, si llegaba a declararse otra guerra— que, tan pronto como esa guerra se librara allende el Atlántico, la monarquía apelase a un tipo muy distinto de respuesta.

Bien podía suponerse que la designación de Jacques Necker, después de un breve periodo de actividad rutinaria bajo la dirección del interventor general Clugny, representó un paso de la teoría al pragmatismo. Y si tenemos en cuenta su anhelo de orientarse hacia la financiación mediante préstamos unida a la reforma administrativa, como Turgot había estado dispuesto a evitar esos recursos, lo que sucedió correspondió a ese supuesto. Sin embargo, de hecho la autoridad real que Necker aportó a su cargo de director general (pues, debido a que era protestante, no podía acceder al cargo de interventor) resultó ser mágica. Un tipo de mística —la del intelectual— fue reemplazada por otra: la del banco protestante. En su condición de extranjero poseía un doble encanto. No podían achacársele los males que afligían a la Francia católica y, por otra parte, se creía que expresaba el conjunto contrario de virtudes, las que se atribuían toscamente al capitalismo protestante: la probidad, la frugalidad y el crédito sólido. Sin embargo, también a causa de su condición de extranjero, tenía vínculos muy valiosos con el mercado internacional de préstamos, al que cada vez más se veía como una alternativa que permitiría evitar la extorsión de las *gens de finance.*

La opinión pública creía que Necker era un mago de la banca: alguien que podía sacar conejos de los sombreros y dinero de la nada. Se le atribuía el tipo de poderes milagrosos asociados con el electricista Franklin, con las cubas magnéticas del doctor Mesmer o con los globos de Montgolfier. Su abrumadora vulgaridad personal a lo sumo provocaba el halago de los que deseaban oponerle todavía más a los sibaríticos *financiers* o a los pretenciosos fisiócratas. En realidad, parecía un ciudadano perfecto y sólido, cómodamente instalado en un matrimonio en el que abundaban tanto las alegrías conyugales que podría haber sido inventado por Jean-Jacques Rousseau. Su esposa Suzanne presidía el salón más influyente de París y transmitía un poco de seriedad protestante al *monde* haciendo obras de caridad en beneficio de los pobres y los enfermos. Cuando rompió a llorar durante una de las discusiones más sinceras de los *philosophes* acerca del ateísmo, Grimm consideró que el espectáculo transmitía una inocencia aún más exquisita. Diderot, cuyos «dramas burgueses» solían humedecer el teatro parisiense, imitó el ejemplo y dijo a madame Necker: «Realmente es una lástima que yo no la conociera antes. En verdad, me habría inspirado una inclinación a la pureza y a la delicadeza que se habrían transmitido a mis obras».

La vivacidad y el entusiasmo de madame Necker tuvieron cierto eco en su hija, Germaine (la futura madame de Staël). Y el brillo de la parte femenina de la familia, en todo caso, destacó todavía más las virtudes reales del firme y sólido Jacques. Habría tenido que ser un santo para no dejar que le abrumara la lisonja que siguió a su *Elogio de Colbert*, en 1773. Algo que no era. Incluso se envanecía un tanto de su propia sensación de seguridad, como sugiere una extraordinaria frase del *Elogio:* «Si los hombres están hechos a imagen de Dios, el ministro de Finanzas, que sigue al rey, seguramente es el hombre que más se aproxima a esa imagen».

En la inquieta atmósfera de una guerra que parecía inminente, la irreprimible confianza de Necker en sí mismo apaciguaba, sobre todo porque lo mejor que atinó a concebir Clugny, el interventor general precedente, fue una lotería. Si Turgot había venido de la ética del servicio oficial y de la especulación filosófica, Necker surgió del mundo de los negocios. Había llegado a París desde Ginebra a la edad de dieciocho años para incorporarse al banco familiar de Thélusson et Cie, y, a la muerte de su socio más veterano, se había hecho con el cargo de director de la entidad. Se le entregó un regalo envenenado representado por la administración de la Compañía de Indias francesa, pero, en todo caso, sobrevivió al desastre del imperialismo francés en el subcontinente y ayudó al aprovisionamiento de cereales del Gobierno durante el difícil periodo de la década de 1760. Esta experiencia llevó a Necker a publicar su propio tratado acerca del comercio de cereales durante el renovado proceso de desregulación iniciado por Turgot, una coincidencia que, sin duda, afectó al ministro, que se lo comentó a Necker en una carta. Sinceramente sorprendido por el tono colérico de Turgot, Necker reiteró que apoyaba sin reservas los principios generales del libre comercio de cereales. Sin embargo, sus reservas —a saber, en periodos de crisis provocada por la escasez el Gobierno debía asumir la responsabilidad de la fijación de los precios y el aprovisionamiento— fueron en concreto el aspecto que impresionó a su público lector en unos momentos en que la campiña alrededor de París estaba agitada por los disturbios.

Más importante para un ministerio dominado ahora por el ministro de Relaciones Exteriores Vergennes fue el hecho de que Necker prometió financiar la política estadounidense sin provocar todas las consecuencias negativas pronosticadas por Turgot. La pregunta que desde entonces se plantea con respecto a la reputación de Necker es si cumplió esas promesas. Hasta hace poco, el consenso había sido abrumadoramente negativo. El hecho de que Necker publicara su famoso *Compte Rendu* —el primer presupuesto difundido ampliamente— ha sido tratado como un acto de publicidad poco sincera e interesada. Y se ha dicho de él que fue como el aplauso espurio que llevó a la monarquía francesa a la perdición, aunque yendo sobre un camino de rosas.

La pérdida del favor en el caso de Necker fue la inevitable consecuencia de las expectativas poco realistas suscitadas por sus cualidades. Sin embargo, últimamente una investigación más rigurosa ha permitido presentar una imagen de su administración mucho más equilibrada, comprensiva y en definitiva del todo convincente; el material más importante utilizado en estos trabajos está formado por los papeles de Necker recogidos en el Château de Coppet, en Suiza. Estas fuentes demuestran que Necker fue un reformador prudente pero decidido, más que un falaz prestidigitador. Aunque vio tanto como Turgot que la prosperidad de la corona dependía del todo de una economía que se desarrollase libremente, no estaba dispuesto a sacrificar al proyecto económico de largo alcance la prioridad inmediata de restaurar el crédito real. Lo que importaba a juicio de Necker era promover ahorros inmediatos y mensurables mediante la racionalización administrativa y la maximización de los ingresos.

Sabiendo que resultaba imposible abolir de golpe todos los cargos sobornables, concentró los esfuerzos en los sectores en donde el despilfarro era más llamativo y donde los cargos sobornables privaban de ingresos de manera más clara a la corona. Así, abolió los cuarenta y ocho cargos de recaudadores generales, cada uno con su propio secretario de Hacienda para recibir impuestos directos, y los reemplazó por doce funcionarios que debían responder directamente ante su propio ministerio. Asimismo, los seis *intendants* de finanzas que duplicaban inútilmente la burocracia del ministerio; los trescientos cuatro receptores de rentas de las Aguas y Bosques; y, lo que no es menos importante, los veintisiete tesoreros generales e interventores generales de los departamentos militares. De ese modo nació la primera legión de poderosos enemigos de Necker.

A esta hecatombe de cargos difuntos, Necker añadió después una serie de puestos de la casa real, donde vio la posibilidad de ahorrar de un modo particular. Desaparecieron por lo menos cuatrocientos seis cargos del inflado régimen de la *bouche du roi*, la cocina real. En Versalles nadie pasó hambre como consecuencia de esta medida, ni nadie tuvo que esperar a que le pusieran la cena, pues la totalidad de los cuatrocientos seis cargos estaba formada por designaciones ceremoniales que permitían a los cortesanos vestirse de gala en ocasiones especiales y exhibir el lugar que ocupaban en el orden de prelación, a estas alturas más bien inseguro, que pasaba por ser un ritual de la corte. Desaparecieron los trece chefs y los cinco ayudantes de la gran despensa; también los veinte coperos reales (no debe confundírselos con los cuatro portadores del vino real), los dieciséis «avivadores» del asado real, así como pelotones enteros de catadores, batallones de despabiladores de las velas, brigadas de pasadores de la sal y (lo que era más lamentable) los diez *aides spéciaux* de los *fruits de Provence*. En total, fueron abolidos unos quinientos seis cargos sobornables, con un ahorro de dos millones y medio de libras anuales. Los críticos de Necker se quejaban de que esta medida no serviría, sobre todo porque el director estaba obligado a reembolsar a todos los cesantes hasta alcanzar un capital de ocho millones de libras en el plazo de cinco años. Sin embargo, eso se traducía en que, después de cuatro años, la reforma solventaría su propio coste y luego se obtendría un ahorro neto. Y lo que era quizá más importante: representaba el regreso al riguroso control oficial de un enorme imperio de patronazgo que sencillamente se había convertido en el juguete particular de los cortesanos. Luis XVI parecía complacido. «Deseo poner orden y ahorro en todos los rincones de mi casa —dijo a uno de esos cortesanos, el duque de Comigny—, y a quienes se opongan los aplastaré como a este cristal.» Aquí, el rey arrojó una copa al piso para subrayar teatralmente lo que había dicho, lo cual provocó en el duque la adecuada respuesta de que «quizá sea mejor verse criticado que aplastado».

Necker incluso estaba dispuesto a vérselas con los interventores generales, a quienes comparaba de manera descortés con una especie de maleza que florecía en un pantano. Parece probable que, como ideal, habría deseado abolir del todo el sistema de contratos y devolver al Estado la responsabilidad de la recaudación de los impuestos indirectos. Sin embargo, resulta comprensible que, sobre todo en tiempos de guerra, retrocediera ante los gastos administrativos, que podían crecer súbitamente, por no hablar de la inmediata desaparición de los adelantos por las rentas. No obstante, estaba decidido a derivar hacia el Estado una porción más elevada de los beneficios que recibían los recaudadores y, después de que expirara el arriendo David, en 1780, transfirió una serie de impuestos, sobre todo los que gravaban el vino y los alcoholes, al método más directo de la *régie*. De esa forma, un tercero continuaba cobrando el impuesto, pero, en lugar de embolsar toda la recaudación, cualquiera que fuese su monto, los recaudadores únicamente tenían derecho a un porcentaje del ingreso más allá y por encima de una suma estipulada con antelación. Incluso en el caso de la participación de los recaudadores en el impuesto sobre la sal, Necker aclaró que, si los ingresos sobrepasaban en determinada suma el dinero adelantado por el arriendo, la corona tenía derecho a una parte de ese beneficio. Fue un golpe brillante, pues llegó al corazón del asunto de las finanzas francesas; no era que el sistema de recaudación estuviese privando por sí solo de ingresos a la corona, sino que los recaudadores, más que el Estado, estaban recogiendo los beneficios de un producto nacional bruto en rápido aumento, pues era evidente que los impuestos indirectos y no los directos constituían la parte realmente dinámica de las rentas.

El principio de la participación en los beneficios fiscales con un gasto administrativo bajo se extendió a otras áreas que, sin duda, eran lucrativas. El sistema de correos y transportes de las *messageries royales*, que Turgot había cedido bajo contrato, fue convertido en cambio en una *régie* y, en la década de 1780, comenzó a prosperar de manera espectacular. También se aplicó una *régie* a la administración de los dominios y los bosques reales, de donde se extrajo la madera destinada a la enorme expansión de la construcción urbana durante el reinado de Luis XVI; y, de este modo, ese bien llegó a ser inmensamente lucrativo.

Todos estos ahorros fueron ideados por Necker con un propósito: equilibrar las rentas y los desembolsos regulares de la corona. Y ese equilibrio fue lo que se reflejó en su *Compte Rendu*. Su publicación, en 1781, fue de por sí todo un acontecimiento. Los impresores reales y el más importante editor de París, Panckoucke, decidieron imprimir lo que, de acuerdo con las normas contemporáneas, era una tirada enorme, casi sin precedentes, de veinte mil ejemplares (utilizando varias imprentas), y el grueso volumen fue vendido en el lapso de unas pocas semanas. También se tradujo muy pronto al neerlandés, al alemán, al danés, al italiano y al inglés, y solamente el duque de Richmond compró seis mil ejemplares. Produjo, dijo el pastor protestante Rabaut Saint-Étienne, «el efecto de la luz súbita en medio de la oscuridad». Marmont, que llegó a ser uno de los mariscales de Napoleón, incluso afirmó que le habían enseñado a leer con el *Compte*. Sin embargo aunque fue una obra de indudable éxito, su popularidad no sobrevivió a la caída de Necker. Después de 1781, no se reeditó y se convirtió en una especie de chivo expiatorio de los posteriores interventores generales, sobre todo para Calonne, que afirmó que era un absurdo fraude que pretendía hacer creer que todo estaba bien, cuando, en realidad, todo estaba muy mal.

El centro de la acusación de estos detractores fue que Necker, de manera deliberada, había presentado un débil y artificial equilibrio que no guardaba relación con la nueva carga del servicio de la deuda. Sin embargo, Necker jamás afirmó que solventaría el coste de las deudas de guerra. La intención del *Compte Rendu* era muy distinta. Estaba enfocado a demostrar que, mientras que en tiempos de paz las obligaciones fijas de la corona podían atenderse mediante el ingreso corriente, los préstamos tomados con propósitos «extraordinarios» (por ejemplo, la guerra) podían financiarse en condiciones más ventajosas que durante la segunda mitad del siglo. Para su sólida mente suiza, todo dependía de la confianza y del crédito públicos. Teniendo en cuenta esta esquiva magnitud, no había razón que impidiese buscar la financiación de los objetivos extranjeros y militares considerados esenciales tanto por el Gobierno como por la opinión pública. Y dada la atmósfera de eufórico apoyo a la guerra estadounidense, muy mal podía discutirse esta idea.

El agotamiento fiscal del que, con carácter urgente, Calonne informó a Luis XVI en 1786 y que, en efecto, desencadenó la Revolución francesa no fue directamente atribuible a la financiación de Necker en tiempos de guerra, por un monto de quinientos treinta millones de libras, sino a los préstamos en tiempos de paz de sus sucesores y al total abandono del ahorro que él había impuesto. Su ahorro había creado una serie de enemigos en el grupo de los funcionarios destituidos. Y en el propio Gobierno había ministros, entre ellos Vergennes, que se habían distanciado cada vez más a causa de la forma y del contenido de las medidas de Necker. En mayo de 1781, Necker afrontó enérgicamente el reto y pidió al rey que le incorporase al consejo real, pese a su condición de protestante y pese a su cargo de director general. Tanto Maurepas como Vergennes replicaron que dimitirían si se procedía de ese modo. El 19 de mayo Necker renunció.

Joly de Fleury, que le sucedió en el cargo, restableció de inmediato a la mayoría de los receptores y tesoreros suprimidos por Necker; y Calonne, en efecto, inició una deliberada y muy clara orgía de gastos en beneficio de la monarquía, adquirió Rambouillet y Saint-Cloud y emprendió ambiciosas obras militares, entre ellas los astilleros navales de Tolón y el gran proyecto del puerto de Cherburgo. Calonne fue también pródigo en la administración y abandonó los puntillosos requerimientos contables que habían provocado tanta zozobra en el ejército y en la Marina (sobre todo en la intendencia), al igual que en la casa real. Como señala con acierto R. D. Harris, solo en 1786, cuando debía expirar el último impuesto del *vingtième*, aplicado como medida de tiempos de guerra, Calonne descubrió súbitamente que la relación entre el ingreso y los desembolsos regulares no era un excedente, como se indicaba en el documento de Necker, sino un déficit de ciento doce millones de libras. Sin duda, se trataba de una emergencia, pero no había sido provocada por Necker, sino por los que le siguieron y sobre todo por Calonne.

Más adelante, Necker habría de suspirar ante las oportunidades desaprovechadas:

> ¡Ah! Todo lo que podría haberse realizado en otras circunstancias. El corazón se siente oprimido al pensar en eso. Trabajé para mantener a flote la nave en la tempestad [...], los tiempos de paz pertenecían a otros.

Sin embargo, como en el caso de Turgot, su propia decisión de obtener el control cada vez más exclusivo sobre las finanzas fue el motivo que le ganó enemigos en la corte. Sobre todo, y quizá no sin razón, Necker había insistido en su incorporación de pleno derecho al consejo real, en lugar de representar el papel externo implícito en su anacrónico cargo de director general... No se trataba solo de una cuestión de amor propio, sino que había ido perdiendo terreno en el seno del Gobierno frente a los programas militares expansionistas de De Castries y Ségur, y había intentado de forma osada una mediación que pusiera fin a la guerra estadounidense antes de que esta acabase con la monarquía. Así perdió el apoyo de Vergennes. Su ataque a la entidad y a los recaudadores generales le había ganado muchos enemigos poderosos, pero, cuando Necker insistió en ser aceptado en el consejo, lo hizo por un asunto muy concreto.

Siempre había sostenido que un apoyo político amplio era indispensable si se deseaba que un programa serio de reformas alcanzara el éxito. Y en mayor medida que Turgot y otros predecesores, Necker, con su condición de extranjero, estaba dispuesto a sobrepasar el delimitado dominio político de la corte y los parlamentos para lograrlo. Había creado asambleas provinciales selectas en el Berry y la Haute-Guienne y les había transferido tareas que antes estaban confiadas a los *intendants*. Esto era algo distinto a la reorganización integral de las instituciones preconizada por Turgot (que proponía una cadena de organismos electos, desde las asambleas aldeanas hasta una representación nacional) y, si bien los miembros de las asambleas de Necker se reunían distribuidos en los tres órdenes tradicionales de los tres Estados, los representantes del Tercer Estado —el pueblo— por primera vez «doblaban en número», para equiparar el de diputados del clero y de la nobleza. Cuando no solo tropezó con resistencia, sino con total menosprecio en el Intendant del Bourbonnais, ante su propuesta de crear una tercera asamblea en Moulins, Necker formuló su reclamación al rey. De hecho, debido a su posición, tuvo que pedir a uno de sus enemigos, Miromesnil, que presentase la propuesta al rey en el consejo; el ministro rehusó.

De las numerosas afrentas de Necker a los baluartes de las tradiciones del Antiguo Régimen, ninguna había sido más grave que la provocada por el principio fundamental de su *Compte Rendu*: el escrutinio público. Uno de sus críticos afirmó que la esencia del Gobierno real había sido su secreto y que «pasará mucho tiempo antes de que Su Majestad cure esta herida infligida a la dignidad del trono». Sin embargo, para Necker imponer alguna forma de rendición de cuentas en el Gobierno francés era el meollo del asunto. Practicada por hombres íntegros y competentes como su propio y fiel ayudante Bertrand Dufresne, esa publicidad no era un impedimento, sino de hecho la propia condición del éxito financiero. Era la esencia del crédito. Tanto como cualquier otra cosa, el *Compte Rendu* era un ejercicio en el área de la educación pública. Su lenguaje deliberadamente sencillo y su esfuerzo enfocado a lograr que una rendición de cuentas financieras fuese legible para el hombre común y corriente atestiguan su intención de crear una ciudadanía comprometida.

De manera que el asunto era mucho más que una mera cuestión de forma de la administración fiscal. Se originaba en un tema profundo y apasionado de la cultura francesa de finales del siglo XVIII, una cuestión que refluía sobre la moral pública de los individuos y que habría de convertir los dos aspectos en cuestiones inseparables en el discurso y la conducta de la Revolución. Era la contraposición entre la transparencia y la opacidad, entre la sinceridad y el disimulo, entre el interés cívico y el interés egoísta, entre la franqueza y el disfraz. La Revolución determinaría que las costumbres del *ancien régime*, que atribuían una especial importancia a las hipocresías corteses, fuesen una forma de traición. Sin embargo, ya en la forma de la intriga cortesana tuvieron fuerza suficiente para disuadir al rey de la idea de apoyar a su reformador más eficaz.

A los ojos de Necker, la preservación del secreto implicaba de hecho el rescate del despotismo. Eso no solo era inmoral, sino también imprudente. Creía que la verdadera diferencia entre el crédito británico y el francés consistía en la capacidad del primero para utilizar instituciones representativas como el Parlamento (por imperfectas que fuesen), que venía a simbolizar la relación de confianza y de consentimiento entre gobernadores y gobernados. «El firme vínculo entre los ciudadanos y el Estado, la influencia de la nación sobre el gobierno —escribió—, las garantías de la libertad civil del individuo, el apoyo patriótico que el pueblo siempre concede al Gobierno en situaciones críticas... son todos factores que contribuyen a lograr que los ciudadanos ingleses sean únicos en el mundo.»

Sin embargo, si era absurdo tratar de ofrecer en Francia un simulacro de la historia constitucional inglesa, por lo menos debía realizarse un intento coordinado de marchar en esa dirección. Necker creía que la peor consecuencia de su destitución era que destruía esta unión entre la consolidación fiscal y la liberalización política antes de que hubiese tenido tiempo de comenzar. Si llegaba a existir otra oportunidad en que Necker y la reforma pareciesen de nuevo una solución, e incluso la única solución, quizá sería en circunstancias de convulsión traumática. Otros, sin duda, temían lo peor. Grimm informó de que, cuando se difundió la noticia de la destitución de Necker,

> uno habría creído que había sobrevenido una calamidad pública [...], las personas se miraban unas a otras con silencioso desaliento y tristemente se estrechaban las manos al pasar.

3

Ataque al absolutismo

Las aventuras de M. Guillaume

Una mañana de agosto de 1776 un caballero robusto, vestido con prendas bastante raídas, estaba de pie en el muelle de Róterdam. Mientras chupaba su pipa, con el tricornio encasquetado al descuido sobre una peluca que había visto mejores tiempos, observaba con atención el lento movimiento de las barcazas de madera que descendían por el canal en dirección a Dordrecht. Esta escena completamente habitual le parecía sorprendente. En su diario la describió como «uno de los espectáculos más singulares que he visto en el curso de mi vida; una ciudad flotante completa a la que estaba fijada una excelente casa de planchas de madera». Impulsado por la curiosidad preguntó, cuando se detuvo la barcaza, si podía visitar la cabina flotante, y le dio la bienvenida a bordo una mujer *d'un certain âge* que, para mayor asombro aún del caballero, resultó ser la propietaria de toda la flota. Le recibió, según él escribió, «muy sinceramente, nada más que en mi condición de viajero».

Este viajero, conocido en sus muchas andaduras solo como M. Guillaume, era quizá el hombre más amado de Francia. Era Chrétien-Guillaume de Lamoignon de Malesherbes, que tres meses antes había sido colega de Turgot y maestro de la casa real. Para Malesherbes, esta visión de la abundancia flotante, dirigida por una magnífica capitana, era más o menos la máxima distancia que él podía tomar de la Francia del Antiguo Régimen. Como la totalidad de la República Holandesa, proclamaba la riqueza, la libertad de los bienes y las personas, y las dignidades humanas, que formaban un terrible contraste con la corte de Versalles, de donde él venía. Los Países Bajos sentaban muy bien a M. Guillaume.

118

Pensaba, al igual que una caravana entera de distinguidos visitantes franceses, entre ellos Diderot, Montesquieu y D'Argenson, que había conservado milagrosamente la sencillez de las costumbres, incluso en la cima de su poder. Más aún, era una sociedad de fumadores de pipa, cuando en la sociedad francesa solo se permitía el rapé, en sus cajas esmaltadas, los pañuelos de encaje y los rebuscados movimientos del pulgar y del índice. Además, parecía que tampoco nadie atribuía demasiada importancia a la apariencia, lo cual le sentaba bien, pues Malesherbes había sido un hombre célebre por sus andanzas, incluso en la corte, ataviado con una sucia chaqueta parda y calzando medias negras; parecía más un boticario de pueblo pequeño que un ministro del rey.

Era un viajero apasionado y las destituciones habituales (la pena que pagaba por su mente independiente) le habían proporcionado tiempo para dedicarse a su auténtica vocación: la botánica. Tan pronto como presentó su carta de renuncia a Luis XVI, después de la «caída en desgracia» de Turgot, realizó una excursión a pie por el sudoeste de Francia con el fin de explorar la viticultura y los bosques de pinos de la arena en las Landas, al sudoeste de Burdeos. Afirmaba que su verdadera ambición en la vida era refutar las teorías de la naturaleza de Buffon, de quien decía que era un canalla, además de un estúpido, así como rehabilitar la obra de su propio maestro intelectual, que era Linneo. Cuarenta volúmenes de su *Herbier*, así como el más amplio jardín botánico de Francia, debían ser los elementos de esta gran iniciativa. Para Malesherbes, su castillo no era más que un cobertizo, con el añadido de una biblioteca de referencias botánicas que incluía un millar de obras. En su gran colección había cornejos de Virginia, enebros de Pennsylvania, abetos canadienses, árboles del caucho tropicales y nogales brasileños. Incluso tenía una colección completa de olmos ingleses traídos de Dover en un fardo encargado especialmente y trasplantados. Para él, el espectáculo más desafortunado del mundo —después del estado de las prisiones parisienses— era un bosque quemado, como el que halló en su larga excursión a través de la Provenza en 1767. En Holanda su mente enciclopédica funcionó con más intensidad que nunca. Seducido por una cultura en la que el desastre natural se compensaba con el ingenio natural, tenía ojos para todo. Las colonias de conejos amenazaban las dunas, pero los holandeses contestaron descubriendo un tipo de árbol de raíces superficiales que fijaba la arena. Incluso las algas marinas podían ser útiles para afianzar los diques.

Acostado en una cama limpia, una tibia mañana de agosto, en el extremo de la península norte de Holanda, contemplando el océano desde su ventana, Malesherbes se sentía al fin limpio de la suciedad de la política cortesana.

A decir verdad, nunca se había sentido feliz en el cargo. En Suiza, dos años más tarde, un pastor protestante había tratado de ofrecer a su anónimo y erudito antagonista un curato vacante. Cuando Malesherbes intentó desembarazarse del aprieto, el pastor supuso que aquel estaba cuestionando su derecho a realizar la designación y le dijo para tranquilizarle: «Mais moi, ministre». A lo que su interlocutor contestó, desechando un momento el anonimato: «Et moi, ex-ministre». En realidad, gozaba repudiando a la autoridad oficial. Había rechazado a su amigo Turgot la primera vez que el interventor general había intentado convencerle de que ocupase un cargo, en 1774, y poco después de salir del ministerio se encontró en una posada donde dos hombres lamentaban el alejamiento del excelente M. de Malesherbes. M. Guillaume dudó enérgicamente de la aptitud del exministro para el cargo e insistió en que sencillamente Malesherbes no era la persona apropiada para esa tarea.

Por supuesto, había un ingrediente de autocomplacencia a la inversa en todo esto. Admirador y hasta corresponsal de Rousseau, Malesherbes adoptaba conscientemente la actitud del *honnête homme*. Si continuaba usando ropas viejas y gastadas cuando era maestro de la casa real, no lo hacía por distraído desaliño, sino como un deliberado desafío a la etiqueta versallesca que imponía a los ministros el atuendo de la corte. Si la economía estaba en el orden del día, él mismo podía comenzar a practicarla. De acuerdo con una versión (quizá cierta), el famoso maestro de baile Marcel, contratado para enseñar a Malesherbes cuando este era joven, había renunciado a ello y había advertido a Malesherbes *père* que con tan lamentable porte su hijo jamás podría alentar la esperanza de alcanzar éxito en una carrera que implicase distinción pública o política. A diferencia de ese prototípico *honnête homme* que fue Benjamin Franklin, Malesherbes era casi incapaz de hipocresía o de cálculo social. Y había afrontado ya bastantes desastres y desgracias personales como para ser apreciado por una generación que creía que el dolor constituía un rasgo de nobleza. En 1771 Malesherbes había encontrado el cuerpo de su esposa Marie-Françoise, hija del recaudador general Grimod de La Reynière, en los bosques cercanos a su casa. Con gran habilidad, ella había atado un mosquete a un árbol, había unido una cinta de seda azul al disparador, había apoyado la boca del arma contra su pecho y había accionado el pañuelo. Rousseau había escrito en su nota de condolencia el mejor elogio que él podía ofrecer: que «ella no sabía fingir ni engañar. Y que eso debía representar por lo menos cierto consuelo para el dolor que todos los corazones sensibles soportaban».

En Malesherbes subyacían todas las contradicciones políticas de la nobleza del Antiguo Régimen. Como por temperamento no se adaptaba a la corte, Turgot le puso a cargo de la casa real. Allí, él fingía que no prestaba atención a las criaturas que residían en los *grands appartements*, que se burlaban recatadamente de ese mochuelo entre pavos reales. Y utilizó su impecable reputación para preparar el camino a la ofensiva general de Necker contra los cargos cortesanos. A pesar de su apariencia y sus modales, Malesherbes no necesitaba justificar su linaje. Su familia era una de las dinastías nobles más distinguidas de Francia. Pese a que en él no había codicia, se había casado con una mujer que pertenecía a uno de los linajes más acaudalados. Aunque la familia se había destacado bajo el cardenal Mazarin como un gran clan de la *robe* —es decir, la nobleza judicial—, como muchas otras había servido tanto en los cargos reales como en las cortes soberanas convertidas en una oposición oficiosa al absolutismo. Malesherbes padre había sido magistrado y su primo Lamoignon sería el más decidido guardián de los Sellos de Luis XVI.

Cuando Malesherbes ocupó un cargo bajo Luis XV, lo hizo con vistas a limitar más que a aplicar la autoridad del absolutismo. Había comenzado su carrera a la edad de veinte años en el Parlamento. Entre 1750 y 1775 ocupó dos cargos cruciales para la defensa de lo que Malesherbes, así como muchos miembros de la élite, consideraba que eran las libertades fundamentales. La primera de ellas era la libertad de lectura. De 1750 a 1763 ocupó el cargo de *directeur de la librairie*; es decir, era el funcionario que decidía si un libro podía o no publicarse. No es necesario decir que su actitud fue de respeto hacia el creador. Durante su dirección se publicó casi todo, salvo el ateísmo sin ambages, los escritos que preconizaban el regicidio y la pornografía. Y lo que es más importante, tanto Rousseau como los editores de la *Encyclopédie*, es decir, Diderot y D'Alembert, recibieron la protección que necesitaban para llevar a cabo su gran obra. En 1752 el consejo real, molesto por los artículos del segundo volumen que atacaban a los jesuitas, exigió su eliminación e impuso cuantiosas multas a los que fuesen sorprendidos imprimiéndolo o distribuyéndolo. Y lo que es peor, se ordenó a Malesherbes que se incautase de todos los manuscritos relevantes, las planchas y los ejemplares encuadernados y sin encuadernar. En cambio, Malesherbes no solo avisó a Diderot antes de que llegase la policía, sino que, en realidad, le convenció de que ocultase en su propia casa el ejemplar incriminado, pues supuso con acierto que sería el último lugar adonde irían a buscarlo.

En su otro cargo, como presidente de la Cour des Aides, Malesherbes demostró que, en ese contexto, no estaba menos abierto a utilizar el alto puesto para defender al «ciudadano» (pues esta palabra ya se usaba habitualmente) contra los agentes del absolutismo. La mayor parte de la actividad de la Cour des Aides consistía en escuchar las apelaciones contra los fallos de los tribunales por parte de las autoridades administrativas y financieras: funcionarios aduaneros, recaudadores de los impuestos indirectos y los comisionados de los recaudadores generales. Convirtió esta función en una de las instituciones más populares del Antiguo Régimen y su favorable reputación quizá se vio acentuada por el hecho de que la mayoría de sus abogados y magistrados provenía de una capa social de la nobleza inferior a la que suministraba los *grands* de los parlamentos.

El presidente podía mostrar la tenacidad de un terrier cuando estaba convencido de que se había perpetrado una injusticia. Por ejemplo, un vendedor ambulante del Limousin llamado Monnerat había sido arrestado bajo sospecha de contrabando y había sido arrojado a los sótanos de las mazmorras de la cárcel de Bicêtre durante veinte meses sin ser oído ni una sola vez. Cuando salió en libertad, intentó arrancar, por mediación de la Cour des Aides, daños y perjuicios a los recaudadores generales. El resultado fue que le arrestaron de nuevo y aquí Malesherbes replicó encarcelando al funcionario de los recaudadores. Siguió un choque frontal entre la Cour des Aides y el interventor general Terray, que concluyó solo cuando este último disolvió la corte. Sin embargo, si bien la corona se impuso provisionalmente, el episodio garantizó que, al restablecerse la corte con Luis XVI, su prestigio como protectora del súbdito contra la justicia administrativa arbitraria fuese intachable.

La corte tenía otra función no menos importante. Al igual que los trece tribunales superiores del Parlamento, conservaba el derecho de «registrar» los edictos reales. Solo con esa ratificación el edicto podía convertirse en ley, si bien la corona podía imponerse a una negativa prolongada de practicar el registro celebrando un *lit de justice* y ordenando su ejecución. Asimismo, y del mismo modo que los parlamentos, la corte tenía el derecho de «queja». En la cúspide del poder real, durante el siglo XVII, esta atribución había caído, pero, después de la muerte de Luis XIV, en 1715, el regente la había restablecido y, de un solo golpe, rejuveneció la autoridad política de los tribunales. De hecho, las quejas eran advertencias críticas o protestas —a menudo en la forma de extensos sermones— contra las medidas que se consideraban violaciones de las «leyes fundamentales» del reino. Como veremos, cuál era exactamente el contenido de ese cuerpo de la ley fundamental era un asunto que generaba graves disputas. Sin embargo, conforme las medidas fiscales de Luis XV adquirieron un cariz más agresivo, después de cada una de sus principales guerras, las quejas llegaron a ser a su vez más frecuentes y polémicas.

La mayoría de las quejas originadas en el Parlamento se relacionaban con el avasallamiento del privilegio implícito en impuestos como el *vingtième*, pese a que el Parlamento afirmaba que lo que haría sería oponerse a los ataques contra las «libertades». Sin embargo las quejas dirigidas a la Cour des Aides a partir de 1759 tenían un carácter mucho más radical, pues Malesherbes utilizó su presidencia para atacar todo el sistema impositivo y, sobre todo, las desigualdades de tasación y recaudación. En primer lugar, arguyó, siguiendo en esto a Montesquieu, que bajo la monarquía francesa medieval jamás se habían cobrado impuestos sin el consentimiento del pueblo reunido en los Estados Generales. En segundo término, resultaba evidente que el monto total de los impuestos nunca debía superar las necesidades oficiales comprobadas. Y con el propósito de restablecer la relación adecuada entre el ingreso y los desembolsos necesarios, debía aplicarse alguna forma de responsabilidad frente al público. Y en tercer lugar, era necesario corregir las desigualdades de la imposición (entre diferentes clases de ciudadanos y entre distintas regiones del país).

En 1771 llegaría incluso más lejos. Exasperado por el bloqueo parlamentario, el canciller Maupeou había convencido a Luis XV de la necesidad de adoptar medidas drásticas. Las cortes soberanas fueron eliminadas por completo en favor de cuerpos designados de magistrados que complacerían a la corona. En febrero de 1771, Malesherbes emitió un acta de reprobación en nombre de la corte y ese gesto garantizó que poco después se disolviera dicho cuerpo; pero no antes de que él hubiese atacado a la corona porque violaba derechos fundamentales de la propiedad al privar de su cargo a miembros del Parlamento. Esto significaba sencillamente seguir la línea parlamentaria permisible. Sin embargo, la queja tenía el aguijón en la cola, pues hacia el final Malesherbes arguyó que, como la nación se había visto privada de los organismos intermedios que podían defender sus leyes fundamentales, ahora no había alternativa contra el despotismo salvo convocar una asamblea nacional, era de suponer que los Estados Generales. «El incorruptible testimonio de sus representantes por lo menos os mostrará si es verdad que, como vuestros ministros afirman incansablemente, los magistrados violan la ley o si la causa que defendemos hoy no es la del pueblo *por quien reináis y para quien reináis*.»

La base condicional, incluso contractual, de esta soberanía estaba muy lejos del absolutismo proclamado en la manifestación formal de Luis XV en el *lit de justice* de que «recibimos nuestra corona solo de Dios». Y en marzo, el rey convocó debidamente a Versalles al rebelde presidente con el fin de que presenciara la humillante ceremonia en que él en persona anularía la reprobación de la corte. Sin embargo, cuando se dirigía al teatro de esta afrenta ritualizada, sucedió un hecho extraordinario. Cuando Malesherbes llegó a las puertas de los aposentos reales, el muro de petimetres decorativos, que siempre se esforzaban por demostrar su superioridad frente a los magistrados de sombrío atuendo, se partió en dos para permitir que un hombrecillo regordete y mal vestido llegara sin problemas hasta el rey. Un colega de Malesherbes diría después que este acto de inesperada deferencia era «sorprendente» y describiría el «respeto y la consideración [...], tanto más sorprendente cuanto que los hombres de *robe* [...] a veces tropiezan con dificultades para entrar [en los aposentos], incluso cuando el monarca ha requerido su presencia».

La esperanza de Malesherbes en relación con el nuevo reinado era que Luis XVI pudiese ser apartado de su corte. De modo que, con mucha reticencia, se unió al ministerio de Turgot, convencido de que no sería incorporado al mundo de *les petits maîtres*, como de manera despectiva denominaba a los cortesanos. Ante la posibilidad de que aun así pudiese interpretársele mal, antes de asumir el cargo publicó una última queja, que era una invectiva global tanto al espíritu como a la letra del

Gobierno francés. La parte principal del extenso y sólido tratado correspondió a un ataque contra los abusos de los recaudadores generales y sus funcionarios, las desigualdades de la *taille* y la necesidad de reemplazar el venerado «secreto» del Gobierno por la responsabilidad y el examen público. Sin embargo, Malesherbes también asumió la tarea de reiterar que este paso implicaba necesariamente acabar con el poder burocrático de los *intendants* para reemplazarlo por la autoridad electa de las asambleas locales y provinciales. Solo cuando la corona pudiese depender de una representación nacional fiel se dispensaría al Gobierno del tratamiento de fideicomiso, más que el de una imposición despótica de los supuestos gobernantes.

No hace falta decir que la idea pasó desapercibida para Luis XVI. En lugar de ver la queja como una llamada a modificar los aspectos esenciales de la naturaleza del Gobierno, la consideró una verborreica defensa de medidas fragmentarias particulares, a las cuales él no se oponía de manera especial. Igualmente, el mismo año, la *Memoria acerca de los municipios*, de Turgot, que proponía una descentralización incluso más drástica del Gobierno a partir de las asambleas locales de las aldeas y que recorría todo el camino hasta llegar a una representación nacional, no logró impresionar demasiado al rey. Muchas de las advertencias de Malesherbes acerca de que el rey debía demostrar públicamente una actitud distinta y más sincera, así como un espíritu cívico, fueron echadas en saco roto o se vieron frustradas por las necesidades del decoro tradicional expresadas por Maurepas. De modo que, si bien Luis se sintió satisfecho cuando Malesherbes visitó en persona las prisiones de Bicêtre y la Bastilla (de las que salió estupefacto después de ver las condiciones que predominaban en los peores calabozos), rechazó las advertencias del ministro, que había pedido que el monarca le acompañase. Tampoco se mostró dispuesto a abolir, como recomendaba enérgicamente Malesherbes, las *lettres de cachet* (el instrumento que permitía a la corona ordenar el arresto y la detención de personas sin siquiera oírlas). A lo sumo se rindió un homenaje formal a las vivas manifestaciones del ministro en favor de la tolerancia pública frente al protestantismo.

Así, todas las grandes expectativas depositadas en Luis XVI en la época de su coronación comenzaron a desvanecerse con rapidez. Sin embargo, como procedían de dos de los hombres más poderosos de Francia, la queja y la *mémoire* de Turgot formaron el esquema de una monarquía diferente en Francia: local, más que centralizada; electa, más que burocrática; pública, más que clandestina; y legal, más que arbitraria.

Antes de que pasara mucho tiempo, Malesherbes se enemistó con la reina, pues impidió que se otorgara una embajada a uno de los favoritos más conocidos de la soberana. No obstante, cuando su amigo Turgot perdió el poder, Malesherbes pudo alejarse con la conciencia tranquila: no había comprometido su independencia corrompido por el cargo. Regresó a su castillo, se inclinó sobre los retoños y trabajó en su inmenso manuscrito hasta entrada la noche, vestido con una bata de franela gris y con un gorro de dormir blanco. Aunque no perdía por completo la esperanza con respecto a la monarquía. El año 1775 también había presenciado el recibimiento triunfal que le dispensó la Académie Française, donde había pronunciado un discurso inaugural que expresaba un luminoso optimismo sobre el destino de Francia. Su propio destino y el de su rey, en realidad, se unirían más estrechamente de lo que él podía haber imaginado. De nuevo representaría el papel de abogado y su desafortunado cliente sería Luis XVI.

Redefinición de la soberanía: el desafío de los parlamentos

Como el tiempo demostraría, Malesherbes no era un revolucionario. El ácido tono de su ataque al «despotismo» y a la «tiranía ministerial» habría sido inconcebible, si no hubiera estado sancionado por el uso prolongado en los debates de los parlamentos. Desde la década de 1750, el tono de la resistencia parlamentaria a la política real había sido el de una airada vehemencia. Cuanto más desesperadamente buscaba la corona remedios para sus aprietos financieros en los impuestos aplicados tanto a los privilegiados como al pueblo, más se exasperaban los parlamentos. Y su beligerancia era mucho más que un mero arranque de malhumor colectivo. Representaba un esfuerzo concertado para reemplazar el absolutismo sin límites de Luis XIV por una monarquía más «constitucional». En ese nuevo régimen, ellos debían ser los árbitros del poder legítimo, los verdaderos representantes de la «nación», atentos a todos y a cada uno de los excesos de la autoridad oficial.

En este proceso de paso de una monarquía absoluta a otra «mixta», los parlamentos contaban con la ayuda de un cambio de acento en la autodefinición del Gobierno. En armonía con la creación en el siglo XVIII de una teoría del Gobierno (principalmente, aunque no de manera exclusiva en Alemania), los funcionarios de la corona se habían acostumbrado a expresar su fidelidad, pero no a la persona del rey, sino a la entidad impersonal del Estado. Los *intendants*, a quienes se denominaba los *commissaires départis* del Gobierno central, se veían esencialmente como los órganos administrativos del consejo real, más que como emanaciones del poder dinástico. Esta variación fue advertida por el abate Veri, amigo de Turgot. «Los lugares comunes de mi juventud —observó— [por ejemplo], "servir al rey", ya no están en labios de los franceses [...] ¿Nos atreveremos a afirmar que, en lugar de "servir al rey", decimos "servir al Estado", una expresión que desde los tiempos de Luis XIV ha sido blasfemia?»

Esta distinción, sutil pero importante, no puede atribuirse a la indecisión de Luis XV. A medida que las disputas con los parlamentos acerca de las medidas religiosas e impositivas durante el final de su reinado se agudizaron, el rey adoptó una actitud más férreamente absolutista. La prematura muerte del delfín en 1765 creó la posibilidad clara de que tuviera lugar otro periodo de incertidumbre política mientras el nieto de Luis alcanzaba la edad adulta. En estas circunstancias, pudo parecer muy importante reiterar de un modo inequívoco los incuestionables principios en que descansaba la monarquía. En una refutación a la afirmación del Parlamento de Ruán de que en la ceremonia de su coronación había prestado juramento a la nación, Luis interrumpió la lectura de la queja del Parlamento para afirmar, con cierta indignación, que había jurado solo ante Dios. En el documento escrito para él por Gilbert de Voisins a principios de 1766, y utilizado como instrumento de humillación contra el Parlamento de París el 3 de marzo, el monarca desarrolló con inflexible precisión el concepto tradicional de «absolutismo». «Solo en mi persona reside el poder soberano», insistió,

y solo por mí las cortes [los parlamentos] existen y gozan de autoridad. Esa [...] autoridad puede ejercerse solo en mi nombre [...] y nunca puede volverse contra mí. Pues me pertenece exclusivamente el poder legislativo sin condiciones, ni división [*partage*]. La totalidad del orden público emana de mí, pues soy su guardián supremo. Mi pueblo y mi persona son una y la misma cosa, y los derechos y los intereses de la nación, que algunos pretenden convertir en un cuerpo separado del monarca, están inevitablemente unidos con los míos y pueden descansar únicamente en mis manos.

Las manifestaciones de Luis XV manifestaban una fría exasperación ante las pretensiones del ideario parlamentario, pero el carácter defensivo de sus reclamaciones contrarias acerca de la indivisibilidad del poder legislativo eran el reconocimiento implícito de que, en efecto, este axioma estaba amenazado. Por lo menos durante quince años los parlamentos habían tomado la iniciativa de desarrollar algo parecido a una teoría constitucional del Gobierno, que de hecho reemplazaba al absolutismo con una interpretación mucho más restringida y dividida de la monarquía.

¿Cuáles eran las instituciones responsables de esta transformación? Contra lo que podría sugerir su nombre, los parlamentos no eran los equivalentes franceses de las cámaras del Parlamento británicas. Eran trece cortes soberanas de carácter judicial, con sede en París y en los centros provinciales, formada cada una por un cuerpo de jueces nobles que, en los distintos parlamentos, oscilaba entre los 50 y los 130 individuos. El área de su jurisdicción variaba radicalmente y algunos, en las regiones más remotas, como el Béarn, al sudoeste, y Metz, en la frontera este, desempeñaban funciones de tribunales regionales. En cambio, el Parlamento de París tenía jurisdicción sobre un área enorme de la Francia central y septentrional que se extendía desde el norte de Borgoña, a través de la Isla de Francia y el Orleanesado, hasta la Picardía, a orillas del Canal. El alcance de sus atribuciones era igualmente amplio y entendía tanto en las apelaciones como en una amplia variedad de casos en primera instancia —los *cas royaux*—, desde las acusaciones de *lèse-majesté*, la sedición y el robo en los caminos hasta el uso indebido del sello real, la devaluación de las monedas, otros tipos de falsificación y la falsificación de documentos (en una sociedad en que el escrito burocrático tenía una importancia suprema), que era un delito capital. Además, tenían jurisdicción sobre la mayoría de los casos penales y civiles relacionados con las órdenes privilegiadas; eran censores teatrales y literarios, así como guardianes de la rectitud social y moral. Sin embargo, lo que hacía que delimitar su poder resultase tan difícil era que compartían con los burócratas reales —los *intendants* y los gobernadores— la responsabilidad administrativa de aprovisionar las ciudades, fijar los precios en épocas de escasez y vigilar los mercados y las ferias.

Por tanto, los parlamentos eran a la vez una institución y una ética. En los núcleos comerciales más dinámicos de Francia —por ejemplo Burdeos—, representaban los medios que permitían conferir jerarquía legal y dignidad política a la riqueza en bruto. En las ciudades de provincias, de vida más pausada, como Dijon, Grenoble y Besançon, toda la economía y toda la sociedad de la región giraban en torno a su presencia (regimientos de escribas, amanuenses, procuradores y abogados, libreros, por no hablar de los oficios auxiliares que sostenían el correspondiente estilo de vida aristocrático: fabricantes de carruajes, sastres, armadores de pelucas, *traiteurs*, ebanistas, maestros de baile y criados con librea). Y este sentimiento de solidaridad entre los *robins* —la nobleza judicial de la «toga» (*robe*)— y sus conciudadanos se expresaba cada mes de noviembre en los complicados espectáculos que saludaban el regreso a las sesiones después de las vacaciones en la campiña. En esta «misa roja» revestían togas escarlatas en lugar de las habituales, que eran negras; desfilaban por las calles de la ciudad acompañados por la milicia y la banda de música; recibían la bendición del clero para comenzar el nuevo año; y, solo después de otras pantomimas aún más serias, así como de las idas y venidas de los convencionales homenajes mutuos (a menudo llamados la «danza de los presidentes»), ocupaban por fin sus asientos.

En muchas de las residencias parlamentarias, el edificio de la sede de la corte recibía el nombre de *palais de justice*; pero, en París, el título añadido a la residencia, el de Capitole de la France, simbolizaba del modo más apropiado las pretensiones senatoriales de este cuerpo. Junto a Notre Dame y las Tullerías, la inmensa construcción albergaba lo que, según la descripción de los contemporáneos, era casi una ciudad en miniatura. El patio era una feria en la que resonaban los ecos de los voceadores y de los buhoneros, que se codeaban con los oficios más variados: vendedores de cintas y limonada, así como libreros. Muchos puestos se especializaban en sátiras y en grabados baratos, con frecuencia dirigidos contra el Gobierno, pero protegidos de la policía en este santuario interior de la justicia. Era el lugar donde las intensas y cenagosas corrientes de la murmuración, el rumor y el escándalo confluían para formar un espeso río de insinuaciones que salía del palacio para llegar a las islas de los periodistas y de los promotores de libelos, que esperaban a orillas del Sena las noticias del día.

En las cámaras del palacio, los presidentes y los consejeros de la corte afianzaban su jerarquía en el reino apelando a todas las formas de la expresión simbólica. La propia apariencia de la gran «cámara dorada» estaba destinada a intimidar, pues se hallaba cargada de remates y de repujados en el techo, decorada con escudos y con las paredes cubiertas de retratos reales y cuadros históricos que representaban la majestad del juicio. Los *robins* se sentaban en los bancos del tipo flor de lis, cuyo uso se negaba de forma explícita a los simples duques y a otros miembros de la aristocracia de la «espada» (la nobleza militar) y la «sangre» (la dinastía real y sus vástagos) que entraban en la sala del tribunal. Desde 1681, cuando el presidente Potier de Novion tuvo la audacia y la sangre fría de mantener puesto el sombrero en presencia de duques de sangre real, los magistrados habían preservado este derecho, un detalle que puede parecernos ínfimo, pero que, en el siglo XVIII, reclamaba en voz alta la consideración que la nobleza de la espada debía a los miembros del tribunal, y no a la inversa. Incluso la naturaleza del tocado, el birrete negro adornado con borlas doradas, sugería una relación directa inmediata con la corona, pues, según los anticuarios de los parlamentos, era la marca de la *coiffe royale*, concedida especialmente por Felipe el Hermoso a sus cortes soberanas.

No resulta sorprendente, pues, que los *robins* tuviesen una conciencia muy marcada de su dignidad colectiva y que se mostrasen celosos frente a los intentos de limitar su autoridad local. Parecía inevitable que los parlamentos se convirtiesen en un foro de declaraciones políticas organizadas por medio de sus quejas, que se formulaban cuando los edictos reales necesitaban que los parlamentos los registrasen, antes de que pudiesen entrar en vigor. Precisamente este requerimiento era, a juicio de sus ideólogos, el principio de consentimiento que determinaba que la monarquía estuviese condicionada y no fuera absoluta. La base de ese argumento era histórica; pues, aunque en realidad los parlamentos se remontaban solo al siglo XIII, estos proponían un linaje mucho más venerable. Ya en 1740 el abate Laboureur, en su *Historia de los pares*, había afirmado que «el Parlamento representa el Estado antiguo de la nación francesa» y toda una legión de entusiastas había revisado minuciosamente antiguas cartas y capitulaciones para demostrar que este organismo descendía directamente de las asambleas francas de la alta Edad Media. Por tanto, sus antecesores no solo eran contemporáneos de la fundación de la monarquía franca, sino quizá anteriores. Como en el caso de muchos otros pasados inventados que podían aprovechar los teóricos constitucionales de los siglos XVII y XVIII, los anticuarios franceses situaron el nacimiento de la libertad en los bosques teutónicos, donde se reunían las huestes francas, con lanza y caballo, en asambleas primitivas. Estas asambleas tribales habían delegado el poder en sus jefes, que se convirtieron en los «reyes de la primera raza»: los merovingios.

Todo esto se traducía en que, según dichos estudiosos, los parlamentos nunca habían sido una creación dependiente de la monarquía (como afirmaba Luis XV). Como condición de su propia fundación y a lo largo de la Edad Media, la corona había reconocido que su poder estaba limitado por la responsabilidad legal. Los perros guardianes de esa responsabilidad eran los parlamentos y solo ellos eran los árbitros a la hora de decidir cuándo y si existía la posibilidad de que el despotismo pudiera amenazar con imponerse a la legítima autoridad real. Esta no era una opinión esotérica, confinada a las elucubraciones de los anticuarios. Apoyado en trabajos históricos previos, *El espíritu de las leyes*, de Montesquieu, publicado por primera vez en 1748, le confirió un enorme prestigio político y le dio una amplia publicidad. El propio Montesquieu era presidente del Parlamento de Burdeos y, en unos momentos en que los parlamentos afirmaban proteger las «libertades de los franceses» de la política impositiva de la corona, el libro se convirtió, de la noche a la mañana, en una obra de gran difusión, que tuvo doce ediciones en seis meses. En abril de 1750 el Chevalier de Solar felicitó a Montesquieu, por lo que, según dijo, era la vigesimosegunda edición de la obra. «Desde la creación del sol —escribió un *bel esprit* de Baillon—, esta obra hará todo lo posible para iluminar el mundo.»

En 1762 el libro recibió el espaldarazo definitivo cuando Alexandre Deleyre elaboró un manual de extractos comentados, con el título de *Génie de Montesquieu*, con vistas a que pudiera servir en los debates. Mucho antes, la clase de argumentos históricos empleados en la obra no solo se había convertido en la teoría, sino en la munición utilizada en el fuego cruzado político. Cuando sus quejas fueron desechadas y la monarquía intentó imponer, ordenándolo, un edicto, los magistrados respondieron con una huelga judicial. A su vez, fueron amenazados con el exilio si desoían los deseos de la corona. Presionados de este modo, los presidentes de los parlamentos de Aix y Dijon invocaron la afirmación de Montesquieu de que la magistratura formaba un organismo intermedio entre el rey y su pueblo, y de que no podía evitarse sin destruir la constitución de la propia Francia. En 1760 la queja del Parlamento de Toulouse formuló una advertencia todavía más radical:

> Cuidado, no sea que el poder afirmado sobre la ruina de las leyes [...] obligue al príncipe a reinar sobre su Estado como lo haría en un país conquistado.

Los partidarios de este punto de vista no terminaban en los *robins*. Uno de sus más firmes aliados dentro de la nobleza de la espada era el príncipe de Conti, primo del rey y enérgico y elocuente portavoz. Su archivero, Le Paige, fue el más hábil e inflexible de todos los propagandistas parlamentarios. En el otro extremo del espectro de los modos aristocráticos, en el fondo de la campiña de Poitou, un oficial de caballería retirado, el barón de Lezardière (después de algunas vacilaciones iniciales), animó a su hija de diecisiete años, Pauline, que ansiaba convertirse en historiadora del medievo y en teórica política. Sobre la base de muchas horas consagradas a cartas y anales polvorientos, desarrolló finalmente una inmensa relación en varios volúmenes de la fundación de la monarquía franca y de su vínculo con las primeras asambleas medievales. Esto no constituía una mera crónica. En su versión completa aparecía como una teoría desarrollada de la legitimidad de las instituciones políticas francesas. Sin embargo, en la época en que mademoiselle de Lezardière dio los toques finales a su obra, la autoridad de esta se había visto desbordada por la Revolución y su familia se había dispersado en busca de una última morada diferente y trágica: el exilio británico, el ejército realista o los sangrientos cadáveres de las masacres en las cárceles de París.

Comparadas con lo que habría de venir, las cuestiones que provocaron este intenso debate acerca de la naturaleza de la monarquía parecen arcaicas o absurdamente paradójicas. El Gobierno fue estigmatizado por primera vez como despótico en la década de 1750, cuando trató de imponer la bula papal *Unigenitus* que negaba los sacramentos del bautismo, del matrimonio y de la extremaunción a quien no pudiera demostrar una ortodoxia intachable. Se trataba de una medida destinada a destruir la herejía católica del jansenismo, que afirmaba una visión mucho más

132

austera de la salvación que la norma aceptable y que tenía partidarios en las altas esferas de los parlamentos, sobre todo en París. Sin embargo, cuando se llegó al problema práctico de los sacerdotes que, en efecto, negaban los sacramentos a personas que habían tenido una vida, al parecer, ejemplar, los parlamentos pudieron pasar a la ofensiva tanto en nombre del pueblo como de la nación. Según afirmaban, los jesuitas estaban decididos a apoderarse de la Iglesia «gálica» nacional para subordinarla a los designios internacionales de Roma y, al proceder de esta manera, estaban dispuestos a convertir a la monarquía a un despotismo extranjero. Y alcanzaron bastante éxito, tanto como para obligar al Gobierno a retractarse por completo de su posición, lo que, en 1762, culminó en la expulsión de la orden jesuita de Francia. Asimismo, por ejemplo, cuando los impuestos amenazaron con afectar a las clases privilegiadas, los parlamentos actuaron como protectores de las libertades de la nación, una paradoja que no pasó inadvertida a Voltaire, que tachó de hipócritas a los miembros de dichos organismos.

Esta agria disputa se agravó durante los últimos años del reinado de Luis XV. En 1770, el canciller Maupeou decidió esquivar la resistencia parlamentaria mediante la eliminación de las funciones de convalidación que correspondían a la jurisdicción de los magistrados, al mismo tiempo que creaba nuevos tribunales responsables solo ante la corona. Los parlamentos que se resistieron fueron desterrados. Esto no se tradujo en una suerte de Siberia para el *ancien régime*. En la mayoría de los casos, los magistrados fueron despachados a un retiro rural muy cómodo donde (como sugieren las cuentas de sus banquetes) no escaseaban los placeres de la vida, como, por ejemplo, las comidas de doce platos. Sin embargo, en algunos casos sus jefes, en efecto, sufrieron las auténticas incomodidades de la cárcel por medio de las *letres de cachet*. Incluso antes de la *crise Maupeou*, el más elocuente de todos los portavoces parlamentarios, el bretón La Chalotais, había padecido, sin proceso, un encarcelamiento que se alargaría durante nueve años.

La reacción inicial ante el golpe de Maupeou fue una tormenta de furiosa polémica que describió estas medidas como la introducción del «despotismo oriental» en Francia. En 1771, se publicaron por lo menos 207 panfletos que atacaron violentamente al canciller y al ministerio, y el *philosophe* Denis Diderot escribió a un amigo que se encontraba en Rusia que la crisis «había determinado que la Constitución se encontrase al borde del abismo [...]. Esta vez no acabará con quejas [...] este fuego se extenderá paulatinamente hasta que consuma al reino».

Se equivocaba. Pese a la aparente unanimidad de la ofensa, la nobleza judicial en realidad estaba muy dividida en su postura. Tenía mucho que perder: los cargos, la jerarquía, los títulos, así como algunas ventajas no desdeñables que acompañaban a aquellos. Por tanto, no resulta sorprendente que, a medida que disminuyó la magnitud de la polémica opositora, en 1772 y 1773, muchos magistrados se incorporaron discretamente a los nuevos y domesticables tribunales Maupeou y se enfrentaron al ostracismo que les infligían los excolegas; pero la súbita muerte del rey, en 1774, detuvo bruscamente este experimento de Gobierno burocrático sin ataduras.

Sin embargo, la perspectiva de su propia castración había forzado a los parlamentos a una defensa incluso más radical de su posición constitucional. En particular, generó una solidaridad mediante la cual, de acuerdo con la obra de su mayor propagandista, es decir, Le Paige, afirmaron reflejar una unidad histórica. Este autor arguyó que los trece parlamentos eran los descendientes, arbitrariamente divididos, del único organismo que imponía limitaciones legales a la monarquía. Y su derecho de queja se convirtió de forma paulatina en algo parecido al derecho de representación. En 1771, el Parlamento de Rennes, en Bretaña, fue el primero que reclamó de manera explícita la convocatoria de los Estados Generales como único freno posible a las desmesuradas ambiciones del despotismo ministerial; y esta llamada se repitió con Malesherbes.

Incluso en esta acalorada atmósfera política, podía suceder que la retórica opositora sobrepasase sus propios límites de prudencia. En 1775, cuando Luis XVI restableció los parlamentos, el joven abogado Martin de Marivaux, deseoso de congraciarse con el tribunal parisiense, envió a los magistrados ejemplares de su panfleto *L'Ami des Lois*. Con el recuerdo de una crisis tan brutal como reciente, seguramente esperó verse alentado en sus frases trilladas acerca del despotismo ministerial. Sin embargo, los argumentos con los que criticaba el poder arbitrario eran tan peligrosos como nuevos: no se trataba ya de los argumentos del precedente histórico o de las «leyes fundamentales» de la Constitución, sino de la idea de igualdad natural:

El hombre nace libre. Un hombre no tiene ninguna autoridad natural sobre su igual; la fuerza por sí sola no confiere ese derecho; el poder legislativo pertenece al pueblo y solo a él puede pertenecerle...

El Parlamento identificó de inmediato lo que era una versión apenas disfrazada de *El contrato social*, de Rousseau, extrajo las lógicas conclusiones y, en lugar de felicitar al joven entusiasta, ordenó que su libro se quemara en pública ejecución.

La crítica a la corona implicaba otros riesgos —no el de incurrir en la represalia oficial, sino, más bien, el de desencadenar un peligroso estallido popular—. En el momento más decisivo de la crisis Maupeou, aparecieron letreros populares que amenazaban con algo parecido a una insurrección popular. El más célebre decía: «Paris à louer; Chancelier à rouer; Parlement à rappeler ou Paris à brûler» (París en alquiler; a morir en la rueda, el canciller; el Parlamento a convocar o París a arder). Sin embargo había otros letreros de carácter incluso más inquietante, que relacionaban directamente la ira con el hambre; la política, con la subsistencia:

Pan por dos *sous*; [devolved] el Parlamento; muerte al canciller o rebelión.

Por tanto, la capacidad de los parlamentos para actuar como vanguardia de una rebelión general contra la corona tenía serios límites. Si bien eran oradores de la oposición, también eran jueces que ahorcaban (y quemaban y torturaban): los defensores de la paz cívica y el azote de la sedición. Si alguien cree que vivían de acuerdo con el modo en que se autodenominaban (apóstoles de la libertad), deberá recordarse que un Parlamento dictó sentencia de muerte en la hoguera para castigar a un joven noble convicto de sacrilegio y que se cometieron otras atrocidades judiciales similares a las que no se les dio mucha publicidad. Esta era en concreto la objeción de Voltaire. Este escribió una ácida parodia de las quejas de estos organismos, que defendían «las leyes fundamentales, las leyes fundamentales del cargo sobornable [...], la ley fundamental que les permite arruinar a la provincia y entregar a los abogados la propiedad de las viudas y de los huérfanos».

Podría suponerse que a su regreso en 1775 los parlamentos tenderían a objetar los modestos recortes que Turgot había impuesto a su capacidad para estorbar a la legislación real; pero en general evitaron las colisiones frontales con la corona, que en 1771 los había obligado a elegir entre la rebelión y la extinción. En cambio, los ceremoniales que señalaron su regreso fueron manifestaciones de los mitos de la armonía (entre la corona y los magistrados y entre los magistrados y el pueblo). A veces, estas celebraciones incluyeron a participantes inverosímiles. Por ejemplo, en Metz la comunidad judía (que había soportado muchos agravios por parte de la nobleza local) organizó una *fête* especial, en la que el elemento principal fue un pasaje hebreo del libro de Isaías: «Él restablecerá a vuestros jueces, a vuestros magistrados, como eran antes, y vuestra ciudad será llamada la Ciudad de la Justicia y de la Fidelidad». En Burdeos, los nobles de toga que regresaban recibieron a delegaciones agradecidas de los artesanos, incluidas las pescaderas de la ciudad, entre las cuales el presidente se paseó con condescendiente amabilidad.

En la ciudad pirenaica de Pau (en donde los *robins* se dividían en bandos implacablemente enfrentados), se presenció la manifestación más extraordinaria, pues, además de los discursos convencionales, de las odas de felicitación y de los ramos de flores, la cuna del rey Enrique IV, que había nacido en la ciudad, fue llevada en procesión por las calles. El gobernador local, en colaboración con el Parlamento, hizo todo lo posible para lograr que la procesión careciese de cualquier tipo de significación, pero el episodio se convirtió rápidamente en una oportunidad para las expresiones de piedad popular espontánea. Cuando pasaba la procesión que llevaba la cuna, la gente se arrodillaba en actitud de reverente silencio y aquella fue llevada a un estrado construido especialmente para la ocasión bajo un pórtico a la entrada de la ciudad. Allí, los comisionados de la corona escucharon, mientras se rendía homenaje a la memoria de Enrique IV, y se realizaron valerosos esfuerzos para relacionar el recuerdo del más amado de los Borbones con su encarnación más reciente.

Los parlamentos entraron en los años decisivos de mediados de la década de 1780 con una herencia contradictoria. Por una parte, su posición como indispensable limitación constitucional del poder real arbitrario había llegado a ser incuestionable. Radicalizados por los años de la crisis Maupeou, sus propagandistas e historiadores de hecho habían conseguido persuadir al público lector político de la justicia esencial de su causa. Si se comportaban de manera más cortés frente a Luis XVI y sus ministros de lo que habían hecho con el abuelo del monarca, era porque se esforzaban más para evitar su desagrado. Cuando se llegaba a una situación crucial, podían demostrar su propia peligrosidad, como ratificó en gran medida el papel que representaron en la caída de Turgot. Sin embargo, aunque habían infligido un perjuicio irreversible a la credibilidad del absolutismo, su propia ascendencia no era invulnerable ni estaba libre de riesgos. El excesivo entusiasmo de algunos de sus gacetilleros, la violencia del lenguaje polémico que ahora usaban y las formas a veces viscerales en que se expresaba el entusiasmo popular por la causa de los parlamentos sugerían que el espacio de maniobra era más estrecho. Sus vivos deseos de presentarse como un organismo casi representativo dejaban peligrosamente en el aire algunas preguntas. Si debía existir alguna forma de representación nacional, ¿cómo se constituiría? ¿Y cuánto tiempo podrían defender el privilegio y la libertad como elementos intercambiables? Precisamente debido a estas delicadas cuestiones (y sobre todo con la composición y el procedimiento de los Estados Generales) se rompió, en 1788 y 1789, la unidad de la oposición noble a la política de la corona, de modo que los colegas que habían luchado codo con codo en una campaña contra el despotismo se encontraron de pronto divididos por una decisión de una gravedad sin precedentes: ser tradicionalista o ser revolucionario. Entre los oradores de toga negra del Parlamento de París esta decisión determinaría que algunos de sus presidentes (por ejemplo, D'Aligre y Joly de Fleury) emigrasen pronto y que sus agitadores más audaces (por ejemplo, Adrien Duport) iniciaran una carrera revolucionaria, mientras los constitucionalistas (como D'Eprémesnil) se dirigían a la guillotina.

¿NOBLEZA OBLIGA?

Por la mañana, el presidente Hénault era magistrado; hacia la tarde era aristócrata. Por la mañana vestiría las sombrías togas negras y denunciaría los males de la tiranía ministerial. Enfrentado con el despotismo, ni él ni sus colegas esquivarían su deber de proteger las «leyes fundamentales» de la nación. Mucho antes del atardecer, esperaría la llegada de uno de sus doce carruajes para regresar al lujoso *hôtel* de la rue Saint-Honoré donde recibía a sus visitantes. Comería abundantemente los manjares procedentes de la que, como todos sabían, era la mejor cocina de París, y para ello usaría la porcelana de Sèvres colocada sobre una mesa de mármol verde. Como su comedor tenía veintiocho sillas y diez *fauteuils*, generalmente estaba en condiciones de recibir visitas y, a menudo, las recibía. Departiría bajo un gran candelabro de cristal de Bohemia, contemplado por una deslumbrante colección de arte, en que los cuadros históricos italianos compartían las paredes con Watteau y Ter Borch.

Para la sensibilidad revolucionaria, la discrepancia entre la expresión política y el hábitat social sería una especie de delito moral. El lector moderno puede suponer por lo menos que era incongruente que *les Grands* y, más en general, la nobleza cumpliesen, sin ser cuestionados, la función de jefes naturales de una oposición política hasta la propia víspera de la Revolución. Más concretamente, puede parecer que la monarquía, cuya voluntad se veía frustrada de un modo tan consecuente por la oposición colectiva de la nobleza judicial, no explotó con mucha decisión la vulnerabilidad social de esta.

En realidad, esto era exactamente lo que sus ministros más lúcidos recomendaban. Ya en 1739, el más visionario y enérgico de todos los servidores públicos de Luis XV, René-Louis de Voyer, marqués D'Argenson, escribió un tratado que esbozaba lo que denominó una «democracia real». Conocido en los círculos cortesanos (a los que detestaba, como Malesherbes) como la Bestia, D'Argenson no era un ministro oficial normal. Aficionado a las novelas inglesas, fue el admirado crítico del *Tom Jones*, de Fielding, pero también fue amigo de Voltaire, ávido lector de Algernon Sidney, el regicida británico del siglo XVII, y defensor de una fuerza aérea francesa de globos llenos de aire caliente. Sus propuestas de reforma, en las *Consideraciones acerca del gobierno de Francia*, fueron tan radicales que solo pudo publicárselas en 1764, treinta años después de haber sido escritas, y en Ámsterdam. Muchos supusieron que el verdadero autor era seguramente Jean-Jacques Rousseau.

Sin embargo, fue D'Argenson, hijo del guardián de los Sellos de Luis XIV y descendiente de una de las más antiguas familias parlamentarias de Francia, quien proclamó que la nobleza hereditaria era la fuente de todos los males que el Gobierno y la sociedad franceses padecían. La irresponsabilidad de estas familias había permitido que las provincias decayesen y que se descompusieran; ellas dispensaban a los cargos públicos el trato que corresponde a una propiedad privada adquirida por azar y eran las que frustraban incluso las mejores intenciones de los concienzudos *intendants*. A juicio de D'Argenson, el único modo de vencer las trabas de esta clase era que la monarquía abrazara la democracia, «pues la democracia es tan amiga de la monarquía como la aristocracia es su enemiga». Si los parlamentos afirman representar al «pueblo», sostuvo, esa pretensión debe ser denunciada instituyendo asambleas provinciales electas. Incluso es posible elegir indirectamente, cada dos años, una representación nacional responsable ante los electores. Sobre esta base, el rey —a quien se rescataría de la corrupción de la corte determinando que gobernase desde las Tullerías, y no en Versalles— presidiría una auténtica república de ciudadanos, más que un cuerpo de súbditos sometidos. «Qué bella idea —exclamó D'Argenson— [...] una república protegida por un rey.»

En este ámbito se mantendrían las órdenes separadas, pero se aboliría la herencia. Se concedería el título de nobleza rigurosamente de acuerdo con el servicio y el mérito, y a lo sumo tendría una jerarquía honorífica. En una comunidad de iguales, cada uno tendría los mismos derechos y obligaciones, gobernados por un cuerpo honesto de servidores públicos que ocuparían sus cargos por designación más que por compra; los ciudadanos pagarían solo los impuestos necesarios para su protección, algo que harían de buena gana, pues, en efecto, estarían entregando una porción de su propiedad privada a un caudal de dominio público que podrían considerar igualmente como propio. Incluso el servicio militar parecería más un honor que una carga, ya que, gracias a esta transformación, se obtendría un renovado sentido de la *patrie*.

La nueva Francia de D'Argenson anticipaba sorprendentemente las prescripciones revolucionarias de 1789 y 1791, sobre todo la importancia que atribuía al abrazo entre los ciudadanos y el rey, y a la eliminación de todas las jurisdicciones intermedias que podían separarlos. Ello no debe hacernos pensar que la utopía de D'Argenson habría sido un mero añadido de individuos distintos unos de otros chocando entre ellos como las habas dentro de un frasco. Su idea era que la «democracia real» sería más que la suma de sus partes: una *patrie* purificada en la que los intereses individuales de los ciudadanos armonizarían en una nueva forma de comunidad colectiva.

Que tal fantasía pudiese realizarse a finales del siglo XVIII era, por lo menos, una posibilidad más que remota. El emperador Habsburgo José II, hermano de María Antonieta, creía ser ese déspota ilustrado y *pater patriae*. Aunque prescindía de cualquier idea referida a la representación local o nacional, en nombre de una relación ininterrumpida entre el soberano y los ciudadanos, desencadenó un violento y consecuente ataque sobre su propia aristocracia hereditaria. De su incansable pluma brotó un edicto tras otro y se obligó a los plebeyos y a los aristócratas a compartir las mismas escuelas, las mismas tumbas y los mismos impuestos. Los nobles que retrocedieran ante este draconiano plan del servicio oficial, el único que podía justificar su jerarquía, se verían enviados a realizar tareas útiles, como, por ejemplo, barrer las calles de Viena.

El premio otorgado a la osadía no fue mucho más satisfactorio que el de la desconfianza, pues el reinado de José terminó, como el de Luis XVI, con una insurrección generalizada de 1790. Una de las principales razones del desastre fue la crónica ineficacia de los recursos burocráticos que la monarquía podía movilizar para imponer su voluntad sobre y contra la nobleza local. Y si bien los Borbones no abordaban la labor de administrar un imperio que se extendía de manera intermitente del Escalda al Danubio, su dependencia con respecto a las élites locales para crear una administración provincial eficaz no era menos considerable. El modelo de Gobierno central (repetido en gran medida en el conocido estudio de Tocqueville), heredado de Colbert y de Luis XIV, era el de los *commissaires départis* —los *intendants*— que ejecutaban fielmente las instrucciones del consejo real (si era necesario venciendo el bloqueo de los magistrados y de las corporaciones locales). Y la historia del reinado de Luis XV se vio sacudida por los enfrentamientos directos entre los *intendants* y los gobernadores militares provinciales, por una parte, y, por otra, por los parlamentos rebeldes. Sin embargo, por lo menos con igual frecuencia, hubo expresiones de colaboración local. Después de todo, sean cuales fueren sus inclinaciones, el *intendant* gozaba de pocas alternativas. El personal de sus oficinas, responsable de todas las actividades, desde los movimientos de tropas hasta la lucha contra las epidemias, desde los caminos, los puentes y los canales hasta las instituciones de asistencia pública y la represión del bandolerismo, era ínfimo. Por ejemplo, en 1787, Bertrand de Moleville, intendente de Bretaña, tenía solo 10 empleados en su oficina central. Es cierto que contaba con el apoyo de 63 ayudantes locales —los *subdélégués*—, pero a estos se les pagaba mal o, con frecuencia, no recibían ninguna retribución y no siempre merecían confianza. En el

Delfinado, Bove de La Caze afirmó que, de sus 65 *subdélégués*, a su juicio, solo 20 eran realmente capaces de atender sus obligaciones.

En estas circunstancias, al *intendant* no le quedaba más alternativa que apoyarse todo lo que podía en la participación de los notables locales, ya se tratara de los magistrados y de los regidores, en las ciudades, o de los tribunales locales, en el campo. En muchos casos, se trataba de la actitud natural, ya que, después de todo, los funcionarios de la administración real y los que estaban en los parlamentos no eran tan extraños entre ellos, como a menudo hacían ver sus respectivos idearios. Todos provenían de la misma nobleza de servicio al Estado y estaban vinculados por la educación, a menudo incluso por lazos de familia determinados por el matrimonio y por el linaje. Por ejemplo, los famosos planes de Lamoignon y de Joly de Fleury proporcionaban altos funcionarios tanto en el Gobierno real como en los parlamentos. La familia Maupeou, recordada sobre todo porque de ella procedía el canciller que fue el azote más decidido de los parlamentos, durante mucho tiempo había enviado miembros a las cortes soberanas. Lo mismo puede decirse de los Séguier y de muchas otras dinastías similares. El Gobierno de Luis XVI señaló la necesidad de armonizar en todo lo posible los intereses del Gobierno con las élites locales y se apartó de la política anterior, que consistía en no enviar nunca *intendants* a las provincias en que ellos tenían lazos personales o de familia.

Existía otra razón por la cual resultaba improbable que los Borbones se atuviesen a la recomendación de D'Argenson de afianzar su poder sobre la tumba de la nobleza hereditaria. Tanto Luis XV como su nieto se enorgullecían de ser «el primer caballero de Francia». Y este conocido título incluía un conjunto completo de supuestos acerca de la legitimidad real y excluía totalmente la insensatez de una monarquía revolucionaria. La frase significaba sobre todo que la corona existía para proteger el complicado grupo de entidades corporativas, poseedora cada una de algo semejante a una «pequeña soberanía», las cuales, en conjunto, formaban el reino. En respuesta a los edictos de Turgot de marzo de 1776, Séguier, defensor general del Parlamento de París, comparó este sistema con una gran cadena que unía los diferentes eslabones: los Tres Estados o clases, las corporaciones, las universidades y las academias, las asociaciones comerciales y financieras, las cortes y los tribunales. En el centro estaba la propia corona, que mantenía unida la cadena; y, sin la garantía de su buena fe en este asunto, todas las delicadas formas de reciprocidad se derrumbaban y, junto con ellas, cualquier tipo de paz social.

Por supuesto, Luis XVI jugó en diferentes ocasiones con la posibilidad de modificar esta idea restrictiva de su soberanía como una instancia superior de privilegio. Su apoyo a las reformas de Turgot y, más adelante, a la abolición, por parte de Necker, de los cargos comprados se orientó en esta dirección. Sin embargo, en ambos casos, al experimento siguió una vergonzosa retirada y la restauración de lo que se había anulado. De hecho, la posición de la propia corona con respecto al privilegio era tremendamente ambigua. Por una parte, correspondía al interés de la corona, en todo caso, aunque fuese por razones fiscales, extender su autoridad paternal sobre las áreas sociales reacias. Como hemos visto, Necker ambicionaba reemplazar a los intermediarios sobornables de la burocracia financiera por burócratas directamente responsables; pero, por otra parte, la corona no solo estaba también atareada tolerando, sino extendiendo, el privilegio incluso en esas mismas áreas financieras. Esto respondía, en parte, a la profunda renuencia ante la idea de abandonar un sistema de venta de cargos que aportaba al apremiado Tesoro alrededor de cuatro millones de libras anuales; pero asimismo respondía al hecho de que, con cada creación de cargos, se abrigaba la esperanza de formar nuevas áreas de clientelismo y de fidelidad que reforzaran, en lugar de debilitar, la influencia política de la monarquía.

En un análisis superficial, podría suponerse que esta actitud era totalmente miope. Si la corona deseaba en verdad movilizar su autoridad, de acuerdo con los criterios modernos, seguramente habría tenido que ocuparse de reprimir más que de extender el mundo del privilegio y la asociación de carácter corporativo. Sin embargo, este concepto moderno está tan oscurecido por el vocabulario normativo de la propia Revolución que se tiende a interpretar mal la auténtica naturaleza del privilegio en la Francia de finales del siglo XVIII. El privilegio podía funcionar tan eficazmente como lo hizo porque no tenía el aspecto que le confirió la polémica revolucionaria posterior: un sistema endurecido y arcaico de exclusión que, por definición, negaba acceso al aspirante cualificado y que mediante un efecto acumulativo impidió cualquier tipo de progreso moral y económico.

En primer lugar, el privilegio no era monopolio de la nobleza. Decenas de miles de plebeyos habían sido incorporados a ese ámbito, en virtud de los cargos que ocupaban en las corporaciones y en los gremios municipales o por su matrimonio con miembros de las familias privilegiadas. Inversamente, como hemos visto, el privilegio y sobre todo la nobleza no siempre conllevaban el derecho de exención impositiva. Sin embargo, lo que es más importante, durante la segunda mitad del siglo XVIII el acceso a las clases privilegiadas resultó cada vez más fácil. Protestar contra la nobleza con el argumento de la exclusión era aporrear una puerta abierta. Y esta es la razón por la que el historiador busca en vano una presunta clase revolucionaria —llamémosla la «burguesía»— frustrada en sus intentos de movilidad social ascendente y orientada hacia la destrucción de las clases privilegiadas. En 1789, existiría, en efecto, dicho grupo, pero los miembros más señalados y poderosos no provendrían de sectores ajenos a la nobleza y el clero, sino del seno mismo de estas clases. Y no eran el producto de una «reacción aristocrática», sino justo lo contrario: una modernización aristocrática.

Los caminos de acceso a la nobleza nunca fueron tan anchos, ni tan acogedores como durante el reinado de Luis XVI. En una brillante historia de la sociedad y de la cultura de esta nobleza, Guy Chaussinand-Nogaret considera tan fácil este proceso de asimilación social que afirma que «un noble no era más que un burgués con éxito». Si consideramos como ejemplo los parlamentos —esos bastiones de los valores aristocráticos—, comprobaremos que dos tercios de todos los magistrados de los Parlamentos de Metz y de Perpiñán eran plebeyos ennoblecidos hacía poco tiempo. En Burdeos, Pau y Douai la cifra representaba la mitad y, en Ruán y Dijon, un tercio. París constituía la gran excepción, pero sobre todo porque allí los magistrados eran promovidos en el seno del orden legal, de acuerdo con las normas más rigurosas de la antigüedad profesional. Y en el seno de ese organismo, la modificación de las jerarquías se realizaba con previsible tranquilidad. Un cuarto de toda la nobleza francesa —alrededor de seis mil familias— recibió sus títulos de nobleza durante el siglo XVIII y dos tercios durante los siglos XVII y XVIII. Tal como destaca Chaussinand-Nogaret, se trataba de una clase social joven. Más aún, si Lawrence Stone está en lo cierto, y la aristocracia británica no fue una élite abierta, sino relativamente cerrada, será necesario modificar los estereotipos de Francia y de Inglaterra. En Gran Bretaña, una aristocracia terrateniente se opuso a los recién llegados y formó una especie de corteza irrompible en la cumbre de la política y de la sociedad; en cambio, en Francia, la élite era fluida y heterogénea, y constantemente tanteaba nuevas fuentes de regeneración humana y económica.

En Francia el ennoblecimiento podía adoptar su forma entre muchas otras. Podía recibirse directamente de la corona mediante «cédulas de privilegio», para recompensar un servicio particular. Los militares, los ingenieros, los *intendants* y, en grado cada vez mayor, los artistas, los arquitectos y los hombres de letras obtenían este tipo de reconocimiento. Si uno disponía de fondos suficientes, podía comprar un cargo que confería título, por ejemplo, el de *secrétaire du roi*. Por lo menos mil quinientos nobles se incorporaron de este modo por medio de la Cámara de París. Asimismo, los notables locales —alcaldes, regidores, *prévôts des marchands* (los funcionarios responsables de la vigilancia de los mercados y los oficios), los jueces y hasta los empleados municipales— tenían algún derecho al título de nobleza si servían de forma continuada durante un periodo dado, a menudo de solo dos años. Además, todo un grupo de grandes personajes que habían organizado una recepción importante en honor del rey o un miembro de la familia real bien podían recibir una señal formal de *reconnaissance* que los elevaba al segundo orden.

Chaussinand-Nogaret también destaca un cambio importante en los criterios explícitos de ennoblecimiento durante la segunda mitad del siglo. En lugar de destacarse la estirpe, las razones de la promoción se convierten, casi de manera invariable, en menciones referidas al servicio, al talento y al mérito. De modo que, arguye este autor, si en el siglo precedente el burgués ennoblecido tenía que separarse por completo de su pasado y sumergirse totalmente en una nueva y extraña cultura del honor, más avanzado el siglo XVIII el proceso de integración social actuó en sentido contrario. La nobleza se vio colonizada por lo que los historiadores modernos consideran los valores «burgueses»: el dinero, el servicio público y el talento. Este cambio representó un corte fundamental en la continuidad de la historia francesa, pues sitúa en el siglo XVIII la fecha de nacimiento de la clase de los «notables» que dominó a la sociedad y el Gobierno franceses por lo menos hasta la Primera Guerra Mundial. Ahora podemos advertir que esa élite no fue una creación de la Revolución y el Imperio, sino de las últimas décadas de la monarquía borbónica, y que llegó al siglo XIX no como consecuencia de la Revolución francesa, sino pese a ella. En las circunstancias dadas, la designación de Antiguo Régimen parece un nombre más que equivocado.

Si la nobleza francesa estaba abierta a la sangre nueva, también lo estaba a las ideas y las profesiones nuevas. Uno de los clichés predominantes en la historia del Antiguo Régimen era que los privilegios se oponían a la iniciativa comercial. Sin embargo, incluso un examen superficial de la economía francesa del siglo XVIII (mucho más dinámica y abundante que lo que admite el estereotipo) revela que la nobleza estaba muy comprometida en las finanzas, en los negocios y en la industria (en todo caso, tanto como sus equivalentes británicos). La nobleza del dinero obtenía sus ingresos de una amplia variedad de fuentes, que incluían las rentas y los beneficios de la propiedad de las tierras, los bonos del Estado y los certificados de la deuda y la propiedad inmobiliaria urbanas. Esa cartera de valores es conocida; pero se conoce menos la medida en que sus miembros participaban de forma relevante en la banca, en el comercio marítimo, especialmente la dinámica economía del Atlántico, así como la iniciativa industrial más innovadora. En el propio corazón de la élite francesa había una nobleza capitalista que tenía inmensa importancia para el futuro de la economía nacional.

Todo esto no habría sorprendido al abate Coyer. En 1757 publicó su *Desarrollo y defensa del sistema de una nobleza comercial*, destinado a superar los arraigados prejuicios que la nobleza podía alentar acerca del carácter deshonroso de los negocios, así como a oponerse a lo que el autor consideraba que era el neofeudalismo sentimental de su protagonista, el Chevalier d'Arcq. La misión del Chevalier consistía en apartar a la aristocracia del mundo moralmente emponzoñado del dinero para retornar a las sencillas virtudes del servicio patriótico, preferiblemente militar. Ambas doctrinas debían influir sobre la generación revolucionaria, la del cruzado Chevalier quizá más que la del abate empresario. Sin embargo, no cabe ninguna duda de que la resistencia de los más acomodados a buscar las inversiones más lucrativas para su capital se había disipado. Y en 1765 un edicto real eliminó oficialmente los últimos obstáculos formales (aparte de la magistratura) que se oponían a la participación directa de la nobleza en el comercio y en la industria.

Y en efecto, participaban. Agrupando sus capitales, los nobles fundaron una amplia variedad de empresas comerciales, desde la importación de caballos hasta una compañía organizada para convertir en vinagre el vino echado a perder. Otro sindicato manufacturó el aceite para lámparas y compró el monopolio de la iluminación de las calles de París y

145

las ciudades de provincia. Los nobles ocupaban lugares particularmente propicios para aprovechar las oportunidades vinculadas con la política exterior, de modo que no resulta sorprendente descubrir la presencia de grandes familias en los negocios de la navegación y del armamento, sobre todo en Bretaña. No obstante, el comercio colonial, con su elevado nivel de riesgo y sus tasas aún más altas, fue la actividad que los atrajo como moscas a la miel y, de este modo, en las Antillas se amasaron y perdieron importantes fortunas.

Muchos de los inversores que intervenían en estas empresas (como los bancos y las compañías financieras que administraban las deudas reales) eran socios comanditarios; pero había un impresionante número de nobles dedicados de manera activa a la formación de empresas industriales en Francia. Por ejemplo, el conde D'Artois, hermano menor del rey, tal vez fue el frívolo e inepto individuo dedicado a la caza y los naipes satirizado por los periodistas populares. Sin embargo, también era propietario de fábricas que producían porcelana y hierro. En el segundo de los casos mencionados, se ocupó personalmente de redactar contratos que especificaban detalles de los hornos y de la maquinaria pesada. Entre los destacados propietarios de minas de carbón estaban los Rastignac de Périgord, los duques de Praslin de Normandía, el duque D'Aumont en el Boloñesado y los duques de Lévis en el Rosellón. El defensor general del Parlamento de Dijon en Borgoña, Guyton de Morveau, fue el primer empresario de Chalon-sur-Saône que realizó experimentos con el coque, que utilizó como combustible en sus propias fábricas de vidrio. El duque de Orleans tenía fábricas de vidrio en Cotteret, plantas textiles en Montargir y Orleans; el vizconde de Lauget tenía fábricas de papel; el duque de La Rochefoucauld-Liancourt, una manufactura de telas de hilo; los ejemplos podrían multiplicarse de forma indefinida. La industria más avanzada —la metalurgia— estaba totalmente dominada por la nobleza. La gran dinastía de Wendel, que construyó las gigantescas fábricas de Le Creusot, por alguna razón inexplicable aparece a menudo como un grupo burgués, pero, en realidad, tenía títulos de nobleza desde 1720 —por lo menos tan antiguos como los de muchos señalados parlamentarios— y, en compañía de dos aristocráticos tesoreros generales, Saint-James y Sérilly, la empresa creció hasta convertirse en la mayor concentración industrial de trabajadores y de capital de Europa occidental. También fueron aristócratas capitalistas los que suministraron los activos empresariales —monetarios y humanos— para iniciar la fabricación de motores de vapor, comenzar la explotación mecánica de las minas de carbón e introducir máquinas de elaboración del algodón procedente de Gran Bretaña en las fábricas del norte y del este del país.

Por tanto, la nobleza francesa no hizo ascos a la manipulación del dinero; era parte efectiva de un universo plutocrático. Los matrimonios entre jóvenes nobles cargados de hipotecas y adineradas herederas burguesas que proliferaron en el curso del siglo no fueron, como destaca Chaussinand-Nogaret, considerados *mésalliances*, sino oportunidades de oro. Una de las razones de esta situación fue que la educación y el estilo de vida del burgués opulento y del noble pomposo eran, en todos los sentidos, casi los mismos. El mayor o menor grado de esplendor era consecuencia de la riqueza, no de la jerarquía legal.

No toda la nobleza ocupaba esta afortunada posición. Por cada noble empresario que inspeccionaba hornos de coque o telares con su peluca empolvada y los calzones de seda, había diez que vegetaban en sus propiedades rurales en un estado de elegante sordidez. Por lo menos el 60 por ciento de la nobleza —alrededor de dieciséis mil familias— vivía en condiciones que oscilaban entre la discreta pobreza y la total indigencia. En la base estaban los que (quizá unas cinco mil familias) eran demasiado pobres para contar con los mínimos arreos de la nobleza —una espada, un perro y un caballo—. Si tenían suerte, vendían truchas de un arroyo o tordos de los bosques que les pertenecían solo de nombre. Muchos vivían en condiciones que no se diferenciaban de las que predominaban entre los campesinos que los rodeaban y no necesariamente entre los campesinos más acomodados. Por ejemplo, en el campo que se extendía alrededor de Angulema, un tal Antoine de Romainville araba los campos pedregosos con su buey, tal y como hacían sus vecinos. A su muerte, dejó a su hijo solo algunas sillas de paja y las deudas. Otros aún más endeudados acababan en la cárcel o se veían obligados a pedir el amparo de la Iglesia.

En un nivel apenas un poco superior estaban los nobles rurales empobrecidos, que vivían de sus fincas y de alguna renta. En esta clase —quizá el 40 por ciento del total— era imposible pensar en la posibilidad de llevar vida urbana. A menudo dependían básicamente de la incorporación de sus hijos a la Iglesia o a las fuerzas militares para mantener intacta la pequeña propiedad. Eran los *hobereaux*, a quienes Arthur Young vio en el Bordelais, caballeros cuyo guardarropa era tan escaso que tenían que permanecer en la cama mientras les remendaban los calzones.

La receta del abate Coyer para estos nobles en dificultades —que, en efecto, abandonasen la tierra y se incorporasen al mercado como miembros productivos de una comunidad activa— cayó en saco roto. En la medida en que sabían leer (lo cual no era frecuente) era mucho más probable que respondiesen a la llamada del Chevalier d'Arcq en favor de una renovación del deber patriótico. Y justo por eso los miembros más pobres de la nobleza se aferraban con más ahínco a sus privilegios. En muchos casos, el privilegio era todo lo que tenían y, en muchos otros, los gravámenes señoriales constituían la diferencia entre la pobreza y la miseria. Precisamente en vista de la situación de este sector, en 1781 se aprobó la conocida *loi Ségur*, que limitó los nombramientos en el ejército de las familias nobles que pudiesen demostrar un linaje con una antigüedad de al menos cuatro generaciones. A menudo considerada erróneamente como la prueba de la «reacción aristocrática», la *loi Ségur*, en realidad, demostró que existía la necesidad cada vez más urgente de proteger por lo menos a un sector del ámbito público de la invasión del dinero, es decir, del extendido «ablandamiento» de las diferencias sociales.

En el otro extremo de la escala, *les Grands* podían permitirse el lujo de prescindir por completo de muchos de sus privilegios. Cuando los defendían, no era por su valor pecuniario, sino a partir de su creencia en la validez de las instituciones corporativas. A decir verdad, en 1788 y 1789 la división se estableció de acuerdo con criterios de generación o de convicción más que de jerarquía social o de posición económica a la hora de decidir la conveniencia de conservar o desechar las diferencias legales de carácter tradicional. En la nobleza más empobrecida parece que la opinión fue más unánime acerca de la necesidad de oponerse a la abolición de sus prerrogativas. Aunque resulte paradójico, el proceso de elección fue lo que, por primera vez, eliminó la inmensa distancia que separaba a los poderosos nobles de la pequeña nobleza, de modo que los pobres y la mayoría de hecho pudieron imponer a la minoría y a los más avanzados un mandato sobre lo que debía ser la posición colectiva del Estado noble. Un proceso similar de polarización en el Primer Estado —el clero— originó, como veremos, el resultado contrario, y así los sacerdotes pobres impusieron un proceso democrático a un episcopado rico y reacio. Sin embargo, en ambos casos la desintegración del antiguo orden no sobrevino cuando los excluidos, exasperados por su exclusión del privilegio, decidieron destruirlo mediante la fuerza; tuvo lugar en cambio cuando los que pertenecían al sistema, encantados con la visión de D'Argenson acerca de los «aristócratas convertidos en ciudadanos», derribaron los muros de su propio templo y proclamaron el advenimiento de una monarquía democrática instalada sobre los escombros.

Hacia 1788, Montesquieu, el paradigma del constitucionalismo noble, estaba siendo atacado por extremistas de origen noble. El joven abogado parlamentario Mounier le acusó de defender para su propia conveniencia todo lo que hallaba consolidado. Otro comentarista, Grouvelle, le reprochó incluso más claramente:

> Oh, Montesquieu, habéis sido magistrado, caballero y hombre adinerado; habéis considerado conveniente [...] demostrar las ventajas de un Gobierno en que ocupabais un lugar ventajoso.

El conde D'Antraigues llegó todavía más lejos en el primer y más famoso de todos los pronunciamientos aristocráticos de autodestrucción. Pasando de forma significativa del precedente histórico y los derechos inmemoriales al vocabulario mucho más radical de los derechos naturales, afirmó que la legitimidad correspondía solo al Tercer Estado, porque

> él es el Pueblo y el Pueblo es el cimiento del Estado; más aún, es el Estado; las clases restantes no son nada más que divisiones políticas, mientras que, de acuerdo con las leyes inmutables de la naturaleza, el pueblo es, por ley, todo [...], en el Pueblo reside todo el poder nacional y cada Estado existe para él y solo para él.

Sin embargo, el pueblo al que así se invocaba no se comportaría de ninguna forma ajustándose al modo establecido por el radicalismo aristocrático. Si el conde D'Antraigues comenzó siendo revolucionario, acabaría como contrarrevolucionario.

4

La formación cultural de un ciudadano

LA FORMACIÓN DE UN PÚBLICO

El 19 de septiembre de 1783, alrededor de la una de la tarde, acompañado por el redoble de un tambor, un enorme esferoide de tafetán se elevó hacia el cielo con un movimiento irregular sobre el palacio real de Versalles. Con una altura de veinte metros, estaba pintado de azul y adornado con flores de lis doradas. En un canasto de mimbre suspendido del cuello, había una oveja llamada Montauciel (sube al cielo), un pato y un gallo. Cuando un violento golpe de viento provocó un desgarrón cerca del extremo superior del globo, hubo ciertos temores por la seguridad de los aeronautas del establo y el gallinero; pero todos sobrevivieron bastante bien al vuelo de ocho minutos. Tan pronto tocó tierra en los bosques de Vaucresson, a pocos kilómetros del castillo, se descubrió a la oveja mordisqueando imperturbable un poco de paja, mientras el gallo y el pato estaban asustados en un rincón. Sin embargo, la historia se parecía demasiado a una fábula de La Fontaine y no fue imposible impedir las especulaciones. Algunos informes insistían en que el gallo se había roto el cuello en el descenso; otros, en que se había lastimado simplemente el ala derecha por una patada de la oveja. La versión posterior fue benévola. «Se llegó a la conclusión DE QUE NO HABÍAN SUFRIDO —observó un comentario publicado por la prensa—, pero por lo menos estaban muy sorprendidos.» El asombro no se limitó a los pasajeros. De acuerdo con una versión, por lo menos ciento treinta mil espectadores presenciaron el acontecimiento y la mayoría de los informes fijó el número en cien mil. Estas estimaciones carecen de sentido, pero resulta indudable que se congregó a una inmensa muchedumbre; frente al patio del palacio se había levanta-

150

do para la ocasión una plataforma octogonal especial. La mayor parte de la multitud había llegado desde París, donde Étienne Montgolfier era ya toda una celebridad. El mes de agosto precedente había lanzado un pequeño globo, accionado por gas inflamable (en lugar del aire caliente con que había iniciado los experimentos). Seis mil personas habrían aguantado una lluvia continua y habrían pagado el precio de los asientos especiales en el Campo de Marte, mientras una multitud mucho más densa observaba de pie. Las expectativas acerca de un vuelo más espectacular que merecería la bendición oficial del rey eran muy altas.

De modo que, hacia las diez de la mañana, todas las avenidas y todos los caminos que conducían a Versalles estaban atestados de carruajes. Ejércitos de caminantes y sillas de manos trataban de avanzar a pie hacia la *cour des ministres*. Como los peregrinos atraídos por un milagro transmitido de boca en boca, estaban decididos a no perderse lo que, según se afirmaba de manera generalizada, constituiría un episodio que haría época. «Uno podría decir como Ovidio —canturreaba un relato invocando al profeta de la edad de oro— que ahora se harán muchas cosas que antes parecían absolutamente imposibles.» «Al fin —escribió Rivarol, que era otro entusiasta— hemos descubierto el secreto por el cual los siglos han suspirado: ahora el hombre volará y, por tanto, se adueñará de todo el poder del reino animal; será el señor de la tierra, de las aguas y del aire.» Había otros comentarios, más sarcásticos, acerca de esta globomanía. El autor de la *Correspondance secrète* (probablemente Louis Petit de Bachaumont) comentaba secamente que «la invención de M. de Montgolfier ha conmovido tanto a los franceses que ha devuelto el vigor a los ancianos, la imaginación a los campesinos y la fidelidad a nuestras mujeres».

Los *globes airostatiques* hicieron época también en otros aspectos, pues ayudaron a reorganizar la naturaleza del espectáculo público en Francia. Al proceder así, formaron un público que difícilmente podía atenerse al sentido del decoro del Antiguo Régimen.

La ascensión en Versalles era ya de por sí una ruptura importante del protocolo cortesano. El palacio había sido construido alrededor del control ritual del espectáculo, que, a su vez, preservaba y organizaba la mística del absolutismo. En el centro, tanto simbólica como arquitectónicamente, se encontraba encerrado el monarca. El acceso a su persona se atenía minuciosamente a la etiqueta de la corte y la proximidad o la distancia, la audiencia o el rechazo, definían el orden jerárquico de los nobles que podían ayudar al rey. El exterior del palacio, de frente a la ciudad, reflejaba esta calculada graduación del espacio y del tiempo, pues el visitante que se aproximaba se encontraba frente a una sucesión de espacios cada vez más reducidos. Desde los establos y el Grand Commun que alojaba las cocinas, en donde escaseaba el espacio, hasta la «corte de mármol», en cuyo centro se hallaba el dormitorio del rey, el embajador que acudía de visita atravesaba una serie de barreras o de verjas, cada una de las cuales le permitía acercarse más.

Toda esta etiqueta graduada había sido desechada sin ceremonias por las multitudes turbulentas durante el primer año del reinado de Luis XVI, en que habían marchado sobre el palacio para exigir la restauración de los precios fijos de la harina y del pan. En octubre de 1789, el palacio quedaría de nuevo hundido bajo el hambre y la ira de una marcha revolucionaria desde París. Sin embargo, seis años antes, el espectáculo, inocente en apariencia, del globo de Montgolfier frustró casi con la misma brusquedad la complicada protección del modo de proceder de la corte. Después de todo, el acontecimiento no se organizó detrás del palacio, en el parque, lo que habría permitido una vigilancia más atenta por parte del cuerpo de guardias suizos, sino en el espacio sin barreras del patio de los ministros. Aunque se organizaron cordones de soldados con el fin de proteger el propio globo, así como a Montgolfier, no hubo serios intentos de limitar el número de espectadores o de ordenarlos en los lugares fijos y establecidos exigidos habitualmente por las normas del Antiguo Régimen. Tampoco fue posible, salvo la asignación de lugares especiales a la familia real más cercana, preservar las jerarquías de la corte en la enorme y confusa muchedumbre. En lugar de ser objeto de una visión privilegiada —la especialidad de Versalles—, el globo se convirtió de forma inevitable en propiedad visual de todos los presentes. En el suelo era todavía, y hasta cierto punto, un espectáculo aristocrático; en el aire, cobró un carácter democrático.

La ciencia oficial y cerrada de la Académie Royale dejó el sitio a la ciencia teatral del experimento público. Y aunque los globos en general exhibían alguna variante del escudo real, esta deferencia formal no podía ocultar el hecho de que el rey ya no era el blanco de todas las miradas. Le había desplazado un mago más poderoso: el inventor. Los hermanos Montgolfier eran fabricantes de papel en el Vivarés, al sudeste de Francia; pero, a semejanza de decenas de miles de franceses cultos, también eran científicos aficionados. Ruidosamente aplaudidos por la multitud, felicitados por el rey y la reina, elogiados por la Académie, comparados sin cesar con Cristóbal Colón, se parecían más a un nuevo tipo de héroe-ciudadano: eran los Franklin de la atmósfera. Una típica descripción contemporánea de Étienne Montgolfier le muestra como el epítome de las virtudes de la sobriedad, a la vez romano clásico y francés moderno: por el atuendo y los modales, por la antítesis del cortesano petimetre y decorativo.

> Iba vestido de negro y, en el curso del experimento, impartió sus órdenes con la mayor *sang-froid*. La severidad de su expresión y su tranquilidad parecían anunciar la seguridad que este físico capaz tenía con respecto al éxito del experimento. No hay hombre más modesto que M. Montgolfier.

Y esta reputación de virtud y de utilidad estaba acompañada de cierta veta de independencia, incluso de insubordinación. El principal colaborador científico de Montgolfier era M. Charles, un profesor de física que había sido el primero en proponer el gas producido por el vitriolo en lugar de la paja y la madera humedecidas y encendidas que se habían utilizado en vuelos anteriores. El propio Charles también deseaba elevarse con el artefacto, pero había tropezado con la firme prohibición del rey, que, por medio de los primeros informes, había ido observando con mucho detenimiento el desarrollo de los vuelos. Inquieto ante los peligros de un vuelo de prueba, el rey había propuesto que se elevasen en un canasto dos criminales, ante lo cual Charles y sus colegas se indignaron. «El rey puede ser el amo soberano de mi vida, pero no es el guardián de mi honor», fue una de las reacciones conocidas. Y tanto los críticos como los incondicionales advirtieron enseguida que un vuelo tripulado acarrearía graves consecuencias para la preservación del *statu quo*. El contrabando fue una de las primeras preocupaciones, pues, si se utilizaban globos en esa actividad, los puestos aduaneros y los lugares que permitían el control de los artículos de consumo llegarían a resultar redundantes. Quizá incluso podría librarse la guerra en los cielos. Rivarol se burló de los temores más histéricos cuando afirmó que la religión acababa de perder su influjo, pues, a los ojos de las generaciones futuras, la Asunción de la Virgen ya no parecería milagrosa. Además:

Parecía que todo se había puesto boca abajo —el mundo civil, político y moral—.Ya la gente veía a los ejércitos masacrándose en el aire y la sangre derramándose sobre la tierra. Los amantes y los ladrones podrían descender por la chimenea y llevarse a lugares lejanos tanto nuestros tesoros como a nuestras hijas.

Fue representativo que el más independiente de los aviadores fuese también el más joven: Pilâtre de Rozier, un médico de veintiséis años. Junto a un oficial militar, el marqués D'Arlandes, consiguió realizar el primer ascenso tripulado el 21 de noviembre de 1783. La combinación del científico y el militar —el conocimiento técnico y la audacia física—, que habría de ser el esquema estándar de la aviación y de la exploración espacial, ya se hallaba afianzado. Sin embargo, más que muchos otros científicos, Pilâtre de Rozier siempre prestó atención al público. Natural de Metz, en Alsacia, había sido uno de los más destacados entre los muchos que ofrecieron conferencias vespertinas sobre temas científicos en París para un público ansioso de novedades. En 1781 había inaugurado un Musée de Sciences en la rue Sainte-Avoie, orientado específicamente hacia el público excluido por la Académie Royale. Alojaba una colección de instrumentos, libros y equipos experimentales y los aficionados podían codearse con los eruditos y participar en discusiones privadas y públicas. Podía aceptarse la presencia de mujeres, aunque solo si acudían con la recomendación de los miembros del Musée. Había más de setecientos suscriptores de todo tipo y condición que escuchaban al propio Pilâtre, que discurseaba acerca del arte de la natación y exhibía un traje impermeable que emergía seco de un recipiente que contenía 1,80 metros cúbicos de agua. Entre otras invenciones mostradas en el Musée había un sombrero con una luz incorporada, para practicar rescates nocturnos, y Pilâtre ofreció fragmentos de su libro *La electricidad y el amor*.

Pilâtre de Rozier completó sus credenciales de ciudadano-aeronauta convirtiéndose en «mártir de la ciencia» a la edad de veintiocho años. Cuando intentaba cruzar el Canal desde Boulogne, en junio de 1785, el globo explotó, «envuelto en llamas violetas». Observado por otra enorme muchedumbre que estaba en la costa, Pilâtre y su acompañante cayeron desde unos quinientos metros sobre las rocas que estaban frente a Croy, en las afueras del puerto. Los horrorizados informes revelaron macabros detalles. El cuerpo de Pilâtre quedó destrozado, un pie separado de la pierna; el joven héroe «nadaba en su propia sangre». El país le trató como a un guerrero muerto: «Dicen que quizá amó demasiado la gloria —escribió un panegirista—. ¡Ah!, no era posible ser francés y privarse de amarla». Desde Inglaterra, Jean-Paul Marat afirmó dolido que «todos los corazones están atribulados por el dolor». En Boulogne se celebraron funerales conjuntos con gran pompa, al igual que en su ciudad natal de Metz; el rey ordenó acuñar una medalla, se encargaron bustos y se asignó una pensión especial a su familia. Para completar un escenario que podría haber sido escrito por Rousseau o uno de los dramaturgos de la escena sentimental, la prometida de Pilâtre falleció apenas ocho días más tarde, quizá se suicidó.

La sensación de que los ascensos en globo era un aspecto de lo sublime y de que sus profesionales eran semidioses románticos tuvo un carácter contagioso. Uno de los aeronautas más incansables fue François Blanchard, que cuatro meses antes del accidente de Pilâtre había sido el primero en cruzar el Canal desde Dover con un colega británico, el doctor Jeffries. En su tercer viaje desde Ruán cayó en un campo, donde los atónitos campesinos le recibieron como si estuvieran ante un extraterrestre. Solo cuando se desvistió y les permitió que hurgaran en varias zonas comprometidas de su cuerpo se dieron por satisfechos. Sin embargo, a su modo, la élite local sentía tanta curiosidad como el campesinado. Blanchard descendió sobre una tormenta de excitación y rivalidad para decidir quién tendría el honor de recibirle durante la noche, mientras se inflaba el globo. Las mujeres se sentían especialmente emocionadas por la perspectiva y, a menudo, eran más valientes que los hombres en los intentos de satisfacer su curiosidad científica bien informada. Por ejemplo, en este mismo vuelo, la marquesa de Brossard, la condesa de Bouban y madame Déjean insistieron en que se les permitiera realizar algún tipo de ascenso de prueba. Blanchard las subió a veinticuatro metros —asegurando el globo con cuerdas delgadas mientras ellas medían cuidadosamente la velocidad y la altura—. «No demostraron —escribió admirado Blanchard en la versión destinada a la prensa— el más mínimo signo de ansiedad, incluso cuando estaban a la máxima altura.»

Se organizaron espectáculos similares en distintos lugares del país, desde Lyon hasta la Picardía, desde Besançon hasta los Jardines de Luxemburgo de París. Los clientes de cafés rivales del Palais-Royal (el

Caveau y el National) adoptaron equipos de globos que competían casi como si fuesen sus caballos de carreras favoritos. En París se vendían retratos en miniatura y baladas que celebraban estas hazañas. Se publicaron libros que ofrecieron consejos detallados acerca del modo de construir globos o réplicas en miniatura. La más cara de estas podía costar seis libras y la más barata, cuarenta *sous* (el precio de cinco grandes hogazas de pan). Se aconsejaba usar una membrana de la vejiga de un buey, en el caso del modelo de setenta y cinco centímetros, y, como pegamento, la mejor gelatina de pescado. Se advertía a los aficionados sobre los peligros de usar gas metano y se sugería a los entendidos la fabricación de pequeños globos con la forma y el color de la fruta, de manera que, en ciertos momentos distendidos de las diversiones de una velada pudiesen elevarse en el aire suspendidos sobre una botella de vino de Burdeos.

Sin embargo, los globos eran mucho más que un mero pasatiempo de moda. Su público era amplísimo, bullicioso y desenfrenado, y no se expresaba con el énfasis de la sociedad culta, sino con el impulsivo vocabulario de la sublimidad de Rousseau. En este estilo poético, el terror y la alegría marchaban invariablemente juntos y los sentimientos se expresaban a menudo con elocuencia mediante el lenguaje corporal. Cuando el globo de los señores Charles y Robert se elevó sobre Saint-Cloud, en julio de 1784, «hombres y mujeres —escribió un espectador—, importantes y sencillos, cayeron de rodillas y formaron el cuadro más extraordinario jamás visto». Un espectáculo más dramático fue el de la gran muchedumbre, súbitamente horrorizada, que se había reunido sobre la llanura de Broteaux, junto al Ródano, cerca de Lyon, y que presenció cómo Pilâtre de Rozier, que moriría poco después, Montgolfier y seis pasajeros, entre ellos el hijo del príncipe de Ligne, caían verticalmente envueltos en humo y llamas. Su reacción *en masse* fue «elevar los brazos y las manos con un movimiento involuntario, como si quisieran sostener el globo en su caída». Cuando se vio que habían sobrevivido a la destrucción del enorme globo de cien metros, soltaron los carruajes y fueron llevados a hombros por la marea de celebrantes. «Cubiertos de sudor y humo, su marcha se veía interrumpida constantemente por los que deseaban verlos de cerca y abrazarlos.» En una representación de *Ifigenia en Áulide*, de Gluck, en la Opéra, esa misma noche, fueron saludados con estruendosos hurras. El cantante que representaba el papel de Agamenón presentó una corona de laureles que, en un gesto característico, Montgolfier depositó sobre la cabeza de su esposa, mientras Pilâtre (rival en modestia) puso la suya sobre la cabeza de Montgolfier.

En otras palabras, Montgolfier, Pilâtre de Rozier y Blanchard consiguieron establecer una relación directa e inmediata de camaradería con grandes muchedumbres. Las turbas de espectadores que recorrían toda la gama de los sentimientos desatados mientras los observaban se comportaban exactamente como no debían actuar las multitudes en el Antiguo Régimen. Por ejemplo en Lyon, al igual que en otras ciudades de provincias —y sobre todo en aquellas que tenían parlamentos—, los multitudinarios acontecimientos estaban regulados por medio de las procesiones religiosas o cívicas. La coherencia y la estructura de estas estaban prescritas según el orden de los participantes, los atuendos que vestían o los atributos que portaban. Presididas por sacerdotes o por dignatarios, estas ceremonias reflejaban el mundo corporativo y jerárquico en que se habían originado.

La fascinante física modificó todo eso. Como espectáculo resultaba imprevisible; sus aglomeraciones eran incoherentes, espontáneas, y mostraban una provocación instintiva. Sin embargo, no eran ni una turba (*un attroupement*), ni un aglomerado casual. La sensación de que estaban presenciando un hecho liberador —el presagio de un futuro flotante y libre— les confería una especie de camaradería profesional al aire libre, bajo la llovizna estival de París o bajo los copos de nieve de un mes de enero en el Lyonnais. Aunque ese episodio era menos rigurosamente calisténico que la gimnasia neoespartana recomendada por Rousseau (y después prescrita por los jacobinos), ejemplificaba la visión que tenía el filósofo de un festival de la libertad: imágenes excelsas de lo sublime en que la experiencia, y no el público, era noble.

Los globos no fueron el único espectáculo que atrajo a esa clase de muchedumbres en que las distinciones formales del rango habían quedado diluidas en los entusiasmos compartidos. Las últimas décadas del Antiguo Régimen se caracterizaron por el número de fenómenos culturales en que confluyeron los gustos populares y los de la élite. La magnitud y la diversidad del público del teatro de los bulevares, de la canción popular y hasta de la exposición del Salón bienal fueron tales que absorbieron las tradicionales diferencias de carácter social y legal preservadas en las formas oficiales del arte autorizado por la monarquía. La vívida descripción del público del Salón a finales de la década de 1770 ofrecida por el conocido periodista Pidanzat de Mairobert destaca esta desinhibida mezcla de tipos sociales en un espacio cerrado. Los cuerpos, las voces y los olores se apretaban y entrechocaban tanto que, en conjunto formaban, en los majestuosos ambientes del Salón Carré del Louvre, una enorme e hirviente sopa de humanidad. Obligado a ascender una escalera siempre atestada de gente, el visitante se zambullía en un «abismo de calor y un remolino de polvo y ruido». Allí, «en una atmósfera ponzoñosa, saturada por el aliento de personas con poca salud [...], ensordecido por un estrépito semejante al golpeteo de las olas del mar», uno presenciaba una «mezcla de todos los órdenes del Estado, de todos los rangos sociales, de todas las edades y sexos» [...]:

> el petimetre despectivo o la mujer [*vaporeuse*]; el jornalero saboyano se codeaba con el «cordon bleu» [grande]; la mujer del mercado intercambia aromas con la mujer de alcurnia, y esta se aprieta la nariz para evitar el potente olor del brandy que la envuelve; el áspero artesano, guiado solo por el instinto, hace un comentario apropiado que, debido a su acento cómico, provoca el regocijo del absurdo *bel esprit*, mientras que el artista oculto entre la multitud asimila el sentido de todo y lo aprovecha. También allí los escolares instruyen a sus maestros [...], pues estos jóvenes alumnos, distribuidos en esa inmensa colectividad, son los que casi siempre aportan los juicios más certeros.

Al principio, el Salón había sido el templo de la jerarquía académica e institucional. La Académie, con cuyos auspicios se organizaba la exposición, estaba dividida a su vez en tres clases rígidamente estructuradas. Y en las paredes de la exposición, la jerarquía formal de los géneros —con los cuadros históricos en la cúspide y las obras de género y las naturalezas muertas en la base— estaba preservada cuidadosamente. Sin embargo, estos formalismos llegaron a ser superfluos en el caótico flujo y reflujo del entusiasmo público. Durante las décadas de 1760 y 1770, los cuadros que atraían a la multitud y que provocaban el comentario de la prensa no eran las pomposas historias de los artistas oficiales, como Brenet y Lagrenée, sino las obras sensibleras de Greuze.

En el teatro se observaba un proceso similar de destrucción de las barreras. Esto es aún más sorprendente porque, a primera vista, el teatro parisiense estaba dividido en dos puntos claramente opuestos. El drama de gusto superior y respetabilidad oficial correspondía a las compañías autorizadas, como la Comédie Française o la Opéra. Con su fachada de pórticos con columnatas, los grandes teatros ofrecían un repertorio regular de tragedias clásicas y de comedias razonablemente cultas de Molière. Los actores declamaban sus pareados alejandrinos de acuerdo con las venerables convenciones de la elocución y la cadencia. Nada podía estar más lejos del estridente y terrenal mundo de los teatros del bulevar, en que las soeces farsas sobrecargadas de jerga de malhechores y de humor de los bajos fondos competían por captar la atención con los monstruos, con los equilibristas y los romanceros.

Los historiadores representaron a menudo el siglo XVIII como el periodo en que la cultura popular fue sometida por fin por los severos guardianes del gusto moral del mundo oficial. Arguyen que, después de ocupar un lugar fundamental en la vida del pueblo, adquirió un carácter marginal, cediendo ante las campañas de perfeccionamiento y edificación. Desde luego, los revolucionarios jacobinos intentarían algo parecido. Sin embargo, gracias a las investigaciones de Michele Root-Bernstein y Robert Isherwood ahora sabemos que, durante las últimas décadas del Antiguo Régimen, se estaba trabajando algo semejante al proceso contrario. El teatro oficial comenzó a perder su vitalidad y, hasta cierto punto, su público. Y en cambio, el teatro popular empezó a convertirse en la atracción principal. Aún más sorprendente fue el fenómeno, ampliamente observado por los contemporáneos, de que los dos mundos tendían más a confluir que a distanciarse. Estaba formándose un solo público, ávido de entretenimiento, que se extendía desde la familia real y la corte, recorriendo toda la gama, hasta los artesanos, los tenderos, los vendedores y los soldados. Todos acudían en tropel a ver *Las bodas de Fígaro*, en la Comédie-Française, donde podían ocupar un lugar en el ruidoso *parterre*, frente al escenario. O bien, con solo pagar doce o veinticuatro *sous*, podían asistir a las funciones de los Grands Danseurs de Nicolet, en el bulevar del Temple, con su seductora mezcla de acrobacia, parodia, pantomima, mímica, canción y drama sentimental. (Durante un tiempo la principal atracción fue un mono llamado Turcot que imitaba al gran actor «serio» Molé.)

Existen innumerables ejemplos de esta fusión cultural. El *Journal de Paris* proporcionaba información diaria sobre el teatro «elevado» de la Opéra, la Comédie-Française y la Comédie Italienne. Sin embargo, también incluía las atracciones del momento en las Variétés y el Ambigu Comique. Abundaba el paso de un mundo al otro. Audinot, fundador del Ambigu Comique, había sido cantante (e hijo de un cantante) en la Opéra Comique y había montado espectáculos en Versalles antes de fundar su próspero teatro en el bulevar. El gran éxito de la década de 1770, *Les Battus*, de Dorvigny, presentaba a un indefenso criado, Janot, que, después de que le vaciaran encima un orinal, intentaba obtener una reparación legal y en cambio terminaba en la cárcel. Hacia 1780, *Les Battus* había sido representada mil veces, había convertido a su principal actor, Volange, en una celebridad parisiense y se había escenificado en un pase privado ante el rey y la reina en Versalles.

Por supuesto, la familia real participaba tanto de esta cultura de la escena como cualquier otra persona. Por ejemplo, se sabe que Artois compuso versos para las canciones populares crueles, satíricas y a menudo obscenas que los romanceros pregonaban en el Pont Neuf. Y aunque el rey veía con malos ojos que María Antonieta frecuentase el teatro parisiense, por entender que esa actitud constituía una falta de decoro, la soberana asistía a menudo y aportaba, gracias a la reacción del público ante su presencia, un barómetro de la popularidad. Esto, sin duda, resultó divertido mientras duraron los aplausos, pero, hacia mediados de la década de 1780, los helados silencios o cosas peores acentuaron el sentimiento de aislamiento de la soberana con respecto al favor público. Sin embargo, la reina continuó interesándose por el *patois* terrenal de los mercados —el *poissard*— y ordenó que miembros de la *troupe* Montansier fuesen al Trianon para enseñar a su compañía de actores de la corte (incluido Artois) esa descarnada jerga de malhechores. En esa *troupe* estaba la familia Grammont, que encarnaba el carácter global del mundo teatral. Cómodos en los bulevares, donde habían empezado con la *troupe* de artistas de la cuerda floja y los payasos de la *troupe* de Nicolet, pero acostumbrados a las representaciones en Versalles, los Grammont llegarían a convertirse en oficiales de las *armées révolutionnaires*, las tropas de choque parisienses encargadas de aplicar las leyes revolucionarias y de detener a los traidores destinados a la guillotina.

Sin embargo, el duque de Chartres fue el hombre que más hizo para institucionalizar este crisol cultural, al convertir el Palais-Royal en el hábitat más espectacular del placer y la política europeos. En 1776, su padre, el duque de Orleans, le cedió este lugar, que antaño ocupaban los jardines del cardenal Richelieu y que limitaba con el Louvre y con las Tullerías. La combinación de su pródigo estilo de vida y su iniciativa empresarial le llevó a concebir un extravagante plan con el propósito de convertir los jardines en una sucesión de arcadas que alojarían los cafés, los teatros, las tiendas y los lugares de recreo más equívocos. El arquitecto Victor Louis, que había creado el importante teatro de Burdeos, recibió el encargo de organizar el espacio interior, pero no hace falta aclarar que la ambición llegó mucho más lejos que los recursos y fue necesario esperar hasta 1784 para lograr que algo parecido al proyecto completo comenzara a realizarse. Entretanto, se había erigido una galería de madera alrededor del palacio; denominada *camp des tartares*, rápidamente llegó a ser famosa como refugio de prostitutas y carteristas. Dentro, por unos pocos *sous*, uno podía maravillarse ante la cintura de German Paul Butterbrodt, que pesaba cerca de doscientos kilos o (por unos pocos *sous* más) escudriñar las credenciales de una «bella Zulima» desnuda (de cera), supuestamente fallecida doscientos años antes y que permanecía en un magnífico estado de conservación.

Hacia 1785, cuando falleció el anciano duque de Orleans, que dejó a su hijo el capital necesario para completar la obra, el Palais-Royal ya había conseguido llevar la cultura popular tosca y rabelaisiana al propio centro del París aristocrático y real. Una década antes aún habría sido posible ver el centro de París como el exclusivo entorno del arte oficial, mientras las formas «inferiores» quedaban relegadas a los bulevares y las ferias de Saint-Germain y Saint-Laurent. El confinamiento de esas formas oficiosas a estos amplios ámbitos del placer incluso originaba en la policía la sensación de que por lo menos las fechorías estaban limitadas a zonas previsibles, de modo que, si los ciudadanos respetables decidían frecuentarlas, lo hacían bajo su propia responsabilidad. Los teatros de la élite podían mirar con desconfianza la creciente popularidad y la envidiable prosperidad de sus rivales, aunque les complacía verlos instalados en sucias trastiendas muy alejadas de los barrios elegantes.

La aparición del Palais-Royal como una feria diaria de los deseos modificó radicalmente todo eso. En su condición de dominio privado de Orleans era prácticamente inmune a la intromisión de la policía y, en efecto, explotaba hasta el límite esta libertad. «Este lugar encantado —escribió Mercier— es una ciudad pequeña y lujosa encerrada en otra más grande.» Saludado con entusiasmo por Chartres-Orleans, el Théâtre

Beaujolais (así llamado por el hermano de Chartres) comenzó con marionetas de un metro de altura y continuó con actores infantiles, y, en las Variétés Amusantes, las farsas y los melodramas de los bulevares vinieron a completar el cuadro y ambas formas se representaron en presencia de salas atestadas. Florecieron todas los tipos de cafés, desde el más conservador Foy hasta el atrevido Grotte Flamande. Uno podía visitar a los fabricantes de pelucas y los encajeros; beber limonada en los puestos; jugar al ajedrez o a las damas en el café Chartres (ahora el Grand Vefour); escuchar a un abate ambulante (se supone que degradado) que tocaba la guitarra y estaba especializado en canciones obscenas; leer las publicaciones de sátira política (a menudo crueles) escritas y distribuidas por un grupo de sujetos que trabajaban para el duque; ver el espectáculo de la linterna mágica o el juego de sombras; jugar a los billares o acercarse al cañón en miniatura que se disparaba exactamente al mediodía, cuando lo tocaban los rayos del sol.

Dentro, en los espacios cerrados del teatro del bulevar, era difícil, cuando no imposible, mantener nada que significara distinciones formales de jerarquía. El teatro de Nicolet recibía a unas cuatrocientas personas encerradas en un espacio que no excedía demasiado un área de doce por once metros. Las velas de cera apenas suministraban luz suficiente para las manifestaciones sociales y los precios muy reducidos de Nicolet se traducían en que personas de ambientes sociales totalmente distintos estaban apretadas como sardinas. Sin embargo, incluso en las avenidas y en las arcadas del Palais-Royal, en que pasear (sin hablar de importunar), mirar e inspeccionar constituían el entretenimiento principal, las condiciones y las clases se mezclaban de forma indiscriminada. En la confusión resultaba fácil creer que una cortesana de estridente atuendo que exhibía brillantes de imitación era una condesa enjoyada con unos auténticos. Los soldados jóvenes se vestían para impresionar a las muchachas con sus uniformes (una innovación relativamente reciente en el ejército), en que las insignias del rango faltaban o inducían a confusión. Con sus togas negras, los nobles magistrados del Parlamento estaban vestidos más o menos del mismo modo que los abogados y los empleados humildes. Y parece claro que a los contemporáneos les satisfacía esta mezcolanza social. Louis-Sébastien Mercier, que había denostado los bulevares porque fomentaban la estupidez de los «ciudadanos honestos», adoraba el Palais-Royal, donde asistía a «la confusión de los Estados, la mezcla, la turba». Y Mayeur de Saint-Paul, que escribió de forma más poética, insistía en que «todas las clases de ciudadanos se reúnen, desde la dama de alta alcurnia hasta la disoluta, desde el distinguido soldado hasta el más humilde funcionario de los recaudadores».

Por supuesto, en los dignos vestíbulos de la Comédie-Française o de la Opéra el orden social estaba mucho mejor definido. Sin embargo, la principal condición que aportaba prestigio (como en el Antiguo Régimen) no era la cuna o el Estado, sino el dinero. Más aún, incluso en el teatro «serio», hay pruebas de una creciente inyección de la clase media e incluso del público de clase media baja: tenderos y maestros artesanos de los oficios «honrados», como la ebanistería y la relojería. En ocasiones especiales, por ejemplo, el nacimiento del delfín, en 1781, se ofrecían representaciones gratuitas y el teatro se llenaba con este tipo más humilde de espectadores; pero incluso durante la temporada normal, el precio relativamente razonable del *parterre* determinaba que fuese accesible a *habitués*, como los estudiantes y los pasantes de los despachos de abogados. Con mucha frecuencia el aficionado al teatro podía pagar su entrada al formar parte de una de las *claques* organizadas, que debían aclamar o ridiculizar a los actores y las piezas, de acuerdo con el encargo recibido. Y debido a la licencia concedida al *parterre*, aquí podía determinarse el tono, la primera noche, en relación con el éxito o el fracaso de la obra. El dramaturgo Marmontel, que no era amigo del *parterre*, cuando fue muy aplaudido a causa del éxito de su *Belisario* se vio obligado a reconocer que «entre la masa de hombres incultos, hay, desde luego, algunos muy sabios».

Entonces, ¿*les enfants du paradis* estaban estrechamente relacionados con *les enfants de la patrie*? Resulta difícil saber si esta manifiesta mezcla social en el público teatral y entre los paseantes de los jardines de esparcimiento puede interpretarse como un indicador preciso del desplome de la jerarquía en la Francia del Antiguo Régimen. Después de todo, aquí se trata del París metropolitano en sus formas más laxas. No obstante, sobre el bullicioso trasfondo de una gran mezcolanza de ciudadanos, este ambiente aisló a su vez los episodios hostiles entre los grandes y los pequeños, entre los ciudadanos y los privilegiados, que conformaron un modelo de drama social y político: el del anacronismo. Por tanto, en este sentido, en efecto, el público parisiense protagonizó los ensayos del gran teatro de los Estados Generales.

Un ejemplo de esto es el de la famosa contienda del asiento teatral que llegó a los tribunales del Parlamento de París. La disputa vino a simbolizar el traslado a la audiencia de uno de los dramas corrientes representados en escena: la ciudadanía virtuosa es atropellada por la arrogancia aristocrática. El 9 de abril de 1782 estalló una discusión en uno de los palcos de la Comédie Française. Los litigantes eran un tal Pernot-Duplessis, procurador del Parlamento, y el conde de Moreton-Chabrillant, capitán de la guardia del conde de Provence (hermano menor del rey). En el caso judicial que siguió, se destacó que el demandante era «un hombre honrado en todos los aspectos, conocido por la benignidad de sus modales y por su buena disposición»; que esa noche iba vestido con prendas negras discretas y que no llevaba peluca. En cambio, el oficial llegó ataviado con una casaca rosada, llevaba espada y se cubría con un sombrero de plumas; en otras palabras, la esencia del militar cortesano. De acuerdo con el acta del tribunal, sucedió lo siguiente:

CHABRILLANT: ¿Qué hace usted aquí?

DUPLESSIS: Ocupo mi asiento.

CHABRILLANT: Le digo que se retire.

DUPLESSIS: Tengo derecho a estar aquí porque he pagado..., he pagado mi asiento y no me retiro.

CHABRILLANT: Un mier... *robin* se atreve a empujarme [aquí empujó al demandante]. Soy el señor conde de Chabrillant, capitán de la guardia de su señoría el hermano del rey. Aquí tengo derecho de prelación. Por orden del rey. A la cárcel, a la cárcel...

DUPLESSIS: No importa quién sea usted, un hombre de su clase no puede decidir que un hombre de mi clase pase la noche en la cárcel sin motivo.

La batalla del palco fue ganada por el abusivo aristócrata, pero la contienda la ganó el virtuoso demandante. Chabrillant, en efecto, convocó al guardia, que obligó a Duplessis a salir del lugar agarrándolo de los cabellos y lo encerró durante cuatro horas y media, hasta bastante después de que hubiera terminado la representación. Sin embargo, por no decir más, resultó imprudente humillar a un miembro del tribunal soberano, incluso si, como afirmó la defensa, el conde no creyó que nadie tan «grosero» pudiera ser un magistrado. Blondel, abogado de Duplessis, se lo merendó con el contraste entre el altanero cortesano oficial, despectivo frente a los derechos legales fundamentales y raudo en usar la fuerza arbitraria, y el hombre de ley, discretamente decidido, vestido con modestia. Ante el tribunal se afirmó que «por el interés general del público, corresponde defender al individuo cuya *simple jerarquía como ciudadano* debería haber prevenido cualquier tipo de insulto en un lugar donde *solo el dinero pone a los plebeyos y a los nobles en un plano de igualdad*» (la cursiva es nuestra). No es necesario añadir que el tribunal falló en favor de Duplessis y exigió al conde tanto el pago de seis mil libras por daños (es decir, una suma considerable) como la obligación de declarar ante el tribunal que el hombre a quien había insultado era «un individuo honorable y probo».

Hubo otros casos parecidos en que el teatro se convirtió en un campo de batalla de los derechos impugnados. Por ejemplo en Burdeos, en 1784, se impidió la entrada en el teatro al alcalde y a sus regidores municipales por orden del gobernador militar (y hasta fueron encarcelados cuando insistieron en sus intentos de entrar). Después, el gobernador intentó llevar al alcalde (que era noble) ante el tribunal militar. Al proceder así, contrapuso su fuerza militar a las reclamaciones civiles del alcalde, que reclamaba el ejercicio de la autoridad en el teatro en nombre de sus conciudadanos.

Por tanto, la política podía afectar al teatro, pero, a su vez, el teatro podía crear el drama político. El caso más sonado fue quizá el de Beaumarchais y *Las bodas de Fígaro*. Las difíciles circunstancias en que se representó esta pieza han sido descritas siempre como uno de los hitos del camino que condujo al desplome del Antiguo Régimen. Se presenta debidamente a Beaumarchais como un guerrero de la libertad de expresión y al rey, como un malhumorado perfeccionista. Sin embargo, este sencillo panorama se ve muy complicado por el hecho de que, cuando se escribió y representó *Fígaro*, el propio Beaumarchais no era un oprimido Fígaro, sino un magistrado ennoblecido de riqueza considerable y con muchísima influencia. La importancia de la diatriba contra el orden establecido que él puso en boca de Fígaro en el acto V no consiste en que proviniese de uno de los literatos de baja extracción social, sino de uno de los hijos favorecidos por el régimen.

Con estas salvedades, sería erróneo también despojar completamente de ingredientes románticos a Beaumarchais hasta el punto de poder confundirlo con un aristócrata más que jugaba a representar el papel del extremista distinguido. Su célebre vida tuvo que soportar las ambigüedades sociales de la Francia de finales del siglo XVIII. Había sido magistrado y prisionero, cortesano y rebelde, diplomático y espía; había sido empresario y se había arruinado, también editor y publicista, miembro del sistema y hombre excluido de él. Tampoco puede afirmarse que la trayectoria de su carrera fuese un ascenso ininterrumpido que le permitiera pasar de la condición de modesto artesano a la de noble envanecido. En muchos momentos, esa trayectoria se caracterizó por el espectacular aumento de su fama y su fortuna, o se vio interrumpida por rechazos y decepciones igualmente espectaculares. Si bien cultivaba con asiduidad la paradoja, esta le salía también al paso de manera natural. En una de sus muchas presentaciones ante el tribunal en una acusación por difamación, llevó el atuendo del «hombre honrado» —chaqueta y calzones negros (se las ingenió para que su cara adquiriese una particular palidez)—, pero no pudo resistir la tentación de exhibir al mismo tiempo el enorme anillo de diamantes que le había regalado la emperatriz austriaca María Teresa. En 1787 contrató los servicios del arquitecto de moda Lemoyne, que le construyó una espectacular mansión de la que se jactaba de que tuviera doscientas ventanas y de que hubiera costado casi un millón de libras. Sin embargo, Beaumarchais residía en un distrito muy poco elegante, el de Saint-Antoine: el corazón del París de los artesanos y el centro del extremismo *sans-culotte* durante la Revolución.

Para comprender el inaudito atractivo de *Las bodas de Fígaro* y el hecho de por qué llegó a emplearse como un arma con la que atizar en la cabeza a los elementos más tercos del Antiguo Régimen, es necesario ver de qué modo el autor se atribuyó el papel del *honnête homme* y del ciudadano ofendido. Como Rousseau, Beaumarchais era hijo de un relojero protestante, pero, a diferencia del filósofo, amplió su conocimiento de ese oficio para convertirse en un inventor brillante y extraordinario por derecho propio. Despojado por su maestro del mérito de la invención del mecanismo de escape de doble acción, Beaumarchais desenmascaró al usurpador y, en muy poco tiempo, llegó a ser un hombre célebre y acomodado. Presentado a Luis XV a la edad de veintidós años, fue designado relojero de la corte. La vinculación con el rico *financier* Paris-Duverney le abrió el camino hacia la nobleza y, a su debido tiempo, en 1761, adquirió los correspondientes derechos. A la edad de veintinueve años, dejó de ser Pierre-Augustin Caron y obtuvo el derecho de usar el nombre de su propiedad: Beaumarchais. Y como la nobleza de nuevo estilo presuponía el servicio al Estado, también se convirtió en presidente del tribunal que se ocupaba de los delitos contra las leyes de caza, un tribunal muy ingrato donde no demostró un particular afecto por la cantidad de ridículos cazadores furtivos, profesionales y aficionados, llevados frente a su estrado.

Por supuesto, alcanzó renombre como dramaturgo gracias a *El barbero de Sevilla*, si bien después escribió una serie de piezas bastante flojas que incluían todas las manifestaciones propias de una sensibilidad elevada: la amistad, el amor frustrado, la posteridad honrada, así como otras por el estilo. Y cuando se convirtió en una figura famosa, también llegó a convertirse en el blanco de los maridos celosos y de los escritorzuelos oportunistas. Su propia inclinación hacia los placeres de cualquier tipo le ganó continuos ataques. Sin embargo, pese a toda su notoriedad (parte de ella bien merecida), el *chevalier* Beaumarchais coexistió con el ciudadano Beaumarchais. Este libertino jactancioso hizo propaganda en favor de los estadounidenses y, en ese papel, mostró una agresividad y una iniciativa sorprendentes, equipó una armada privada completa, envió armamentos a los rebeldes y pagó de su propio bolsillo la diferencia entre el gasto cada vez más elevado de la ayuda francesa y los desembolsos reales secretos. Otro proyecto de importancia casi similar le provocó pérdidas aún más graves, pues decidió iniciar la publicación de las obras y de los manuscritos completos de Voltaire en momentos en que el gran editor y librero Panckoucke de París había perdido la esperanza de poder coronar la empresa. Beaumarchais editó esta obra descomunal, lidió con individuos ofendidos pertenecientes a los más variados sectores (entre ellos, Federico el Grande de Prusia), que no deseaban que su correspondencia viese la luz, organizó su propia imprenta en Lorena, compró tipos móviles ingleses e intentó equilibrar el balance comprometido de antemano con treinta mil suscriptores. Como podía preverse, consiguió como mucho unos miserables dos mil. Como no se les pagaba, los impresores saquearon la maquinaria y un cajista se fugó con determinadas sumas. Con un total de setenta y dos volúmenes en cuarto, la propia empresa resultó ser un fiasco comercial de proporciones gigantescas. A pesar de ello, le proporcionó un enorme prestigio cultural; quizá fue lo mejor que Beaumarchais hizo nunca.

La indudable capacidad de Beaumarchais para representar al hom-

bre común y corriente dotó de una voz universal a *Las bodas de Fígaro*.
Rompió las divisiones entre las jerarquías y mezcló los géneros. Y aportó
la agria sátira del teatro popular a la majestuosa sala de la Comédie-Française. Proporcionó una fama inmediata a buenos actores como
Louise Contat (Suzanne) y D'Azincourt (Fígaro), que pudieron representar sus papeles con espontaneidad y frescura. Aunque se habían conocido muchas comedias de bulevar que atacaban las pretensiones del poder
señorial, ninguna había alcanzado ese nivel de mordaz comicidad. Estaba
más cerca del tipo de «drama popular» que Mercier había reclamado en
1773 que todo lo que se había visto durante el siglo. Los que conocen
solo la versión operística de Mozart y Da Ponte como mucho pueden
acercarse a un *Fígaro* del que se ha eliminado gran parte de la descarnada
trastada. Como comentó el autor de la *Correspondance secrète*, los predecesores de Beaumarchais

> siempre habían tenido la intención de lograr que los grandes se riesen a
> expensas de los pequeños; aquí los pequeños podían reírse a costa de los
> grandes, y el número de personas comunes y corrientes era tan considera-
> ble que uno no podía dejar de asombrarse ante la gran cantidad de espec-
> tadores pertenecientes a todos los sectores de la vida convocados por Fígaro.

No cabe duda de que a Beaumarchais le habría agradado representar
la obra sin que mediasen intervenciones oficiales; pero, cuando estas se
presentaron de forma chapucera, el autor aprovechó la oportunidad de
difundir el caso como una lucha entre el autoritario despotismo y las
libertades de los ciudadanos. Era de esperar que pudiera presentarse de
este modo, porque, entre los ciudadanos ansiosos de ver la obra, estaban
María Antonieta y la mayoría de los miembros de la corte. Beaumarchais
había entregado el manuscrito a Chamfort (amigo de Talleyrand) y este,
a su vez, lo había dejado en manos de Vaudreuil, favorito de la reina. Se
organizó una lectura privada y, cuanto más aberrantes eran las denuncias
contra el orden establecido, más agradaba el texto a la reina. El rey se
mostró menos divertido. En mitad del célebre monólogo de Fígaro en el
acto V se levantó de su silla y, en un desacostumbrado acceso de elocuencia y de clarividencia, declaró que era «detestable. Nunca se representará
la obra; sería necesario destruir la Bastilla para evitar que la representación de la pieza no tenga peligrosas consecuencias».

Aunque el proyecto se proscribió oficialmente, Beaumarchais utilizó todos los medios posibles para mantenerlo en pie. Había incorporado astutamente a la pieza una canción popular, «Marlborouck S'en Va-t-en Guerre». «Va-t-en guerre» era una pequeña ironía que aludía a la guerra mediante fanfarrias (más que con hechos) y la canción había sido compuesta durante las campañas de Luis XIV, cuando se difundió el falso rumor de que la peor pesadilla del soberano, el duque de Marlborough, había muerto en combate. Recuperada durante la década de 1780, se cantaba para burlarse de la humillación británica en América y el océano Índico, donde el almirante Suffren estaba avergonzando a la Royal Navy. Beaumarchais adoptó la canción como si su propia batalla fuese el equivalente dramático de la campaña militar y la cómica burla de la canción, como si estuviese dispuesto a derrotar muy pronto a su enemigo. En una cultura de las calles y los salones, donde el *double-entendre* era casi el lenguaje oficial, la indirecta no pasó inadvertida.

Sin embargo, como ya era habitual, un sector de la nobleza elegante ansiaba humillar a la corte que debilitaba su autoridad. Se copiaron manuscritos de la obra y se difundieron de forma privada en todas las grandes casas de la nobleza liberal (y no tan liberal). Algunos de estos nobles tenían sus propios teatros privados, donde la voluntad de la policía carecía de fuerza. La posibilidad de que estas representaciones privadas continuasen y, lo que era aún más preocupante, la posibilidad de un estreno con el patrocinio del gran duque de Rusia en San Petersburgo, originó un acuerdo informal que determinaba que la pieza podría representarse en París en la propiedad de la reina, la Salle des Menus Plaisirs, utilizada en los ensayos de la Opéra. El 13 de junio de 1783 miles de personas ocuparon las calles próximas al teatro cantando «Marlborouck» en tono desafiante. Media hora antes de que se alzase el telón, el rey envió a su chambelán armado con *lettres de cachet* para ordenar que se suspendiera la representación «so pena de la indignación de Su Majestad», lo cual significaba claramente un periodo en la cárcel. La respuesta de Beaumarchais se parecía a la de Fígaro con su amenaza. «*Eh bien Messieurs*, muy bien, es posible que aquí no la representemos, pero les juro que se representará, quizá en el propio coro de Notre Dame.»

Este enfrentamiento entre el ciudadano y el soberano no fue, de momento, decisivo. Beaumarchais aceptó añadir algunos cambios —todos los cuales, como se vio después, no modificaron nada— y el rey suavizó su actitud y no escondió su deseo de que la pieza se convirtiese en un tremendo fracaso. Se vio amargamente decepcionado. El 21 de abril de 1784 se presentó la obra en el nuevo Théâtre-Français (ahora Odéon) de estilo neoclásico. Una sagaz y joven aristócrata, la baronesa D'Oberkirch, presenció las peleas a puñetazos que estallaron entre la gigantesca multitud reunida frente al teatro con el propósito de hacerse con los pocos asientos que quedaban. No era una extremista y, sin embargo, se sintió conmovida por la representación, y, más en concreto, censuró a los críticos que creían que la obra tenía éxito solo porque halagaba groseramente a los espectadores de la galería. En 1789 escribió en sus memorias que, por el contrario,

> *Las bodas de Fígaro* es quizá la obra más inteligente que ha sido escrita jamás, a excepción quizá de los trabajos de M. Voltaire. Es deslumbrante, una verdadera composición de fuegos artificiales. Se trastruecan del principio al fin las reglas del arte y, por eso, en cuatro horas de representación no hay un solo momento de aburrimiento.

Sin embargo, también tuvo la perspicacia de percibir una disposición particularmente torpe en los aristócratas presentes entre la audiencia, que se reían a carcajadas cuando Fígaro volcaba su cólera sobre el conde Almaviva:

> Como sois un gran señor, os creéis un gran genio [...] ¡nobleza, riqueza, jerarquía, cargos! ¡Todo esto os hace un individuo tan encumbrado y poderoso! ¿Qué habéis hecho para tener tanto? Apenas os tomasteis el trabajo de nacer, y eso es todo; por lo demás, sois una persona común, mientras yo, maldita sea, perdido en la anónima muchedumbre, he tenido que utilizar toda mi ciencia y toda mi destreza solo para sobrevivir.

La baronesa D'Oberkirch observó que los *grands seigneurs* del público, al mismo tiempo que se unían a las salvas de aplausos que invariablemente saludaban el discurso, «se abofeteaban sus propias mejillas [*ils se sont donnés un soufflet sur leur propre joue*], reían a su propia costa y, lo que es hasta peor, conseguían que también otros se riesen [...] ¡qué extraña ceguera!».

No obstante, hay señales de que los «bravos» y los «bis» se apagaron en los labios de la nobleza cuando esta comenzó a percibir el significado de una polémica que no estaba dirigida contra los ministros, sino contra ella. Cuando *Fígaro* terminó su presentación en el Théâtre-Français, en enero de 1785, la aristocracia comenzó a orquestar una campaña de contraataques. En primer lugar, el arzobispo de París denunció la atrocidad desde el púlpito; después, el escritor Suard, que se presentó como sacerdote, le imitó con una agria y sarcástica crítica. En su respuesta, publicada en el *Journal de París*, Beaumarchais mostró una actitud de fulminante menosprecio. Después de rechazar el ataque de «los leones y los tigres», dijo que no deseaba rebajarse replicando constantemente a los pequeños parásitos, porque eso debía ponerle en la posición de las «criadas holandesas, que tienen que golpear el colchón todas las mañanas para lograr que se desprendan las sucias y pequeñas chinches de la cama».

El 6 de marzo el artículo fue presentado al rey y cabe presumir que, todavía dolido por el hecho de que sus deseos se hubiesen visto frustrados, interpretó la referencia a las criaturas salvajes (más que alimañas) como un ataque personal. Fue suficiente para encarcelar a Beaumarchais. Y Luis, dominado por una tonta irritación, decidió que el reproche más demoledor que podía dirigir a un satírico era la humillación cómica. Esa noche, mientras jugaba a las cartas, garabateó al dorso del siete de espadas que no debía confinarse a Beaumarchais en la Bastilla (el lugar habitual de detención para los escritores insubordinados), sino en Saint-Lazare, el correccional de menores. A corto plazo, esta burlona humillación desconcertó a Beaumarchais. Rehusó salir de prisión, a sabiendas de que era el blanco de las bromas, y nunca recuperó del todo esa despreocupada confianza que le había mantenido firme en muchos de sus infortunios. Durante los últimos años del Antiguo Régimen, se convirtió en el chivo expiatorio tanto de los radicales como de los reaccionarios.

Es posible que su encierro en Saint-Lazare determinase que Beaumarchais pasara definitivamente de la ofensiva a la defensiva, pero no produjo el mismo efecto en *Fígaro*. La pieza continuó gozando de una abrumadora popularidad y tuvo un éxito permanente en el teatro parisiense «legítimo». Beaumarchais tenía muchos enemigos, que se regocijaban ante el inmerecido castigo y que creían que el hecho de que se autoproclamara «campeón de la libertad» constituía una postura hipócrita. Sin embargo, también tenía muchos amigos entre la «muchedumbre anónima» que prestaban atención al hecho de que Fígaro se autodenominase un «hombre honrado», obligado a encogerse y a postrarse a los pies de una arrogante aristocracia, y de que, con su talento y con su ingenio, renegara ante las arbitrarias barreras de la jerarquía. Porque, si bien constituye un mito que en las muchedumbres y en los clubes revolucionarios había legiones de Fígaros impacientes por vengarse de sus Almavivas, también es cierto que los exdramaturgos, panfletistas, actores y gerentes de teatros estuvieron entre los más fervorosos partidarios de la guillotina.

Distribución de papeles: los hijos de la naturaleza

Un año antes de su aleccionadora reclusión en Saint-Lazare, Beaumarchais tuvo una genial idea de promoción. Propuso donar los beneficios de *Las bodas de Fígaro* a una causa que lo merecía: el fomento del amamantamiento materno. Debía crearse en París un Instituto de Bienestar Maternal que suministraría subsidios a las madres que, de no mediar esa circunstancia, tendrían que verse obligadas a enviar a sus hijos a las nodrizas de las aldeas para poder asistir al trabajo.

En París, el teniente de policía Lenoir creía que quizá solo una trigésima parte de las madres de los veinte mil niños nacidos anualmente criaban a sus propios hijos. Y estas pertenecían casi en exclusiva a las familias acomodadas, que respondían así a la apasionada defensa que Rousseau había hecho del amamantamiento familiar. Otros que podían permitírselo contrataban a nodrizas para sus propios hogares o enviaban a los hijos a los *faubourgs*. Sin embargo, la mayor parte de los hogares modestos y pobres utilizaban una oficina oficial y sus viajantes —los *meneurs*— para hallar nodrizas aldeanas en el campo, alrededor de la capital. Los más pobres abandonaban a sus hijos en la escalera de la iglesia de la inclusa y también estos eran enviados a las nodrizas rurales. Para uno de cada dos niños distribuidos de este modo, la crianza con la nodriza de aldea constituía un certificado de defunción: la pobreza urbana se complementaba con la miseria rural. Desesperadamente ansiosas por conseguir la comida que recibían por amamantar, las mujeres engañaban a veces al *meneur* acerca de su capacidad para la lactancia y proporcionaban al infante leche animal o papilla hervida, producida con agua y pan hervido (y, a menudo, mohoso). A veces tenían la boca llena de pústulas. Los niños permanecían sentados en la suciedad animal y humana, eran colgados de un gancho envueltos en pañales que no se cambiaban o se les suspendía de las vigas en una improvisada hamaca. Las fiebres provocadas por la disentería abreviaban sus sufrimientos por decenas de miles y, a menudo, el *meneur* responsable de informar a los padres (o a la inclusa) acerca de los progresos del niño ocultaba su muerte y se embolsaba el dinero.

Impresionado por los informes acerca de esta industria rural de la muerte, Beaumarchais movilizó a Fígaro en auxilio de la madre que amamantaba. Un grabado destinado a celebrar este proyecto muestra a Fígaro distribuyendo su caridad a madres que amamantan satisfechas porque están bien provistas, mientras otras, que están detrás de Fígaro, saludan al hombre que las liberó de la «cárcel de nodrizas». Un filósofo de pie señala esta feliz escena al «Bienestar» y, sobre ellos, la «Humanidad» sostiene una tabla que reza: «Auxilio para las madres que amamantan».

El éxito de Beaumarchais en el teatro ya era bastante exasperante para sus enemigos de París. Desde luego, no estaban dispuestos a permitir que su halo brillase aún más intensamente gracias a la filantropía. Sin embargo, el arzobispo de Lyon conoció la idea y recibió de buen grado la donación de ochenta y cinco mil libras destinadas a crear un instituto en esa ciudad. De acuerdo con todos los datos, constituyó todo un éxito y generó una importante disminución de la mortalidad infantil. Fue un gesto sagaz de Beaumarchais, que siempre estaba defendiéndose de las acusaciones de libertinaje, asociarse con un tipo de filantropía tan excelsa. Frente a los críticos que desechaban su obra por entender que se trataba de una divertida bagatela, colmada de ingenio, pero vacía de contenido, el proyecto destacaba los temas morales inherentes: la defensa de la inocencia nupcial contra la lascivia y la fuerza aristocráticas. El propio Fígaro es un expósito y, en su caso, el descubrimiento de su madre es uno de los medios que frustran la estrategia de Almaviva. Como en cualquier otro de los «dramas burgueses» de la sensibilidad en la década de 1750, el triunfo de la virtud sobre el vicio (así como de la inteligencia sobre el rango) es el decisivo desenlace de *Las bodas de Fígaro*.

Más aún, el amamantamiento no era un tema relacionado solo con la salud pública. Es cierto que sus defensores destacaban a menudo que el descenso de la mortalidad infantil permitiría que Francia evitase la amenaza de la despoblación (siempre presente en la mente oficial). Sin embargo, esta contraposición retórica entre la vitalidad y la mortalidad, la práctica natural y la social, obtenía su capacidad para persuadir de la política moral referida al pecho. La resistencia al amamantamiento, se argumentaba, se originaba en el dominio del placer sensual sobre el deber doméstico. Se suponía que la lactancia y la actividad sexual se excluían mutuamente, ante el temor de deteriorar la leche o de provocar el rechazo de los hombres. Así, los escritores de sexo masculino, entre ellos Rousseau y su amigo el médico Tronchin, a menudo atribuían la disminución del amamantamiento materno a la frivolidad femenina o al temor de ofender a los maridos. Sin embargo, Marie-Angélique Le Rebours, que, en 1767, publicó su *Consejo a las madres que desean amamantar a sus hijos*, achacaba la culpa, con un criterio más razonable, al resentimiento masculino ante la interrupción de sus hábitos sexuales y criticaba a los hombres que concebían celos violentos o se exasperaban ante la presencia de los niños que lloraban. Estaban en juego dos opiniones contrapuestas: el pecho como un elemento de seducción sexual, exhibido a medias en los escotes de moda, o como un don natural ofrecido con ingenua abundancia por la madre al niño. En una obra teatral escrita para exaltar las virtudes del amamantamiento, *La verdadera madre* (de siete meses) reprende elegantemente al marido que la trata como un objeto de goce sexual. «¿Son vuestros sentidos tan burdos que veis en estos pechos —respetables tesoros naturales— nada más que un adorno destinado a realzar el cuerpo de las mujeres?»

A veces el erotismo y la maternidad podían vincularse de modos anómalos, por lo menos en la experiencia de Rousseau, que ejerció más influencia que nadie en la campaña en favor del amamantamiento por la madre. En las *Confesiones* reconoció (entre otras cosas) que le excitaba la visión de un seno abundante presionando contra el escote de muselina. Asimismo, el descubrimiento de la ausencia del pezón en el pecho de una prostituta veneciana transformaba, en su opinión, a la joven, de modo que, en lugar de una criatura de trascendente belleza, era un monstruo repulsivo y lúbrico. La relación que moldeó toda su vida fue la que mantuvo con su protectora, madame de Warens (apenas doce años mayor que él), a quien, mucho después de haberse convertido en amantes, él continuó llamando «mamá». Asimismo, Jean-Baptiste Greuze, el pintor que como ningún otro artista atrajo la atención pública sobre los idilios y los dramas de la vida doméstica y que fue felicitado en numerosas ocasiones por Denis Diderot por la moralidad de sus temas, era muy capaz

174

de practicar la manipulación astuta de la voluptuosidad y la inocencia, como sugiere con sobrada claridad su *Sombrero blanco*, de alrededor de 1780.

Para la mayor parte del público que leía a Rousseau, que asistía a los «dramas burgueses» de Diderot en la Comédie-Française y que veía los cuadros de dicha y pesar domésticos de Greuze presentados en el Salón, todo era mucho más sencillo. Lo que se proclamaba era la antítesis de la cultura cortesana rococó, con su excesiva complacencia en el adorno, con su insistencia en el ingenio y en los modales, en la elegancia y en el estilo. En lugar de estos enseres formales amorales, se valoraba más el reino de la virtud. En este nuevo mundo se prefería el corazón a la cabeza; el sentimiento, a la razón; la naturaleza, a la cultura; la espontaneidad, al cálculo; la sencillez, al adorno; la inocencia, a la experiencia; el alma, al intelecto; lo familiar, a la moda; Shakespeare y Richardson, a Molière y Corneille; la jardinería paisajista inglesa, a los convencionales parques franceses e italianos. Se creó un nuevo vocabulario literario, impregnado de asociaciones emotivas que no solo excluían la leve distracción del ingenio rococó, sino incluso las severas sonoridades del clasicismo. El abundante empleo de palabras como *tendresse* y *âme* confería una filiación inmediata a la comunidad de la sensibilidad; y las palabras que habían sido utilizadas más ocasionalmente, por ejemplo, *amitié*, adquirían connotaciones de intensa intimidad. Los verbos como *s'enivrer* (emborracharse), cuando iban unidos a *plaisir* o *passion*, se convertían en atributos de un carácter noble más que depravado. La palabra esencial era *sensibilité*: la capacidad intuitiva de un sentimiento intenso. Poseer un *cœur sensible* era el requisito de la moral.

Las manifestaciones externas de los sentimientos íntimos comenzaron a ser aceptadas durante este periodo. Los pendientes con camafeo que mostraban la figura del amado o los relicarios que contenían mechones de cabellos de los cónyuges o los hijos se convirtieron en distintivos habituales de un corazón sensible. Cuando los mechones pertenecían a seres amados que habían abandonado este mundo, su relevancia era aun más conmovedora y, hacia la década de 1780, las expresiones francas de dolor ya habían reemplazado al fatalismo estoico como la respuesta prevista ante la muerte de un hijo. Las cartas de amor tomaban prestadas las eufóricas hipérboles de *La Nouvelle Héloïse*, de Rousseau, y sobre ellas amontonaban apasionadas declaraciones. En un ejemplo (por cierto, no atípico) de sus 180 cartas de amor, Julie de Lespinasse, heroína de *La Nouvelle Héloïse*, exclama: «*Mon ami*, te amo como uno debe amar, con exceso, locura, éxtasis y desesperación».

En este mundo rehecho de las palabras y de la expresión, se valoraban en particular las lágrimas, pero no como prueba de debilidad, sino de sublimidad. Se apreciaban sobre todo porque (se suponía que) eran irrefrenables: el alma irrigaba directamente el rostro. Las lágrimas eran el enemigo de los cosméticos y el saboteador del disfraz cortés. Y lo que es más importante, un buen acceso de llanto indicaba que el niño se había conservado milagrosamente en el hombre o en la mujer. De modo que los héroes y las heroínas de Rousseau, comenzando por él mismo, gemían, lloraban, sollozaban y balbucían a la más mínima provocación; pero otro tanto hacían los críticos de la ópera al escuchar a Gluck y los críticos del Salón al contemplar a Greuze. Al ver la segunda versión de *Niña llorando sobre su canario muerto*, del mismo pintor, en el Salón de 1765, Charles Mathon de La Cour situó la edad de la niña (alrededor de once años) exactamente en el punto en que «la naturaleza comienza a suavizar el corazón de modo que reciba sus más tiernas impresiones», con la consecuencia de que las lágrimas de la niña eran al mismo tiempo infantiles y preadultas. Después, pasaba a examinar con mucho detalle el tratamiento pictórico de este húmedo pesar:

> Uno comprende que ella ha estado llorando mucho tiempo y que, finalmente, se ha sumido en la postración de un dolor profundo. Tiene las pestañas húmedas; los párpados, enrojecidos; la boca, todavía en la contracción que atrae las lágrimas; al mirar su pecho, uno puede sentir también el estremecimiento de los sollozos.

«Los entendidos, las mujeres, los petimetres, los pedantes, los intelectuales, los ignorantes y los tontos —afirmaba Mathon— tenían todos la misma opinión sobre este cuadro, pues en él uno percibe la naturaleza, comparte el dolor de la niña y desea sobre todo consolarla. Varias veces dediqué horas enteras a la contemplación atenta y así me embriagué con una dulce y delicada tristeza.»

La capacidad de comprometer directamente al observador en el mundo de la exhibición de los sentimientos (al mismo tiempo que, como ha sostenido Michael Fried, presenta al espectador la ilusión de su inconsciencia) es lo que explica el poder persuasivo de las obras familiares de Greuze. «Conmovedme, asombradme, desconcertadme, lograd que tiemble, gima, me estremezca y rabie», exigía Diderot, y, en todo caso, no cabe duda de que, en sus cuadros más ambiciosos —por ejemplo, *La novia aldeana*, de 1761—, Greuze produjo justo ese efecto en muchísimos espectadores. Numerosos contemporáneos destacan la oleada de sentimientos que afectaban a la aglomeración de gente que hormigueaba alrededor de las obras, en tal cantidad que, como afirma Diderot, resultaba difícil abrirse paso para contemplarlas. De los dibujos para dos de sus obras (*El hijo ingrato* y *El hijo ingrato castigado*), que representaban a un joven abandonando a su familia para unirse al ejército y su tardío regreso con el descubrimiento de que su padre ha muerto, Mathon de La Cour comentó que no sabía si cabía aconsejar a Greuze que completase las obras para convertirlas en cuadros, pues «se sufre demasiado al verlas [en ese estado de dibujos]. Envenenan el alma con un sentimiento tan terrible y tan profundo que hay que desviar la mirada».

La radical transformación cultural representada por este primer y cálido estallido de la sensibilidad romántica tiene una relevancia que va más allá de lo literario. Significó la creación de un estilo hablado y escrito que se convertiría en la voz habitual de la Revolución, común tanto a sus víctimas como a sus más implacables fiscales. Los discursos de Mirabeau y de Robespierre tanto como las cartas de Desmoulins y de madame Roland y los festivales organizados de la república apelan al alma, a la humanidad más sensible, a la verdad, a la virtud, a la naturaleza y al paraíso de la vida familiar. Las virtudes proclamadas en los cuadros de Greuze fueron la base moral de lo que la Revolución habría de entender como virtud. «La virtud es lo que adivina con la rapidez del instinto lo que conducirá al provecho colectivo —escribió Mercier en 1787—. La razón, con su insidioso lenguaje, puede pintar con colores seductores la iniciativa más equívoca, pero el corazón virtuoso jamás olvidará los intereses del ciudadano más humilde. Situemos al estadista virtuoso por encima del político astuto.» Esta era exactamente la posición de Robespierre, para quien, como él mismo decía a menudo, la política no era nada más que la moral pública. La maternidad, la satisfecha unión conyugal —en la cual la relajada sensualidad retrocedía ante la escrupulosa lactancia—, el respeto a los ancianos, la bondad con los pequeños... se creía que todos estos valores eran una escuela de espíritu cívico. En este esquema de valores no podía haber diferencias entre el dominio privado y el público. Por supuesto, una saludable domesticidad era considerada oficialmente un atributo necesario del patriotismo. Su máxima expresión pictórica podría ser *La madre bienamada*, encargada por el recaudador general y prolífico escritor Laborde, que presentaba a su familia y a él en un estado de modélica dicha familiar. Expuesto en el Salón, fue elogiado por Diderot como «excelente en dos aspectos: como obra de arte y como ejemplo de la vida dichosa. Predica el crecimiento de la población y describe con mucho sentimiento la felicidad y el valor inestimables de la felicidad familiar».

La generación revolucionaria creció adaptada a ese sobrecargado estilo expresivo. Greuze sufrió un grave tropiezo en 1769, cuando intentó trasladar su enfrentamiento padre-hijo al género histórico en su *Severo y Caracalla*, en el que el emperador romano acusa de conspiración a su hijo. En lugar de ascender a Greuze a la jerarquía más alta de la Académie, la obra determinó la aplastante humillación pública de tener que aceptar «sus dotes como pintor de género». Sin embargo, aunque su reputación se deterioró un tanto durante la década de 1770, antes del más reciente y más austero estilo del cuadro histórico romano, las escenas familiares de las décadas de 1750 y 1760 conservaron su influencia sobre el imaginario del público y hasta ampliaron su influencia gracias a las versiones en grabados de Jean-Georges Wille y otros.

Aunque los cuadros de Greuze, al igual las piezas teatrales de Diderot y la novela de Rousseau, reciben a veces la clasificación de «burgueses», resulta fundamental apreciar que sus partidarios aparecieron en un principio en la propia cúspide de la sociedad francesa. Si el Antiguo Régimen se vio subvertido por el culto de la sensibilidad, cabe deducir que gran parte del daño (como en tantos otros aspectos) fue autoinfligido. *El contrato matrimonial*, que, en realidad, representaba una ceremonia protestante con un notario en lugar de un sacerdote, y que era la antítesis exacta de los grandiosos matrimonios dinásticos de Versalles, fue comprado por el marqués de Marigny, ministro de Artes de Luis XV. Su hermana era madame Pompadour, amante del rey, y ella fue quien organizó la primera representación de *El adivino de la aldea*, la ópera de Rousseau, en Fontainebleau, en 1752. Su compositor se preparó cuidadosamente para la ocasión, «con una barba apenas peinada y una peluca desaliñada». En la sencillez de su ambiente rústico, su anécdota y su música, la ópera ejemplificaba la victoria de una naturaleza semejante a un niño ante los productos de la cultura urbana y cortesana. El *Mercure de France* la elogió por la «verdad y la poco usual ingenuidad expresiva de la música».

Con el ascenso de Luis XVI, este encandilamiento no desapareció. Más aún, se dice que el delfín, padre del rey, se sintió tan conmovido por el elogio de Rousseau a las sencillas cualidades artesanales que él mismo facilitó a su hijo el aprendizaje del oficio de cerrajero. Guiada por su modista Rose Bertin, María Antonieta no ocultó que prefería los vestidos un poco sencillos, con el adorno de abundantes flores frescas y caprichos bucólicos, todo lo que exigía este culto. Su amiga Elisabeth Vigée-Lebrun llegó todavía más lejos y pintó el retrato de la soberana en este estilo sorprendentemente informal, con el correspondiente añadido de canastos y sombreros de paja. La creación en el Petit Trianon de la «aldea rústica» (*Hameau Rustique*) para la reina, por el arquitecto paisajista Mique, con sus vacas adornadas con cintas, con ovejas alpinas y un molino de agua, fue un intento sincero, aunque desastrosamente equivocado, de cultivar la inocencia de la vida rural en medio de la pomposidad del protocolo cortesano. En 1789, pareció una vulgar parodia que María Antonieta jugara a ser una pastora y pasara por agua huevos destinados al desayuno, mientras los campesinos pobres mendigaban en los caminos de la Isla de Francia.

Más sorprendente todavía fue que María Antonieta visitara, en 1782, la tumba de Rousseau en Ermenonville, situado a unos cuarenta kilómetros de París; pues, si la sensibilidad era la religión no oficial de los nuevos ciudadanos, Ermenonville era su más venerado santuario. Allí el marqués de Girardin, un acaudalado oficial de caballería y recaudador general, había facilitado una última «ermita», donde Rousseau pudo trabajar y pasear en la casi absoluta soledad que recomendaba para él y para los demás. Aniñado hasta el último momento, Rousseau había insistido en adoptar a Girardin y a su esposa como sus más recientes y últimos «mamá y papá». Falleció a principios de julio de 1778 y apenas se había enfriado su cadáver cuando comenzaron a circular en la capital versiones acerca de las últimas palabras que había dicho a su esposa Thérèse: expresiones de remordimiento por haber abandonado a sus cinco hijos pequeños, dejados a cargo de la inclusa, y sobre el paradero de las «memorias» o «confesiones», que, según se afirmaba, carecían de precedentes por su sinceridad y que ciertas personas conocidas —Diderot y madame D'Épinay— deseaban con impaciencia ocultar. Antes de que pasara mucho tiempo, los curiosos visitantes empezaron a llegar a la propiedad de los Girardin, y entre los primeros estuvieron los directores del *Journal de París*, que habían conocido bastante bien a Rousseau y estaban ansiosos por abalanzarse sobre los fragmentos literarios que hubiesen podido conservarse. Hacia mediados de 1779, Rousseau, que había sido rechazado por tantos individuos durante su vida, ya estaba adquiriendo un halo de inmortalidad. En Ginebra ya se había erigido una estatua y, en París, Houdon modeló un busto; una *Necrología* oficial de franceses distinguidos había incluido su retrato y su panegírico junto con los de Voltaire, Turenne y el rey Enrique IV; y se representó una reposición de *El adivino de la aldea* ante un nutrido público en París. En 1781, se publicó una colección de melodías de Rousseau titulada *Consuelos por las penas de mi vida*, y, en nombre de la viuda, se donaron a la inclusa los ingresos obtenidos. Entre los suscriptores estaban la reina y Benjamin Franklin.

Ya en 1780, según la afirmación del autor de las *Mémoires secrètes*, «la mitad de Francia se ha trasladado a Ermenonville para visitar la isleta que le ha sido consagrada, donde los amigos de su moral y de su doctrina renovaban anualmente su breve periplo filosófico». Luc-Vincent Thiéry incluía Ermenonville en la guía de visitas rurales alrededor de París. Sin embargo, el propietario del lugar, es decir, el marqués de Girardin, fue quien aportó concienzudamente al peregrino el itinerario peripatético más completo. Su *Promenade* era un recorrido tanto imaginario como topográfico de la sensibilidad de Rousseau. Girardin aclaró que su parque no debía verse como una propiedad señorial, sino como una especie de donación gratuita para todos sus fieles. Subrayó: «No hay ninguna necesidad de autorización del dueño para entrar en este parque», aunque, al mismo tiempo, señaló que, con muchísimo placer, proporcionaría un guía personal a los «extranjeros o artistas célebres».

«Me dirijo a vosotros, amigos de Rousseau», escribió Girardin con una oportuna y sincera expresión; su guía estaba escrita como si una mano amiga condujese al discípulo a través del escenario de la virtud. El texto no solo presuponía un profundo conocimiento de las obras y de la vida de Rousseau («aquí podéis ver su cabaña; aquí es donde Saint-Preux caviló acerca de su pasión frustrada»), sino también un gusto compartido por la naturaleza. La caminata de tres o cuatro horas comenzaba en una pequeña aldea, que, de acuerdo con Thiéry, «parece habitada por fieles amantes», y pasaba a «una foresta donde la soledad y el inmenso silencio se apoderaban de uno, de modo que había que avanzar atemorizado hacia las profundidades del bosque». Sorprendido por la súbita aparición de un templete consagrado a la naturaleza, se salía a una planicie, donde se alzaba otro monumento erigido en honor a la Filosofía, y de ahí se pasaba a «un lugar agreste», plantado solo con pinos, cedros y enebros, con enmarañados matorrales y cascadas. Desde este lugar, uno podía caminar hasta un lago, en cuyas orillas había una piedra grabada con versos de Petrarca y de Julie, de *La Nouvelle Héloïse*. Después, se insinuaba la presencia del hombre, pero solo en su vertiente más virtuosa y artesanal: el molino de agua y el lagar. Una falsa torre gótica en ruinas, unos arroyos colmados de grandes peces y un prado «holandés» ocupado con ganado bien alimentado daban paso a un espacio donde ciertos días, por orden de Girardin, se llenaba de aldeanos, a los que se había aleccionado para que ofrecieran un alegre espectáculo, entretenidos en inocentes pasatiempos y juegos musicales.

El santo grial de la peregrinación era, por supuesto, la tumba de Rousseau, en la Isla de los Álamos, en el centro del lago. Allí, sentadas en un banco destinado expresamente a las madres que alimentaban a sus infantes mientras otros niños jugaban satisfechos, los visitantes podían contemplar el modesto monumento erigido por Girardin. Su epitafio decía:

> *Entre estos álamos, bajo su sombra serena,*
> *descansa Jean-Jacques Rousseau.*
> *Madres, ancianos, niños, corazones sinceros y almas sensibles,*
> *vuestro amigo duerme en esta tumba.*

Al llegar aquí, resultaba obligado llorar. «Que vuestras lágrimas fluyan libremente —escribía Girardin, su brazo de autor rodeaba el hombro del peregrino—. Nunca habréis derramado lágrimas tan exquisitas o tan merecidas.»

Algunos de los más fervientes discípulos llegaron todavía más lejos en la búsqueda del fantasma del genio solitario. Louis-Sébastien Mercier recorrió Suiza con su amigo, el ginebrino Étienne Clavière, para visitar lugares y personas importantes en la vida de Rousseau. Manon Philipon, que, cuando era muy joven se había reconocido, apasionada, en el personaje de Julie, realizó con su esposo, el futuro ministro girondino Roland, un recorrido similar y consiguió encontrar al alcalde que había asistido al matrimonio de Rousseau con Thérèse. No satisfecha con su propia obsesión personal, asignó a su marido el papel de Wolmar, la figura de más edad, más bien austera pero abnegada, con quien Julie se casa obedientemente, en lugar de hacerlo con el fascinado autor joven Saint-Preux. En una carta a Roland, ella aclara bien esta identificación: «Acabo de devorar *Julie* por cuarta o quinta vez [...], me parece que habríamos vivido muy bien con todos estos personajes y que ellos nos habrían considerado tan de su gusto como ellos lo son del nuestro».

La publicación de las *Confesiones* en 1782, con su promesa inicial de «dibujar un retrato desde todo punto de vista fiel al natural», en todo caso reforzó el vínculo intensamente personal que los innumerables discípulos de Rousseau mantenían con él. Como ha demostrado Robert Darnton, mientras Rousseau vivía, ellos escribían al editor Marc-Michel Rey de Ámsterdam para preguntar por su salud y por su bienestar personal, como si se tratara de un amigo íntimo. Nada de lo que se decía en las *Confesiones* —ni siquiera el abierto reconocimiento de que había abandonado a sus hijos o su afición por la masturbación y sus inclinaciones masoquistas, el papel que representó en un *ménage à trois* con madame De Warens y el botánico de esta— pudo debilitar la fe que depositaban en la esencial pureza moral de Rousseau. La sobrecogedora sinceridad de su reconocimiento de la costumbre del vicio y de la virtud confirmaron la opinión que tenían de que Rousseau era el *honnête homme* más importante de su siglo. El paranoico convencimiento de Rousseau de que estaba sometido a la persecución de los *philosophes* celosos, por ejemplo su antiguo amigo Diderot, así como Voltaire y Melchior Grimm, acentuaron la sensación de marginación de muchos escritores que se creían menospreciados por el mundo literario de París. También ellos atribuían esta falta de reconocimiento a una conspiración de los mediocres. También ellos compartían gran parte de la ambivalencia de Rousseau en cuanto a la dependencia necesaria respecto a los protectores aristocráticos y su desprecio por la moda corrupta y el imperio atrofiado de la razón.

Por tanto, Rousseau se convirtió en la divinidad (invocada como tal) de los marginados literarios. Despreciado, maltratado y nómada, era al mismo tiempo su consuelo y su profeta. Y ellos recibían como su propio evangelio el compromiso de Rousseau con la naturaleza, con la virtud y con la verdad.

Los historiadores han juzgado durante mucho tiempo la influencia de Rousseau sobre la generación revolucionaria midiendo el conocimiento, profundo o superficial, que tuvo esa generación de las obras más convencionales de teoría política, sobre todo *El contrato social*. Aunque hay pruebas cada vez más numerosas de que, en efecto, esta obra fue leída y comprendida antes de la Revolución, sin duda es cierto que nunca conquistó al vasto y devoto público de su «biografía» educativa: *Émile* y *La Nouvelle Héloïse*. Sin embargo, suponer que esas obras tuvieron escasa influencia sobre el compromiso político es adoptar una definición excesivamente limitada de la palabra «política». Tanto como sus escritos referidos a la soberanía y a los derechos del hombre, las obras de Rousseau relacionadas con la virtud personal y la moral de las relaciones sociales acentuaron la aversión hacia el *statu quo* y delimitaron un nuevo tipo de compromiso. De hecho, Rousseau creó una comunidad de jóvenes creyentes. Estos confiaban en la posibilidad de un renacimiento moral y político colectivo en el que la inocencia de la niñez pudiese preservarse en la edad adulta y por medio del cual la virtud y la libertad se apoyasen mutuamente.

Cómo se llegaría exactamente a esto fue un asunto que quedó singularmente poco claro en todos los escritos de Rousseau. En el curso de su vida se había mostrado prudente o incluso francamente hostil frente a todo lo que implicase una sombra de revuelta. Lo que él inventó no fue un plano del camino que conducía a la Revolución, sino el lenguaje en que podían expresarse las quejas y delinearse las metas. Y sobre todo, aportó el modo en que las angustias del ego —un pasatiempo cada vez más popular a finales del siglo XVIII— podían calmarse mediante la incorporación a una sociedad de amigos. En lugar de una oposición irreconciliable entre el individuo, con su libertad intacta, y un gobierno deseoso de recortarla, Rousseau estableció una soberanía en la que no se enajenaba la libertad, sino, por así decirlo, se depositaba en fideicomiso. El sometimiento de los derechos individuales a la voluntad general dependía, a su vez, de que esa entidad los preservase, de modo que el ciudadano pudiese afirmar verdaderamente (así decía la teoría) que, por primera vez, se autogobernaba.

La naturaleza increíblemente paradójica de este trueque se revelaría con tremenda brutalidad durante la propia Revolución; pero los acólitos de Rousseau durante la década de 1780 contemplaron visiones de sociedades posibles, que quizá lograran integrar el apremiante «yo» con el fraternal «nosotros». En todo caso, esa era la tranquilizadora visión ofrecida por un espectáculo en dos actos, *La asamblea en los Campos Elíseos*, que representaba la recepción de Rousseau en el mundo de los inmortales. Por supuesto asistía Julie, con su agobiado amante Saint-Preux, que llevaba un ramo de rosas; Émile, atacado en la profundidad de los bosques por un monstruo del Fanatismo y salvado por la Verdad; y había una escena en que una madre que amamantaba, un niño de pecho y una nodriza exaltaban las virtudes del seno materno. Sin embargo, una parte del espectáculo continuaba resultando incongruente. En el curso de la acción, el propio Rousseau mantenía un inusitado silencio, como si él estuviera separado de sus propias creaciones; pero fue solo cuando sus sentimientos irradiaron por medio del poder de la elocuencia pública cuando se convirtieron en el lenguaje de la Revolución.

Proyectando la voz: el eco de la antigüedad

Una tarde de agosto de 1785 un corresponsal del *Journal de Paris* vio a un joven que estaba en mitad de la veintena dirigir la palabra a una multitud, sobre una plataforma, frente al Châtelet. Hérault de Séchelles, designado defensor general del Parlamento desde hacía poco, ejercía por primera vez su derecho a hablar de este modo y comenzaba a entusiasmarse con su tema. Era un asunto que debía conmover los sentimientos de *les cœurs sensibles*. Un hombre que se había enriquecido gracias a su propio esfuerzo y que provenía de una familia pobre había deseado expresar su gratitud por su buena suerte mediante una donación a los pobres de la parroquia de Saint-Sulpice. Sin quererlo, se había apartado de las formas oficiales prescritas en que podían hacerse estas donaciones y, a consecuencia de ello, el tribunal de Châtelet la había anulado. Hérault había asumido la labor de insistir en las reclamaciones del donante y arengaba a la multitud explicando el absurdo de dicha anulación. Sin embargo, el tema del discurso era menos importante que la forma en que se pronunciaba, pues parecía claro, para el periodista y para la multitud, que se trataba de una exhibición de oratoria pública en la que el joven orador ponía a prueba su capacidad para influir sobre un público reunido de manera espontánea.

De acuerdo con la misma versión, publicada en el diario, el estreno de Hérault como orador público fue un triunfo, tanto más impresionante por el hecho de que supiera evitar los estridentes excesos teatrales (aunque, en realidad, este futuro jacobino ya estaba recibiendo lecciones de la actriz mademoiselle Clairon):

> El discurso del joven magistrado no tenía pretensiones de elocuencia; su estilo era sereno y tranquilo como el de la propia ley; tenía algo del control de las pasiones tan necesario para la inteligencia si se quiere descubrir la verdad. La convicción y la lucidez se desprendían gentil y gradualmente de sus palabras, sin que hubiese esos silogismos que no guardan ninguna relación con la razón [...], todos los que oían hablar a este joven magistrado podían apreciar la sabiduría con que el tono del discurso promovía la naturaleza de su causa.

Aunque el estilo elegido por Hérault fuese el de un ponderado hombre de la ley, no por eso la toda la representación tenía menos elementos de cálculo teatral. Cuando concluyó, la multitud rompió en sonoros aplausos, a lo cual él respondió con una actitud de modestia, remitiendo la aclamación a los magistrados superiores que le habían precedido. Esto era una actuación escénica del más elevado orden y por ella Hérault llegaría a ser justamente famoso en la Convención y hasta, hacia el final, sobre el patíbulo, antes de la decapitación de su camarada Danton. En 1785, su persona parecía rezumar sinceridad, incluso a juicio del curtido cronista del *Journal*. «Nunca el talento ha demostrado tanta elegancia como cuando él [Hérault] se inclinó para devolver su propia fama a los talentos ajenos.» Uno recuerda a Pilâtre en el teatro de Lyon, retirando los laureles de su frente para depositarlos sobre la cabeza de Montgolfier: se trataba del nuevo heroísmo romano.

Después de la austeridad y la modestia, llegaba la sensibilidad. Al descender del estrado, Hérault fue abrazado por sus veteranos colegas de toga, entre ellos el famoso orador Gerbier, a quien él públicamente consideraba su «padre» profesional. «Nunca», dijo el escritor, su alma se había sentido «tan conmovida como al presenciar esta escena».

Aunque astutamente adoptaba el aire de un novicio en el arte de la oratoria legal, a los veintiséis años Hérault ya tenía algo de maestro. Compartía una ascendencia aristocrática con muchos otros extremistas elocuentes y ambiciosos de este periodo. Como Lafayette, era un huérfano de la batalla de Minden, donde su padre, coronel de caballería, había cargado sobre las líneas británicas en el gesto fútil que truncó a la flor y nata de la aristocracia militar francesa y, después, había muerto de sus heridas en Cassel, el año del nacimiento de Hérault. Su abuelo había sido condiscípulo de Voltaire y teniente de policía en París, donde se esforzó por suprimir las lidias públicas de toros y perros, y organizar la eliminación de los residuos depositados en las sucias calles de la ciudad. A partir de esta tradición de patriotismo y de servicio público, el joven Hérault de Séchelles, que demostraba un talento precoz, decidió conscientemente «abrazar la toga más que la espada». Educado por los oratorianos y promovido por sus parientes, fue designado *avocat du roi* en el Parlamento a la sorprendente edad de diecinueve años. Quizá aprendiendo de una de las nuevas obras corrientes sobre la retórica legal —por ejemplo, *La elocuencia del foro* (1768), de Pierre-Louis Gin— conquistó la reputación de especialista en la defensa de los que de forma plausible podían aparecer como «víctimas de la opresión». Sus casos incluyeron la defensa de una esposa separada del marido y condenada al claustro por el Parlamento de Rennes para responder a la petición del esposo, y la de una hija ilegítima cuyo padre deseaba apoderarse de la propiedad legada por la madre.

En 1779 Hérault amplió su gama retórica y compuso para un concurso de la Académie un panegírico del abate Suger, el gran creador de Saint-Denis del siglo XII. Todavía a principios de la veintena, llevado por el entusiasmo intelectual, se sintió conmovido por Rousseau (lo cual era previsible) y, de un modo menos previsible, por el historiador de la naturaleza Buffon. En 1783 inició un viaje de homenaje a Zúrich con su amigo el aristócrata Michel Lepeletier (miembro de otro de los grandes clanes parlamentarios) para ver al gran hombre. Las fuentes cercanas a Buffon insisten en que, atacado por agudos dolores a causa de los cálculos biliares, el científico no pudo recibir a Hérault y Lepeletier. Sin embargo, esto no impidió que el primero escribiese y hasta publicara un relato detallado del encuentro. En esta versión, Buffon aparece como un sabio venerable, en quien se ha conservado la sencillez de la naturaleza, y como un hombre que otorga su bendición al ferviente y joven acólito. Vestido con una bata amarilla con rayas blancas y flores azules:

186

Vino a recibirme majestuosamente, abriendo los brazos [...], y dijo: «Os considero un antiguo amigo, puesto que deseáis verme». Contemplé una faz refinada, noble y serena. A pesar de sus setenta y ocho años, uno habría dicho que tenía solo sesenta, y llamaba aún más la atención el hecho de que, habiendo soportado poco antes dieciséis noches sin pegar ojo, soportando un indescriptible sufrimiento que aún persistía, se mostrara fresco como un niño y sereno como si gozara de una salud ideal.

Diestro en el autobombo, Hérault era un joven orador enérgico (y extraordinariamente apuesto) y su reputación llegó a oídos de la reina. Después de todo, era de manera oficial uno de los «hombres del rey» (designado por el Gobierno) en el Parlamento. La reina le recibió en la corte y, por supuesto, quedó tan impresionada por la atrevida confianza en sí mismo que Hérault demostraba que le regaló un pañuelo bordado especialmente para él. Hérault se complacía en exhibir esta prenda de favor y se dice que usó el pañuelo a lo largo de sus años como jacobino militante, hasta el día en que la guillotina cortó su propia cabeza. En 1786, un año después de su oración en el Châtelet, se le concedió el honor de inaugurar las llamadas «arengas» que seguían a la iniciación del nuevo periodo de sesiones del Parlamento de París. Se trataba de una gran ocasión pública y, en la *Gazette des Tribuneaux*, un colega abogado informó de que «su discurso era esperado con mucha impaciencia por el numeroso público. Abundaba en las formas y la belleza que distinguían a los oradores de las antiguas repúblicas [...], se vio interrumpido por frecuentes salvas de aplausos y se vio que, sobre todo los abogados, estaban poseídos por el entusiasmo que puede despertar a los hombres y por medio del cual ellos descubren sus propias cualidades y el secreto de su poder».

Por tanto, es posible que la espectacular carrera inicial de Hérault se viera facilitada por la cuna, por la educación y por las relaciones; pero dependió sobre todo del sistemático aprovechamiento de la elocuencia, como reconocen sus *Reflexiones acerca de la declamación*. Supo usar sus cualidades oratorias para ascender en la escala profesional del Antiguo Régimen y, al mismo tiempo, perfilar una figura pública que tenía reputación de integridad y de independencia. Aun así, la idea de utilizar el foro como una especie de tribuna pública general tenía límites y, cuando se ponían severamente a prueba, el sistema podía expulsar en lugar de absorber al radical. Dependía en gran medida de la línea adoptada por el orador. Hérault y su colega Target, que llegaría a ser revolucionario y uno de los autores de la Constitución de 1791, tomaban partido, sin duda, por los parlamentos en la mayoría de las disputas con la corona. Solo a partir de finales de 1788 se separaron de ellos en relación con la forma y la composición de los Estados Generales. Sin embargo, el hombre que durante la década de 1760 había hecho más que nadie para inventar el concepto y la práctica de un foro destinado a apelar directamente al público —Simon Linguet— procedió así como parte de una campaña contra los parlamentos.

Linguet, en efecto, era un verdadero prodigio en la vida pública del Antiguo Régimen. Una espina clavada en el costado de casi todas las instituciones gobernantes, creó un estilo de discurso y de composición que previó exactamente el estilo revolucionario de la afilada incriminación y la ira apasionada. Hasta hace relativamente poco, Linguet ha sido desechado en el mejor de los casos como una excéntrica curiosidad, un individuo demasiado caprichoso para haber ejercido una seria influencia sobre la dirección de la política del Antiguo Régimen. Una espléndida biografía de Darline Gay Levy ha hecho todo lo posible para salvarle de esta oscuridad, y ahora parece cada vez más claro que, en el mundo político de Francia durante este periodo, casi no hubo rincones que no se viesen influidos por su talento y por su reputación. Como abogado precoz de los tribunales durante la década de 1760, conquistó fama y notoriedad, porque abrazó una serie de espectaculares *causes célèbres*, entre ellas el caso del Chevalier de La Barre, acusado de mutilar un crucifijo y condenado a que le cortasen la lengua y le decapitasen y a que quemasen por separado en la pira el cuerpo y la cabeza. Inhabilitado por usar de manera sistemática el foro para hacer la guerra a los tribunales y a los magistrados, Linguet se volvió hacia el periodismo, donde sus dotes para desencadenar agrios y enérgicos ataques fueron casi tan impresionantes como las empleadas en sus diatribas. Sin embargo, dos aspectos de sus escritos anticiparon el discurso revolucionario más directamente que todo el resto: su preocupación para enfrentar la retórica de la «Libertad» con temas referidos al hambre, la propiedad y la subsistencia y las airadas *Memorias de la Bastilla*, escritas en 1783, después de una sentencia de dos años, consecuencia de una *lettre de cachet*. Las *Memorias* de Linguet, que gozaron de una enorme popularidad, contribuyeron más que ninguna otra obra a crear un símbolo mítico del despotismo del Antiguo Régimen, y este símbolo concentró en sí toda la ira, toda la hostilidad y toda la desesperación que estaba acumulándose a finales de la década de 1780.

Linguet fue, en realidad, el inventor del abogado como defensor público y quien hizo posible que una generación posterior pasara de las arengas en la sala del tribunal a los debates políticos. Su *Historia del ... siglo de Alejandro*, publicada en 1762, ya había vuelto los ojos hacia la antigua Grecia en busca del ideal del orador-abogado capaz de accionar para el público «los resortes del corazón humano». En cambio, los Estados modernos han privado al tribuno público de todo lo que sea un papel importante en los procedimientos judiciales, pues los envuelven en secreto o los rodean de convenciones y formalidades legales. Correspondió al orador de talento mostrar estas mistificaciones y exponerlas directamente a la censura popular.

Y en sus casos llevados a juicio, Linguet procedió a hacer exactamente eso, utilizando a las aglomeraciones de espectadores que acudían a oírle hablar en la Grand' Chambre del Parlamento exactamente como si hubiesen formado una audiencia teatral, excitándolas para que aplaudiesen, para que aclamaran y para que silbaran, para que gritaran y para que golpeasen con los pies. Trató de aceptar casos (ganó pocos) que se relacionaran directamente con asuntos que afectaran a la sensibilidad. En el caso La Barre apeló a todos los resortes emocionales, para crear un ambiente digno de un cuadro de Greuze. Al criticar el testimonio confesional de un joven compañero de La Barre como el fruto de la intimidación brutal, pintó un retrato verbal de «este infortunado niño, postrado a los pies del juez». Además del caso La Barre, defendió a la esposa protestante del vizconde de Bombelles, que había sido abandonada por el marido en favor de una mujer católica y cuyos hijos habían pasado a estar bajo la custodia de católicos. Linguet perdió el caso, pero mereció la aclamación pública. Sus tácticas de actuar para la galería desconcertaban totalmente a los magistrados. Un juez real recomendó a los jóvenes abogados que no «le considerasen [a Linguet] un modelo [...], ya se trate de su peligroso arte de cubrirlo todo de sarcasmos [...] o [...] de la desenfrenada audacia de formular por su cuenta interpelaciones al público y el intento de utilizarlo como ariete para forzar el voto de los jueces».

Incluso ese agresivo estilo público podría haberse aceptado, si Linguet se hubiese mostrado más flexible en política. Sin embargo, en lugar de expresar solidaridad con los tribunales en sus conflictos con la corona, su *Teoría de las leyes civiles de hecho* apoyaba el «despotismo oriental» como el mejor de todos los sistemas, pues solo él podía garantizar que se protegiese al pueblo de las carencias materiales. Adoptando una postura tan violentamente reaccionaria que de hecho llegó a ser radical, defendió la esclavitud como un sistema social que tenía más posibilidades de garantizar la reciprocidad entre la obligación y la subsistencia de lo que podían lograr las «libertades» de un mercado de fuerza de trabajo.

Más aún, Linguet arremetió contra las credenciales particulares y la competencia de los jueces (muchos de ellos tenían una educación jurídica que dejaba bastante que desear, pues habían comprado sus cargos) para fallar en casos importantes. Por tanto, en nombre de la justicia real y la protección de los pobres, Linguet organizó un ataque directo a todo el sistema de la nobleza legal. Como, al mismo tiempo, había desencadenado un asalto igual de violento contra los *philosophes*, en quienes veía otra élite que se autoperpetuaba, consiguió crear una inmensa colección de enemigos. En 1755 fue su propio cliente en un procedimiento de desafuero que perdió, pero solo después de que quinientos de sus partidarios de la galería se abalanzaran sobre la Grand' Chambre esgrimiendo palos y cuchillos. «Puedo sucumbir como Sócrates —anunció el tribuno, derrotado pero no sometido, con lo que según todos los comentarios era una voz aguda y aflautada—, pero no quiero que mis Ánitos queden impunes. Vosotros afirmáis que estáis juzgándome. Acepto todo esto, pero colocaré entre vosotros y yo a este Supremo Juez al que se subordinan los tribunales más absolutos: la *opinión pública.*»

Al adoptar conscientemente el papel del Rousseau de los tribunales —perseguido, aislado y condenado al ostracismo, incapaz de reprimir las verdades que el corazón dictaba a sus labios—, Linguet se convirtió en el inverosímil héroe de toda una generación de jóvenes escritores y abogados ansiosos de desempeñar el papel del tribuno grecorromano. Fue la primera persona a la que Jacques-Pierre Brissot buscó cuando llegó a París desde las provincias. Brissot también intentaría utilizar una carrera de abogado para que se escucharan unos argumentos que hasta ese momento solo estaban escritos. Y como su modelo, también él se impacientó con los bizantinos procesos que se le ofrecían gracias al acceso al mundo del foro. Cansado de su aprendizaje, hizo campaña por una renovada versión de lo que, según imaginaba, era el foro republicano romano.

En ese nuevo orden de la profesión jurídica, los abogados podrían alegar directamente en una tribuna pública ante el pueblo reunido, liberarse de todas las restricciones jerárquicas corporativas, sin sujetarse a ningún tipo de censura de las opiniones, y los jueces serían designados por el Estado solo sobre la base de la elocuencia y de la intachable integridad. La visión mítica que Brissot tenía del ejercicio virtuoso de la profesión de abogado procedía de la añoranza de Linguet por una Antigüedad en la que habían existido «inimaginables asambleas de toda la nación, de modo que un solo hombre podía arengar a veinte mil personas».

Linguet y sus admiradores anteponían la palabra hablada a la impresa, porque creían que, en cierto modo, aquella tenía menos posibilidades de ser excluida. En este sentido, se entendía que la voz era «inseparable» del hombre y que en cambio el panfleto o el tratado admitían con mayor facilidad la censura, la supresión o la rectificación de las autoridades. Aparentemente más espontánea en su propia expresión, la voz de la oratoria anunciaba más fielmente las cualidades particulares del individuo y, por tanto, estaba menos expuesta a los sofismas, a los ocultamientos y a los artificios que podían volcarse en la página impresa. Durante la década de 1770, cuando visitó Inglaterra, Linguet comprobó, desalentado, lo pesados, convencionales y mediocres que eran los discursos del Parlamento y los diferenció con absoluta claridad del tipo de declamación neorromana que sería la voz que predicara la virtud pública.

Y justo esta virtud superior fue lo que mereció que tuviera un aprecio tan alto por parte de los revolucionarios. Desde luego, la expresión pública en diferentes foros —el club revolucionario, la convención, incluso el campamento militar— habrían de adquirir una importancia estratégica. En varios momentos cruciales, la capacidad de conmover al público, amplio o limitado, constituía la diferencia entre la vida y la muerte, entre el triunfo y el desastre. Los grandes aluviones de retórica que brotaban de las bocas de los oradores revolucionarios atrajeron tanto a los historiadores románticos del siglo XIX, que admiraron su esplendor teatral e intentaron reproducir esos discursos en forma de fragmentos escritos incorporados a su relato. Y a su vez, hasta hace muy poco, esto ha llevado a los relatos modernos a subestimar un tanto el efecto de la retórica hablada. Sin embargo, las famosas réplicas de Mirabeau ante la intervención real en los Estados Generales, el inflamado discurso de Desmoulins encaramado sobre una mesa en el Palais-Royal, el 12 de julio de 1789, la impactante retórica de Saint-Just frente al ejército del Sambre-et-Meuse... representaron un papel fundamental, porque reemplazaron una informe oleada de miedo e ira por un sentido de fraternal solidaridad. Así, no parece exagerado decir que la oratoria creó al «pueblo» y no viceversa. Inversamente, la imposibilidad de ser oído podía representar una sentencia de muerte. Robespierre se ocupó de que la tonante voz de barítono de Danton no saboteara el proceso y, para lograrlo, lo aisló de una gran audiencia pública. Sin embargo, el desplome de la elocuencia del propio Robespierre frente a la Convención sofocó su discurso y aseguró su propio derrocamiento el 9 de termidor.

Por tanto, la dicción pública era el poder público. Y había fuentes de adiestramiento en el discurso, además del foro, que permitían enriquecer la elocución. Por ejemplo, Hérault asistía al teatro para pulir sus tiempos y sus inflexiones. Conducido por mademoiselle Clairon, trató de imitar un estilo específico en el teatro clásico: el de los actores Molé y De Larive, famosos por sus graves representaciones de héroes patriarcales. Un número sorprendente de revolucionarios mantuvo vínculos directos y profesionales con el teatro (Collot d'Herbois, Camille Desmoulins, los hermanos Chénier, el militante *sans-culotte* Ronsin y muchos otros). Philippe Fabre, de la pequeña ciudad pirenaica de Limoux, se convirtió en un personaje de nombre más grandilocuente, Fabre d'Églantine, cuando se le otorgó la eglantina roja, como premio a la elocuencia, en la Académie de Toulouse. Y justo este episodio le inició en su errante carrera de dramaturgo, poeta, compositor de canciones, guitarrista y actor trashumante, que culminó en París, en vísperas de la Revolución, con una serie de espectaculares fracasos.

El sermón del púlpito era otra forma importante de ensayo. En la segunda parte del siglo XVIII la Iglesia intentó contener los avances de la secularización promoviendo misiones predicadoras evangélicas tanto en París como en las provincias. Tuvieron bastante éxito y muchos de los oradores más enérgicos de la Revolución procedieron de este trasfondo eclesiástico. Claude Fauchet, el obispo de Caen que predicó el evangelio de la igualdad social en las reuniones de su «círculo social» de Notre Dame, fue una de estas figuras; el abate Grégoire, que promovió los principios de la tolerancia y la igualdad de derechos para los judíos, fue otro.

En el mundo laico hubo muchas oportunidades de declamación pública fuera del ámbito de la política. Las academias exigían panegíricos de las luminarias recientemente fallecidas y de figuras desaparecidas mucho tiempo antes a las que deseaban exaltar. Los discursos de recepción de los miembros recientemente acogidos en las filas cumplían la misma función. Y algunos notables de la élite de París llegaron a ser famosos por su retórica. Por ejemplo, Chamfort, amigo de Talleyrand, había recibido de la Académie en 1769 un premio de elocuencia y fue elegido miembro en 1781 sobre todo gracias a sus dotes de orador. El teatro clásico suministraba el modelo de la grave elocución preferida en estas actuaciones, pero una fuente más probable fueron las clases de latín, frecuentadas casi por todos los aspirantes a la elocuencia pública.

Como sugiere la relación acerca del discurso de Hérault en 1786, el mejor elogio que podía hacerse a los oradores era compararlos con las figuras de la Antigüedad a las que intentaban emular. La Revolución francesa estaba obsesionada sobre todo con el modelo de la República romana y buscaba inspiración tanto en los discursos de Cicerón como en la oratoria incluida en las historias de Salustio, Tito Livio y Plutarco. Por ejemplo, Camille Desmoulins citó fragmentos de Cicerón por lo menos cuarenta y tres veces durante sus periodos relativamente breves de asistencia a las asambleas revolucionarias, y Brissot le citó, por intermedio de Plutarco, un total de diez veces. El abate Boisgelin, que habría de ser diputado del clero en 1789 y que diez años antes había publicado una obra sobre la elocuencia antigua, resumió la reputación de este modelo al afirmar que «cuando Cicerón hablaba en el Senado, era el padre de su país [*père de la patrie*]». Boisgelin continuaba quejándose de la ausencia de una retórica seria similar en su propia época, porque «ya no hay grandes temas que tratar». Antes de que pasara mucho tiempo se corregiría este error; pero ya los que inconscientemente intentaban revivir la antigua tradición de la oratoria política la asociaban (en Atenas y en la Roma republicana) con la práctica de la libertad. Por consiguiente, el «foro» se convirtió en el «foro popular» (o en la «tribuna», como llegó a denominarse en las asambleas revolucionarias), en el que las voces de los que intentaban persuadir a los representantes del pueblo podían juzgarse con imparcialidad.

Mediante el poder de la oratoria, la generación revolucionaria trataba de revivir la activa ciudadanía que, según se creía, había existido en ciertos periodos de la Antigüedad. Es muy revelador que la hubiesen descubierto sobre todo en la escuela, donde era el contenido habitual de los currículos de muchos colegios. Por ejemplo, el caso del Collège Louis-le-Grand, donde Robespierre fue uno de los muchos becados —algunos de ellos procedían de medios aún más humildes de los oficios, del comercio y de las artesanías especializadas—. Camille Desmoulins recordaría que en la propia escuela los maestros como el abate Royau recomendaban a sus alumnos que admirasen la sencillez, la frugalidad, la austeridad, el coraje y el patriotismo de los héroes de la República romana. Y es en el colegio donde se exigía a los alumnos que modelasen sus discursos según la precisa construcción de Cicerón, utilizando sucesivamente el exordio, la narración, la confirmación, la refutación y la perorata. Allí también habían sido introducidos en los adornos de la retórica: la metáfora, el tropo, la exclamación y la interrogación, aspectos que se manifestarían profusamente en la expresión revolucionaria.

No cabía duda de que, en los héroes de la Antigüedad republicana, la generación revolucionaria hallaba apasionantes modelos y, al mismo tiempo, de que la admiración confirmaba su opinión de que los estereotipos contemporáneos en que ellos vivían se correspondían con los peores excesos del esplendor de la corrupción descrita en las historias romanas. Por ejemplo, en *La conjuración de Catilina*, de Salustio, en que, después de la derrota de Cartago, «la virtud comenzó a perder su lustre [...], como resultado de las riquezas, el lujo y la codicia». En cambio, en la edad de oro de la República

> se cultivaban las buenas costumbres en el hogar y en el campo [...], la justicia y la probidad prevalecían en ellos gracias no tanto a las leyes como a la naturaleza. Las peleas, la discordia y la lucha estaban reservadas para sus enemigos; los ciudadanos competían entre sí solo por el mérito. Eran generosos en las ofrendas a los dioses, frugales en el hogar y fieles a sus amigos.

Que esta visión de una relación ejemplar entre la moral privada y las virtudes públicas sonase como Rousseau en nada contribuía a desvalorizarla como modelo. Asimismo, la designación ciceroniana de *homines novi* —hombres nuevos— como los que se aupaban en virtud de su sano civismo y de su elocuencia proporcionó a la generación de la década de 1780 su propia y colectiva seña de identidad del mérito.

El resultado fue establecer un sólido vínculo de identificación entre los antiguos republicanos y los modernos. A los nueve años, Manon Philipon llevaba consigo a la iglesia un ejemplar de Plutarco y recordaba que «de ese tiempo datan las impresiones y las ideas que me convertirían en republicana». La lectura de la historia «inspiró en mí un auténtico entu siasmo por las virtudes públicas y la libertad». Algunos, en efecto, se sintieron tan transportados que consideraron difícil, cuando no imposible, reconciliarse con el presente. Mercier, que había enseñado en el colegio cuando estaba en la veintena, también idolatraba a los antiguos y, después de regodearse en la majestuosidad de la República le pareció «doloroso salir de Roma y descubrir que uno aún continuaba siendo un plebeyo de la rue Noyer».

El patriotismo «romano» (pues era mucho menos usual que fuese ateniense) participaba de algunas de las virtudes del culto de la sensibilidad, pero, en otros aspectos, mostraba acentos distintos. Por una parte, tendía menos a detenerse en lo lacrimoso y, en cambio, exaltaba el autodominio estoico sobre la expresión emocional. Era de un modo muy consciente una cultura «viril» o masculina: austera, vigorosa e inflexible, más que tierna, sensible y compasiva. Como estilo arquitectónico y de decoración de interiores, el neoclasicismo manipuló formas desnudas y severas: capiteles que eran de un orden dórico simple más que del complicado corintio o del delicado jónico. Y la publicación de la pintura mural romana de Pompeya y Herculano (por el futuro ultrajacobino Sylvain Maréchal, entre otros) popularizó un formalismo semejante al de los relieves.

Algunos devotos de la Antigüedad consiguieron viajar a los lugares más famosos para comulgar directamente con sus fantasmas. Algunos incluso llegaron al Peloponeso y unos pocos más, a Sicilia, Nápoles y la Campania. Sin embargo, los visitantes franceses tendían a formar un grupo menos numeroso que sus equivalentes ingleses que realizaban el Grand Tour. En general, la creación del Prix de Rome por la Académie Royale de Peinture y su escuela en la misma ciudad hicieron posible que los pintores franceses en ciernes bebiesen de la fuente de la cultura clásica. El nuevo director de Artes de Luis XVI (oficialmente *surintendant des Bâtiments*), D'Angiviller, estaba muy interesado en el aprovechamiento de las becas disponibles y aplicó un estilo más meritocrático y austero que el empleado durante el régimen de Marigny, su predecesor. Y a finales de la década de 1770, también inició un programa destinado a alentar una nueva generación de cuadros históricos explícitamente concebidos para inculcar las virtudes públicas asociadas a la Roma republicana: el patriotismo, la fortaleza, la integridad y la frugalidad.

Así, los héroes que expresaban estos valores desfilaron en amplios formatos por los salones: Junio Bruto, que había ejecutado a sus propios hijos cuando fueron condenados por su participación en una conspiración realista; Mucio Escévola, que sostuvo su mano sobre el fuego para demostrar su inflexibilidad patriótica; Horacio Cocles, que defendió solo el puente contra los etruscos; Gayo Fabricio Luscino y Escipión, cuya incorruptibilidad había sido exaltada en las historias. Se sumaban a estas obras ilustrativas escenas junto al lecho de muerte; en ellas, los filósofos de inflexible integridad —Sócrates, Séneca y Catón— se suicidaban antes que tener que rendirse a los tiranos.

Muchos de estos meritorios individuos ya formaban parte del autobombo oficial de otras culturas republicanas. Por ejemplo, Bruto, Gayo y Escipión ya eran exhibidos de forma destacada en las decoraciones esculpidas y pintadas del Ayuntamiento de Ámsterdam, a mediados del siglo XVII. Sin embargo, según se presentaban en los Salones de finales de las décadas de 1770 y 1780 —y sobre todo en los cuadros de Jacques-Louis David— formulaban un nuevo mensaje de una turbadora elocuencia: el equivalente pictórico de la retórica de Linguet.

El más espectacular de estos manifiestos pictóricos fue *El juramento de los Horacios*, de David, que apareció —tarde y en un cuadro de grandes proporciones— en el Salón de 1785. Se ha escrito mucho sobre esta extraordinaria obra y los debates sobre sus consecuencias políticas o sobre la ausencia de estas aún no se han terminado. Parece indudable que era una obra agresivamente heterodoxa y que rompía con plena conciencia con las convenciones académicas (incluso con las veneradas por neoclásicos como Poussin). También está claro que utilizó un lenguaje cromático deliberadamente depurado y sombrío, y que desechó la obligada composición «piramidal» para apelar a una disposición del tipo de relieve en el marco de una caja de escasa profundidad, con grupos de figuras separadas bruscamente en tres disposiciones alejadas unas de otras. Lo que continúa siendo un tema de discusión es si estas drásticas modificaciones de las formas fueron de por sí una suerte de vocabulario radical y si fueron identificadas como tales por los contemporáneos. Después de todo, David pintó su asunto para cumplir un encargo real financiado por D'Angiviller y toda su carrera había sido la habitual del trepa con talento que, durante la década de 1780, se encumbró fácilmente hacia el renombre y la fortuna. Los órganos oficiales, como el *Mercure de France*, y las críticas oficiosas, como la *Correspondance secrète*, de Métra, coincidían en la genialidad de la obra; pero, como hemos visto en el caso de Beaumarchais y hasta en el de Rousseau, puede ser que tanto la corte como los más encumbrados entre *les Grands* respaldasen lo que, con una visión retrospectiva, parecen ser los mensajes más subversivos.

Sin embargo, resulta indudable que *El juramento de los Horacios* provocó un clamor sin precedentes en el propio Salón y en los círculos de los críticos de París. El *Mercure* afirmó exultante que «la composición es la obra de un nuevo genio, anuncia una imaginación brillante y valiente». Por lo menos parte de su fama respondió al intenso interés narrativo de la anécdota. Atacados por los Curiacios, los tres hijos de Horacio han retado a tres de sus jóvenes homólogos del campo enemigo a un combate mortal, para evitar a las respectivas poblaciones la devastación de una guerra; pero la historia se complica por el hecho de que, mientras uno de los Horacios estaba casado con una hermana de los Curiacios, su propia hermana Camila estaba comprometida con uno de sus enemigos. El combate es tan letal que solo uno de los hermanos romanos sobrevive y, cuando regresa y descubre a su hermana que guarda luto por su prometido, la mata en un acceso de patriótica ira.

Por tanto, la historia de los Horacios unía los temas morales de las virtudes familiares mostradas en los cuadros que reclamaban la sensibilidad de las décadas de 1760 y 1770 con la épica marcial y patriótica de la siguiente generación. Y David había imaginado una escena que no estaba prevista en ninguna de las fuentes imaginables, entre ellas la más conocida: la tragedia *Horacio*, de Corneille. Pues el momento en que el padre compromete a sus hijos a realizar el sacrificio patriótico es el mismo en que la espada emocional muestra un terrible doble filo. La serena determinación masculina del patriotismo, a la izquierda y el centro del cuadro, se contrapone al delicado grupo de la derecha, con las mujeres afligidas y los niños inocentes, sobre quienes se proyecta ya la sombra de la inminente tragedia. Esta sorprendente combinación de lo heroico y lo trágico fue el elemento que conmovió a tantos de los admiradores de la obra, que no solo no vacilaron en situarla en el contexto de la retórica neoclásica, sino que también lo hicieron en el marco de la sinceridad emocional de Rousseau. El artículo del *Journal de Paris* fue característico:

Es absolutamente necesario ver [este cuadro] para comprender por qué merece tanta admiración. Observé [...] un diseño correcto [...], un estilo que es noble sin ser forzado [*clinquant*], un color fiel y armonioso [...] un efecto que es nítido y claro, y una composición saturada de energía que apoya una expresión enérgica y terrible [es decir, en las caras del grupo central], lo cual contrasta con la postración que prevalece en el grupo de mujeres. En definitiva, si he de juzgar por el sentimiento de otros, así como por el mío, uno percibe al ver este cuadro un sentimiento que exalta el alma y que, por emplear una expresión de J.-J. Rousseau, tiene algo conmovedor que atrae; todos los atributos están tan bien observados que uno se cree transportado a los primeros días de la República romana.

Resultaría prematuro ver en el cuadro (aunque esa sea la actitud de algunos críticos) una inequívoca profecía del posterior jacobinismo de David. Incluso si los decanos de la Académie (sobre todo Pierre, el pintor oficial del rey) se inquietaron ante la heterodoxia del cuadro, no hay pruebas de que la obra llevase a David a perder el favor de D'Angiviller, o incluso el de la corte, que le hizo más encargos. Si el brazo extendido de los Horacios habría de convertirse en el modo habitual de recibir un juramento revolucionario —aparecen en un cuadro posterior inconcluso de David, *El juramento del Juego de Pelota*, de 1789—, sería porque la Revolución se había apropiado el gesto. Sin embargo, sería igualmente miope no advertir que todos los ingredientes necesarios de la retórica revolucionaria estaban realmente anunciados en esta obra: el patriotismo, la fraternidad y el martirio. Si en el caso de una generación anterior de visitantes del Salón la virtud pública había nacido y se había nutrido en el seno de una familia de tiernos sentimientos, ahora amamantaba una actitud de descarnado desafío.

LA DIFUSIÓN DE LA PALABRA

Imaginemos que un cortesano ansiara tener publicaciones prohibidas: la picante hoja de chismorreos *English Spy*, publicada por Pidanzat de Mairobert en Londres; las *Confesiones*, de Rousseau; las *Memorias de la Bastilla*, de Linguet; el incendiario ataque del abate Raynal contra la colonización europea: la *Historia... de las dos Indias*. ¿Dónde podía hallarlas? No muy lejos, pues, justo al pie de la rampa que partía de la terraza del palacio de Versalles había un puesto de libros que pertenecía a M. Lefèvre, donde, en el momento oportuno y por la suma apropiada, podía adquirirse un selecto surtido de todos estos artículos. Con una línea directa que le unía a uno de los más prolíficos impresores de libros prohibidos, Robert Machuel, de Ruán, y una esposa que procedía de la familia de libreros Mérigot, Lefèvre parecía ocupar un lugar seguro como vendedor tolerado a las puertas del poder real. Sin embargo, en 1777 sobrepasó el límite, porque comenzó a vender folletos pornográficos que calumniaban a la reina —quizá la famosa *Anandria*, en la que se la describía formando triángulos amorosos lésbicos—. Fue arrestado debidamente y, cuando salió de la Bastilla, concluyó su carrera con una profesión más segura: propietario de una juguetería.

Por sorprendente que pueda parecer, la corte y la alta nobleza eran importantes consumidores de las obras que más contribuían a deteriorar su propia autoridad. La localidad de Versalles contaba con una serie de tiendas donde los vendedores más profesionales (*colporteurs*) descargaban su caudal. Por ejemplo, Delorme, que utilizaba Dunquerque como puerto de entrada de sus libros, tenía su propio puesto de venta en Versalles, y, desde luego, no era el único. El deseo de la corte por la literatura atrevida —tanto política como erótica— puede medirse por el hecho de que puestos de venta similares se hallaban instalados en las ciudades donde la corte se trasladaba durante temporadas, sobre todo Compiègne, Fontainebleau y Saint-Cloud. De un modo un poco menos directo, la inmunidad de que gozaban las grandes familias aristocráticas frente al allanamiento y el secuestro se traducía en que los *colporteurs* tendían a utilizarla de forma desvergonzada para hacer contrabando con su mercancía. El cochero del duque de Praslin era casi un *colporteur* por derecho propio y, en 1767, se descubrieron seis bultos de libros clandestinos en un carro que exhibía las armas del mariscal de Noailles. Incluso Artois, hermano menor del rey (que, como Carlos X, adoptaría una línea muy severa frente a la literatura sediciosa), protegía, según se afirmaba, a los vendedores de libelos.

Estas historias parecen justificar la opinión de Tocqueville de que el Antiguo Régimen provocó su propia ruina al coquetear de manera irresponsable con ideas mal digeridas, pero que le parecían entretenidas: el equivalente literario del síndrome de Fígaro. A los ojos de los escritores contrarrevolucionarios, que observaron retrospectivamente el desastre de 1789, la proliferación de material sedicioso y calumnioso pareció aún más siniestra, la prueba de una conspiración concebida entre los impíos seguidores de Voltaire y de Rousseau, los francmasones y el duque de Orleans. Después de todo, ¿acaso el Palais-Royal no era uno de los más célebres refugios de la iniquidad, donde incluso se prohibía la acción de la policía sobre los mercaderes de esta basura literaria?

Como es natural, los historiadores modernos se han apartado de todo lo que pueda secundar la teoría de la conspiración literaria aplicada a la Revolución francesa. Como no pudieron descubrir en las bibliotecas contemporáneas la obra canonizada por la Revolución —*El contrato social*, de Rousseau—, desecharon en general el concepto de «agitación» como producto de la existencia de peligrosos hábitos de lectura. El descubrimiento que Robert Darnton hizo de una rica veta de lodo literario —un indiscriminado amontonamiento de libelos pornográficos, vitriólicas sátiras y teoría política radial— ha reafirmado la importancia corrosiva de las publicaciones atrevidas. Sin embargo, si bien es cierto que los productores de gran parte de este material descargaban su fuego más cerrado sobre los personajes del sistema literario y político, sería erróneo creer que, en conjunto, eran «ajenos» al sistema. Por el contrario, descargaban sus andanadas desde el interior del campo bien fortificado del radicalismo aristocrático —el Palais-Royal o el patio del Palais de Justice—. Y no era la desconexión, sino la conexión, entre el mundo del patronazgo adinerado y la agria polémica, lo que determinaba que los daños sufridos por las dignidades del Antiguo Régimen fuesen tan graves.

En su euforia inicial, la Revolución abandonó todas las formas de censura y de control sobre la publicación. La explosión de información impresa fruto de esa actitud resultó tan extraordinaria que, en contraste, se tiende a considerar en desventaja al Antiguo Régimen. De hecho, la última década de la monarquía presenció una proliferación de literatura efímera de todo tipo: periódicos, diarios literarios, folletos y panfletos, baladas y poemas impresos. Esta transformación de la prensa quizá contribuyó en gran medida a crear un público ávido de noticias y políticamente receptivo; por su parte, los periodistas revolucionarios se esforzaron por conquistar y fidelizar a esta audiencia.

Antes de mediados de la década de 1770, las noticias políticas solo podían proceder del exterior. En Francia, dos periódicos tenían autorización oficial: la *Gazette de France* y el *Mercure de France*, sucesor del periódico literario fundado durante la década de 1630. La *Gazette* ofrecía una visión en general mítica de la monarquía, reseñaba ceremonias imperturbables y el desempeño de un Gobierno sin roces; el *Mercure* incluía inofensivos ensayos del amable mundo de las academias y las bellas letras. Las gacetas neerlandesas eran la principal fuente de noticias extranjeras fidedignas; de ellas, la más importante con mucho era un bisemanario, la *Gazette de Leyde*. Había periódicos similares en otras ciudades neerlandesas, por ejemplo, Ámsterdam y Utrecht; en el enclave papal de Aviñón; y, atravesando las fronteras, en Ginebra o en Colonia. Con abundantes artículos de los episodios militares y políticos de casi todos los principales países de Europa y de América del Norte, se presentaban al mismo tiempo como órganos de actualidad y de confianza, que evitaban la anécdota o los rumores recogidos al azar. Y lo que es más importante, como ha destacado Jeremy Popkin, publicaban completos los grandes manifiestos de la «política opositora» de Francia: las quejas a los parlamentos y a la Cour des Aides. Al destacar este material, la familia Luzac (como muchos otros editores, descendientes de la dispersión de los hugonotes), que editaba la *Gazette de Leyde*, no escondía su apoyo a una visión antiabsolutista de la Constitución francesa. Pese a esto, no solo las gacetas eran toleradas tácitamente en Francia, sino que se les permitía anunciar claramente los lugares de venta en todo el territorio francés, solicitar suscripciones y usar el correo real para distribuir los diarios. La mejor estimación de la circulación de la *Gazette de Leyde* menciona la cifra de cuatro mil ejemplares; de acuerdo con los parámetros del siglo XVIII, una tirada considerable.

El hombre que más hizo para convertir la actividad periodística, que era una rama menor de las letras elegantes, en una moderna empresa comercial fue el magnífico editor Charles-Joseph Panckoucke. Criado en Lille por su padre, que era autor y librero por derecho propio, Panckoucke se dedicó a escribir y a traducir antes de trasladarse a París en 1760. En esa ciudad compró dos importantes editoriales y librerías, y se afianzó con más firmeza aún en el mundo literario al casarse con la hermana de Suard, una de las eternas nulidades de ese ambiente. En muy poco tiempo, Panckoucke se convirtió en el gran personaje del comercio librero parisiense. Dispensó atenciones antes desconocidas a sus autores, viajó a Ferney, para ver a Voltaire, y a Montbard, para tratar a Buffon, mimó el ego de estos hombres y, en una época conocida por el fraude y la piratería, trató de garantizarles un ingreso decente; en algunos casos incluso concedió adelantos.

Como administrador de periódicos, Panckoucke se mostró igual de audaz. Publicó dos poderosos e importantes órganos, el *Journal de Genève* y el *Journal de Bruxelles*, y en 1774 contrató a Linguet para dirigir el segundo. Como podía preverse, respondiendo a la costumbre de Linguet de arrojar ácido al rostro de todas las luminarias intelectuales y políticas contemporáneas, la circulación aumentó de forma brusca y alcanzó una tirada de unos seis mil ejemplares. Sin embargo, Panckoucke, siempre situado entre la sagacidad comercial y el ansia de respetabilidad, llegó a la conclusión de que los disparos mortales que Linguet dirigía a algunos de los autores apoyados por el propio Panckoucke resultaban insostenibles y, después de dos años, se deshizo de él y lo reemplazó por La Harpe, uno de los blancos favoritos de Linguet. En Londres, Linguet fundó su propio periódico, los *Annales Politiques et Littéraires*, que definió nuevas normas de vituperio sarcástico, pero que también estaba lleno de vívidos artículos sobre las artes y la ciencia. Aprovechando (algo un tanto sorprendente) la *permission tacite* que le protegía de las acusaciones, si bien no le confería francamente una porción de respetabilidad, entre 1777 y el encarcelamiento de Linguet en la Bastilla, en 1780, se publicaron 71 números de los *Annales*. Todos fueron distribuidos en París por Lequesne, un acaudalado comerciante textil. El biógrafo de Linguet cree que la circulación pudo alcanzar la cifra de veinte mil ejemplares.

No satisfecho con estos resultados, Panckoucke creó el primer diario, el *Journal de Paris*, que en esencia era una enumeración de los acontecimientos cotidianos, unido a breves críticas y despachos; en esta empresa, su cuñado Suard fue el director y copropietario. Siguió el *Mercure de France*, en 1778, y en este órgano se manifestó mejor el aspecto drásticamente modificado de la prensa. El *Mercure*, que era un diario aburrido y estirado, pasó a publicar cuarenta y ocho páginas, y se ufanaba de presentar una amplia miscelánea de artículos: noticias estándares de las capitales europeas y americanas, así como extractos de las gacetas, pero también canciones populares (se imprimían tanto la música como la letra), adivinanzas y rompecabezas, críticas de música, teatro y literatura. En el número del 8 de mayo de 1784 se destinaron dieciséis páginas de crítica a

Las bodas de Fígaro. Era una fórmula eficaz y la circulación del *Mercure* alcanzó unos veinte mil ejemplares en vísperas de la Revolución. Si los cálculos de un contemporáneo sobre la relación entre la circulación y el número de lectores son válidos, parece posible que el periódico de Panckoucke tuviese un público lector de más de ciento veinte mil personas en la época en que informaba con macabra minuciosidad del desastre final del Gobierno de Luis XVI. «Esta reseña —observó un comentarista— se ha difundido por doquier, tanto entre los plebeyos como entre los nobles, tanto en los salones de la aristocracia como en el modesto hogar del burgués, complaciendo igualmente a la corte y la ciudad.» No se trataba solo de un fenómeno parisiense, pues más de la mitad de los ejemplares del *Mercure* se vendían en provincias.

Había otras formas de publicidad que tendían a satisfacer los entusiastas deseos literarios de los franceses. Las escandalosas informaciones del tipo de la *Correspondance secrète* (atribuida a Métra) y las *Mémoires secrètes* circulaban en forma de manuscrito y se recreaban minuciosamente en la política sexual de la corte, en los escándalos con ribetes monetarios y, cuando era posible, en el clero. Y si bien no tenemos medios para calibrar su circulación, podemos señalar que un órgano impreso, el *English Spy* o *The Correspondence of Milord All-Ear with Milord All-Eye*, exportada de Londres, repetía muchas de las mismas versiones y alcanzó una amplia difusión en el ambiente sensacionalista de la década de 1780.

Resulta difícil evitar la impresión de que el mundo de la literatura «inferior» durante el reinado de Luis XVI se parecía a un imperio de hormigas: columnas de correos enérgicos y decididos transportando objetos preciosos a los diferentes lugares de destino. Desde luego, en Francia abundaban estos proveedores de rumores y de ideas, que despachaban, sobornaban y avanzaban presurosos viajando por caminos y redes de comunicación bien definidas. Los canales y los ríos eran fundamentales para dicho transporte. Algunos empezaron utilizando depósitos de almacenamiento en los puertos más alejados, por ejemplo, Agda en el Mediterráneo y Saint-Malo en la costa bretona, y después avanzaron con cautela río arriba, en prudentes etapas. Sacar contrabando de Aviñón, un lugar rodeado por territorio francés, era más difícil, pero los pesqueros del Ródano se utilizaban para llevar cajas de libros y papeles río abajo, hasta Tarascón y Arlés. Otra ruta se conectaba con el canal real en Toulouse y, desde allí, los transportes podían seguir hacia el oeste, en dirección a Burdeos. Otros recorrían las fronteras orientales, de Estrasburgo a Dunquerque, y trataban de evitar los grandes pasos aduaneros de Sainte-Menehould, a la entrada de la Champaña, y Péronne, a la entrada de Picardía.

En todo caso, podemos suponer que los *colporteurs* trabajaban eficazmente, pues Lyon, Ruán, Marsella, Burdeos y la mayoría de las principales ciudades estaban bien abastecidas de obras en apariencia «prohibidas». En París estas publicaciones no solo podían obtenerse en el Palais-Royal, sino también en puestos instalados en el Pont Neuf y en los muelles (eran los antepasados de los actuales *bouquinistes*). Aunque estaba explícitamente prohibido, los vendedores ofrecían libros en los vestíbulos de los teatros y en la Opéra, y recorrían los cafés y las ferias con paquetes bajo el brazo. Otros utilizaban las formas más sencillas posibles para exhibirlos: distribuían sus mercancías sobre un lienzo, a plena vista del público que pasaba por la calle. Algunos vendedores llegaron a ser muy conocidos, y hasta poderosos, como fue el caso de Kolman, Prudent de Roncours y Pardeloup; y algunos de los más extraordinarios eran mujeres, sobre todo *la Grande Javotte*, que vendía en un puesto del quai des Augustins, y su socia, la viuda Allaneau, aún llena de vigor cuando ya había pasado largamente la setentena.

En todo este tráfico había un increíble grado de complicidad con las autoridades. Por ejemplo, Girardin, el vendedor especializado en violentos libelos contra la reina, actuaba con total impunidad desde el *cul-de-sac* de l'Orangerie, en el corazón de las Tullerías. El patio del Hôtel de Soubise (los actuales Archivos Nacionales) era otro lugar semipúblico atestado de literatura subversiva y, antes de que los jacobinos y los cordeleros fuesen clubes revolucionarios, eran casas religiosas, pero con una diferencia: que también albergaban a los ubicuos *colporteurs*. Los *Annales* de Linguet, con sus ataques sin limitaciones a los cortesanos, los académicos, Panckoucke y los recaudadores generales, estaban sometidos a un único censor: Lenoir, teniente general de la policía de París. Y este hombre demostró que era un crítico muy complaciente.

¿Por qué? Parece muy posible que a Lenoir le complaciese el espectáculo de que los presuntos reformadores y críticos de la monarquía soportasen, a su vez, una buena tunda a manos de Linguet (que aún se presentaba como un realista devoto, aunque caprichoso). Sin embargo, también hay motivos para creer que le parecía útil saber lo que estaba sucediendo en la periferia más desordenada de la opinión, en lugar de imponerle el paso a la clandestinidad. En otras palabras, en común con muchos otros planos de la autoridad oficial, había llegado a aceptar el hecho de la opinión pública y, en lugar de ser su impotente blanco, prefería, hasta donde era posible, convertirse en su manipulador. Otros, por ejemplo, el duque de Orleans y su hijo, el duque de Chartres, tal vez fueron aún más audaces en su actitud, que consistió en concebir la opinión, las murmuraciones y los libelos como un arma útil para provocar molestas situaciones contra sus antagonistas más cercanos. Así, las rápidas ventajas tácticas inmediatas desdibujaron por completo los peligros de carácter general representados por el cultivo de este voluble mundo de la opinión. Mientras maniobraban para ocupar posiciones en la consideración pública, quienes financiaban la insinuación y el escándalo continuaban creyendo que su propia posición descansaba sobre inamovibles cimientos, cuando, en realidad, estaban cayendo en arenas movedizas. Resultaba imposible sostener el principio general del respeto absoluto cuando se saboteaba a diario, en la forma concreta de los ataques personales a la corte, a los ministerios, a la Iglesia, a las academias y a la ley.

Además, los que jugaban con la caja de Pandora no advertían cuán amplio había llegado a ser el público de la polémica y la propaganda. En el salón de un *grand seigneur* que estaba desenvolviendo los paquetes de libros prohibidos atados con cintas rosadas, el movimiento de la opinión seguramente parecía una actividad cerrada y sin riesgos: una cuestión relacionada con las modas de París, hoy aquí y mañana allá. Sin embargo, los muros de contención de la opinión culta estaban debilitándose con rapidez. «París lee diez veces más que hace un siglo», señaló Mercier, y la transformación estaba en función del número de lectores así como del volumen y la diversidad de temas. Al estudiar las firmas de los testamentos, Daniel Roche ha descubierto sorprendentes tasas de alfabetización entre los adultos en la capital hacia el fin del Antiguo Régimen. Por ejemplo, en Montmartre, donde el 40 por ciento de los testadores pertenecían a las clases artesanas o asalariadas, el 74 por ciento de los hombres y el 64 por ciento de las mujeres podían firmar con sus nombres. En la rue Saint-Honoré —una calle elegante, pero donde un tercio de los residentes pertenecían al pueblo llano—, los índices de alfabetización alcanzaban el 93 por ciento. En la artesanal rue Saint-Denis, el 86 por ciento de los hombres y el 73 por ciento de las mujeres redactaban y firmaban sus propios contratos matrimoniales.

En otras palabras, los índices de alfabetización en la Francia de finales del siglo XVIII eran mucho más elevados que en los Estados Unidos de finales del siglo XX. Solo en los grupos de trabajadores asalariados no especializados —los porteadores del mercado, los albañiles, los estibadores, los deshollinadores y los cocheros, muchos de ellos inmigrantes que procedían de las provincias— predominaba el analfabetismo. En cambio, los servidores domésticos, que también venían del campo, estaban casi todos alfabetizados y sabían leer sus contratos de empleo. Las «escuelitas» promovidas por las misiones católicas de los siglos XVII y XVIII habían hecho bien su trabajo. De acuerdo con Roche, hacia 1780 el 35 por ciento de todos los testamentos dejados por las clases populares incluía algunos libros, al igual que el 40 por ciento de los que provenían de los tenderos y del pequeño comercio.

Por supuesto, las lecturas de esta población no la relacionaban a la fuerza con las corrientes más dinámicas de la opinión pública. No cabe duda de que la literatura religiosa y devota estaba muy difundida y que seguían a esta las fantasías de los cuentos de hadas que formaban la Biblioteca Azul, que podían conseguirse a bajo precio en los puestos del Pont Neuf y en las ferias de Saint-Laurent y de Saint-Germain. Sin embargo, si bien este sector no bebía directamente de la fuente de Rousseau, había muchos ejemplos de literatura popular que difundían los mismos mensajes: la inocencia corrompida, la perversidad del dinero urbano y la brutalidad del poder. Por ejemplo, no cabe duda de que Restif de la Bretonne, que mezclaba con detalladas aventuras sexuales sus propios relatos de niñas y varones campesinos que descendían sobre el lodazal urbano, alcanzaba un éxito enorme tanto entre los lectores sencillos como entre los cultos.

Y la literatura sin encuadernar —los almanaques y los avisos y letreros— sin duda relacionó cada vez más al pueblo llano de las ciudades francesas con el mundo de los acontecimientos públicos. En París, todas las mañanas, cuarenta fijadores de carteles empapelaban la ciudad con noticias de las batallas ganadas o perdidas, los edictos del rey y el Gobierno, las festividades públicas que destacaban un acontecimiento de buen augurio, indicaciones oportunas acerca del transporte de la basura o la remoción de las tumbas. En momentos de crisis, estos anuncios se veían dañados o suplantados (ilegalmente) por otras noticias que parodiaban las órdenes del Gobierno o que ponían en la picota a los ministros. Y la vitalidad del sistema visual de comunicación se correspondía con el esplen dor del mundo oral del parisiense, ajustado a todo un universo de canciones. La importancia que tuvieron después «La Marsellesa» o «La Carmañola» como himnos revolucionarios puede comprenderse solo si se aprecia la pasión universal por las canciones en la Francia de Luis XVI. Los vendedores ambulantes vendían canciones en los bulevares, en los puentes y en los muelles, y la gente las cantaba en los cafés, y los temas abarcaban todo un universo, desde las tonadas previsibles de las canciones de amor, seducción y rechazo, hasta otros que exaltaban a los hijos de la libertad en América, hablaban del despilfarro de la corte, de la impotencia del rey y las travesuras de la reina.

El imperio de las palabras —habladas, leídas, declamadas o cantadas— hacia el final del Antiguo Régimen se extendía hasta límites muy lejanos. Si bien alcanzaba el más alto nivel de intensidad en París, de ningún modo era un fenómeno que perteneciera exclusivamente a la metrópoli. Puede que no existiera nada parecido al Palais-Royal en las provincias, pero los vendedores ambulantes, los audaces libreros y los fervorosos clientes aseguraban que tanto la prensa como el mercado de obras clandestinas fuesen tan activos en Burdeos, en Lyon, en Ruán y en Marsella como en la capital. También allí podían hallarse las otras comunidades de discusión: las logias masónicas, las academias literarias y científicas, las *sociétés de pensée* y los *musées,* de los cuales se enorgullecían las élites locales. Y si bien algunas se preocupaban por conservar las distinciones de rango que correspondían a las divisiones sociales de carácter formal, de manera casi invariable se abrían a los miembros correspondientes, en quienes el sentimiento de que simultáneamente se los incluía y rechazaba en estas fraternidades intelectuales constituía un factor que acentuaba su conciencia pública.

Y en los ámbitos que estaban más allá de las palabras —los espectáculos al aire libre, la pequeña ópera de Rousseau (que aún se representaba en la década de 1780), las lacrimosas telas de Greuze— las legiones de ciudadanos se alineaban. Ciertamente, hacia mediados de la década de 1780 sus personalidades individuales y colectivas ya estaban formadas. Eran devotos de la naturaleza, seres de corazón tierno que despreciaban la moda, que despreciaban la ostentación de los poderosos, apasionados en su patriotismo y coléricos frente a los abusos del despotismo. Sobre todo, eran apóstoles de la virtud pública que veían a Francia a un paso de renacer como república de amigos. Y así, con los brazos enlazados, con las plumas escribiendo activamente cartas y con los pulmones ensayando discursos y canciones, este ejército de jóvenes ciudadanos observaba mientras su Gobierno se desintegraba.

5

El coste de la modernidad

En sus encantadoras memorias, madame de Genlis recuerda que ella y su cuñada se vestían de jóvenes campesinas. Así disfrazadas, recogían toda la leche que podían obtener en las fincas de su propiedad y la llevaban a su residencia cargada en burros. Allí, la volcaban en la bañera —un famoso artefacto en el lugar, que podía recibir cómodamente a cuatro personas— y las jóvenes chapoteaban durante dos horas en el líquido salpicado con pétalos de rosa.

Este es quizá el tipo de cosas que Talleyrand tenía presente cuando lamentaba la desaparecida *douceur de vivre* del Antiguo Régimen. Y estas frivolidades sociales, pintadas al pastel por Fragonard, vestidas por Diana Vreeland e iluminadas por un fulgor crepuscular y perfumadas con flores estivales todavía perduran como un agradable mito histórico. Resulta inevitable que transmitan algo insustancial y engañoso, al igual que el rey jugando al cerrajero y la reina atendiendo a sus ovejas. Y los historiadores se apresuran a recordarnos que, detrás de esta Francia soñadora y encantada, estaba la realidad: una multitud de campesinos demacrados que morían en los caminos, las calles de París atestadas de basuras y de restos arrojados por los carniceros, los implacables *feudistes* arrancando el último *sou* de los campesinos que apenas podían subsistir con el potaje de castañas, los prisioneros pudriéndose en las mazmorras por haber robado un poco de azúcar o por haber pasado de contrabando una caja de sal, los caballos y los sabuesos arruinando las cosechas en nombre del *droit de chasse* del señor, los sucios manojos de harapos depositados todas las mañanas sobre los peldaños de las iglesias de París con sus recién nacidos y sus conmovedoras notas que solicitaban que se los bautizara, cuatro por cama en el hospital Hôtel-Dieu expirando en fraternal disentería.

A juicio de muchos de los que se convirtieron en revolucionarios, estos contrarios no solo coexistían; cada uno hacía posible el otro. La opulencia y la locura desatada se alimentaban de la miseria y de la más profunda desesperación. En su fantasía futurista, titulada *El año 2440*, Louis-Sébastien Mercier imaginó una Francia milagrosamente liberada del despotismo y de la pobreza, gobernada por un amable rey-ciudadano. En una galería atestada de cuadros alegóricos, el que representaba al siglo XVIII tenía la forma de una prostituta chillonamente vestida, con las mejillas y la boca pintadas, sosteniendo dos cintas rosadas que ocultaban las cadenas de hierro. Al nivel del suelo

> su vestido estaba desgarrado y cubierto de roña. Los pies desnudos se hundían en una especie de turba, y las extremidades inferiores eran tan repulsivas como la cabeza era brillante [...]. Detrás [había] un grupo de niños de aspecto enflaquecido y lívido, que lloraban clamando por su madre, mientras devoraban un pedazo de pan negro.

La impresión que dejaban estas imágenes era la de una eterna desesperanza, un mundo al que había que destruir, si se quería que realmente cambiase. Apenas se acuñó la expresión, el «Antiguo Régimen», esta asumió su carga semántica, que la asociaba al tradicionalismo y a la vejez. Evocaba una sociedad tan llena de tantos anacronismos que solo un golpe muy violento podía liberar el organismo vivo que encerraba. Con sus instituciones aletargadas, con su inmovilidad económica, con su atrofia cultural y con su estratificación social, este «Antiguo Régimen» era incapaz de modernizarse. La Revolución necesitaba despedazarlo antes de actuar como un gran acelerador en el camino que llevaba al siglo XIX. Antes, todo era inercia; después, todo era energía; antes, el corporativismo y la *Gemeinschaft*; después, el individualismo y la *Gesellschaft*. En resumen, la Revolución era la condición que permitía el acceso a la modernidad.

Sin embargo, podría argumentarse que la Revolución francesa fue tanto la interrupción como el catalizador de la modernidad. No en todos los aspectos, pues, en su fase más militante, la Revolución en efecto creó un nuevo tipo de política, una transferencia de la soberanía rousseauniana de la voluntad general que abolió el espacio y el tiempo privados y creó una forma de militarismo patriótico más abarcador que todo lo que antes se había visto en Europa. A lo largo de un año, inventó y practicó la democracia representativa; durante dos años impuso un igualitarismo coercitivo (aunque incluso esto es una simplificación); pero, durante dos décadas, el producto más perdurable fue un nuevo tipo de Estado militarizado.

Sin embargo, no es esto lo que la mayoría de los historiadores quiere decir cuando alude a la Revolución e introduce una hostil modernidad al «Antiguo Régimen». Lo que generalmente tienen presente es un mundo en que el capital reemplaza a la costumbre como árbitro de los valores sociales, en que los profesionales, más que los aficionados, dirigen las instituciones judiciales y gubernamentales, y en que el comercio y la industria, más que la tierra, encabezan el crecimiento económico. Sin embargo, casi en todos estos aspectos el gran periodo de cambio no fue la Revolución, sino el final del siglo xviii. De hecho, incluso puede decirse que la Revolución obtuvo gran parte de su poder del intento (en definitiva, sin esperanza) de detener, más que de apresurar, el proceso de modernización. Y en muchos aspectos, alcanzó demasiado éxito. En 1795, el valor total del comercio de Francia era menos de la mitad de lo que había sido en 1789; hacia 1815 todavía estaba en el nivel de, aproximadamente, el 60 por ciento. El impulso del cambio económico y social en Francia solo recobró fuerza cuando la Revolución y el Estado militar que ella creó como consecuencia desaparecieron.

Por supuesto, la abolición del privilegio implicó una eliminación global de distinciones legales a las que, con razón, se consideran premodernas. Aun así, como la disponibilidad general de títulos estaba convirtiéndose en una cuestión de dinero y de méritos, no de cuna, podría decirse que los privilegios del siglo xviii tenían más en común con las distinciones y las formas honoríficas comunes a todas las sociedades modernas del siglo xix y, en muchos casos, del siglo xx. Desde luego, no eran incompatibles con la creación de una economía moderna o de un Estado moderno. Asimismo, si la Revolución abolió todas las formas sociales de gravamen en las propiedades señoriales, muchos de ellos ya se habían convertido en cargas monetarias y, sencillamente, adoptaron la forma de la renta en el «Nuevo Régimen».

Por consiguiente, el «Antiguo Régimen» no fue una sociedad que avanzaba chocheando hacia la tumba. Lejos de parecer moribunda, pueden hallarse signos de dinamismo y de vitalidad adondequiera que el historiador mire. Del rey para abajo, la élite estaba menos obsesionada con la tradición que con la novedad y menos preocupada por el feudalismo que por la ciencia. En la gran construcción del Louvre no solo se alojaban la Académie Française y las academias de pintura y de inscripciones y medallas, sino también la de ciencias y la más reciente fundación real: la Académie de Médecine. Más aún, en 1785 una iniciativa real aumentó el número de secciones de la Académie des Sciences, con el fin de incluir la mineralogía, la historia natural y la agricultura. Si prodigios de talento en las artes, como Jacques-Louis David, pudieron alojarse en un apartamento del Louvre, lo mismo cabe afirmar de modelos de la nueva matemática, como Lagrange, al que se convenció para que regresara a Francia desde Berlín. Los genios confirmados fueron ascendidos a temprana edad y se los premió con jerarquías y honores. Fourcroy, el químico contemporáneo que demostró una mayor capacidad inventiva, fue profesor a los veintinueve años en el Jardin du Roi y una de las luminarias de la Académie; Gaspard Monge, hijo de un vendedor ambulante y fundador de la moderna geometría descriptiva, ocupó una cátedra a los veinticinco años. Otros recibieron cargos honoríficos y de consideración pública, como el astrónomo Lalande, el mineralogista Haüy y, en particular, el matemático Laplace, que tuvo un cargo especial en la École Militaire.

Tampoco pudo afirmarse que este entusiasmo oficial por la ciencia fuese una actitud referida solo a la teoría especulativa. Dondequiera que tal cosa era posible, la corona y el Gobierno se esforzaban por aplicar los nuevos datos con una finalidad práctica. La tecnología militar produjo el cañón Gribeauval y el mosquete, que, unidos a los cambios en la táctica realizados por el gran reformador Guibert, determinaron el predominio de las armas francesas durante el siguiente cuarto de siglo. En las afueras de París, en Vanves, Charenton y Javel, había una serie de talleres dedicados al desarrollo de procesos químicos útiles en la industria: vitriolos para producir blanqueadores, blancos de plomo para las pinturas, gases inflamables.

La asociación entre el Gobierno y las academias constituía una forma de contribuir al Iluminismo tardío —muy apreciado por su figura ejemplar: el marqués de Condorcet— en el que el acopio empírico de datos era el primer paso hacia una sociedad que pudiese liberarse poco a poco de la pobreza, de la ignorancia y del dolor. Una lluvia de papel destinada a recoger la información que pudiera servir de base a la acción descendió desde París sobre las provincias. Por ejemplo, apenas quedó instalada, la Académie de Médecine distribuyó entre ciento cincuenta médicos una circular sobre la ecología de la enfermedad local: su incidencia estacional y la contribución del agua contaminada, la suciedad de las calles, la desnutrición y otros aspectos similares. El Louvre impartió instrucciones a los fabricantes de sidra de Normandía acerca del modo de evitar la contaminación de los barriles, y a los campesinos de Sologne para recomendarles que cesaran de ingerir el centeno infectado que les provocaba ergotismo (con los consiguientes efectos laterales de la gangrena y la descomposición de los pies). Se organizaron giras de conferencias a cargo de la extraordinaria dame du Coudray, con su útero mecánico, que podía contraerse con diferentes ritmos, para impartir cursos de obstetricia básica a las comadronas de provincias. La propaganda de M. Parmentier respecto de la patata como el cultivo milagroso que podía salvar del hambre a Francia mereció el apoyo oficial, hasta el extremo de que la reina reemplazó su acostumbrado corpiño por flores de patata, en un gesto poco apropiado de espíritu cívico.

Dondequiera que el Gobierno podía ocuparse del bien público, lo hacía. Después de quince memorándums referidos al ingrato problema de los desechos de los mataderos, intentó trasladar a algunos carniceros fuera del quartier Saint-Jacques. Trató de limitar la creación de montones desordenados de basura instalando grandes fosos en Montfaucon y, en nombre de la higiene pública, incluso turbó el reposo de los muertos (a cuyos vapores venenosos se atribuía el emponzoñamiento de la atmósfera) exhumando restos de las iglesias de París y trasladándolos al cementerio recién creado de Père Lachaise. En el país de los que (apenas) vivían, la tortura fue abolida en 1787, el proyecto de Turgot destinado a emancipar a los protestantes finalmente fue realizado el mismo año y la desconcertante colección de gravámenes de las aduanas nacionales se sustituyó por un solo derecho.

Esta, de ningún modo, es una lista completa. La extraordinaria irrupción del activismo oficial que ella refleja puede interpretarse —al estilo de Tocqueville— como una prueba más del efecto letal de la intervención burocrática. Sin embargo, gran parte de lo que se hizo representó una diferencia apreciable y, con frecuencia, positiva en las vidas afectadas por un Gobierno consciente. Incluso los tan vilipendiados *intendants* pudieron modificar de un modo duradero las condiciones de su región. Raymond de Saint-Sauveur descubrió que la mayor parte del Rosellón y sobre todo su capital, Perpiñán, se hallaban en un estado de ruinosa miseria cuando él llegó. La ciudad tenía reservas de alimentos para un mes y el camino a Cataluña, que permitía importar otros suministros, estaba destruido. Las lluvias torrenciales habían arrastrado la mayoría de los pocos puentes utilizables de la provincia. En pocas semanas, Saint-Sauveur reabrió los pasos de la montaña utilizando cuadrillas de trabajadores (algunos de ellos contratados en Barcelona). Antes de que hubiese concluido el año, había reparado los puentes y había construido hileras de diques de grava, que fueron una defensa tosca pero eficaz contra las nuevas inundaciones en las áreas bajas. Durante los tres años siguientes habilitó nuevos pozos para suministrar al Rosellón una provisión de agua potable que podía recogerse en siete fuentes públicas o que (por un precio) llegaba por cañerías a las casas de los habitantes acomodados. Se formó un cuerpo de bomberos con doce hombres permanentes a sueldo y un sistema de limpieza de las calles durante los meses estivales. Los baños públicos, la iluminación de las calles, los serenos, un *atelier de charité* para educar a los niños pobres en las «artes útiles» (cardar la lana, hilar y tejer). Saint Sauveur, padre de nueve hijos, quedó impresionado ante el desconocimiento de los elementos fundamentales de la obstetricia que descubrió durante sus dos prolongadas incursiones a lomos de mula para inspeccionar el interior montañoso; y así, organizó un curso de obstetricia en Perpiñán, donde cada aldea de la provincia podía enviar sin ningún coste a una mujer. Se estableció en las montañas un lugar de descanso con agua mineral, que podían aprovechar con fines terapéuticos tanto los pobres como los habitantes acomodados.

El *intendant* concibió mayores sueños, que incluían la transformación del Rosellón en el centro de una próspera economía regional que se extendería del Languedoc a Cataluña, sin prestar atención a los límites nacionales o idiomáticos. Con la ayuda de subsidios reales, se organizaron sociedades agrícolas y se introdujeron nuevas razas de ovejas en las granjas piloto. Al mismo tiempo, Saint-Sauveur suavizó la violencia de la guerra contra los contrabandistas de sal; atribuyó públicamente la culpa a los elevados gravámenes y afirmó que esa política de cruel vigilancia, en todo caso, tendría que afrontar la brutalidad contraria de las bandas de contrabandistas. Muchos de los proyectos más ambiciosos de Saint-Sauveur no se realizaron, pero, en todo caso, consiguió financiar su programa de obras públicas con la ayuda de subsidios oficiales directos y sin tener que gravar con más impuestos a la población local. Nada de todo esto determinó que se le tuviera en cuenta. Al igual que muchos otros *intendants* eficaces y honrados, tuvo que huir de su puesto en 1790, perseguido por una muchedumbre revolucionaria. De todos modos, sus logros fueron importantes y, a pequeña escala, reflejan de manera eficaz la energía y el sentido práctico que fueron las señas de identidad del Gobierno hacia el final del Antiguo Régimen.

En el centro simbólico de todas estas iniciativas públicas estaba Luis XVI. Pese a su excesiva afición a la caza, a su reserva y dificultad para expresarse ante el consejo, y a su indulgencia cada vez mayor hacia los excesos de su esposa y de sus hermanos, existen numerosas pruebas de su vívida y comprometida preocupación en gran parte de esta actividad pública. Por ejemplo, el día que siguió a la Navidad de 1786 asistió a un acontecimiento que le deparó aún más satisfacción que la visita a Cherburgo. En una escuela especial para niños ciegos —la primera de su tipo en el mundo— dirigida por Valentin Haüy, hermano menor del gran mineralogista, el rey presenció los milagros de la Ilustración, la bondad y la destreza. Veinte alumnos, todos ciegos desde el nacimiento o la infancia, leyeron en voz alta textos de libros impresos especialmente en relieve, identificaron lugares y detalles de varios mapas, cantaron y tocaron instrumentos musicales en honor del monarca. Los niños mayores también sabían componer textos, hilar y tejer medias. Llamó mucho la atención un niño de once años, Le Sueur, que había sido el primero de los alumnos de Haüy y al que habían encontrado cuando mendigaba miserablemente para él y para sus siete hermanos y hermanas; ahora era el niño prodigio de la clase, casi un maestro por derecho propio. Pocos meses antes, la Académie de Musique había ofrecido el primero de una serie de conciertos benéficos para esta «escuela filantrópica» y el rey se sintió tan conmovido e impresionado que la dotó de fondos y becas especiales. Una institución similar dirigida por el abate L'Epée atendía a los sordomudos y había inventado el primer sistema de lectura de labios, que permitía que sus pupilos llevasen una vida normal y obviamente feliz.

El Terror destruiría estas instituciones, por entender que eran abominables reliquias de la caridad absolutista y la superstición clerical, y devolvería a los niños a la buena voluntad de la ciudadanía en general (en otras palabras, a la mendicidad y a la persecución). Sin embargo, durante la década de 1780, el conocimiento público de que los ciegos y los sordos, tratados tradicionalmente como parias malditos, podían convertirse en hombres y mujeres felices y laboriosos era la señal de que se aproximaban tiempos mejores.

Hasta las calamitosas cosechas y la crisis industrial de finales de la década de 1780, hubo cierta base para el optimismo con respecto al futuro de la economía francesa. También aquí, pese a una producción agrícola tercamente atrasada, la pauta fue de crecimiento y de modernización, desastrosamente interrumpidos por la Revolución. Las mejores estimaciones sobre ese crecimiento lo sitúan alrededor del 1,9 por ciento anual. Solo durante el imperio, en que el poder militar, por una parte, aisló a Francia de la competencia británica y, por otra, aumentó los suministros de materiales y los mercados cautivos de la Gran Francia, la industria progresó hasta alcanzar un nivel semejante al del Antiguo Régimen.

Hacia 1780, las mercaderías, el comercio y los pasajeros atravesaban Francia con un ritmo, un volumen y una frecuencia que habían cambiado drásticamente en comparación con lo que sucedía apenas veinte años antes. Con la *diligence*, veloz y fiable (a pesar de su traqueteo), se necesitaban ocho días para llegar de Toulouse a París, en lugar de los quince que tardaba el viaje en la década de 1770; cinco a Burdeos en lugar de catorce; tres a Nancy en lugar de una semana; y solo un día a Amiens, en lugar de dos. Diariamente, a mediodía, la diligencia de Ruán salía de París para llegar a su destino a las nueve de la mañana siguiente. Aunque se había otorgado la concesión a una compañía privada, el Estado conservaba el control de los precios del transporte tanto de pasajeros como de bienes. Por ejemplo, un asiento interior en la diligencia de Lyon costaba ciento catorce libras, incluidos la comida y el alojamiento. En el extremo contrario, un lugar sobre la *impériale* costaba solo cincuenta libras, sin comida. Cada viajero podía llevar una maleta gratis, siempre que no superase los cinco kilos.

Unas mejores comunicaciones —gracias a una red de canales y caminos— implicaban la expansión de los mercados. Si Francia todavía estaba muy lejos del tipo de mercado nacional unificado que de hecho ya existía en Gran Bretaña, en todo caso estaba saliendo de su extremo provincianismo. Hacia finales del reinado de Luis XVI, el 30 por ciento de todos los bienes agrícolas (entre todas las mercancías, la que más tarda en alcanzar la economía de mercado) se vendía y consumía en lugares distintos del área de producción. Incluso si eso significaba como mucho que los carros cargados de huevos, leche y verduras pasaban de una finca o una aldea a una pequeña localidad, en todo caso representaba un cambio de enorme importancia en la economía rural y la transformación del campesino dedicado a una agricultura de subsistencia en un agricultor de cosechas destinadas a la comercialización. La paulatina supresión —y después muy súbita— de las barreras aduaneras nacionales quizá determinó también que variase esencialmente el comercio de más larga distancia, sobre todo si uno considera que una carga de madera que pasaba de Lorena al Mediterráneo había tenido que afrontar treinta y cuatro derechos distintos en veintiuna escalas.

En vísperas de la Revolución, el comercio internacional francés también alcanzó un nivel siempre muy alto, estimado en un valor de mil millones de libras, gran parte de cuyo total se concentraba en los prósperos puertos de la economía del Atlántico. Impulsado por el comercio colonial con el Caribe francés, Burdeos había protagonizado una expansión espectacular, de sesenta mil habitantes en 1760 a ciento diez mil hacia 1788. De la cantidad y enorme valor de los artículos desembarcados allí, el 87 por ciento del azúcar, el 95 por ciento del café y el 76 por ciento del índigo se reexportaban inmediatamente con importantes beneficios. Otros puertos, por ejemplo, Nantes, en Bretaña, participaban del auge de este tráfico —de esclavos tanto como de artículos de consumo— y una serie completa de puertos se beneficiaba con los importantes oficios y servicios auxiliares: la fabricación de mástiles y velas, la reparación de embarcaciones, los almacenes de artillería naval y otros aspectos parecidos. En el Mediterráneo, Marsella ocupaba una posición casi igualmente envidiable y comerciaba sobre todo con Levante, pero también exportaba artículos de lana manufacturados por las prósperas industrias del Languedoc.

Incluso la industria francesa, siempre a la sombra de la espectacular expansión que tenía lugar en Gran Bretaña, estaba creciendo hacia el final del Antiguo Régimen. Francia era, sin duda, la potencia industrial más importante del continente y, aunque su producción en cifras absolutas palidecía al lado de las británicas, su ritmo de crecimiento en ciertos sectores de hecho era superior. Por ejemplo, tanto la manufactura del algodón como la minería del carbón estaban creciendo en un 3,8 anual. Solamente en las grandes minas de Anzin, la producción aumentó el 700 por ciento durante la segunda mitad del siglo y, en los Vosgos, el número de manufacturas del algodón creció el 1.800 por ciento. También en las industrias metalúrgicas el crecimiento francés entre 1720 y 1790 estuvo en el orden del 500 por ciento, en comparación con el 100 por ciento británico. Otros datos sitúan en perspectiva la comparación. Mientras el 25 por ciento de lo que los historiadores calculan que fue el producto nacional bruto británico procedió de la industria en 1790, la cifra equivalente de Francia fue el 20 por ciento (es cierto que la mitad de este porcentaje correspondía a los productos textiles). Sería inútil afirmar que Francia estaba protagonizando el mismo tipo de industrialización explosiva que se observaba en Gran Bretaña, pero es igualmente indiscutible que, en vísperas de la Revolución, la trayectoria apuntaba claramente a un proceso ascendente.

Esta cuestión no tiene que ver solo con los datos de la producción, por impresionantes que fuesen. La ética empresarial y el conocimiento técnico que, según se supone, a menudo faltaban en Francia, en realidad, estaban allí. Por ejemplo, a principios de la década de 1760, la Académie des Sciences encargó una espectacular serie de volúmenes que formaron un *Diccionario de artes y oficios*. Estos volúmenes, que utilizaron abundantes grabados de precisión técnica y belleza considerable, fueron un manual de iniciación, no solo referido a las técnicas industriales de carácter tradicional, sino a la maquinaria más reciente. Y si bien comenzaron con volúmenes acerca de los oficios de artículos de lujo —la porcelana, el vidrio y los muebles—, rápidamente se expandieron para incluir procesos mucho más industriales en áreas como el hierro, el carbón, el teñido textil, la producción mecánica de seda y el azúcar refinado. Por ejemplo, los volúmenes de la producción mecánica de algodón fueron escritos por Roland de La Platière, inspector general de manufacturas de la provincia de Picardía, en el nordeste.

En la década de 1780 parecía que casi cada mes se creaban nuevas empresas que vinculaban el capital con la tecnología. En determinados casos, estas iniciativas aportaban nuevas inversiones a empresas más antiguas que languidecían por falta de capital. En 1786, con el firme apoyo de la Real Escuela de Minas, fundada en 1783, se organizó una nueva compañía, con abundante capital, destinada a reabrir las minas de cobre de Bigorre, en los Pirineos franceses. Los socios que firmaron el contrato de la sociedad fueron una típica mezcla de aristócratas del mundo de las altas finanzas (Saint-James y Pache de Montguyon), parlamentarios de espíritu empresario (François-Jean Rumel) y banqueros como Thélusson et Cie. Otro éxito espectacular fue el sindicato formado alrededor de los hermanos Péreier para explotar un gran artefacto mecánico de bombeo en Chaillot, con el propósito de suministrar a París por primera vez un caudal decente de agua.

Incluso los historiadores contemporáneos más optimistas señalan a menudo que, en realidad, había dos Francias. Una era la Francia modernizadora y en expansión de la periferia y la cuenca de París, con el dinámico comercio sobre el Atlántico y el Mediterráneo; los productos textiles en el nordeste, pero sobre todo en la Champaña y en las regiones orientales; el carbón en el Pas-de-Calais; los hornos y fundiciones metalúrgicas en Lorena. Era una Francia de concentración del capital y el trabajo, con una tecnología innovadora (incluso si, al principio, una parte fue robada a los británicos), con inversiones audaces, con buenas comunicaciones, es decir, una Francia orientada hacia el mercado. Sin embargo, esta coexistía con otra Francia del centro: soñolienta y aletargada, encerrada en las antiguas tradiciones locales de la oferta y la demanda, impermeable a los poderosos impulsos demográficos, donde las ciudades, dominadas por los magistrados, por el clero y por el Gobierno, decidían sobre un interior rural poblado en su mayor parte por campesinos dedicados a una producción de subsistencia. De modo que, por cada Mulhouse, Hayange o Burdeos, había muchos más lugares, como Tours, donde, en 1783, el *intendant* se quejaba de que los habitantes «preferían la indolencia en que se habían criado a las inquietudes y el trabajo esforzado que son necesarios en las grandes iniciativas y en las inversiones atrevidas».

Hay mucho de verdad en este contraste, pero disfraza otros procesos importantes que, en todo caso, tendían a despertar a la Francia más adormilada y determinaban una distribución mucho más uniforme de la iniciativa industrial y comercial. El más significativo era la enorme proliferación de las industrias familiares rurales en las afueras de los centros más antiguos. Liberados de las restricciones corporativas, los empresarios tendían cada vez más a entregar materias primas a los hilanderos y tejedores aldeanos (a veces incluso les suministraban el equipo básico) y recogían los artículos terminados y los pagaban según precios establecidos con antelación. De modo que, más allá de la economía de mediana magnitud y las pequeñas localidades en apariencia aletargadas, había una comercialización mayorista propia de las regiones rurales. Durante un tiempo se creyó que este era un factor que retrasó el proceso de industrialización, pero, allí donde se asistió a este fenómeno (por ejemplo, en gran parte de Renania, así como en Francia), se advierte claramente que fue complementario más que enemigo de la modernización de las manufacturas. Algunos procesos —por ejemplo, la tejeduría— continuaron siendo industrias familiares, y en cambio la hilandería llegó a concentrarse muy pronto en fábricas mecanizadas. Este fue, por ejemplo, el caso del Flandes francés, donde las pérdidas de Lille se vieron compensadas por los progresos de Roubaix-Tourcoing.

En ciertas áreas, esta asociación industrial semimanufacturera y semifamiliar alteró la economía local. En el caso de la ciudad parlamentaria de Grenoble, más de seis mil hombres y mujeres que vivían al amparo de los muros de la ciudad y en las afueras trabajaban para unos sesenta maestros guanteros, cortando, curtiendo y aromando cueros, y después cosiendo y bordando los productos terminados. Algunos de los talleres más grandes contaban hasta con veinte trabajadores, pero era mucho más usual un grupo de cuatro o cinco artesanos que compartían el espacio familiar.

Otras localidades de tamaño medio, como Ruán, en Normandía, que durante la primera parte del siglo XVIII contemplaron el decaimiento de su actividad tradicional —los textiles—, tuvieron una evolución complicada. Unos pocos capitalistas revitalizaron la producción mediante la importación de equipos fabriles británicos y crearon modernas fábricas de hilados; pero otros continuaron usando la fuerza de trabajo rural. La propia ciudad diversificó sus oficios, exportó mucho más a la región de París y a otros lugares de Normandía, fabricó artículos para los artesanos rurales de la región que en tiempos de bonanza podían permitirse su compra y proporcionó un mercado a la producción procesada comercialmente. Es posible que Ruán tuviese la poco grata reputación de ser la ciudad más maloliente e insalubre del norte de Francia, pero desde el punto de vista económico era, desde luego, una de las más fuertes. Hacia el fin del Antiguo Régimen estaba entregando (además de los algodones manufacturados) medias de lana, sombreros, porcelana, papel, azúcar refinado, vidrio y jabón, blanqueadores de la ropa con el nuevo proceso clorado de Berthollet, derivados del cobre y ácido sulfúrico.

El espectáculo de estas pequeñas colmenas urbanas consagradas a la actividad comercial alegraba el corazón de optimistas como el marqués de Condorcet. Aunque deseaba con impaciencia que llegase el momento en que el imperio de la ciencia y la razón eliminase los últimos impedimentos institucionales que se oponían al predominio de aquellas, creía que no había motivo que impidiese que eso sucediera en una monarquía reformadora tan iluminada como la de Luis XVI.

Visiones del futuro

La versión de un capitalismo bondadoso en el Antiguo Régimen nunca expresó su optimismo evolutivo de un modo tan excéntrico como en el extraordinario *Testamento de M. Fortuné Ricard*. Publicado como suplemento de la conocida por todo el mundo edición francesa del *Poor Richard's Almanack*, el *Testamento* fue escrito por Charles Mathon de La Cour, un hombre de letras y crítico de arte lyonés. En el texto, el imaginario M. Ricard recuerda a su propio abuelo, que le había enseñado lectura, aritmética y los principios del interés compuesto, cuando Ricard aún era un muchachito. «Hijo mío —había dicho mientras sacaba del bolsillo veinticuatro libras—, recuerda que, con ahorro y un cálculo cuidadoso, nada es imposible para un hombre. Si lo inviertes y nada gastas, a tu muerte tendrás lo necesario para hacer buenas obras por el reposo de tu alma y la mía.»

A la edad de setenta y un años, Ricard había acumulado quinientas libras, reunidas a partir de esta suma original. Aunque no era una gran fortuna, él había concebido grandes proyectos en relación con este dinero. Lo dividió en cinco sumas de cien libras cada una y propuso dejar la primera cien años; la segunda, doscientos; y así sucesivamente. De este modo, cada una originaría sumas que permitirían financiar un plan cada vez más ambicioso. Después de un siglo, la primera suma aportaría solo trece mil cien libras, que permitirían otorgar un premio al mejor ensayo teológico destinado a demostrar la compatibilidad del comercio con la religión. Cien años más tarde, la segunda suma (1,7 millones de libras) ampliaría este programa de premios y concedería ochenta recompensas anuales a la mejor obra en ciencias, matemáticas, literatura, agricultura («mediante la prueba de las mejores cosechas»); además, habría una categoría especial para los «actos virtuosos». La tercera suma (en un lapso de trescientos años) representaría más de 226 millones, lo suficiente para crear en toda Francia quinientos «fondos patrióticos» destinados a combatir la pobreza y a la inversión en la industria y la agricultura, bajo la administración de «los ciudadanos más honrados y entusiastas». La suma restante permitiría dotar a doce *musées* en París y en las principales ciudades de Francia, y cada uno alojaría a cuarenta intelectuales destacados en todos los campos. Instalados con comodidad, pero sin opulencia, dispondrían de una sala de conciertos, un teatro, laboratorios de física y química, talleres de historia natural, bibliotecas y parques experimentales y casas de fieras. Las bibliotecas y las colecciones de arte estarían abiertas todos los días, gratuitamente, al público, y los miembros de los *musées* impartirían conferencias públicas referidas a sus respectivos campos. Se aceptaría a los miembros «solo después de haber presentado pruebas, no de nobleza, sino de moral» y ellos jurarían «preferir la virtud, la verdad y la justicia a todo lo demás».

Todo esto constituye una atrevida propuesta, pero no es nada en comparación con lo que seguiría durante los siglos cuarto y quinto del testamento de Ricard. La cuarta suma (30.000 millones de libras), a juicio del testador, bastaría para construir «en los lugares más agradables que uno pudiera hallar en Francia» un centenar de nuevos pueblos, cada uno habitado por cuarenta mil personas, y proyectado según criterios ideales de belleza, de salubridad y de comunidad. Con la última suma (3,9 billones de libras) sería posible resolver casi todo lo que restase de los problemas del mundo. Seis mil millones bastarían para saldar la deuda nacional francesa (incluso según el ritmo de gasto de los Borbones); 12.000 millones, como gesto de magnanimidad y el comienzo de la *entente cordiale*, cumplirían la misma función en beneficio de los británicos. El resto iría a un fondo general distribuido entre todas las potencias del mundo, con la condición de que nunca librasen la guerra unos contra otros. En tal supuesto, el agresor perdería el derecho a su beneficio, que podría transferirse a la víctima del ataque. Y gracias a una suma especial reservada para Francia, se resolvería toda clase de sorprendentes problemas: la compraventa de cargos sería suprimida de golpe; el Estado crearía un sistema de comadronas y curas a sueldo; se liberarían medio millón de parcelas sin cultivar, que serían entregadas a los campesinos que necesitaran tierra. Las escuelas cubrirían el país y otro tanto sucedería con los denominados hospicios de los ángeles, destinados a las niñas de siete años. Allí se las educaría en una vida de provechosa domesticidad y se les daría una dote a los dieciocho años, cuando se diplomasen. Finalmente, las ciudades tendrían parques, plazas y puentes, y se eliminarían los focos de contagio: se procedería a drenar los pantanos, a secar las fosas sépticas y a cerrar los cementerios para llevarlos a valles remotos y placenteros.

Esta exhaustiva utopía —híbrido de las visiones de la república perfecta de Rousseau y Condorcet— no sería consecuencia de la revolución o de la violencia, sino de la sencilla y gradual aplicación del interés compuesto. Era la fantasía definitiva de una Francia modernizada sin sufrimiento, transformada por la visión colectiva y por el capital bien administrado no solo en su propia benefactora, sino en la de todo el mundo. La visión de futuro en Mathon de Lacour abarcaba la modernidad sin mucho temor. Desde luego, sus castillos en el aire se levantaban sobre lo que, a su juicio, era la realización cada vez más amplia y potencialmente ilimitada del Gobierno ilustrado. Su reveladora condición de que los miembros de su élite intelectual debían demostrar «no su nobleza, sino su moral» no se oponía a los tiempos, sino que iba acorde con ellos.

Sin embargo, según otros, la modernidad no era, de manera cada vez más patente, una bendición, sino una maldición. Las mismas concentraciones de capital y tecnología, de potencial humano de las ciudades y comercio rural que exaltaban los «modernistas» como Condorcet, colmaban de pensamientos sombríos y temores a nuestros observadores. Sobre todo la modernidad suscitaba en muchos de ellos esa indignada superioridad moral que los convertía en revolucionarios.

Muchos de estos pesimistas eran optimistas decepcionados. Simon Linguet —a quien hallamos por doquier como la voz de la alienación prerrevolucionaria— había publicado en 1764 su primer memorándum acerca de los problemas económicos. Después propuso el dragado del Soma y la apertura de un nuevo canal a través de Picardía para comunicar la ciudad de Amiens con el mar. Sabía que este proyecto tropezaría con la oposición de los privilegiados maestros textiles de Abbeville, una ciudad que se levantaba a pocos kilómetros de la desembocadura del río. No obstante, su visión tendía a ese tipo de inversión que podía reconciliar los dos intereses urbanos y, en lugar de su mutua sospecha, crear una energía económica común. Su modelo era Holanda, donde, suponía de forma equivocada, la comunidad apoyaba tales proyectos y evitaba inútiles vanidades como los edificios monumentales y las residencias patricias. Aunque defendido con elocuencia, el proyecto estaba teñido de pesimismo realista acerca de las posibilidades de acuerdo. (A decir verdad, durante la década de 1780 se revivió en escala mucho más amplia y quizá se habría llevado a cabo de no haber sido por la Revolución.)

Aunque decepcionado, el Linguet de la década de 1760 por lo menos abrazó la cultura de la modernidad comercial. Diez años más tarde había cambiado de actitud y, durante el ministerio de Turgot, lanzó un ataque tan devastador contra la política del libre comercio del cereal que se ordenó la incautación del material. En su argumentación, en que criticaba la obsesión de los fisiócratas por los beneficios a largo plazo y su menosprecio de las necesidades más perentorias, Linguct pintó un cuadro sombrío de los horrores de la sociedad industrial. Volviendo la mirada sobre Abbeville, con sus maestros que tiranizaban la fuerza de trabajo de sus hombres y la empleaban o despedían según lo impusieran los ciclos comerciales, trastocó la ecuación que equiparaba fisiocracia-Condorcet (capital y tecnología) con prosperidad y felicidad. Si comparamos dos ciudades, «uno puede tener la certeza de que aquella en que más seres humanos están al borde de la muerte por hambre es la que tiene más mano de obra empleada en el trabajo de lanzadera. No hay ciudad de Francia que tenga más telares que Lyon, y, por tanto, Lyon es la ciudad de Francia en que el más elevado número de pobres carece de pan». En un lugar tan cruel podía existir un hospital completamente nuevo, pero nunca tendría amplitud suficiente para recoger «a todos los que, habiendo trabajado penosamente durante cincuenta años en la seda [...], llegan allí gimiendo para morir sobre jergones de paja». Creía que el capitalismo industrial prometía el cielo y abría las puertas del infierno. Convertía al empresario en un nuevo señor y transformaba en trogloditas infrahumanos a sus peones urbanos. Estaban condenados a vivir en «moradas»,

madrigueras como las de los castores; agujeros oscuros donde se ocultan rebaños de animales laboriosos, respirando un aire fétido, envenenándose unos a otros con las contaminaciones que son inevitables en esa turba, inhalando a cada momento las simientes de la muerte, mientras trabajan sin respiro con el fin de ganar lo que les permita prolongar sus desafortunadas vidas.

La retórica de Linguet era apocalíptica y sus soluciones (según las formuló), peculiares pero no insensatas. Por ejemplo, su remedio para la permanente carestía del pan era alejar a los franceses de su obsesión hacia el cereal y orientarlos a una dieta de patatas, de pescado, de maíz, de verduras y de arroz. Incluso estaba dispuesto a tratar de persuadirlos de que sus castañas (consideradas peores que el hambre), bien preparadas, podían ser al mismo tiempo sabrosas y nutritivas.

También había otros cuyo fervor revolucionario se desencadenaba a partir de su rechazo al mercantilismo y la ciudad moderna. Su odio al Antiguo Régimen, por paradójico que parezca, no estaba orientado hacia lo que él preservaba, sino a lo que había destruido. Idealizaban toda una serie de tipos imaginarios y ejemplares: el artesano independiente (*vide* el relojero, de quien a menudo eran hijos) que se había visto arruinado por las máquinas y se había tenido que convertir en un afilador ambulante de cuchillos o en un deshollinador que debía degradarse voceando su oficio entre la maraña urbana; el agricultor arruinado por la codicia de los *seigneurs*, que le saqueaban para pagar sus grandiosas residencias urbanas o que, en nombre de los derechos de propiedad absolutos, se anexionaban los campos comunes donde pastaban sus vacas y sus cabras, o le negaban acceso a los bosques donde recogían su leña. La polémica se traducía en un Rousseau aplicado, pero, en 1789, ejercería una particular atracción sobre un elevado número de personas que, en efecto, sentían que se habían visto perjudicas exactamente como se describía allí. A juicio de esta gente, el avance de una monarquía modernizadora había agravado y no aliviado su condición. Y lo que deseaban no era la ilustración social o la ejecución de obras públicas, sino una antigua justicia.

No hubo una obra que expresara mejor este sentimiento de ira contra un mundo dividido entre el lujo y la miseria que *Tableau de Paris*, en doce volúmenes, de Mercier. A semejanza de Linguet, también él era un optimista reformado, aunque su optimismo siempre había sido una fuerza más débil que su escepticismo. En *El año 2440*, Francia se había transformado en un paraíso de virtud rousseauniana, que se elevaba sobre las ruinas de Versalles y los escombros de la Bastilla, y que estaba gobernada por un rey humilde y aplicado. Los ciudadanos meritorios se tocaban con sombreros en los cuales estaban escritos sus nombres, pero la nobleza hereditaria había desaparecido. Se habría dicho que todo esto había sucedido por obra de la magia política. «Se necesitaba únicamente una voz potente que sacudiese de su sueño a la multitud [...]. La libertad y la felicidad pertenecen a los que se atreven a aferrarlas», se decía al visitante del futuro. Sin embargo, lo que Mercier consideró muy pronto inevitable no parece que fuera esa apocalíptica convulsión de la violencia.

Fascinado tanto por la geología, que sugería la regularidad de las grandes conmociones en la historia originaria, como por la arqueología, que venía a ser su equivalente en civilizaciones anteriores, Mercier se convirtió en algo similar a un conocedor de la catástrofe. Desde la perspectiva de su exilio en Suiza, veía a Francia y, en particular, a París abalanzándose por los caminos preparados por la ciencia y el comercio para llegar a su propia condenación. Aceptaba de buen grado todo esto como una catarsis, terrible pero necesaria, para limpiar la metrópoli de los excesos de la riqueza y la pobreza. «¿Es posible que la guerra, una plaga, el hambre, un terremoto o una inundación, un incendio o una revolución política aniquilen esta soberbia ciudad? Quizá sea más bien una combinación de estas causas lo que determine una descomunal destrucción.»

A ojos de Mercier, París era al mismo tiempo un lugar putrefacto, que rezumaba roña, sangre, cosméticos y muerte, una especie de organismo irreprimible y omnívoro. Exudaba carnoso placer animal y se sepultaba bajo una maligna mortaja de miseria y destrucción. Mercier amaba la feria del Palais-Royal y se horrorizaba ante el enorme foso abierto de los cuerpos en Clamart. Se trataba de los desfiles y las farsas de los bulevares y el espectáculo, en Bicètre, de los prisioneros condenados y aplastados con barras de hierro contra la rueda; de las prostitutas que pasaban en carruajes dorados; de los glotones tan saciados de bocados refinados que sus paladares ya nada sentían; del hedor que brotaba de las alcantarillas abiertas y de las cloacas; de los suicidas que se arrojaban desde los puentes del Sena.

Louis-Sébastien Mercier, el apóstol del texto rousseauniano del infierno urbano desde su atalaya del Mont Blanc, declaró la guerra a este vasto imperio metropolitano del dinero y la muerte. Su imaginación romántica, que elaboró una visión de lo sublime y lo terrible, imaginó una vasta convulsión cósmica. En un segundo terremoto de Lisboa, el suelo temblaría y se abriría, y «en dos minutos quedaría destruida la obra de siglos. Los palacios y las casas, arrasados; las iglesias, derrumbadas; las bóvedas, desintegradas». Sería la mano de la justicia recayendo sobre el materialismo, de tal modo que solo después de ese día del juicio podría nacer una auténtica república de ciudadanos.

Segunda parte

Expectativas

6

La política del cuerpo

Existía un tipo de collar de gran tamaño, que estuvo de moda por poco tiempo en la década de 1780 y que recibía el nombre de *rivière*. Como sugiere el nombre, rodeaba el cuello y caía generosamente sobre el corpiño, hacia la cintura. En un periodo en que la moda adquiría formas mucho más sencillas, el *rivière* era un artículo llamativo, muy asociado con las actrices del Palais-Royal, que quizá no se sonrojaban cuando exhibían la generosidad de sus benefactores. Una noche en el teatro dos jóvenes amigos vieron uno de estos ríos descendiendo por el escote de una conocida cortesana. «Mira eso —comentó uno—, un *rivière* que desciende muy abajo.» «Es que está retornando a la fuente», replicó su acompañante.

Las bromas acerca del sexo y las joyas no eran nada nuevo; pero, en 1787, los lectores de una publicación de chismorreos, *Cuadros móviles de París*, donde se publicó esta broma, habrían identificado en el asunto más que un mero e indecente doble sentido. Durante dos años, la reputación de la reina se había visto envuelta en el escándalo y el centro del asunto era un collar de diamantes de 647 brillantes y 2.800 quilates. Lo habían confeccionado, teniendo en vistas a madame Du Barry, los joyeros de la corte Böhmer y Bassenge, pero Luis XV había fallecido antes de que ellos pudieran entregarlo. Al precio de 1,6 millones de libras, era ruinoso mantenerlo en el inventario y, en un principio, María Antonieta pareció una posible clienta. Ya había comprado a la misma firma un par de aros «candelabro», un pulverizador y un brazalete. Cuando los fondos escaseaban, ella solía insistir al rey, que generalmente la complacía. Era una mujer joven y tenía debilidad por los diamantes; pero esa afición fue comunicada con desaprobación por el embajador austriaco, lo que provocó una reprimenda por parte de su madre, la emperatriz. «Una reina inevitablemente se rebaja —escribió María Teresa— con esta clase de irreflexiva extravagancia en tiempos difíciles.»

Hacia la década de 1780 María Antonieta parecía haber aprendido bien la lección, pues tendía a evitar aquellos lujos que llamaran la atención. Sea como fuere, en repetidas ocasiones se negó a comprar el collar. Desesperado (y quizá conociendo la debilidad de María Antonieta por los lacrimosos *drames bourgeois*), el joyero Böhmer había protagonizado una escena en la corte, sollozando ruidosamente, llorando, desmayándose y amenazando con poner fin a su vida a menos que la reina aceptase comprar el collar. Esta tremenda representación resultó inútil. Incluso si ella se hubiese mostrado dispuesta a ignorar las recomendaciones oficiales en favor del ahorro, lo descomunal no era de su gusto. En general, la joya era exagerada, representaba esa aparatosa vulgaridad que María Antonieta relacionaba con el círculo de Du Barry. Obligó a incorporarse al gimiente joyero y le aconsejó que desmontara el collar y que tratara de obtener todo lo que fuera posible por las diferentes piedras.

Esta reliquia del pasado de la joyería rococó acabaría desde luego reducido a proporciones más modestas, pero no por su creador. A decir verdad, su historia pública apenas había comenzado, pues se convirtió en el centro de una estafa de una audacia fascinante. El «*affaire* del collar de diamantes» —así se denominó— a menudo ha sido relatado como un escándalo al margen del «verdadero» drama de las arcas vacías, de los campesinos hambrientos y de los artesanos descontentos que anunciaron el fin de la monarquía francesa. La colección de personajes que desfiló frente al público lector francés cuando se reveló la extraña conspiración, durante el verano de 1785, parecía un conjunto de símbolos ideales de un régimen carcomido por la corrupción: un cardenal aristócrata disoluto y crédulo; una intrigante aventurera que afirmaba descender de los reyes Valois de Francia; un charlatán napolitano que aseguraba que había nacido en Arabia y que podía aplicar las artes curativas de lo oculto; una *grisette* de cabellos cenicientos elegida en el Palais-Royal para encarnar a la reina; impotentes acreedores que se retorcían las manos y hacían crujir sus nudillos; y varios joyeros de los *quais* de París, de Piccadilly y Bond Street, sobre cuyos mostradores se habían depositado saquitos de terciopelo negro atestados de diamantes del tamaño de huevos de tordo. Sin embargo, en el centro de todo esto, inevitablemente estaba María Antonieta. Su transformación en la opinión pública de la condición de víctima inocente a la de arpía vengativa, de la condición de reina de Francia a la de «prostituta austriaca» (*putain autrichienne*), fue lo que dañó de un modo inestimable la legitimidad de la monarquía.

En todo esto no había nada inevitable. Hasta que el asunto vio la luz pública, la reina había sido una espectadora ajena a la intriga. Sin embargo, el histérico pánico que comenzaba a cerrarse a su alrededor, incluso antes de que se urdiera la conspiración, se traducía en que sería sospechosa de conspiración, de llevar a otros a la ruina para satisfacer su insaciable apetito de *luxure:* una palabra que sintetizaba de manera muy provechosa la opulencia y la libido.

Aunque fuese de forma involuntaria, María Antonieta hizo todo lo posible para provocar su propia ruina. Su conocido y sencillo sentimentalismo adolescente fue lo que indujo a Louis, cardenal De Rohan, a creer que lograría restablecer su posición en la corte mediante los favores de la reina, más que abordando directamente al rey. Gente perjudicada por su propio exceso de riqueza, con una antigua historia llena de conspiraciones, y orgullosos por ser dueños del *hôtel* más espectacular del Marais, los Borbones mantenían a los De Rohan a distancia. El periodo de De Rohan como embajador en Viena había sido también desastroso, lo que había alejado a la emperatriz María Teresa, madre de María Antonieta.

El muy conocido anhelo de De Rohan, ser aceptado en Versalles, constituía exactamente el golpe de suerte que Jeanne de La Motte había estado esperando. Nacida en la más absoluta y oscura miseria rural, ella afirmaba descender de Enrique II, uno de los últimos reyes Valois, y, sobre la base de este dudoso linaje, también ella representó episodios de desmayo al paso de madame Elisabeth, hermana de la reina, hasta que, al fin, se le ofreció la oportunidad de relatar la historia de su decaída nobleza. Impresionada por su aparente sinceridad, madame Elisabeth la instaló modestamente en Versalles y, una vez allí, esta mujer procedió a convencer a De Rohan de que era íntima de la reina. Si él tenía en cuenta los deseos de la dama, existían grandes probabilidades de que un día el cardenal pudiese aproximarse a la radiante sonrisa de María Antonieta. De Rohan voló hacia la llama como una polilla y, de forma regular, entregó a Jeanne sumas de dinero que, se suponía, estaban destinadas a fomentar obras de caridad, aunque de hecho solían ir a parar al bolsillo de su modista.

El momento decisivo de esta comedia de seducción se sacó directamente de *Las bodas de Fígaro*. El 10 de agosto de 1784 una rubia modistilla (descrita después, no sin justicia, como una prostituta común) llamada Nicole Le Guay fue ataviada por Jeanne de La Motte con la bata de muselina blanca que solía usar la reina y llevada a la Gruta de Venus, en los jardines de Versalles, a las once de la noche. Allí encontró al cardenal, que esperaba ansioso, y depositó en su mano una rosa. Le dijo una sola frase (aunque más tarde De Rohan fantaseó que habían sido dos) —«Sabéis lo que esto significa»—, antes de hundirse presurosa en la oscuridad de donde había salido. Aturdido de alegría ante este signo tan esperado de favor, De Rohan se convirtió en arcilla en las manos de Jeanne de La Motte. Sumas cada vez más elevadas pasaron del uno a la otra.

La actuación añadió credibilidad y, en noviembre, los joyeros (ahora desesperados) le llevaron el collar, mientras De Rohan estaba ausente. Cuando él regresó, Jeanne le convenció de que la reina deseaba adquirirlo y pagarlo en cuatro plazos. Una carta falsificada que encargaba al cardenal que la representara confirmó, al parecer, este aserto. En su condición de embajador, De Rohan tendría que haber advertido que la carta estaba firmada erróneamente («María Antonieta de Francia»), pero nuestro hombre nunca había destacado por su atención al detalle. El 29 de enero de 1785, el collar fue llevado al palacio del cardenal y casi inmediatamente entregado al presunto correo de la reina (de Réteaux, amante de Jeanne). Él desmontó las piezas y comenzó el delicado asunto de negociar la venta de las piedras en París. Cuando empezaron a despertarse las sospechas, el marido de Jeanne, que estaba implicado en el asunto, llevó el collar a Londres, donde vendió las piedras, en parte a cambio de efectivo y en parte por artículos que incluían broches de rubíes, cajas de rapé esmaltadas y un par de pinzas de plata para espárragos.

Por extraño que parezca, el éxito turbó a Jeanne, que se mostró imprudente. Ahora que podía armonizar sus bienes con sus pretensiones, adoptó el título de baronesa de La Motte de Valois y compró una importante finca en Bar-sur-l'Aube, donde, en la primavera de 1785, llegaron al menos cuarenta y dos carros con un elegante botín (muebles

Adam, obras de arte, tapices D'Aubusson). Entretanto, el cardenal esperaba que la reina exhibiese su nuevo juguete y le ofreciera una señal, cualquiera que fuese esta, de buena voluntad. Se vio decepcionado. La Candelaria (en una carta la reina había dicho que deseaba usar el collar en esa fecha) llegó y pasó. Transcurrieron semanas y meses. Y lo que era más grave, no se había visto ni una sola libra del dinero con que De Rohan debía pagar el primer plazo de cuatrocientas mil libras el 1 de agosto. Böhmer, el joyero histrión, continuaba feliz e ignoraba estos problemas. El 12 de julio puso en manos de la reina una nota que aludía a «los más bellos diamantes del mundo que adornan a la más grande y excelsa de las reinas». María Antonieta creyó que de nuevo el hombre había perdido la cabeza y quemó la nota.

La víspera del día en que debía realizarse el primer pago, Jeanne informó a De Rohan que no habría dinero disponible hasta octubre. El cardenal intentó calmar a los joyeros, que, a su vez, se veían apremiados por los acreedores. Extrañamente resignada al descubrimiento de la trama, Jeanne de La Motte informó directamente a los joyeros de que habían sido engañados por una carta falsificada. A su vez, el 5 de agosto ellos fueron a ver a madame Campan, dama de compañía de la reina. No se necesitó mucho para descubrir la cruda realidad y el 15 el rey hizo llamar a De Rohan. Este reconoció que había sido sorprendido por una mujer que afirmaba actuar en nombre de la reina e imploró al rey que ocultase el escándalo por el bien de su familia; pero, naturalmente, Luis era presa de una cólera terrible y ordenó que el cardenal fuese arrestado y llevado a la Bastilla.

Mientras su abogado Target describía de forma muy llamativa a De Rohan como un hombre que languidecía cargado de «hierros» en la Bastilla, en realidad ocupaba un apartamento amueblado para la ocasión fuera de las torres de la cárcel, donde pasó nueve meses agasajando a un interminable torrente de distinguidos visitantes. Se convidaba con ostras y champán a los huéspedes y el cardenal recibía una selección de obras de su biblioteca, mientras un séquito de criados le ayudaba a sobrellevar las privaciones de la cárcel.

De todos modos, la palabra «Bastilla» (sobre todo después del enorme éxito de las *Memorias* de Linguet, que detallaban sus tormentos) era suficiente para garantizar el martirologio popular de De Rohan. Un gran caudal de panfletos y octavillas le representaban como una pobre víctima de la opresión absolutista. Cuando fue procesado ante el Parlamento de París, Target utilizó con brillo otro simpático motivo del Iluminismo tardío, pues afirmó que el cardenal había sido víctima solo de su «exceso de candor» («crédule par excès de franchise»). La sencillez de su carácter, su confiado buen humor, su caballeresco deseo de servir a la reina, etcétera. La defensa se vio facilitada todavía más por el hecho de que al menos parte de todo eso era cierto. En realidad, era un simplón inexperto con malos antecedentes en el ámbito de la moral privada, pero eso no bastaba para creer que mereciese todo el peso de la persecución real y la consecuencia fue (aunque por poco margen) la absolución. El coro de los aleluyas populares fue tan estridente y desordenado que De Rohan regresó directamente a la Bastilla para pasar la noche hasta que las cosas se calmasen y él pudiera salir sin riesgo.

Los alegatos en favor de los acusados, las llamadas *mémoires*, fueron publicados en grandes tandas y difundidos ampliamente, al igual que los grabados que presentaban a los principales acusados. En definitiva, el juicio se convirtió en una especie de teatro público en que el absurdo drama se representó frente a un nutrido público. Y antes de que pasara mucho tiempo, llegó a quedar claro que no se juzgaba a De Rohan, La Motte y demás conspiradores, sino más bien al propio Antiguo Régimen. Aunque las posibilidades de absolución de algunos de los acusados eran, al menos, escasas, varios de los más enérgicos y elocuentes abogados del Parlamento se apresuraron a aceptar el caso en vistas del halagador relumbrón de la publicidad. Y al leer los escritos, el historiador percibe enseguida que realizaron un trabajo brillante y que sus alegatos variaban según las cualidades particulares del cliente, aunque, en todos los casos, apelaban a algunas de las *idées fixes* fundamentales de la década de 1780.

¿Cómo defender a Nicole Le Guay, la baronesa D'Oliva, como Jeanne de La Motte la había ennoblecido generosamente? La acusación afirmó que era una vulgar prostituta, pero la defensa la representó como una joven indefensa, que había quedado huérfana a edad temprana, que vivía en un cuartito de la rue du Jour, cerca de Saint-Eustache (en excesiva proximidad del Palais-Royal) y que trabajaba como sombrerera para poder subsistir; que era una mujer fiel a su amante y que se había dejado seducir por la promesa de De La Motte de entregarle mil quinientas libras si encarnaba a la reina. En otras palabras, era una indefensa hija de la naturaleza, un cuadro tridimensional de Greuze, reclutada para participar en una estratagema de la cual tenía a lo sumo una idea muy vaga. La noticia de que había dado a luz un hijo ilegítimo en la Bastilla contribuyó, en todo caso, a acentuar esta conmovedora impresión. El mismo efecto originó su imposibilidad de responder a las preguntas del tribunal, a causa de sus llantos. Parecía claro, como afirmó su abogado Blondel, lo que la joven tenía *de l'âme*. Fue absuelta. El infame charlatán Cagliostro se había convertido en el profeta personal del cardenal, después de afirmar que comulgaba con las deidades del Nilo y el Éufrates. Había utilizado su influencia para convencer a De Rohan de que, en efecto, él gozaba del favor de la reina. Se le acusó de vanagloriarse de que tenía miles de años, así como de otros absurdos, y adoptó el inverosímil papel del escéptico de la Ilustración e inmediatamente anunció que tenía treinta y siete años, aunque utilizó la afición al orientalismo cuando continuó afirmando que había nacido y se había criado en Medina y La Meca, y que había recorrido Oriente para adquirir su «arte». Él y su esposa también fueron encerrados en la Bastilla y Cagliostro conmovió a la corte con desgarradoras invocaciones a la compunción que los cortesanos debían sentir al ver que los miembros de una pareja tan ejemplar de cónyuges estuviesen separados. «La más amable y virtuosa de todas las mujeres ha sido arrastrada al abismo; sus gruesos muros y sus muchos cerrojos la separan de mí; ella gime y yo no puedo oírla», y mucho más, con similar estilo y coloratura.

Incluso Jeanne de La Motte había hallado una táctica que podía emplear. Apeló a la historia, a la memoria de los Valois, de quienes decía descender, y esgrimió complicadas tablas genealógicas para demostrar esa relación. Y en efecto, quizá sus reclamaciones no eran del todo espurias. En la década de 1780, había un culto cada vez más firme a la caballerosidad caída en desgracia y esta tendencia se relacionaba, a su vez, con el odio romántico a lo nuevo, un mundo dominado por el dinero y por la corrupción. Y justo ese mundo era el ambiente natural de Jeanne de La Motte. Una heroína que venía del dolor, una inocente descarriada como tantas otras jóvenes caídas de las novelas de Restif de la Bretonne, presentadas como advertencia. Opuso su propia reputación inventada (por endeble que esta pudiera parecer) a la de la reina y afirmó que María Antonieta, en efecto, había deseado el collar, que había escrito muchas cartas para afirmarlo y que todas eran auténticas, no falsificadas. (En su celo mal entendido por salvar a la reina de una embarazosa situación, De Rohan había quemado todas las cartas que llegaron a sus manos, de modo que no había pruebas contrarias que permitiesen rechazar esta afirmación.)

A corto plazo esto no le sirvió de nada. El marido fue condenado *in absentia* a cadena perpetua. Ella también fue sentenciada y enviada por tiempo indefinido a La Salpêtrière, pero también fue condenada a ser flagelada públicamente, a llevar alrededor del cuello una soga y a ser marcada con la letra V (por *voleuse*). En el momento de sufrir esta terrible humillación, y en presencia de una enorme multitud, la mano del verdugo resbaló del cuello donde debía marcarse la letra, y en cambio trazó con el hierro una gran marca sobre el lado inferior del seno. Nadie que presenciara el espectáculo pudo olvidarlo. Cuando, dos años después, Jeanne escapó de la cárcel y huyó a Londres, desde donde lanzó una diatriba excepcionalmente agria contra la reina, encontró un público muy bien dispuesto.

La verdadera perjudicada en todo este asunto fue su principal víctima: María Antonieta (porque la mezquindad demostrada por el rey al insistir en que se ventilase el caso se comparó desfavorablemente con el equivocado sentido del honor del desventurado cardenal). Por extraño que parezca, la reina fue quien quedó como una manirrota y como una vengativa prostituta que no estaba dispuesta a detenerse ante nada para satisfacer sus deseos. Se comentaba que ella, de forma deliberada, había intentado destruir a De Rohan, porque este no atendía sus indecentes avances (una sorprendente escenografía) y que había manipulado rencorosamente a De La Motte para provocar la caída del cardenal. Los *libelles* más imaginativos que circulaban entonces la mostraban participando en aventuras lésbicas con Jeanne, a quien ella desechaba cuando otras favoritas sexuales le parecían más atractivas. «Qué éxtasis —confiesa la reina a propósito de esta escena—. Creí que se abrían las puertas del Olimpo y que yo entraba allí, pues mis éxtasis no eran como los que conocen los mortales.»

Nada de todo esto habría sido posible de no haber existido con anterioridad un copioso y desagradable caudal de pornografía cortesana para aprovechar. Aunque el género era muy antiguo (debía algo a Suetonio y, más tarde, a Aretino), tuvo un crecimiento particularmente amplio durante los últimos años de Luis XV, cuando estaban de moda las «historias» acerca del burdel privado del monarca en Versalles, el Parc aux Cerfs, superadas solo por las innumerables versiones de las anécdotas de madame Du Barry, con su prototipo escrito por Pidanzat de Mairobert. El apoyo que ella prestó al infame «triunvirato» de Terray, Maupeou y D'Aiguillon propició que los satíricos contrarios a Maupeou relacionaran el sexo con la tiranía. Así, los relatos corrientes acerca de la sodomía, el adulterio, el incesto y la promiscuidad se convirtieron en una especie de metáfora para referirse a una constitución enferma. Cuando Luis XV murió, más o menos súbitamente a consecuencia de la viruela, se rumoreó que la portadora había sido una muchacha que madame Du Barry le había acercado.

La constitución política de Francia y la constitución física del monarca eran una misma cosa para el imaginario colectivo. El cuerpo del rey siempre había sido un reino público y se privilegiaba alguna de sus regiones como la sede particular de la autoridad. En los fluyentes rizos de los reyes francos merovingios de largos cabellos residía la mística sagrada de estos monarcas. Incluso cuando los «mayordomos de palacio» carolingios les habían arrebatado el poder, se preservó a los merovingios como formas totémicas sagradas, sin omitir las trenzas que les llegaban a la cintura, y eran paseados en carros tirados por bueyes para legitimar a sus sucesores. El rito cortesano de Versalles fetichizaba el cuerpo real, y así se crearon jerarquías que determinaron quién podía pasar las pantuflas del rey o entregar su camisa a la reina. El cuerpo de Luis XIV —en realidad, de una impresionante constitución— se proyectaba sobre sus súbditos como una forma dotada de poder sobrehumano. Se decía que el extraordinario apetito del monarca era fruto de tener una cavidad de estómago que siempre mostraba un tamaño normal (pues, a diferencia de Luis XVI, nunca engordó realmente) y sus dimensiones, parecidas a las de un dios, fueron debidamente comunicadas al público después de una autopsia.

En el caso de un régimen dinástico, la región más importante del cuerpo real estaba bajo la cintura. En contraste con muchos de sus pares de otros países, los Borbones alcanzaron un notable éxito en el ámbito de la reproducción. Las desastrosas tasas de mortalidad de los delfines se vieron compensadas por la capacidad para producir herederos de sexo masculino antes de fallecer. Así, Luis XV fue el bisnieto de Luis XIV, y Luis XVI, el nieto de su predecesor. Dadas las cuestionables circunstancias de la muerte del monarca anterior, se habló mucho de la decisión de vacunarse adoptada por Luis XVI. Cuando las pústulas aparecieron en el cuerpo real, se difundieron circulares destinadas a anunciar que el asunto progresaba satisfactoriamente. María Antonieta comunicó la misma noticia a su madre, la emperatriz (que era totalmente favorable al procedimiento), y comentó las pústulas tan impresionantes que habían aparecido en la nariz real. Sin embargo, si bien todo esto era un ejemplo digno de admiración para los súbditos, las expectativas más apremiantes estaban centradas en otras regiones. Según el consenso común, el «rey como padre de la *Patrie*» tenía tres obligaciones esenciales: que su pueblo recibiese pan, que el reino venciera en la batalla y que hubiese herederos. Durante los años que siguieron a su ascenso al trono ya había dudas acerca de los dos primeros aspectos, pero en la última cuestión su fracaso originó más comentarios.

Aunque la primera hija del matrimonio nació en 1778, las expectativas dinásticas se vieron satisfechas solo cuando, tres años más tarde, nació un delfín. Se celebró una gran fiesta en el Hôtel de Ville; hubo fuegos artificiales y banquetes en las calles de París y una delegación de mujeres del mercado se acercó para felicitar a la reina. (Regresarían dieciocho años más tarde con una actitud menos cordial.) La alegría fue general, justo porque la capacidad de engendrar de la reina había sido un asunto de cáusticos comentarios populares durante algunos años. Sin embargo, el verdadero problema estaba en su cónyuge. Durante varios años (se ignora exactamente cuántos), las relaciones sexuales entre Luis y María Antonieta se vieron complicadas, o incluso impedidas, por la fimosis del rey. Se trata de un estado en que el prepucio carece de flexibilidad, de modo que las erecciones resultan dolorosas. Por tanto, la relación sexual era superficial e insatisfactoria tanto desde el punto de vista conyugal como en el aspecto dinástico. La reina se sentía desconcertada e infeliz; el rey perseguía al jabalí y el ciervo con todo el ardor que le faltaba en el lecho. Parece que ambos cónyuges revelaron el problema a José II cuando este visitó a su hermana, en 1777, pues acerca de aquel escribió a su hermano Leopoldo un informe específicamente clínico.

> [Louis] tiene erecciones abultadas y adecuadas, introduce el miembro, permanece allí sin moverse quizá unos minutos y se retira sin eyacular; pero, siempre erecto, da las buenas noches; esto es incomprensible, porque a veces tiene poluciones nocturnas, pero nunca cuando está en el lugar debido; dice claramente que lo hace por sentimiento del deber.

La intervención fraterna en este delicado asunto parece que determinó una cirugía menor para corregir la anomalía. Y en agosto, dos meses después de la carta de José, María Antonieta escribió exultante a su madre para dejarle claro que el matrimonio ahora estaba «totalmente consumado».

Sin embargo, el hecho de que el embarazo real no se materializara durante los siete primeros años del matrimonio fue suficiente para que comenzaran a agitarse las lenguas y a acabarse el periodo de gracia que se había concedido a María Antonieta cuando llegó a Francia; si bien fue la actitud que ella adoptó frente a su situación el factor que provocó un mayor perjuicio. Había crecido en una corte Habsburgo, donde estaban desechándose los excesos de la ceremonia y del protocolo tradicionales en favor de un estilo de gobierno más sencillo y comprometido. Su propia madre había ascendido al trono, siendo muy joven, en un momento desastroso de la historia del imperio —la pérdida de Silesia a manos de Federico el Grande— y había aprendido el absolutismo ilustrado mediante una dura experiencia. Su hermano José era un conocido iconoclasta cuando se trataba de los educados rituales de la corte. Sin embargo, ambos comprendían que, en una época en que los monarcas eran, teóricamente, los «servidores del Estado», tenía particular importancia ofrecer una imagen de abnegado sacrificio personal en beneficio de los súbditos.

Aunque este comportamiento más bien severo fue justo lo que María Antonieta desechó al llegar a Versalles. Novia a los quince y reina a los diecinueve, como todas las adolescentes de su generación bebía profundamente en la fuente de la literatura sentimental. Su biblioteca estaba llena de obras de Richardson, de Rousseau, de Mercier y hasta de Restif de la Bretonne. La pasión por las flores, un candor más bien alegre y el rechazo de la formalidad imperturbable eran, después de todo, las virtudes que estaban de moda; pero, supuestamente, debían manifestarse bajo la máscara de la realeza.

Casi desde el principio la reina no hizo concesiones a su papel público. Soltaba risitas ante las guerras a picotazos que libraban las damas de compañía, bostezaba o suspiraba con ostentación en las ceremonias, sin duda interminables, que la dejaban completamente desnuda en el frío de su aposento de Versalles, mientras las cortesanas se entretenían pasando la enagua real o eligiendo las cintas reales. Además, comenzó a rebelarse contra el uso de los corsés. Las hermanas del rey eran aburridas, las esposas de los hermanos del monarca adoptaban una actitud de agresiva antipatía y, lo que era todavía peor, estaban embarazadas. Poco a poco todos comenzaron a comprender que María Antonieta no estaba dispuesta a resignarse al papel habitual representado por las reinas y las princesas borbónicas: la producción de herederos en sumisa invisibilidad, mientras el rey se entretenía como le apetecía. En todo caso, los papeles estaban cambiados; Luis tenía una actitud tímida y se le veía recluido y apocado, a la vez que su esposa se mostraba más atrevida y expresiva. El hermano de María Antonieta se sintió extrañado por este imprudente desafío a la convención. «Ella carece de etiqueta —escribió a su hermano Leopoldo—, sale y corre de aquí para allá sola o acompañada por unas pocas personas, sin mostrar los signos externos de su posición. Se la ve en una actitud un tanto indecorosa y, aunque eso estaría bien en el caso de una persona privada, lo cierto es que ella no cumple su función.»

José advirtió claramente que su hermana deseaba los privilegios y las complacencias de la monarquía al mismo tiempo que conservaba la libertad de aparentar que, en realidad, era una persona privada. Aventuró que esto equivalía a cortejar la impopularidad y hasta a socavar su legitimidad. Sin embargo, María Antonieta estaba decidida a trazar su propia identidad. Rechazó a la consejera que se le había asignado oficialmente, la princesa de Noailles, y eligió a sus propias amigas. La primera de este grupo fue la princesa de Lamballe, cuyo esposo había muerto de sífilis y la había dejado viuda a los diecinueve años. Completó el grupo con la princesa de Guéménée y, finalmente (y esto fue lo peor), con una mujer, sin duda seductora pero de escasas luces: Yolande de Polignac. Nada de esto habría importado mucho de no haber sido por el hecho de que la reina utilizaba su autoridad para prodigar regalos, cargos y dinero a las favoritas elegidas. Para horror del ahorrador Malesherbes, la reina restableció el innecesario cargo de superintendente de la Casa de la Reina, con unos honorarios de ciento cincuenta mil libras anuales y una destinataria en concreto: la princesa de Lamballe. Y con cada una de las favoritas, llegaba un nutrido número de parientes y amigos que se aferraban a los costados de la nave del Estado real con la tenacidad de las lapas. Había tías pobres, hermanos pródigos, abuelos mendicantes, baronías arruinadas y plantaciones hipotecadas en las Antillas, por lo que había que satisfacer y restablecer todo esto. De modo que lo que parecía bastante inocente a los ojos de la reina —conceder favores a sus amigos—, desde el punto de vista de los que juzgaban con menos parcialidad, cobraba la forma de una gigantesca red de sinecuras y tejemanejes; el imperio de Madame Déficit, como la llamaba su cuñado Provence.

Cuanto más luchaba la reina por ser independiente, más grave parecía la falta de decoro. Estaba desconcertada por el torpe humor de Luis y por la total entrega de Provence, hermano del rey, a las alegrías de la mesa; comparado con ellos, Artois, el hermano más joven, hasta parecía un modelo de elegancia, encanto y quizá incluso inteligencia (aunque esto implicaría ser un poco crédulo). Sin embargo, no cabe duda de que Artois, en efecto, conseguía que ella se sintiese inteligente, elegante y —con sus grandes ojos, con el labio inferior saliente y con cierto atisbo de prognatismo propio de los Habsburgo— hasta bella. Los dos pasaban bastante tiempo juntos en el teatro, en la mesa de juego y en los *concerts spirituels*, que formaban los entretenimientos musicales nocturnos de París. Ambos eran fervientes partidarios del compositor Gluck y contrarios a su enemigo Piccinni; y ambos, *mirabile dictu*, eran enérgicos defensores de Beaumarchais. Juntos crearon el teatro de aficionados de la corte en el Trianon, donde representaron *El adivino de la aldea*, de Rousseau, y *El barbero de Sevilla*.

Había otros *chevaliers servants* disponibles para mantener halagada y entretenida a la reina: Arthur Dillon, el duque de Lauzun, Axel von Fersen, el barón de Besenval, el príncipe de Ligne y, sobre todo, el conde de Vaudreuil. Salvo Lauzun —que coqueteó de manera tan escandalosa con la reina durante una visita al hipódromo de la Plaine des Sablons que fue desterrado—, ninguno de ellos tenía antecedentes nobles convencionales. Según los crueles murmuradores, todos sobresalían por su linaje extranjero o por su relación con otros países: los Dillon eran jacobinos irlandeses, Fersen era un soldado y cortesano sueco, y el príncipe de Ligne provenía de los Países Bajos de los Habsburgo. Parece claro que la reina se sentía más cómoda con estos extranjeros y advenedizos que con la jerarquía cortesana establecida; pero su favoritismo tendía a provocar distanciamiento. Las campañas de murmuraciones que la persiguieron durante su reinado comenzaron en el propio palacio. Vaudreuil era un blanco predilecto. Provenía de una familia que tenía plantaciones en las Antillas y había impresionado a la sociedad parisiense gastando con el mayor desapego posible una fortuna amasada con el azúcar. Su amante era Yolande de Polignac, favorita de la reina, y esta relación, a su vez, no solo le atrajo las bendiciones de la presencia de la reina, sino una cornucopia de cargos, algunos muy lucrativos, todos de muy alta jerarquía. Solamente en 1780 fue designado gran halconero de Francia, gobernador de Lille y *maréchal de camp*. A su vez, Vaudreuil cuidaba de su propia gente. Se ocupó de que Elisabeth Vigée-Lebrun, que en 1784 pintó un retrato del conde cargado de condecoraciones, se convirtiese en la artista más importante de la corte (algo que merecía), que el hermano de la pintora se incorporase al grupo de los *secrétaries du roi*, lo cual determinó que adquiriese título de nobleza, y que el marido y marchante de Elisabeth recibiese un flujo permanente de encumbrados y ricos clientes. El propio Vaudreuil gozaba siendo todo un modelo del Antiguo Régimen y le complacía ser su mejor actor aficionado (de acuerdo con la opinión general, era un excelente Almaviva). Cargado de enormes deudas, esforzándose para obtener puestos que le permitieran pagarlas y nunca lográndolo del todo, Vaudreuil era justo lo que los revolucionarios tenían en mente cuando decían que la corte era el cuarto de juegos de un grupo de niños malcriados y codiciosos.

Parece improbable que cualquiera de estos hombres (salvo quizá Fersen y mucho después) fuese más que un amistoso adulador de la reina. Sin embargo, el estilo informal que ella defendió y el hecho de que se dejara ver tanto en los tres principales teatros de París —la Comédie-Française, la Opéra y la Comédie Italienne (contrariando el deseo expreso del rey)— facilitaron el trabajo a los difamadores y a los pornógrafos. María Antonieta estaba pésimamente preparada para el tipo de crítica al que se expuso al reestructurar la identidad real. «Naturaleza» era la palabra de moda hacia la década de 1780 y ella supuso ciegamente que, al comportarse «naturalmente», todos creerían en su falta de malicia. Sin embargo, lo que a los ojos de la reina parecía espontáneo implicaba una chocante osadía para muchos de sus súbditos. Y en la respuesta airada y visceral de la gente, había más que un elemento de ansiedad psicosexual. Aunque ella difícilmente podía imaginarlo, María Antonieta representaba una amenaza para el sistema establecido de relaciones entre los sexos. Si se suponía que el rey era la cabeza simbólica de un orden patriarcal, por el mismo motivo su esposa debía aparentar mucha más obediencia, humildad y sumisión. Por supuesto, esto no siempre había sido así en la historia francesa y no resulta sorprendente descubrir una súbita irrupción de «historias», publicadas en la década de 1780, acerca de otras reinas extraviadas (es decir, obstinadas e independientes) —sobre todo, Ana de Austria (la viuda de Luis XIII) y, un caso aún más depravado, Catalina de Médicis— que mostraban similitudes mal disimuladas con la propia María Antonieta.

Más importante todavía es la franqueza con que la reina representó su propia feminidad. Lo que habría sido tolerable, incluso previsible, en una amante del monarca, era, hasta cierto punto, intolerable en una reina. Las cosas se agravaban todavía más porque esta feminidad aparecía presentada y trazada con sinceridad, más o menos exclusivamente, por otras mujeres. Rose Bertin, modista de la reina, se convirtió en una de las mujeres más influyentes de Francia e indujo a María Antonieta a abandonar la rigidez (tanto material como figurada) del atuendo cortesano formal por los vestidos sueltos y sencillos de lino, algodón y muselina blancos, que esta llegó a preferir. Las apariencias formales, con los correspondientes vestidos de *panier* con miriñaque y tocado alto, se limitaban a las «cortes dominicales» e, incluso entonces, como recordaba madame de la Tour du Pin, solían quejarse del hastío de la rutina. Desde luego, era la cara menos convencional de la monarquía, representada en los cuadros de Elisabeth Vigée-Lebrun, la otra destacada amiga de la reina, lo que provocaba nuevos comentarios.

Aunque gran parte de su obra posee una calidad, sin duda, impresionante, hasta hace poco tiempo Vigée-Lebrun fue desechada como otra frívola artista del *ancien régime*: una dama de compañía provista de pincel y paleta. Y esta pintora ha sufrido tanto como consecuencia de la añoranza sentimental por el Antiguo Régimen como por el rechazo del neoclasicismo. Sin embargo, en su tiempo fue reconocida, con razón, como un verdadero prodigio y expuso unos cuarenta cuadros en los Salones bienales. En 1783, el año en que se convirtió en una de las dos mujeres aceptadas en la Académie Royale (la otra fue su rival Adélaïde Labille-Guiard), las *Mémoires secrètes* confirmaban su influencia y fama:

> Cuando alguien anuncia que acaba de llegar del Salón, lo primero que se le pregunta es: ¿ha visto a madame Lebrun? ¿Qué opina de madame Lebrun? Y de inmediato, la respuesta es: madame Lebrun [...], ¿no le parece sorprendente? [...], las obras de la moderna Minerva son las primeras que atraen la mirada del espectador, que le inducen a volver repetidas veces, que se apoderan y se adueñan de él, que provocan sus excla-

maciones de placer y de admiración [...], los cuadros en cuestión son también los más elogiados, los temas más comentados en las conversaciones que se mantienen en París.

Parte de la atracción ejercida por Elisabeth Vigée-Lebrun se relacionaba tanto con la persona como con el arte. Hija de un retratista menor y de una madre peluquera de origen campesino, en general se educó ella misma después de la muerte de su padre, cuando tenía doce años. Utilizando modelos de su propia familia, representándolos de un modo audaz y expresivo, en que el brillo del color estaba a la altura del esplendor de las poses y la composición, conquistó una reputación de niña prodigio. A los diecinueve años ya se había inscrito en la academia de pintura de Saint-Luc. El matrimonio con el propietario de la casa que ocupaba su madre, el *marchand* Lebrun, la lanzó en la sociedad de París y le aportó un lugar adecuado para exhibir su talento en las galerías y en las veladas organizadas en su casa. Era inteligente, expresiva y sorprendentemente bella: una combinación muy eficaz en el París de la década de 1780. Y consiguió diferenciarse de la masa de aburridos académicos o seudo-Boucher promoviendo tanto en su vida social como en su arte el culto a la naturalidad. En sus veladas se servían solo pescados, aves y ensaladas. En la famosa *souper au grec* despojó a Lebrun de su petulancia, «quitándole el polvo, deshaciendo los rizos de las sienes y depositando sobre su cabeza una corona de laurel», mientras se servía pastel de miel con pasas de Corinto y se bebía un vino chipriota.

La pintora llevó esta actitud de suntuosa sencillez al propio centro de la corte. En sus memorias (sin duda, idealizadas), Elisabeth evocó dos improvisados dúos de canciones de Grétry con la reina. En otra ocasión, observó admirada cómo María Antonieta obligaba a su princesa de seis años a cenar con una niña campesina de su misma edad (a quien incluso debió esperar). Los cabellos empolvados, los complicados tocados, los corsés y las enaguas abullonadas se vieron completamente desterrados, excepto en los actos solemnes. En cambio, se animó a que se dejaran caer los cabellos en rizos naturales sobre los hombros; se utilizaron flores y hebras de hierba como adornos en los bonetes de paja y en los sombreros rústicos de ala ancha. Se mostró la línea natural del cuerpo (bajo vestidos diáfanos, semejantes a camisas, de lino, de algodón blanco o de color marfil), recogido bajo el busto y atado flojo con una cinta. La duquesa de

Polignac, que, sea cual fuese el criterio aplicado, poseía una sorprenden-te belleza, fue pintada con este nuevo uniforme con la apariencia de una sabrosa fruta recién arrancada. Incluso cuando los que posaban se resis-tían a recorrer todo el camino que llevaba hasta la ausencia de ceremo-nia, Vigée-Lebrun hallaba el modo de conseguir que sus actitudes fuesen menos hieráticas.

> Como despreciaba el atuendo usado entonces por las mujeres, hacía todo lo posible para lograr que fuese más pintoresco y me sentía compla-cida cuando conquistaba la confianza de mis modelos, que me permitían vestirlos como me agradaba. Los chales todavía no estaban de moda, pero yo utilizaba anchos pañuelos de liviano tejido alrededor del cuerpo y sobre los brazos y, de ese modo, intentaba imitar el hermoso estilo de Rafael y Domenichino.

Todo esto se presentó como el atuendo de la inocencia natural, pero, a semejanza de algunas de las voces de las jóvenes de Greuze a las que recordaba, poseía una inequívoca intensidad erótica. En la *Bacchante*, de Vigée-Lebrun, pintada el año del escándalo del collar de diamantes, este efecto era explícito, pero alguno de los elementos de este diseño y su carga sexual fueron transferidos a los retratos: los dientes que se destacan en una sonrisa con los labios entreabiertos o las pupilas vueltas hacia arriba en el cuadro de Catherine Grand, la actriz «mantenida» y, más tarde, esposa de Talleyrand. Sin embargo, el cuadro de Grand es una ex-cepción, pues presenta a una mujer como una especie de propiedad se-xual. En general, la gran serie de retratos de mujeres realizados por Vi-gée-Lebrun en la década de 1780 parece muy alejada del voyeurismo rococó. En lugar de apartar la cabeza del espectador y mostrar el cuerpo, las mujeres representadas aquí —entre ellas la artista— miran directa-mente, con expresiones de desafiante independencia. A menudo apare-cen en grupos de amigas o con sus hijos en despreocupadas poses de afecto y abrazo. Esta negativa a complacer a los contemporáneos parecía al mismo tiempo sugerente e inquietante.

Por supuesto, cuando llegó el momento de representar a la reina, determinadas cuestiones mediaron entre el estilo «natural» de Vigée-Le-brun y el encargo. Llamada por primera vez a la corte en 1778, cuando tenía apenas veintitrés años, presentó obedientemente una imagen muy tradicional: el rostro en tres cuartos de perfil, adornos de plumas y el atavío de un enorme *robe à panier*. Hacia 1783 había sobrevenido una transformación y el retrato de la reina presentado en el Salón la mostraba vestida con un sencillo vestido de muselina y con una rosa en la mano. Siguieron otras obras del mismo estilo, muchas de ellas copiadas para las embajadas francesas del exterior y para clientes privados.

Nada de esto ayudó a frenar el deterioro de la reputación de la reina. En verdad, es posible que lo acelerara, porque parecía confirmar cierta imagen de despreocupada indiferencia con respecto al decoro. En todo caso, en la época del Salón de 1785, se puso de manifiesto una cierta preocupación sobre el modo en que debía representarse a María Antonieta frente a los ojos del público. El cuadro expuesto ese año fue un retrato del artista cortesano sueco Wertmuller y la mostraba paseando por el parque de Versalles con sus hijos. Cabía suponer que respondiese a la moda de los grupos de familias sentimentales, pero estaba realizado con tal torpeza y rigidez que reafirmó la opinión poco benévola de que la exhibición de lo familiar disimulaba el íntimo libertinaje. Se retiró el cuadro y se encargó que lo sustituyera uno de Vigée-Lebrun; la reina había perdido un hijo y la pintora aprovechó la compasión provocada por este episodio y la mostró sentada con los niños que habían sobrevivido enfrente de una cuna elocuentemente vacía. La obra era extraordinaria, pero también padeció las consecuencias de una postura ideológica a la defensiva que no armonizaba bien con los tópicos familiares del cuadro. Pues, si se realizaba un esfuerzo para mostrar como madre a María Antonieta, situar el cuarto de los niños justo enfrente del Salón de los Espejos de Versalles, así como envolverla en un vestido solemne de terciopelo, tendía a señalar que también continuaba siendo reina. La obra fue expuesta en el Salón de 1787 y provocó diferentes reacciones.

Cuando se expuso este gran retrato, el Salón era el único lugar en que podía verse a la reina fuera de la corte. Herida por la cortina de fuego de la agresiva pornografía —de la cual, desde luego, tenía conciencia—, evitaba las miradas del público. En las pocas ocasiones en que se aventuraba a asistir al teatro era recibida con un distante silencio o incluso con murmullos. Contrastaban con aquel las canciones alegres e insultantes que podían oírse alrededor de los cafés de París y sobre el Pont Neuf:

Notre lubrique reine	Nuestra lasciva reina,
D'Artois le débauché	con el disipado Artois,
Tous deux sans moindre peine	juntos y sin dificultades
Font ce joli péché	cometen el dulce pecado,
Eh! mais oui-da	pero qué más da.
Comment peut-on trouver du mal à ça?	¿A quién le importa?
Cette belle alliance	Esta hermosa pareja
Nous a bien convaincu	desde luego nos ha convencido
Que le grand Roi de France	de que el gran rey de Francia
Est un parfait cocu	es un cornudo completo,
Eh! mais oui-da	pero qué más da.
Comment peut-on trouver du mal à ça?	¿A quién le importa?

Otros conjeturaban sobre el tamaño de los órganos reales o de su potencia o sobre el número de amantes de la reina de ambos sexos y sobre el orden en que se habían producido sus favores. Más aún, en Estrasburgo se acuñó una moneda que mostraba el perfil del rey con un inconfundible par de cuernos adheridos a la cabeza. La literatura depravada era aún más sórdida. Un título popular, *Les Amours de Charlot* [Artois] *et Toinette*, comenzaba mostrando a María Antonieta, que se masturbaba y pasaba a la acostumbrada orgía.

El modelo de muchos de estos productos era el *Essai Historique sur la vie de Marie-Antoinette*, publicado por primera vez en 1781, de nuevo en 1783 y más adelante con revisiones anuales para actualizarlo con los hechos que se fueron sucediendo hasta la ejecución de la reina (en 1793). Se quemaron en pública ejecución quinientos treinta y cuatro ejemplares en la Bastilla en 1783, pero, aun así, era uno de los artículos preferidos en el contrabando de libros clandestinos y se distribuía con profusión en París. Adoptaba la forma de una confesión autobiográfica, que a veces parecía anticipar con exactitud las acusaciones revolucionarias:

> Catalina de Médicis, Cleopatra, Agripina, Mesalina, mis hazañas han superado las vuestras y, si la memoria de vuestras infamias todavía provoca un estremecimiento, si sus terribles detalles nos ponen los pelos de punta y brotan lágrimas de los ojos, qué sentimientos provocará el conocimiento de la vida cruel y lasciva de María Antonieta [...], reina bárbara, esposa adúltera, mujer sin moral, mancillada por el crimen y la disipación, estos son los títulos que representan mis condecoraciones.

La «vida» que sigue es, como ella misma confiesa, la existencia de una «despreciable prostituta»: en 1775, durante la víspera de la coronación, pasa la noche en la Porte Neuve de Reims, una «isleta de amor», vestida como una bacante, copulando durante tres horas con un Hércules seleccionado; aprendiendo nuevas posturas de Artois, en el Trianon, experimentando a voluntad con las damas de su casa y, en particular, con la Polignac. Los tres vicios más destacados en esta literatura eran la masturbación, el lesbianismo y la ninfomanía. Esto no era casual, pues cada una de estas formas ocupaba un lugar destacado en la literatura médica de la década de 1780, escrita tanto en estilo científico como en las más previsibles versiones vulgarizadas: la excitación disfrazada de edificación. La versión confesional del apetito sexual de María Antonieta en los *libelles* incluía justo el tipo de síntomas que la obra muy popular de Bienville, *Ninfomanía o tratado acerca del furor uterino*, recomendaba a sus lectores identificar en la ninfomaniaca compulsiva. «Apenas veo a un hombre apuesto o una mujer bella, mi cuerpo se inquieta y una expresión de placentera posesión se me dibuja en la cara; apenas puedo disimular la violencia de mis deseos.»

La María Antonieta de los *libelles* era un monstruo sexual, infectado por la enfermedad que había contraído al acostarse con un cardenal disoluto, y, puesto que el lesbianismo era conocido como «el vicio alemán», constituía una presencia extraña en el cuerpo político. Por tanto, se entendía a menudo que las perversiones sexuales de María Antonieta eran estratagemas políticas.

En 1785 estalló una crisis cuando el hermano del emperador austriaco José II intentó forzar el paso del estuario del río Scheldt para ampliar la libertad de la navegación de los puertos de Ostende y de Amberes, en los Países Bajos austriacos. Esta iniciativa implicaba violar los compromisos incluidos en los tratados de Francia con la República Holandesa, que saldría perjudicada con ese cambio; y, como las dos potencias habían sido aliadas en la guerra estadounidense, la actitud lógica debía ser oponerse a la maniobra austriaca (si era necesario amenazando con la guerra). Afligida por esta posibilidad, la reina intervino activamente y convenció al rey de que moderase la posición francesa. Aunque la crisis se apaciguó, los enemigos de la reina interpretaron la injerencia como otro ejemplo de su colonización de la corte en beneficio de una potencia extranjera. Se convirtió, más que nunca, en María Antonieta de Austria.

Todas estas demonización sexuales —la prostituta-espía, la domina-dora del rey, la corruptora de la Constitución— se ponían en marcha gracias a una polémica densamente emponzoñada y, sin duda, contribu-yeron al rápido desgaste de la autoridad real a finales de la década de 1780. Al principio de la Revolución, cuando la reina representó un papel más agresivo en política y muchos sospecharon que ella promovía cons-piraciones militares contra la Asamblea Nacional, sus críticos invocaron otra fuente de monstruosidad, injertada sobre una imagen que ya era repulsiva. A mediados de la década de 1780, se difundieron relatos sobre una «arpía» —una criatura alada de deseos salvajes y violentas zarpas— que se había descubierto en Santa Fe, Perú. Los impresores de grabados populares, siempre a la caza de novedades, aprovecharon bien el asunto y, como podía preverse, en 1791 la reina apareció con la forma de este le-gendario espanto aferrando con sus garras los Derechos del Hombre.

El desmantelamiento de la imagen de María Antonieta constituyó un fenómeno lamentable. Ella se había despojado de la máscara de la rea-leza en beneficio de la naturaleza y la humanidad (y también obedecien-do a sus propias inclinaciones) para quedar representada, justo ella, como un ser antinatural e inhumano. Cuando finalmente la Viuda Capeto fue llevada ante el tribunal revolucionario, la confluencia del crimen sexual y el político cobró un carácter explícito. Gravemente insultada, con el len-guaje de los *libelles*, como una persona «inmoral en todos los aspectos, una nueva Agripina», acusada de complicidad con el emperador y (antes de la Revolución) de enviarle en secreto doscientos millones de libras, al final fue acusada por el director del periódico *Le Père Duchesne* y el presidente de la Comuna Revolucionaria de París, Jacques-René Hébert, de abusar sexualmente de su propio hijo, el desgraciado exdelfín, que entonces te-nía unos once años. Ella y su cuñada, madame Elisabeth, obligaban al niño (según la confesión de este) a dormir entre ellas, «en cuya situación él se había acostumbrado a los más abominables caprichos». Le habían enseña-do a masturbarse, pero no, según creía Hébert, simplemente para satisfacer a las damas, sino con intenciones políticas mucho más oscuras. En la base del sombrío pronóstico de los efectos de la masturbación explicado en *Onania*, del doctor Tissot, la acusación era que ellas deseaban «debilitar la constitución del niño con el fin de adquirir cierta ascendencia sobre su mente».

Para responder a estas acusaciones, María Antonieta replicó: «Guardo silencio sobre ese asunto, porque la naturaleza abomina de todos esos crímenes». Sin embargo, su respuesta final respondió al estilo del cuadro de una reina maternal pintada por Vigée-Lebrun: «Apelo a todas las madres presentes en esta sala [...], ¿semejante crimen es posible?».

Retrato de Calonne

El 14 de febrero de 1787 el interventor general Calonne llamó a Talleyrand a Versalles. De acuerdo con la versión del propio Talleyrand, respondió a la llamada con sentimientos contradictorios. Por una parte, le halagaba la atención. Calonne había convencido al rey de que convocase a una Asamblea de Notables que supuestamente debía considerar las medidas necesarias para salvar de la bancarrota las finanzas públicas francesas. Aunque se entendía que la asamblea sería rigurosamente consultiva, su inauguración (postergada dos veces, pero ahora fijada para el 22 de febrero) ya había sido saludada como el principio de una nueva era de la historia francesa. En su carta a Talleyrand, Calonne le pedía que ayudase a redactar memorándums que serían presentados a los notables como base de sus deliberaciones. Consciente de que esta podría ser una oportunidad especial para promover su propia reputación, Talleyrand mal podía declinar un encargo tan relevante.

Por otra parte, no le entusiasmaba mucho la perspectiva de tener que dejar las comodidades de París por el tedio de Versalles, sobre todo durante los oscuros y lluviosos días del invierno. La vida había sonreído al hombre a quien sus amigos denominaban sardónicamente «el abate de Périgord». A los treinta y tres años, incluso había creado el tipo de nido familiar que jamás había conocido durante su infancia, aunque en una versión peculiar debido a su heterodoxia. Su amante, la condesa de Flahaut (hija ilegítima de un recaudador general), se había casado a los dieciocho años con un oficial de cincuenta y cuatro. Su cuñado, el conde D'Angivillier, era superintendente de los edificios del rey (es decir, de los lugares oficiales) y amablemente proporcionó a la joven condesa un aposento privado en el Louvre. Allí, ella organizó un salón de artistas e intelectuales complacientes, pero también tuvo un feliz *ménage* con Talleyrand, que, en 1785, fue padre de un alegre niño. A pesar de toda su fama de mantener siempre una actitud distante, la selecta minoría aceptada en este círculo familiar describe una atmósfera de amable intimidad, que se contradice con la personalidad pública del abate. El agente de Comercio estadounidense Gouverneur Morris, que estaba muy enamorado de Adelaide de Flahaut, se sintió aún más desconcertado al presenciar la indudable e inamovible satisfacción de la pareja.

Talleyrand cenaba a menudo con su amante y con su hijo, pero desayunaba tarde con los amigos en su propia casa de la rue de Bellechasse. Con su acostumbrada perspicacia había comprendido que la sociedad parisiense era una galaxia formada por muchas y pequeñas constelaciones planetarias, todas girando en sus propias órbitas, a veces cruzándose con otras y, en ocasiones, chocando. Lo esencial era que a uno se le identificase como el centro de una de esas constelaciones y él había llegado a ese punto a la edad de treinta años. Los satélites que giraban alrededor de su persona eran todos muy luminosos: Choiseul-Gouffier, cuyos viajes por Grecia le habían granjeado la reputación de experto en la materia y un lugar en la Académie; el conde de Narbonne (el más inteligente de los muchos hijos bastardos de Luis XV), un hombre racional, amoral y bien relacionado; el joven escritor fisiócrata Du Pont de Nemours; el duque de Lauzun, héroe de la guerra estadounidense, a quien se había desterrado de la presencia de la reina, si bien eso había realzado más que manchado su reputación; el obligado científico y médico, el doctor Barthés de Montpellier; y el banquero suizo igualmente obligado: Panchaud, acérrimo enemigo de Jacques Necker.

Podría afirmarse que Talleyrand había organizado este grupo como un abundante pero bien equilibrado festín, y así la severidad intelectual de Panchaud y Du Pont de Neumours destacaba todavía más el copioso alimento representado por Lauzun y Narbonne. Comentaban temas serios, pero lo hacían sin excesiva solemnidad, y quizá ese estilo que consistía en tratar de forma despreocupada asuntos muy serios fue el factor que atrajo la atención de Calonne sobre Talleyrand, pues el *modus operandi* de aquel era casi el mismo. Ambos eran vecinos y cada uno solía aparecer en las reuniones sociales organizadas por el otro. Sin embargo, un estilo elegante no habría sido suficiente y Calonne había percibido algo mucho más importante en Talleyrand: el valor que daba al poder de la información. Después de su ordenamiento, en 1779, se había concedido a Talleyrand un beneficio en Reims y eso le habría bastado para mantener una vida cómoda; pero Talleyrand era mucho más ambicioso. Se inclinó por el único sector del mundo eclesiástico que le pareció soportable: la administración comercial. Y en esa área, como agente general atento a la inmensa propiedad de los episcopados, estuvo en su elemento. La codicia aplicada era para él un talento natural y la puso en práctica de manera concienzuda en su propio beneficio y en el de su orden.

Otra de sus principales cualidades tenía que ver con la organización burocrática y, como representante general, abordó la elaboración de una encuesta a gran escala de todos los intereses económicos de la Iglesia, desde las retribuciones de los curas de aldea hasta los hospitales y los asilos de pobres mantenidos por la Iglesia en todo el país. Mientras realizaba visitas de inspección, incluso se implicó en asuntos que no formaban parte de un informe convencional, pero que, según él entendió, gracias a su capacidad para los negocios públicos, requerían atención. Por ejemplo, en Bretaña se sintió tan impresionado por la cantidad de mujeres cuyos maridos no regresaban del mar, pero que no podían ser declarados oficialmente muertos, que trató de que aquellas se pudieran casar de nuevo después de que hubieran transcurrido varios años. En la Asamblea General del Clero, en 1785, esta propuesta fue considerada absolutamente fuera de lugar y fue rechazada, pero muchos otros se sintieron subyugados por la comprensión del asunto que Talleyrand demostraba y que se basaba en una inmensa carpeta con cifras e información relacionadas con la Iglesia. Su descomunal informe, comentó el arzobispo de Burdeos, era «un monumento de talento y celo» y la asamblea recompensó debidamente sus servicios con una donación especial de veinticuatro mil libras.

Con esta reputación de capacidad para los asuntos concretos y de *savoir faire* en los asuntos políticos, Talleyrand fue contratado por Calonne para que actuara como agente y ayudante oficioso. Su nuevo empleado más sobresaliente y problemático fue Honoré-Gabriel Mirabeau, el impetuoso hijo de un padre tiránico que le había enviado a la cárcel en numerosas ocasiones por diferentes actos de desobediencia. Aunque seis años mayor que Talleyrand, Mirabeau comenzó arrojando ramilletes de rendida admiración a los pies de su empleador. Se le encomendó una misión ante la corte de Federico el Grande, en Berlín, pero su condición oficiosa molestó a Mirabeau y, antes de que pasara mucho tiempo, ya estaba criticando a su mentor. «De buena gana vendería su alma por dinero —se quejaba de Talleyrand— y, de ese modo, haría un buen negocio, pues estaría canjeando mierda por oro.» Sin embargo, a principios de 1787 los dos hombres adoptaron la misma posición con respecto a la importancia de la inminente Asamblea de Notables. Mirabeau escribió a Talleyrand que él advertía «un nuevo orden de cosas que puede regenerar la monarquía. Me consideraría yo mismo mil veces honrado siendo el menos importante de los secretarios de esta asamblea, cuya idea [se tomaba el cuidado de añadir] tuve la buena fortuna de concebir inicialmente». Y rogaba a Talleyrand que le liberase de su exilio en Prusia con el fin de participar en ese trascendente renacimiento.

Con este tipo de fanfarrias resonando en sus oídos, Talleyrand respondió a la convocatoria de Calonne. Las infladas expectativas acerca de una nueva época, del restablecimiento de la salud de las finanzas, de la confianza pública que florecería con el deshielo, provocaban en él una inquietud visible. Sin embargo, por supuesto, esperaba que Calonne, a quien admiraba con sinceridad, ejerciera un firme control sobre las cosas. Sufriría una brusca desilusión.

Cuando entró en el despacho de Calonne, Talleyrand encontró allí a un grupo heterogéneo. Incluía a Pierre Gerbier, alto magistrado del Parlamento de París, orador famoso y uno de los pocos *robin* que había sido perdonado por el desempeño de un cargo con Maupeou. Quizá su pasado lo convertía en alguien recomendable a los ojos de Calonne, que veía en Gerbier a un útil pragmático. Con él estaba un fósil viejísimo, que había vivido la experiencia de tres reinados: el marqués de La Galaizière, que había iniciado su prolongada carrera como *intendant* bajo la Regencia. También estaba Du Pont de Nemours, del ambiente del propio Talleyrand, así como otros dos ayudantes de Calonne que habían estado trabajando en proyectos que serían presentados a los notables. Cuando se sentaron, cada hombre recibió grandes fajos de documentos atados con cintas y Calonne anunció que eran la materia prima con la que presumiblemente tendrían que elaborar un programa de reformas aceptable para la asamblea o que por lo menos indujese a esta a abstenerse de realizar maniobras de bloqueo. Talleyrand, a quien se asignó el proyecto de restablecer el libre comercio de cereales, se sintió abrumado. Como todos, sabía que Calonne había estado gravemente enfermo (sus amigos decían que tenía sanguinolentos accesos de tos; sus enemigos afirmaban que era el castigo por su desenfreno) y que este hecho había retrasado tanto la preparación de los proyectos de reforma como la inauguración de la asamblea (anunciada en un principio para el 29 de enero). Sin embargo, no había previsto que dispondría solo de una semana para plasmar la información básica y conferirle una forma lo bastante persuasiva como para poder hacer frente al escepticismo que todos esperaban por parte de los notables.

De pronto, advirtió que el interventor general, a quien había admirado durante años por creerle un juez sagaz de los asuntos públicos, había cometido un colosal error político, pues se le habían escapado por completo las consecuencias que derivaban de su iniciativa. Solo así podía explicarse el manifiesto descuido en sus preparativos. Para Talleyrand estaba claro que Calonne veía en la asamblea un obediente marchamo que aprobaría el impuesto sobre la tierra que se disponía a proponer.

La súbita revelación de que Calonne era un jugador impulsivo alarmó más a Talleyrand, porque este había compartido el juicio sobre el interventor general como un hábil piloto en situaciones imprevistas. Calonne había sido designado en el cargo en 1783, después del pánico provocado por los intentos de reforma financiera de su predecesor: D'Ormesson. Todo lo que D'Ormesson había hecho era volver a los planes de Necker destinados a traspasar parte de la Recaudación General a una *régie* administrada por el Estado. Y había intentado aportar a la Caisse d'Escompte —fundada en 1776 a imitación del Banco de Inglaterra, aunque con menor capital— cierta eficacia, imponiendo la circulación de su papel moneda. No era mucho, pero en la situación de desconcierto del mercado monetario de París fue suficiente para iniciar una estampida sobre las letras de cambio de la Recaudación General, que se empleaban muchísimo para realizar pagos comerciales. Calonne calmó los ánimos al restablecer todos los términos del contrato de impuestos de la Recaudación General y aclarar que él trabajaría en el marco de las convenciones financieras habituales, en vez de enfrentarse a ellas. En lugar de presionar sobre el papel de la *caisse*, prefirió afianzar la confianza en el banco, al permitir el uso de su dinero para el pago de impuestos y al ampliar su concesión. Y lo que es más importante, creía que su viabilidad estaría unida al éxito comercial demostrado, de modo que, a partir de 1785, los dividendos estarían relacionados con las ganancias reales originadas en las condiciones precedentes (más que en las especulaciones a corto plazo). Se reprochó mucho a Calonne (en el momento dado, sobre todo lo hizo Necker) por su servil capitulación ante los intereses creados. Los críticos señalaron que había canjeado la calma a corto plazo por el desastre a largo plazo. Y como después procedió, a lo largo de los tres años siguientes, a tomar prestados más de quinientos millones más de libras para mantener a flote el Gobierno, resulta difícil dudar de este juicio negativo sobre su administración.

Sin embargo, Calonne no solo era una cabeza hueca presidiendo la administración de una bolsa vacía. Su régimen, en efecto, se atuvo a cierta política de principios, aunque en definitiva el resultado fue desastroso. Además, estuvo regido por una consideración importante que Necker, el crítico más tenaz de Calonne, no atinó a contemplar: los costes de la paz eran casi tan elevados como los de la guerra. Los cálculos de Necker se basaban en el supuesto de que, tras terminar la guerra estadounidense, el Gobierno francés podía tener un nivel de gastos militares muchísimo más modesto; pero Vegennes, que continuó siendo la figura principal del Gobierno hasta su muerte, en febrero de 1787, sabía que esto no era así. Creía que, para beneficiarse con las oportunidades creadas por la paz de 1783, era esencial que el equipo y la preparación de la Marina y el ejército franceses mantuvieran un nivel alto. Y en esta posición, contó con el apoyo de De Castries y de Saint-Germain, ministros de la Marina y del Ejército, respectivamente, y ambos modernos administradores militares agresivos y reformistas. Después de las victorias de Suffren en el océano Índico, incluso existía la posibilidad de aliarse con el creciente poder del sultán de Mysore para restablecer la influencia en la región carnática del subcontinente. Vergennes decía que descuidar estas cuestiones equivalía a provocar otra derrota como la que se había sufrido en la guerra de los Siete Años. Esta situación, más que el derroche de la corte, gobernó la lamentable pauta de préstamos de Calonne. Incluso si, quizá, era imprudente que el interventor general comprase los palacios de Rambouillet y Saint-Cloud para la corona, el importe de los gastos de todos los títulos de la corte —incluidos los de los extravagantes hermanos de las casas del rey— nunca superó los cuarenta millones de libras en un presupuesto total de alrededor de seiscientos millones, es decir, del 6 al 7 por ciento. Para poner esta cifra en su contexto, digamos que era, aproximadamente, la mitad de la proporción del presupuesto británico gastado en la monarquía.

En vista de esta reclamación, ¿qué podía hacer Calonne para conseguir que se pudiera superar? No se limitó a saltar de imprevisto en imprevisto, apelando a recursos completamente improvisados. Al contrario, en todo caso fue bajo su interventor como el Gobierno contó con lo que más se parecía a una política económica concertada desde Turgot. El propio Calonne tenía escaso bagaje en economía y finanzas, y dependía del consejo de tres fuentes. La primera era Isaac Panchaud, el ginebrino cuyo trabajo sobre el crédito público había aparecido en 1781 y que había conquistado una magnífica reputación en el ambiente formado por todos los que se habían sentido marginados por la severidad de Necker. (Al igual que en otras ciudades, París contaba con un grupo de banqueros suizos.) El consejo decisivo de Panchaud a Calonne fue que evitara que el mecanismo financiero existente sufriera daños estructurales y que más bien tratara de que su funcionamiento fuese menos gravoso mediante la creación de nuevas líneas de crédito con mejores condiciones. En concreto, esto significaba soslayar los ataques directos a los recaudadores generales, aunque permitiendo la competencia de los bancos de Ámsterdam, cuyas anualidades podían estar en el nivel del 5 por ciento. En la década de 1780, los préstamos neerlandeses y los suizos cobraron de pronto importancia y aportaron al Gobierno más flexibilidad en sus programas y en sus condiciones de reembolso.

El respiro aportado por este nuevo crédito no debía usarse para promover la inmovilidad, sino como base de esfuerzos coordinados que debían mejorar la infraestructura y la actuación económicas de Francia. Y aquí comenzaron a intervenir otros dos grupos de consejeros de Calonne: la segunda generación de fisiócratas y los más cualificados entre los funcionarios reales instruidos para supervisar las empresas económicas. En el elenco estable de jóvenes burócratas de Calonne estaban Mollien, Gaudin, el abate Louis, Maret —todos ellos ocuparían el centro del Gobierno napoleónico y algunos (por ejemplo, Louis) serían elementos casi permanentes de la administración financiera francesa de principios del siglo XIX—. Solo si uno supone que dicho «Antiguo Régimen» estaba destinado a desaparecer de la faz de la tierra, podría sorprenderse al ver a estos procesadores de datos vivientes como parte del futuro más que del pasado. Con los fisiócratas como Du Pont de Nemours, elaboraron una política económica que era un calculado compromiso entre la libre empresa y el paternalismo oficial. Varias de estas medidas tuvieron un cariz muy radical y exigieron una cuidadosa preparación. El hecho de que las presentase a los notables como parte del paquete impositivo, sin embargo, no debe oscurecer su propia importancia.

Por ejemplo, en el «Proyecto de gravamen único» se eliminaban los numerosos derechos aduaneros nacionales y se reemplazaban por una sola tasa. Esto era menos un gesto de confianza en el *laissez-faire* puro que de nacionalismo económico (también aquí un anticipo de la política napoleónica), pues la libertad de comercio en Francia debía complementarse con la imponente elevación de las barreras en sus fronteras. Se observaba la misma meticulosa distinción en la restauración de la libre circulación del cereal, pues, mientras se liberaba el comercio interior, la exportación fuera del país (fuente de amargas quejas en el pasado) estaba subordinada al índice de precios. Cuando este índice superaba cierto nivel, se restablecía la prohibición de exportar. La relación económica con Gran Bretaña estaba regida, en particular, por lo que podría denominarse un «oportunismo de Estado». Se habían llevado ingenieros al norte de Francia para instalar máquinas hiladoras y la hiladora mecánica de Crompton, y, a finales de 1786, se abrigaba la esperanza de llevar al famoso Matthew Boulton y a James Watt de las Midlands británicas a Francia. En efecto, visitaron París, pero solo para realizar consultas sobre las máquinas de vapor que se utilizarían en los nuevos sistemas de bombeo de Marly.

Si las compañías de capital social crecieron, en efecto, en este periodo, las finanzas generadas por el Estado cobraron una nueva importancia en la fundación de empresas que necesitaban capital para innovar con la creación de nuevas fábricas. Sin embargo, lo que el Gobierno de Calonne concedía con una mano parecía arrebatarlo con la otra, pues la culminación de las nuevas medidas fue un acuerdo comercial con Gran Bretaña, firmado en 1786, que abría el mercado de cada uno a los artículos del otro. No resulta necesario destacar que, si bien el vino y las sedas francesas prosperaron con este acuerdo, otros textiles y los artículos de hierro sufrieron el ataque de la competencia barata procedente de las manufacturas británicas, mucho más adelantadas. Aun así, la opinión de Calonne y de sus consejeros parece que fue que, a largo plazo, esta situación representaba una competencia saludable que estimularía a los productores franceses a emular a sus pares británicos.

Una simple lista de estas iniciativas económicas, pese a que la mayoría era positiva, no refleja la esencia de todo el asunto. El Gobierno de Calonne supuso siempre (como antes también Turgot) que sus planes debían ser impuestos más que propuestos a Francia. Este es, quizá, el motivo por el cual tantos de sus protegidos fueron tan buenos burócratas napoleónicos. Calonne se había educado en la tradición absolutista del servicio a la corona como *intendant*, primero en su Flandes natal y, después, en Metz, en el territorio de los Tres Obispados. Ambas eran áreas muy importantes de la iniciativa económica, sobre todo de los textiles, y Calonne tenía un detallado historial de fomento de dicha actividad. Sin embargo, era el arquetipo del funcionario centralizador de Tocqueville, que distribuía subsidios aquí y allá, que concedía premios a geniales ensayos sobre la carda mecánica de la lana, como un maestro de escuela recompensa a los alumnos diligentes.

Como interventor general, no tuvo una mejor actuación en el campo de las relaciones públicas. Calonne, en efecto, mostró cierto interés por escritores como Mirabeau y Brissot, pero solo en cuanto eran espías en el submundo literario o útiles redactores a sueldo a quienes podía contratarse para que generasen material propagandístico al servicio de la línea oficial. (Mirabeau demostró que era incapaz de este tipo de obstinada lealtad a la corona.) Sin embargo en general Calonne cooperó con la decisión de Vergennes de amordazar la crítica de la prensa opositora, de bloquear los caminos por los cuales entraba de contrabando el material y de secar las fuentes de la opinión contraria. Los editores, como Panckoucke, que estuvieran dispuestos a aceptar los límites de una opinión moderada (en el *Mercure de France*, relativamente anodino) podían domesticarse mediante la cooptación.

Esta política de amordazamiento de la oposición no careció de éxito, sobre todo durante los primeros años de la administración de Calonne. En 1784, en la cúspide de su poder, posó para un retrato de madame Vigée-Lebrun, en el que, a juzgar por el cuadro acabado, mostraba una expresión de serena autosatisfacción. Sin embargo, la pintora tuvo buen cuidado de conferir a su retratado un aire de vívida inteligencia en los ojos y de añadir los atributos del cargo distribuidos sobre el escritorio. El retrato de Calonne proclama la elevada jerarquía obtenida mediante el concienzudo cumplimiento del deber. Solo más adelante las involuntarias paradojas de la representación se revelarían plenamente. Pues, mientras Calonne sostiene una carta dirigida de manera muy llamativa a su único amo, el rey, el documento más destacado de su escritorio es la carta de la Caisse d'Amortissement, teóricamente destinado a reunir recursos que podrían consagrarse a reducir la inmensa deuda nacional. En definitiva, desapareció Calonne, pero no la deuda de 1787.

Y cuando ya fue imposible borrar la fama de derroche y opulencia de Calonne, su retrato sería interpretado como la factura de un sastre de renombre. Ahí están los puños de encaje *à la valencienne* y la chaqueta de tafetán florentino, prendas de Vanzut y de Dosogne, los sastres más avispados y caros de París. También los grandes tinteros creados por el joyero de la reina, Granchez, en el quai de Conti, donde Calonne había comprado un bastón de caña coronado por una empuñadura de oro muy trabajado que era la comidilla del Palais-Royal. El cuadro también huele al agua de lavanda que, como todo el mundo sabía, era su preferida. El interventor general no intentaba disimular su afición a los lujos caros. Vestía con librea completa a sus muchos criados y no solo tenía asientos forrados de piel en el interior de sus carruajes, sino también en los lugares destinados a sus cocheros, para mantenerlos abrigados en invierno. Aparte de en la casa del interventor, redecorada por Calonne de arriba abajo, podía residir en uno de los dos castillos o en la casa de la rue Saint-Dominique, donde tenía su impresionante colección de cuadros (Watteau, Rembrandt, Tiziano, Giorgione, Boucher, Fragonard y Teniers).

Su cocina era también famosa o muy conocida, según el lugar que uno ocupase en la lista de invitados. El chef principal, Olivier, presidía como un barón un enorme *équipe* de *sauciers*, *pâtissiers* y otros especialistas de la mesa. Había tres criados dedicados solo a atender las carnes asadas, con su propio ayudante, un jovencito llamado Tintin. Calonne tenía debilidad por las trufas y se las enviaban en canastos desde Périgord; por los cangrejos frescos y las perdices tiernas y, lo que es más sorprendente, por los macarrones de Nápoles, servidos con parmesano o gruyer, un plato que uno habría creído incompatible con los puños de encaje. Cuando pasaba de su propio palacio oficioso al oficial de Versalles, Calonne, sin duda, reproducía su esplendor en una escala apropiadamente regia. Bajo su régimen se ofrecieron los últimos bailes de Versalles con un elegante abandono que a los ojos de generaciones de futuros y nostálgicos admiradores recrearían la visión de la antigua monarquía avanzando siempre al ritmo de un minué, mientras las fuentes de mármol vertían agua aromatizada en cuencos labrados.

Todo esto estaba muy bien, siempre y cuando los préstamos continuasen y el ambiente económico se mantuviese en calma. Sin embargo, la perspectiva de todos estos asuntos se ensombreció de manera considerable a partir de 1785. En Ámsterdam, la posibilidad de obtener nuevos créditos con tasas bajas de interés se había complicado a causa de una crisis política que amenazó con convertirse en una revolución. Una grave sequía producida durante ese verano determinó la peor cosecha conocida desde hacía tiempo. A su vez, parecía probable que la mala cosecha redujese el poder adquisitivo de los consumidores franceses y que agravase las condiciones de un mercado que ya se había visto muy perjudicado por el flujo de manufacturas británicas fruto del tratado comercial.

Cuando al conjunto de estas malas noticias se sumó el «*affaire* del collar de diamantes», pudo hacerse un comentario agriamente crítico de la administración de los asuntos nacionales llevada a cabo por Calonne. A pesar de los grandes esfuerzos de la policía por contener su flujo, la demanda de panfletos y de libelos injuriosos era demasiado grande y la oferta demasiado activa, de modo que no se podía amordazar a la oposición. A juicio de los críticos, la prodigalidad financiera de Calonne, de un modo u otro, se relacionaba con las extravagancias de la corte, con la conspiración, con la mendacidad y con la autocomplacencia. Justo en este momento comenzaron a circular comentarios que afirmaban que él había entregado a madame Vigée-Lebrun una caja de pastillas, cada una de ellas envuelta en un billete de trescientas libras. Más aún, se rumoreaba que era el amante de la pintora, una habladuría que ella atribuyó más adelante a la verdadera amante de Calonne, la condesa de Cerès, que tomó prestado el carruaje de Vigée-Lebrun para ir al teatro y, de forma deliberada, lo dejó toda la noche frente a la residencia de Calonne para que los chismosos pudiesen identificarlo.

Se necesitaba muy poco esfuerzo para presentar muchas de las iniciativas más destacadas de Calonne como conspiraciones contra el interés público. En 1785, por consejo de un bróker, Modinier, decidió acuñar de nuevo moneda, adaptando la proporción de oro y plata en armonía con las tasas del mercado. Ante la posibilidad de que se suscitase cierta confusión, el interventor general concedió un año de gracia antes de que la nueva moneda reemplazara definitivamente a la anterior. Sin embargo, para los tenderos o los molineros rurales que guardaban dinero bajo el colchón, el plan constituía un acto de extorsión apenas disimulado destinado a reemplazar el dinero «bueno» por el «malo». Asimismo, el nuevo muro de aduanas destinado a los recaudadores generales (pues París no debía gozar de la eliminación de derechos internos concedida al resto del país) generó serias sospechas. Por encargo de Lavoisier, el visionario arquitecto neoclásico Ledoux había proyectado imponentes propileos con figuras y motivos antiguos que adornaban las diferentes entradas-barreras, pero esto no hizo nada para calmar las sospechas (más aún, es posible que lo que el plan tenía de extraño las reforzara). Se había extendido el comentario de que el nuevo muro encerraría a los parisienses en una prisión de atmósfera contaminada, pues los privaría del aire rural necesario para ventilar los olores urbanos, fuente de contagios y de epidemias. Algunos incluso calcularon el número exacto de metros cúbicos de aire puro que se perdían a consecuencia del nuevo muro. No era extraño, según se afirmaba, que «le mur murant Paris rend Paris murmurant».

Hubo otras acusaciones similares que señalaban que el ministro buscaba su propio interés. Se decía que Calonne fingía ser un estadista y que, en realidad, no era más que un especulador encumbrado. Su nueva Compañía de Indias (lanzada con el fin de aprovechar las nuevas oportunidades que se ofrecían en la India meridional) era una empresa espuria destinada a arrancar capital a los crédulos, sin que existiese ninguna posibilidad de obtener beneficios. Otros contratos y compañías, por ejemplo el sindicato creado para suministrar agua dulce a París mediante bombas de vapor, estaban amañados con el fin de ofrecer condiciones favorables a los inversores relacionados con el Gobierno. Así, poco a poco, se trazó un retrato de Calonne que era mucho menos lisonjero que el de madame Vigée-Lebrun. Era el hombre que amordazaba a la prensa, que ahogaba los pulmones, que saqueaba los bolsillos, que devaluaba la moneda, que despilfarraba la fortuna nacional y que se entretenía en los bailes cortesanos.

Con su reputación en tales aprietos, ¿por qué Calonne se embarcó en una iniciativa tan peligrosa y tan radical como la Asamblea de Notables, donde toda su autoridad se vería sometida al escrutinio público? La respuesta habitual es que no le quedaba otra alternativa y, sin duda, ese es el juicio que sometió al rey en agosto de 1786, cuando abordó por primera vez el asunto. El déficit de ese año estaba calculado en ochenta millones de libras (y, después, se descubrió que había aumentado a ciento doce millones). Por tanto, representaba casi el 20 por ciento de la renta habitual. Sin embargo, había que asignar a los pagos de intereses de los préstamos atrasados una proporción mucho más elevada. Y lo que era peor, el plan de rescate relativamente rápido aceptado por Necker durante la guerra estadounidense se traducía en que el año siguiente vencían ciertos pagos importantes. No era inconcebible la posibilidad de obtener otros préstamos, pero, como Calonne había descubierto en diciembre de 1785 cuando intentó emitir la última serie, ya no era posible obtenerlos como adelantos por las rentas actuales o futuras. Eso significaba que tendría que hacer lo que siempre había querido evitar: aplicar nuevos impuestos, menos por su valor real que como garantía del crédito público.

La respuesta del rey cuando se le habló del proyecto de convocar a una Asamblea de Notables que legitimara el nuevo impuesto fue esta: «Caramba, estáis ofreciéndome a Necker en estado puro».Y desde luego, la sensación de que Necker estaba atosigándole fue, sin duda, lo que indujo a Calonne a plantear su drástica propuesta. En 1784, el antiguo director general había publicado sus *Juicios acerca de la administración de las finanzas de Francia* y, en este trabajo, había atacado a la administración de Calonne, y sobre todo su afición a los nuevos préstamos en tiempos de paz. Al año siguiente, en la cúspide del escándalo del collar de diamantes, regresó de su exilio en Suiza y fue acogido con fervor en París. Parte de la decisión de Calonne de publicar la ingrata verdad del déficit y de presentarlo como un estado de casi bancarrota respondió al deseo de refutar el optimismo del *Compte Rendu* de 1781 con su alentadora visión de la existencia de excedentes al comparar el ingreso «ordinario» con los desembolsos. Señaló en concreto que, en lugar del excedente de Necker, en realidad, había hallado un déficit de unos cuarenta millones correspondientes a ese año.

A pesar de que existía claramente una hostilidad pública cada vez más intensa, Calonne decidió practicar el mismo juego de Necker, es decir, apelar al apoyo público. No era solo una maniobra cínica, como sospechaba Talleyrand. Inducido por algunos supervivientes del régimen de Turgot, como Du Pont de Nemours, el interventor general estaba volviendo a la política de una monarquía popular, delineada por D'Argenson en la década de 1740, que, de un modo u otro, pasaría sobre las cabezas de los intereses creados y el bloqueo parlamentario para alcanzar una nueva libertad de acción con la bendición popular.

Así, se concibió la Asamblea de los Notables como una forma de lo que podría denominarse «absolutismo popular»; pero, como advirtió Talleyrand incluso antes de que se iniciara la primera sesión, se convertiría inevitablemente en un aprendizaje en el ámbito de la representación nacional.

EXCEPCIONES NOTABLES

La Asamblea de Notables se reunió finalmente en la Salle des Menus Plaisirs de Versalles el 22 de febrero de 1787. Las muchas demoras entre el anuncio oficial del rey, el último día del año anterior, y la reunión definitiva proporcionó a los numerosos enemigos de Calonne la oportunidad de organizar una campaña opositora. Los ayudó el hecho incuestionable de que, en esta coyuntura crítica, el Gobierno estaba desintegrándose, tanto física como políticamente. Vergennes estaba muy enfermo y falleció el 13 de febrero, de modo que el interventor general perdió su más poderoso apoyo. Miromesnil, guardián de los Sellos, estaba molesto porque se le había excluido de las primeras discusiones y mostraba una actitud francamente crítica. Después de quedar desconcertado ante la imprevisible transformación de Calonne, que de radiante optimista pasó a ser un vidente del Apocalipsis, Luis XVI había prometido su apoyo total. Después de firmar el decreto que autorizaba la asamblea, el monarca escribió a Calonne: «Anoche no pude dormir, pero fue solo a causa del placer». Sin embargo, sus insomnios derivaron poco a poco hacia la ansiedad. A medida que se aproximó la apertura, se mostró más, en lugar de menos, nervioso acerca del inminente experimento. Y la pérdida de Vergennes, hacia quien se volvía siempre en busca de paternal consejo, le conmovió profundamente. Sin duda, tenía conciencia del comentario del conde de Ségur cuando oyó la proclama: «El rey acaba de renunciar».

La reacción de la opinión pública frente a la iniciativa de Calonne —después del entusiasmo inicial— había llegado a ser igual de precavida. Existían generalizadas sospechas de que el interventor general había gozado de una fiesta de tres años y ahora se disponía a presentar la factura al pueblo. Los panfletos afirmaban que la grandiosa retórica sobre la crisis nacional era un modo caprichoso de esconder las pruebas. Y lo que era aún peor, la sátira apuntaba sus dardos sobre el acontecimiento. El grabado popular más famoso mostraba a un mono hablando a unas aves de corral: «Mis queridas criaturas, os he reunido aquí para deliberar sobre la salsa con que os presentarán en la mesa». Y lo que era aún más significativo, parece que hubo muchas variantes sobre el mismo tema que aparecieron en un lapso de tiempo muy breve. A otros animales se les decía que serían sacrificados sin derecho de apelación, pero que gozarían del

lujo de decidir exactamente cómo serían cocinados. Sobre las puertas de
la casa del interventor se descubrió un cartel burlesco que anunciaba una
«nueva compañía de comediantes que representarán en Versalles el día 29»
y que comenzarían el programa con *Les Fausses Confidences* y *Les Con-
sentements Forcés*.

Calonne había previsto esta oposición. Precisamente para evitar el
destino que habían sufrido antes las reformas impositivas reales —es decir, la resistencia parlamentaria—, se había inclinado por una Asamblea
de Notables, una forma consultiva utilizada por última vez en 1626.
Abrigaba la esperanza de que la incorporación de una propuesta referida
a las asambleas provinciales electas desactivaría la demanda cada vez mayor de que se convocara a los Estados Generales. Y esa asamblea también
ofrecía la ventaja de una participación rigurosamente controlada, que no
podía esgrimir pretensiones de representación. La composición social de
sus ciento cuarenta y cuatro miembros pareció confirmar la prudencia
de Calonne. Los siete príncipes de sangre —los dos hermanos del rey
más los duques de Borbón, Orleans, Condé, Penthièvre y Conti— debían presidir siete grupos deliberadores distintos. Inmediatamente debajo había siete arzobispos principales, entre ellos Champion de Cicé, el
liberal y enérgicamente neckerista arzobispo de Burdeos, así como otro
enemigo de Calonne, Loménie de Brienne, arzobispo de Toulouse. Seguían siete duques hereditarios, ocho mariscales de Francia, seis marqueses, nueve condes, un solo barón, los presidentes de los parlamentos y
altos funcionarios, entre ellos el *prévôt de Paris* y el *prévôt des marchands*. La
inclusión más sorprendente fue la de Lafayette, cuyo naciente radicalismo desagradaba profundamente al rey y a la reina, pero que fue incluido
a petición de su pariente Noailles.

A primera vista, la asamblea no parecía un club de revolucionarios;
pero, apenas comenzaron las sesiones, resultó claro que el carácter fuertemente aristocrático de la asamblea no excluía el extremismo político.
Tampoco inclinaba a los miembros a actuar como obedientes instrumentos del programa de Calonne. La insubordinación comenzó en la propia
cúspide, pues, de todos los príncipes de sangre, solo Artois estaba dispuesto a ofrecer un apoyo sin restricciones al Gobierno. Su hermano mayor,
«Monsieur», mostró una actitud muy ácida en relación con el procedimiento y otros, como Orleans y Conti, que de forma abierta se oponían
a la corte, manifestaron, por supuesto, una intransigente actitud crítica.

Sin embargo, el interventor general no estaba, de ningún modo, resignado a sufrir una derrota personal. Después de las observaciones inaugurales de carácter formal pronunciadas por el rey, para aludir no solo a la necesidad de obtener ingresos, sino al principio de la distribución más igualitaria de la carga impositiva, Calonne ocupó la tribuna y pronunció un extenso discurso de gran fuerza y elocuencia intelectuales. Su cualidad peculiar había sido siempre el discurso claro unido a un tipo de clasicismo aplicado que había utilizado en el curso de su carrera administrativa. El propio rey había tenido una prueba de estos rasgos el mes de agosto anterior, cuando Calonne le presentó su memorándum dividido en tres partes.

1. La situación actual.
2. ¿Qué hacer al respecto?
3. ¿Cómo hacerlo?

Este tipo de claridad secamente delineada era perfecta para el monarca cerrajero, pero se necesitaba algo más complejo en el caso de los quisquillosos notables y, con la ayuda de Du Pont de Neumours, Calonne lo proporcionó. Su discurso comenzó mal, con un agresivo recuento de lo que había hecho Necker y un apunte igualmente interesado de su propia administración. Señaló que, desde 1776, se habían tomado en préstamo no menos de 1.250 millones de libras y que gran parte de esa suma estaba destinada a librar la «guerra nacional» y a crear una poderosa armada. Sin embargo, este método en definitiva había sido contraproducente y había llevado a la multiplicación de los «abusos», palabra con la cual aludía a la excesiva confusión de las finanzas privadas y las públicas, y las exenciones injustificadas en nombre del privilegio. Esta lamentable situación tenía tres respuestas. En primer lugar, la justicia fiscal: en vez de un embrollo de complicados impuestos directos, el nuevo impuesto agrario se aplicaría a todos los súbditos y tendría en cuenta las condiciones del cultivador (incluso su suerte de una temporada a otra). En segundo lugar, la consulta política: se elegirían asambleas locales —de parroquia, distrito y provincia— con el fin de que participaran en la valoración, la distribución y la administración del impuesto. En tercer y último lugar, la libertad económica: la *corvée* (el servicio obligatorio para las obras públicas), que despojaba al campesino de su fuerza de trabajo justo cuando más la necesitaba, se sustituiría por un impuesto en dinero. Y lo que era más importante, la adopción de un solo gravamen acabaría con las terribles guerras del contrabando y promovería una nueva era de mercados comerciales en todo el territorio de la nación. *Ex tenebris lux*, al borde mismo del desastre la nación recuperaría su destino. Y concluyó con una hermosa perorata:

> Otros tal vez evoquen la máxima de nuestra monarquía: «si veut le roi; si veut la loi» [según lo quiere el rey, así sea la ley]. La máxima de Su Majestad [ahora] es «si veut le bonheur du peuple; si veut le roi» [según lo exige la felicidad del pueblo, así lo exige el rey].

Gran parte del programa de Calonne provenía de Turgot. Desde luego, la propuesta de asambleas locales elaborada por Du Pont de Nemours se basaba en el memorándum anterior que, hacía más de una década, él había redactado para Turgot. (No le agradó descubrir que Mirabeau había pirateado una versión y que la difundía bajo su propio nombre.) Sin embargo, que las reformas tuviesen una historia anterior no debilitó su auténtico radicalismo. Y apoyado en el precedente de los enfrentamientos con los parlamentos, Calonne supuso quizá que hallaría resistencia fruto de los ataques al privilegio debidos a la falta de exenciones a la nobleza y el clero en el impuesto agrario. No se vio decepcionado del todo, pues, en algunos de los grupos, en efecto, se oyeron murmullos que apuntaban a que las propuestas atacaban el privilegio, así como preguntas acerca de la constitucionalidad de las asambleas locales.

Aun así, lo realmente sorprendente en los debates de la asamblea es que se caracterizaron por la manifiesta aceptación de principios que, como la igualdad fiscal, apenas unos pocos años antes habrían sido inconcebibles. Vivian Gruder ha demostrado que la identidad social de los notables —terratenientes y empresarios del campo— les infundía un vigoroso sentido de la redundancia del privilegio. En este aspecto, como en muchos otros, ya eran parte de un «Nuevo» más que de un «Antiguo Régimen» y simplemente habían estado esperando la oportunidad de institucionalizar sus inquietudes característicamente nuevas. Por ejemplo, no hubo oposición a la idea de eliminar la exención de los peajes pagados durante el transporte de la producción de los campos a los mercados. Algunos grupos propusieron que todas las exenciones a la *taille* fuesen eliminadas y otros que el ennoblecimiento fuese (lo que todos sabían que era) esencialmente una cuestión de jerarquía, así como que, en adelante, aquel no autorizara ningún tipo de exenciones impositivas.

En otras palabras, estuvieron a la altura de cada una de las medidas radicales de Calonne y, en muchos casos, incluso le superaron holgadamente. Calonne había supuesto que el nuevo gravamen pagado en lugar de la *corvée*, es decir, el servicio con fuerza de trabajo, lo pagarían solo los que antes estaban sujetos al impuesto. Sin embargo, tres grupos insistieron en que fuese un verdadero impuesto de servicios públicos pagado por todos los súbditos. Otros arguyeron que el nuevo impuesto sobre la propiedad no debía limitarse a la tierra, sino recaer sobre otras clases de propiedad, por ejemplo, la inmobiliaria urbana (un asunto que interesaba mucho a *les Grands*). A su vez, otros reclamaron que el impuesto se basara en un registro agrario completo, que se revisaría de forma periódica para asegurar una justa valoración. Otras propuestas concentraron la atención en la reducción de los impuestos aplicados a los que eran demasiado pobres para pagar (los jornaleros en particular).

Cuando hubo discrepancias, no fue por el hecho de que Calonne sorprendiera a los notables con su anuncio del advenimiento de un nuevo mundo fiscal y político, sino porque no avanzaba bastante o porque les desagradaban los métodos de actuación incorporados al programa. Los debates acerca de un impuesto agrario no sugieren en absoluto la existencia de un grupo de ricos terratenientes (pues, en efecto, eso eran) afianzándose en sus posiciones ante la amenaza de un ataque a los privilegios. Se parecían mucho más a las prolongadas sesiones de una academia provincial, convocadas para discutir los efectos de diferentes versiones de la equidad fiscal sobre la producción agraria. Du Pont de Nemours se manifestó sorprendido por el conocimiento de la teoría vigente que se ponía de manifiesto en las discusiones. Cuando Calonne propuso que el impuesto se basara en un porcentaje del producto bruto en un año dado (la tasa debía variar levemente de acuerdo con la calidad de la tierra), los notables defendieron en cambio una quita sobre el producto neto, después de deducir los costes de la semilla, de la fuerza de trabajo y del equipo. También preferían que una suma fija se distribuyese desde el nivel de la parroquia, en lugar de una suma que se elevara anualmente de acuerdo con el nivel de la producción individual. Con la verdadera voz de la nueva economía, afirmaron que lo último implicaba castigar la productividad.

Más aún, mientras Calonne creía que debía pagarse en especie el gravamen, los notables afirmaron que las dificultades de la valoración imponían el pago en efectivo.

Aunque los historiadores han tendido a desechar a los notables como un episodio efímero en las maniobras para alcanzar el poder que precedieron al comienzo de la Revolución, la más superficial ojeada a los debates confirma que se estaba gestando algo muy serio. (El impuesto agrario, con las modificaciones de los notables, sería adoptado por la Revolución y, con pocos cambios, perduraría en Francia hasta la Primera Guerra Mundial.) Se discutió la imposición a la luz de su relación con otras actividades económicas y, por primera vez, no hubo discrepancia con respecto a que su aceptación estaba condicionada rigurosamente a una forma u otra de representación. Por supuesto, la actitud que se manifestó con más fuerza fue la insatisfacción ante los límites fijados a la autoridad de las proyectadas asambleas provinciales. Como cabía prever, Lafayette deseaba transferir casi todas las atribuciones del *intendant* —sobre todo, las formas de imposición (y no solo el impuesto agrario): las obras públicas, la administración del alojamiento de los soldados y otras cuestiones similares— a esas autoridades locales. Muchos más notables se atuvieron a la línea parlamentaria que proponía que el organismo que debía deliberar sobre la totalidad de las nuevas formas impositivas debía ser el de los Estados Generales. Y si bien Calonne había actuado sobre seguro al estipular un ingreso de seiscientas libras como condición para votar en las asambleas parroquiales, la mayoría de los grupos, en realidad, apoyaron una bajada de este límite. Todavía había que recorrer mucho camino para alcanzar la democracia, pero existía un auténtico sentimiento de que los cuerpos electos debían constituir una amplia representación de los «intereses» de la nación.

Este escenario, en el que los miembros de la élite de Francia competían unos con otros por afirmar su propio espíritu cívico, no era, sin duda, lo que Calonne había previsto. Parecía como si hubiese decidido obligar a una mula obstinada a tirar de un carro muy pesado, para descubrir que la mula era un caballo de carreras y que se había alejado al galope, tras dejar al jinete en la estacada. Vivian Gruder destaca con mucha razón que la identidad social del grupo, formado por propietarios terratenientes, les infundía esa actitud en apariencia tan complaciente acerca de la eliminación de los privilegios y los anacronismos a los que su propia casta se había aferrado durante tanto tiempo. Sin embargo, si bien la modernización económica del grupo representó, sin duda, un papel en el realismo con que abordaron las reformas, puede afirmarse también que el sentimiento común del momento histórico los indujo a esta exhibición de altruismo patriótico. Se les había asignado el papel de un coro mudo y, de pronto, descubrieron que individual y colectivamente podían hablar con una voz potente y que Francia escuchaba. Este brusco descubrimiento personal de la política fue embriagador y hay signos de que, aunque en general se los desecha como el furgón de cola del viejo régimen, con respecto a la conciencia política de su propio papel los notables fueron los primeros revolucionarios.

Y lejos de necesitar que el interventor general completase el proceso de reforma, los notables aclararon rápidamente que su eliminación era la condición del éxito. Su reputación estaba ahora manchada en exceso por el escándalo y las sospechas de doblez, de modo que no tenía ya credibilidad para la asamblea. En marzo se difundieron detalles poco agradables de transacciones con bienes raíces en las que Calonne había persuadido al rey de que se desprendiese de algunas propiedades dispersas a cambio del condado menos valioso de Sancerre. Parece que Calonne y varios de sus amigos estuvieron entre los primeros y más aprovechados compradores de los lotes. En la Bolsa se plantearon preguntas acerca de la Compañía de Indias y del lanzamiento del sindicato organizado para suministrar agua a París. Mirabeau, de quien se suponía que era por lo menos un tibio partidario, modificó drásticamente su posición al publicar una *dénonciation* de estas especulaciones, en las que Calonne aparecía particularmente comprometido. Y como miembro del más fiel de los siete grupos, el de Artois, Lafayette se apartó del resto con un pronunciamiento público en el que atacaba la «monstruosa especulación». Insistió en que debía abrirse una comisión de investigación penal completa para descubrir a los que se enriquecían a expensas del «sudor, las lágrimas y hasta la sangre» del pueblo.

Acosado por todas partes, el interventor general contragolpeó por última vez con las mismas técnicas de disputa pública que se habían empleado contra él. El lenguaje utilizado en el debate había cambiado de un modo tan significativo que su *avertissement* al público se exhibía en el centro de la acusación de que las clases privilegiadas estaban representando falsamente los planes de Calonne para conspirar mejor contra el pueblo. Con el énfasis de un orador revolucionario de 1789, y hasta de un jacobino que denunciaba a los «ricos egoístas», Calonne contestó a la pregunta que estaba en la mente de todos: «¿Se pagará más? Sin duda. Pero ¿quiénes? Solo los que no han pagado bastante. Sí, se sacrificará a los privilegiados, cuando la justicia lo exija y la necesidad lo reclame. ¿Sería mejor volver a gravar a los desposeídos, al Pueblo?».

La apelación tan directa y sincera a la opinión pública no salvó a Calonne. De hecho, incluso es posible que empeorara su situación. Había llegado a ser tan impopular que esta última ocurrencia fue acogida como un astuto ardid destinado a ocultar su propia culpabilidad en una serie de fechorías privadas y públicas. Y lo que era más grave, Calonne estaba perdiendo rápidamente el favor de la corte. El rey se había sentido desalentado y hasta se encolerizó al descubrir la verdadera cuantía del déficit, es decir, treinta y dos millones más que el cálculo de Calonne. A esas alturas, la cifra exacta era un tanto teórica, pero la principal víctima fue la confianza que el rey había depositado en el ministro. No por última vez, Luis XVI comenzó a arrepentirse de su audacia política y se debatió buscando la salida menos dolorosa. No por última vez dio la impresión de que la reina aportaba una solución. A medida que se apagó la estrella de Calonne, ella comenzó a enumerar las situaciones en que él había rehusado satisfacer los deseos de la reina (los cuales en general conllevaban sumas de dinero y cargos para sus favoritos). De modo que María Antonieta escuchó atentamente cuando Breteuil le dijo que la partida de Calonne era indispensable para la supervivencia del programa de reformas. Cada vez más airado por la posición en que Calonne le había puesto, Luis ofreció al ministro un adelanto de sus intenciones al permitir la publicación de las respuestas a su *avertissement*.

Calonne intentó obtener todo el crédito posible de una situación cada vez más difícil. Propuso renunciar con la condición de que se aceptara el programa, pero, a decir verdad, no estaba negociando desde una posición de fuerza. Como Turgot y como antes Necker, le manipularon para forzarle a presentar un ultimátum que sería imposible satisfacer y que exigía la eliminación de sus adversarios más poderosos. Al principio pareció que el rey se reuniría con él a medio camino, desembarazándose de Miromesnil; pero, como se vio, eso fue solo el preludio de un gesto de autoridad salomónica. Calonne fue despedido el 8 de abril.

El episodio implicó más que una mera renuncia. El término asignado a su despido, como en el caso de Turgot, fue *disgrâce*. Y en este caso, el rey se ocupó de limpiar su propia autoridad mancillando la de Calonne. «Todos se sienten felices», informó un observador de la corte. La reina estaba contenta porque se desembarazaba de una manzana podrida y tenía la oportunidad de introducir a un ministro elegido por ella. Todos los príncipes de sangre estaban encantados de ver que el *intendant* que se había elevado bruscamente retornaba a la oscuridad. La opinión pública rugió de placer ante la destitución del archiespeculador y, en el Pont Neuf, se quemó a Calonne en efigie. El propio Luis XVI no perdió la oportunidad de manifestar su propia dicha con actos mezquinamente vengativos. Se despojó al ministro de la cinta azul de la Orden del Espíritu Santo, la misma que con gran deleite exhibía del modo más llamativo, y tuvo que entregar su propiedad de Hannonville como una especie de fianza en vistas de los futuros juicios que se avecinaban. De camino hacia el exilio, el carruaje de Calonne se vio rodeado a menudo por turbas hostiles o burlonas que llegaron casi al límite de la violencia física contra su persona.

Calonne fue el primero de una larga serie de políticos franceses que caerían víctimas de su propio «aventurismo». Sin embargo, sería un gran error despacharlo como un mero lastre liviano, que aprovechó temerariamente la crisis financiera para obtener ventajas inmediatas. En realidad, fue el primer hombre público que comprendió las consecuencias políticas de dicha crisis y el cuadro que trazó para beneficio de los notables, en donde proyectó una gran cesura en la historia francesa, fue, pese a toda su doblez, absolutamente válido. El lenguaje en que habló y su visión de lo que vendría fueron, en otras palabras, más importantes que la cuestión de los motivos que le indujeron a esa declaración. Después de Calonne, ya todo era posible.

En una actitud típica, continuó realizando sus apuestas. A partir del erróneo supuesto de que su exilio no duraría mucho (en realidad, fue casi el preludio de un exilio posterior que le llevó fuera de Francia), Calonne realizó algunos arreglos con vistas a su regreso a la sociedad parisiense. El mismo día de su desgracia preguntó en un monasterio situado en la rue Saint-Dominique, cerca de la casa del propio Calonne, si estaban dispuestos a alquilarle espacio suficiente para guardar mil botellas de vino. Nunca regresaría para degustar su tesoro.

7

Suicidios (1787-1788)

La revolución en la casa vecina

En el verano de 1787 uno podía viajar dos días desde París hacia el nordeste y caer en mitad de una revolución. El marco de esta agitación era engañoso: las plazas rodeadas de casas con techos a dos aguas y los plácidos canales de la República Holandesa, los mismos lugares que durante mucho tiempo habían sido la expresión de la estabilidad política. Y el elemento de violencia espontánea y, después, organizada que sería la seña de identidad de la Revolución francesa faltaba en general en Holanda. En Ámsterdam no habría carros cargados de aristócratas condenados, ni cestos con cabezas cortadas; pero no por eso la agitación política neerlandesa durante la década de 1780 fue menos revolucionaria. Utrecht, Leiden y Haarlem estaban patrulladas por regimientos de la milicia de ciudadanos armados: el Cuerpo Libre desfilaba y se ejercitaba bajo estandartes que decían «Libertad o muerte», participaba durante el día en ceremonias en las que se tomaba juramento y, por la noche, se reunía alrededor de las hogueras patrióticas. En una gran asamblea celebrada en Leiden, en 1785, miles de estos milicianos patriotas se reunieron para jurar un «acta federativa» que los unía en la defensa común.

¿A qué se comprometían? En la plaza principal de Utrecht se había erigido un Templo de la Libertad para proclamar la derrota de las dinastías y la aristocracia, y la victoria de la representación. Y en la misma ciudad, el Cuerpo Libre había usado su fuerza para movilizar a las multitudes contra el régimen patricio vigente en el ayuntamiento. En su lugar, se instalaron los «representantes del pueblo» elegidos directamente, así como los oficiales de la propia milicia. Un manifiesto radical, publi-

274

cado en Leiden en 1785 y que recuerda mucho tanto a la declaración de Independencia estadounidense como a *El catecismo del ciudadano*, del abogado bordelés Saige, destacaron la misma idea (incluso más enérgicamente). Decían que «la libertad es un derecho inalienable de todos los ciudadanos de la comunidad. Ningún poder sobre la tierra, ni mucho menos un poder derivado realmente del pueblo [...] puede cuestionar o impedir el goce de esta libertad tan deseada». Asimismo, «la Soberanía reside solo en el voto del pueblo».

En un periodo de cinco años, la política de Holanda había pasado explosivamente del dominio de una élite cortésmente circunscrita a una actividad masiva caótica e impulsiva. Una prensa extremista y sin censura estaba dirigida a un público lector formado por tenderos y miembros de las pequeñas profesiones. Los dos semanarios más populares, el *Post van Neder Rijn* y el *Politieke Kruijer*, llegaban por lo menos a cinco mil lectores con cada número. Sus páginas denunciaban al príncipe Guillermo V de Orange como un imbécil alcohólico y a su esposa prusiana como una arpía altanera. Y antes de que pasara mucho tiempo, los enemigos señalados incluyeron a los contumaces «aristócratas» (las tradicionales clases «regentes» de las ciudades) que intentaban preservar sistemas de nepotismo y de oligarquía en el Gobierno local. Los esfuerzos dirigidos a amordazar la franqueza de la prensa patriota solo consiguieron que sus editores y directores, de la noche a la mañana, se convirtieran en héroes populares. Hespe, director del *Kruijer*, en Ámsterdam, cultivó su fama como prisionero político encargando la impresión de tarjetas de visita que mostraban un conjunto de grilletes rotos como emblema personal. La inventiva pasaba de la página impresa al mundo de las imágenes: las caricaturas que ponían en la picota a los orangistas y a los «aristócratas» y las caricaturas contrarias destinadas a denigrar a los patriotas circulaban en los cafés y en las tabernas. Los establecimientos rivales adornaban sus instalaciones y carteles con emblemas adecuados: el árbol y las cintas de Orange en el caso de los partidarios del Stadtholder; la escarapela negra y el *keeshond* patriota en el caso de sus contrarios. El tono de estas disputas podía ser agresivo y de mal gusto: un grabado patriota mostraba al *keeshond* con la pierna levantada contra el árbol de Orange. Incluso la vida familiar se retraía ante la ofensiva de los lemas. Las cajas de rapé, las copas grabadas, los jarros de cerveza, la vajilla de porcelana, todos estaban cubiertos con lemas partidistas. Incluso las tablas de hornear y las fuentes para preparar púdines se encontraban tallados de modo que las hogazas y los púdines sobresaliesen ostentando las insignias apropiadas del partido de la familia.

Esta saturación de la vida cotidiana por los elementos de la disputa política anticipaba directamente la atmósfera de la Revolución francesa. Había muchas otras semejanzas: la transferencia del sentimiento patriótico del príncipe a los ciudadanos, la atribución de oscuros propósitos extranjeros a la esposa del príncipe, la creación de clubes para «educar» a la gente en sus derechos y la importancia otorgada a las ceremonias y desfiles públicos que venían a poner en escena la «libertad armada». Y aunque el conflicto había comenzado como una protesta contra el poder del Gobierno del Stadtholder en el control de las designaciones locales, los medios radicales utilizados para impulsar esas reclamaciones habían originado a su vez nuevas metas. Después de atacar a la casa de Orange, los periodistas y los jefes del Cuerpo Libre se habían vuelto bruscamente contra la totalidad del sistema tradicional de designaciones aplicado en los Países Bajos, que determinaba que los «regentes» fuesen nombrados con carácter vitalicio y reemplazados por miembros cooptados de la misma camarilla. Contra esta «aristocracia», descrita en los estudios más controvertidos como «una monstruosidad gótica» y una «tiranía», el sistema democrático de elecciones directas y frecuentes vendría a depurar teóricamente la política neerlandesa y a reconstruir la república con el vigor que se atribuía a sus orígenes.

Aunque la retórica patriótica neerlandesa se expresaba sobre todo en el lenguaje habitual de los derechos universales, corriente a finales del siglo XVIII, en esta revolución en miniatura, sin duda, había muchas cosas que debían parecer extrañamente provincianas al visitante francés. En las apelaciones a la memoria de los héroes muertos, como el almirante de Ruyter y Johan de Witt, ese visitante habría descubierto ecos del pasado más que presagios del futuro. Todo el asunto le habría parecido más una riña entre facciones que una guerra entre la «aristocracia» y la «democracia». Sin embargo, aunque los tumultos de los patriotas nunca recibieron por parte del Gobierno francés un tratamiento que de algún modo pudiera parecerse a la gravedad atribuida a los asuntos estadounidenses, hubo complejos aspectos en que el destino de cada uno de los dos países se interrelacionó con el del otro.

Desde la guerra estadounidense, la República Holandesa había sido una aliada y un ingrediente importante, aunque poco efectivo, de la coalición antibritánica organizada por Vergennes. Asimismo, el mercado de capital de Ámsterdam se había convertido cada vez más en una fuente esencial de préstamos a corto plazo y anualidades, gran parte de ellos suministrados mediante sindicatos que, a su vez, manifestaban simpatías patriotas más que orangistas. Como la casa de Orange era tradicionalmente probritánica, cuanto más graves fueran sus aprietos, mayores serían las probabilidades de poner en su lugar un régimen patriota francófilo. Sin embargo, esta oportunidad de oro no carecía en absoluto de riesgos. El enfrentamiento en la República Holandesa estaba convirtiéndose rápidamente en toda una guerra civil. A medida que las tácticas de lucha en las calles fueron más duras, el nivel de alarma en Versalles, por su parte, se elevó. Un enviado francés llegado de Holanda informó de que «la agitación ha realizado allí aterradores progresos y, si no se detiene, cabe temer que provoque una explosión que tendrá incalculables consecuencias».

Sin embargo, la militarización del conflicto se acentuó en la primavera de 1787. En mayo se libró la primera batalla campal, aunque a pequeña escala, cerca de Utrecht, donde los patriotas se llevaron la mejor parte. A finales de junio, la princesa Guillermina fue apresada por guardias patriotas, mientras intentaba pasar del baluarte orangista de Gelderland a La Haya para reunir partidarios. Se la sometió a un arresto riguroso y poco digno cerca del límite oriental de la provincia de Holanda. Su hermano, el rey de Prusia Federico Guillermo, se ofendió ante esta humillación y, presionado por el embajador británico, preparó una invasión.

¿Qué podía hacer Francia en esta crisis? Luis XVI no ocultaba su aversión hacia la conducta de los patriotas holandeses y no deseaba intervenir en su defensa. Antes de su muerte, sobrevenida en febrero, Vergennes había aclarado que la satisfacción que podía obtenerse descalabrando la influencia británica no podía interpretarse como un respaldo a la insurrección. Sin embargo, pese a estas reservas en Holanda, sin duda, se tenía la impresión de que Francia utilizaría su propio poder militar para equilibrar y disuadir la amenaza de una intervención angloprusiana. Y en Francia había voces, algunas célebres y elocuentes, que proclamaban que la causa de la libertad era una tan patente en Ámsterdam y Utrecht como lo había sido en Boston y en Filadelfia. Mirabeau (con la bendición de su más reciente protector, el duque de Orleans) había publicado un llamamiento *A los batavianos*, para denunciar la vileza del partido de Stadtholder. Y por su parte, Lafayette se apresuró a cabalgar hacia la frontera con Holanda con la esperanza de que se le designase comandante de las tropas patriotas, y descubrió, con disgusto, que se había otorgado ese puesto a un mercenario incompetente, el Ringrave de Salm.

El dilema de la política francesa era grave. Si no se hacía nada para prevenir una invasión prusiana, la credibilidad del poder y la autoridad de Francia sufrirían una desastrosa humillación casi a las puertas de Francia. Una presencia militar simbólica, así como los rumores de movilización, podían bastar para provocar un efecto disuasorio, pero, si se aceptaba el desafío, la elección entre la guerra y la capitulación sería incluso más exasperante. Sin embargo, la guerra en defensa de una causa rechazada por el rey parecía igual de absurda. En este caso, el dinero constituyó el factor decisivo. Aunque los ministros del Ejército y la Marina, Ségur y De Castries, respectivamente, consideraban indecoroso poner precio al honor y a la integridad de Francia, se vieron desbordados por el nuevo jefe del ministerio, Loménie de Brienne. Este resucitó el vaticinio de Turgot sobre los costes de la guerra estadounidense y, fortalecido por las desalentadoras lecciones que manaban de la visión retrospectiva, advirtió que cualquier clase de acción militar provocaría de inmediato la bancarrota del Estado. «Pas un *sou*» fue el crudo mensaje transmitido desde Versalles al embajador francés en La Haya.

Los británicos y los prusianos no necesitaron mucho tiempo para descubrir que los rumores de una concentración de treinta mil soldados franceses en la frontera meridional de la República Holandesa no eran más que una mera invención. Pese a todas las poses adoptadas por las milicias de ciudadanos, la resistencia armada de los patriotas se derrumbó ante las tropas prusianas y, en el plazo de un mes, los granaderos prusianos del duque de Brunswick habían llegado a Ámsterdam y a La Haya. Millares de patriotas amargados huyeron a Francia, donde aumentaron la carga de la deuda francesa al reclamar (y recibir) pensiones como honrados refugiados. Lafayette se lamentó en público por el honor manchado de Francia, que había rayado a gran altura en América y había caído en Holanda.

Lo que la crisis neerlandesa había logrado era mostrar la falta de credibilidad del poder francés y lo había hecho con una franqueza brutal. Parecía que las cosas habían llegado a tal punto que, mientras no se adoptasen medidas drásticas, Francia no podría permitirse una política exterior acorde con su condición de gran potencia. La exclusión de la alternativa militar por parte de Brienne fue el triste reconocimiento de que la monarquía ya era el rehén del déficit. También significaba que la monarquía jamás recuperaría su libertad de acción mediante cualquier tipo de paliativos. Llevando el razonamiento un poco más lejos, resultaba claro que, a partir de este difícil momento, el absolutismo tradicional había muerto. Quedaban solo dos alternativas y ninguna de ellas tenía posibilidades de devolver a la corona francesa la plenitud del poder de la que había gozado durante la época de Luis XIV. La primera era la reforma desde arriba, con la radicalidad necesaria para avivar el apoyo popular, lo que permitiría al menos a la corona preservar la iniciativa en la reforma de la Constitución. La segunda, y más inquietante, era una especie de abdicación autoimpuesta en la que la autoridad del Estado sería transferida de la corona a un modelo u otro de régimen casi parlamentario dejado en manos de los Estados Generales. En 1787, algunos observadores creyeron que esto ya había sucedido. Al informar acerca de una asamblea particularmente quisquillosa de los notables, Du Pont de Nemours comentó que

> el 1 de mayo Francia aún era una monarquía y la primera en Europa. El 9 de mayo [...], Francia se convirtió en una república en la cual perdura un magistrado adornado con el título y los honores de la realeza, pero obligado a reunir siempre a su pueblo para pedirle que solvente sus necesidades, en relación con las cuales el ingreso público sin este nuevo consentimiento nacional será siempre inadecuado. El rey de Francia se convirtió en un rey de Inglaterra.

Sin embargo, no todos estaban dispuestos a aceptar que el Antiguo Régimen de hecho había muerto de inanición. Toda la historia de su último y excepcional Gobierno, el de Loménie de Brienne, equivalió a una obstinada defensa de las posibilidades del absolutismo ilustrado. Y más adelante, su derrota fue el reconocimiento de que la representación era la condición de la reforma y no a la inversa.

El último Gobierno del Antiguo Régimen

Para sobrevivir, la monarquía francesa necesitaba tanto una reforma decidida como una política hábil. El Gobierno de Loménie de Brienne obtuvo una medida exacta del primer aspecto y absolutamente nada del segundo. Esto fue aún más sorprendente porque Brienne era una figura de la oposición reclutada para legitimar las reformas que él había criticado en la Asamblea de Notables. Sin embargo, tan pronto como este hombre independiente se convirtió en miembro del régimen, también él cayó víctima de la premisa tradicional según la cual el Gobierno y la política eran mutuamente incompatibles. Desde el punto de vista del Gobierno, la política había venido a significar la oposición y esta última era sinónimo de bloqueo. Por tanto, la reforma debía imponerse rechazando ese bloqueo, en lugar de realizarse mediante la cooperación.

En realidad, Brienne no era un hombre rotundamente hostil al Gobierno representativo, ni siquiera a los Estados Generales. En el otoño de 1788 se comprometió con el Gobierno a convocarlos y prometió que se reunirían como muy tarde hacia 1792. Sin embargo, dadas las condiciones manifiestamente catastróficas de las finanzas francesas, Brienne se resistió a esperar a los Estados Generales para salvarlas. El dinero, primero, las elecciones, después, fueron sus prioridades para abordar lo que percibía (no sin razón) como una crisis nacional. (Después de 1789, los Gobiernos de la Revolución llegarían más o menos a la misma conclusión.)

Muchas de sus dificultades provinieron de las expectativas públicas frustradas. Brienne había llegado al poder como beneficiario de la deshonra de Calonne. Hubo un breve interregno en que el anciano Bouvard de Fourqueux fue designado interventor general, pero justo porque se le consideraba miembro del séquito de Calonne continuó pareciendo despreciable a ojos de los notables. En cambio, Brienne pareció que era aceptable para todos. La reina (en una actitud que parece un tanto improbable, en vista del rápido ataque del ministro a las sinecuras y los gastos de la corte) apoyó con entusiasmo las reclamaciones de Brienne ante su esposo. El clero, que había demostrado muchísimo nerviosismo por los planes de Calonne de atacar sus exenciones fiscales, se mostró muy complacido de ver en el alto cargo a un arzobispo de Toulouse. Y la opinión pública supuso que, en adelante, Brienne evitaría todo lo que fuese un procedimiento arbitrario y que ejecutaría reformas mediante la consulta y la representación. Cuando el rey habló a los notables, el 23 de abril, repitió en esencia las posiciones del propio Brienne en una serie de cuestiones importantes. «Jamás un rey de Inglaterra dijo verdades más populares o usó un lenguaje más nacional», fue el veredicto del arzobispo de Aix.

No todos estos supuestos se vieron refutados. En el cargo, Brienne corrigió el impuesto agrario de Calonne exactamente como él había recomendado en su condición de notable. En lugar de un impuesto proporcional recaudado en especie, que aumentaba al mismo tiempo que la producción, Brienne redefinió el impuesto como una suma determinada de dinero, que se fijaría anualmente según las necesidades de ingresos. Ese monto sería dividido en plazos, de modo que la persona imponible tendría una idea clara de su pasivo año tras año. Esta norma eliminó de golpe lo que se había difundido como el carácter funesto y en permanente expansión del gravamen. También adoptó el punto de vista de los notables, que era extender a todos los sectores de la población (y no solo a los que antes estaban sometidos al *corvéable*) el impuesto que debía reemplazar a la *corvée*, es decir, el servicio obligatorio de fuerza de trabajo para el Estado. Otros aspectos de la agenda de Calonne, por ejemplo el establecimiento del libre comercio del cereal y la creación de una unión aduanera, no eran temas controvertidos y se incorporaron al programa del nuevo Gobierno.

Cuando los notables pudieron inspeccionar los libros oficiales, la sombría situación anunciada por Calonne ya no se vio como un acto egoísta de publicidad. Era una desalentadora realidad, con un déficit corriente de ciento cuarenta millones de libras (de acuerdo con una revisión posterior, más de ciento sesenta y uno). La magnitud de esta crisis llevó a Brienne a confiar en que, a diferencia de su predecesor, podía promover una especie de consenso patriótico que indujese a tragar el severo medicamento fiscal. Más aún, la administración que formó alrededor de su persona para cumplir sus compromisos en el campo del ahorro y las rentas poseía una enorme calidad que iba más allá de las meras cualidades intelectuales y administrativas. Es cierto que se trataba de un grupo muy unido de amigos y hasta de parientes. A Lamoignon, primo de Malesherbes, lo convenció Brienne de la conveniencia de abandonar su botánica en favor del bien público, para convertirse en guardián de los Sellos. La Luzerne, sobrino de Malesherbes, fue ministro de Marina tras la renuncia de De Castries, debido a la crisis neerlandesa, y el propio hermano de Brienne fue su equivalente en el Ministerio del Ejército.

Sin embargo, en un principio el Gobierno no fue acusado de ser una camarilla familiar. Esto respondía, en parte, a la enorme reputación de integridad y capacidad de los miembros del Gobierno. Chrétien-François de Lamoignon había sido uno de los presidentes más admirados y respetados del Parlamento de París y, por consiguiente, se suponía que era un vínculo útil con una magistratura muy conocida por su reticencia. Malesherbes continuaba siendo algo así como un héroe popular y, tan pronto como se incorporó al Gobierno, durante el verano de 1788, reanudó el programa de ahorro de la casa real que él mismo había iniciado bajo Turgot. Los castillos y las residencias superfluas fueron vendidos y, de ese modo, resultó posible ahorrar cinco millones de libras. Malesherbes incluso se ufanaba de haber entrado en el ámbito más sagrado de la corte, la caza, con la eliminación de cuadrillas enteras de halconeros, cazadores de lobos y batidores de jabalíes. Mediante la fusión de los grandes establos reales con los pequeños, ahorró de dos a cuatro millones de libras, aunque, con esta actitud, desafió mucho a la reina, que vio despedido a su favorito, el duque de Coigny. Las oficinas del servicio postal, creadas como sinecuras para beneficio del clan Polignac, fueron abolidas sin mayores trámites y las pensiones concedidas a personas menores de setenta y cinco años (una conocida fuente de abusos) fueron reducidas sustancialmente.

Todos estos hechos ayudaron a hacer creíble la pretensión del Gobierno según la cual este actuaría con severidad en favor del bien general. Y el propio Brienne había afianzado su propia reputación de independencia gracias a su franca crítica como notable. Procedía de un círculo de cultísimos prelados (como Dillon de Narbonne y Boisgelin de Aix), que combinaban el encanto y el refinamiento mundanos con un enorme rigor intelectual. Aunque padecía una enfermedad de la piel que le desfiguraba y que, a menudo, convertía su cara en una masa de piel y tejido desprendidos, se consideraba a Loménie de Brienne un hombre agradable y cordial: tan inteligente como Calonne, pero sin su vanidad o su carácter tortuoso. Solo el dramaturgo Marmontel, que actuó en una comisión destinada a trazar un plan nacional de educación, creía que «su alegría es demasiado inquietante y su semblante demasiado calculador, de manera que no inspira confianza».

Brienne no deseaba que se le considerase solo como un arquitecto del rescate fiscal, pese a que esa cuestión era decisiva. Creía que la legitimidad de su Gobierno dependía de que se le viese como una administración reformadora que llegaría a muchas áreas diferentes de la vida francesa. Apremiado por Malesherbes (que, a su vez, estaba presionado por su amigo el pastor Rabaut Saint-Étienne), se abordó el problema de la emancipación de los protestantes, lo que no era poco en el Gobierno de un arzobispo de la Iglesia galicana. Rabaut había confiado en la posibilidad de una emancipación completa, es decir, el derecho público de los protestantes a practicar su confesión y hasta a celebrar públicamente su culto en capillas. También propuso que, en adelante, los cargos públicos estuviesen abiertos a los protestantes. Eso era empujar a Luis XVI (que, durante la coronación, había jurado «extirpar al hereje») más lejos de lo que él estaba dispuesto a ir. Aún, durante cierto tiempo, los púlpitos portátiles y plegables continuarían siendo el equipo habitual de los pastores viajeros; pero la medida aprobada, en efecto, despenalizaba la «herejía» y permitía que se inscribieran oficialmente los matrimonios, los nacimientos y las muertes, así como que los miembros de la Iglesia reformada practicaran los oficios y las profesiones. Un siglo después de la revocación del edicto de Nantes, los hugonotes habían recobrado al fin la condición de personas civiles.

Con el mismo espíritu de liberalismo judicial, se abolieron los procedimientos que aún persistían y que determinaban el empleo de la tortura para obtener información acerca de los cómplices. La bota malaya, las empulgueras y los caños de agua se unieron así a la quema general de anacronismos que ardió para gozo de todos durante el último año de la antigua monarquía. Un comité presidido por el parlamentario (y futuro revolucionario) Target también recomendó una obligatoria paralización de la ejecución de todas las sentencias de muerte, para permitir una posible revisión e indulto real, aunque la medida en definitiva fue inaceptable para el propio parlamento de Target. También la administración de las cárceles —alojamiento y ropa— se convirtió en tema de una consulta orientada hacia la reforma.

El más extraordinario de todos los colegas de Brienne no fue, en realidad, un ministro, sino una figura en quien de todos modos el poder político y la autoridad intelectual se concentraban de un modo casi inquietante. Era Jacques, conde de Guibert: crítico teatral, galardonado por la Académie Française y, hasta Clausewitz, el escritor militar más influyente de Europa. A los cuarenta y tres años era uno de los grandes prodigios de la vida intelectual francesa. Dominado a veces por sombríos accesos de agria melancolía romántica, Guibert sobresalía ante el público y desconcertaba a la audiencia con su dominio enciclopédico de la ciencia, de la filosofía y de la literatura. «Su conversación —escribió Germaine de Staël, hija de Necker (una persona que no se impresionaba fácilmente)— era la más amplia, vivaz y fértil que jamás he conocido.»

Guibert había afianzado su reputación dieciséis años antes, con su obra *Ensayo sobre la táctica*. Ese profético y magnífico documento había previsto con escalofriante clarividencia la época en que la guerra ya no sería un elegante deporte de los reyes, en que los ejércitos no se alinearían cortésmente en pulcras líneas de infantería, según el modelo racional de Federico el Grande. Guibert pronosticó en cambio el despliegue a gran escala de ejércitos de reclutas, embarcados en guerras de ideología nacional en las que las distinciones entre civiles y soldados se desdibujarían y el escenario del conflicto se ampliaría de forma brutal para ocupar no solo zonas bien conocidas de combate, sino también regiones y países enteros. En consecuencia, Guibert reorganizó la logística, la artillería de campo y la ingeniería militar, y subrayó la movilidad, la irregularidad y la adaptabilidad: los pecados capitales de los antiguos reglamentos. En marzo de 1788, reagrupó los regimientos de caballería e infantería en brigadas combinadas que, después, fueron entrenadas juntas de forma intensiva y adiestradas para el combate. Por tanto, no resulta sorprendente que Guibert, una figura extraída del riñón del «Antiguo Régimen», fuese (como Napoleón reconocería sin rodeos) el auténtico arquitecto de la hegemonía militar francesa durante los siguientes años.

«Supongamos», escribió en un pasaje muy citado entonces y después,

la aparición en Europa de un pueblo que, a las virtudes austeras y a un ejército ciudadano, añadiera un plan predeterminado de agresión, que se atuviera a este y que supiera cómo dirigir económicamente la guerra y vivir a expensas del enemigo [...], un pueblo así sometería a sus vecinos y derrocaría nuestra débil Constitución como un vendaval doblega las cañas.

Oficialmente Guibert estaba subordinado al ministro del Ejército, el conde de Brienne (hermano menor de Loménie), que sucedió a Ségur cuando este renunció debido a la crisis neerlandesa; pero, en realidad, Guibert era quien ejercía directamente el control por medio de la creación de una nueva junta militar de nueve hombres, en la que se combinaban los oficiales en servicio con los administradores y con los estrategas; es decir, una especie de embrionario estado mayor general. Convencido de que, en realidad, podía ahorrar dinero al mismo tiempo que confería más eficacia al ejército, Guibert cerró la École Militaire de París, de la que, durante mucho tiempo, había sospechado que era más una aristocrática escuela privada que un importante centro de entrenamiento. La reemplazó con doce escuelas provinciales, generosamente dotadas con becas destinadas a ayudar a los hijos de los hacendados. Bonaparte fue alumno de una de estas instituciones, algo muy adecuado para Brienne. La propia casa militar del rey, otra institución decorativa, también fue suprimida y se estableció que los cargos honoríficos de coronel-general, reservados para la familia real, desaparecerían a la muerte de cada titular. Además, Guibert redujo drásticamente el número total de miembros del cuerpo de oficiales, convencido de que su exceso había devaluado el sentido del rango y había debilitado la cadena de mandos. Y lo que es más significativo, el mecanismo que propiciaba la corruptela de los abastecimientos militares, algo sobradamente conocido, fue retirado del control de los contratistas privados y puesto bajo la administración directa del Estado (otra de las innovaciones mantenidas durante la Revolución).

Con estas y otras reformas, Guibert consiguió ahorrar alrededor de treinta millones de libras. Utilizó este ahorro para aumentar el sueldo del soldado raso, que se había desplomado hasta alcanzar una situación de penuria. Sin embargo, sería erróneo representar a Guibert como un ilustrado de armas. Al mismo tiempo apareció su rasgo más sombrío. En todo caso, imprimió a las medidas disciplinarias del código militar más, y no menos, crueldad, aunque determinó que fuesen mucho menos arbitrarias. Tampoco puede afirmarse de Guibert que fuese un partidario de la igualdad social. Por el contrario, si bien estaba dispuesto a aceptar la presencia de jóvenes inteligentes de las clases medias y las profesiones en cargos de artillería e ingeniería, creía que el grueso principal del cuerpo de oficiales debía provenir de la nobleza. Aunque parezca paradójico, esta actitud no se contradecía con su visión de un ejército reorganizado sobre la base de los ciudadanos. Lo que él deseaba eliminar del ejército era la ética del dinero para reemplazarla con un ideal neorromano de entrega patriótica y de valentía. Asociaba estos valores con una nobleza transformada: una nobleza que no estuviera definida por el privilegio y, por supuesto, tampoco por la riqueza, sino más bien por una estricta profesión de devoción al servicio del Estado.

Muy pocos aspectos de este programa estaban destinados a aumentar la simpatía de los soldados profesionales, oficiales o de tropa, hacia Guibert. Los primeros no apreciaban la brusca manipulación de la independencia de sus regimientos y mucho menos su puritana actitud hacia los ascensos. Por lo que se refiere a los soldados rasos, la alegría por los aumentos de sueldo se veía contrarrestada por los severos castigos codificados en los nuevos reglamentos. Por otra parte, los estrategas de la vieja escuela no tenían muy buena opinión sobre los absurdos conceptos de Guibert referidos a la guerra sin barreras y a la diabólica destrucción de un enemigo debilitado. El efecto general de sus reformas fue inquietante, quizá incluso, a corto plazo, desmoralizador. Guibert poseía un temperamento auténticamente revolucionario encerrado todavía en la estructura del Gobierno real.

Cuanto más visionarias eran las reformas del Gobierno de Brienne, menos agradaban estas al público. La emancipación de los protestantes resultó ser muy impopular y provocó manifestaciones callejeras en las regiones con mayor número de devotos en Francia, en el oeste y sudeste. (Continuaría siendo uno de los grandes motivos de división durante la Revolución.) Las asambleas provinciales, una de las propuestas de Calonne mantenidas por Brienne, que fue aplicada durante los años 1787 y 1788, habían sido concedidas como un ejercicio de restitución. Sin embargo, en gran parte de Francia (aunque, de ningún modo, en todo el país) fueron estigmatizadas como juguetes en manos del Gobierno: los instrumentos de sus medidas impositivas.

Ni la gravedad de la crisis financiera a finales de la primavera de 1787 ni la reconocida excelencia de las reformas oficiales bastaron para desarmar las objeciones políticas, que habían llegado a ser insuperables, al procedimiento tradicional del Gobierno. La Asamblea de Notables concebida por Calonne como un modo de soslayar la oposición, al tomar en serio su propia existencia, dio un vuelco a las prioridades tradicionales. Ahora se exigía la representación del consentimiento, pero no como un auxiliar del Gobierno, sino como su condición para poder funcionar. Y al llevar su caso ante el público —literalmente, ante los púlpitos del clero—, Calonne había convertido la política en un tema que merecía la atención nacional. Una vez abierta, de ese modo, la caja de Pandora, resultó imposible cerrar la tapa y el Gobierno de Brienne naufragó con respecto a los mismos asuntos que habían descalabrado a su predecesor. Si bien los notables estaban dispuestos a autorizar préstamos para salvar al Gobierno de la inminente bancarrota y a aceptar que se llevaran a cabo las reformas económicas, en la cuestión de la ley agraria, así como en la del impuesto sobre la transmisión de fincas que complementaba aquella, se mostraron inflexibles. Solo los Estados Generales tenían la autoridad necesaria para conferir carácter legal a dichas medidas. Enfrentándose a esta actitud reticente, Brienne disolvió el organismo el 25 de mayo.

Ahora, sus alternativas eran completamente obvias. Podía transformar la monarquía en un régimen representativo mediante la convocatoria de los Estados Generales, con la esperanza de que esto generaría la confianza pública necesaria —y, por tanto, el ingreso de fondos públicos— para afianzar al Gobierno; o podía tratar de imponerse a la presumible oposición de los parlamentos a la nueva política impositiva mediante una mezcla de incentivos y amenazas. Los peligros de ambos programas parecían claros, pero, durante el verano de 1787, no se veía con nitidez cuál era el modo de actuar que permitiría resolver, más que complicar, la decisiva cuestión del crédito. Y en un momento en que podía haberse esperado que el propio monarca aportase cierta dirección, el rey se había zambullido en un mundo de compulsiva alternancia entre la cacería y las comilonas, entre las matanzas y la gula. En cierta ocasión, le vieron llorando y gimiendo a causa de la desaparición de Vergennes; pero, en el marco de esta neurótica impotencia, era incuestionable, a los ojos de Brienne, que Luis no estaba dispuesto a aceptar el tipo de régimen constitucional que permitiría llegar a la reforma por medio del consenso.

De manera que solo quedaba el camino del enfrentamiento.

EL CANTO DE CISNE DE LOS PARLAMENTOS

La Asamblea de Notables fue un extraordinario ejemplo de un grupo seleccionado por su capacidad de acatamiento que descubría en cambio el placer de oponerse. Cuanto más ruidosas eran sus quejas, con más entusiasmo se aplaudían en panfletos y octavillas. Los perritos falderos del Gobierno se habían convertido en los terriers del pueblo. Muchos de los magistrados provinciales, consejeros municipales y obispos que habían acudido a Versalles con una actitud, al menos, neutral con respecto al problema de la reforma impositiva comprobaron que, mediante el simple bloqueo, podían ejercer más poder del que hubieran podido soñar jamás. Por tanto, su incorporación a la vida política se definió como una oposición más que como una cooptación (incluso cuando los notables fueron destituidos, persistió esta actitud de creativa agresividad).

El primer obstáculo con el que tuvo que enfrentarse el programa del Gobierno fue el Parlamento de París. Cuando la administración de Brienne presentó sus propuestas a ese tribunal, en mayo y junio de 1787, el Parlamento engrosó sus filas y adoptó la forma del Tribunal de Pares. Esta expansión incluía una serie de pares legos del reino, muchos de los cuales habían sido notables (como pasaba en el caso de los magistrados relevantes). La intensidad de la oposición parlamentaria no era una actitud preestablecida, pues el tribunal (al igual que los nuevos pares) comenzaba a dividirse internamente con respecto a la cuestión de los costes políticos de la oposición. El presidente D'Aligre, que representaba a los magistrados de más edad (dentro de la profesión, los más encumbrados), había sugerido de hecho a Brienne que podría esperarse un grado de cooperación por parte del tribunal a la hora de registrar los préstamos y en algunos de los elementos principales de la agenda de los notables que habían permanecido sin solución, sobre todo el asunto de la unión aduanera y el restablecimiento de la libertad del comercio de cereales. Y así sucedió al principio. Incluso las asambleas provinciales, miradas con profunda sospecha como anexos del Gobierno, más que como organismos deliberadores realmente libres, no lograron formar una oposición unida con los parlamentos provinciales. Sin embargo, D'Aligre, y sus colegas favorables al Gobierno, como, por ejemplo, Séguier, se vieron enfrentados con otros dos grupos del tribunal, los mismos que utilizaron la fuerza meramente retórica para apoderarse de la iniciativa política y estigmatizar la colaboración con el Gobierno como una traición a la tradición parlamentaria.

Lo que empeoró aún más todo fue que el más impresionante de estos dos grupos procedía de las más elevadas jerarquías de la magistratura. Estaba encabezado por Jean-Jacques D'Eprémesnil, una figura re-choncha cuya mordaz elocuencia compensaba con creces su escasa esta-tura. La posición de D'Eprémesnil era conservadora, incluso reaccionaria; pero eso no afectaba su popularidad. Por el contrario, quizá la aumentaba, pues gran parte de lo que habría de representar el sentimiento revolucio-nario tomaba su fuerza de la reacción herida, más que de un progresismo de elevadas miras. La retórica de D'Eprémesnil era una vuelta a la resis-tencia contra el canciller Maupeou y el interventor general de Luis XV. Reiteró su habitual punto de vista: los parlamentos tenían la responsabili-dad de defender las «leyes fundamentales» de Francia contra los designios ministeriales que apuntaban contra las «libertades populares». Sin embargo, D'Eprémesnil tenía planes más ambiciosos de reconstrucción constitu-cional y los formulaba escuetamente con la frase «desborbonizar Fran-cia». Deseaba llevar la discusión más allá de las fronteras de la resistencia a los decretos ilegales y presionar en cambio en favor de una participa-ción favorable en la elaboración de las leyes; de hecho, se trataba de una redefinición de la soberanía. En 1777, ya había aclarado que este no era el papel de los parlamentos. En todo caso, la oposición que actuaba en ellos debía comportarse como la comadrona de los Estados Generales, a quie-nes correspondía realmente esa responsabilidad en la creación de nuevas leyes. Esta era su posición diez años más tarde. Brienne supuso quizá que la gravedad de la crisis financiera convencería a oradores como D'Epré-mesnil de la conveniencia de mantener en suspenso esta postura (por lo menos hasta que la crisis hubiese pasado). Sin embargo, los leones del Parlamento no tendían a demostrar mucha compasión política. Por el contrario, creían que el aprieto en que se hallaba el Gobierno les ofrecía una oportunidad única para imponer el fin del absolutismo. Desde luego, sería una revolución, pero no sangrienta, sino legal: una versión francesa de la Gloriosa Revolución de 1688.

El inconveniente de este vaticinio era que no todos los que, por el momento, se sumaban a la oposición de D'Eprémesnil compartían esa creencia. Un grupo de abogados más jóvenes y más agresivamente radi-cales de los parlamentos (entre ellos, Hérault de Séchelles y su amigo Lepeletier de Saint-Fargeau) creía que los Estados Generales no eran un fin, sino el comienzo de una nueva Francia. Este grupo, dirigido por Adrien Duport de Prelaville, de veintiocho años, era minoría en el sector de altos magistrados de la Grand' Chambre, pero tenía el apoyo de un núcleo mucho más nutrido y ruidoso formado por los abogados y los procuradores de los tribunales menores, los *maîtres d'enquêtes*. El propio Duport había ocupado el cargo de consejero de la Grand' Chambre a la temprana edad de diecinueve años, era amigo de Lafayette y había convertido su casa en la rue du Grand Chantier en centro de discusión acerca del futuro político de Francia. En Chez Duport (suprimió el aristocrático «de Prelaville» para identificarse con el Tercer Estado en 1788), no se hablaba de los privilegios tradicionales y de los antiguos Estados, sino, más bien, de una soberanía existente en la ciudadanía. Muchos de estos argumentos radicales habían sido formulados en *El catecismo del ciudadano*, de Saige, una obra muy leída que mereció una nueva edición en 1788. A juicio del grupo de Duport, esta nueva soberanía debía adoptar la forma de una representación nacional, y por «nacional» entendían, necesariamente, contraria al privilegio, a la diferenciación y la separación de los órdenes sociales.

Mientras el propio Parlamento diera la impresión de ser el foco de la resistencia y, por tanto, el blanco de la fuerza oficial, los dos grupos se unirían en una demostración de solidaridad. Ambos estaban interesados en negar al Gobierno la posibilidad de aplicar sus programas sin pagar el precio de la restitución constitucional. Sin embargo, apenas se hubiese concedido ese precio y pasara a primer plano el tema de la representación, las diferencias se manifestarían con súbita y brutal claridad. En definitiva, esa diferencia separaría a los ciudadanos de los nobles, a los revolucionarios de los conservadores. El embajador británico en París advirtió de que, de un modo u otro, la campaña en curso sería en definitiva contraproducente. O los parlamentarios provocaban al Gobierno y este adoptaba un camino de drástica represión, o los parlamentarios cedían el lugar a instituciones más auténticamente representativas. En todo caso, se estaba ante «el último suspiro de las Cortes Soberanas». Y no todos los magistrados ignoraban lo que sucedía. Étienne Pasquier, que acabaría como canciller del Imperio napoleónico, pero que, en 1788, era un abogado joven e impresionable, recordó en sus memorias que

las cabezas serenas de la Grand' Chambre se sentían turbadas ante la perspectiva. Nunca pude olvidar lo que me dijo uno de esos viejos jueces mientras pasaba detrás de mi asiento y veía mi entusiasmo. «Joven, una idea similar fue planteada en tiempos de vuestro abuelo. —Y dijo entonces—:

Messieurs, este no es un juego de niños; la primera vez que Francia asista a los Estados Generales también presenciará una terrible revolución.»

Todas estas reservas quedaron enterradas por la energía de la retórica de D'Eprémesnil. El plan de Brienne dirigido a complementar los ingresos del impuesto agrario con un gravamen especial, el sellado, le sirvió por completo de pretexto a D'Eprémesnil. No solo fue un recordatorio inmediato del impuesto que había desencadenado la «causa sagrada» de la libertad en América, sino que, además, el orador parlamentario pudo presentarlo como una imposición que afectaría por igual a los grandes y a los humildes, hundiendo a los comerciantes, a los vendedores de libros, a los tenderos y a los artesanos bajo resmas de papel, y asimismo proporcionaría otro pretexto a la pesada mano del Gobierno, que presionaría sobre los ciudadanos indefensos. Acerca del asunto de las multas que debían aplicarse a los que fuesen descubiertos con sus papeles sin sellar, D'Eprémesnil ofreció una catarata de melodrama oratorio:

> Es cruel imaginar al ciudadano aislado viviendo en la más profunda soledad, al tranquilo comerciante trabajando para aumentar el comercio nacional [...], al discreto profesional consagrando sus esfuerzos al reposo de las familias; todos afrontando la abrumadora perspectiva de verse unidos por la misma cadena y sometidos, en el momento en que menos creían ser vulnerables [...], a multas cuyo peso arrastrará [...] tanto a los inocentes como a los culpables.

Gozando de su papel de defensor de los pobres y de los débiles, el 2 de julio el Parlamento rechazó directamente el impuesto sobre la transmisión de fincas. Dos semanas después, la ley agraria modificada corrió la misma suerte. Ahora resultaba claro para el Gobierno que la mayoría del Parlamento estaba dispuesta a frustrar todas las medidas que pudieran devolver al Estado la libertad de acción. De modo que fue inevitable un enfrentamiento. El 6 de agosto el rey convocó un *lit de justice* en el Parlamento. La Grand' Chambre estaba atestada y cientos de magistrados y de pares sudaban bajo sus togas a causa del intenso calor estival. A pesar del cariz teatral de la ocasión, Luis XVI interpretó demasiado literalmente la presencia del «lecho» ceremonial y se durmió al principio de la sesión, lo que obligó a Lamoignon a elevar la voz para amortiguar los ruidosos ronquidos reales que salían de debajo el dosel de una esquina. Dijo que le complacía que el Parlamento aceptara los principios definidos por los notables (pues, en efecto, había registrado los decretos acerca del comercio de cereales, la *corvée* y la unión aduanera). Las leyes impositivas, por tanto, serían registradas, en la forma tradicional, pues *le roi le veult*.

Un día después, D'Eprémesnil declaró que la aplicación de los decretos era ilegal y, por tanto, nula y sin efecto, opinión que fue formalizada en una gran queja. «El principio constitucional de la monarquía francesa —decía el texto— era que los impuestos necesitaban el consentimiento de los que tendrían que pagarlos.» El 10 de agosto el Parlamento pasó a un contraataque más enérgico y promovió la apertura de un juicio penal contra Calonne (que, a estas alturas, estaba a salvo en Inglaterra). Duport aprovechó la oportunidad para desencadenar un ataque feroz contra el desacreditado ministro. Se afirmó que él era la fuente del descrédito y de la corrupción pecuniaria, política y sexual. En efecto, se dijo que era un individuo tan perverso que el mero hecho de abstenerse de proscribirle constituía un respaldo tácito. La recriminación de Duport, apoyada en el polémico material que entonces circulaba y que habían redactado los publicistas Bergasse y Carra, constituyó un momento importante en la historia de la retórica revolucionaria. Era la primera vez que la acusación a un determinado político se convertía en un juicio general a la administración vigente y eso a pesar de que dicha administración no tenía nada que ver con la conducta del acusado. Esta incriminación por asociación sería un instrumento habitual de los grupos opositores que aprovechaban la necesidad pública de bribones a quienes imputar todos los desastres del momento. Durante la Revolución, estas campañas no solo aportarían canallas, sino traidores y estos no solo caerían en desgracia, sino que irían directos a la guillotina.

Mientras el Parlamento se alzaba sobre las espumosas olas de la oratoria, se vio arrastrado por el apoyo público intenso y bullicioso. Más allá de la propia Grand' Chambre, la *basoche* de la ley —escribientes, litigantes, portadores de sillas, impresores y *colporteurs*: toda la comunidad del Palais de Justice— formaba una *claque* perpetua y ruidosa que aplaudía a sus héroes, denostaba a los canallas (como el conde de Artois) y exhortaba a los magistrados a protagonizar mayores demostraciones de desafío. A su vez, estos llevaron el asunto fuera del recinto, al Pont Neuf, el Pa lais-Royal y los cafés, así como a una prensa sensacionalista que cada día mostraba una mayor audacia en sus denuncias del «despotismo» oficial. Se arrancaban los *affiches* oficiales apenas se habían fijado; en las calles se quemaron efigies de Lamoignon. Y a medida que la resistencia se hizo más audaz, Brienne y Lamoignon retrocedieron hacia los estereotipos que les habían preparado, al comportarse como contrarrevolucionarios. En ellos se manifestó una especie de premeditada cirugía que, de un modo extraño, anticipó las metódicas tácticas contrarrevolucionarias del siglo XIX. Primero, clausuraron el «teatro» y deportaron a los actores. El Parlamento fue exiliado a Troyes el 15 de agosto. El 17 el propio Palais de Justice fue ocupado por guardias suizos que cegaron las entradas y salidas de las cámaras para impedir que se infligieran daños físicos a los decretos cuestionados. Siguió una campaña de limpieza para silenciar a la oposición. Hubo allanamientos de imprentas, se cerraron periódicos y, lo que es más sorprendente, llegó a sospecharse de todos los clubes o asambleas, como posibles focos de oposición que debían ser inhabilitados. La medida incluyó a esos célebres nidos de rebeldes que eran los clubes de ajedrez.

El exilio en Troyes, unido al súbito e intenso uso de la fuerza, no contribuyó en gran medida a silenciar el clamor en las calles; pero, sin duda, calmó a los propios magistrados. En todo caso, en efecto, apaciguó a algunos de los menos valientes y los indujo a escuchar los prudentes consejos de los magistrados de más edad, como D'Aligre y Séguier. Al mismo tiempo, en agosto, sobrevino una interesante transformación. Estaban inaugurándose las asambleas provinciales en medio de grandes fanfarrias patrióticas de los *intendants*, que las declaraban con ostentación expresiones de una transferencia del poder del rey servidor al Pueblo. Como el personal de las asambleas se reclutaba en los niveles inferiores de la judicatura, de los funcionarios y de los médicos, así como de la nobleza leal —en otras palabras, en las clases cultas—, se organizaron de forma deliberada de modo que debilitasen la pretensión de los parlamentos como representantes de la nación, sobre todo en el terreno impositivo. Los adioses formales de los *intendants* destacaron esta pacífica revolución. «La nación os ha convocado —declaró Bertier de Sauvigny al inaugurar la asamblea de la Isla de Francia, el 11 de agosto—; [...] iluminados por vuestro propio interés y entusiasmados por el espíritu patriótico, mostraréis no menos celo que yo en la fijación de una justa proporción de los impuestos [...], os sentiréis conmovidos hasta las lágrimas por la carga enorme de lo gravable.»

En Alsacia, De La Galaizière pronunció un extraordinario discurso el 12 de agosto y mostró una atención aún más puntillosa en relación con la importancia del momento. Según dijo a la asamblea, era

> una época inolvidable en la historia de nuestro siglo y la nación [...]. El tiempo, el progreso del saber, la modificación de las costumbres y las opiniones han promovido e impuesto revoluciones [palabras textuales] en el sistema político de los gobiernos. Durante más de treinta años hemos sido testigos del modo en que las ideas patrióticas germinan invisibles en cada cabeza. Hoy, cada ciudadano quiere que se le convoque en apoyo del bien general. Todo lo que se haga para alentar esta inclinación es poco. El rey desea sobre todo la felicidad de sus súbditos.

En otros lugares, los *intendants* compitieron entre ellos en sus expresiones de celo por el bien común. Por ejemplo, en Caen, Cordier de Launay comparó a Luis XVI con Solón y Licurgo, y afirmó que su corazón «ardía con el nuevo patriotismo».

Que se fomentara oficialmente este género de lenguaje fue, sin duda, un intento del Gobierno de mediar entre los parlamentos y el pueblo. Al destacar la equidad social de la labor de la valoración impositiva y cooptar por gente que, de no haberse procedido así, quizá hubiera pertenecido al campo parlamentario, el Gobierno trataba de demostrar que las reformas eran populares más que burocráticas. Y sus esfuerzos no fueron en absoluto inútiles. Todas las pruebas de las que disponemos sugieren que, durante el otoño, las asambleas provinciales, en efecto, iniciaron con entusiasmo su labor y que las protestas parlamentarias fueron formales e ineficaces. Y es muy posible que este proceso determinara una actitud más conciliadora por parte de la Corte de los Pares de París.

Al mismo tiempo, algunas voces oficiales más moderadas intentaban concertar un compromiso que permitiese recaudar rentas sin un enfrentamiento político. La incorporación de Malesherbes en agosto tuvo una especial relevancia, pues nadie sabía mejor que él cómo tomar en serio las quejas. Recordó a sus colegas que, les agradase o no, «el Parlamento de París en este momento es el eco del público de París [...] y que el de París es el eco de toda la nación [...]. De modo que estamos tratando con toda la nación y, cuando el rey responde al Parlamento, está respondiendo a la nación». Malesherbes tampoco temía la posibilidad de los Estados Generales. En realidad, los consideraba un modo de afianzar, más que de debilitar, la autoridad de la monarquía.

Por tanto, había cierto espacio en ambos lados para negociar; pero, en el compromiso que se trazó en septiembre, dio la impresión de que era Brienne quien había recorrido más de la mitad del camino. La nueva contribución territorial, que siempre había sido el centro del programa de reformas y de la cual dependía lo esencial de la reconstrucción de las finanzas públicas, fue anulada. Con ella también cayó, sin que nadie lo lamentase, el impuesto sobre la transmisión de fincas. En lugar de estas medidas, Brienne reclamó exactamente el tipo de paliativo que él y Calonne habían deseado evitar: un segundo y tradicional impuesto del *vingtième* (aplicado, como los *vingtièmes* anteriores, a todos los sectores de la población). Debía recaudarse durante cinco años y, al final de ese periodo, se convocaría a los Estados Generales. También se anuló el decreto de suspensión de los parlamentos. El Gobierno abrigaba la esperanza de que, al abandonar el enfrentamiento, obtendría cinco años de paz política, durante los cuales sería posible restaurar las finanzas oficiales. Al final del túnel no solo habría luz, sino un resplandor de sol real. Ante la Corte de los Pares, el 19 de noviembre, Lamoignon desplegó la seductora posibilidad de 1792:

> Rodeado por sus Estados y por sus fieles súbditos, Su Majestad les presenta la reconfortante imagen del orden restaurado en las finanzas, la agricultura y el comercio, que se apoyan mutuamente bajo los auspicios de la libertad, de una magnífica Marina, del ejército regenerado por una estructura más económica y militar, de los abusos eliminados, de un nuevo puerto construido a orillas del Canal para asegurar la gloria de la bandera francesa [Cherburgo], de las leyes reformadas, de la educación pública mejorada.

Aunque los miembros de la magistratura de orientación más radical se resistían a aceptar nada de lo que el Gobierno ofrecía, las opiniones estaban divididas con respecto al grado de bloqueo que el tribunal debía oponer. En consecuencia, el saldo de las sesiones de noviembre fue incierto. El Gobierno aún demostraba escaso tacto. Deseaba intimidar a los magistrados moderados y, de nuevo, envió sus guardias al Palais de Justice. Con esta presencia militar, los ánimos comenzaron a crisparse. D'Eprémesnil y el conde de Artois casi llegaron a las manos en relación con el importante asunto del aparcamiento de sus respectivos carruajes en el patio. Sin embargo, la forma adoptada por la asamblea debía ser apaciguadora: una *séance royale* en la cual se permitirían todos los tipos de opinión, y el rey se sentaría sobre un estrado en lugar del amenazador dosel que anunciaba la coacción del *lit de justice*.

Después de un largo día de discursos desordenados, parecía probable que de hecho el Parlamento registraría los nuevos decretos; pero un giro completamente imprevisto de los acontecimientos destruyó el difícil consenso. El propio rey, quizá molesto por las repetidas llamadas a la convocatoria de los Estados Generales antes de 1792, estaba decidido a evitar una votación y ordenó que se registrasen los edictos. En realidad, respondiendo a un impulso, había convertido la *séance royale* más informal en un forzoso *lit de justice*. La respuesta a esta brusca actitud fue un silencio de desconcierto, roto finalmente por una intervención absolutamente imprevisible. Felipe, duque de Orleans y primo del rey, se puso en pie. Lo cual fue por lo menos inesperado. Toda la familia real —Borbón, Condé, Orleans— (a excepción de los Conti) era famosa por su manifiesta incapacidad para decir en público algo que no estuviese determinado por la ceremonia. Artois, que podía pronunciar impresionantes discursos en privado, trató varias veces de defender la voluntad real en el Tribunal de los Pares, pero invariablemente recayó en una balbuciente incoherencia o en un hosco silencio. Orleans, el gran propietario y protector del Palais-Royal, solía rodearse de hombres ingeniosos e inteligentes. Los equipos de zánganos literarios (entre ellos Mirabeau y Choderlos de Laclos), que redactaban material para las polémicas en nombre del duque, confirieron a Orleans una inmerecida reputación de capacidad política. Sin embargo, de todos modos, su intervención el 19 de noviembre provocó una impresión inmensa tanto en los detractores como en los admiradores. Se volvió directamente al rey y dijo: «Sire, ruego a Su Majestad me permita poner a sus pies y en el corazón de esta corte [la opinión] de que considero ilegal este registro».

Fue uno de esos momentos teatrales que, congelados en el tiempo y embellecidos en las memorias de su hijo, aparecería como el primer *tableau* revolucionario. La respuesta del rey dio infaliblemente la peor nota posible: la petulancia seguida por el humor. «El registro es legal porque he escuchado las opiniones de todos.» Después, hubo este extraño *non sequitur*, con una broma casual y juguetona a Orleans: «Oh, bien, no me importa, por supuesto, vosotros sois los amos». El efecto de esta peculiar actitud no pudo haber sido más dañino: el despotismo que no alcanzaba a tener el valor de sus convicciones.

Aquí, Luis y sus hermanos abandonaron el Parlamento; Orleans permaneció allí para leer un texto que, sin duda, le habían preparado y que confirmaba la ilegalidad de los procedimientos. Su estrategia, que debía convertirle en héroe popular, se vio premiada, además, por el arresto y el exilio en su propiedad de Villers-Cotterets, donde se regodeó con su reputación de un mártir por la causa de la libertad. Su castillo incluso comenzó a tener el carácter de una segunda corte. Dos parlamentarios más, a quienes se acusó de haber hablado con insolencia, también sufrieron arresto.

La intervención de Orleans constituyó otro punto de inflexión en el sabotaje de todo lo que fuese una reforma concertada entre el Gobierno y los parlamentos. Resignado a una más metódica demostración de fuerza, Brienne decidió que tenía poco que perder si profundizaba en el asunto impositivo más allá de lo que sugería su acuerdo de septiembre con los parlamentos. El *vingtième* no tuvo el carácter de un gravamen sin plazo definido, sino de un recurso destinado a satisfacer un monto específico de las rentas oficiales. El posible déficit debía compensarse con los llamados *abonnements* (de hecho, suplementos recaudados por medio de las asambleas provinciales). Esto se parecía sospechosamente al impuesto agrario abandonado y, ahora, su promulgación salía adelante de forma subrepticia.

Como resultado de esta maniobra, la credibilidad de las asambleas provinciales en cuanto baluartes del bienestar social se vio fatalmente dañada. Sus miembros comenzaron a oponerse a los *intendants* o a abandonar la cooperación con el Gobierno, para ofrecer muestras de apoyo a los parlamentos. En enero de 1788, Lafayette informó a Washington de la satisfacción que había sentido en la Asamblea de Auvernia, en Riom, donde había conseguido bloquear los intentos de recaudar rentas adicionales. «Tuve la suerte —escribió con aire satisfecho— de complacer al pueblo y la desgracia de desagradar mucho al Gobierno.» Más aún, la doctrina que afirmaba que los trece parlamentos, en realidad, eran un cuerpo unificado que cumplía la función de proteger las libertades francesas había avanzado tanto terreno que el Parlamento de París pasó la primavera de 1788 emitiendo una serie de pronunciamientos y, en ellos, decía más o menos lo mismo al rey. El 11 de abril el Parlamento de París dijo al monarca que «la voluntad del rey no basta por sí sola para hacer la ley»; el 29 de abril se negó formalmente a apoyar nuevas recaudaciones de ingresos y el 3 de mayo insistió en que los Estados Generales eran un requisito para los futuros impuestos y en que las *lettres de cachet* y otros arrestos injustificados eran ilegales.

Por su parte, el Gobierno se resistía ahora a la idea de mantener una actitud pasiva. El 17 de abril, en un discurso escrito para el rey, Lamoignon había representado a la autoridad real como un escudo contra los intereses sectaristas. Si las cortes podían imponerse a la voluntad real, «la monarquía sería nada más que una aristocracia de magistrados, tan opuesta a los derechos y a los intereses de la nación como a los del soberano». Sin embargo, esta táctica de «absolutismo popular» no estaba limitada a los rechazos retóricos. Su arma más poderosa era un conjunto de reformas judiciales de una amplitud y una audacia impresionantes. Sin duda, estaban destinadas a destruir definitivamente la capacidad opositora de los parlamentos; pero el recorte de las atribuciones era concebido como el requisito de un sistema de justicia completamente nuevo que, de un modo verosímil, pudiese aspirar a contar con el apoyo público. De nuevo el Gobierno se dirigió astutamente hacia los abogados que ocupaban los niveles más bajos en la jerarquía de la judicatura (y a quienes la alta magistratura impedía ascender) e intentó cooptarlos. Los tribunales inferiores de las provincias debían elevarse súbitamente a la jerarquía de los *grands bailliages* y, en adelante, esos tribunales entenderían en la gran mayoría de los casos penales y civiles. Los parlamentos se limitarían a los casos relacionados con la nobleza y a los juicios civiles por un monto superior a las veinte mil libras. De hecho, quedarían reducidos a la condición de una oficina de arbitraje en el seno de la élite. También se los despojaría de la atribución política de registrar los decretos antes de que fuera posible aplicarlos. Este poder correspondería en cambio a una «corte plenaria» central designada por el Gobierno. En vista de este volumen de actividad drásticamente reducido, muchos de los cargos necesarios en el Parlamento cesarían de cumplir cualquier función y serían eliminados. Y el cariz deliberadamente antiaristocrático de las reformas se acentuó todavía más al abolirse las «cortes señoriales» por medio de las cuales la nobleza administraba su particular justicia a los campesinos que dependían de ella.

Unido a las nuevas cláusulas sobre las prisiones y al procedimiento en las penas capitales, el programa revolucionario de Lamoignon tenía el propósito de crear una «justicia ilustrada»: pronta, imparcial, accesible a la mayoría de los franceses y liberada de las garras de la aristocracia corrupta. En armonía con muchas otras reformas de este periodo, era un ataque directo a las instituciones corporativas y el ejemplo más radical de una situación en la que el *ancien régime* caía abatido por su propio Gobierno. Justo por esta razón, muchos miembros de la élite de corte liberal, por ejemplo, el marqués de Condorcet, se vieron en dificultades para negar el valor de las reformas. Con una disposición similar, Lally-Tollendal creía que la «corte plenaria» tenía más probabilidades que el Parlamento de conseguir una carta magna para Francia.

Sin embargo, no se produjo una sensata apreciación de las reformas debido al aullido de ira provocado por el modo en que se presentaron. Estas medidas también tenían consecuencias geopolíticas que provocaban más oposición que acuerdo. La pérdida de categoría de los antiguos centros parlamentarios implicaba a su vez la de su monopolio sobre la justicia en beneficio de las ciudades provinciales vecinas, y se agitó un avispero, el de los celos locales. Por ejemplo, en Bretaña, Rennes descubrió que sus privilegios se transferían a centros rivales, como Nantes y Quimper. En todo el territorio de Francia hubo innumerables disputas entre las pequeñas localidades, que deseaban ser los nuevos centros administrativos y legales —organizados precisamente por las clases profesionales que podían aprovechar la transferencia de autoridad—. Y estas batallas libradas por los letrados de las provincias continuaron, incluso agravadas, a lo largo de la Revolución.

En la campaña de panfletos contra Lamoignon, a menudo se decía que estaba dominado por el espíritu del canciller Maupeou, que había propiciado el último ataque a los parlamentos. En su forma más extrema, estos materiales políticos mostraban a Brienne y a Lamoignon coligados con un poder en la sombra incluso más tremendo —el Demonio— para destruir las libertades francesas. En el *Diálogo entre M. el arzobispo... y M. el guardián de los Sellos*, Brienne confiesa que los *grands bailliages* estaban destinados a engañar al pueblo con el fin de que creyese que se mantendría la justicia. Sin embargo, tan pronto desaparecieran los parlamentos, él privaría [a las nuevas cortes] del más mínimo hálito de vida.

> LAMOIGNON: Pero la justicia estará muy mal administrada.
> BRIENNE: ¿Qué importa eso...? Y si alguien grita, los clamores de los individuos no me preocupan en absoluto. Solamente tenemos que temer las quejas de los parlamentos [...], pero pronto (una perspectiva deliciosa) las Cortes Soberanas no podrán escribir ni hablar. Mi genio podrá desplegarse sin que en mi camino se crucen opositores incómodos.

La audacia y la propia magnitud de la polémica antigubernamental garantizaban que las concesiones al «bien público» incluidas en las reformas de Lamoignon se verían anuladas por sus repercusiones políticas. Y el Gobierno quizá no tenía mucha confianza en la recepción que merecerían, pues decidió aplicar el programa con una rapidez y una fuerza abrumadoras. El 6 de mayo, D'Eprémesnil y Goislard, los dos jefes de la resistencia en París, fueron arrestados. Dos días después, el propio Lamoignon afrontó la silenciosa pero implacable hostilidad del Parlamento e impuso los decretos en un *lit de justice*. En todo el territorio francés este panorama de decisiones militares se repitió en otros doce centros de las cortes soberanas donde se habían apostado tropas para convencer a los magistrados de la necesidad de que se marcharan pacíficamente a sus «vacaciones» obligatorias.

Nada de esto funcionó. Ni la publicidad oficial sobre los efectos beneficiosos de las reformas, ni los planes militares utilizados para aplicarlas pudieron calmar la enorme efusión de cólera pública. Pasó desde el proletariado de los portadores de sillas de la judicatura, desde los fabricantes de pelucas, desde los amanuenses y desde los vendedores de las casetas, pasando por el cuerpo de abogados y procuradores profesionales, hasta llegar a la alta nobleza y el clero. Y el escándalo recorrió Francia de un extremo al otro. Para el Gobierno resultaba especialmente inquietante que la resistencia a los decretos, en realidad, apareciese con mayor intensidad en las provincias que en París. En Pau, en la región de los Pirineos, el 19 de junio, una violenta manifestación derribó las puertas del Palais de Justice para reclamar la reinstauración del Parlamento. Como no podía llevar tropas a una provincia tan distante con la necesaria prontitud, el gobernador real no tuvo más remedio que permitir que los magistrados continuaran para, de ese modo, poder calmar la situación, lo que contrarió abiertamente las órdenes del Gobierno de Versalles. En la ciudad bretona de Rennes, el *intendant* Bertrand de Moleville evitó por muy poco acabar lapidado. A principios de junio, cuando las *lettres de cachet* exigieron a los parlamentarios que se retirasen, el *intendant* —y no los magistrados— protagonizó una rápida huida. En julio fue necesario concentrar a unos ocho mil soldados para serenar los ánimos. En Besançon, Metz, Dijon, Toulouse y Ruán, la protesta estuvo bastante organizada, de modo que el Gobierno se vio obligado a enviar al exilio a los magistrados reticentes. Y en Burdeos, en Aix y en Douai —así como en un Parlamento parisiense extrañamente callado—, las cortes continuaron funcionando, pero declararon que los decretos eran la consecuencia de un despotismo incontrolado.

Parecía que los parlamentos, en efecto, se habían convertido en lo que siempre habían pretendido ser: en los tribunos populares. Sin embargo, en el momento de su triunfo, vacilaron en aprovecharlo. El agitado carácter físico del apoyo popular que ellos habían solicitado tomó por sorpresa a muchos magistrados. Y la sorpresa no siempre fue grata. Los inesperados asaltos al Palais de Justice o al ayuntamiento y la propensión de las multitudes callejeras a enfrentarse a los soldados suscitaron preguntas de carácter público que, vista su condición de habituales guardianes de la paz civil, provocaron el rechazo de los magistrados. El Parlamento de Pau, que había visto algunas de las muestras más violentas, protestó debidamente contra los decretos de mayo, pero pasó a justificar su propia propuesta con el argumento de que esas medidas habían provocado incesantes tumultos, así como la destrucción de la propiedad, y que, contra esto, ahora resultaba claro que «la fuerza pública era impotente».

Para las personas susceptibles ante este tipo de asuntos, había señales incluso más inquietantes de que la crisis estaba dejando de ser de forma muy rápida una guerra civil en el seno de la élite. Según se informó al embajador británico, en Rennes se difundían por el pueblo bajo alarmantes augurios sobre la caída de la monarquía. Se decía que, en la estatua ecuestre de Luis XVI, el cetro que su mano sostenía había comenzado a descender, quizá un total de quince centímetros, en el curso de pocos meses. Sin embargo, a principios de julio, hubo noticias todavía peores. Un testigo afirmaba que cierta calurosa noche de verano él había visto en persona, sin la más mínima duda, que el caballo de piedra que el rey montaba había transpirado gruesas y viscosas gotas de sangre.

La jornada de las tejas

En Grenoble la visión de la sangre no fue imaginaria. En una jornada marcada por los disturbios, el 7 de julio, Henri Beyle (conocido más adelante como Stendhal), de cinco años, observó desde la casa de sus padres cómo retiraban del lugar a un sombrerero herido, con los brazos sobre los hombros de dos compañeros. Stendhal afirma que siempre se había sentido fascinado por la sangre. Su recuerdo más antiguo se refiere al día en que mordió la mejilla de una tal madame Pison de Gallon, que, en un campo de margaritas, había pedido al infante de afilados dientes que la besara. Dos años después, Stendhal apretaba la cara contra la ventana y veía brotar la sangre de un orificio que había en el nacimiento de la espalda del sombrerero, donde había recibido un bayonetazo de un soldado real. El niño continuó observando mientras la camisa y los pantalones de ante del hombre se teñían de un rojo oscuro más intenso. Con movimientos lentos y dolorosos, el sombrerero fue llevado a la casa de un vecino, un rico comerciante liberal llamado Périer. Al advertir de pronto que su hijo estaba mirando, los padres le arrancaron de la ventana y le reprendieron, como si hubiese estado escuchando a hurtadillas. Sin desanimarse, Henri consiguió regresar poco después a su puesto de observación y vio como subían seis pisos con el cuerpo y como este aparecía en las anchas ventanas rectangulares de la casa que se levantaba enfrente. Al llegar al sexto descanso el hombre expiró, lo que, sin duda, no resultaba sorprendente. En su esbozo autobiográfico *Vida de Henry Brulard*, Stendhal escribió que esa era «la primera sangre derramada por la Revolución». Esa noche su padre Cherubin Beyle recitó a su familia el relato de la muerte de Pirro.

A primera vista, Grenoble no parecía una ciudad que pudiese representar el papel de la «cuna de la Revolución», como más tarde ella misma se complacía en afirmar. Stendhal —que confundía el intenso odio hacia su padre con el que tenía a su ciudad natal— no la recordaba con simpatía. «Para mí, Grenoble —escribió más adelante— es como el recuerdo de una terrible indigestión, algo que no es peligroso, pero que asquea horriblemente.» El origen de esta dispepsia estaba en lo que el propio Stendhal consideraba la estrechez sofocante y provinciana de la ciudad. Sin embargo, aunque Grenoble no era Burdeos, con su bullicioso puerto y el dinero que uno ganaba deprisa y perdía aún con mayor rapidez, tampoco era ese estanque de aguas quietas que Stendhal recordaba. La ciudad había aportado sobradamente su cuota de *philosophes* de la Ilustración, por ejemplo, el abate Mably y Condillac. Y su espectacular localización a orillas del río Isère, al pie de los Alpes de Saboya, la había situado en el camino de los peregrinos que iban a visitar a Rousseau. El propio Jean-Jacques había estado allí en 1768, cuando se dedicaba a una virtuosa actividad, la recolección de plantas en las montañas. Un año después, Grenoble podía ufanarse de su propio *Almanach des Muses*, que seguía el modelo del exitoso periódico literario del mismo nombre publicado por primera vez en París en 1765. Poco más tarde, aparecieron *Les Affiches de Grenoble*, un semanario que se vendía por tres *sous* y que invitaba a «todos los ciudadanos interesados en participar en la observación de asuntos importantes» a presentar artículos para publicarlos. En este ambiente reducido y animado, el doctor Gagnon, abuelo materno de Stendhal, había fundado una floreciente biblioteca pública y una nueva escuela estatal destinada a los estudiantes prometedores. Los intereses conocidos de Gagnon, que incluían desde los estudios sobre la retención urinaria hasta una historia de los volcanes de Auvernia, eran característicos de la élite de la ciudad, con su espíritu enciclopédico y su vívido interés político. Por la época en que Antoine Barnave publicó su devastador trabajo político contra la reforma de Lamoignon con el título de *L'Esprit des Edits*, podía tener la certeza de encontrar un público lector atento e indignado.

En muchos aspectos, la condición común y corriente de Grenoble fue el factor que creó allí las condiciones propicias para asistir a la primera gran insurrección urbana de la Revolución. Como sede del Parlamento del Delfinado, mostraba la habitual concentración de abogados, panfletistas, profesores y escritores a sueldo, mal pagados y fácilmente irritables. Todo lo que significara una amenaza a la corte soberana constituía un desafío directo a sus medios de vida y a su sensación de prestigio. Sin embargo, Grenoble era también un centro de la industria regional, con cuatro mil quinientos artesanos especializados que producían delicados guantes que exportaban al resto del país y hasta a lugares tan lejanos como

Filadelfia y Moscú. Al igual que los cardadores de cáñamo, que formaban otro grupo importante de la fuerza de trabajo, los artesanos habían sido expulsados de forma paulatina del antiguo centro de la ciudad, en dirección a la rue Saint-Laurent, sobre la orilla opuesta del Isère, y al faubourg Très Cloître, al sudeste. Si bien los años de prosperidad habían ampliado las oportunidades de conseguir trabajo, la súbita desorganización del ciclo comercial ascendente en 1788, combinada con el brusco aumento de los precios del pan, había determinado que estos trabajadores pasaran hambre y que estuviesen enfadados. Competían por los empleos con una importante comunidad de inmigrantes regionales que llegaban de las regiones circundantes del Gévaudan y de Saboya, y que se habían instalado en Grenoble como porteadores del mercado, criados y cocheros.

En vista de estas tensiones, resultaba imprudente que el Gobierno actuase durante un día de mercado, el sábado 7 de junio. Los magistrados del Parlamento se habían reunido en la residencia de su primer presidente, Albert de Bérulle, y el 20 de mayo habían imitado el ejemplo de sus colegas de París y de otras provincias, y habían declarado ilegal la aplicación de los decretos de mayo. Diez días después, Brienne ordenó al teniente general del Delfinado, el duque de Clermont-Tonnerre, que desterrase de Grenoble a los magistrados y que al séptimo día se entregasen debidamente las *lettres de cachet*. Dos regimientos de soldados —el Marine-la-Royale y el Austrasie— estaban cerca de convencer a los parlamentarios de la conveniencia de retirarse sin armar escándalo. Y tal vez lo hubiesen hecho así de no mediar la decisiva intervención de la multitud. Fue típico que la *basoche* de los tribunales comenzara la acción de la jornada arengando a la gente en los mercados y distribuyendo panfletos y carteles que atacaban violentamente a Brienne y a Lamoignon. La protesta pasó de los discursos, de los insultos a voz en grito y de las canciones a una huelga. Alrededor de las diez de la mañana todos los puestos y las tiendas cerraron, y los fabricantes de guantes y los cardadores de cáñamo salieron de sus talleres y se volcaron sobre el centro de la ciudad, marchando hacia el Palais de Justice y hacia la casa de Bérulle, en la rue Voltaire. Querían impedir la partida de los magistrados, apelando a la fuerza si era necesario, y llegaron hasta el punto de desenganchar los caballos del carruaje preparado para el presidente y llevarlos al patio. Un segundo grupo cerró las puertas de la ciudad para impedir la llegada de refuerzos, y un tercero se organizó para sitiar la casa del gobernador.

Aquí, en su condición de comandante de la guarnición, Clermont-Tonnerre tuvo que enfrentarse a una ingrata decisión. Era la misma que todos los oficiales que se vieron en un aprieto similar (durante la Revolución francesa y en las innumerables revoluciones futuras) tendrían que afrontar. ¿Debían llevar a sus soldados a las calles para contener, disuadir o someter a la multitud? En caso afirmativo, ¿sus hombres debían estar completamente armados? Si así era, ¿en qué condiciones podían disparar? ¿Cuál de estas situaciones, si no todas, amenazaban con agravar, en lugar de aliviar, el problema? Y como muchos otros oficiales metidos en este embrollo, dio una respuesta ambigua, para descubrir en definitiva que la espontánea brutalidad de los hechos le arrebataba la decisión.

Se enviaron soldados al escenario de los disturbios en destacamentos relativamente pequeños, armados, pero con la orden de abstenerse de disparar. Su presencia bastó para encolerizar todavía más a las multitudes, pero no para intimidarlas. Muchos habitantes de Grenoble subieron a los tejados de sus casas y bombardearon a los soldados desprotegidos con una lluvia de tejas que repiquetearon sobre los adoquines de las calles. Cuando las tropas comenzaron a sufrir bajas importantes, los dos regimientos reaccionaron de distinto modo. Los soldados del Austrasie obedecieron al teniente coronel Boissieux, que les prohibió disparar, a pesar de que él fue alcanzado en la cara por una teja. El Marine-la-Royale se mostró menos impasible. En la place Grenette, directamente frente a la casa de Stendhal, un pequeño pelotón de ese regimiento agotó su paciencia ante la continua hostilidad, abrió fuego e hirió a un niño de doce años que, después, murió a causa de la hemorragia del muslo destrozado. Este fue también el lugar en que el sombrerero recibió el mortal bayonetazo. Las prendas ensangrentadas de las víctimas recorrieron las calles y, en la catedral, se tocó a rebato, que atrajo a más campesinos de la zona rural, enterados de que sus amigos y sus familias en Grenoble estaban sufriendo un ataque militar.

Mediada la tarde, Clermont-Tonnerre y el *intendant* Bove de La Caze estaban buscando desesperadamente una solución que no fuese la represión sangrienta o la capitulación. Informaron a los parlamentarios de que retirarían las tropas de las calles a cambio de la salida inmediata de los magistrados. A estas alturas, los magistrados quizá ansiaban acatar la medida, pero la decisión estaba condicionada por la furia de las multitudes.

Clermont-Tonnerre, que no tenía estómago para soportar una masacre, evacuó su *hôtel* y las jubilosas multitudes se apoderaron de la ciudad. La casa del gobernador fue saqueada, empezando por las bodegas y terminando con el gabinete de historia natural, de donde se retiró un águila disecada como trofeo de la victoria. Se arrojaron y se quemaron muebles en las calles y se rompieron cristales. Albert de Bérulle y sus colegas-presidentes de la corte fueron llevados a hombros por una muchedumbre entusiasta y aderezados con las flores de junio. De Bérulle, de treinta y dos años, apuesto y bastante vanidoso, había buscado esta fama, pero ahora que la tenía no estaba muy seguro de sentirse complacido. Obligados a revestir sus túnicas rojas ribeteadas de armiño y llevados de manera ostensible entre aclamaciones al Palais de Justice, donde las ventanas estaban iluminadas y la muchedumbre reclamaba que se celebrara una sesión especial, los magistrados quizá no estaban muy seguros de si eran los dirigentes o los dirigidos. Fue un momento de desagradable verdad que habría de repetirse con insistencia durante los años siguientes.

En definitiva, apurar el cáliz hasta las heces; el último de los fuegos artificiales en la place Saint-André había tocado el suelo y se habían apagado los gritos contra los dos demonios gemelos, Brienne y Lamoignon. Los principales parlamentarios, que habían sentido más inquietud que alegría en su propia victoria, se apresuraron a salir de la ciudad antes de que hubiese nuevos disturbios. Sin embargo, el grupo más audaz y juvenil de la judicatura —por ejemplo, el *juge royal* Jean-Joseph Mounier y Antoine Barnave— vieron los desórdenes y la desnuda impotencia de la autoridad real como una ocasión para aprovechar el desplome.

Por tanto, la Jornada de las Tejas fue una triple revolución. Significó la quiebra de la autoridad real y la impotencia de la fuerza militar en presencia de un prolongado desorden urbano. Advirtió a los beneficiarios de ese desorden en la élite que tendrían que pagar un imprevisible precio si alentaban el disturbio y que el coste muy bien podría volverse contra ellos. Y lo que es más importante, entregó la iniciativa de la acción política posterior al grupo más joven y más radical, que no sentía ni el más mínimo rechazo ante la idea de dirigirse al pueblo.

Una semana después, Mounier comenzó a organizar de forma más metódica la opinión. Fue el principal organizador que convirtió un incoherente disturbio en una importante iniciativa política. Mounier, que aún no tenía treinta años, era hijo de un pañero y, como tantos otros miembros de la generación de 1789, no era el resultado de la frustración burguesa con respecto al Antiguo Régimen, sino el fruto de un ascenso sin esfuerzo en la escala social. Estudió derecho en el colegio local, donde sus condiscípulos apodaban Catón al joven sombrío y saturado de dignidad. Después de situarse como abogado, Mounier, en 1782, se casó con la hija de un *procureur du roi* bien situado. Al año siguiente, cuando tenía veinticinco años, Mounier se incorporó a la nobleza, después de comprar el cargo de *juge royale* por la suma de veintitrés mil libras. En otras palabras, en su perfil social no había absolutamente nada que apuntase a la Revolución, es decir, excepto su propia y ferviente convicción de la necesidad del rejuvenecimiento de Francia como una nación de ciudadanos fieles al rey que honrarían la representación conferida. Y es muy posible que el abuelo de Stendhal, el doctor Gagnon, fuese el individuo que le encaminó en ese sentido. Pues el omnipresente académico de la pequeña ciudad fue el hombre que prestó al joven Mounier las obras de política y de filosofía de su biblioteca que iniciaron su formación intelectual. Veinte años más tarde, exiliado en Weimar, pondría a dura prueba la paciencia de Goethe por su tendencia a negar la importancia de Immanuel Kant.

Sus objetivos en el verano de 1788 sobrepasaban de lejos la meta convencionalmente conservadora de la restauración de los parlamentos. El 14 de junio, en una actitud de desafío a un decreto de Clermont-Tonnerre, Mounier organizó una asamblea en el Hôtel de Ville con un centenar de representantes de los tres órdenes: el clero, la nobleza y el Tercer Estado. Este último grupo era el más numeroso e incluía, además de los tres «regidores-cónsules» de Grenoble, es decir, el doctor Gagnon, el padre del propio Mounier y cierto número de abogados, notables y médicos (así como unos pocos comerciantes): el típico personal del Tercer Estado político. La asamblea hizo un llamamiento directo al rey para pedirle que restableciera el Parlamento y que anulase las nuevas reformas; también reclamó la convocatoria de los Estados Provinciales del Delfinado y aclaró que debían celebrarse «elecciones libres» para formar ese cuerpo. En los Estados el número de miembros del Tercero debía igualar a los dos restantes combinados y esta fue la primera declaración formal del principio que habría de ser fundamental para los propios Estados Generales (cuya reunión también se solicitó). Si bien hubo cierta vacilación ante este principio, la elocuencia de Mounier sacudió la asamblea y la idea fue finalmente aceptada en una explosión de «concordia fraternal». Más tarde, Barnave diría de este axioma que era el fundamento de una «revolución democrática».

En la asamblea de Grenoble se dieron otros importantes anticipos de los que después serían asuntos revolucionarios corrientes. Primero, la identificación de las fuerzas contrarias como traición. Se declaró que quienes se atrevían a aceptar lugares en las cortes de Lamoignon «debían ser considerados traidores a la *patrie*» y tratados en consecuencia. Segundo, estaba la preocupación, en un nuevo orden político, de prestar atención a las necesidades materiales del pueblo que le había dado su poder. En este aspecto no se proponía nada que fuese excesivamente radical: un fondo de reserva para ayudar a los artesanos desocupados o en dificultades. Sin embargo, el hecho de que los tribunos ya estuvieran mezclando las cuestiones sociales con las políticas era en sí toda una novedad profética. Finalmente, la asamblea emitió un resonante llamamiento a los pueblos y a las aldeas de toda la región del Delfinado, en el que los instaba a reunirse en Grenoble con el propósito de preparar su nueva representación.

Entre esta asamblea y la segunda, que no se celebró en Grenoble, sino en el Château de Vizille, que también pertenecía al comerciante Claude Périer, Grenoble fue invadida por una gran oleada de emoción patriótica. Los regidores recibían diariamente delegaciones y peticiones en el Hôtel de Ville y algunas provenían de individuos que, por primera vez, se politizaban de forma activa. Por ejemplo, los escolares del Collège-Royal-Dauphin de Grenoble afirmaron que «aunque todavía estamos en los años tiernos, un día seremos ciudadanos», y eso les obligaba a mostrar expresiones de virtuosa solidaridad con sus mayores. Una declaración aún más extraordinaria, la comunicación al rey firmada por «las muy humildes, pero muy intrépidas, súbditas; todas las mujeres de vuestra provincia del Delfinado», recordaba al monarca que, a lo largo de los siglos, las mujeres siempre habían influido sobre «el sentimiento nacional [...] [y] que no hay una sola de nosotras que no arda con un fuego patriótico, dispuesta a los mayores sacrificios y a los más grandes esfuerzos».

Habéis tratado de intimidarnos con los signos de vuestro poder; con la fuerza y las bayonetas de los soldados, las armas de fuego, los cañones y las granadas, pero no retrocederemos un paso. Nos enfrentaremos con nuestro coraje, armadas únicamente con las prendas más ligeras y un casco de gasa; pero hasta nuestro último suspiro, nuestras voluntades y nuestros corazones exigirán el retorno de nuestros magistrados, los privilegios y el restablecimiento de las condiciones que son las únicas que pueden permitir la sanción de verdaderas leyes.

Un año entero antes del principio que suele asignarse a la Revolución, este tipo de expresiones públicas ya estaba saturado de la retórica de la virtud rousseauniana. No solo había ya ciudadanos, sino también ciudadanas.

Parte del problema de Clermont-Tonnerre era que a su vez él se consideraba uno de estos ciudadanos y estaba tremendamente desgarrado entre su deber hacia el rey y su conciencia más frágil. Fue debidamente reemplazado por una figura mucho más extraordinaria, el octogenario y veterano mariscal de Vaux. Y bajo su malévola mirada, una procesión de «diputados» de cada uno de los órdenes y de los pueblos situados alrededor del Delfinado (aunque siempre predominaban los grenobleses) marchó a pie hacia el castillo de Périer, en Vizille, el 29 de julio. Los soldados rodeaban el camino, pero durante esa jornada, a diferencia de la de las Tejas, estos, para algunos de los que participaban, parecían mostrarse más cordiales que intimidatorios. El mariscal de Vaux, que había parecido tan desafiante, demostró que no tenía mucha más entereza que sus predecesores y, enfrentado con la inevitable asamblea respondió: «*Eh bien*, cerraré los ojos». De los 491 representantes reunidos en Vizille, había 50 miembros del clero, por lo menos 165 de la nobleza —una representación esencial— y 276 del Tercer Estado (entre ellos 187 residían en Grenoble). Se eligió como presidente al conde de Morgues, y Mounier ocupó el relevante cargo de secretario.

Como en el caso de la reunión anterior en el Hôtel de Ville, Mounier se había esforzado mucho en la preparación del orden del día de la discusión. Aunque apenas un año después protestaría agriamente contra lo que, a su juicio, era la usurpación del poder real por la Asamblea Nacional, en julio de 1788 el propio Mounier practicó un ejercicio de reconstitución política. Al proceder así, no poseía más autoridad jurídica que lo que, según él decía, era una forma de mandato originada en «las leyes y el pueblo», es decir, una fórmula bastante flexible que podía aplicarse ante cualquier imprevisto. Y aunque no podía haber concebido la asamblea de Vizille como un ensayo de la Asamblea Nacional, la euforia generada en los tres órdenes, que cooperaron armoniosamente y se envolvieron en el manto de la retórica patriótica, en efecto, constituía un anticipo directo del escenario que un año más tarde se vería en Versalles.

En Vizille, Mounier hizo hincapié en su desviación de la retórica parlamentaria tradicional con extractos tomados en préstamo de Montesquieu e insistió en los derechos preservados históricamente. Un poco más adelante incluso cometería la herejía de rechazar la idea de una Constitución francesa «inmemorial» o «fundamental» que, según se decía, el Gobierno había violado. Sin embargo, incluso en Vizille las objeciones que opuso a la conducta oficial se basaban en cambio en los derechos naturales y en la convicción de que los gobiernos habían sido creados para proteger las libertades individuales, una idea completamente nueva (y, sin duda, «estadounidense») en Francia. «Los derechos del hombre —afirmó— derivan solo de la naturaleza y son independientes de las convenciones [históricas].» En vista de la manifiesta ausencia de una Constitución, creía Mounier, los Estados Generales debían crear una a partir de cero. En la asamblea Mounier tocó a rebato. «El bienestar de la *patrie* es la preocupación común cuando se ve amenazada [...], jamás puede tacharse de ilegal una asamblea cuando no tiene otra meta que no sea la seguridad del Estado.» Reiteró aquí su postura consistente en estigmatizar como «traidor» a quien aceptara un cargo de Brienne y Mounier sostuvo que era obligación de los tres órdenes defender conjuntamente a todos los perseguidos por el ministerio. Más aún, solo los auténticos representantes del pueblo —en el Tercer Estado, el doble de la suma de los otros dos— podían aceptar cualquier tipo de gravamen.

Todos estos principios fueron consagrados formalmente por la asamblea. Barnave, uno de los observadores más lúcidos de los acontecimientos, señaló que la importancia de la asamblea consistía en poder sacudirse de encima la retórica opositora de la que se había apoderado el conservadurismo parlamentario. La nobleza judicial había provocado una crisis bastante grave para frustrar la reforma oficial, pero había perdido el control de su política. En el Delfinado, los asuntos relacionados con la representación habían pasado al primer plano, incluso antes de que se anunciara la convocatoria de los Estados Generales. Y la retórica de la *patrie* había barrido a los privilegiados, al mismo tiempo que apoyaba tanto la duplicación del número de representantes del Tercer Estado como los debates y las votaciones comunes, los grandes temas que dividirían bruscamente a la nación política.

Pese a que la asamblea había sido un episodio desprovisto por completo de autorización, el 2 de agosto Luis XVI aceptó convocar a los Estados del Delfinado en Romans. Poco a poco el monarca abandonaba la firmeza reclamada por su propio Gobierno. Otras reuniones convocadas de manera espontánea, dominadas en general por la nobleza, habían determinado la formación de delegaciones enviadas a Versalles para reclamar la convocatoria de los Estados de la provincia o de la nación. El 12 de julio llegó de Bretaña una de estas delegaciones. El rey rehusó recibirla y, en consecuencia, se celebró en el Hôtel d'Espagne una reunión de todos los grandes nobles bretones residentes en París. Como respuesta a este gesto, doce de sus líderes fueron enviados a la Bastilla y otros, entre ellos Lafayette (que sorprendentemente se autoidentificó como «bretón» por parte materna), fueron privados de plano de los favores de la corte. Otra delegación de Rennes también fue a parar a la cárcel; pero Luis no estaba dispuesto a continuar con esta actitud. Si la campaña de Luis XV contra los parlamentos había terminado solo con la muerte del rey, su nieto provocó el suicidio de la monarquía. Incluso en junio, la hermana del rey, madame Elisabeth, una mujer muy razonable, había señalado que

> el rey está retrocediendo [...]. Siempre teme cometer un error. Una vez que se le pasa el primer impulso, solo le tortura el temor de haber cometido una injusticia [...], me parece que tanto en el Gobierno como en la cultura uno no debe decir «lo quiero así», antes de estar seguro de que lleva razón; pero, una vez que lo ha dicho, nunca debe apartarse de lo que ha ordenado.

Con este ánimo de nerviosa vacilación —que duraría hasta el propio final de su reinado—, Luis modificó su decisión y recibió a otra delegación bretona, a la que prometió la convocatoria de sus Estados. Una semana más tarde, el 8 de agosto, este viraje político llegó a ser irreversible cuando el monarca anunció lo que toda la nación estaba esperando: los Estados Generales serían convocados en Versalles el 1 de mayo de 1789. Hasta la celebración de la asamblea, la corte plenaria de Lamoignon, a la que se había confiado el registro de las nuevas leyes, permanecería en suspenso. En Grenoble, como en toda Francia entera, la proclama fue saludada con euforia: más fuegos artificiales, ventanas iluminadas, canciones y desfiles con antorchas que expresaban devoción al rey, aunque no a sus ministros.

Ante los indicios cada vez mayores de que las medidas que ellos habían conseguido eran inaplicables, Brienne y Lamoignon intentaron permanecer en el poder. Incluso hacia julio la posición de estos hombres no era insostenible del todo. Fuera de los centros parlamentarios, las nuevas cortes regionales de los *grands bailliages* estaban organizándose, sobre todo en Lyon y en Valence. Hasta puede que fuesen atractivas para cierta parte del Tercer Estado que ya comenzaba a separarse del control aristocrático. Además, Brienne no reconoció que la convocatoria de los Estados Generales era de por sí el fin de su Gobierno. Arguyó con since-ridad que él siempre se había manifestado en favor de los Estados y que había discrepado con sus críticos solo en la cuestión (que no carecía de importancia) de la oportunidad. Profundizó aún más este proceso de «popularización» de la monarquía cuando invitó a la nación a que mani-festase sus «opiniones» sobre la forma que los Estados Generales debían adoptar. Se trataba de un hábil intento de aprovechar las divisiones que ya comenzaban a manifestarse entre la nobleza y los «patriotas», en rela-ción con el modo de representación y, por extensión, con el tipo de nación política que debía ocupar el lugar de la monarquía absoluta, aho-ra moribunda.

Sin embargo, la apelación de la monarquía al pueblo, que utilizaba como un garrote para castigar a sus enemigos, fue interpretada —como en la tardía apelación de Calonne a la opinión pública, y como serían vistas similares llamamientos de la monarquía durante la Revolución—, en el mejor de los casos, como un acto de desesperación y, en el peor, como una forma de hipocresía. Esa actitud no salvó a Brienne. En efecto, resultó claro que en Francia la autoridad estaba desintegrándose veloz-mente y la supresión de la administración de Brienne comenzó a parecer un requisito para cualquier tipo de Gobierno eficaz. Hubo una crisis a corto plazo del orden, con la dispersión de las tropas disponibles, que marcharon a diferentes centros provinciales tan alejados como Rennes y Aix, lo que creó un peligroso vacío en el centro. Sin embargo, lo que en realidad destruyó a Brienne no fue tanto su incapacidad para aplicar los decretos de mayo como la súbita muerte del crédito público.

En mayo, la Asamblea del Clero, de la que el Gobierno dependía para obtener un importante *don gratuit* —el tradicional pago único aprobado como contribución al fisco—, se presentó con una oferta irrisoria. Resultaba claro que su reticente actitud constituía un gesto de solidaridad política con los parlamentos. En agosto el asunto empeoraría mucho. A principios de mes Gojard, jefe del Contrôle Général, informó a Brienne de que en el Tesoro quedaban unas cuatrocientas mil libras, es decir, una suma que permitía que el Gobierno funcionase durante una tarde. Después de la impresión inicial, la primera reacción de Brienne fue (comprensiblemente) preguntarse por qué Gojard había esperado hasta el último minuto para darle esta noticia tan importante. En su retiro, Brienne llegó a lo que muy probablemente era la conclusión acertada: en complicidad con el número cada vez más elevado de individuos que ansiaban alejar a Brienne, Gojard había esperado de forma deliberada hasta que las dificultades fueran tan graves que el ministro no tuviese ya esperanza de salvarse del embrollo.

El ardid funcionó. Brienne, como mucho, podía adoptar medidas desesperadas si deseaba proteger la paga militar —sin la cual, lo que restaba del orden interno se derrumbaría al momento—. La crisis inmediata fue bastante sencilla. La brusca caída de los valores gubernamentales había determinado que fuese casi imposible que los recaudadores generales, así como los restantes sindicatos financieros de los cuales dependía el Estado para atender sus obligaciones a medio plazo, reuniesen capital en el mercado monetario para solventar su adelanto. De hecho, la garantía que sería el respaldo del dinero prestado se había depreciado hasta tal extremo que ya no representaba una inversión segura. Más aún, con respecto al déficit corriente, los «anticipos» a cuenta de futuros ingresos ya habían sido hipotecados por un largo periodo y no podían alterar ese cálculo prudencial.

La apuesta era tanto política como económica. Incluso en una situación aparentemente desesperada, no había nada en la propia estructura de las instituciones de la monarquía que indujese a los posibles prestamistas a desecharla del todo. Más bien se les recordó que, en tiempos de Maupeou, la represión iba codo a codo con los incumplimientos (sin que importase cómo se multaban). Lo opuesto era que los Estados Generales podían ser una mejor garantía que la corona de las inversiones que ellos realizaban.

Por tanto no resulta del todo cierto describir la difícil situación del Estado francés en agosto de 1788 como una bancarrota. Lo que estaba en quiebra era el Gobierno de Brienne, no Francia, y que esa era la situación lo demostraría ampliamente la rapidez con que su sucesor Necker obtuvo todo tipo de préstamos. (La capacidad personal de Necker para recabar fondos de los colegas en la Bolsa y de las corporaciones de París aportó al Gobierno dinero suficiente para continuar viviendo hasta que, al final, se realizó el Valhalla de los Estados Generales.) Sin embargo, él fue el beneficiario de un drástico cambio de régimen. Durante las últimas semanas, Brienne podía obtener el mínimo de alivio fiscal solo por medio de un préstamo forzoso, cuyo carácter apenas se disimulaba. Lanzado el 16 de agosto, adoptó la forma de bonos del Tesoro que devengaban un interés del 5 por ciento, pero sin fecha fija de vencimiento. Los pagos de más de mil doscientas libras se realizarían de esta forma: tres quintas partes en efectivo y dos quintas partes con estos bonos; y las sumas menores recibirían una proporción más alta de efectivo.

De hecho, era un intento de sacudirse a los titulares de bonos con papel moneda, pero se consideró como el equivalente financiero de la crisis neerlandesa. En septiembre de 1787, Francia había abandonado cualquier posibilidad de una política exterior hasta que se encontrase en condiciones de solventarla. En agosto de 1788, estaba abandonando una política financiera hasta que pudiese ponerse de acuerdo en una.

Últimos juegos

Un antiguo motivo de la cultura popular era la «muerte del Crédito». Los grabados que mostraban este macabro desenlace traían imágenes de esqueletos gesticulantes que sostenían billetes sin valor y bolsas vacías. El 16 de agosto de 1788 el Crédito murió en París y su fallecimiento llevó el pánico al enorme mercado de papeles oficiales. A diferencia de la afirmación de Franklin Roosevelt, de 1933, la observación contenida en el decreto real de que «de lo único que debemos tener miedo es del propio miedo» no tranquilizó a nadie. La Caisse d'Escompte se vio sitiada por los titulares de bonos que reclamaban el rescate y la entidad tuvo que cerrar sus puertas por temor a la violencia. La estampida duró tres días y tres noches antes de que los anuncios de los dos siguientes gobiernos, que garantizaron el papel, tuviesen un efecto provisionalmente tranquilizador. Sin embargo, solo una drástica ruptura tenía posibilidades de restablecer el mínimo de confianza necesario para evitar la total desintegración del Gobierno. En el consejo de Brienne se había hablado algo de intentar lo imposible —incorporar a Necker al ministerio—, pero, si se quería que Francia renaciera por obra del Gobierno representativo, mal podía hacerlo por medio del exponente más poderoso del absolutismo. En todo caso, mientras se escuchaba el ruido de los aplausos que ya reclamaban su retorno, Necker no tenía ni la más mínima intención de compartir su gloria con el desacreditado arzobispo. Brienne renunció el 25 de agosto. Esa misma noche, diez mil personas ocuparon el Palais-Royal aclamando hasta quedar roncas y lanzando cohetes para celebrar la noticia.

Durante las semanas siguientes, París se entregó a una inmensa efusión de odio, acentuada por el brusco aumento del precio del pan. Noche tras noche, se procedió a la quema de peleles que representaban a Brienne y a Lamoignon, y, en el Pont Neuf, los que no deseaban inclinarse ante ese tótem popular que era la estatua de Enrique IV se veían maltratados. Un testigo ocular inglés

> salió a caminar por la noche y vio toda la place Dauphine iluminada por las llamas, a consecuencia de la quema del arzobispo y la iluminación de las ventanas; un enorme mar de cabezas cubría toda la plaza y millares y decenas de millares se zambullían en la confusión, el ruido y la violencia.

El 29 un maniquí ataviado con el atuendo arzobispal de Brienne fue sometido a un juicio burlesco por una parodia de los tribunales de *grands bailliages* de Lamoignon y sentenciado a «disculparse honrosamente» frente a la estatua de Enrique IV antes de ser quemado. Había tantas hogueras de este tipo que la escasez de leña llegó a convertirse en un problema para los celebrantes. Los puestos pertenecientes a las vendedoras de naranjas del Pont Neuf fueron destruidos y, después, las garitas de los centinelas del puente fueron arrebatadas a sus ocupantes.

Esto no gustó a la milicia de los *gardes françaises* o a las tropas movilizadas de forma paulatina para sofocar los disturbios. La noche de la renuncia de Brienne se había acudido al ejército para despejar la place Dauphine y, durante los siguientes días, los soldados a caballo cargaron a intervalos regulares sobre los civiles armados con garrotes, bastones y piedras. El 29 las cosas se salieron de madre, hasta el punto de que el oficial al mando ordenó una andanada al aire antes de que la multitud se retirase. Por tanto, la capacidad de las autoridades para preservar el orden en la capital ya estaba siendo sometida a una severa prueba.

En Grenoble, las exequias por el absolutismo fueron llevadas a cabo con sobrecogedora literalidad. El 12 de septiembre el anciano mariscal de Vaux, que había llegado a Grenoble vanagloriándose de que poseía «diez mil cerrojos para clausurar el Palais de Justice», descendió a su tumba. Su cuerpo fue depositado en la *chapelle ardente* de la catedral, en una tumba negra rodeada por cientos de cirios. El pequeño Henri Beyle respiraba los humos acres y contemplaba atónito el sarcófago. El orden de obediencia militar reflejado en el anciano mariscal estaba expirando junto a su cadáver. Los tambores destinados a redoblar la marcha fúnebre del cortejo se quejaban de que los lienzos negros desplegados sobre el tambor habían sido injustamente recortados. Decían que, por derecho, estaban autorizados a una cantidad de paño suficiente para confeccionar un par de pantalones y que solo la mezquindad de esa rica avara, la hija del mariscal, los había despojado de lo que era suyo.

Después hubo otra muerte, mucho más inquietante. El 8 de octubre Hay de Bonteville, obispo de Grenoble, fue expuesto en la catedral como correspondía a un gran prelado, pero con la cara cubierta por un lienzo que nadie pudo levantar. Pronto se descubrió el motivo. La noche de la víspera, Bonteville se había retirado a su estudio en el Château d'Herbeys y, después de quemar todos sus papeles, introdujo tres balas en una pistola, se llevó el arma a la boca, la amartilló y disparó. Aunque había manifestado su apoyo a los patriotas de Grenoble, según parecía había mantenido correspondencia secreta con Brienne y Lamoignon para ofrecerles su ayuda. Era uno de los *infâmes* a quien Mounier deseaba extirpar del cuerpo político. En un encuentro preparatorio de los Estados del Delfinado, en Romans, el obispo, ahora privado de sus protectores en el Gobierno, al parecer había pronunciado algunas palabras imprudentes. En una serie de cartas dirigidas a Mounier le había implorado (como secretario de los Estados) que las eliminase de las actas; pero el sentido de la rectitud de Mounier era inflexible. No atinó a comprender (lo que otros sí vieron) que Hay de Bonteville estaba profundamente trastornado. «Me empujáis a la desesperación», escribió el obispo, y pocos días después actuó en consecuencia. Fue la primera victoria de la «virtud revolucionaria» sobre la flaqueza humana.

El cariz punitivo de la muerte del obispo no pasó inadvertido en Grenoble. Según afirmaba la opinión patriota local, era un fin apropiado para un canalla y un traidor. Desde luego, mientras el Antiguo Régimen estaba autodestruyéndose, se acentuó el interés por el suicidio. Malesherbes había encontrado el cuerpo de su propia esposa en los bosques. Y en la primavera de 1789, su primo Lamoignon, que había intentado tanto y había fracasado en la empresa, fue descubierto en su propiedad rural muerto de un balazo. Podría haberse tratado de un accidente de caza y, movido por su pena y su angustia, el viejo Malesherbes aceptó el veredicto oficial. Sin embargo, la nación política, en la cual Lamoignon no tenía amigos, afirmaba en general que se había suicidado y que, después de todo, esa había sido la única actitud decente.

El final de Brienne no fue más feliz. Con su renuncia había conseguido evitar toda la fuerza de la hostilidad recaída sobre Calonne, pero mal podía decirse que fuese una figura popular. Durante su ministerio había sido promovido de la diócesis de Toulouse a la de Sens, al sudeste de París. Volvió allí tratando de capear la tormenta. Entretanto, mientras Calonne, en Inglaterra, se convertiría en activo contrarrevolucionario, Brienne hizo todo lo posible para ajustarse a la ortodoxia patriótica. En 1791, fue uno de los pocos prelados del Antiguo Régimen que prestó el «juramento cívico» exigido por la Constitución civil revolucionaria. En otro gesto de buena fe patriótica incluso devolvió a Roma su capelo cardenalicio; pero fue inevitable que el Terror le alcanzara y le detuvieron en su casa en febrero de 1794. Mantenido bajo arresto domiciliario, encontró la oportunidad de beber una dosis mortal del opio y estramonio que empleaba para calmar el tormento de su enfermedad de la piel.

Después de todo, él había asistido al suicidio del Antiguo Régimen.

8

Quejas
Otoño de 1788-primavera de 1789

1788, NO 1688

La monarquía se derrumbó cuando el precio de su salvación financiera se estipuló en concesiones políticas y no en beneficios o cargos. En agosto de 1788 la confianza que le dispensaban sus acreedores y los posibles suscriptores sufrió una hemorragia. La renuencia de estos a aportar nuevos fondos con la garantía acostumbrada de los «anticipos» de las rentas acarreó una transferencia de fe de una forma burocrática de gobierno a otra de carácter representativo. Las reformas de la administración de Brienne habían sido el último y tenso esfuerzo para concretar cambios suficientes que afianzasen la soberanía sin modificar sus premisas fundamentales. El manifiesto fracaso en el esfuerzo por vencer la resistencia, excepto por el uso permanente de la fuerza militar, resultó ser fatal. En adelante, comenzaba a prevalecer otra convicción: que la libertad patriótica produciría dinero donde el absolutismo reformista no podía hacerlo.

No había nada necesario o siquiera lógico en esta relación. Otros Estados en otras épocas, incluso franceses, como el imperio bonapartista, sacarían exactamente la conclusión contraria y retornarían al avanzado personal burocrático de la década de 1780. Y los financieros de las grandes potencias del siglo XIX, en particular los Rothschild, preferían en general el autoritarismo al liberalismo como garantía de sus préstamos. Sin embargo, en 1788 se celebraba un aniversario importante: el centenario de la Gloriosa Revolución, un hito de los trabajos históricos franceses de corte liberal desde Voltaire y Montesquieu. Y en esa ordenada transferencia del poder de una monarquía absolutista a otra parlamentaria, los comentaristas franceses no solo vieron una plasmación de la virtud política, sino los orígenes del éxito económico británico. Como depositario de la confianza pública (y, por tanto, de los dineros públicos), el Parlamento británico —afirmaba esta línea argumental— había sido un baluarte más sólido que los agentes ministeriales de la corona. Que esta visión fuese acertada o no poco importaba. Lo que contaba era la idea de que la libertad y la solvencia eran socios naturales. (Una ojeada al desarrollo financiero de América liberada podría haber aportado a esos optimistas cierta razón para el escepticismo, pero ninguno, y menos todavía Lafayette, demostró interés por estos asuntos en 1788.) El día en que Necker fue designado en lugar de Brienne, los fondos del Gobierno se elevaron treinta puntos. Necker había insistido siempre en que la responsabilidad pública era la clave de la viabilidad fiscal. De modo que la sola perspectiva de los Estados Generales, abierta por el ministro que los había recomendado, bastó para suministrar suscriptores a los préstamos necesarios, como forma de mantener el funcionamiento del Gobierno francés y pagar los sueldos a los soldados franceses.

La transferencia del mandato financiero no fue, en primera instancia, un acto de mera convicción política. Los inversores de fondos del Estado —los de París o Ginebra o Londres o Ámsterdam— calculaban que un nuevo régimen tenía más posibilidades que el antiguo de cumplir sus obligaciones. Esto era cierto sobre todo cuando se vio que la monarquía no podría aplicar las reformas necesarias para obtener renovada libertad de acción. Sin embargo, los que adoptaban tal decisión en los salones del faubourg Saint-Germain eran, en tanto que animales sociales, miembros de la misma clase que los parlamentarios. Por tradición, incluso en situaciones extremas como la crisis Maupeou de la década de 1770, no habían definido sus intereses en una actitud de solidaridad automática con la nobleza de la judicatura, sino en función del servicio a la corona. A partir de ese servicio podían esperar, como sucedía con los recaudadores generales o con los contratistas de otros préstamos, una jugosa ganancia, y los elementos y la jerarquía de los cargos que permitían acceder a títulos de nobleza. Lo que había sucedido durante el reinado de Luis XVI, primero bajo Turgot y Necker, y después bajo Brienne, era que la justificación nacional de esa lealtad permanente se había visto sometida a duras pruebas por las reformas. En otras palabras, los intentos de la monarquía de obtener un acceso más directo a los ingresos, así como de aprovechar más eficazmente el crecimiento económico de

Francia durante este periodo, tenían que alcanzar un éxito total si se deseaba que determinasen ciertos resultados. El éxito parcial equivalía al fracaso total, pues implicaba retornar a los *financiers*, cuyo interés en el mantenimiento de la monarquía era ahora irrelevante.

Desde este punto de vista, un Gobierno creado por los Estados Generales sería un deudor más fidedigno. Un consenso más amplio eliminaría los obstáculos que se oponían a las nuevas fuentes de rentas, y estas, a su vez, suministrarían una garantía más firme para más préstamos. Por tanto, los beneficios del liberalismo implicarían una especie de autorreposición. Sin embargo, este feliz desenlace suponía una versión francesa de 1688 (comentada por Montesquieu) en que la soberanía real pasaría sin tropiezos de la corte absolutista a una asamblea dominada por *les Grands*: la nobleza financiera y judicial. Con este cambio trascendente se llegaría a una especie de «declaración de derechos» francesa, que despojaría al absolutismo de sus arbitrarios poderes judiciales —las *lettres de cachet* y otras formas similares— y garantizaría la seguridad de la persona y de la propiedad. También se protegería la libertad de publicar y de reunirse pacíficamente. Los ministros que se apoderaran de los fondos públicos para sus propios fines (el caso de Calonne todavía estaba vivo en la memoria) serían responsables ante los representantes de la nación. Y esta era la situación. La corona aún ejercería el indiscutible derecho de designar ministros, proponer y quizá vetar las leyes; pero la legalidad de su Gobierno, en adelante, estaría sometida al escrutinio público.

Esta era, por tanto, la visión de una reforma constitucional en que los grandes de Francia representarían el papel principal. Se trataba de lo que D'Eprémesnil y los restantes figurones de la judicatura del Parlamento tenían presente, sin duda, cuando organizaron el sistemático bloqueo de las reformas de Brienne. Lo que consiguieron en cambio fue una revolución. Y los artífices de la caída de la monarquía no se convirtieron en sus sucesores, sino en sus primeras víctimas, las más espectaculares.

¿Cómo sucedió esto? La explicación aceptada durante mucho tiempo fue que, en el último momento, las expectativas aristocráticas relacionadas con la sucesión se vieron frustradas por la súbita aparición de una nueva clase política: la burguesía. Defraudado en sus esfuerzos orientados hacia el ascenso social y la ocupación de cargos, este Tercer Estado no solo se adueñó de la dirección política para destruir la monarquía, sino también la totalidad del Antiguo Régimen «feudal», y se convirtió en la principal fuerza del siglo XIX.

No necesitamos destacar aquí la naturaleza completamente ilusoria de esta explicación. La creación de una alternativa política al conservadurismo aristocrático no sobrevino fuera, sino dentro de la élite, y no fue, en absoluto, ni siquiera la invención de figuras ennoblecidas en un periodo relativamente reciente, como Mounier. El hombre que identificó por primera vez a la auténtica nación política con el Tercer Estado fue el archiaristocrático conde D'Antraigues. Estos políticos garantizaron que los Estados Generales no pudieran ser sencillamente esgrimidos frente a la monarquía sin invocar el carácter de su representación. Como si los patrocinadores del rey Guillermo III hubiesen incluido una facción poderosa y orgánica comprometida con la causa de la reforma parlamentaria.

El efecto de este temprano debate sobre la representación de la cohesión de la supuesta «élite sucesora» fue decisivo y se tradujo en que, en lugar de una nueva clase política agrupada alrededor de sus jefes naturales (como, en efecto, había sido el caso en Inglaterra en 1688 o en general en América en 1776), se abriesen profundas divisiones. Los que se unieron al lado radical de esa división podían y deseaban vivamente usar la fuerza popular y el lenguaje polarizador del patriotismo y la traición para infundir fuerza a su propio ideario.

¿Cuál era este? Ante todo, su radicalismo puede medirse por lo que no era. Repudiaba lo histórico y la sanción del pasado. De por sí esto constituía una chocante transformación del lenguaje consagrado de la oposición al absolutismo desde el reinado de Luis XV. Destacaba que debía crearse una Constitución a partir de cero y no simplemente salvarla de la atrofia. Los criterios aplicados a la elaboración de esta nueva Constitución debían ser racionales y patrióticos. Eran términos peligrosamente amplios y, antes de que pasara mucho tiempo, las diferencias entre los revolucionarios determinarían que tales prioridades fuesen no tanto complementarias como contrarias. Los «racionalistas» —los defensores del modernismo, de una monarquía popular, de un orden económico y legal de carácter liberal—, como Barnave, Talleyrand, el marqués de Condorcet y el astrónomo Sylvain Bailly, eran todos productos de la Ilustración tardía. Creían en la libertad, en el progreso, en la ciencia, en la propiedad capitalizada y en la administración justa; eran los herederos de la ética reformadora del reinado de Luis XVI, los auténticos antecesores de la «nueva notabilidad» que surgiría después de que la Revolución hubiese completado su curso. Usaban un lenguaje razonable y mantenían la cabeza fría. Lo que tenían en mente era una nación dotada, por medio de sus representantes, del poder de apartar todo lo que se oponía a la modernidad. Ese Estado (muy probablemente una monarquía) no haría la guerra a la Francia de la década de 1780 y en cambio cumpliría su promesa.

Sin embargo, la racionalidad no tenía el monopolio de la expresión en 1788 y 1789. El tipo de elocuencia necesaria para movilizar la ira popular hasta el punto en que resultara posible emplearla como una palanca de poder no era frío, sino cálido. Y los que alimentaban el calor revolucionario no estaban dispuestos a permitir que se atenuase en beneficio de un cambio constitucional moderado. No los guiaban ni la racionalidad ni la modernidad, sino la pasión y la virtud. Para ellos, la Ilustración, como gran parte de la Francia moderna, era, en el mejor de los casos, una confusa bendición. «Hemos alcanzado la ilustración», escribió el abogado Target,

> pero lo que necesitamos para perseguir y defender los intereses de un gran pueblo es el patriotismo, el desinterés y la virtud. Cada individuo debe olvidarse de sí mismo y verse solo como parte del todo al que pertenece, debe separarse de su existencia individual, renunciar a todo lo que sea *esprit de corps*, pertenecer solo a la gran sociedad y ser un hijo de la patria [*un enfant de la patrie*].

Una sociedad que podía ser medida, informada, administrada, capitalizada e individualizada era menos importante que la que podía ser simplificada, moralizada y convertida en una entidad más inocente. La piedra angular de su Gobierno no debía ser la racionalidad, sino la justicia, y estos hombres proponían reemplazar la bóveda de la cultura por la morada de la naturaleza. Esta *patrie* sería una comunidad de ciudadanos, dulce con sus hijos e implacable con sus enemigos. Esta sociedad de amigos, lo mismo que Rousseau, su impulsor moral, se vería asediada por enemigos, algunos de los peores revestidos con la apariencia de la amistad. Una de las tareas más nobles de un ciudadano sería desenmascarar esas peligrosas hipocresías. De modo que, desde el principio, la retórica revolucionaria mostró un tenso timbre de alegría y cólera. Su tono era visceral, más que cerebral; idealista, más que realista; más enérgico cuando dividía a los franceses en patriotas y traidores, más conmovedor cuando adquiría un carácter más punitivo.

La perspectiva de obtener satisfacción —como reparación, algo propio del siglo XVIII— era lo que impulsaba por primera vez hacia la política a los franceses. Y fue la participación de estos hombres y mujeres lo que convirtió una crisis política en una Revolución hecha y derecha. Después de todo, proteger a los pobres y castigar a los traidores eran las tareas que, por tradición, debía ejecutar la monarquía. Sin embargo, en su faceta de introductor de la modernidad, parecía que su Gobierno había renunciado a dicho papel protector. Por ejemplo, en lugar de garantizar los suministros de cereal a precios justos, se había comprometido —la última vez, en 1787— al moderno principio del libre comercio. Para muchos, la consecuencia pareció ser la catastrófica subida de los precios y las oportunidades de un acaparamiento especulativo que no fue castigado. En nombre de cierto tipo de principio incomprensible había realizado otras cosas inadmisibles que beneficiaban a los mismos enemigos a quienes debía perseguir. Se había emancipado a los protestantes, que ahora podían dominar a los católicos pobres y decentes del sur y el sudeste. Los artículos textiles británicos podían entrar en Francia, privando de trabajo a los hiladores y tejedores normandos y flamencos. Todo esto debía ser el producto de cierta conspiración contra el pueblo.

Demostrando una considerable habilidad retórica, los políticos radicales de 1789 volcaron estas quejas en el gran horno de la ira. Y desde el extremo opuesto llegó un lenguaje acusador, que era también un medio de clasificar a los enemigos y a los amigos, a los traidores y a los patriotas, a los aristócratas y a la nación. Por sorprendente que parezca, importó poco que estos mismos políticos apoyaran muchas de las reformas que tanto ofendían al pueblo común, por ejemplo, la libertad del comercio nacional y la emancipación religiosa. Esas contradicciones se vieron disimuladas (momentáneamente) por la convicción de que una asamblea de la nación sería el tribunal en que podrían ventilarse esos agravios y juzgar a los responsables. Por tanto, todos los que se declaraban contra esa asamblea eran, por definición, antipatriotas y todos los que la proponían se identificaban con los amigos del pueblo. El hecho de que el propio rey hubiese pedido a su pueblo que presentara sus quejas al mismo tiempo que elegía representantes a los Estados Generales reforzó, en todo caso, estas convicciones anteriores. Pues pareció que era una invitación a ayudarle en el esfuerzo por distinguir a los falsos patriotas de los verdaderos.

Se perdió la oportunidad de la reforma constitucional cuando se estigmatizó como antipatriótica la preservación de las distinciones sociales, los órdenes del Antiguo Régimen. (En Gran Bretaña casi sucedió lo contrario.) Y lo que es aún peor, se identificaron estas distinciones con las causas del sufrimiento popular. Una vez que la palabra «aristócrata» llegó a ser sinónimo de «antinacional», se entendió que todos los que deseaban conservar las distinciones de rango en los organismos políticos del nuevo orden se identificaban como personas incapaces de recibir la ciudadanía. De hecho, estas personas estaban fuera de la nación, eran extranjeras incluso antes de emigrar.

La posibilidad de reorganizar de este modo las actitudes de apoyo de la gente giraban alrededor de cuatro temas que, en esta decisiva coyuntura, alejaron a Francia de la evolución para acercarla a la revolución.

En primer lugar, debía existir un grupo que discrepara agresivamente en el seno de la élite aristocrática y eclesiástica, y que estuviese decidido a abandonar su propia jerarquía y a preferir el papel de líderes–ciudadanos. ¿Quiénes podían ser más aptos para distinguir en su propio medio al altruista del egoísta, al individuo de espíritu patriótico del que tendía a traicionar? Y por lo mismo, este grupo debía estar dispuesto a provocar, movilizar y dirigir la violencia popular mediante la persecución y el castigo de los anticiudadanos.

En segundo lugar, los que defendían la existencia de un cuerpo político basado en órdenes separados no disponían de un poder similar para preservar su posición. Con el fin de desalojar el absolutismo real, habían llevado a las muchedumbres a las calles; pero, una vez que dieron ese paso, resultó claro que estas no retornarían sumisamente a la obediencia pasiva, sobre todo cuando los oradores y los panfletos incitaban a que se ampliara la acción. Durante la segunda mitad de 1788 y la primavera de 1789 los parlamentos intentaron actuar de nuevo como los defensores del orden público y atenerse a la acción policial de las tropas reales (una complicada situación, en vista del pasado reciente de esos organismos).

En tercer lugar, el Gobierno agravó todavía más su desagradable posición cuando se abstuvo de resolver la cuestión vital de la composición de los Estados Generales. Por supuesto, esta había sido la intención de Briennes cuando en julio difundió una solicitud general en que pedía «consejo» acerca de la forma que debía adoptar la asamblea. Con la intención de aprovechar las divisiones que, con razón, veía en la magistratura, permitió que los que preconizaban una representación auténticamente «nacional» afirmasen que ellos, más que los conservadores, reflejaban la auténtica voluntad del rey.

Finalmente, el explícito deseo del monarca de que su pueblo enunciara sus quejas al mismo tiempo que elegía a sus representantes relacionó la inquietud social con el cambio político. Eso no había sucedido en Gran Bretaña en 1688, ni en América en 1776, y allí estaría la diferencia esencial. Por lo menos, en este sentido, si bien la estructura social no provocó la Revolución francesa, esta fue la consecuencia de los problemas sociales.

Cuando se reflexiona sobre la naturaleza de la retórica patriótica desde Rousseau, se advierte que era lógico que sucediese esto. Pues sus panaceas sentimentales armonizaban totalmente con la resolución de todos los tipos de infortunio social: del campesino agobiado por los acreedores usureros; de los soldados mal pagados por los rigurosos oficiales que habían comprado sus grados; de los tejedores que carecían de trabajo a causa de la acción de las fuerzas del mercado, que ellos no entendían; de los vendedores de flores afiliados a las corporaciones, que no podían competir con los vendedores ambulantes; de los curas empobrecidos, que se encontraban frente a la inmensa opulencia de un prelado aristocrático. Una vez que todas estas personas, y otras, supieron que obtendrían satisfacción de una auténtica asamblea nacional gracias a la más alta condición moral —su patriotismo común—, tuvieron un interés directo en un cambio institucional de carácter global. Esto fue exactamente lo que sucedió a finales de 1788 y principios de 1789. Esta confluencia del patriotismo político con la inquietud social —de la ira con el hambre— fue (si usamos la metáfora favorita de los revolucionarios, tomada del mundo de la electricidad) como el encuentro de dos cables pelados. Cuando se tocaron sobrevino un brillo incandescente de luz y calor; pero era difícil determinar qué y quiénes quedarían consumidos en el fogonazo.

La gran división: agosto–diciembre de 1788

Versalles gozaría de otro veranillo de San Martín. El 10 de agosto de 1788 se concedió la última gran audiencia formal para recibir a los embajadores de Tipu Sahib, sultán de Mysore. A la distancia de un continente, en su palacio de Srirangapatna, la confianza en el poder imperial de la monarquía francesa no se había debilitado. La flor de lis todavía ondeaba en las bases navales del océano Índico y el genio de los mecánicos franceses había creado un tigre articulado para el sultán, que, después de darle cuerda, procedía a devorar a un granadero británico. ¿No estaría Francia dispuesta a ayudar al Tigre de Mysore a desembarazar a la India de la maldición del imperialismo británico?

Este asunto no era prioritario para Brienne. El rey ofreció a los embajadores corteses garantías de un carácter aún menos consistente que el ofrecido a los neerlandeses y les proporcionó un carruaje arrastrado por seis caballos blancos. En la Opéra, donde se les ofrecieron los mejores asientos, madame de La Tour du Pin admiró las pantuflas amarillas de los visitantes, depositadas a la oriental sobre el borde del palco. Como estaban casi en la escena, a veces era difícil decir dónde terminaba la fantasía y dónde comenzaba la realidad.

Estos problemas no inquietaban a Malesherbes. Una noche del mismo verano lo encontró, con Lafayette, bebiendo en una *guinguette* que estaba frente a los muros aduaneros que ahora rodeaban París. Estas tabernas de atmósfera rural, con sus mesas y bancos al aire libre, agradaban a Malesherbes. Los famosos balnearios de La Courtille y Les Porcherons estaban demasiado concurridos durante los meses cálidos. Sin embargo, la lista propuesta por la *Guide* de Thiéry aún dejaba un número bastante elevado —La Nouvelle-France, La Petite Pologne, Le Gros-Caillou y Le Grand et Le Petit Gentilly—, todos del gusto de Malesherbes y a no mucha distancia de la casa de su hija, donde en esa época solía cenar.

Aquella noche había ido con Lafayette, que debía ayudarle a agasajar a dos visitantes extranjeros, el joven inglés Samuel Romilly y el ginebrino Étienne Dumont. Habían llegado en el barco de Dover y se encontraron en Versalles a tiempo para echar una ojeada a los embajadores con turbante de Tipu que se paseaban por las salas. Romilly era un abogado joven y precoz, producto de la trama de ideas «avanzadas» que emanaban de las universidades escocesas y se difundían gracias a las academias inconformistas y la Lunar Society de Birmingham. Tenía la cabeza llena de proyectos y, como era natural, había sido atraído por el ala liberal de los *whigs*, que se reunía en la mansión de lord Shelburne en Bowood. Así, muchos amigos de Shelburne en Francia, entre ellos el abate Morellet y el propio Malesherbes, se convirtieron en amigos de Romilly, y juntos hablaron de las ideas «estadounidenses» de patriotismo y libertad, en una fraternal confluencia a ambos lados del Canal.

Romilly se sintió seducido por la «calidez y la sencillez» que descubrió en Malesherbes. El manifiesto placer de Malesherbes en las alegrías de la vida de familia le elevaron todavía más ante los ojos de Romilly. Jugando con sus nietos, el anciano arrojaba su peluca al fondo de la sala y se tumbaba sobre la alfombra, de modo que las manos y los pies menudos pudieran moverse alegremente sobre su vientre. La actitud informal hacia los adultos y los niños comenzaba a manifestarse en los círculos *whigs* progresistas y sería celebrada en los cuadros de familia de Thomas Lawrence, el más brillante artista de sociedad de este sector. Sin embargo, a menudo se combinaba con un refinamiento en el atuendo que molestaba al franco temperamento hugonote de Romilly. Dumont era un individuo hecho de la misma pasta: un pastor exiliado después de la revolución democrática de Ginebra, aplastada por Vergennes en 1782. En su condición de campeón de la emancipación protestante en 1787, Malesherbes era muy admirado y, cuando llevó a estos hombres en su acostumbrado «recorrido de los reformadores» por las prisiones de Bicêtre y Salpêtrière, estos se sintieron aún más conmovidos por la seriedad de su actitud. Había también otros vínculos que unían a los jóvenes y a los viejos en una corriente humanitaria. Amigo de William Wilberforce, el líder evangélico de la campaña contra el comercio esclavista, Romilly ya estaba comprometido con el movimiento esclavista, al que dedicaría gran parte de su vida, y sus amigos de París, a su vez, intervenían en la Société des Amis des Noirs.

Para sus jóvenes admiradores, Malesherbes podía dar la impresión de ser un «hombre del pueblo», pese a su rango aristocrático y a los cargos oficiales. Con sus modales francos, la chaqueta lustrosa y los puños salpicados de rapé, dejaba en segundo plano a Lafayette e incluso a Mirabeau. Y en la taberna hizo una pequeña broma que se basaba en la discrepancia entre la apariencia normal y la celebridad democrática. «Por casualidad, ¿ha oído hablar del marqués de Lafayette?», preguntó al posadero. La respuesta prevista era «Naturalmente, monsieur, como todo el mundo», y en ese momento él podía revelar la identidad de su pelirrojo compañero de copas. Sin embargo, para mayor regocijo (excepto en el caso de Lafayette), la respuesta fue «Caramba, no, monsieur. Creo que no. Por favor, ¿quién es?».

La relación entre los dirigentes y los dirigidos, entre los tribunos y el pueblo al que con tanta libertad aquellos invocaban, sería una de las grandes cuestiones de la Revolución. Sin embargo, durante el verano y el otoño de 1788 no parecía que eso supusiese ningún problema, por lo menos para el círculo de Romilly y Dumont. Aunque el ánimo de Malesherbes se había apagado al ver como la historia se repetía y las reformas bienintencionadas se frustraban a causa de la política absolutista, la perspectiva de los Estados Generales le había infundido renovados sentimientos de entusiasmo y optimismo. Más aún, fue uno de los primeros portavoces de una auténtica «asamblea nacional», que no vaciló en apartarse radicalmente de la antigua forma de la pauta de 1614. En ese momento los Estados se reunieron, deliberaron y votaron por separado. Los procedimientos en el Delfinado ya habían roto ese precedente y Mounier y sus colegas habían decidido que, cuando sus Estados Provinciales se reuniesen, lo harían como un solo cuerpo y cada uno votaría con carácter individual. En julio, antes de que se adoptase la decisión de convocar a los Estados Generales, Malesherbes había escrito al rey, con un lenguaje característicamente directo, para recomendar una modificación igualmente valiente, que, según creía, echaría los cimientos de una monarquía auténticamente popular.

> ¿Qué son esos Estados Generales que os recomiendan? [...]. Un vestigio de la antigua barbarie, un campo de batalla en que tres facciones del mismo pueblo vienen a luchar unas contra otras; una colisión de todos los intereses con el interés general [...], un medio de promover la subversión, no la renovación. Considerad esta antigua estructura como lo que es, una ruina. Nos sumamos a ella solo en función del recuerdo. Apoderaos de la imaginación popular con una institución que la sorprenderá y complacerá [...]. Que un monarca de finales del siglo XVIII no convoque a los tres órdenes del siglo XIV; que en cambio convoque a los dueños de una gran nación renovada por su civilización. Un rey que se somete a una Constitución se siente degradado; un rey que propone una Constitución alcanza en cambio la más alta gloria entre los hombres y recibe su gratitud más viva y duradera.

Esta drástica renuncia al precedente histórico fue el primer gran momento de cambio de la Revolución. El 25 de septiembre, dos días después de ser reinstalado en medio de la general aclamación, el Parlamento de París anunció que los Estados Generales debían ser convocados exactamente en armonía con las formas de 1614. De la noche a la mañana, perdió la inmensa popularidad que había conquistado durante el enfrentamiento con Lamoignon. Después de ser el héroe de las multitudes, se habló de D'Eprémesnil con burlón menosprecio. Los episodios del Delfinado, que gozaron de mucha publicidad en París, habían frustrado este intento de fijar el límite en unos Estados Generales con carácter provisional.

Más aún, la estructura de la represión legal había sido desmantelada en gran parte durante el verano a petición de los oradores del Parlamento. La censura, arma tradicional del Parlamento, fue eliminada, lo que permitió que se expandiese por las calles un torrente de literatura política. Hacia el mes de septiembre, los panfletos aparecían con un promedio de, aproximadamente, diez al día. Además, una minoría organizada del Parlamento, bajo la dirección de Adrien Duport, Huguet de Sémonville y Guy-Jean Target insistía, a su vez, en un nuevo tipo de Estados Generales, en el que el Tercer Estado contaría con un número por lo menos igual a la suma de los dos restantes y donde se votaría «por cabeza» o individualmente, de modo que todos los intentos de impedir las decisiones populares quedarían desbaratados por el número. Lo que de hecho se proponía era una nueva forma de representación, no por medio de organismos corporativos, sino por la ciudadanía. El grupo que deseara aislarse del cuerpo general de ciudadanos y exigir una representación particular o desproporcionada instantáneamente se aislaba como un ente que estaba, de un modo u otro, «fuera de la nación».

Por tanto, paradójicamente, el «Tercer Estado» fue una invención de los nobles-ciudadanos. En noviembre, un grupo autodenominado, primero, la Sociedad de los Treinta y, más adelante, el Club Constitucional se reunía dos veces a la semana en casa de Duport, a menudo durante cuatro horas o más, para debatir el carácter de la futura representación. No se trataba de un grupo exclusivamente radical. D'Eprémesnil era uno de sus miembros, al igual que Sabatier de Cabré, un colega «constitucionalista» del Parlamento. Hicieron todo lo posible para defender la preservación de un orden noble especial, como baluarte frente al poder corruptor de la propiedad adinerada que, según afirmaban, se impondría sin dificultad en el marco de una representación general. Sin embargo, la mayoría de los miembros del club de Duport mantuvieron inflexiblemente la posición de que el Tercer Estado debía contar con una representación por lo menos igual a los dos grupos restantes combinados y que la asamblea debía deliberar y votar en común.

Un sorprendente número de miembros de la sociedad estaba formado por hombres cuya reputación se había creado gracias a su carácter de «hombres públicos» y de celebridades patrióticas. Esta imagen de sí mismos ya presuponía una relación de simpatía entre los jefes y los ciudadanos. Por ejemplo, el parlamentario Target, que rompió del modo más decisivo con sus colegas conservadores, ya era el dios de la *basoche* y se le saludaba con vivas en las galerías. Su primer gran discurso de prueba había sido una épica sentimental digna de la inspiración más gemebunda de Rousseau. Se había referido a los derechos de los aldeanos de Salency, en Picardía, de elegir a su propia Reina Anual de la Rosa, la *rosière*. El ritual había sido adoptado por la nobleza *bien-pensant* como un idilio bucólico, y madame de Genlis, amante de Orleans, había ido a Salency para tocar el arpa durante la coronación de la *rosière*. Cuando el *seigneur* local afirmó que el derecho de elegir a la *rosière* le correspondía, que no incumbía ya a los mayores de la aldea, y después de que este llevara el caso hasta el Parlamento de París, Target lo presentó ante la corte como una clásica prueba de fuerza entre la inocencia y la arbitrariedad. En 1788 Target repitió muchos de esos temas, ampliados para adaptarlos a la escala de la política nacional.

Lafayette, su pariente de Noailles, el duque de la Rochefoucauld-Liancourt, el duque de Luynes y el duque de Lauzun también eran ciudadanos cuya retórica ejercía más influencia, porque la desgranaban desde la cúspide de la nobleza. Más aún, para muchos de ellos, esto era nada más que la segunda etapa de una cruzada que había comenzado en América. Eran cortesanos contra la corte, aristócratas contra el privilegio, funcionarios que deseaban reemplazar el patriotismo dinástico por el patriotismo nacional. Aunque se sumaba a una asamblea nacional, Lafayette no se mostraba inmune a cierta sensación de ansiedad ante las consecuencias de la política popular. Y en un intento de acercarle más a su propia línea, el Parlamento designó consejero honorario al «Héroe de los dos Mundos». Este paso inquietó a Condorcet, su colega del grupo de los Treinta, que conocía la debilidad de Lafayette por la adulación. Escribió al estadounidense Philip Mazzei:

> Si vais a casa de Lafayette, tratad de exorcizar al demonio de la aristocracia que estará allí para tentarle en la forma de un consejero del Parlamento o un noble bretón. Con ese propósito, llevad en vuestro bolsillo un frasquito de agua del Potomac, así como un rociador fabricado con la madera de un rifle del ejército continental, y rezad vuestras plegarias en el nombre de la Libertad, la Igualdad y la Razón, que no son más que tres personas en un solo dios.

Entre los restantes miembros del grupo de Duport estaba Talleyrand, que ya miraba a Lafayette con suspicacia; Mirabeau, cuyo encendido y polémico radicalismo se veía en ese momento comprometido por toda clase de escándalos de carácter sexual, pecuniario y diplomático que formaban un halo alrededor de su persona; banqueros ginebrinos como Clavière y Panchaud, ambos exaliados de Calonne y que ahora volvían a sus principios democráticos de 1782; los abates Morellet y Sieyès; el pastor provenzal Rabaut Saint-Étienne; y, aunque no en último lugar, Louis-Sébastien Mercier, profeta del Apocalipsis. La «conspiración de los hombres bienintencionados», como ellos mismos se llamaban, también incluía a varios de los que habían sido los cerebros del programa reformista de Calonne, entre ellos Du Pont de Nemours y el abate Louis.

Si bien discrepaban en muchos detalles, todos los miembros de la mayoría del club seguían los mismos principios fundamentales que representaban una drástica ruptura con la línea argumental parlamentaria. Rechazaban llanamente la convicción de que siempre había existido cierta forma de «Constitución fundamental» cuya preservación correspondía a los parlamentos. La única y auténtica «ley fundamental», añadía Rabaut Saint-Étienne, era *salus populi lex est*. El mero hecho, añadía Target, de que los anticuarios tuviesen que dedicarse a rebuscar en la historia de Carlomagno y los carolingios era una prueba suficiente de que Francia carecía de Constitución y de que ahora era necesario crearla a partir de cero.

Fuera de París, había en las provincias focos de disturbios en los que los campeones urbanos del Tercer Estado, siguiendo el ejemplo de Mounier en el Delfinado, luchaban con los nobles más conservadores para concretar la estructura de sus Estados Provinciales y, por extensión, la de la representación nacional. El más encarnizado de estos combates fue en Bretaña, donde una joven generación de abogados de ciudades como Nantes y Rennes (adiestrados en las tácticas de la acción en las calles en las batallas en favor del Parlamento) empleaban ahora la oratoria y la presión de la muchedumbre para reclamar una nueva y radical definición de la representación. Arthur Young, autor inglés que escribió sobre temas agrarios y que visitó Nantes en septiembre, la halló «tan *enflammé* por la causa de la libertad como puede estarlo otra ciudad cualquiera de Francia» y escuchó conversaciones que «demuestran cuán considerable es el cambio promovido en el mundo de los franceses». La polémica originada en los clubes de lectura y los comités políticos que florecieron en las ciudades bretonas en 1788 insistieron en ridiculizar el mandato de la antigüedad, apreciado sobre todo por la nobleza de provincias. «¿Qué nos importa —escribió el abogado Volney en su diario *El centinela popular*— lo que nuestros padres han hecho o cómo y por qué lo hicieron [...]? Los derechos fundamentales del hombre, sus relaciones naturales con sus semejantes en la sociedad, esas son las bases eternas de todas las formas de gobierno.» Las *Reflexiones patrióticas*, de Jean Lanjuinais, profesor de Derecho en Rennes, utilizaban un tono más duro en su parodia del bloqueo conservador:

> Esclavos negros —os veis reducidos a la condición de brutos—, pero ¡nada de innovaciones! Hijos de los reyes asiáticos —la costumbre es que el mayor de vosotros estrangule a sus hermanos—, pero ¡nada de innovaciones! Pueblo de Bretaña, sois pobres y la nobleza es una clase acomodada, pero ¡nada de innovaciones!

Lo que se necesita, insistía Lanjuinais, es una Constitución para el presente, no la veneración de las reliquias. «¿Acaso el atavío de 1614 nos sienta mejor que las prendas de un niño en el cuerpo de un hombre en la flor de la vida?» Asimismo, el término «privilegio», que había sido sinónimo de «libertades» en la disputa entre la corona y los parlamentos, ahora estaba destinado a ser su antítesis. La honradez política no exigía ahora que se dispensara protección a los privilegios, sino que se los anulase.

En gran parte de Francia (y, en algunos casos, incluso en la turbulenta Bretaña), la nobleza estaba dispuesta a conceder por lo menos parte de estas reclamaciones planteadas por sus propios radicales, así como por los portavoces de buena fe del Tercer Estado. Como demostrarían los *cahiers* —enunciados de las quejas y las expectativas locales—, una mayoría de la clase privilegiada estaba dispuesta a abandonar el aspecto más visible de su jerarquía: la exención frente a los gravámenes. Una parte muy considerable de esta exención se había visto socavada (diríamos mal si lo consideráramos un gran sacrificio), en particular en el caso de los nobles más acomodados, que la mostraban como una concesión. Sin embargo, la reclamación de que disolviesen por completo su orden en cierta unión más general de la nación representaba una fórmula mucho más divisionista, tanto entre las provincias como en el seno de estas. La repetida afirmación de que los diferentes órdenes debían mantenerse, sencillamente porque habían durado tanto tiempo, cada vez más caía en saco roto.

De modo que, a finales de 1788, la sanción procedente del pasado había perdido su capacidad de persuasión. El abogado parlamentario Pierre Lacretelle llegó al extremo de lamentar que todos los monumentos y los usos antiguos no se hubiesen consumido en un gran incendio (justo lo que la Revolución realizaría de manera simbólica en 1793). En cambio, Condorcet y otros miembros de similar opinión del grupo de Duport argumentaban que la razón debía guiar a los creadores de una nueva Constitución. «Los verdaderos principios, determinados racionalmente», decía el conde D'Antraigues, demostrarían que la libertad política y la igualdad civil ante la ley eran las bases adecuadas de ese nuevo orden. Sin embargo, D'Antraigues, amigo de Jean-Jacques Rousseau, continuaba desarrollando la argumentación mucho más radical (típica de la nobleza de los ciudadanos) de que el Estado y el pueblo eran una misma cosa:

> El Tercer Estado es el pueblo y el pueblo es el fundamento del Estado; de hecho, es el propio Estado; las restantes órdenes no son más que categorías políticas y en cambio a causa de las *leyes inmutables de la naturaleza*, el pueblo es todo. Todo debe subordinarse a él [el pueblo]; su seguridad debería ser la ley básica del Estado [...]. En el pueblo reside todo el poder nacional y todos los Estados existen en beneficio del pueblo.

El coqueteo de D'Antraigues con la soberanía popular no duraría mucho. Elegido diputado a los Estados Generales, se arrepintió de su actitud en la disputa y llegó a ser un contrarrevolucionario tan ferviente como había sido en su papel de protodemócrata. De todos modos, su panfleto alcanzó catorce ediciones y pudo resumirse en la convicción popular: «El Tercer Estado no es un orden, es la propia nación».

Tan pronto como este concepto revolucionario se convirtió en lugar común, la defensa de los diferentes órdenes adoptó el color del interés sectario, egoísta, antipatriótico, indiferente a las inquietudes del pueblo común. Y puesto que el rey había pedido escuchar esas inquietudes, dichas opiniones incluso podían interpretarse como afirmaciones antimonárquicas. La insistencia de Necker en el carácter rigurosamente provisional de su administración y en el hecho de que se abstuviera de adoptar posiciones en las cuestiones fundamentales de la duplicación del número de representantes del Tercer Estado y la votación individual abrió un vacío político que fue ocupado por argumentos más que por soluciones. El 5 de diciembre ese espacio se ensanchó aún más, cuando el Parlamento de París abandonó su anterior intransigencia. Ahora se declaró, de acuerdo con Target, que, en efecto, no existía un precedente constitucional que los Estados Generales pudiesen aplicar. En cambio, ¡«la razón, la libertad y el deseo general [*vœu général*]» indicarían la forma de la nueva institución!

La solución provisional de Necker había sido convocar una segunda Asamblea de Notables que aportara su consejo acerca de la forma de los Estados Generales; pero, si su predecesora había sido más radical de lo previsto, en la segunda asamblea sucedió lo contrario. Solo una minoría adoptó las posiciones «nacionales». Y lo que es peor, los príncipes de sangre —con las importantes excepciones de Orleans y, lo que es más sorprendente, de Provence, hermano del rey— declararon, en un memorándum redactado el 5 de diciembre, que «el Estado se encuentra en peligro» y que

> está preparándose una revolución en los principios de gobierno, provocada por la agitación de los espíritus. Las instituciones a las que se considera sagradas y gracias a las cuales la monarquía ha prosperado durante siglos ahora se han convertido en asuntos cuestionables incluso menoscabadas como injusticias.

Continuaban diciendo que rendirse a la opinión mayoritaria acerca de la representación implicaba entregar Francia a extraordinarios peligros. Si prevalecía la «revolución en la constitución del Estado» propuesta por el Tercer Estado, ellos preveían que los reyes irían y vendrían de acuerdo con el capricho de la opinión pública disfrazada de voluntad nacional.

En el memorándum de los príncipes no pasaban inadvertidos los peligros del curso al que se veía arrastrada la monarquía en un estado de optimismo sin timón. Sin embargo, a juicio de los panfletistas del Tercer Estado, esa actitud era la prueba más clara de que existía una conspiración contra la «monarquía popular», que comenzaba a crearse. A medida que se intensificó el debate, el Gobierno se mostró aún más renuente a aportar cierta dirección. El 27 de diciembre un decreto excepcionalmente breve, sin ningún tipo de preámbulo, agrandó esta confusión. Contra el consejo de la Asamblea de Notables, proclamó que, en efecto, el Tercer Estado tendría una doble representación; pero se abstuvo de ordenar la deliberación en común y la votación individual y, por tanto, adoptó una decisión que implicaba desmentir su generosidad frente al Tercer Estado. Al parecer, la opinión de Necker era que los Estados Generales se las arreglarían para decidir sin excesivo desorden.

Todas estas iniciativas inseguras, todas estas ideas de última hora y todas esas confusiones contrastaban en gran medida con los patriotas del Tercer Estado, cuyas opiniones tenían la virtud de la claridad y la firmeza. Más allá de las de aquellos que, durante tanto tiempo, habían afirmado representar al pueblo, pero, cuando la representación estaba al alcance de la mano, revelaban que no eran sus campeones, sino sus opresores. Todos los asuntos del momento podían traducirse a la dicotomía entre patriotas y privilegiados. En su petición en nombre de los *Ciudadanos domiciliados en París*, el doctor Joseph-Ignace Guillotin (exjesuita y médico) había defendido la duplicación de los miembros del Tercer Estado basándose en esta distinción. Su folleto lo habían adoptado las seis corporaciones mercantiles de la ciudad y, bajo la égida de esos grupos, se habían distribuido seis mil ejemplares. El Parlamento intentó evitar su difusión y el 8 de diciembre adoptó medidas contra el propio Guillotin. Fue obligado a comparecer ante la corte, pero la multitudinaria manifestación en su favor fue tan ruidosa y amedrentadora que la triunfal absolución, de hecho, se convirtió casi en el desenlace inevitable.

Había otro rasgo del Tercer Estado que, en el cruel invierno de 1788-1789, afianzaría su pretensión de ser la auténtica expresión de la nación renacida: su fuerza de trabajo. Muchos de los folletos que habían delineado la identidad del Tercer Estado ya habían realizado una implacable comparación entre el privilegio adquirido con dinero y la productividad del *roturier*, un término que evocaba el emblema de la pala usada en las labores del campo. Un memorándum acerca de los Estados Generales redactado por los funcionarios municipales de Nantes se mostró contundente en este punto:

> El Tercer Estado cultiva los campos, construye y tripula las naves comerciales, sostiene y orienta las manufacturas, alimenta y vivifica el reinado [...]. Es hora de que un gran pueblo reciba la atención que merece.

El *cahier* de una aldea de los Vosgos, Hareville-sous-Montfort, plantearía más ásperamente la misma idea. La nobleza que afirmaba apoyar a Su Majestad, explicaba este escrito, «procede así, pero al precio de obtener cuantiosas pensiones del Estado», y en cambio «el Tercer Estado paga siempre y trabaja día y noche para cultivar la tierra que produce el cereal que alimenta a todo el pueblo».

Los muchos grabados que comenzaron a aparecer por esta época, y que muestran al trabajador de la tierra soportando sobre su espalda a los dos órdenes privilegiados, destacan en esencia la misma idea.

Correspondió a *¿Qué es el Tercer Estado?*, del abate Sieyès, la más incisiva de todas las publicaciones, conferir un carácter tajante a la división entre lo útil y lo inútil. «¿Qué es necesario para conseguir que una nación prospere?» fue la primera de sus conocidas preguntas retóricas. «Los esfuerzos individuales y las funciones públicas» fue la respuesta. Y justo el Tercer Estado era el único que aportaba los primeros. Por tanto, el Tercer Estado no era un mero orden. Era la propia nación. Los que reclamaban una jerarquía particular fuera de la nación ya estaban confesando su parasitismo. La desgracia y la injusticia habían determinado que el Tercer Estado, que era todo, fuese nada políticamente. Solo cuando la irresponsabilidad de los privilegiados había provocado la amenaza de destrucción de la *patrie*, podría tratar de ser «algo», como decía, moderado, el propio Sieyès.

El Tercer Estado era una idea y una polémica antes de convertirse en una realidad social. Y el folleto de Sieyès era su invención más inspirada: lógico, lúcido —al parecer, indiscutible, salvo que se invocase al fantasma poco temible de lo histórico—. No solo confería estructura y forma al nuevo cuerpo político nacional, sino que señalaba amenazadoramente a quienes se separaban de él. «Es imposible decir qué lugar deberían ocupar la nobleza y el clero en el orden social —advertía Sieyès—. Eso equivale a preguntar qué lugar debe asignarse a una enfermedad maligna que debilita y tortura el cuerpo de un enfermo.»

HAMBRE E IRA

El 13 de julio de 1788 una tormenta de granizo descargó sobre gran parte de Francia central, desde Ruán, en Normandía, hasta un lugar tan meridional como Toulouse. El jardinero escocés Thomas Blaikie, que presenció el fenómeno, habló de piedras tan monstruosas que mataban liebres y perdices, y quebraban las ramas de los olmos. Para muchos más, la lluvia de helados pedruscos blancos fue bastante letal y, por tanto, no requirió exagerar. Destruyó las viñas que estaban madurando en Alsacia, Borgoña y el Loira; arrasó el trigo que crecía en los campos del Orleanesado; carcomió las manzanas nuevas de Calvados; agostó las olivas y las naranjas jóvenes del Midi. En la provincia occidental de Beauce, las cosechas cerealeras ya habían sobrevivido a una tormenta de granizo el 29 de mayo, pero sucumbieron ante el segundo golpe, en julio. En la Isla de Francia, al sur de París, donde los cultivos de frutas y verduras se destruyeron cuando estaban madurando, algunos agricultores escribieron: «Una campiña antes floreciente se ha visto reducida a un árido desierto».

En gran parte de Francia siguió una sequía. A su vez, llegó después un invierno cuya severidad no se había visto desde 1709, cuando, según se afirmó, el tinto de Burdeos se congelaba en la copa de Luis XIV. Con el mordiente frío volvieron a relatarse las mismas anécdotas conocidas ochenta años antes. Se decía que los pájaros se quedaban congelados en sus ramas; que los lobos bajaban a merodear desde sus guaridas en las Cevennes hasta las llanuras del Languedoc; que los pobres de lugares agrestes como el Tarn y Ardèche se veían obligados a hervir la corteza de los árboles para preparar un potaje. La realidad contrastable era bastante grave. Los ríos congelados impidieron que los molinos de agua convirtiesen en harina el cereal que aún quedaba y paralizaron el transporte de los suministros urgentes a las regiones que más los necesitaban. Había una gruesa capa de nieve que cubría el suelo hasta lugares tan meridionales como el alto Garona, al oeste de Toulouse, donde, entre el 26 de febrero y el 10 de abril, casi hubo nuevas nevadas un día sí y otro no. En enero, Mirabeau afirmó que la Provenza había sido visitada por el ángel exterminador. «Se han descargado todos los azotes. He visto por todas partes hombres muertos de hambre y frío, y eso en medio del trigo, pues, a causa de los molinos helados, no hay harina.»

El deshielo aportó sus propios sufrimientos. A mediados de enero, el Loira congelado se fundió súbitamente e inundó los campos y los pastizales y arrasó los rudimentarios diques para volcarse sobre las calles de Blois y de Tours.

Ochenta años antes, el hambre había sido inconfundible: los caminos sembrados de cadáveres, los habitantes muertos de hambre. En 1789, apareció la hermana menor del hambre, la escasez —*la disette*—, pero la cosa fue bastante grave. La crueldad del tiempo siguió a una cosecha de 1787 que como mucho fue mediocre. La hogaza de cuatro libras, que era el alimento habitual de las tres cuartas partes de todos los hombres y mujeres franceses y que, en tiempos normales, representaba la mitad de su ingreso, pasó de ocho *sous*, en el verano de 1787, a doce, en octubre de 1788, y a quince, hacia la primera semana de febrero de 1789. Alimentar a una familia de cuatro personas exigía dos hogazas diarias y el salario medio de un trabajador manual oscilaba entre los veinte y los treinta *sous*; un albañil llegaba casi a los cuarenta. La duplicación de los precios del pan —y de la leña— se traducía en miseria. Durante el invierno de 1788, algunos clérigos calcularon que, hasta la quinta parte de la población de París, más de cien mil almas, recibía algún tipo de auxilio. Con gestos grandilocuentes, algunos magnates, como el duque de Orleans, vendieron cuadros —según se dijo, para auxiliar a los pobres—, pero los actos filantrópicos aislados jamás podrían aportar alimentos o leña en cantidades suficientes como para lograr que el invierno fuese más soportable para millares de víctimas.

El desastre afectó a diferentes grupos de la población de distintos modos, arrastrándolos a un nivel de subsistencia del cual creían haberse alejado definitivamente. En el caso de los jornaleros sin tierra de la región rural, muchos de ellos trabajadores migratorios, la destrucción de las cosechas los privó de un indispensable empleo. Se habían separado de sus familias para iniciar un camino bien conocido en busca de las labores estacionales en los viñedos, en los trigales o en los olivares, con la esperanza de volver y poder atender después su propia parcela. Ahora quizá nunca volverían y tendrían que luchar para evitar su propia muerte. En el caso de los pequeños campesinos —los *métayers*—, que formaban la mayor parte de la población rural, era la última vuelta de tuerca del endeudamiento y la pobreza. Como disponían de muy poca tierra para alimentar a su familia, obtenían un pequeño suplemento del *seigneur*, así como las simientes, las herramientas y los animales de tiro a cambio de una participación en la cosecha. Esta carga excluía cualquier género de excedentes y los *métayers* se veían a menudo obligados a comprar más alimentos para asegurar su propia subsistencia. Por tanto, eran consumidores tanto como productores, y el aumento prohibitivo del precio del pan y de la leña a finales de la década de 1780 eliminó la posibilidad que podían haber tenido de aprovechar un aumento gradual del valor de sus cosechas. Con la cosecha de la temporada ennegrecida por la helada o el granizo, así como con los impuestos que debían al *seigneur* y al Estado, era probable que los acreedores exigieran el pago de la deuda. El desalojo y la degradación en la clase de los sintierra —y, por el momento, de los desempleados— era el resultado. En las regiones relativamente prósperas, por ejemplo, la campiña alrededor de Versalles, según Georges Lefebvre, los cabezas de familia separados de sus tierras formaban un tercio de toda la población rural. En la baja Normandía la cifra llegaba casi a los tres cuartos. De modo que también ellos engrosaban la marea cada vez más ancha de la humanidad impotente que se arrastraba hacia las iglesias para pedir un pedazo de pan y un poco de leche, o que se encaminaba hacia las grandes ciudades.

Si llegaban a una ciudad, se les ofrecería una acogida igualmente poco hospitalaria. Los trabajadores migratorios habían colmado las filas de las distintas ocupaciones: porteadores del mercado, cocheros, deshollinadores, aguadores. Sin embargo, la crisis del campo se agravó hasta convertirse en un asunto que gravitó sobre el resto de la economía. La disminución del poder adquisitivo redujo el mercado de artículos manufacturados, que ya soportaba la competencia de los productos británicos, más baratos, que habían llegado como consecuencia del tratado comercial de 1786. Los artesanos se quedaron sin trabajo. El trabajo a destajo en los telares familiares desapareció; los obreros de la construcción se vieron despedidos cuando el auge de la construcción urbana en las grandes ciudades se detuvo de manera brusca. Por ejemplo, las ciudades industriales como Lyon y Ruán tenían, respectivamente, 25.000 y 10.000 desempleados. En Amiens, que estaba todavía más cerca del punto de acceso de las manufacturas británicas, la cifra se elevaba a 46.000.

Ante la constatación de la ruina general, Necker hizo lo que pudo para suministrar cierto alivio. Prohibió la exportación de cereales, concedida bajo los decretos de 1787 promulgados por Brienne, e inició una enérgica política de importación, gastando casi cincuenta millones de libras en la compra de cereales y arroz; pero no era fácil obtener suministros. La guerra rusoturca del Mediterráneo había sellado las fuentes de Oriente que abastecían al sur del país y otro conflicto en el Báltico había impedido el aprovechamiento de las fuentes más tradicionales: Polonia y Prusia oriental. En el norte, los grandes bloques de hielo que flotaban en el estuario del Sena y que se instalaban en puertos como Le Havre impedían que los barcos descargaran. En todo caso, los suministros que, en efecto, llegaron a Francia eran caros, pues otros países, que afrontaban más o menos la misma situación, competían por el cereal disponible. Los ríos y los canales helados determinaron que el transporte en barcazas fuese lento y complicado. Y cuando el trigo y el centeno polacos llegaron finalmente al norte y el nordeste, después de atravesar Holanda y los Países Bajos austriacos, el cereal se había deteriorado tanto que producía una harina amarillenta con un débil y acre olor.

En general, tal vez no fue el momento más propicio para pedir al pueblo de Francia que ventilase sus quejas. Sin embargo, desde las profundidades de la necesidad y el agobio, la figura del rey-padre (mencionado así en muchos de los *cahiers de doléances*) adquirió un aspecto casi santo, que ofrecía a sus súbditos la oportunidad de contar con una especie de audiencia subrogada. De modo que, pese a todos sus horrores, no debe creerse que el invierno de 1788-1789 fue, de antemano, la sentencia de muerte del gran experimento político en curso. Sin embargo, en efecto, en la mente popular, la actividad relacionada con una nueva Constitución, de un modo u otro, tenía que ver con la satisfacción de los vientres vacíos. Lo cual implicaba descargar sobre el patriotismo y la representación un peso mayor que el que ellos podían soportar. Así como la libertad no era una respuesta mágica ante el problema de la solvencia fiscal, tampoco podía afirmarse que la igualdad era la solución para la tarea aún más renuente de tener que alimentar a la población, que venía soportando años de escasez.

Una vez que el populacho concentrase en ella su atención, la interdependencia del alimento y la libertad no se desdibujaría. La ilusión de que las nuevas instituciones políticas podrían suministrar sustento donde las antiguas no lo habían logrado descansaba en la creencia de que los agentes parasitarios del Antiguo Régimen habían utilizado de forma deliberada su poder para provocar crisis de las que pudiesen beneficiarse. En estos *pactes de famine*, la periódica escasez había sido la señal que inducía a los especuladores del cereal a retener los suministros destinados a los mercados, elevando los precios hasta el momento en que pudieran aprovecharlos para obtener el máximo beneficio. La política consistente en liberar el comercio de cereal de las normas que imponían las ventas autorizadas en determinados mercados había ofrecido, en todo caso, nuevas ocasiones a esta práctica de extorsión. Estos conceptos, aceptados generalmente, necesitaban culpables: los *agioteurs* y los *accaparcurs*, para quienes algunos *cahiers* rurales reclamaban la pena de muerte, pero que con igual frecuencia esta debía corresponder a ministros del Gobierno sospechosos de complicidad en la conspiración. Al principio de la Revolución, pudo asignarse la responsabilidad de la prolongación de la crisis alimentaria a la intransigente aristocracia, de la que se afirmaba que estaba conspirando para imponer al pueblo el sometimiento por hambre. Sin embargo, las sucesivas administraciones revolucionarias fueron víctimas de la acusación de que la escasez de su patriotismo y su celo punitivo habían mantenido en el pueblo la condición de rehén del ciclo del hambre. Solo cuando las cosechas mejoraron y los soldados se alimentaron con los recursos de los países que ocupaban, el problema se atenuó.

La relación del hambre con la ira hizo posible la Revolución; pero también determinó que la Revolución estallara a partir de expectativas excesivamente hinchadas.

Estas expectativas comenzaron a manifestarse seriamente cuando el rey convocó a sus súbditos para pedirles que se reuniesen en sus parroquias y distritos con el fin de elegir representantes y redactar una lista de todas sus quejas y expectativas con respecto al futuro. En cierto sentido, este ejercicio simplemente confirmó la creencia tradicional de que el rey siempre acudiría en auxilio de su pueblo en dificultades. Sin embargo, nunca la idea se había visto confirmada de un modo tan directo y universal. Los hechos posteriores de la Revolución son tan dramáticos que apartan la atención de la magnitud del experimento que se realizó en todo el país entre febrero y abril de 1789. Nada parecido se había intentado jamás, en Francia o en otros países, y, desde luego, no en ese modelo de excelencia constitucional, el reino de Gran Bretaña. Unos veinticinco mil *cahiers* fueron redactados en un acto simultáneo de consulta y representación que no tenía precedentes por ser tan completo.

Por supuesto, no todos resonaron con la voz desnuda del pueblo. El mecanismo de la elección para los Estados Generales, establecido en la convocatoria real del 24 de enero, determinó que, mientras la nobleza y el clero elegirían directamente a sus representantes, el proceso de designación de los diputados del Tercer Estado sería al mismo tiempo complicado e indirecto. Las asambleas locales, con el nombre medieval de *bailliages* (alguacilazgos o bailías), debían convocarse de acuerdo con el criterio general de una por cada cien votantes, definidos como todos los residentes de veinticinco años o más que pagaban impuestos. (Parece que, en ciertas asambleas locales, se presentaron algunas viudas, que, de manera optimista, arguyeron que el decreto real no había especificado el sexo.) El electorado creado de este modo alcanzó la cifra de seis millones de almas. Con todas sus complicaciones y sus dificultades prácticas era, hasta ese momento, el experimento más numeroso de representación política intentado en cualquier país del mundo.

Convocadas sobre todo en la iglesia de la aldea, estas asambleas primarias redactaron su *cahier* y eligieron diputados que debían representar a la comunidad en una asamblea posterior. En ciertas regiones, esa «asamblea general» elegía diputados, pero no era inhabitual que tuviese que pasar por varias etapas antes de llegar a una selección definitiva con vistas a los Estados de Versalles. El procedimiento también garantizaba que el individuo más elocuente, educado y con mayor vocación política fuese siempre el que sobreviviera al proceso de poda. En la práctica, eso significaba, por una abrumadora mayoría, la preferencia por los abogados y por los funcionarios públicos —los baluartes de las academias locales y las *sociétés de pensée*—, con algunos médicos, notarios y exabates cultos (como Sieyès) y algún que otro hombre de negocios.

Por otra parte, las asambleas locales se vieron extraordinariamente a salvo de todo lo que fuese una intimidación oficial. Necker cumplió su compromiso de mantener una rigurosa imparcialidad y de garantizar la suspensión total de la censura durante las elecciones. Por ejemplo, era usual que los funcionarios del Gobierno local presidiesen las asambleas donde el Estado y sus servidores, desde los *intendants* hasta los recaudadores de impuestos, soportaban enérgicas denuncias a causa de sus muchos actos de tiranía, mezquinos y exasperantes. Todas esas denuncias se incorporaban a la declaración definitiva. De modo que, a pesar de la depuración de conceptos y del filtro de personas, los *cahiers* ofrecen una reseña muy completa de lo que, a finales del invierno y principios de la primavera, estaba en la mente del pueblo francés en el momento en que su nación política renacía.

Los *cahiers* hablan a dos. Muchos emiten la voz de la unidad patriótica, propalada claramente al unísono, a menudo del mismo modo en los tres Estados. Los enunciados de estos sectores estaban interesados sobre todo en las cuestiones políticas y legales, y su voz era la del mundo urbano educado de la Francia modernizadora. De la campiña y los artesanos de las ciudades provenía un tono más áspero, que repetía obedientemente como una cuestión formal los piadosos clichés de la política del Tercer Estado, pero que, en el fondo, se interesaba por los problemas diarios referidos a los impuestos, a la justicia, a los azotes (la palabra *fléau* quizá sea la utilizada con más frecuencia en todos los *cahiers* rurales), a la milicia y a las leyes de la caza; en otras palabras, la supervivencia.

No resulta sorprendente que el primer tipo de lenguaje —el del cambio político— apareciese tan estandarizado. Se realizaron esfuerzos conscientes con el fin de reproducir un «programa» publicado que incorporase la mayoría de las cuestiones principales esbozadas en la literatura panfletaria del otoño de 1788. Sieyès redactó un manual básico para las asambleas locales y este material fue impreso por millares y distribuido, con una nota aprobatoria del duque de Orleans, a través de la Isla de Francia. Se recomendaba especialmente a los curas que utilizaran el folleto instructivo, lo cual no solo sugería firmemente lo que podía decirse, sino el orden y el modo en que debía registrarse la formulación en el *cahier*. Otros *cahiers* llegaron a ser famosos por derecho propio como modelos de manifiesto del futuro liberal, sobre todo el enorme documento escrito por Du Pont de Nemours para el Tercer Estado de Nemours.

El mensaje era el mismo en todas partes. Los Estados Generales eran el cuerpo convocado de la nación y debían convocarse de nuevo, periódicamente, siempre que los asuntos de la nación así lo exigieran. Algunos documentos proponían sesiones de tres años; los más audaces insistían en que el cuerpo debía permanecer hasta que se sancionara una nueva Constitución. Una serie de *cahiers* identificaba específicamente el poder legislativo con una asamblea nacional e insistía, de acuerdo con el modelo inglés, en la separación de los poderes. Casi todos exigían que el cuerpo consintiera la aplicación de nuevos impuestos. La libertad de la persona, de pensamiento, de expresión y de publicación debía estar garantizada, lo que significaba la abolición de las *lettres de cachet*, de todas las formas de justicia arbitraria (como los tribunales militares) y prácticamente de toda la censura. En innumerables *cahiers* se afirmaba que la intromisión en la correspondencia constituía un ataque directo a la libertad personal.

En los asuntos financieros había un acuerdo similar. Debía unificarse el pasivo de la corona como deuda nacional. Anualmente habría presupuestos públicos obligatorios y se tendría plenamente en cuenta la situación de cada departamento. Se abolirían los cargos corruptos (sobre todo en el área de las finanzas) y ningún contribuyente se vería exento de sus obligaciones a causa del rango o las pretensiones del privilegio. Si se mantenía la nobleza (decían algunos *cahiers* de la nobleza), había que hacerlo solo como un asunto honorífico, lo que Rabaut Saint-Étienne había denominado «la parte condecorada de la nación».

Los *cahiers* de la élite liberal, ya se tratara de los dos primeros órdenes o del Tercer Estado, aplicaban después a los asuntos de Estado el habitual orden del día de sus academias de debates. Muchos afirmaban que debía existir un plan de educación nacional. Las loterías, las casas de juego y otras frivolidades que apartaban a la gente del trabajo serio que le permitía progresar debían ser proscritas. Un número importante también se comprometía con los principios económicos liberales: la abolición de las corporaciones y de todas las limitaciones impuestas a la libertad y la movilidad de la fuerza de trabajo; la eliminación de las barreras aduaneras nacionales y el fin de los organismos dedicados a la recaudación de impuestos. Paradójicamente, en la mayoría de estos aspectos, los *cahiers* de la nobleza (excepto el de Nemours) eran los que se acercaban más al modelo «burgués» con su preocupación por acordar la libertad personal con la económica. Dado el compromiso de muchos miembros de esa clase con el comercio, la industria, las finanzas y la tecnología, quizá corresponda afirmar que esto es menos sorprendente de lo que a primera vista puede parecer. Sin embargo, una gran mayoría de los *cahiers* de la nobleza se declaraba a favor de ese precepto burgués básico: la igualdad ante la ley.

Era una visión de Francia que prolongaba gran parte de la ética modernizadora de las décadas de 1770 y 1780. El rango se fusionaría con la ciudadanía; la ciencia y la educación, bajo la guía benévola de la élite, eliminaría la embrutecedora ignorancia, la pobreza y las enfermedades del pueblo. El interés propio ilustrado acabaría prevaleciendo en el país y se crearía un campesinado próspero que, gracias a métodos racionales de explotación, podría aportar excedentes suficientes para convertirse también en una masa de compradores de productos manufacturados. A su vez, esto beneficiaría a una fuerza de trabajo que podía ser inducida a apartarse de una actitud de autoprotección para orientarse hacia la oportunidad empresarial. En este ámbito transformado, una administración responsable, designada de acuerdo con el mérito y la competencia, gobernaría con austeridad e integridad. El patriotismo y el servicio públicos serían ejemplares y se originarían en un monarca de insuperable popularidad; las artes florecerían como nunca lo habían hecho y la nueva época pertenecería a la vez a Francia y a toda la humanidad.

Sorprende, por ser tan elevado, el número de miembros de la nobleza que compartían estas opiniones. Aparecen registradas en los *cahiers* de las principales ciudades: en los que corresponden a los cuatro mil nobles domiciliados en París, en los de importantes ciudades, como Burdeos, y en los de centros provinciales más pequeños, como Aix, Saumur, Grenoble, Blois, Orleans y Ruán. Incluso los miembros de algunas de las asambleas más lejanas, por ejemplo, la que corresponde a la nobleza del Mosela en Pont-à-Mousson, insistían en que, en nombre de «la razón ilustrada por la filosofía», se abolieran todas las exenciones fiscales para su propia clase, en que se tratara por igual a todos los ciudadanos en cuanto al pago de impuestos y en que todo tipo de privilegio personal, sea cual fuere su naturaleza, se anulase, y, mientras la nobleza suponía que habría cierta forma de reembolso por la abolición de los cargos comprables, en todo caso pensaba que, como mucho, eso podía hacerse de forma paulatina en beneficio del Estado.

No era un coro totalmente armónico. El efecto paradójico del mecanismo electoral fue conceder representación al número mucho más elevado de nobles más pobres de lugares apartados, los mismos que antes no habían formado nunca parte de la cultura de la modernización y cuyo único derecho al respeto se fundaba en sus títulos. En Bretaña estaban las *épées de fer*, que intervinieron en las grescas callejeras de Rennes a lo largo de enero de 1789, con los muchos que apoyaban las propuestas del Tercer Estado de que se votase individualmente y no por órdenes. Superados tanto en las disputas físicas como en las políticas, se negaron por completo a elegir diputados a los Estados. En otros lugares, algunos grupos de nobles, a quienes seducía menos la idea de disolver el rango heredado en una nación de ciudadanos, adoptaron posiciones votando en bloque las mociones de su orden y eligieron para los Estados diputados dispuestos a sostener su punto de vista. En el Cotentin, por ejemplo, en Coutances, los diputados se enorgullecían con los nombres ilustres de Leclerc de Juigne, Achard de Bonvouloir, Beaudrap de Sotteville y Arthur de Villarnois. Aunque en general apoyaban la «concordia entre los órdenes», aclararon que se reunirían, deliberarían y votarían como entidades «distintas, separadas, iguales y libres».

Entre, por una parte, los nobles de París que protestaban agriamente porque las normas electorales los habían forzado a separarse de sus conciudadanos del Tercer Estado en la antigua Comuna y los nobles-ciudadanos del Delfinado, la Provenza y el Languedoc, y, por otra parte, los individuos de sangre azul de Bretaña, de Borgoña, del Franco-Condado y de la alta Normandía, había un nutrido cuerpo con diferentes opiniones. En una serie de asambleas de los nobles, la decisión de votar individualmente o por órdenes arrojó márgenes estrechos: por ejemplo, cincuenta y uno a cuarenta y tres en Blois. Muchos nobles cuya identidad social estaba dividida entre una existencia urbana y moderna, y la administración de una propiedad señorial arguyeron que, en los temas de interés nacional, por ejemplo, los gravámenes y la guerra y la paz, debatirían y votarían colectivamente; pero, en los casos de asuntos relacionados con sus respectivos órdenes, mantendrían su propia identidad. Otros aún estaban dispuestos (era el caso de Necker) a dejar la decisión en manos de los propios Estados, de modo que, si «lo exigían las necesidades de la nación», se mostrarían dispuestos, después de todo, a votar en común. En Blois, donde se depositaron los votos exactamente de este modo, el número de los que estaban decididos a votar por órdenes descendió de manera drástica a veinticinco y el número de los que deseaban apoyar un compromiso «mixto» se elevó a sesenta y ocho. Si se suman los *cahiers* de las asambleas dispuestas a votar individualmente en tales circunstancias y por los «asuntos de interés nacional» a los que ya estaban comprometidos a votar individualmente como cuestión de principio, tenemos de hecho que una mayoría (aproximadamente, el 60 por ciento) de la nobleza francesa en 1789 se pronunció a favor de una asamblea auténticamente nacional.

Por lo tanto, el Tercer Estado nació como una iniciativa política conjunta, concebida inicialmente por los miembros de la nobleza liberal y posibilitada por las profundas divisiones existentes dentro de su propia élite. En el seno del clero había un grupo similar de prelados dispuestos a apoyar las amargas quejas de los curas de aldea (representados abundantemente en las asambleas de su orden), contra los designios de una aristocracia eclesiástica cargada de privilegios. Sin embargo, no cabe duda de que el proceso de las propias elecciones ofreció a hombres nuevos —procedentes sobre todo de la abogacía y de la burocracia pública— la oportunidad de afianzarse como portavoces del Tercer Estado. Y en el clero, se observó un proceso incluso más radical, que determinó que los curas rurales se consolidaran como una fuerza opuesta a la jerarquía diocesana. Al proceder así, ambos grupos se emanciparon de sus jerarcas, hasta el extremo de señalar categóricamente que no admitirían que los nobles, por bienintencionados que fuesen, los representaran en los Estados Generales.

La humillante experiencia de Antoine Lavoisier fue característica de esta separación. Por impopular que fuese su figura por su condición de recaudador general —y, lo que es peor, por proyectar el nuevo muro aduanero que rodeaba París—, Lavoisier fue también un precursor de la nueva agricultura. Secretario del Comité Real de Agricultura, creado como consecuencia de sus requerimientos, había consagrado una considerable suma de su propio dinero para intentar llevar a cabo un proyecto de mejora en la que, quizá, era la región agraria más miserable de Francia entera: el Sologne. Una región pantanosa y húmeda, mal drenada, al sur del valle central del Loira, el Sologne soportaba un clima atroz que arruinaba regularmente la cosecha de centeno y obligaba al campesinado a consumir el cereal incluso cuando este había sido atacado por el cornezuelo. Esta práctica provocaba por lo menos estados alucinatorios asociados con el ergotismo. Era más frecuente que también incluyese alguna forma de parálisis arterial que concluía con gangrena y con lo que muchos médicos franceses que la examinaron denominaban «formicación»: la sensación de que las hormigas se estaban comiendo viva a la víctima.

En un extenso informe presentado por Lavoisier al comité, en 1788, describió los resultados de diez años de esforzado trabajo en su granja modelo de Fréchines, donde pasó tres años tratando de crear prados de alfalfa, antes de pasar con más éxito al trébol y la esparceta, e introducir la patata y la remolacha. Se trajeron de España carneros y ovejas, y los vacunos de Chanteloup se cruzaron con animales más propios de la zona para producir ejemplares con mayor resistencia. Hacia el fin de la década Lavoisier aún decía, con cierto pesimismo, que, si bien todo esto había aportado algunos resultados satisfactorios, era ocioso esperar que el arrendatario individual imitase el ejemplo, pues «al final de un año (agobiado por los impuestos) no queda casi nada para el cultivador, que se considera afortunado si sobrevive, aunque lleve una vida miserable y enfermiza».

Para la pequeña comunidad de terratenientes progresistas del Loira y la Isla de Francia, Lavoisier era un héroe. Y resulta claro que él deseaba muy vivamente identificarse como un ciudadano-patriota y lograr ser elegido representante por el Tercer Estado. Llegar a esto técnicamente era posible, pues el decreto real había especificado que solo dos de los cuatro electores iniciales debían pertenecer necesariamente al Tercer Estado. Sin embargo, esta cláusula provocó mucho resentimiento en las asambleas, donde los miembros bienintencionados e influyentes de la nobleza liberal intentaron aprovechar la norma. Parece que Lavoisier participó por lo menos en una de estas asambleas, pues firmó las actas de la que se celebró en La-Chapelle-Vendômoise, pero en Villefrancœur, su parroquia natal, fue rechazado bruscamente por el Tercer Estado, por entender que no estaba calificado socialmente.

Mientras la actitud de arriba abajo era sobre todo de unión y concordia, la de abajo arriba, con la misma frecuencia, era de queja y de discordia. Entre los alegatos de la élite había documentos que reflejaban el optimismo ilustrado; en cambio, las del pueblo eran auténticas *doléances* (quejas). Su tono era una mezcla de dolor y cólera, y apelaban menos a las propuestas claras de por sí de la razón y la naturaleza que a un monarca-padre que pudiese reparar los agravios. Una musa local de Allainville, cerca de Pithiviers, comparaba el «buen corazón» del rey reformista con una abeja que fecundaba las flores. Sin embargo, también le imploraba que salvase a los aldeanos de los recaudadores de la *gabelle*, «esa sanguijuela de la nación que trasiega las lágrimas de los infortunados en sus copas de oro».

Los curas, los notarios o los abogados locales que redactaban estos agravios se ocupaban de que incluyeran el catálogo habitual de reformas judiciales. Muchos de estos amanuenses de los pequeños pueblos viajaron de una aldea a otra durante las semanas de marzo, ayudando a la población local a organizar sus encuentros y suministrando un documento modelo, de modo que se descubren enunciados casi idénticos reproducidos en los *cahiers* de los villorrios vecinos. Sin embargo, también había sorprendentes variaciones. Con frecuencia el *cahier* comenzaba como si un mensajero personal estuviese acompañando al rey en el curso de una visita con guía a la aldea y su territorio, y explicando de qué modo los males del lugar arraigaban tanto en la topografía local como en las baronías señoriales instaladas allí. Por ejemplo, la aldea de Cabrerets, en el sudoeste montañoso, atravesada por el río Lot, hoy recibe la visita de muchos turistas que van a saborear los vinos tintos de la cercana Cahors. Sin embargo, en 1789, los aldeanos que habitaban el lugar no atinaban a apreciar el pintoresquismo. La comunidad, decía el *cahier*, «está situada en el rincón más terrible y abominable del mundo, y no tiene más que elevaciones rocosas y montañosas casi inaccesibles, cubiertas de matorrales y otra vegetación muy pobre, casi sin pasturas [...], puede afirmarse con razón que la comunidad de Cabrerets ha de ser una de las más pobres y miserables del reino». Los senderos, que eran el único medio de comunicación, no permitían ni siquiera el paso de los caballos o de los burros, de modo que se necesitaban seis horas para llegar caminando a Cahors. De ahí que no sorprendiera que el lugar hubiese sido abandonado mucho tiempo atrás por el cura. De modo que sus abrumadoras necesidades eran sencillas y en absoluto revolucionarias: un camino decente y una iglesia.

En otros parajes, la crudeza de la geografía o el clima se habían agravado a causa del saqueo humano, y, después de pasar revista a su situación física, los *cahiers* de aldea continuaban enunciando una extensa lista de matones autorizados que dificultaban especialmente la vida de los campesinos. A la cabeza de la lista estaban invariablemente los recaudadores del Estado y el *seigneur*, los alguaciles de todas las clases, los *porteurs de contrainte*, que en Combérouger, en el Tarn, recibían treinta *sous* diarios para aterrorizar a la población local y obligarla a que pagase sus impuestos o a que renunciara a sus pocas pertenencias.

La *gabelous* del impuesto sobre la sal era la peor. Se consideraba que este impuesto era particularmente represivo, pues, como dijo un *cahier*, con disculpable exageración, «la sal a menudo es lo único que el pobre puede poner en su olla». El *cahier* de Kanfen, una aldea de 75 casas en las afueras de Thionville, en las Ardenas (nordeste de Francia), se mostró muy elocuente a este respecto. Explicaba que la mayoría de su población se veía forzada a trabajar como jornaleros de las fincas, en vista de la escasez de pastos, de cereal y de madera. Con sus bajísimos salarios —a veces reducidos a cinco *sous* diarios— no podían pagar la sal a causa de los elevados gravámenes. De modo que estaban obligados a comprar un suministro de sal de contrabando que duraba ocho días y a «regresar temblando» a sus casas, donde quizá los agentes de la *gabelle* estarían acechando, ocultos tras un seto. Se atacaba y se arrestaba al delincuente, se le obligaba a pagar el impuesto y, si no podía hacerlo, era llevado a la cárcel, sin siquiera notificarlo a su familia. «Si están deteniendo a una mujer»,

> sin la más mínima vergüenza la revisan de la cabeza a los pies y la atacan con insultos [...], si entran en una casa, aparecen al romper el día [...], no como hombres honestos, sino como una banda de asaltantes armados con sables, cuchillos de caza y bastones con puntas de acero. Si una mujer está acostada, revisan la cama, sin prestar atención si ella está enferma y, sin avergonzarse nunca de lo que hacen, vuelcan la cama. Dejamos a vuestro criterio juzgar lo que sucede, si una banda como esta entra en una casa en la que hay una mujer embarazada. A menudo, el asunto termina con la muerte del fruto de su vientre.

Había muchos otros indeseables, clasificados como «azote» por los campesinos: molineros que los estafaban y se quedaban con una parte del cereal como pago, en lugar de una suma fija en dinero; guardabosques que los atacaban con perros, si ponían trampas para cazar a los conejos que devoraban sus cultivos; «vagabundos» (solían ser emigrantes sin trabajo que buscaban un establo para dormir y una limosna), de quienes afirmaban que estaban infestando los lugares habitados del campo. En Alsacia, Lorena y el Mosela las quejas contra los judíos eran habituales y se afirmaba que estos cobraban con usura las deudas de los campesinos. En Bretaña había quejas acerca del monopolio del tabaco, que retenía a una clientela cautiva a la que, después, proporcionaba un producto mohoso, «que quizá más envenenaba que aliviaba al infortunado». El mismo *cahier* de Boisse afirmaba que los ladrones de ganado eran un tipo particular de delincuente, al que no disuadía la cárcel y que merecía la pena de muerte. Al sur y el sudeste se criticaba con dureza a las órdenes monásticas, que consumían lo mejor de la tierra mientras los campesinos pasaban hambre. En Onzain, en el Loira medio, el *cahier* llegaba al extremo de reclamar que se aboliesen por completo todas las órdenes religiosas, porque estaban formadas por inútiles parásitos. Los funcionarios y los condestables de los tribunales señoriales eran despreciados sobre todo por su ignorancia y por su crueldad con las armas.

Los ataques a estos grupos surgieron de manera espontánea, pero contaron con el acicate de las campañas de propaganda dirigidas por miembros de los propios grupos atacados. Así, la declaración más vehemente contra la riqueza del clero diocesano y las abadías fue la del canónigo agustino Ducastelier. Su trabajo *Oro en el templo* proponía que la Iglesia retornase a su «destino primigenio» para recuperar su «primigenia santidad». «Veinte millones deben subsistir con la mitad de la riqueza de Francia, mientras el clero y las sanguijuelas devoran la otra mitad.» Los sacerdotes debían ser, sencillamente, «ciudadanos del Estado». Asimismo, un aristócrata y magistrado en el Châtelet, André-Jean Boucher d'Argis, comparó los tribunales señoriales con «vampiros que chupan hasta la última gota de sangre de los cuerpos a los cuales se han pegado».

El remedio de casi todos estos males no era tanto la libertad como la protección. (La sal era la única excepción.) Un asunto que recorre casi todos los *cahiers* del Tercer Estado era la necesidad de volver atrás las agujas del reloj y subordinar las definiciones modernas de los derechos de propiedad a la contabilidad comunitaria más tradicional. Cuando se mencionaban las leyes de la herencia, era casi siempre para insistir en la división igualitaria de la tierra entre los herederos (a pesar de que esta práctica consuetudinaria estaba provocando que hubiera parcelas improductivas). Debía regularse otra vez el comercio de cereales y permitir vender solo a los que tuvieran *brevets* oficiales (incluso solo en los mercados designados oficialmente). La parroquia de Notre-Dame-de-Franqueville, en Normandía, hasta deseaba que los precios del trigo se ajustasen «a un índice soportable por los pobres». Debían protegerse los derechos de recolección. Los cercamientos de las tierras comunales, donde los campesinos solían pastorear a sus animales, tenían que rechazarse o suprimirse del todo, al igual que el drenaje de los estanques para formar prados con empalizadas, pues esta práctica despojaba a la aldea de las aguadas que su ganado necesitaba.

Las tierras boscosas también se habían utilizado tradicionalmente para el pastoreo y para la habitual recogida de la leña y provocaron una controversia aún más enconada. Por ejemplo, en Borgoña, tres actividades diferentes —la construcción naval (a pesar de la distancia que la separaba del mar), la industria de la edificación urbana y sobre todo las florecientes industrias metalúrgicas, en las cuales la nobleza había invertido mucho dinero— determinaron que los precios de la madera aumentasen en gran medida. La activa administración de las propiedades, como la impulsada desde la década de 1760 en adelante, no podía permitirse actitudes sensibleras —o ni siquiera tradicionales—, dada la enorme inversión que se había hecho. Se recurrió a los servicios de guardas forestales privados con el fin de garantizar que se matara a los animales cuyo ramoneo destruía los brotes, y que se persiguiera a los malhechores.

En Le Montat, cerca de Cahors, los aldeanos estaban seguros de que el cambio había agravado las cosas. La cosecha era menos abundante que hacía un siglo; los desmontes, los cercados y la tala de los bosques habían dejado a la gente sin pasturas para su ganado y, por tanto, sin el abono para fertilizar el suelo, que estaba agotado. Los impuestos, las rentas y el precio de los artículos básicos se habían duplicado a medida que empeoraban las condiciones. El resultado fue que los agricultores del Montat «se encontraron como extraños entre sus propios haberes y se vieron obligados a errar y a vagabundear [...]. La felicidad, que es la base de todas nuestras esperanzas, nuestros anhelos y nuestros trabajos, se nos ha esfumado [...], durante varios años hemos soportado calamidades que nos arrebataron las cosechas; innumerables impuestos que se acumulan sobre nuestra cabeza y sobrepasan ampliamente nuestras fuerzas». Lo único que pedían era tener nuestra propiedad, que nos permita subsistir con un poco de pan humedecido con nuestras lágrimas y nuestro sudor; pero desde hace un tiempo ni siquiera podemos gozar de esta felicidad [...], la última corteza de pan nos fue arrebatada, de modo que nos hemos visto despojados incluso de nuestras esperanzas futuras; la desesperación y la muerte son nuestro único recurso, pero vuestra [del rey] voz paternal ha escuchado la voz de nuestros corazones y nos ha llevado a saltar de alegría.

Le Montat estaba al fondo de una de las regiones más áridas del sudoeste del Macizo Central. Ocupaba el centro del *pays de petites cultures* y era una región donde un excesivo número de personas competían por el escaso y pobre suelo, y donde cientos de miles de personas habían renunciado a trabajar como medieros en su parcela de terreno montañoso y se habían convertido en peones nómadas sin tierra. Sin embargo, en el *pays de grandes cultures* (en donde las parcelas eran más extensas; los cultivos comerciales destinados a los mercados urbanos, más habituales; las comunicaciones, mejores; la tierra, más fértil; y los rendimientos de los cultivos, más abundantes), muchas de las quejas eran las mismas. Y justo porque, en estas regiones (como la Isla de Francia, el Beauce, el Valle del Loira, la Flandes francesa y el Artois), los campesinos se encontraban en mejor situación, con parcelas mayores y algo de educación, sentían con mayor intensidad las amenazas que los procesos de la segunda mitad del siglo representaban para su nueva seguridad. La resistencia que oponían al cercamiento de la tierra comunal, al drenaje de los estanques y las tierras boscosas quizá deba entenderse como una lucha por los recursos de capital contra los agentes de las propiedades señoriales y no como un ciego conservadurismo. Sin embargo, se basaba en principios y actos colectivos, no en un rotundo individualismo total. Mucho antes de 1789, se había organizado la resistencia frente a las apropiaciones de los terratenientes mediante las asambleas de aldea y los tribunales locales, donde con una frecuencia cada vez mayor los representantes legales del Gobierno tomaban partido por los aldeanos «contra» el *seigneur.* De modo que, cuando se supo de la convocatoria destinada a promover la presentación de los *cahiers,* un liderazgo de la aldea local, generalmente en manos de los campesinos más acomodados, ya había definido sus quejas y probado su fuerza contra la nobleza local, a partir del supuesto, que cada vez cobraba más fuerza, de que la corona se convertiría en un aliado en la campaña por los derechos comunales.

Estos mismos «jefes» de aldea (en la Flandes francesa se les denominaba literalmente *hoofmannen*), a su vez, no estaban a salvo de la crítica. Donde, como sucedía en el Beauce y el Brie, se aprovechaban como particulares del cercado y la división de la tierra comunal, los *cahiers* incluyeron una serie de agrias quejas de los campesinos menos acomodados referidas a ese asunto. En muchos casos, como en Châtenay, Baillet, Marly y Servan-en-Brie, los *fermiers* más acaudalados fueron acusados de empobrecer a la mayoría y se reclamó que se limitara la superficie de las fincas a la tierra que podía cultivarse con cuatro arados. «Es hora de frenar las ambiciones de los terratenientes ricos», declaró el *cahier* de Fosses, donde se acusó a los agricultores de prestar dinero a los cultivadores más pobres para imponerles condiciones con la intención explícita de utilizar los cercamientos y de arrebatarles la propiedad. En Villeron, cerca de Vincennes, se planteó la petición concreta de que se aprobara una ley que mantuviera «la tierra en forma de pequeñas fincas, como eran antes, que darían trabajo a los habitantes del lugar».

Así, el *ancien régime* rural se encontró atrapado en contradicciones que traspasarían a la Revolución. Por una parte, por medio de sus sociedades agrícolas, de las fincas experimentales (como el lugar en que Lavoisier desarrolló sus labores precursoras en la región terriblemente pobre del Sologne) y de las medidas que imponía el libre comercio, el Gobierno se comprometía con una visión fisiocrática del futuro: mercado con pago en dinero, parcelas unificadas, acumulación del capital, precios más elevados para la producción, cultivo de forrajes, es decir, la agricultura «inglesa» racionalizada. Sin embargo, la necesidad de impuestos aquí y ahora (recaudados más fácilmente mediante las instituciones comunales) y la paz social impulsaron el proceso exactamente en dirección contraria, hacia la protección y la intervención.

Y de los *cahiers* se desprendió con absoluta claridad que gran parte de Francia quería más, y no menos, gobierno en la campiña. Una asamblea tras otra reclamó más vigilancia contra los ladrones de ganado y caballos, contra los vagabundos saqueadores, contra los falsificadores; incluso, en Cloyes, del Loiret, contra una epidemia de charlatanes y curanderos ambulantes que, según se dijo, infestaban la región y perjudicaban tanto a los hombres como a las bestias. Las aldeas, tanto en las *grandes* como en las *petites cultures*, deseaban curatos donde no los había; mejor paga para los existentes; escuelas, caminos, puentes, asilos para los pobres y los enfermos. Un asunto frecuente era el deseo de transferir la autoridad social de las jurisdicciones privadas —tratárase de los recaudadores de impuestos, de los tribunales señoriales o de la abadía local— a la del Gobierno de la corona y, por extensión, a toda la nación. Así, solamente la justicia real (o nacional) debía determinar quiénes tenían derechos sobre los cursos de aguas o el brezal, si la tierra podía continuar abierta o tener empalizadas. Se concebía una asociación entre un soberano solícito y una comunidad local activa dotada de poder.

También parecía muy claro que un Estado realmente paternalista como el definido en los *cahiers* rurales era incompatible con la explotación de lo que quedaba de los anacrónicos derechos feudales. Estos habían sido atacados con dureza por escritores como el abate Clerget y como Boncerf, colega de Turgot, sobre todo cuando se utilizaban como pretexto para arrancar dinero a los habitantes locales, que a cambio se veían liberados de la obligación de prestar cierto servicio. Clerget creía que una de estas demandas —de un *seigneur* del Franco-Condado— como la de que tenía derecho a llevar a sus vasallos a cazar en invierno «y, después, obligarles a vaciar los intestinos para poder calentarse los pies en el excremento» era totalmente absurda. En Borgoña y el Nivernais, sobrevivían excentricidades de este género, como la obligación de entregar la lengua de todos los bueyes sacrificados para disfrute del *château*. En los Vosgos, un derecho similar imponía la presentación de los testículos de los toros en la misma ocasión. Más enojoso era el remanente de la *mainmorte*, que obligaba a obtener la autorización del señor cuando un campesino deseaba vender su tierra y que le prohibía legar esta a nadie que no fuese un pariente directo que hubiese compartido su casa. De todos modos, esto no era más que el residuo y los jirones de un feudalismo que había desaparecido en el resto de Francia.

Era más habitual que los administradores señoriales convirtiesen el privilegio en el pago de supuestos servicios prestados: la molienda, la elaboración de cerveza, vadear un río, el traslado de bestias al mercado, así como los censos reclamados anualmente por el mero privilegio de trabajar en lo que era, desde el punto de vista de la titularidad, la tierra del señor. Dichos pagos por servicios y derechos habían sido arrancados de manera agresiva como una nueva forma de práctica comercial, con su correlato de archivos muy actualizados (lo que no era poca cosa en la Francia del siglo XVIII) y la aparición de una nueva profesión de inspectores que se ocupaban de convalidar las reclamaciones, si se planteaban ante el tribunal (como sucedía cada vez más).

Por tanto, desde el principio, la Revolución avanzó velozmente en direcciones contrarias. Sus líderes deseaban la libertad, la eliminación de reglamentos y la movilidad de la fuerza de trabajo, la comercialización, la actividad económica racional. Sin embargo, la miseria que de hecho induciría a que se cometieran actos violentos —según suponían, autorizados por el rey— se originó exactamente en las necesidades contrarias, y esto puede aplicarse tanto en el caso de los artesanos urbanos como en el de los campesinos. Un sorprendente número de *cahiers*, de las propias ciudades como sobre todo de las regiones rurales que dependían del hilado y del tejido familiares, atacó la mecanización y la concentración de procesos industriales en las fábricas. Un número todavía mayor se mostró inflexible en su denuncia de las ventas realizadas en ferias y mercados por individuos desprovistos de especialización y desorganizados. Los buhoneros y los vendedores ambulantes de cualquier clase fueron vistos como intrusos, que suministraban mercancías de mala calidad a precios que perjudicaban a los que tenían que pagar su cuota a las corporaciones y afrontar años de aprendizaje para alcanzar la autorización oficial.

Es cierto que estos puntos de vista eran previsibles, dado que las asambleas primarias del Tercer Estado en las ciudades las organizaron las corporaciones, de modo que se podría suponer que predominó el parecer de los maestros artesanos más que el de los jornaleros, como en efecto sucedió. Sin embargo, sería igual de ingenuo suponer que los maestros y sus artesanos estaban *necesariamente* divididos con respecto a la fuerza de trabajo reglamentada, simplemente porque otras cuestiones —sobre todo el salario mínimo— eran un asunto frecuente de disputa. En la mayoría de las ciudades más importantes, prevalecía una antigua hostilidad entre los artesanos arraigados en oficios como la sastrería y la fuerza de trabajo inmigrante que producía artículos destinados a la venta en puestos improvisados en el mercado. Incluso en París, donde el mercado de la fuerza de trabajo era fluido, de ningún modo se percibe con claridad que el *cahier* de las floristas y de aquellas que se dedicaban a adornar sombreros no representase a las trabajadoras tanto como a las *patronnes* de la corporación. Les preocupaba sobre todo el hecho de que «en estos tiempos, todos creen que pueden hacer un ramillete» y de que «mujeres sin principios» reduzcan a «las floristas honradas a la más mísera pobreza con sus prácticas desordenadas». El mercado libre no estaba empujando a la ruina a las baronesas de la corporación, sino a las «madres de familia, que tienen que pagar treinta *sous* diarios por los alimentos» y se mostraban particularmente hostiles con las mujeres de los *faubourgs* periféricos, que llegaban al romper el día y ofrecían flores por debajo de los precios convenidos. Reclamaban que no se permitiese a nadie vender antes de las cuatro de la madrugada, entre la Pascua y el día de San Martín (11 de noviembre) o antes de las seis el resto del año.

En una ciudad más pequeña de provincias, como el puerto de Le Havre sobre el Canal, estas hostilidades eran aún más perceptibles. En el mismo *cahier* en que se quejaba de los bajos salarios, la corporación de carpinteros navales se oponía enérgicamente a que los dueños de los astilleros contrataran fuerza de trabajo temporal todos los días. Asimismo, los vendedores de café-limonada-y-vinagre se enfurecían ante la competencia no autorizada que robaba suministros de los barcos descargados e instalaba puestos a precios muy inferiores. Y los sombrereros insistían en que el mercado abierto de Le Havre, con sus dos días semanales, estaba destruyendo, en realidad, a la comunidad, pues «había personas que, sin el más mínimo conocimiento, se infiltraban en el oficio y estafaban a la clientela». El aumento de los robos, la embriaguez y las peleas violentas en la ciudad respondía, creían los redactores del memorial, a este componente circulante e indisciplinado.

En las cambiantes fronteras entre la ciudad y el campo, estas disputas eran particularmente agrias. El escenario habitual era la dificultad que afrontaban los hombres de la ciudad para aplicar los reglamentos sobre la comercialización a los productos traídos del interior suburbano. Sin embargo, a veces, los agricultores de las aldeas que estaban «fuera de los muros» se sentían perjudicados por la explotación comercial. El *affaire des boues* (cuya mejor traducción sería el «problema de los lodos») era la principal preocupación de muchas pequeñas comunidades que se extendían al sur y al oeste de París —ahora otras tantas paradas de metro—, por ejemplo Vanves, Ivry, Pantin y La Villette. Durante mucho tiempo estas activas aldehuelas las había dominado la corporación de carniceros de París, que gozaba del derecho de pastorear su ganado en esos campos. Al amparo de este monopolio de hecho se había requisado la periferia de París para alimentar al gran vientre de la ciudad. Los campesinos locales no podían criar animales, ni venderlos por su cuenta en la ciudad; pero se les permitía cultivar repollos y cebollas, zanahorias y habas. Y como compensación por haber entregado sus prados a los carniceros de París, las aldeas habían recibido el derecho a recoger los excrementos de la calle, sin pagar nada a cambio a la ciudad: un lodo que valía su peso en oro como fertilizante de los huertos. Los *cahiers* se quejaban porque, desde finales de la década de 1770, se habían levantado barreras para cobrar derechos a los carros cargados de estiércol que sacaban de la ciudad el precioso material, con lo cual se violaba el *quid pro quo*. Mientras esta nueva práctica comercial los exprimía, no se había permitido a su vez a los campesinos que cobrasen nada por las pasturas a los comerciantes que vendían carne. A juicio de quienes se quejaban, la reparación no residía en la solución liberal de permitir que cada parte cobrase la tasa correspondiente al servicio, sino, más bien, en restablecer los términos tradicionales del acuerdo. Si no se hacía nada, los firmantes amenazaban con eliminar a su manera el ganado de los carniceros.

Muchos otros procesos de modernización económica desencadenaron airadas respuestas. Un sindicato formado por un empresario, Defer de La Nouerre, para desviar el Yvette, afluente del Sena, y encauzarlo hacia el nuevo canal, tropezó con la violenta oposición de todas las parroquias ribereñas que se extendían a lo largo del curso del río. El proyecto habría despojado de una importante fuente de agua al faubourg Saint-Marcel, habría arruinado las fábricas de tapices Gobelin y, lo que es peor, habría privado a dieciséis molinos de agua de su capacidad para producir harina. En febrero de 1788, el Parlamento de París prohibió la iniciativa y ordenó a Defer que reparase los daños que había provocado con las primeras obras y que, además, restableciese el curso original del río. Sin embargo, tanto el Gobierno de Brienne como el de Necker apoyaban el proyecto y, en esta situación de incertidumbre, los *cahiers* de las comunidades afectadas hervían de indignación ante la posibilidad de que el plan continuase.

Precisamente estos tipos de quejas locales, muy específicas, eran el factor que podía suscitar profundas pasiones durante el invierno y la primavera de 1789. Al ser casos presentados a los parlamentos, se habían convertido en ejemplos aislados del conflicto entre el naciente capitalismo y los derechos comunitarios. Entretejidos en los textos de los *cahiers* y en el procedimiento de elección de diputados de los Estados Generales, contribuyeron en gran medida a la politización del Tercer Estado. Al menos en este sentido, la política de la nación estaba compuesta tanto por una miríada de quejas materiales de carácter local como por los grandilocuentes epítetos del debate constitucional. Como sucedería durante la Revolución, los intereses del centro y de las localidades, de la élite y de las bases, no siempre avanzaron en la misma dirección.

Mientras los *cahiers* de la nobleza liberal proponían el seductor panorama de una Francia que se modernizaba con dinamismo y que realizaría los grandes cambios de las décadas de 1770 y 1780 mediante la eliminación de las restricciones del mismo modo que una mariposa se desprende de una crisálida, los *cahiers* del Tercer Estado reclamaban con mucha frecuencia el retorno al capullo. Por tanto, proponían una Francia mítica, gobernada por un monarca omnisapiente, justo y benigno, y cuidada por un clero humilde y responsable. En esa comunidad ideal, el Gobierno se las ingeniaría para estar en todas partes y en ninguna, para estar presente en la comunidad local cuando fuera necesario (como en la reforzada policía rural de la *maréchaussée* que muchos *cahiers* requerían), pero evitando pisotear los derechos locales. Así, un Gobierno de este tipo conseguiría afianzar relaciones justas y recíprocas entre los ciudadanos y entre estos y el Gobierno.

Sobre todo, sería una Francia liberada de las corrupciones de la vida moderna. Muchos *cahiers* del Tercer Estado reclamaban la abolición de las casas de juego, de las loterías —en algunos casos, incluso de los cafés—, como lugares de mala reputación que hundían a los jóvenes en la miseria y en la depravación. Para la escoria del mundo dorado —los arruinados, los usureros, los especuladores de cereales— reservaban sus más duros castigos, por ejemplo, el marcado a fuego. Muchos reclamaban la abolición de los *petits spectacles* —los teatros de los bulevares— con un fervor que habría animado el corazón de Jean-Jacques Rousseau. Como si estuvieran imitando la retórica apocalíptica de Mercier, deseaban sacar el carbunclo envenenado de la vida urbana y limpiar esta de suciedad.

Por supuesto, eso era pedir lo imposible; pero pedir lo imposible es una buena definición de una revolución.

Conejos muertos, papel pintado roto (marzo–abril de 1789)

Las primeras bajas graves provocadas por la Revolución francesa fueron los conejos. Los días 10 y 11 de marzo de 1789, los aldeanos de Neuville se organizaron en patrullas, armados con barrotes y hoces, y buscaron a sus prolíficos y pequeños enemigos en los prados y en los bosques. Los acompañaban algunos perros y, al grito de «guau, guau», informaban al resto del grupo cazador de que se había realizado una buena matanza. Cuando no los encontraban, se tendían trampas que desafiaban las draconianas leyes de caza que durante mucho tiempo habían aterrorizado al campesinado y les habían impuesto una huraña obediencia.

En toda la Isla de Francia y en otros lugares del norte del país, desde las propiedades del conde D'Oisy, en Artois, hasta las del príncipe de Conti, en Pontoise, hubo invasiones similares. Faltando a las leyes de caza que habían protegido a las aves y a los animales, y desafiando las brutales «capitanías» que las aplicaban, las botas claveteadas hollaron los bosques prohibidos o saltaron las empalizadas y los muros de piedra. Se segó la hierba de los campos sembrados para descubrir los nidos de perdiz y faisán, la agachadiza y la chocha; se aplastaban los huevos y se dejaban las crías a los perros. Se destruían las conejeras y se expulsaba a las liebres de sus escondrijos detrás de las piedras. En las aldeas de espíritu más atrevido, incluso se fabricaban trampas para atrapar a la presa más apreciada, la consumidora más voraz de brotes verdes: el corzo. Los ataques más espectaculares fueron los que se lanzaron sobre esos castillos en miniatura (los palomares), de donde partían, a la vista de los campesinos, las incursiones aéreas que caían sobre sus semillas, para regresar sanas y salvas al dominio señorial. Como decía un *cahier*, eran «bandidos alados». En un distrito de Lorena, unos diecinueve *cahiers* reclamaron su total destrucción y quince más insistieron en que al menos era necesario encerrar a las palomas y a los pichones durante los quince días siguientes a la siembra.

Nos equivocaríamos si afirmáramos que todo esto fue un episodio de caza furtiva, pues la matanza nada tuvo de furtiva. En algunos casos, las presas sacrificadas colgaban de pértigas como trofeos y las paseaban por la aldea. En un principio, los grupos de campesinos tropezaron con patrullas a caballo que estaban al servicio de las capitanías. Sin embargo, era excesivo el número de decididos campesinos que, con sus cultivos invernales destruidos por el clima, no estaban dispuestos a permitir que la cosecha de la primavera se convirtiese en alimento de los conejos. En ciertos lugares, por ejemplo, en las propiedades del príncipe de Condé, cerca de Chantilly, los aldeanos simplemente se desentendieron de las leyes de caza y cazaron a voluntad. Cuando tropezaban con los guardias, por ejemplo el 28 de marzo, los mataban en el acto.

Ante este tipo de desobediencia a gran escala, los continuados intentos de represión fracasaron y, antes de que pasara mucho tiempo, las autoridades hicieron la vista gorda ante gran parte de lo que sucedía. En Oisy, un complot de aldeanos limpió de animales las tierras del conde local. En Herblay, donde la masacre había sido muy intensa, el jefe de los campesinos, llamado Toussaint Boucher, fue detenido durante un breve periodo de tiempo, pero después fue liberado. Al desafiar a las capitanías de caza y exponerse a sufrir penas de látigo, marcado a fuego y destierro, los exterminadores de conejos y pájaros creían, sin duda, que el derecho —la forma de la voluntad real— estaba de su parte. Uno de los *cahiers* de la Isla de Francia había insistido en que era «la voluntad general de la nación que la caza sea destruida, pues consume un tercio de la subsistencia de los ciudadanos, y esa es la intención de nuestro buen rey, que cuida el bien común de su pueblo y que lo ama».

Los hombres desesperados experimentaban una particular satisfacción cuando destruían un palomar; pero, cuando lo arrancado del palomar se desparramaba sobre el prado de una propiedad rural, se estaba enviando a los *seigneurs* de Francia un mensaje poco sutil, aunque elocuente. Los disturbios relacionados con la caza indicaron un movimiento de traslación de las quejas verbales a la acción violenta. Como si la consulta real ante el pueblo hubiese originado el supuesto de que ahora el rey autorizaba lo que había sido ilegal: que su ley y, por extensión, la voluntad de la nación desplazaban los egoístas acaparamientos del privilegio. Matar la caza no era solo un acto de desesperación, sino, tal como se entendían las cosas en 1789, constituía una actitud patriótica.

Después de todo, matar la caza de los *seigneurs* era mejor que volcar la cólera sobre determinadas personas. Y resulta sorprendente que, durante las insurrecciones rurales de 1789, se eligiera una sucesión de blancos animales o blancos inertes para permitir una descarga visceral de odio. El derramamiento de sangre mediante sacrificios sucedáneos, ya se tratara de los maniquíes quemados en el Pont Neuf, de las palomas blancas de raza estranguladas en sus palomares o de blancos inertes, por ejemplo la violenta destrucción de los escudos de armas de los carruajes o los escaños de las iglesias, cumplieron todos la misma función simbólica: una ofrenda a la libertad.

Los ataques a los transportes de cereal, que estallaron más o menos a la vez, se ajustaron a la misma pauta. Como en las «guerras de las harinas» de 1775, los participantes en los disturbios creyeron que estaban cumpliendo la voluntad del rey más fielmente que las autoridades que habían usurpado el nombre del monarca. Se rumoreaba que él había decretado que el precio de un *sétier* de trigo debía descender de cuarenta y dos a veinticuatro libras, como si se tratase de una antigua justicia obtenida mediante la transposición de los números. El pan debía venderse al justo precio de dos *sous* la libra, en lugar del precio de mercado, que se elevaba casi a cuatro. Los enemigos del rey eran los enemigos del pueblo: especuladores, acaparadores, molineros tramposos, panaderos que se aprovechaban. El vacío de poder anunciado por las elecciones para los Estados Generales reforzó esta impresión e infundió más osadía a los dirigentes de los ataques contra las barcazas, contra los carromatos y contra los depósitos de harina. En ese liderazgo las mujeres representaron un destacado papel. En Viroflay fueron las mujeres las que organizaron un puesto de control en el trayecto entre Versalles y París; ese puesto detenía los convoyes y controlaba el camino de Versalles a París, donde detenía a las filas de carros y los registraba en busca del cereal o la harina, antes de permitirles que continuaran viaje. En Joüy, otro *attroupement* de mujeres exigió que el cereal se vendiese a un precio bastante inferior al fijado por el mercado; y el agricultor más acaudalado del vecindario, un hombre llamado Bure, les permitió sensatamente comprar el producto al precio que desearan. En un amplio radio de la campiña alrededor de París, de Bourg-la-Reine a Rambouillet, la situación era similar.

A principios de la primavera de 1789 la geografía de la intervención popular se había ampliado más de lo que se había visto en catorce años. De mediados de marzo a mediados de abril hubo ataques contra las panaderías y los graneros de trigo en el norte, de Cambrai y Valenciennes a Dunquerque y Lille. En Bretaña, la violencia, en realidad, nunca se había calmado desde las luchas callejeras de enero en Rennes, y en cambio se extendió a localidades más pequeñas, como Morlaix y Vannes. Entre el 20 de marzo y el 3 de abril, un disturbio en Besançon, bajo la dirección de mujeres, impuso precios máximos al cereal y pasó a demoler las casas de parlamentarios reticentes.

La amplitud y la intensidad de los desórdenes en la campiña requirió la presencia de tropas para contener el movimiento antes de que se convirtiese en una insurrección general: pero la plaga de disturbios en las ciudades de provincias obligó a dispersar demasiado las fuerzas de las que se disponía. Cada vez más quedó en manos de las comunidades locales la tarea de organizar su propia defensa. Ya en abril de 1788, Troyes había dado ejemplo, al formar una milicia urbana responsable ante las autoridades locales más que ante los funcionarios de la corona. Un año después, las asambleas convocadas con fines electorales imprimieron un mayor impulso a esta restitución bajo presión y se formaron guardias voluntarias en Marsella, en Étampes, Orleans y Beaugency. Fue un momento decisivo en el desplome de la autoridad real. Primero, se afianzó la conciencia de que el *père nourricier* —el «rey como padre proveedor de sustento»— no podía alimentar a sus súbditos. Después, se obtuvieron amplias pruebas de que tampoco estaba en condiciones de protegerlos.

Por supuesto, París fue el lugar en que el hambre y la ira confluyeron del modo más peligroso. Colectivamente, la ciudad ya estaba indignada porque se le había impedido organizar sus asambleas de acuerdo con el modelo del Delfinado, es decir, como una Comuna unificada (su título medieval). Las veinte asambleas electorales de la nobleza de París (así como muchas de las que correspondían al clero) añadieron a sus *cahiers* una queja formal, porque se las había privado, de este modo, de las bendiciones de la fraternidad patriótica. Y mientras que, en el resto de Francia, alrededor de un sexto de los ciudadanos se habían visto privados del derecho de voto por los requerimientos impositivos, en París una cláusula impositiva más alta, que alcanzó el monto de seis libras, garantizó que la proporción se elevase a un cuarto. Un característico panfleto que protestó ante esta exclusión comentó airado que «nuestros diputados no serán nuestros diputados. Se han organizado las cosas para que no participemos en la elección y la ciudad de París, dividida en sesenta distritos, será en todos los aspectos como sesenta rebaños de ovejas».

Por consiguiente, el trabajador parisiense fue el primero que, rápidamente, pasó de la euforia de la representación nacional a la punzada de la marginación. Al margen de la crisis industrial, la helada del Sena había dejado sin medios de subsistencia a las *gens de rivière* —estibadores, barqueros, gancheros— y las duras condiciones que se prolongaron en la primavera engrosaron este contingente con los albañiles desempleados, los pintores de brocha gorda y los carpinteros. Cuando en abril el tiempo mejoró un poco, doce mil de los más necesitados fueron enviados a cavar en las *buttes* de Montmartre; otros repararon los muelles o dragaron ríos y canales. Pero la necesidad era tan grande que desbordaba estos austeros planes de trabajo.

En las panaderías, el precio de la importantísima hogaza de cuatro libras fluctuaba entre once y quince *sous*. En febrero, veintisiete panaderos fueron multados, con la suma de cincuenta libras cada uno, por superar el tope permitido de catorce *sous* y medio. La corporación de los panaderos protestó de inmediato y afirmó que, en vista de la escasez y de los elevados precios mayoristas, para ellos resultaba imposible vender así sin adulterar el trigo o sin corromper peligrosamente la hogaza con sucedáneos que completasen el peso. Los diarios informaron de que los hombres estaban canjeando sus camisas por pan y, en un caso, una mujer se quitó el corsé y lo entregó al panadero a cambio de una hogaza. En tales circunstancias, un *Cuaderno de los pobres* reclamó un salario mínimo establecido y la garantía de la subsistencia de todos los trabajadores sanos de ambos sexos. Un trabajo similar, el *Cuaderno del Cuarto Orden*, escrito por Dufourny de Villiers, pidió que se aplicara un importante gravamen a los ricos para contribuir al sustento los pobres, pues la codicia había creado una sociedad en la que «se trata a los hombres como si fueran desechos».

A finales de abril, una semana después de que el Tercer Estado de París celebrara sus asambleas primarias muy postergadas, la miseria y la desconfianza comenzaron a mostrar un violento cariz. El motivo fue un rumor, difundido en el faubourg Saint-Antoine (justo al este de la Bastilla) de que el fabricante de papel pintado Réveillon había dicho que reduciría a quince *sous* diarios el salario de sus trabajadores. Réveillon y otra víctima, el fabricante de salitre Henriot, lo negaron indignados. En realidad, Réveillon era uno de los empresarios más concienzudos de París y, como promedio, pagaba de treinta y cinco a cincuenta *sous* diarios; además, había mantenido en nómina a gran parte de su fuerza de trabajo en el periodo más crudo del invierno, cuando el tiempo impedía cumplir la jornada. Pero era la clase de empresario capitalista que despertaba la ira tanto de los artesanos independientes como de los jornaleros que formaban la mayoría de la población del faubourg Saint-Antoine.

La carrera de Réveillon era la habitual historia del empresario que había ascendido por sus propios medios, un asunto no infrecuente hacia finales del Antiguo Régimen. Había comenzado como simple aprendiz de empapelador, pero había abandonado la industria que estaba controlada por la corporación para dedicarse a una actividad más moderna y libre: la fabricación de papel pintado. Contrajo un matrimonio de conveniencia y utilizó la dote de su esposa para adquirir su propia fábrica. En 1789 ocupaba la planta baja de una espaciosa casa que le había vendido un *financier* arruinado, cuyos muebles pasaron a poder de Réveillon, que los dispuso en sus aposentos de los pisos superiores. En lugar de limitarse a imprimir, a engomar y completar, Réveillon había comprado su propia fábrica de papel y, por tanto, controlaba todos los procesos de la producción. Como demostraba la historia de los Montgolfier, había estrechas relaciones entre los fabricantes del papel y el mundo de la ciencia, y Pilâtre de Rozier realizó sus primeros experimentos con globos en el taller de Réveillon. Este último se entretenía con los experimentos químicos y, de este modo, descubrió un nuevo proceso para fabricar papel vitela y comenzó a elaborarlo en sus talleres del Brie. Hacia 1784 empleaba a cuatrocientos trabajadores, encargaba diseños a los mejores artistas de los Gobelinos y había recibido una medalla especial de oro por su excelencia en la manufactura. Incluso había logrado exportar sus productos a Inglaterra.

Era el tipo de empresa moderna que los artesanos del *faubourg* veían como una amenaza. La concentración de la fuerza de trabajo, el empleo de niños al margen del sistema educativo y la integración de los procesos industriales eran elementos suficientes para considerar un enemigo a Réveillon. Peor aún, su residencia, Titonville, se elevaba en la esquina de la rue de Montreuil y la rue del faubourg Saint-Antoine y era famosa por sus impresionantes muebles, por su inmensa biblioteca y, aún más importante, por su abundante y apreciada bodega de dos mil botellas.

Réveillon fue la víctima de sus propias reflexiones mal digeridas acerca de la economía moderna; pues lo que él en verdad había dicho en una asamblea electoral del distrito de Sainte-Marguerite fue que, «como el pan era la base de nuestra economía nacional», debían eliminarse las regulaciones que pesaban sobre su distribución, lo que permitiría bajar los precios. A su vez, esto abriría paso a costes salariales más bajos, precios menores del proceso de manufactura y un mayor consumo.

Se trataba de una buena propaganda similar a la que utiliza la Cámara de Comercio; pero, considerada junto con algunos comentarios semejantes de Henriot, no resulta difícil entender por qué daba la impresión de constituir una amenaza de bajada de salarios. En todo caso, parece que las primeras manifestaciones no fueron en el faubourg Saint-Antoine, donde vivían los trabajadores de Réveillon (muy pocos de ellos participaron en los disturbios), sino en uno más pobre, el de Saint-Marcel, con el río de por medio. Era un distrito dominado por los trabajadores de las fábricas de cerveza y las curtidurías, industrias que habían debido interrumpir su trabajo al congelarse el río Bièvre, del cual dependían los procesos de elaboración. Una muchedumbre de varios cientos de personas, armadas con palos, avanzó hacia Saint-Antoine al grito de «Muerte a los ricos, muerte a los aristócratas». Todos marcharon en una ruidosa manifestación hacia la fábrica de Réveillon. El librero Siméon Hardy, el mayor entrometido de París, vio a un grupo de manifestantes, que ahora formaban una columna de unas quinientas personas y que transportaban un simulacro de horca, de la cual colgaba la efigie de Réveillon y un cartel que decía: «Decreto del Tercer Estado que juzga y condena a los susodichos Réveillon y Henriot a ser ahorcados y quemados en una plaza pública». Cuando llegaron a la place de Grève, el número había aumentado hasta unas tres mil personas y allí la manifestación intentó paralizar la circulación y reagruparse antes de continuar hacia la casa de Réveillon, en la rue de Montreuil.

La asamblea de electores de los sesenta distritos electorales de París se había constituido de hecho en una administración informal, que celebraba sus sesiones en el arzobispado. Despachó a tres valientes voluntarios, dos de ellos fabricantes textiles, con la misión de hablar a la multitud. «¿Quiénes sois vosotros y por qué queréis impedir que ahorquemos a Réveillon?», preguntó un miembro de la manifestación. Con un gesto de grandiosa magnanimidad, extraída directamente del teatro, el fabricante textil Charton replicó: «Soy el padre y proveedor [*père nourricier*] de varios de vosotros [es decir, el patrón] y el hermano de todos». «Bien, en ese caso, puesto que sois nuestro hermano, abrazadnos.» (Una prueba de fraternidad que muchos de los más fervientes jacobinos, en su momento culminante, no podían ofrecer.) «De buena gana —replicó Charton—, si dejáis vuestros garrotes.» La explicación de que Réveillon y Henriot eran buenos patriotas y amigos del pueblo pareció obtener el deseado efecto tranquilizador y los manifestantes se disolvieron.

Sin embargo, las dificultades no habían terminado. Al no poder llegar a la casa de Réveillon porque una compañía de cincuenta *gardes françaises* se lo impedía, los manifestantes, en efecto, lograron acercarse a la residencia de Henriot y la destruyeron de arriba abajo (destrozaron los muebles y quemaron los restos en la calle).

Al día siguiente, el 28, las cosas empeoraron. Una multitud casi tan numerosa como la del día anterior fue arengada por una mujer de cuarenta años, Marie-Jeanne Trumeau, la esposa embarazada de un jornalero del faubourg Saint-Antoine. Junto con Pierre-Jean Mary, de veinticuatro años, mencionado en el expediente del juicio como «redactor», ella incitó a la muchedumbre a continuar lo que había comenzado la víspera. Mientras atravesaban el Sena, los refuerzos de Saint-Marcel habían aumentado con la gente de la ribera: estibadores desocupados y *flotteurs* que empujaban las balsas de madera. Unidos a los obreros cerveceros, los curtidores y los trabajadores de Saint-Antoine, formaron una multitud formidable de cinco a diez mil personas, que hicieron frente a una barrera de *gardes françaises* ante la casa de Réveillon.

La algarada amenazó con producir efectos mucho más graves que la destrucción de la propiedad o el atosigamiento del sistema de vigilancia de París: amenazó con interrumpir las carreras de caballos en Vincennes. Pues, ya viviesen en *hôtels* del Marais o residieran en Saint-Germain, los elegantes propietarios de los veloces capones y potrancas, y los muchos más que apostaban, tenían que atravesar Saint-Antoine para llegar hasta el hipódromo. Los desórdenes eran desórdenes, pero los embotellamientos del tráfico también eran muy graves, por no hablar de los insultos y de los gestos de amenaza dirigidos contra los que ocupaban carruajes elegantes y no mostraban ningún entusiasmo por el Tercer Estado. El duque de Orleans, héroe de la multitud (y magnate propietario de caballos) fue la excepción. Saludado como (también él) «padre del pueblo», el duque descendió de su carruaje, realizó amistosos gestos y emitió unos pocos ruidos para dar a entender que todos sus amigos debían calmarse. Cuando la gente replicó que todo eso estaba muy bien, pero que los patrones bastardos se preparaban para reducir el salario a quince *sous* diarios, Orleans reaccionó del único modo que conocía: distribuyendo saquitos de dinero entre la gente y alejándose en medio de agradecidos aplausos.

Como era lógico, la tensión se atenuó; pero la muchedumbre continuó en el lugar, al igual que hicieron los guardias que estaban frente a Titonville. Permanecieron así varias horas, hasta que los aficionados a las carreras regresaron. Como era comprensible, la mayor parte del tráfico había sido desviada en la *barrière* del Troné, es decir, todo el tráfico, excepto el carruaje que llevaba a la esposa de Orleans, que insistió en no dar rodeos para llegar al Palais-Royal. Parecía inevitable que los guardias se apartasen para dejarle paso y, de pronto, miles de personas siguieron al carruaje y se abalanzaron sobre la fábrica de Réveillon. El fabricante y su familia consiguieron por muy poco escapar por los jardines y, desde allí, corrieron hacia la Bastilla en busca de seguridad. En dos horas no quedó nada de la casa y de la fábrica, excepto la gran colección de botellas de la bodega, que ni siquiera una muchedumbre de miles de personas pudo consumir de una sola vez. Las inmensas hogueras encendidas en el jardín consumieron el papel, la goma —muy inflamable—, la pintura, los muebles y los cuadros.

Una fuerza militar de varios cientos de hombres —con destacamentos de los *gardes françaises*, la vigilancia urbana (el Guêt) y tropas armadas con cañones, acompañadas por el redoble de los tambores— avanzó hacia la casa. Atacadas con piedras y tejas, primero dispararon al aire y, como no obtuvieron ningún resultado, atacaron directamente al pueblo. Incluso un hombre normalmente sereno, el marqués de Ferrières, que llegó a presenciar la escena, describió que el episodio había sido una masacre, pese a que el recuento del número exacto de muertos osciló entre veinticinco y novecientos. Desde luego, hubo al menos trescientos civiles heridos y parece probable que se llegara al mismo número de muertos.

En un intento por demostrar mano dura, dos hombres a quienes se sorprendió saqueando —un porteador y un obrero de una fábrica de mantas— fueron condenados y ahorcados el día 30. Tres semanas después, fue juzgado otro grupo de siete personas y una de ellas, el redactor de cartas públicas Mary, fue ejecutado después de ser paseado por las calles con una cartela que le declaraba «sedicioso». Cinco de sus compañeros, incluso un aprendiz de cerrajero de quince años, fueron obligados a presenciar la muerte de Mary antes de ser, a su vez, marcados a fuego con las letras «GAL» en cada hombro y ser enviados a las galeras a las que se aludía con esa marca. Marie-Jeanne Trumeau se salvó gracias a la intervención personal del propio Réveillon. En todos los aspectos, salvo en uno, los disturbios de Réveillon fueron una inequívoca señal de lo que vendría. La excepción fue que la milicia de los *gardes françaises*, muchos de cuyos miembros pertenecían a las mismas clases que los participantes en las algaradas, había obedecido órdenes y no se había separado (como haría tres meses después) de las tropas. Sin embargo, hay claras señales de que también ellos se sentían maltratados por la autoridad, sobre todo cuando se degradó al sargento que había ordenado que se permitiese pasar a la duquesa de Orleans. Los soldados organizaron colectas para recompensar la pérdida de sueldo de este hombre y, al mismo tiempo, repudiaron al oficial que les había ordenado disparar sobre la gente.

En los disturbios de Réveillon se derramó más sangre que en cualquier otra *journée* de la Revolución hasta la gran insurrección de 1792, que provocaría la caída de la monarquía. Por tanto, no resulta sorprendente que el hecho impresionara tanto al Gobierno de la ciudad. La creencia popular de que París podía vigilarlo su fuerza habitual de alrededor de seis mil hombres de distintos cuerpos ya no parecía verosímil. Se necesitaba acudir al ejército, a pesar de que esa perspectiva originaba tanto rechazo como confianza en muchos miembros de la élite. Los disturbios también dividieron aún más a los observadores en nobles-ciudadanos que se sentían abrumados por el derramamiento de sangre y otros, por ejemplo, un capitán de la guarnición de la Caballería Real de Estrasburgo, cuya cena en el Marais se vio interrumpida por el estrépito y que fue a ver en persona el espectáculo. Lo que contempló no le pareció una tragedia, sino «mil quinientos o mil seiscientos de la escoria de la nación, degradados por vicios vergonzosos [...], vomitando brandy y ofreciendo el espectáculo más repugnante y nauseabundo».

Los oficiales que presenciaban el desorden se vieron obligados a retroceder deprisa cuando la gente advirtió que dos de ellos tenían la condecoración militar de San Luis en sus uniformes, lo que provocó la ira de la muchedumbre. Sin embargo, lo que, en realidad, ofendió al capitán fue la «insolencia» del pueblo, que se apropiaba del respetable lema del Tercer Estado —«*Vive* Necker y el Tercer Estado»— como grito de combate. Y la verdadera importancia de la algarada de Réveillon fue que indicó hasta qué punto era vulnerable el autoproclamado liderazgo del pueblo si dependía del apoyo de la fuerza popular. Como se había educado a los artesanos del faubourg Saint-Antoine y del faubourg Saint-Marcel en la creencia de que su difícil situación era atribuible a los «aristócratas» y a otras personas antipatrióticas, la prolongación de la difícil situación presuponía que los traidores seguían ejerciendo el poder. En otras palabras, el hambre era una conspiración. Su lógica determinaba que el desenmascaramiento de la conspiración y la eliminación de los responsables equivalían a llevar pan a la boca de los hambrientos.

Por su parte, los conmocionados representantes del Tercer Estado de París sospecharon que los perturbadores habían sido pagados por espías realistas para fomentar desórdenes y así avergonzar a la nueva autoridad. Después de todo, el propio Réveillon era un elector, un miembro de su propia clase, un hombre moderno, liberal en política, capitalista modélico en su profesión. Sin embargo, la violencia revolucionaria se enfrentó a este tipo de autosatisfacción. Aunque los jefes de la muchedumbre, en abril de 1789, eran desventuradas figuras con dificultades para expresarse, había otros, incluidos entre los que gozaban de derechos, que estaban dispuestos a usar la retórica de la acusación social. En las calles de París ya circulaban panfletos que enfocaban la política desde el punto de vista del suministro de pan. Uno de los títulos era *Lo que nadie ha dicho todavía* y no se trataba de un trabajo de miembros del «Cuarto Estado», sino la obra de un abogado del Parlamento, de La Haie. Lo que afirmaba era que el pan debía ser el primer tema de los Estados Generales y que el principal deber de todos los auténticos ciudadanos era «arrancar de las fauces de la muerte a los conciudadanos que gimen en el umbral de vuestras asambleas». El mismo escritor explicaba que había salido de una asamblea electoral la semana anterior y había tropezado con varios ciudadanos a quienes se les había negado la entrada a causa de su pobreza:

> Podían decir una sola cosa:
> —Monsieur, ¿se inquietan por nuestra suerte? ¿Piensan en reducir el precio del pan? Desde hace dos días no probamos bocado.

En el París de 1789 había dos clases de actitud revolucionaria. La primera era la del hombre moderno: Sylvain Bailly, astrónomo, académico, residente de la suburbana Chaillot, para quien la asamblea electoral era una especie de renacimiento político.

> Cuando me encontré en el seno de la asamblea de distrito, pensé que podía respirar aire puro. Era desde luego magnífico ser algo en el orden

político y eso exclusivamente en virtud de la capacidad de uno como ciudadano [...]. Esa asamblea, una fracción infinitamente pequeña de la nación, de todos modos se sentía parte del poder y los derechos del conjunto, y no ocultaba que esos derechos y ese poder le conferían una forma de autoridad.

Precisamente esa autoridad era la que cuestionaban los *Cuatro gritos de un patriota de la nación*. Si se quería que el desafío fuese real, afirmaba el escritor, los ciudadanos debían armarse (y de inmediato). Si se quería que fuese real, era necesario excluir a los aristócratas, de modo que la nación se liberase de sus «infernales maquinaciones». ¿Qué sentido tenía «predicar paz y libertad a hombres que mueren de hambre? ¿De qué podía servirle una Constitución sabia a un pueblo de esqueletos?».

Esta era la segunda voz de la Revolución. Durante el primer año de Revolución, las dos voces armonizarían en el coro del Tercer Estado: ciudadanos y hermanos. Sin embargo, antes de que pasara mucho tiempo, los aristócratas desaparecerían o perecerían, y el hambre persistiría. En ese punto debía comenzar una estridente y más grave competición de gritos.

9

Improvisando una nación

I. DOS CLASES DE PATRIOTAS

Carta del marqués de Ferrières a madame de Ferrières, 20 de abril de 1789:

> *Ma bonne amie,* he llegado a Orleans, de modo que dedico unos minutos a charlar contigo. El viaje no me cansó en absoluto; el tiempo fue soberbio; dormimos en Orleans y cruzamos el río, a pesar de que eran casi las ocho; la caída del puente ha provocado mucha incomodidad a los viajeros. Cené con buen apetito y dormí muy bien. Mis compañeros de viaje son todos buenas personas. M. de Châtre es mucho más agradable de lo que me habían dicho; razona bien, aunque quizá es un tanto *outré* en sus ideas. Hubo una revuelta en Sainte-Maure y fue necesario llamar a un centenar de hombres del regimiento de Anjou. En Tours el pan cuesta cinco *sous* la libra. En Blois, cinco y medio; el pueblo está muy preocupado y teme perecer de hambre [...]. Compramos un barrilito de vino de Beaugency y lo enviaremos a Versalles. Nos costó ciento noventa y cinco libras, sin contar los derechos y el transporte, pero por lo menos podemos tener la certeza de que es un vino decente, que no ha sido adulterado.
>
> Conviene que vendas algo de trigo en el mercado. Uno nunca sabe lo que puede suceder. No olvides a los pobres y aporta a la beneficencia en proporción con las necesidades [...]. Llegaremos mañana por la noche a París y nos alojaremos en la rue Jacob; no sé muy bien cuál será el hotel.
>
> *Adieu, ma bonne amie,* disipa toda ansiedad. Conozco demasiado bien tu devoción y por eso temo que te alarmes fácilmente. Me siento bien, y eso es lo esencial; por lo demás, todo será como Dios lo quiera, pero yo

cumpliré con mis obligaciones sin incidentes, favorables o contrarios, de acuerdo con lo que me parezca apropiado.

Besa a mi Séraphine y a mi Charlotte; diles que las quiero mucho. Transmite mis recuerdos a M. de La Messelière. Te escribiré el jueves.

Así, Charles-Élie de Ferrières Marsay, caballero-agricultor y *amateur des lettres*, hombre de edad madura y temperamento tranquilo, inició una correspondencia de más de un centenar de cartas con su esposa Henriette. Desde la primavera hasta finales del otoño, ella permaneció en el castillo de Poitou para supervisar la cosecha y, después, se reunió con su marido en París para pasar el invierno. Durante dos años, De Ferrières participó en la vida política de su país. Por la época en que finalizó su periodo en la Asamblea Constituyente, Francia se había transformado por completo. El rey y la reina habían regresado a París cubiertos de ignominia, después de una abortada fuga en dirección a la frontera; la guerra con el emperador de Austria, hermano de la reina, parecía segura. Los manifestantes que reclamaban una república habían recibido disparos en el Campo de Marte. Con gran consternación por parte de De Ferrières, su propio hermano había emigrado y, durante el Terror, De Ferrières envió prudentemente a la Comuna local seis sacos repletos de títulos señoriales, rentas y otros documentos cuya eliminación había ordenado la Convención Nacional, «con el fin de que puedan ser quemados a los pies del Árbol de la Libertad, según estipula la ley».

Esa pequeña expiación se realizaría en un sombrío otoño del futuro revolucionario; pero, en 1789, cuando se dirigía a los Estados Generales como representante de la nobleza de Poitou, De Ferrières estaba impregnado de un optimismo primaveral. La humeante escenografía de desastre a través de la cual avanzaba su carruaje no frustró su juvenil entusiasmo. Otros, más adaptados a la elegante cultura de la melancolía, tal vez vieron en la caída del puente sobre el Loira algo más que una incomodidad para los viajeros. En el momento culminante de ese deshielo de enero, y justo cuando el carruaje público que venía de Saumur había comenzado a pasar, el primer arco se desplomó. Solo el reflejo del cochero, que cortó las riendas del primer caballo y lo envió volando a las aguas del río, salvó la vida de sus pasajeros, mientras los restantes arcos se derrumbaban uno tras otro.

El Pont de Tours había sido una construcción típica del modernismo del *ancien régime*: era el fruto de una meticulosa ingeniería, destinada a transformar las comunicaciones comerciales y humanas. Se había inaugurado apenas diez años antes del desastre. Y gran parte del vívido optimismo de esa época estaba desplomándose a lo largo del camino que De Ferrières seguía. Después de llegar a París, escribió animadamente a su esposa sobre las cenas, el teatro y sus propios botones dorados *à la mode*. Como a mucha otra gente de provincias, le entusiasmó el Palais-Royal y visitó el circo, los puestos de libros y los cafés atestados de personas que escuchaban a los oradores políticos. Sin embargo, advirtió rápidamente que, si el momento estaba saturado de cosas interesantes, también estaba cargado de peligros. Una noche fue a la Opéra a ver *Ifigenia en Áulide*, de Gluck, pero, como relató a Henriette, «mientras me entregaba a las dulces emociones que agitaban mi alma, la sangre corría en el faubourg Saint-Antoine». Supo horrorizado que a un amigo de la familia, el abate Roy, se le acusaba de ser uno de los instigadores de los disturbios de Réveillon. Cuatro días después de salir de Orleans, se desencadenó un ataque sobre un depósito de cereales y la muchedumbre saqueó un convento cartujo, dirigida por boteros, masones y otros artesanos con sus esposas, todos armados con pequeñas hachas. Como en París, así como en muchas otras ciudades del país, hubo muertes, intervinieron los soldados y se formaron milicias defensivas de ciudadanos. «Todo esto provoca el temblor de nuestro pobre reino, un tejido de horrores y abominaciones», escribió conmovido el marqués.

En Versalles recuperó el ánimo, pues se aproximaba el gran día en el que descansaban tantas irrealizables expectativas. De Ferrières se veía como un hombre de la Ilustración: razonable, benévolo, animado por el espíritu cívico y sobre todo cultivado como un caballero. Descendiente del poeta Du Bellay, combinaba la investigación filosófica y científica con la expresión literaria. En 1785, apareció una primera obra, titulada *Teísmo* (erróneamente, pues estaba saturada de deísmo y en ella un cura rural hacía el inverosímil comentario de que «la teología no es más que una ciencia de las palabras»), y un año después escribió otra obra, *La mujer en el orden social y natural*. Varios de sus colegas que participaron de la asamblea de los nobles en Saumur tenían opiniones parecidas como miembros del club de la razón, de modo que no sorprende comprobar que el *cahier* que ellos redactaron fue uno de los más liberales de todos los que emanaron de esta orden. En su preámbulo, ya se insistía en la igualdad ante la ley para todos los ciudadanos, se expresaba cierta inquietud acerca de la excesiva representación del clero, no de los plebeyos, y, con la misma insistencia que cualquier otro *cahier* del Tercer Estado, se declaraba que no era posible recaudar impuestos mientras no se hubiesen conseguido ciertas libertades civiles y políticas fundamentales.

En armonía con este individualismo patricio, la asamblea decidió que no impondría a sus diputados mandatos imperativos acerca de la deliberación y la votación individuales o por órdenes. La «declaración de la Constitución» sería el factor que, de un modo u otro, mágicamente, los conduciría a adoptar la actitud apropiada. Por consiguiente, parece que la nobleza de Poitou pertenecía a ese grupo «mixto» que dejaba a los imprevistos políticos la determinación de la conducta que se iba a seguir.

Sea como fuere, el asunto no agobió en exceso la mente de De Ferrières mientras se acicalaba para asistir a la ceremonia inaugural de los Estados. Había descubierto en la nobleza la virulenta hostilidad contra Necker, considerado el instigador de las dificultades de esa clase, y este hecho le había desconcertado. Y veía con rechazo con cuánta facilidad algunos de sus colegas, por ejemplo, el conde de Gallissonnière, se dejaban arrastrar por el movimiento de la reacción de la corte y se comportaban de modo muy distinto que en Saumur. Sin embargo, durante los días que precedieron a la ceremonia inaugural concentró totalmente su atención en «el lado simpático y casi ridículo» de los procedimientos; es decir, en lo que tenían de espectáculo.

De Ferrières se burlaba amablemente de sí, mientras hacía gala de sus lujos en una carta dirigida a Henriette: «chaqueta de seda negra [...], chaleco de tela dorada o plateada; corbata de encaje, sombrero emplumado»; y, para los que estaban de «gran duelo» (entre los cuales decidió incluirse), el sombrero sería, como el que usaba el rey, *à la Henri IV*, ladeado por delante. El marqués se quejaba de que el sombrero le costaría por lo menos ciento ochenta libras (es decir, un tercio del estipendio medio de los curas rurales, que eran la mayoría del orden de los clérigos). Sin embargo, comprendía instintivamente que el tema del atuendo, así como otros aspectos del protocolo, no era nada banal. Se trataba de una parte esencial de un espectáculo destinado a creer en lo inverosímil. En vez de escepticismo, tanto en los participantes como en los espectadores, debía haber temor reverencial y regocijo. Mediante la actuación, tenían que sentirse incorporados a un ritual de la Francia renovada: el pasado, el presente y el futuro desplegados y armonizados como una metamorfosis de Ovidio. Debía ser una segunda salida del sol que había trabajado tan duramente para elevarse sobre el horizonte el día de la coronación, catorce años antes.

En el caso de De Ferrières, esta táctica, desde luego, funcionó. A lo largo de la ceremonia inaugural se le vio fuera de sí a causa del fervor patriótico. El 6 de mayo escribió a Henriette con un tono de devoción casi mística hacia la idea de Francia —«Francia, donde nací; donde pasé los días más felices de mi juventud; donde se inició la formación de mi sensibilidad moral»—. Parece claro que no le importó la recepción agobiantemente prolongada de los diputados por el rey el 2 de mayo. En cambio, su corazón se había elevado como una alondra al oír la fanfarria de las trompetas de plata, tocadas por heraldos que montaban corceles blancos y vestían prendas de terciopelo púrpura recamadas con la flor de lis. El lunes 4 de mayo había visto a Luis XVI, saludado por flautas y tambores en la iglesia de Notre Dame, entronizado con su familia y la corte, mientras los coros entonaban el *Veni Creator*. Después, marchó con la procesión hasta la iglesia de San Luis, detrás de los Cent Suisses con sus casacas renacentistas, divididas en losanges escarlatas y dorados; detrás de los halconeros reales, que cabalgaban con las aves encapuchadas y unidas a sus muñecas, siguió su propio orden, un río de seda, encajes y plumas que fluía entre márgenes de gobelinos extendidos entre las casas a los lados de las calles.

Incluso mientras avanzaba lentamente, oyendo de vez en cuando el grito de «Vive le Roi», la parte racional de De Ferrières comenzó a volver en sí y sus reflexiones cobraron de pronto tintes más sombríos. «Aquí, Francia se ha manifestado en toda su gloria; pero me dije: ¿es posible que los saboteadores, los hombres ambiciosos y perversos, atentos únicamente a sus intereses egoístas, consigan desunir todo lo que es grande y honorable, de manera que esta gloria se disipe como el humo dispersado por el viento?» Sin embargo, en la place Saint-Louis, se entregó de nuevo a la magia de la ceremonia.

> Las hermosas ventanas adornadas con las mujeres más bonitas, la variedad de sombreros, plumas y vestidos; la amable dulzura que se manifestaba en la cara de todos, la alegría embriagadora que irradiaba en todas las miradas; el batir de palmas; los gestos que expresaban las más delicadas inquietudes; y las miradas que nos saludaban y nos seguían incluso cuan-

do ya nos habíamos alejado mucho. Oh, mi amada Francia, pueblo bueno y cordial, he concertado contigo una alianza eterna. Antes de este día yo no tenía *patrie*; ahora tengo una y siempre estará cerca de mi corazón.

Como advirtió con inquietud el propio De Ferrières, los mismos medios empleados para crear un éxtasis patriótico tendían a evitar que el Tercer Estado lo compartiese. Históricamente, de forma deliberada, el ritual público que sostenía el mito de una sola comunidad destacaba mucho, tanto en el atuendo como en los estandartes, el papel de los grupos que, en la práctica, estaban excluidos del poder. Así, en la Venecia renacentista o en el Ámsterdam del siglo XVII, los días en que había desfile, las confraternidades y los miembros de las milicias compartían plenamente el color y el espectáculo de la festividad. Gracias a esta ceremonia de incorporación el mito era mucho más que un pretexto para vestir atavíos lujosos: originaba y sellaba la fidelidad.

Justo lo contrario a lo que sucedió durante la primera semana de mayo en Versalles. No se asignó a los Estados Generales el carácter de una ocasión pública en que el rango se disolvía en el deber patriótico, sino el de una prolongación de la ceremonia de la corte. En lugar de mostrar un carácter global, fue exclusivo; en lugar de abrir el espacio, lo clausuró; en lugar de reflejar la realidad social de la Francia de finales del siglo XVIII, en que la jerarquía, en efecto, estaba debilitada por la pertenencia y la educación, afirmó una jerarquía anacrónica. Quizá Necker temió precisamente esto. Como Turgot en 1775, quiso que las ceremonias fuesen meramente formales y que la ocasión se celebrase en París. Cuando el rey rechazó la idea, quedó a merced del experto conocimiento de los maestros de ceremonias y de los que sentaban el precedente histórico. Gran parte de todo esto era espurio. El *chapeau à la mode de Henri IV*, en realidad, debió más a los usos del modelo Henri IV de la década de 1780 que a una seria investigación de los anticuarios sobre los atavíos de 1614. Se recreó la tradición para la ocasión, del mismo modo que las ceremonias de coronación de los siglos XIX y XX en Gran Bretaña se inventarían una tradición para conferir una aureola imperial a la monarquía.

Como consecuencia de todo esto se garantizó que la forma de los Estados Generales chocase con su contenido. Cuanto mayor era el brillo exhibido por los dos primeros órdenes, más se molestó al Tercer Estado, lo que le indujo a rechazar de plano la institución. Desde el principio se

377

sintieron afectados por desaires gratuitos. Mientras el rey recibía en el *cabinet du roi* a los representantes de los órdenes privilegiados, los del Tercer Estado fueron llevados a otro salón y allí desfilaron frente al monarca como una hilera de escolares malhumorados. El atuendo de estos diputados era tan modesto como reluciente el vestido del clero y de la nobleza. Vestidos de negro de la cabeza a los pies, parecían cuervos entre pavos reales o caricaturas teatrales del burgués: una reunión de boticarios. Sin embargo, algunos de ellos, que se inspiraron en el atuendo del *honnête homme* de Franklin, hallaron el modo de utilizar en beneficio propio ciertos aspectos de esta humillación. Un anciano de Rennes, Michel Gérard, se negó a vestir el traje negro y blanco, y ocupó su asiento en la Salle des Menus Plaisirs vestido con un traje de pana parda. Identificado inmediatamente como el Père Gérard, parecía la propia imagen de la virtud rústica, como si hubiese posado para los grabados de las obras de Rousseau creados por Moreau.

Y entre los diputados del Tercer Estado, había otra presencia, enormemente dominante, que no podía ser absorbida por un grupo uniforme. Su propia corpulencia destacaba la figura de Mirabeau: una montaña de carne y músculos encerrada con dificultad en la chaqueta y las medias negras. Su estatura, que ya era notable, se prolongaba en los celebrados mechones de cabellos peinados hacia atrás y reunidos en una torre gótica de formas vaporosas y fantásticas. Por detrás, los mechones de cabellos caían en una bolsa de tafetán negro que se balanceaba sobre los hombros. Algunos comparaban a esta bestia greñuda con Sansón, que sacaba su fuerza de los rizos. Otros, como el diputado Adrien Duquesnoy, creían que se parecía a un tigre, cuya expresión se desfiguraba en un rugido al hablar. Muy consciente de esta reputación de salvaje, Mirabeau la aprovechaba hasta el límite y, al caminar, echaba hacia atrás la cabeza con un exagerado gesto de inamovible desdén. Para todos los que le veían —y la gente estiraba el cuello para mirarlo—, era una fuerza de la naturaleza: pagano, peligroso e incontenible tanto en el vestido como en las costumbres. Parecía que su enorme rostro era el resultado de una erupción volcánica que se había enfriado, quizá provisionalmente, para formar una costra de piedra pómez: tenía la cara marcada por oscuros orificios, cicatrices y cráteres. (Esa notable superficie era el resultado de la insensata fe de su madre en un sanador herborista que había untado las pústulas de viruela con un brebaje cuyos estragos nunca pudieron repararse.) Germaine de Staël, que no tenía motivos para apreciar a un hombre que públicamente calumniaba a su padre, Necker, por su vanidad y pusilanimidad, confesaba que era imposible desviar la mirada de su figura una vez que se había comenzado a contemplarla.

Honoré-Gabriel Riqueti, conde de Mirabeau, pero diputado por el Tercer Estado, había aprendido mucho tiempo antes a aprovechar su apariencia y, lo que era tan importante, su historia. Su padre, Victor, ya manipulaba las paradojas de la nobleza y afirmaba ser el *Ami des Hommes*; antes de convertirse bruscamente en fisiócrata, había traspuesto su estilo de paternalismo feudal de la Provenza a una teoría de las relaciones sociales. Como observó ácidamente su hijo: «El Amigo del Hombre no era amigo ni de su esposa ni de sus hijos». Mirabeau creció manteniendo una actitud de combativo desafío a su inquietante padre, detestándole, pero, en muchos aspectos, condenado a asemejarse a la persona odiada. Mirabeau *père* se enamoró de la doncella de su esposa, la instaló en la casa y, más adelante, expulsó a su atormentada esposa, como ella misma señaló cuando lo llevó a juicio, sin permitirle que pudiera recoger siquiera algo de ropa. Mirabeau *fils*, que criticaba a su padre, pero no era muy amado por su madre —en cierta ocasión ella le disparó con una pistola y falló—, inició una larga y espectacular carrera de devaneos amorosos. Se convirtió en otro Casanova, pero no como se suele interpretar erróneamente a Casanova, es decir, como el hombre que siempre estaba satisfaciendo su libido, sino más bien como el auténtico Casanova, que se enamoraba absurdamente de casi todas las mujeres bonitas que veía. La enorme fealdad de Gabriel, como la cojera de Talleyrand, era una traba para estas conquistas. Mirabeau la utilizó como un acicate del deseo y la acompañaba con una resonante voz de barítono que podía haber correspondido a los ardientes *crescendi* exigidos por el romanticismo. En resumen, era como su padre: sublime y terrible.

En el ejército, Mirabeau prestó servicios en la invasión francesa de Córcega en 1769 y ayudó a acabar con la libertad de la isla el año del nacimiento de Napoleón Bonaparte. Victor le prohibió seguir la carrera militar y pasó el resto de su juventud llevando una vida bohemia: escribía panfletos incendiarios, jugaba con herederas, seducía esposas, contraía deudas que sorprendían incluso a la nobleza provenzal; es decir, hacía todo lo que podía para garantizar la ira de su padre. Sin embargo, en la Francia del Antiguo Régimen la furia paterna podía adoptar la forma de la cárcel y Victor consiguió que los delitos de Gabriel se castigaran con la prisión. Primero le encerraron en el Château d'If, en el Midi; después, cuando huyó con Sophie Monnier y fue descubierto en Ámsterdam, con la consiguiente separación de los amantes, en el Château de Vincennes. Aunque esta última detención duró cuatro años completos, de 1777 a 1781, no provocó un sufrimiento tan intenso como Mirabeau quiso dar a entender, pues tenía habitaciones privadas, compañeros cordiales e incluso un jardín privado donde (naturalmente) pudo intentar la seducción de la esposa de su carcelero.

Una joven neerlandesa fue quien finalmente logró, por un tiempo, llevar cierta serenidad a Mirabeau. También ella tenía relaciones complicadas con su padre, pues era hija ilegítima de Otto Zwier van Haren, un famoso escritor neerlandés. En un gesto de astucia que revelaba más de lo que ocultaba, él le había dado el apellido de «Nehra», anagrama del suyo. En el curso de los vagabundeos de los dos a través de Holanda, Londres, París y Berlín, Henriette-Amélie (Yet-Lie, la llamaba Mirabeau, sin mucha gracia), hija del país del agua, apagó el fuego de Mirabeau y consiguió que, por primera vez, mostrase una actitud reflexiva; es decir, la de alguien que podía conocerse a sí mismo. Más de lo que suele advertirse, la política de Mirabeau fue el producto de un inteligente vagabundeo: una especie de heterogéneo cosmopolitismo. De los neerlandeses tomó la retórica de la polémica patriótica y la historia del republicanismo heroico; de los ingleses, un modelo institucional de representación; de los suizos ginebrinos, la práctica periodística. Sin embargo, su inclinación hacia la temeridad y las dotes naturales para manifestarla eran totalmente Riqueti.

En 1789 rompió con Yet-Lie, pero al final exorcizó al demonio de la ira paternal y se convirtió, para el pueblo provenzal, en el padre común: *le père de la patrie*, como se le llamaba en público. Regresó a su región natal ese mes de enero excepcionalmente frío para intentar ser elegido diputado noble a los Estados Generales. La Provenza era un *pays d'état*, por tanto, se le permitía elegir por medio de sus Estados Provinciales. La espontánea resistencia a esta forma ya se había manifestado en una Asamblea General de los pueblos, convocados por sus alcaldes en Lambesc, el mes de mayo anterior. Y esa resistencia había cobrado mayor impulso gracias a la inspiración del Delfinado y la campaña de panfletos en otoño. En diciembre, una petición firmada por más de doscientas personas negó el derecho de los Estados a monopolizar la representación de la provincia.

El movimiento de la reforma era posible porque tenía aliados en la nobleza y en el clero. Los Estados habían mantenido la absurda tradición de excluir de su orden a todos los nobles que carecían de feudos (propiedades señoriales). En el clero, los empobrecidos curas de aldea experimentaban un profundo resentimiento ante la enorme riqueza de los obispos, que todos ellos, como podía presumirse, provenían de las principales familias aristocráticas, y en esta hostilidad contaban con el apoyo de una importante población de protestantes de la región. En las ciudades, los alcaldes y los «cónsules» —funcionarios como los regidores— provenían también casi todos del sector más acomodado de los privilegiados y atraían sobre ellos el antagonismo de los jornaleros y de los maestros de las corporaciones.

Finalmente, aunque no menos importante, la Provenza soportaba una grave crisis alimentaria y la cólera popular se concentraba en la lista de canallas identificables. Se creía que una nueva representación de los ciudadanos —la misma idea difundida en toda Francia entera— aportaría la respuesta. Mirabeau advirtió rápidamente el significado de todo esto y se presentó como el noble defensor del pueblo. Anunció este papel incluso en el desfile de los Estados en Aix, donde tomó cuidadosa distancia, separado y detrás de la fila de nobles, y, por lo tanto, a cierta distancia delante del Tercer Estado.

En la asamblea, Mirabeau atacó la legalidad de su constitución. ¿A quién pretendía representar? La nobleza no representaba a un nutrido grupo que carecía de feudos; el clero no representaba a los humildes pastores de la Iglesia y, con respecto al Tercer Estado, no se trataba más que de un montón de alcaldes, muchos de ellos, a su vez, aristócratas, cuyo cargo dependía de la sumisión servil a los privilegiados. «Ay de los órdenes privilegiados, pues los privilegios cesarán, pero el pueblo es eterno», esa fue la amenazadora profecía de su discurso. Desconcertado por esta explosión, así como alarmado por la desordenada aclamación que le saludó desde las galerías del público, el presidente de la asamblea suspendió la sesión para tratar de amordazar a Mirabeau. Resultó inútil. En un lapso de veinticuatro horas Mirabeau redactó un manifiesto de 56 páginas, *A la nación provenzal*, que fue distribuido en las calles de Aix.

Con el pretexto de que las credenciales del feudo o de la propiedad que le autorizaban no estaban en orden, Mirabeau fue excluido de los Estados, pero, por supuesto, la medida solo consiguió aumentar su popularidad. Dondequiera que se presentaba, se veía rodeado por multitudes jubilosas que cantaban su nombre, describían círculos alrededor de su silla bailando danzas provenzales, le ofrecían serenatas con pífanos agudos y sonoras panderetas. En Marsella, en un acto blasfemo, se cubrió con palmas el camino que debía seguir y se le coronó con laureles. Las madres ofrecían sus hijos al más famoso disoluto de Francia para que los abrazara y besara. En Lambesc las campanas de la iglesia repicaron en su honor y, con su considerable peso, lo llevaron en andas sobre sólidos hombros. «Amigos míos —respondió con una frase siempre apropiada—, los hombres no fueron hechos para llevar a un hombre y vosotros ya soportáis demasiado.»

Complacido por esta espontánea adulación, Mirabeau conservó suficiente calma para encontrar el modo de aprovecharla. Colaborando con el abogado Brémont-Julien, que desempeñó la función de organizador de su campaña electoral, reunió los rasgos de una personalidad pública hecha a medida: el tribuno del pueblo. En Aix (donde los recuerdos de Roma se mantenían vivos), se comparó con Mario, uno de los Gracos, perseguido por los patricios. En Marsella escribió su propio panfleto promocional, que, supuestamente, había surgido de «Un ciudadano de Marsella a uno de sus amigos, acerca de los señores Mirabeau y Raynal». Después de unos pocos y obligados comentarios referidos a Raynal, autor de una acusación inmensamente popular a la colonización europea, Mirabeau pasaba a hacer una tímida descripción:

> Este buen ciudadano [es] el hombre más elocuente de su tiempo; su voz domina las asambleas públicas y el trueno se impone al rugido del mar; su valor suscita aún más asombro que su talento y no hay poder humano que pueda inducirle a renunciar a un principio.

Sin embargo, el ampuloso elogio no habría bastado por sí solo para conferir credibilidad a Mirabeau. Quizá le hervía la sangre, pero tenía la cabeza bastante fría para mantener el equilibrio durante una crisis. Y lo que era más esencial en un contexto revolucionario, sabía utilizar su inmenso prestigio ante las multitudes de las ciudades y de las aldeas de la Provenza para impedir los disturbios; pues, hacia finales de marzo, gran parte de la provincia había llegado a ser ingobernable. El primer objetivo fue el episcopado. El 14, el obispo de Sisteron escapó por poco de ser lapidado en Manosque. En Riez, el obispo tuvo que pagar cincuenta mil libras para salvarse y rescatar su palacio, pero su colega de Tolón no tuvo la misma posibilidad. Incendiaron su palacio y las compañías de marineros y soldados rehusaron salvarle. Los ataques a los castillos de la campiña llegaron a ser habituales. «Aquí se libra una guerra franca contra los terratenientes y la propiedad», escribió el *intendant* De La Tour. ¡Y todo esto se hacía en nombre de la voluntad y el deseo del rey!

El 23, el Ayuntamiento de Marsella y las oficinas del *intendant* fueron destruidos y saqueados. Mirabeau regresó a toda prisa de Aix, asumió el mando que ejercía Caraman, el desconcertado gobernador militar, y se convirtió de hecho en un autoproclamado dictador provisional. Prohibió la partida de un barco cargado de cereal que estaba en el puerto, organizó una milicia de ciudadanos (la primera de su clase en Francia) y distribuyó escarapelas rojas como insignia de la autoridad revolucionaria. La ciudad se llenó de alocuciones, órdenes y exhortaciones, todas redactadas por él, impresas y exhibidas en los lugares del mercado en que antes se fijaban los decretos reales.

Más aún, el tono de estas *notices* anunciaba un nuevo lenguaje político: el del diálogo entre hermanos. Su héroe ya no era «el conde», sino solo «Mirabeau», que hablaba directamente al «pueblo». Su discurso no parecía escrito, sino hablado, reflejaba más o menos lo que uno podía decir a un grupo de amigos con quienes bebía. Era la alocución de la transparencia: del *honnête homme* del ideal rousseauniano. Con un magistral dominio de esta forma de expresión, Mirabeau demostró tener la suficiente audacia no solo para serenar los inflamados sentimientos de los marselleses, sino incluso para justificar los impuestos:

> Mis buenos amigos, he venido a deciros lo que pienso acerca de los hechos de los últimos tres días en esta orgullosa ciudad. Escuchadme, solamente deseo ser útil y no engañar a nadie. Cada uno de vosotros desea únicamente lo que es bueno, porque todos sois hombres honrados; pero ni uno solo sabe lo que es necesario. A menudo uno comete errores incluso cuando quiere promover su propio interés. Veamos primero el problema del pan [...]. En este momento, queridos amigos, como el trigo es caro por doquier, ¿cómo podría venderse barato en Marsella? [...]. La

ciudad de Marsella, como todas las restantes localidades, paga algo para solventar los gastos del reino y ayudar a nuestro buen rey. Se extrae dinero de esta fuente y un poco de eso.

Dos días después, estalló una algarada en Aix y las tropas dispararon contra la multitud. El arzobispo, que era bretón, estaba aterrorizado. «En su odio, el pueblo llano amenaza con la muerte y habla únicamente de destrozar nuestros corazones y de comérselos.» De nuevo se llamó a Mirabeau para que pacificara los ánimos y para que formase una milicia cívica que creara un orden que mereciese la confianza del pueblo y que distribuyese pan con los precios reglamentarios. Como tenía que suceder, todos estos esfuerzos rindieron abundantes dividendos. Fue elegido por una gran mayoría representante del Tercer Estado tanto de Aix como de Marsella. Después de pronunciar lisonjeros discursos a los ciudadanos de Marsella para evitar que se ofendiesen, Mirabeau decidió finalmente que iría a Versalles como representante de Aix.

De acuerdo con su propia versión, no solo apreciaban a Mirabeau, sino que lo amaban. La oveja negra de su familia se había convertido en el caballero blanco del pueblo. El hombre cuyo propio hermano, un reaccionario, le odiaba y despreciaba, tenía una provincia entera de hermanos. El hijo que nunca podía complacer a su implacable padre se había convertido en padre de un país de hijos adoptivos. «Se me obedeció como a un padre adorado —escribió refiriéndose a este periodo—. Las mujeres y los niños bañaban con sus lágrimas mis manos, mis ropas, mis pasos.»

NOVUS RERUM NASCITUR ORDO (MAYO-JUNIO DE 1789)

En esta crítica coyuntura, se esperaba mucho de una tercera clase de patriota: el rey. En los *cahiers* aldeanos se le había denominado «el nuevo Augusto», que «reiniciará la edad de oro». Sin embargo, a diferencia del antiguo Augusto, la confianza de Luis en sí mismo se parecía cada vez menos a la de un dios. A medida que se acercó el momento de la reunión de los Estados Generales, sus recelos se agravaron. Criticado ásperamente por su esposa y por Artois por haber aceptado al detestable Necker, también él estaba lejos de creer en la capacidad del ministro para apaciguar la crisis. Solo la caza, los banquetes y los trabajos de cerrajería calmaban sus nervios alterados. En una ocasión perdió literalmente su punto de apoyo. A causa de las reparaciones que estaban realizándose en las tejas del techo de la «corte de mármol», por donde Luis caminaba, se vio obligado a usar una escala para llegar al observatorio. Cuando estaba en el quinto peldaño la escalera comenzó a resbalar. Había una distancia de doce metros hasta el patio y solo la acrobática reacción refleja de uno de los trabajadores, que aferró los brazos del rey y le puso en un lugar seguro, le evitó tener un accidente repentino y terrible.

Como correspondía, el agradecido monarca concedió una hermosa pensión de mil doscientas libras al hombre que le había salvado la vida. Los gestos de munificencia real en favor de un súbdito heroico eran cosa sencilla en comparación con el grave problema de mantener o modificar los rigores del protocolo. Su maestro de ceremonias, el marqués Dreux-Brézé, un hombre de veintitrés años, no sirvió de mucha ayuda y el consenso de la corte era que debían mantenerse todas las prácticas tradicionales para evitar la impresión de que los Estados Generales, en efecto, podían modificar las cosas sobre la marcha. Así, por ejemplo, el rey aceptó conservar la costumbre, en el mejor de los casos imprudente, de exigir a todos los miembros del Tercer Estado que se dirigiesen al trono con la rodilla doblada.

Sin embargo, con la presión del momento, incluso la más puntillosa escenografía podía irse al traste. Al final de su discurso, el día de la inauguración en la Salle des Menus Plaisirs, Luis se quitó el sombrero —un producto de estilo Enrique IV, hecho de piel de castor con plumas blancas y con un luminoso diamante en el centro— con el acostumbrado saludo a la asamblea. Después del gesto apropiado, regiamente al desgaire, volvió a ponérselo, imitado por la nobleza, que así manifestó su superioridad sobre el Tercer Estado, desprovisto de privilegios. Quizá vacilando acerca de lo que debía hacer (o incitado por provocadores que lo sabían muy bien), el Tercer Estado incurrió en un tremendo error de protocolo: sus miembros volvieron a cubrirse. Muy confundidos, algunos continuaron así, otros muchos volvieron a quitarse el sombrero y, al ver esto, Luis consideró entonces que debía descubrirse también él. Para Gouverneur Morris, el agente estadounidense que observaba la escena con creciente deleite, fue un delicioso momento. Sin embargo, para la reina, pálida de la rabia, el tropiezo en la ceremonia era un mal augurio de lo que vendría.

El «gran fiasco del sombrero» no habría importado si la asamblea hubiese escuchado absorta lo que el rey tenía que decir; pero esa no fue exactamente su reacción. La alocución real había sido breve casi hasta el mero formalismo, con una peculiar mezcla de entusiasmo y disgusto. Al mismo tiempo que aludió al «gran día, deseado tan ardientemente», el rey también hizo nerviosas referencias al «deseo muy exagerado de innovaciones». Si por todo esto pareció que hablaba con dos voces, era porque aún no había encontrado la suya. Sin duda, había un conflicto de sentimientos en su personalidad, tentada por la aclamación del pueblo, pero atemorizada por su propósito. Sin embargo, ese conflicto no era nada en comparación con la batalla que se libraba en su propio ministerio, principalmente entre el gran optimismo de Necker y Barentin, el intransigente guardián de los Sellos, que se negaba a considerar nada que no fuera la forma tradicional de los Estados separados.

De hecho, el discurso de Barentin se escuchó después del que pronunció el rey. Mantuvo el tono de renuente concesión al proponer el debate acerca del asunto de la libertad de prensa, pero planteando rigurosas advertencias contra las «peligrosas innovaciones». El perjuicio que pudo infligir su discurso a las perspectivas de conciliación se vio invalidado por la absoluta imposibilidad de escucharlo. Como de costumbre, Necker estaba mejor preparado para hacer frente a la imposible acústica de la Salle des Menus Plaisirs, un recinto de unos cuarenta metros de longitud. Como su propio discurso acerca de las finanzas se alargaría tres horas, convino en que así fuera también. Leyó la primera media hora y, después, entregó el texto a Broussonnet, secretario del Comité Real de Agricultura, a quien había elegido solo por la estridencia de su aparato fonador. El efecto fue un catastrófico error de cálculo. Hora tras hora los sombríos datos financieros del déficit de doscientos ochenta millones de libras fueron vociferados ante una asamblea que esperaba en cambio una grandiosa manifestación de retórica. Todos deseaban escuchar al mesías fiscal Necker, no al contable Necker. Incluso más grave fue la impresión cada vez más acentuada de que el ministro veía la asamblea más como un auxiliar administrativo que como un reinventor de la soberanía.

Mientras la alocución de Necker se prolongaba de manera interminable, el rey, como de costumbre, libraba una batalla perdida contra el sueño. Los diputados se movían, tosían, estornudaban, resoplaban y roncaban. Madame de La Tour du Pin, sentada en los bancos reservados a los espectadores de la nobleza, padecía las torturas de la incomodidad, pues no tenía más que las rodillas de los que estaban detrás para apoyar la espalda. Germaine de Staël, para quien la ocasión debía ser la apoteosis de papá, estaba cada vez más deprimida y, según otro testigo cercano, tenía los ojos perlados de lágrimas.

A pesar de este principio escasamente prometedor, la popularidad personal del rey continuó siendo un elemento muy valioso para el Gobierno. Cuando había una mínima posibilidad (y, en verdad, no se disponía de mucho espacio de maniobra), las salvas de aplausos de los fieles interrumpían su discurso —y estos aplausos no procedían solo de los órdenes privilegiados—. Debido al paradójico motivo de que los actos de violencia popular estaban siendo cometidos en su nombre, a él le tocaba dirigirlo.

Esta era justo la esperanza de Mirabeau, pues, si ya no era un aristócrata, en todo caso jamás sería un demócrata. Incluso en la Provenza, y encaramado en su tribuna, no escondía su realismo. Insistía constantemente en que deseaba una nueva monarquía, pero no apoyada por la jerarquía y el privilegio, sino por el respaldo popular. Los historiadores tienden a desechar este concepto como un pretexto adoptado hipócritamente para promover su propio ascenso. Y sería infundado afirmar que, en 1789, Mirabeau no estaba devorado por la ambición; que no se veía como el primer ministro de esa monarquía. Sin embargo, sería igualmente falso creer que la idea de una monarquía popular era «intrínsecamente» absurda. Después de todo, era exactamente lo que D'Argenson pensaba casi medio siglo antes: un rey enérgico que definía su soberanía «contra» más que en favor del privilegio y la aristocracia. Y después de todo, algo parecido a este realismo-patriota plebiscitario fue lo que apareció en ambos imperios bonapartistas. (Aunque parece justo afirmar que Mirabeau habría detestado el despotismo de los Bonaparte.) Alentado por la imagen Shelburne-*whig* de la monarquía, creía que la mejor garantía estaba en los gobiernos que emanaban de la legislatura y que eran responsables ante ella. Y fue el sabor británico de este concepto constitucional lo que lo descalificó ante los ojos de sus conciudadanos.

Pues, si Mirabeau fue, con mucho, el *personnage* entre los diputados, no fue el único talento político. La mayoría de los miembros de la Sociedad de los Treinta que se habían reunido en la casa de Adrien Duport ganaron sus respectivas elecciones y, entre ellos, estaban Target, los dos hermanos de Lameth y el abate Sieyès. Lafayette asistió en representación de la nobleza de Auvernia y otros aristócratas-ciudadanos, por ejemplo, Lally-Tollendal y Clermont-Tonnerre, se le unieron en el segundo orden. En representación del clero estaban Tayllerand, que había sido elevado al arzobispado de Autun y había celebrado su primera y última misa en la catedral donde fue ordenado, así como un hombre de liberalismo más agresivo, el arzobispo de Burdeos, Champion de Cicé. Otras figuras que habían hecho aportaciones importantes a la transformación de los Estados Generales en una asamblea nacional estaban incluidos también entre los diputados del Tercer Estado: Mounier y Barnave, por el Delfinado, y Rabaut Saint-Étienne, por Nîmes.

Este grupo básico poseía elocuencia y capacidad en abundancia, pero también llegó a Versalles después de pasar por un profundo aprendizaje político, primero en las revueltas del verano de 1788 y, después, en las intensas campañas electorales y panfletarias del otoño y el invierno siguientes. Algunos de sus miembros, como Mounier y Mirabeau, habían vivido la experiencia directa de las multitudes airadas en las calles. Incluso un hombre al parecer poco mundano, el astrónomo y académico Bailly (cuya especialidad eran las lunas de Júpiter), podía demostrar una extraordinaria educación política, pues había presidido las elecciones parisienses para elegir delegados al Tercer Estado. En franco desafío a la distribución real, los 60 distritos parisienses habían elegido un colegio de 407 electores —mucho más nutrido que el cuerpo designado— y, en otra manifestación de autonomía, esta asamblea se había convertido en una forma oficiosa de la Comuna, prohibida explícitamente por el Gobierno real. En el Hôtel de Ville, Bailly presidió un comité que ya se había arrogado el poder oficial como Gobierno de París.

Nada de esto significaba que, en el Tercer Estado, existiera un consenso acerca del estratégico tema de una posible Constitución de la Francia renacida. Sobre todo en Mirabeau fue una fuerza perjudicial, pues gratuitamente reiteró su insistencia en un veto real mucho antes de que el tema requiriese discusión. Sin embargo, en el asunto táctico del modo de tratar su relación con los dos órdenes restantes, hubo mucho más acuerdo. Aquí, Mirabeau se mostró mucho más útil, pues apreció exactamente el poder de bloqueo de la falta de acción. Durante los días que siguieron a la inauguración, los diputados aceptaron que no pasarían a verificar sus credenciales o iniciarían ningún tipo de deliberación, salvo como cuerpo común, unidos con los dos órdenes restantes. Esta actitud garantizó la paralización, pues pronto resultó claro que, a pesar de la presencia de una famosa y orgánica minoría de nobles (incluso del duque de Orleans, que había provocado la ira del rey al ocupar un asiento como diputado), esta se veía muy superada por una mayoría considerablemente más amplia, que rehusó apartarse de la convocatoria por separado.

En realidad, parece que, comparada con la línea más fluida y moderada que había adoptado en muchas de sus asambleas, la posición de la nobleza se endureció. Mientras todos estaban dispuestos a renunciar a sus exenciones impositivas, en vista de la creciente violencia en el campo, muchos de ellos estaban ahora menos seguros de la conveniencia de prescindir de los gravámenes señoriales locales de lo que había quedado patente en los *cahiers*, pues creían que ese paso podría permitir un ataque general a la propiedad. Y era todavía menor el número de los que estaban dispuestos a diluir su identidad colectiva en una asamblea general. Por ejemplo, el conde D'Antraigues, que había sido la primera y más audaz de las voces que identificaron al Tercer Estado como sinónimo de la nación, se había convertido ahora en un defensor acérrimo de la forma. Insistió en que, hasta que se convocara una Asamblea Constituyente —que podía hacer lo que deseara—, los diputados inevitablemente estaban sujetos a las anteriores convenciones de los Estados de 1614. Que variase de este modo el ánimo colectivo de la nobleza fue quizá un efecto de los poderes de seducción del propio Versalles. En medio de la euforia patriótica de las asambleas electorales, donde cada orador superaba al otro en la magnanimidad de sus opiniones, un número cada vez mayor de nobles se había considerado capaz de apoyar su particular visión de una Francia liberalizada. Reunidos en las circunstancias totalmente ritualizadas y seudocaballerescas de la ciudad-palacio, cayeron bajo la influencia de su propia historia reinventada. Esto sucedió sobre todo con los grandes de más antiguo linaje, a menudo elegidos diputados por mera deferencia a su impresionante colección de títulos y blasones. La reacción de estas figuras frente a los elegantes «coroneles jóvenes» del ambiente de los Orleans, que los animaban a proceder como «buenos patriotas y ciudadanos», fue afianzarse más en sus posiciones frente a la elegancia metropolitana. Ellos, y no unos petimetres superelegantes del Palais-Royal, representaban la sangre y el suelo de Francia.

Estos sentimientos de fraternidad entre los caballeros —una versión gótica del ciudadano— afectaron incluso a los defensores de la modernización, como De Ferrières. Aunque indiferente al tema de la votación individual o por el orden, confesó a su esposa que de todos modos no se sentía animado a abandonar a los nobles que eran sus colegas. Incluso Lafayette se sintió frenado por el cacareo de desaprobación que procedía de Mount Vernon, donde papá Washington contemplaba con rechazo las piruetas de los impetuosos e inconstantes franceses.

Sin embargo, las cosas cobraron un cariz completamente distinto con el clero. Y esto fue lo que en definitiva rompió el bloqueo. A diferencia del primer orden, el segundo, en los pequeños electorados, conseguía a menudo resultados exageradamente arcaicos. Pues, en la Iglesia, más que en cualquier otro grupo de Francia, la separación entre ricos y pobres se expresó de forma más severa. No estaba en juego un principio abstractamente definido de justicia social o referido a los derechos sociales, sino el destino de su propia misión. El cliché de la Ilustración con respecto a una Francia que se iba secularizando de forma gradual no atina a tener en cuenta cuán profundo era el poder del cristianismo en regiones muy amplias del país. (De todos los errores de la Revolución francesa, ninguno sería tan irremediable y tan funesto como la campaña de la «descristianización».) No se trataba solo de que en Francia la Iglesia se limitara a dejar pasar el tiempo. Era, más bien, que estaba atravesando una de sus agitaciones periódicas, en las que las reclamaciones del clero pastoral, que intentaba expresar el auténtico y originario espíritu del evangelio —humilde, despojado de las propiedades y enseñando su doctrina mediante la caridad y la educación—, se enfrentaban con la realidad terrenal de los grandes negocios episcopales.

En su forma más extrema, la división resultaba sorprendente. Los obispos más acaudalados, como el de Estrasburgo, tenían un ingreso de cincuenta mil libras anuales. Los muy pobres —vicarios de ingresos fijos, sin propiedades o rentas complementarias—, como Bréauté de Ruán, apenas subsistían con trescientas libras y el estipendio habitual de los *curés congrués* era de solo setecientas. De acuerdo con el cura de Saint-Sulpice, en Nevers, después de pagar los gastos pastorales y la comida y el vestuario de su único criado, le quedaban cinco *sous* diarios, es decir, un cuarto del salario diario de un trabajador no especializado en París. «Cuando un sacerdote tiene bastante suerte —escribió el propio abate Cassier—, después de veinte años de trabajo y tantos sufrimientos para obtener un pequeño ingreso de cuatrocientas o quinientas libras, puede considerar que ha hecho ya su fortuna y, una vez que posee su iglesia, puede señalar en el cementerio de la iglesia, como primer pobre de solemnidad de la parroquia, el lugar de su tumba.»

No todos los curas rurales se encontraban en una situación tan desesperada. Por lo menos la mitad —los *curés bénéficiés*— complementaban su ingreso con diezmos o con una pequeña parcela que les aportaba rentas y que cultivaban directamente o arrendaban. Sin embargo, justo por esto los curas rurales de los Estados Generales eran, de lejos, los verdaderos representantes de la mayoría de los franceses. Desde luego, estaban mucho más cerca del pueblo, tan ampliamente invocado por el Tercer Estado, que los abogados, los funcionarios y los profesionales que formaban ese grupo. En otro aspecto importante también podían afirmar que hablaban por sus electores, pues la gran mayoría (quizá el 70 por ciento) de los cuarenta mil curas rurales había nacido en el distrito o la región de su parroquia. Así, destacaba el contraste con los clanes aristocráticos, que se dividían entre ellos los grandes obispados y despachaban a sus parientes jóvenes a esta o a aquella diócesis, sin que en todo el asunto existiera más que una tosca relación de propiedad.

Por ejemplo, desde 1786, Talleyrand había estado esperando con impaciencia que uno de los muchos ataques de apoplejía del arzobispo de Bourges acabase con él de una vez, porque entonces él podría movilizar a sus amigos y parientes en una campaña por la sucesión. Sin embargo, el anciano mostraba una exasperante resistencia y, cuando en efecto sucumbió, Calonne (el protector de Talleyrand) fue sustituido por Brienne, que no profesaba simpatía por el candidato. Se vio obligado entonces a esperar hasta que otro cambio oportuno —en Lyon— determinó la deseada vacante. El obispo titular de Autun pasó a Lyon y Talleyrand, al fin, se encontró arrodillado, el 16 de enero de 1789, con toda la solemnidad de la que era capaz, prometiendo obedecer la sucesión apostólica de san Pedro y «preservar, defender, acrecentar y promover la autoridad, los honores, los privilegios y los derechos de la santa Iglesia». Al día siguiente, apoyó las manos sobre el palio de Autun, que, según se afirmaba, estaba confeccionado con lana de ovejas benditas que habían ramoneado en las pasturas de los primeros cristianos de la Antigüedad, y, lo que era más importante, sobre las veintidós mil libras de su renta episcopal. Unidas a su antiguo beneficio de Saint-Rémy y a uno nuevo de

Poitiers, formaban un ingreso decente de más de cincuenta mil libras anuales. Esa noche, el defensor de san Pedro cenó, como de costumbre, con su amante, Adelaide de Flahaut, en el Louvre.

Esta inmensa transferencia de propiedad y de poder se había realizado sin que Talleyrand se acercase siquiera a Autun. Llegó el 12 de marzo, antes de que él se dignase realizar su entrada oficial en la catedral, donde prometió (otra vez) ser fiel a su «esposa de Autun». Faltaba poco para Semana Santa, pero lo que determinó la aparición de Talleyrand fue el calendario político, no el religioso, pues ansiaba que el clero de Autun le eligiese diputado a los Estados Generales y, con este propósito, había preparado minuciosamente el *cahier* del capítulo y la diócesis. Era un documento característico de la imagen que Talleyrand tenía de Francia: racional, liberal y constitucionalista, sin apenas interés en el cuidado de las almas. Para garantizar la elección el 2 de abril trató de mostrar la actitud de un «buen» obispo, exhortó a la oración a los seminaristas, intentó (sin éxito) celebrar la misa sin embrollar los pasos y, con el mayor descaro, predicó una homilía —«La influencia de la moral sobre los líderes de los pueblos»— al colegio oratoriense. Diez días después de ser elegido para los Estados Generales, el 10 de abril, y menos de un mes después de su llegada a Autun, desapareció definitivamente. Era el domingo de Pascua y Talleyrand necesitaba a toda costa abstenerse de decir misa.

Resulta difícil imaginar una mayor distancia entre la idea de Talleyrand acerca de la Iglesia y la de los curas rurales que formaban casi dos tercios del orden del clero en Versalles. Sería erróneo creer que el obispo de Autun era totalmente amoral. Como ya había demostrado en su condición de agente general del clero, su concepción de la Iglesia era, como él mismo creía, «moderna». Su clero estaba formado por funcionarios espirituales del Estado, que asumían funciones educativas y sociales, y que proporcionaban la clase de dirección moral que podía calmar el ansia popular de fe, sin pretensiones de dictar la ley o de participar en el Gobierno. Si bien todo esto era bastante menos de lo que se enunciaba en el juramento episcopal, se trataba de todos modos de una concepción que se institucionalizaría durante el Directorio, durante el Estado bonapartista y durante gran parte del siglo siguiente.

De todos modos, estaba lejos del tipo de evangelio social del «vicario saboyano» de Rousseau, en el que las almas sencillas debían renunciar a las corrupciones de la propiedad y de la elegancia para orientar mejor a los hijos de la naturaleza, que eran sus semejantes, hacia una existencia moralmente pura. Muchas vertientes de la historia religiosa francesa se orientaban hacia esta piedad definida austeramente: el jansenismo, el «richerismo» y una forma de presbiterianismo que, a veces, era explícita y, otras, solo implícitamente protestante. También esta concepción arraigaba en gran parte de lo que los *cahiers* más airados de los curas —tanto de la ciudad como del campo— tenían que decir. Sus enemigos eran la riqueza, monástica o episcopal, y la aristocracia, judicial o clerical. Tocaban a rebato por los pobres y los hambrientos, por los endeudados y por los vagabundos, a quienes ellos alimentaban y cobijaban en las peores circunstancias.

La fuerza de su número en las asambleas electorales y el ensamblaje de su evangelio con la retórica del Tercer Estado infundió valor a los curas para enfrentarse directamente a los lores de la Iglesia. «¿Quiénes sois, *Messieurs les Grands Vicaires*? —preguntó el cura de Charly, para desinflar las pretensiones de la aristocracia clerical—. Nada. Yo soy cura y mi título jamás será anulado.» En Béziers, el obispo de Agda se sintió intimidado por la multitud de doscientos sesenta curas en una asamblea de trescientos diez. Era frecuente que los obispos o sus candidatos no fuesen elegidos. Otros que obtenían la designación no ocultaban su consternación al verse obligados a integrar una diputación con una chusma sagrada. «Acepto este cargo, no sin repugnancia» fue el amable comentario del obispo de Lugon al ser elegido junto con cinco curas.

Contrastando con la vestimenta púrpura y escarlata de los obispos y los arzobispos, los curas vestían sus prendas negras con la misma y deliberada osadía de los diputados del Tercer Estado. No resulta sorprendente entonces que muchos de estos representantes compartiesen la posición del Tercer Estado, lo que los llevó a dividir su orden por la mitad en el decisivo asunto de la verificación de las credenciales.

A lo largo de todo un mes, después de la sesión inaugural del 5 de mayo, las medidas de los Estados se vieron paralizadas (como Mirabeau y sus colegas deseaban que sucediese) en relación con el problema de la verificación. Una vez que las ceremonias concluyeron, los diputados del Tercer Estado pudieron haberse sentado donde se les hubiera antojado en la amplia Salle des Menus Plaisirs. Sin embargo, pusieron mucho cuidado en dejar vacíos los asientos de los dos órdenes restantes, a la espera del momento en que estos pudiesen volver para iniciar las deliberaciones en común. El 18 emitieron una convocatoria formal en defensa de la verificación conjunta, con el argumento de que los tres órdenes no eran más que divisiones arbitrarias de un organismo y debían proceder en consecuencia.

De Ferrières estaba hastiado y exasperado. «Nuestros Estados no hacen nada —escribió a Henriette el día 15—. Todos los días nos reunimos a las nueve de la mañana y nos retiramos a las cuatro de la tarde, y pasamos el tiempo en inútiles murmuraciones.» Aunque había llegado con credenciales liberales, cuanto más tiempo pasaba, más se impacientaba con las «intrigas» del Tercer Estado, al que achacaba la culpa del *impasse*. Incluso cenó con Artois, los Polignac y Vaudreuil, que le impresionaron profundamente con su refinado encanto. «El conde [Vaudreuil] y yo nos hicimos amigos», escribió entusiasmado a Henriette. Diane de Polignac le hizo un cumplido y él se sometió a la dama. Al comentar la libertad que se manifestaba en las conversaciones, De Ferrières escribió que la residencia de esta gente era *l'Hôtel de la Liberté*.

Mirabeau tenía una idea muy distinta de la *Liberté*. Cuando De Ferrières se alejaba de la opinión pública, Mirabeau se atareaba confiriéndole forma. El 7 de mayo comenzó a publicar su *Diario de los Estados Generales*, con el fin de difundir el contenido de las sesiones —y hacer editoriales sobre su importancia—. Su meta era el lema *Novus rerum nascitur ordo* (nace un nuevo orden de las cosas). El Gobierno lo silenció de inmediato y esa medida garantizó un amplio público lector a su sucesor: *Las cartas de M. de Mirabeau a sus electores*. La campaña de desafío al Gobierno mediante el autobombo no fue adoptada por casualidad. Parece que su estrategia se centró en la posibilidad de reemplazar a Necker al frente de un ministerio que pudiese concitar a la vez la confianza del rey y la de la asamblea. Durante algunas semanas todos sus comentarios, públicos y privados, acerca de Necker fueron mordaces. Sin embargo, durante la última semana de mayo, su amigo Malouet —antiguo *intendant* de Saint-Domingue y el único alto funcionario del Tercer Estado— descubrió que, pese a todo el choque de personalidades, la posición de los dos hombres en la asamblea no era muy distinta. Ambos deseaban la verificación en común; ambos anhelaban crear una monarquía popular; pero, apenas alzó el vuelo esta cometa, cayó bruscamente al suelo. Mirabeau fue a ver a Necker a su despacho. «Bien, monsieur —dijo el ministro sin apartar la vista de sus papeles—, M. Malouet me dice que tenéis que plantearme ciertas propuestas. ¿Cuáles son?» «Mi propuesta es de-searos los buenos días», replicó Mirabeau, que se volvió sobre sus pasos y salió echando chispas.

Aunque los órdenes despacharon «comisionados» para abrir alguna forma de negociaciones, solamente consiguieron confirmar la polariza-ción de los órdenes segundo y tercero. El 3 de junio, los diputados de París ocuparon al fin sus asientos, con la figura de Sieyès al final de la lista de presentes, y reforzaron considerablemente las posiciones radicales de la asamblea, que ahora solían autodefinirse como las de «los comu-nes». Esta radicalización implicaba sobre todo sabotear un compromiso laboriosamente concertado por Necker, en virtud del cual las disputas electorales en el seno de cada orden se remitían a una comisión general de reconciliación formada por representantes de los tres órdenes. El 10 de junio, Mirabeau interrumpió una lectura de acuerdo para permitir a Sieyès la presentación de una moción. Este comunicado desechaba el compromiso con el argumento de la intransigencia de los nobles y pro-ponía en cambio que se enviase un ultimátum a los restantes órdenes, antes de proceder a la lectura de la lista de presentes. De este modo, se obligaba a reconocer que se había llegado a un punto muerto o se impo-nía una capitulación. En todo caso, era un acto de autoafirmación revo-lucionaria, aunque mal podía decirse que fuese el primero, pues existían cambios parecidos que habían comenzado en Grenoble un año antes.

En un sesudo y reciente estudio del papel de Necker en los episo-dios de 1789, R. D. Harris ha destacado que fue esta reclamación, poco razonable en esencia, en favor del predominio del Tercer Estado sobre los dos órdenes restantes lo que agotó cualquier intento de compromiso e impulsó a Francia hacia la revolución más que hacia el cambio pacífico. El autor entiende este episodio como un siniestro ejercicio de poder mayoritario sobre las minorías desprotegidas. La alternativa era una for-ma dividida de gobierno, con cierto parecido con el modelo británico: la aristocracia se mantenía en la Cámara Alta y los «comunes», en un cuerpo representativo inferior.

Sin embargo, esto implica anhelar una opción que ya era anticuada. Sin duda, esa alternativa era teóricamente concebible para Necker (cuya versión ginebrina de una legislatura bicameral había fracasado repetidas veces) o para moderados como Malouet; pero omite por completo toda la historia de las elecciones, la retórica de las asambleas y las expectativas materiales que dependían de una transformación política más ambiciosa. Ya no se trataba solo de perfeccionar la monarquía modernizadora, sino de una suerte de renacimiento colectivo. Para muchos diputados del Tercer Estado, como Barnave, De Grenoble, y Robespierre, De Arras, la ciudadanía era indivisible, tal y como Rousseau había afirmado. Era la expresión de una sublime reciprocidad entre el individuo y la voluntad general; desde luego, el único modo en que era posible reconciliarlos e integrarlos. A decir verdad, era exactamente la clase de «apelación extraña e inexplicable [...] a los derechos naturales ideales y visionarios» que había parecido tan objetable a Arthur Young, pero que era la auténtica voz de la Revolución.

Tampoco —para bien o para mal— se había alcanzado este momento mediante sensatas deliberaciones sobre el gobierno viable, al estilo de la Convención Constitucional estadounidense. Desear tal cosa es confundir el proceso en el que se desenvolvía la política en Francia, un proceso que siempre era intensamente teatral e histriónico. Esto podía haber sido condenable, como la avalancha de aplausos de los espectadores que asistían a la asamblea, algo a lo que Arthur Young nunca pudo acostumbrarse y que le pareció «toscamente indecente». Sin embargo, solo por medio de esta actuación en el escenario, así como por medio de la realidad ampliada del romanticismo, con su súbito descenso emocional de la euforia al terror, los defensores del cambio podían movilizar a su público. El debate razonado estaba completamente fuera de lugar. «El pueblo de París —observó Étienne Dumont— estaba repleto de gas inflamable, como un globo.»

Paradójicamente, como él era el mayor manipulador de este fascinante proceso, Mirabeau a veces se sintió desconcertado por esta incontrolada espontaneidad, «el espectáculo de jóvenes escolares que han evitado la vara y están locos de alegría porque se les prometió un día más de vacaciones». En un intento por imponer cierta apariencia de orden en las sesiones, animó a su amigo ginebrino Dumont a traducir una relación de las normas parlamentarias británicas elaborada por Romilly, una iniciativa que le llevó a tener que hacer frente a una indignada bronca por haberse mostrado sojuzgado por costumbres antiguas y extranjeras.

Todas estas consideraciones fueron desechadas el 13 de junio. Ese día tres curas respondieron a la lectura de la lista de presentes promovida por Sieyès. Como el primer orden había votado una verificación por separado por el estrecho margen de 133 a 114 votos, el momento resultó ser decisivo. Los tres procedían de Poitou —la provincia de De Ferrières— y su cabecilla, Jallet, cura de Cherigny, había llegado a ser bien conocido por su piedad y por su patriotismo. Hijo del jardinero de un dominio señorial (¡otro toque de virtuosa botánica!), durante treinta años había sido modelo de una santa humildad, atendiendo a los enfermos y a los necesitados, mientras vivía en la mayor pobreza. Era tan pobre que, al principio, no pudo pagar el viaje a Versalles y, mediante una colecta, reunió dinero suficiente para afrontar este gasto, así como su manutención. Cuando entró en la Salle des Menus Plaisirs y anunció su presencia, fue saludado con grandes aclamaciones, abrazado por sus colegas y llevado triunfalmente en hombros hasta un asiento.

El 14, cuando se procedió de manera inexorable a la lectura de la lista de presentes, aparecieron más sacerdotes procedentes de Bretaña y de Lorena, entre ellos Grégoire, el *curé* de Emberménil defensor de los derechos de los judíos. Hacia el 19, más de cien se habían incorporado a la asamblea y, a estas alturas, el cuerpo reclamó un nuevo nombre para sí. El debate acerca de la denominación, iniciado dos días antes, reveló rápidamente la existencia de diferentes identidades políticas. Sieyès, que aún era la voz más radical, había insistido en que, puesto que la asamblea representaba al «96 por ciento» de la nación, no debía retrasarse más «la tarea común de la restauración nacional». Sin embargo, su nombre para este organismo no se acomodaba a los manifiestos inspiradores: «Los representantes conocidos y verificables». Mounier se había mostrado incluso más prudente y propuso «la parte principal de la representación, convocada en ausencia de la parte menor». En una actitud característica, Mirabeau intentó sobrepasar estas denominaciones tremendamente engorrosas y sugirió «representantes del pueblo», ¡y la propuesta fue criticada por sus connotaciones excesivamente plebeyas! Antes del final de la sesión, a las diez de la noche, se había decidido, por una amplia mayoría la denominación de «Asamblea Nacional» y —de nuevo, con una moción de Mirabeau— se declararon nulos y sin efecto todos los impuestos vigentes, a menos que ese cuerpo los autorizara.

Fue un momento de autoproclamación. Los noventa diputados habían votado contra la mayoría de cuatrocientos noventa; pero la sensación de inquietud que experimentaban ante este acto de autoconfirmación se vieron desbordados por la intensa avalancha de pasión patriótica. Arthur Young, un hombre muy sobrio habitualmente, no se mostró más insensible que los participantes ante esta inyección de adrenalina política.

El espectáculo de los representantes de veinticinco millones de personas que acababan de dejar atrás los males de doscientos años de poder arbitrario y que se elevaban hacia las bendiciones de una Constitución más libre, reunidos con las puertas abiertas bajo la mirada del público, debía convertir en intensos sentimientos todas las chispas latentes, todos los sentimientos de un pecho liberal; desterrar las ideas que uno pudiera concebir acerca de su condición de pueblo con demasiada frecuencia hostil al mío, para detenerse uno mismo complacido en la gloriosa idea de la felicidad que recaía sobre una gran nación y de la que esperaba a los millones que aún no habían nacido.

TABLEAUX VIVANTS (JUNIO DE 1789)

El delfín falleció el 4 de junio. Tenía siete años y era el segundo de los hijos del rey que moría en la niñez. Cuando nació, en 1781, se habían encendido fuegos artificiales que cubrieron el cielo de París; el Hôtel de Ville había presenciado un espectacular banquete tanto para los privilegiados como para los plebeyos. A su muerte, Francia apenas prestó atención y el Hôtel de Ville se había convertido en la sede de un organismo que, salvo en el nombre, era un Gobierno municipal revolucionario. En unos momentos en que la hogaza de ocho libras alcanzaba el precio más alto jamás conocido, se asignaron, según los informes, seiscientas mil libras a la ceremonia fúnebre. «Ya lo ves, *ma bonne amie* —informó De Ferrières secamente a su esposa mientras se preparaba para ir a salpicar agua bendita sobre el cuerpo en Meudon—, no se ahorra en el nacimiento y en la muerte de los príncipes.»

De acuerdo con los datos que se tienen, había sido un niño inteligente y afectuoso, y desde luego el preferido de los padres; pero no había gozado de buena salud. Últimamente parecía claro que la tuberculosis, la «tisis», había destruido el pulmón derecho. Soportó una prolongada y desgastadora enfermedad durante la cual adelgazó tanto que las costillas y la pelvis sobresalían del tronco y formaban ángulos irregulares. Cuando al fin murió, los padres se sintieron consternados, tanto más porque la crisis política apenas dejaba lugar al dolor íntimo. En todo caso, el ánimo de Luis estaba deprimido a causa del fracaso del comité de conciliación, en el cual había depositado muchas esperanzas y al que incluso había dirigido una carta personal de recomendación. La pérdida de su hijo y heredero pareció un tema mucho más grave. Se distanció de los asuntos públicos y, después del velatorio ceremonial de una semana, se retiró por completo de Versalles a su residencia en el campo de Marly-le-Roi, hundido por el dolor. Una delegación del Tercer Estado llegó para ofrecer las debidas condolencias, pero el *père de la patrie* sencillamente deseaba ser el dolido *père de famille*. Cuando se le dijo que la comitiva insistía en ser recibida, replicó: «¿No hay un padre entre ellos?».

Cuando reaccionó, buscó el apoyo de su familia más próxima. No se trataba de una actitud desinteresada. A Marly llegó la noticia de la auto-confirmación del Tercer Estado como Asamblea Nacional y de su declaración de que los impuestos en vigor eran ilegales. Ambos eran desafíos directos al soberano y Artois y la reina creían —no sin cierta dosis de realismo— que, si la monarquía quería recobrar el control de su destino, tenía que hacerlo ahora. En el supuesto de que fuera posible adoptar una actitud, se abrían dos cursos de acción: una inmediata intervención militar directa, para lo cual la corona aún no disponía de fuerzas suficientes; o una reafirmación de la autoridad legal del rey, unida a la promesa de ejecutar reformas convenidas. Incluso en este último caso, Necker, que recordaba demasiado bien la suerte corrida por las reformas de Brienne, no anticipaba más que calamidades. Sin embargo, fue apartado bruscamente por Artois, que le imputó ser el culpable del aprieto en que se encontraba la corona y que no escondió su decisión de deshacerse del ministro. Cuando se aproximaba a la cámara del consejo, antes de la decisiva reunión del 19 de junio, gritó que, como extranjero y advenedizo, Necker no tenía nada que hacer allí.

Apoyado por tres de sus colegas, Montmorin, Saint-Priest y La Luzerne, Necker presentó un listado de propuestas de reforma que se atenían fielmente al consenso de gran número de *cahiers*. Debían destacarse los gestos de «deber patriótico», como, por ejemplo, la abolición de las exenciones impositivas de los privilegiados. En lo que había llegado a ser el tema más controvertido, el plan de Necker se aproximaba a la solución del voto «mixto»; cabe presumir que con la esperanza de separar a la nobleza moderada de la minoría reaccionaria. Se permitiría que los diputados votasen en común en las cuestiones «nacionales», como, por ejemplo, la periodicidad de los Estados, pero no en los asuntos relacionados con los diferentes órdenes. Cuando elaboró este programa, a finales de mayo, Necker había planteado el deseo de que el rey revelase su contenido en una pomposa «declaración» que se hubiese anticipado al extremismo de los líderes del Tercer Estado. Sin embargo, la oportunidad ya había pasado y ahora el compromiso no iba a contentar a nadie. La preservación de una sociedad de órdenes implícita en sus cláusulas era completamente irreconciliable con la Asamblea Nacional de ciudadanos comunes creada el día 17. Por tanto, el plan sería inaceptable para ese cuerpo, que día tras día se veía reforzado por un número cada vez mayor de clérigos.

Sin embargo, era excesivamente radical para los reaccionarios de la corte. Sin tratar de disimular el odio que sentían por el hombre a quien imputaban las dificultades que atravesaba la corona, Artois y la reina hicieron todo lo posible para convencer al rey de que era necesario destituirlo. Cuando Luis pareció dispuesto a aceptar el programa de Necker, la reina interrumpió la sesión del consejo para mantener una conversación con su esposo. Cuando este regresó, Necker advirtió con consternación que el rey retiraba su apoyo al plan e insistía en que este debía ser sometido a un examen más detenido por parte de un consejo ampliado. Se aceptaron solo los elementos conminatorios del plan, lo cual recordó muy intensamente a Necker el destino de las reformas de Brienne. El rey se enfrentaría a los Estados en una grandiosa *séance royale* plenaria y demostraría al mismo tiempo su benevolencia paternal en la reforma y su augusta majestad al anular las usurpaciones del 17 de junio.

En vista de que se trataba de una ocasión de gran trascendencia, parecía necesario accionar de nuevo el mecanismo ceremonial de Versalles. Fue necesario levantar un estrado y redistribuir los asientos utilizados por el Tercer Estado, que ahora debían albergar a toda la asamblea. Sin embargo, a causa de lo que había sucedido el 17 de junio, la Salle des Menus Plaisirs ya no era solo un trozo de propiedad real que el rey podía amueblar a su gusto. De hecho, se había convertido en el primer territorio ocupado por la nación.

De modo que, cuando la nación se encontró apartada de su hogar sin previo aviso, porque los operarios preparaban la sala para la *séance royale*, supuso que eso había sido deliberado y no un descuido. Después de todo, los guardias armados impedían la entrada, en la que se habían fijado anuncios que aludían de forma concisa a la *séance royale*. La carta del maestro de ceremonias a Bailly había llegado en el último momento y no señalaba otro lugar de reunión. Se parecía sospechosamente a un primer paso de un proceso de disolución de la asamblea. La desazón se convirtió en furia mientras los diputados caminaban de un lado a otro bajo la intensa lluvia. El buen doctor Guillotin —héroe de la campaña de peticiones de diciembre en París— recordó la existencia de una pista de pelota, propiedad de un amigo, en la rue du Vieux Versailles. Y hacia allí fueron los seiscientos representantes, mojados pero eufóricos, seguidos por una muchedumbre cada vez más nutrida.

Aunque en este lugar se jugaba al tenis real, la pista desnuda y llena de ecos era justo lo contrario del palacio profusamente adornado de donde venían. Allí estaban en el reino de la monarquía, en el lugar que se les concedía. Aquí se encontraban, como quería Rousseau, reducidos a una ciudadanía y a una fraternidad elementales. Tenían solo sus propios cuerpos, sus voces, que rebotaban en los techos y en las paredes, contra los cuales solían golpear las pelotas. Se pidió una sencilla mesa de pino a un sastre que vivía en la casa contigua y ese fue el escritorio del presidente Bailly. Los espectadores se apiñaron en las galerías bajas y asomaron la cabeza por las ventanas. Sin duda, asistirían a una representación. Pero ¿de qué clase?

Sieyès sostuvo que los diputados debían retirarse en grupo a París y acabar definitivamente con el embrollo de Versalles. Sin embargo, Mounier, que no necesitaba que le dieran lecciones sobre la improvisación de la autoridad (aunque estaba interesado en anular las propuestas más radicales), presentó una alternativa. «Heridos en sus derechos y su dignidad», proclamó, se había advertido a los miembros de la asamblea que se intentaba empujar al rey a un desastroso curso de los acontecimientos. Contra la amenaza de disolución, ellos en cambio prestarían el juramento «ante Dios y la *Patrie* de no separarnos jamás hasta que hayamos formado una Constitución sólida y equitativa, de acuerdo con lo que nuestros electores nos pidieron». Se trataba de un acto realmente genial, pues separaba a la asamblea de las ataduras que la unían a un determinado espacio. Hasta ese momento, el ordenamiento de las instituciones soberanas francesas se había definido de acuerdo con el espacio que se les asignaba: palacios de justicia, salas del consejo, tribunales; pero la iniciativa de Mounier lanzó la nave del Estado a un mar abstraído. Dondequiera que los diputados se reuniesen, allí estaba la Asamblea Nacional.

¿Qué clase de lenguaje corporal podía convenir a la grandilocuencia del momento? Con la idea de que, por fin, estaban inmersos en una historia digna de los romanos, todos coincidieron en adoptar el ademán asignado a los Horacios por Jacques-Louis David, que, según creían, era la declaración de los mártires-patriotas. Para adquirir también él cierta relevancia presidencial, Bailly se subió a la mesa del sastre, apoyó la mano sobre el corazón —el gesto *par excellence* de la sinceridad rousseauniana— y levantó la otra en actitud de mando. Con los brazos derechos extendidos, con los dedos tensos, seiscientos diputados se convirtieron en nuevos romanos, repitiendo el juramento en una versión perfeccionada por Barnave. Solo uno, Martin d'Auch de Castelnaudary —en el cuadro de David, aparece frunciendo el ceño, sentado, con los brazos cruzados sobre el pecho—, se negó. Arthur Young advirtió de inmediato el carácter revolucionario del episodio. Implicaba «asumir toda la autoridad del reino. De golpe se han convertido en el Parlamento largo de Carlos I».

Al día siguiente, el consejo ampliado se reunió en Versalles y postergó un día —hasta el 23— la *séance royale*, para conceder más tiempo a la discusión (y, según temían algunos, al refuerzo militar). El efecto del juramento de la Pista de Tenis había sido acentuar todavía más la hostilidad de los hermanos del rey hacia Necker. Artois sobre todo le insultaba a gritos y no escondía su decisión de eliminarle. Al día siguiente fue peor. A pesar del apoyo de los ministros-colegas de Necker, los príncipes estaban decididos a rechazar cualquier modificación de la jurisdicción separada de los órdenes —absolutamente sin excepción—. De acuerdo con ese criterio, no existían asuntos que mereciesen la calificación de «nacionales» y que, por tanto, fuesen considerados como un todo por la asamblea. Las concesiones de los órdenes privilegiados en relación con sus exenciones impositivas y otros asuntos semejantes debían ser un acto meramente voluntario de los interesados, no un motivo de legislación general. Todo esto debía afirmarse en nombre de la inviolabilidad de la «Constitución francesa».

Esta actitud de repudio de los propósitos comunes de la nación era una imponente reacción que retrocedía más allá de los programas reformistas de la década de 1780, más allá de Turgot, para instalarse en una especie de Francia irreal basada en el orden clásico y en la obediencia jerárquica. Era una Francia que en verdad nunca había existido, salvo en el idilio absolutista del Salón de los Espejos, donde la iluminaban los candelabros de plata de un metro y medio del Rey Sol.

¿Luis XVI trataría de convertirse en Luis XIV? Antes de la última reunión, el 22 de junio, el monarca pidió su parecer a Montmorin y a Saint-Priest, los dos ministros que acompañaban a Necker. Ninguno de ellos creía que esa posición de enfrentamiento fuera a ser aceptada. Había que imponerla. Sin embargo, no había dinero en el Tesoro para pagar a quienes tuvieran que imponerla y, dijo Montmorin, una política reaccionaria garantizaba que los Estados Generales jamás votarían nuevas aportaciones económicas. ¿Cuál era la alternativa? Saint-Priest trató de que el rey comprendiese que, por lamentables que fuesen los cambios no autorizados, su decisión debía estar regida por «el peso de las circunstancias actuales». «El naufragio amenaza el barco del Estado», escribió, y no exageraba. Y muy acertadamente, destacó que, desde el punto de vista histórico, de todos modos la Constitución francesa nunca había tenido nada de inmutable. Era necesario aceptar el cambio cuando las circunstancias lo exigían, pues «nada permanece siempre igual bajo el sol» (eligió un cliché poco feliz, pues, después de todo, el reinado de Luis había comenzado con el emblema de un sol naciente que se elevaba sobre Francia).

Todo esto resultó inútil. Tres consejeros —Barentin, De La Galazière y Vidéaud de La Tour, que escribieron un discurso diferente para el rey— apoyaron la línea dura de Artois y de Provence. Entonces, el rey reemplazó el plan de Necker por el de estos y se preparó para el inevitable choque de voluntades del día siguiente.

Aunque se trataba de una *séance royale*, no un *lit de justice*, la ocasión tenía todo el aspecto de ser una afirmación tradicional de la voluntad real. Los soldados rodeaban la sala de la asamblea. Por última vez, el Tercer Estado fue humillado sin motivo, pues se le obligó a entrar por una puerta lateral cuando los dos órdenes restantes ya estaban sentados. También se le forzó a separarse de los diputados del clero, que ahora incluían a los arzobispos liberales de Burdeos y Vienne, incorporados a la asamblea. Necker no estuvo presente para escuchar la derrota formal de todos sus intentos de conciliación. Cuando el rey habló, lo hizo con un perceptible nerviosismo que no había sido tan claro en la sesión inaugural del

5 de mayo. Afirmó que era «el padre común de todos mis súbditos» y que estaba obligado a acabar con las lamentables divisiones que habían impedido el trabajo de los Estados Generales. Después, se leyeron en su nombre quince artículos, uno tras otro, y se vio claramente que su intención era preservar los tres órdenes y anular los procedimientos «ilegales» del 17 y los límites «anticonstitucionales» impuestos a los diputados por los mandatos de sus electores. Siguió otro conjunto de observaciones personales del rey, incluso el comentario autoelogioso: «Puedo afirmar sin exagerar que jamás un rey hizo tanto por una nación».

Había que apurar este amargo trago. Las treinta y cinco propuestas de reforma que siguieron estaban destinadas a endulzarlo, pero apenas añadían algo de azúcar. El primer punto afirmaba categóricamente que no se aplicarían impuestos que no tuvieran la aprobación de los representantes del pueblo (en el mismo acto en que se vaciaba de contenido esa representación). A lo largo del texto había distingos similares. Se concedía la libertad de prensa, siempre que no dañase la religión, la moral o el «honor de los ciudadanos»; de hecho, el *statu quo*. Se abolían las *lettres de cachet*, excepto en los casos de sedición o de delitos en el seno de la familia. (Mirabeau seguramente tuvo buenos motivos para sonreír sardónicamente en este punto.) Podían anularse las exenciones impositivas, pero solo si los beneficiarios lo acordaban, y debían preservarse y protegerse todos los gravámenes y los derechos señoriales como inviolable forma de propiedad.

Hacia el final, el rey hizo una advertencia. Si la asamblea le «abandonaba» en sus esfuerzos, se vería obligado a «continuar solo por el bien de mi pueblo, y consideraré que solo yo soy su auténtico representante». Por tanto, si era necesario, y con la máxima renuencia, se convertiría en un déspota ilustrado. Por el momento, «os ordeno, messieurs, levantar directamente la sesión para reuniros mañana en vuestras cámaras separadas, donde continuaréis con vuestras sesiones».

No sucedió nada parecido. El 22, mientras en el consejo real se saboteaba el plan de Necker, la Asamblea Nacional había continuado reuniéndose, reforzada ahora por más de 150 miembros del clero y por un grupo de 47 nobles, que habían manifestado su clara intención de unirse a sus conciudadanos. En una manifestación de petulancia infantil, Artois había alquilado la pista de pelota para impedir que se reunieran allí. Sin embargo, de acuerdo con el espíritu de la moción de Mounier, la iglesia de Saint-Louis era igualmente apropiada. Decidieron reunirse allí enseguida después de la *séance royale*.

Tras la salida del rey y de la corte, en un silencio sepulcral, entraron los carpinteros para desarmar el estrado y las plataformas usadas durante la ceremonia. El Tercer Estado permaneció sentado con actitud desafiante, en medio del desorden y de los martillazos, y se metamorfoseó de nuevo en la Asamblea Nacional. Bajo la presidencia de Bailly, reafirmaron obstinadamente todas las decisiones anteriores. Mirabeau, cuyo conocimiento de lo que era el arresto sin mandato judicial no tenía rival en otros miembros de la asamblea, exhortó sobre todo a sus colegas a declarar la inviolabilidad personal de los diputados. Señaló que era posible que las reformas incluyeran aspectos positivos, pero, en todo caso, habían sido impuestas del modo más ofensivo. No correspondía a «vuestro mandatario» imponer leyes, sino al «mandatario» recibir las leyes del «sacerdocio inviolable de la nación». Todo lo que significase un ataque a esa inviolabilidad era, de acuerdo con un neologismo que él mismo acuñó, «un acto de *lèse-nation*».

Aquí, el joven marqués de Dreux-Brézé, maestro de ceremonias a quien el rey había ordenado expresamente que preparase el salón para el Tercer Estado, reunió bastante valor para reiterar la orden real de desalojar el lugar. Sus observaciones fueron dirigidas a Bailly, pero la reacción procedió de Mirabeau, cuya imponente cabeza se volvió hacia el joven vestido de forma rebuscada, que, sin descubrirse, condescendía a impartir órdenes a los que «no eran privilegiados». Mirabeau estaba enfermo y debilitado por la hepatitis y puede que su voz no tuviese el acostumbrado y retumbante timbre. Las versiones difieren y no se sabe con certeza si las palabras que siguieron fueron realmente las que después afirmó haber dicho el propio Mirabeau: «Id a decir a quienes os enviaron que estamos aquí por la voluntad del pueblo y que no nos dispersaremos, excepto a punta de bayoneta».

La cuestión principal no es la exactitud del relato. La Revolución francesa se desarrollaría mediante estos *tableaux vivants*, que cristalizaban en forma teatral la intensidad de los sentimientos experimentados por los participantes. Solo con este cariz dramático podía comunicarse su mensaje a los muchos millones que así participarían de su euforia, que se comprometerían con el resultado y que en definitiva manifestarían su lealtad. Se trataba ya de un nuevo tipo de religión.

En realidad, la intervención de Mirabeau fue mal vista por Bailly, que la consideró una innecesaria llamada a las armas, pero de todos modos el propio Bailly repitió las decisiones de la asamblea para continuar sus trabajos. Dreux-Brézé se retiró, caminando lentamente hacia atrás, sin descubrirse, exactamente como prescribía la etiqueta oficial: un apropiado saludo de despedida al rito del Versalles absolutista. Su actitud no fue nada más que una retirada; pero la reacción de Luis XVI fue una rendición, no menos completa porque la formulase tan de pasada. Informado de la resolución de la asamblea, se encogió de hombros y comentó: «Oh, bueno, dejadlos estar».

Al igual que durante el verano y el otoño de 1787, el rey adoptó la peor actitud posible, pues realizó un despliegue de autoridad real y, después, retrocedió ante la posibilidad de imponerla. Se mostró cada vez menos capaz de decidir si, en efecto, podía convertirse en una especie de rey del pueblo, como había deseado Mirabeau, o si era el ungido de Reims, armado con la *oriflamme*. El problema de pronto cobró carácter apremiante, pues dio la impresión de que se incubaba un disturbio popular en el centro de Versalles a causa de la frecuente ausencia de Necker, que no había asistido a la *séance royale*. Hacia el final de la tarde se vio a varios cientos de diputados que marchaban hacia el Contrôle Général, en un gesto de solidaridad, y a este grupo se unió rápidamente una multitud de unas cinco mil personas que gritaban: «Vive Necker». María Antonieta, que había sido la más audaz en su actitud de desafío al pueblo, ahora era la primera que se asustaba ante la presencia de la gente que afluía al patio del castillo y, luego, entraba en el lugar, sin verse frenada por la milicia de los *gardes françaises*. Después de solicitar una entrevista con Necker, la reina le imploró que no renunciara y, en otra reunión, el rey hizo lo mismo.

Ahora que la línea dura había fracasado de un modo tan claro, Necker aceptó continuar en su puesto a condición de que el rey aplicase el programa original que él había propuesto, que señalaba la reunificación de los tres órdenes. Se separó del rey y se paseó entre los diputados y los exultantes ciudadanos, y, con una actitud característica, intentó moderar el júbilo. «Ahora sois muy fuertes —dijo a los diputados—, pero no abuséis de vuestro poder.» En contraste con este triunfo popular, el rey partió en dirección a Marly y sus cocheros guiaron el carruaje a través de una multitud hosca y amenazante.

Aún hubo algunos intentos esporádicos de imponer la autoridad real. Al día siguiente de la *séance royale*, Bailly llegó a la sala y la encontró guarnecida por soldados que, como durante la víspera, tenían órdenes de impedir que entrasen en el lugar los diputados nobles y clericales, o miembros del público. Sin embargo, la indignación de Bailly se disipó cuando resultó patente que el oficial a quien se había encomendado esta misión, en efecto, había acudido a la Asamblea Nacional y que sus hombres confraternizaban con entusiasmo con los diputados e insistían en que «también nosotros somos ciudadanos». Aquí, el «clero patriótico» fue introducido por una puerta del fondo en la Salle des Menus Plaisirs, y, encabezado por el arzobispo de Vienne, de nuevo se convirtió en parte de la Asamblea Nacional. Más avanzado el día, el arzobispo de París, que por error había sido identificado como uno de los principales enemigos del pueblo, evitó por poco que le lapidasen en su carruaje.

El día siguiente, 25 de junio, incorporó otro *tableau vivant* a los anales de la Asamblea Nacional, pues cuarenta y siete miembros de la nobleza liberal se unieron finalmente a la asamblea. Los habían precedido dos nobles de los ocho diputados del Delfinado y los restantes se les unieron *en bonne compagnie*, como dijeron al día siguiente. Llegaron encabezados por Stanislas Clermont-Tonnerre e incluían a muchos de los miembros que concurrían al club de Duport durante el otoño precedente: Lally-Tollendal (el defensor de su padre), el duque D'Aiguillon, el duque de Luynes, La Rochefoucauld-Liancourt, Alexandre de Lameth, Montmorency de Luxembourg y, aunque no menos importante que los anteriores, el propio Felipe, duque de Orleans y primo del rey. No eran advenedizos, sino la flor y nata de la aristocracia: hombres cuyos antepasados habían caído en los campos de la guerra de los Cien Años; que habían acompañado al joven Rey Sol en su *promenade* militar a través del Franco-Condado y Flandes; que habían sido mariscales, condestables y grandes limosneros de Francia. Ahora eran ciudadanos.

Faltaba Lafayette. Su ausencia destacó aún más porque había sido miembro del partido de nobles liberales que con sus personas cortaron el paso a un destacamento de soldados enviados para intimidar al Tercer Estado después de la *séance royale*. Lafayette pertenecía a un grupo de alrededor de sesenta diputados nobles que antes habían votado por la reunión general, pero se sentían obligados por los deseos de sus electores a mantenerse separados a menos que el rey ordenase lo contrario. Existía la posibilidad de incorporar un número decisivo, si la Asamblea Nacional estaba dispuesta a respetar la perspectiva de que ellos conservasen cierto tipo de identidad particular en los asuntos relacionados con la nobleza. Sin embargo, reclamar esto de hecho equivalía a pedir a la asamblea que renunciara a la premisa de su identidad recién creada: la indivisibilidad de la ciudadanía. Una «diputación» de los nobles no fue atendida, con el argumento de que recibirla implicaría reconocer esas pretensiones particulares.

El 26 de junio los Estados Generales murieron finalmente y recibieron el tiro de gracia del propio rey, que había promovido su nacimiento. Escribió a los diputados de los dos órdenes privilegiados, «comprometiéndolos» a unirse «para alcanzar mis paternales metas». Con esta actitud no sugería necesariamente una capitulación incondicional frente a las decisiones del 17 y del 20 de junio (la anulación de los órdenes en el marco de una soberanía indivisible conferida a la Asamblea Nacional). Incluso después de la última reunión, a las dos de la tarde, celebrada en un ambiente de triste solemnidad más que de alegre reconciliación, algunos nobles y clérigos continuaron interpretando la carta real con la intención de tratar en común los asuntos de interés conjunto.

Todas estas reservas fueron barridas con una gran oleada de celebración popular al aire libre. Se iluminaron las calles de Versalles; los petardos explotaban en el aire vespertino. La multitud que cantaba y bailaba llenó los patios y las calles que llevaban al palacio, gritando «Vive Necker» y, por lo menos con la misma frecuencia, «Vive le Roi». Persuadidos de la buena disposición de la gente, Luis y María Antonieta realizaron una repentina aparición. Permanecieron de pie en el balcón del dormitorio de Luis XIV, contemplando la Cour de Marbre, donde Molière había representado sus obras y Lully dirigido sus composiciones para el Rey Sol. Trataron de mostrarse complacidos, Luis incluso intentó hacer un ademán de saludo. Sin embargo, la reina era el blanco de todos los ojos, pero no por la magnificencia de su aspecto, sino por su modestia. Se decía que el dolor provocado por la muerte de su hijo le había encanecido visiblemente los cabellos, que ahora llevaba peinados sobre los hombros como una ciudadana. No se había puesto joyas. Se volvió hacia la habitación y, conteniendo las lágrimas, presentó a sus dos hijos para que los viese la sorprendida multitud. Unidos, *papa*, *maman*, *les enfants*, con los rizos rubios que les llegaban a los hombros, permanecieron en silencio ante la gente que los aclamaba hasta desgañitarse. Fue el primero de muchos encuentros futuros, pocos tan afables como este. Sin embargo, por el momento la visión de los reyes y sus hijos infundió un renovado sentido al comentario que Bailly ya había formulado esa misma tarde: «Ahora, la familia está completa».

El marqués de Ferrières a madame de Médel, domingo 28 de junio:

> Querida hermana, te diré una sola palabra, pues quizá estabas preocupada por D'Iversay y por mí. Estuvimos cerca de la catástrofe más sangrienta, una repetición de los horrores de la matanza de San Bartolomé. La debilidad del Gobierno parece autorizarlo todo [...]. La *séance royale* sirvió únicamente para promover el triunfo del Tercer Estado.
>
> La misma tarde se obligó al rey a cambiar su declaración, pese a que había sido aceptada por nosotros [...]. El viernes, cincuenta miembros de la nobleza, encabezados por el duque de Orleans, se unieron al Tercer Estado, a pesar de que la mayoría de sus electores les había prohibido expresamente votar de manera individual. Yo, desde luego, habría hecho lo mismo con mayor razón, pues mi *cahier* no imponía nada riguroso acerca de la votación por orden o individual, y, por mi parte, juzgo con total indiferencia el modo de deliberación [...], pero me pareció que no podía abandonar a mi orden en las críticas circunstancias en que se encontraba. En el Palais-Royal la gente habla públicamente de masacrarnos, nuestras casas están señaladas con vistas a este delito y mi puerta fue marcada con una «P» negra [*proscrit*]. Esta carnicería, al parecer, debía ejecutarse la noche del viernes o el sábado. En verdad, en Versalles, todos eran cómplices.
>
> La corte esperaba verse atacada de un momento a otro por cuarenta mil bandidos armados que, según se decía, venían de París. Los *gardes françaises* rehusaban obedecer órdenes; compañías enteras desertaron y fueron al Palais-Royal, donde les servían bebidas heladas y eran exhibidas en triunfo. Felizmente, la persona en cuyo nombre se concibió esta conspiración infernal [Orleans] es demasiado cobarde para comportarse como un canalla. De manera que las noches del viernes y del sábado pasaron tranquilamente y el sábado 27 el rey nos escribió por mediación de nuestro presidente, M. de Luxembourg, para decirnos que nos incorporásemos al Tercer Estado [...].
>
> Ahora todo parece tranquilo; pero los *gardes françaises* ya no reconocen a sus oficiales; la deserción de las tropas es general y todo anuncia una gran revolución [...]. Se celebrarán los Estados Generales de 1789, pero

con un estandarte sangriento que será llevado a todos los rincones de Europa [...].

Adieu, querida mía, buena hermana; la situación no es muy tranquilizadora. Si por lo menos hubiese un hombre [fiable], no creería que las cosas son tan desesperadas, pero los ministros son tan incapaces [...].

Abraza en mi nombre a Médel.

TU CHARLES-ÉLIE

10

La Bastilla
Julio de 1789

DOS CLASES DE PALACIOS

Versalles se había construido en oposición a París.

La primera fuente visible en el parque del castillo, al descender de la terraza, narra la historia. En un estanque circular se alza Latona sosteniendo a su pequeño hijo Apolo. Ha huido de la celosa cólera de Juno, cuyo esposo, Júpiter, se ha insinuado a Latona. Al detenerse en su fuga para beber un poco de agua, Latona soporta el ataque de los campesinos, movilizados por la vengativa diosa. Al ver el aprieto en que se encuentra, Júpiter interviene y transforma a los campesinos en ranas. Este es el momento fijado por el escultor, con los anfibios del tamaño de gatos acechando o saltando hacia la ninfa y croando en su metamorfosis. Algunos todavía conservan el tronco humano, pero las cabezas se han transformado y muestran los ojos saltones y las bocas grandes muy abiertas.

Para el Rey Sol, esta historia tenía un inequívoco significado personal. Su madre, Ana de Austria, había sido expulsada de París por la rebelión de la Fronda y, en la huida, había llevado a su pequeño Apolo. En su edad adulta, Luis XIV decidió que jamás volvería a caer cautivo del pueblo y los pares de París. Aunque el castillo de Versalles había comenzado como un pabellón de caza y un lugar para bailes y fiestas, el rey muy pronto lo convirtió en el lugar en que podía redefinir su absolutismo. Su ministro Colbert gastó enormes sumas en el Louvre, con la esperanza de que Luis lo convirtiese en la principal sede de su Gobierno; pero resultó inútil. Ser el Rey Sol significaba construir un ámbito simbólico de piedra y agua, de mármol y de espejos, donde el monarca y el planeta podrían recorrer su periplo cotidiano serenamente al margen del desorden de la vida urbana. La música cortesana prevalecería sobre el croar de las ranas.

Durante un siglo esa táctica funcionó. París y Versalles fueron mundos separados. Si la paz del rey se veía turbada en Versalles, era por obra de los habitantes y los campesinos locales, pues la caminata de seis horas desde París era un elemento disuasorio que se oponía a las manifestaciones populares. Este viaje no solo llevaba tiempo y esfuerzo, sino que era peligroso. El Bois de Boulogne, por donde debían pasar los viajeros para llegar a los caminos occidentales, como todo el mundo sabía, estaba habitado por *bandes* de ladrones y prostitutas.

Sin embargo, en carruaje el tiempo del trayecto se reducía a dos horas o, como mucho, tres. Y durante el reinado de Luis XVI, el centro de gravedad de los *grands* de la corte pasó del castillo a la ciudad. Sus *hôtels* estaban en el faubourg Saint-Germain o se habían reformado con elevado coste en el Marais; los lugares de recreo estaban en la Opéra, los teatros urbanos y los *concerts spirituels*, y, comparado con esto, el entretenimiento de la corte parecía una actividad descolorida y secundaria. El mejor arte estaba en el Salón bienal, en las conversaciones más ingeniosas en las cenas privadas y en las «reuniones» como las que uno podía encontrarse en casa de Duport o de Necker. Y lo que es más importante, la iniciativa política había pasado de los corredores y los aposentos de Versalles al Palais de Justice y el Palais-Royal. De modo que los cortesanos, cuya jerarquía e identidad se definían antaño por el orden jerárquico del palacio, poco a poco comenzaron a practicar el absentismo. «Incluso en las cadenas del despotismo —comentó Mirabeau—, París siempre preservó su independencia intelectual y los tiranos se vieron obligados a respetarla. Mediante el reinado de las artes y las letras, París preparó el de la filosofía, y, mediante el de la filosofía, el de la moral pública.»

Incluso antes de que París acudiese para apartar al rey de Versalles, el Palais-Royal se había impuesto al Château de Versalles. En todos los aspectos era su contrario; más aún, su pesadilla. En el centro del *château* había un bloque de pabellones donde el control del rey sobre las actividades se veía formalizado por los apartamentos dispuestos en fila uno tras otro, de modo que el acceso a cada nivel podía impedirse o facilitarse según lo requiriesen la costumbre y el decoro. Al norte y al sur se extendían inmensas salas de una longitud aproximada de ochocientos metros, subordinadas desde cualquier punto de vista, que alojaban los servicios gubernamentales y palaciegos del monarca teóricamente omnipotente. El Palais-Royal era un espacio abierto, con un perímetro de columnas: el equivalente parisiense de espacios republicanos como la piazza San Marco de Venecia. Su arquitectura no impartía instrucciones, sino que, más bien, invitaba a pasear, a observar, a ojear, a leer, a comprar, a charlar, a coquetear, a comer. Todo al azar, en un orden espontáneamente improvisado, o sin ningún tipo de orden. Mientras Versalles era el lugar más cuidadosamente patrullado de Francia, en el Palais-Royal, como propiedad del duque de Orleans, estaba prohibida la presencia de la policía, salvo que su propietario la llamase. Si el Versalles institucional atribuía gran importancia a la jerarquía del rango, la actividad frenética del Palais-Royal la trastornaba de forma subversiva. Versalles proclamaba la disciplina corporativa; el Palais-Royal celebraba la anarquía pública de los deseos.

En la corte y, hasta cierto punto, incluso en las asambleas del consejo, las manifestaciones eran siempre y en todos los sentidos cautas. En el Palais-Royal podía decirse todo y, cuanto más extravagante fuera la expresión, tanto mejor. En lugares como el café Foy, Arthur Young encontró

> grupos expectantes que escuchaban *à gorge déployée* a ciertos oradores que, subidos a sillas o a mesas arengaban a su público. El interés con que se los sigue y los ruidosos aplausos que reciben por sus audaces y violentos juicios, del todo inusuales, que lanzan contra el Gobierno actual no pueden imaginarse fácilmente.

Young se sintió igual de impresionado por la democratización de la pirotecnia. En Versalles, desde los tiempos de Luis XIV, los castillos de fuegos artificiales se organizaban cuidadosamente con el fin de rendir tributo al esplendor. En el Palais-Royal, por cortesía de Orleans, doce *sous* permitían comprar tantos buscapiés, cohetes y serpientes negras como podían obtenerse con cinco libras en los lugares habituales donde se vendían. La noche del 27 de junio, para celebrar la reunión de los órdenes, el cielo de París presenció resonantes y coloridas explosiones, mientras que el cielo sobre Versalles permanecía sombríamente en silencio.

Y ya nadie dudó de que el Palais-Royal era el imperio de la libertad, cuando las compañías amotinadas de *gardes françaises* fueron allí, el 28 de junio, para anunciar que, de ningún modo, dispararían contra el pueblo. El día 30, dos miembros de ese cuerpo fueron a la Asamblea Nacional, vestidos con ropas civiles, para denunciar a su comandante, el duque de Châtelet, y fueron arrestados por los húsares y enviados, con una docena de sus camaradas, a la prisión de Abbaye. Cuando se difundió la noticia de la detención, fueron liberados por una muchedumbre de cuatrocientas personas, que después ofreció a los soldados una cena festiva y pública. El duque de Orleans abrió las instalaciones para que pudiera celebrarse un festejo que duraría toda la noche y, protegidos por sus «hermanos ciudadanos», los granaderos rebeldes durmieron en el suelo del salón de música de las Variétés Amusantes. Al día siguiente, se colgaron canastos del nuevo alojamiento de estos hombres en el Hôtel de Genève, perteneciente al Palais-Royal, de modo que los simpatizantes pudieron realizar contribuciones patrióticas en favor de sus héroes. Como no deseaban apoyar un desafío total a la autoridad, los electores del Hôtel de Ville y la Asamblea Nacional concibieron un compromiso destinado a salvar las formas; así, los guardias aceptaron regresar por una noche a la prisión y, después, se les conmutó la pena y fueron dados de baja.

En el clima de locuaz y chispeante desafío que prevalecía en el Palais-Royal, no fue sorprendente que la revolución parisiense comenzara allí. Sin embargo, no nació tanto de la rebelión festiva como de la desesperación. Hacia el mes de julio los precios del pan estaban alcanzando niveles que no solo sugerían la escasez, sino el hambre. Las condiciones de la Francia urbana estaban acercándose rápidamente a una guerra alimentaria. Hacia finales de junio, en Lyon, la segunda ciudad de Francia, los participantes en los disturbios ya habían dispuesto ventas de cereales exentos de gravámenes, al creer, de manera errónea, que estaban cumpliendo con los deseos del rey. En París, los ataques esporádicos a las *barrières* aduaneras dispuestas alrededor de la ciudad habían llegado a ser tan frecuentes que fue necesario apostar soldados allí, así como en los mercados, y acompañar a todos los convoyes para proteger el cereal y la harina. Los miércoles y los sábados, cuando los panaderos ambulantes vendían su mercancía en Les Halles y en otros mercados específicos, se creaban situaciones muy peligrosas. Se prohibió a los panaderos que retiraran de sus puestos las hogazas no vendidas que quedaban al fin de la jornada, pues a esa hora grupos de hambrientos se congregaban allí con la esperanza de obtener precios más bajos. Justo entonces se agudizaba el peligro de que se cometieran actos de violencia y de que los necesitados se apoderasen del pan.

Los primeros días de julio también fueron críticos para los pobres en otro aspecto fundamental; pues, al final de la primera semana, estaba el temido *terme*: la fecha de pago de todas las cuentas, incluida la renta. Como ha descrito vívidamente Richard Cobb, el *terme* de julio era el peor, pues, al llegar el de octubre, se había recogido la cosecha y el pan era más barato, y, en enero, a menudo se obtenía un trato más clemente y cierto crédito con vistas a los crueles meses de invierno. En julio, antes de la cosecha, los precios del pan siempre eran más altos y el ingreso disponible, más reducido. En vísperas del día del pago, es decir, el 7, familias enteras y grupos de familias desalojaban, a veces llevando consigo las sábanas que habían usado para descolgarse de las ventanas altas. Era un periodo de miedo, de desconcierto y de huida.

De manera que, cuando la noticia de que Necker, que había sido destituido sin contemplaciones y desterrado por el rey, llegó al Palais-Royal el domingo 12 de julio, provocó una oleada de pánico y rabia. Pues Necker no solo había sido un símbolo de la victoria del Tercer Estado, sino el más reciente *père nourricier*. En muchos de los innumerables grabados que exaltaron su fama, se le mostraba como el agente de las cornucopias: el hombre que podía crear solvencia a partir de la bancarrota, ofrecer trabajo donde antes había desempleo y suministrar pan donde había hambre. Su reputación de integridad le acompañaba como una aureola, en obvio contraste con los aristócratas, que no se detenían ante nada, ni siquiera ante la posibilidad de provocar el hambre, para desalojarle del poder. (No todas estas loas eran inmerecidas. Necker había ofrecido su fortuna personal como garantía de un embarque de cereal despachado por la casa bancaria Hope, de Ámsterdam.)

La idea de que el hambre no era fruto del clima, sino de la conspiración, tenía una antigua tradición en Francia; pero nunca estuvo más ampliamente difundida, ni se expresó con tanta ira, como en 1789. Si los panaderos y los molineros que acaparaban sus existencias con el fin de obtener precios más altos eran los canallas más cercanos, detrás de ellos se alzaba una conspiración aristocrática aún más siniestra. Su más imperioso propósito era desacreditar a Necker y conseguir que fuera destituido. Una vez que él desapareciera, decían los panfletos, podía tenerse sujeto al pueblo hasta que, a su vez, se disolviera sin riesgo la Asamblea

Nacional. «Los siglos anteriores —decía el autor de un panfleto— no ofrecen ningún precedente de una conspiración tan detestable como la que esta moribunda aristocracia ha concebido contra la humanidad.»

A veces, las teorías de la conspiración acertaban. Por supuesto, no hubo conspiración para imponer al pueblo la sumisión por hambre, pero desde luego existió el propósito de acabar con Necker y de disolver la Asamblea Nacional. Por ejemplo, el 9 de julio, las opiniones acerca de Necker eran muy distintas en Versalles y en el Palais-Royal. Cuando se disponía a entrar en el consejo real, Necker fue saludado por Artois, que le mostró amenazadoramente el puño y le insultó diciéndole que era un «traidor extranjero» y un «miserable burgués» que no tenía «lugar» en el consejo y que debía regresar a la «mezquina ciudad» a la que pertenecía. Durante la propia reunión, el príncipe llegó al extremo de decir al ministro que creía que era necesario ahorcarle. El mismo día, en el Palais-Royal, una «mujer de calidad» recibió una azotaina pública en el trasero, porque, según se afirmaba, había escupido sobre un retrato del ministro-héroe.

Todos estos temores y sospechas parecían corroborados por el creciente número de soldados que estaban en París y en sus alrededores. Los cálculos acerca de su número exageraban la amenaza, pero no había modo de ignorar la visible presencia de soldados alemanes y suizos en esa tropa. (Incluso algunos de los regimientos nacionales franceses estaban compuestos por hombres de habla alemana procedentes de Lorena.) Las tropas extranjeras, coligadas con grupos de «bandidos armados», según la opinión más generalizada, estaban recorriendo la campiña y se preparaban para invadir las ciudades en su condición de brazo vengador del despotismo.

La sistemática concentración de fuerzas militares no era un invento de la paranoia popular. Luis XVI había impartido la primera de una serie de órdenes de ponerse en marcha a los regimientos de la frontera el 22 de junio, cuando aún esperaba que la *séance royale* frustrase la Asamblea Nacional. Esa estrategia fracasó y el monarca convocó más tropas el día 26. Hacia el 16 de julio, una serie de refuerzos debía elevar a más de veintiún mil hombres la masa de tropas en París y la región de Versalles. Un considerable número de regimientos —más de un tercio— eran extranjeros, muchos de habla alemana. El rey afirmó que se movilizaban las tropas para impedir los posibles desórdenes en París y sus alrededores.

Sin embargo, para la reina, Artois y el grupo de ministros encabezados por Breteuil, que ansiaban presenciar la salida de Necker, la exhibición de fuerzas militares debía ser el instrumento que permitiría a la corona recuperar su libertad de acción.

Ese plan se vio frustrado por la preocupación de los que debían ejecutarlo, que temían que la cadena de mando estuviese a punto de desmoronarse. Esos temores tenían cierto fundamento. Hacia la década de 1780 la cifra de desertores en el ejército francés se había elevado a unos tres mil anuales, a pesar del brutal castigo dispensado a los primeros infractores: pasar diez veces por una baqueta de cincuenta hombres armados con estacas. El 2 de julio el embajador británico informó de que se había infligido la misma tortura a dos soldados del regimiento suizo del Salis-Samade, que habían actuado en complicidad con los *gardes françaises* amotinados. Otros dos fueron ahorcados.

El problema más grave era que el descontento de ningún modo se limitaba a los soldados rasos y, en cambio, se había infiltrado en los rangos de los oficiales de menor jerarquía. Si existía un lugar en el Antiguo Régimen donde la realidad social coincidía con la disputa acerca de los monopolios aristocráticos y el ascenso frustrado, ese era precisamente el ejército. Las reformas de Guibert quizá originaron cierta mejora de la paga, pero también aportaron la disciplina prusiana y la inflexible aplicación de la norma que reservaban los rangos a la «vieja» nobleza. Aunque la ley de Ségur tenía la intención de proteger a la nobleza más antigua y más pobre, persistió la queja más extendida: los hijos pobres y malcriados de las dinastías ricas recibían rango en los regimientos cuando apenas habían salido del colegio. Esta situación airaba a los oficiales de carrera y a los suboficiales, que veían bloqueada por la nueva ley cualquier esperanza de ascender en la casta de oficiales. Por consiguiente, la retórica antiaristocrática tuvo buenos motivos para abrirse paso en los rangos inferiores.

Es posible que los soldados rasos del ejército regular se mostraran incluso más receptivos ante la idea de identificarse con la ciudadanía del Tercer Estado. De acuerdo con Samuel Scott, más del 80 por ciento había ejercido otro oficio antes o después y una parte sorprendentemente elevada procedía del ámbito de los artesanos urbanos. Por tanto, el ejército real regular no era en absoluto una fuerza campesina y sí en cambio estaba más cerca de los trabajadores de los *faubourgs* que habían saqueado la fábrica de Réveillon y que formarían la mayoría de los «conquistadores» de la Bastilla. Esta improvisada solidaridad entre las tropas y el pueblo resultaría fundamental el 14 de julio, cuando más de cincuenta soldados regulares se unieron al pueblo que tomó por asalto la fortaleza. Sin embargo, incluso antes de esa fecha, los informes sobre la renuencia de las tropas a usar la fuerza contra los asaltos a los depósitos de cereal o las ventas forzosas estaban convirtiéndose en un fenómeno habitual.

Esta instintiva fraternidad era incluso más clara en los *gardes françaises*. Antes de la monumental investigación de Jean Chagniot, se creía en general que los guardias eran el estrato de más edad y el más estable de la población parisiense, individuos que, a menudo, ejercían sus oficios para redondear la escasez de la paga. Ahora tenemos un perfil muy distinto, pero que destaca todavía más su vulnerabilidad frente a la propaganda revolucionaria. Muchos guardias eran jóvenes, llegaban de las provincias, sobre todo de las ciudades del norte, como Amiens, Caen y Lille, y estaban lejos de constituir un estrato asentado. Una serie de reformas durante las décadas de 1760 y 1770 habían eliminado la posibilidad —aprovechada por sus predecesores de un periodo anterior del siglo— de abrir tiendas o de atender puestos en los mercados. La mitad de los hombres estaban casados y tenían familia y, a veces, las esposas los mantenían. Sin embargo, la tropa del cuerpo militar, de la cual dependía en gran medida el Antiguo Régimen para complementar los, aproximadamente, mil quinientos policías, se componía de hecho de individuos desarraigados, pobres y, con frecuencia, insubordinados. En el ambiente de los oficiales de menor jerarquía, sobre todo los sargentos, según se quejaba un oficial veterano, existía un «sentimiento de igualdad que, por desgracia, en el siglo actual reúne y mezcla todas las posiciones y todos los rangos». Jean-Joseph Cathol, hijo de un notario de Auvergnat y sargento de la guardia, señaló más tarde que, en 1788, él comenzó a leer los artículos que «denunciaban la iniquidad de los curas y de los nobles» y que llevó a las filas su nueva combatividad política. Otros que se enredaban menos activamente en la discusión política simplemente se vieron arrastrados por la atmósfera opositora que hallaban en las tabernas, donde bebían, y en el Palais-Royal, por donde paseaban. Por ejemplo, el 12 de julio un cadete del regimiento Reinach de Versalles se encontró con dos guardias, que estaban acompañados por mujeres y se hallaban visiblemente ebrios, que le dijeron: «Ven con nosotros, en París te espera dinero y progreso».

Sea cual fuere la mezcla de motivos, los disturbios de Réveillon fueron, para los *gardes françaises*, una especie de traumático momento de cambio, después del cual tendieron a demostrar una actitud de combativa desobediencia frente a las órdenes. Asimismo, propendieron cada vez más a responder a su condición de patriotas franceses. El 6 de julio, en Versalles, casi llegaron a las manos con los húsares de habla alemana que habían sido movilizados para intimidar a los habitantes del pueblo. Y el 8, Jean-Claude Monnet, un vendedor ambulante de lotería, fue arrestado por distribuir entre los soldados panfletos sediciosos, uno de los cuales era una llamada a los granaderos procedente de «un viejo camarada de los Gardes Françaises». El mensaje decía: «Somos ciudadanos antes que soldados, franceses antes que esclavos».

Las impresiones se polarizaron con mucha rapidez. Al parecer, un bando estaba formado por la reina austriaca y sus secuaces de la corte, apoyados ahora por los húsares húngaros y por los dragones alemanes. Acampados en el Campo de Marte, en los Inválidos, según se decía, estaban preparándose para volar el Palais-Royal. Otro campamento, en Saint-Denis, estaba organizado para bombardear la ciudad desde las *buttes* de Montmartre. Se comentaba que Breteuil, el principal enemigo de Necker, había afirmado en el consejo: «Si tenemos que quemar París, París arderá», y, al parecer, ahora esa gente disponía de los hombres y de los medios necesarios. Frente a esta siniestra conspiración se levantaban los soldados autóctonos dirigidos por los *gardes françaises*, pero con la presencia de otras tropas dispuestas a seguirlos si se amenazaba seriamente al pueblo. En Nangis, «bastante cerca de París, de manera que la gente esté al tanto de la política», el 30 de junio, el *perruquier* que atendía a Arthur Young le señaló que debía «tener tan claro como nosotros que los soldados franceses nunca dispararán contra el pueblo —y añadió—: pero, si lo hacen, es mejor recibir un balazo que morir de hambre».

Mirabeau compartía esta opinión. «Los soldados franceses no son meros autómatas [...], verán en nosotros a sus parientes, a sus amigos y a sus familias [...], nunca creerán que su deber es atacar sin preguntar quiénes son las víctimas.» Sin embargo, dijo esto el 8 de julio, en un discurso ante la Asamblea Nacional, en un tono cargado de temor. En una frase de carácter profético, pintó el cuadro de la inminente guerra civil. Aunque también exageró —en la cifra de treinta y cinco mil— el número de soldados distribuidos entre Versalles y París, nadie podía quedar indiferente ante el retumbar de la artillería que avanzaba por los caminos y cruzaba los puentes, así como ante el espectáculo del emplazamiento de las tropas; es decir, todo lo que él describía. Peor aún era el manifiesto engaño que estaba urdiéndose: el incorregible vicio del Antiguo Régimen cuando se enfrentaba con los hombres nuevos. ¿Acaso, preguntó retóricamente Mirabeau, los que se han embarcado en estas locuras «han previsto las consecuencias que acarrean para la seguridad del trono?». «¿Han estudiado en la historia de todos los pueblos cómo comienzan las revoluciones?»

Había tocado un nervio sensible de la asamblea. Los diputados habían visto, impotentes y temerosos, cómo se levantaban las tiendas, primero en la «corte de mármol», después en la gran Orangery de columnatas construidas por Mansart, según el modelo de un circo romano. Había pirámides de mosquetes apoyados sobre las columnas dóricas. La elocuencia de Mirabeau expresó la angustia cada vez más intensa y su discurso fue saludado con ruidosos aplausos que resonaron sobre la cabeza sudorosa. Cuando el clamor de aprobación se calmó, se redactó un mensaje al rey en el que se mencionó, incluso demasiado correctamente, el «peligro [...], más allá de todos los cálculos de la prudencia humana [...]. La presencia de tropas [en París] producirá nerviosismo y desórdenes y [...] el primer acto de violencia so pretexto de mantener el orden público puede desencadenar una horrible secuencia de males». Se pedía a Luis que retirase las tropas y que apaciguara esta explosiva situación.

El rey contestó dos días después, el 10 de julio. Trató de aplacar la sensación de ansiedad de la asamblea con la afirmación de que se había convocado a las tropas para contener en París desórdenes violentos como los de los disturbios de Réveillon y que los soldados habían llegado para «proteger» y no para intimidar a la asamblea. Todo esto era el clásico lenguaje preliminar del golpe de Estado militar. ¡El rey incluso añadió la innecesaria sugerencia de trasladar la asamblea a los Noyons o a los Soissons, si las «condiciones» impedían que trabajase en Versalles!

Solo el monárquico más cándido pudo haberle creído. Por supuesto, la verdad era que, el mismo día de la alocución de Mirabeau —y quizá provocado por ella—, Luis XVI había decidido realizar una prueba de fuerza: la suya contra la que la Asamblea Nacional afirmaba tener. Se trataba de un gesto decisivo y más rápido que lo que se habían atrevido a esperar los que le instaban a aceptar este enfrentamiento, sobre todo la reina y los príncipes. Parece que ya estaba harto de que le dijeran lo que les convenía a la monarquía y a él. Su exasperación ante la actitud de virtuosa rectitud de Necker se había convertido en algo parecido al total aborrecimiento cuando el 23 de junio se vio desplazado del primer plano por el ministro. En cierto momento de su persecución al jabalí, las aves y el venado, que continuó sin desmayo, Luis XVI había decidido hacer valer el honor de los Borbones.

En primer lugar, necesitaba la aprobación de Breteuil, que sería designado el sucesor de Necker en el ministerio y la persona destinada a presentarse ante la Asamblea Nacional. Cuando lo obtuvo, el día 10, el rey informó a los príncipes. Aunque el plan militar de estos exigía que todas las tropas disponibles estuviesen en los lugares fijados el 16, nadie se mostró dispuesto a frenar el nuevo ardor y la necesidad de autoafirmación del rey. Más aún, ese fin de semana era ideal para el golpe. La Asamblea Nacional no se reuniría hasta el domingo y podía expulsarse del país a Necker antes de que tuviese tiempo de reaccionar.

El sábado 11, el ministro se disponía a degustar una agradable comida a las tres de la tarde, cuando La Luzerne, ministro de Marina, llegó con una carta del rey. El texto era seco e iba al grano. Ordenaba a Necker que se retirase *sans bruit* —en secreto— de Versalles, incluso de todo el territorio de Francia, y que volviese a Suiza. Necker guardó la nota en el bolsillo, habló brevemente con su esposa y pidió el carruaje con el que solía dar su paseo vespertino. Alrededor de las cinco depositaron una maleta en su interior; madame Necker, todavía con su *tenue de soirée*, ascendió al carruaje, seguida de su esposo. El vehículo hubiera debido enfilar hacia el sur, en dirección al Mâconnais, Lyon y la frontera suiza. En cambio, se dirigió hacia el nordeste, hacia Bruselas, donde los Necker se bajaron al día siguiente. Desde allí, Necker escribió una carta a los banqueros neerlandeses Hope para ratificarles que, pese a su destitución, los dos millones de libras que ellos habían prestado como garantía de los inminentes embarques de cereal a Francia continuaban firmes.

Era el gesto de un *honnête homme*, que contrastaba drásticamente con la petulante inseguridad del monarca que le había destituido.

Espectáculos: la batalla por París (12-13 de julio de 1789)

Nunca se habían tenido verdaderas dudas sobre la atracción que en realidad movilizaba a los clientes del museo de cera de M. Curtius. *Le Grand Couvert* mostraba a la familia real reunida con el hermano de la reina, José II, gozando de su cena. Era la culminación de una muestra que también incluía a celebridades y a héroes como Voltaire y el vicealmirante D'Estaing. Cada figura había sido plasmada y pintada por Peter Creutz (ese era el nombre alemán con el que había nacido), cuya carrera fue otra historia de gran éxito de un organizador de espectáculos y empresario en la Francia del siglo XVIII. Mayeur de Saint-Paul, cuyo libro sobre el boulevard du Temple se especializó en hacer burla de la baja vida y los especialistas de lo burlesco que podían descubrirse allí, consideraba a Curtius un modelo del hombre que había triunfado con sus propios medios: con talento, sagacidad y sobre todo trabajo. Por supuesto, este hombre conocía bien su mercado. A dos *sous* por cabeza, Curtius sabía atraer colas interminables de asombrados visitantes que procedían de todos los sectores. Cuando habían terminado de maravillarse ante la habilidad de Curtius y creían estar riendo con Voltaire, llorando con Rousseau o espiando a María Antonieta, que se preparaba para ir a dormir, podían comprar una de sus figurillas de cera que representaban a los «galantes» y las «libertinas» y que provocarían descaradas risitas en casa.

Envalentonado por el éxito y la prosperidad, Curtius no vaciló cuando el Palais-Royal comenzó a alquilar locales comerciales en 1784. Ocupó el Salón Número 7 y lo llenó de la misma y eficaz mezcla de héroes militares y culturales, y de escenas cortesanas, que tan buen resultado le había dado en el bulevar y en las ferias de Saint-Germain y Saint-Laurent. Para satisfacer a una clientela algo más exigente, añadió una balaustrada divisoria y estableció dos precios de entrada: doce *sous* delante; dos *sous*, detrás. Allí tuvo que competir con algunas destacadas atracciones rivales, como Paul Butterbrodt, un hombre de casi doscientos kilos, y, peor aún, con la sinvergüenza que pretendía ser un modelo de cera con el nombre de «la bella Zulima», muerta hacía doscientos años, pero conservada milagrosamente y a la que se podía escudriñar por completo por unos pocos *sous*. Sin embargo, Curtius sabía adelantarse a la competencia. Instaló un ventrílocuo que ofrecía pases diarios al mediodía (a las dos) y por la noche (de cinco a nueve); también incluyó temas de actualidad con sus correspondientes héroes: Lafayette, Mira-beau, Target y, por supuesto, el duque de Orleans y M. Necker.

De modo que, cuando vio a una multitud de unas mil personas que enfilaba hacia el Salón Número 7 en estado de conmoción patriótica, alrededor de las cuatro del domingo 12 de julio, seguramente imaginó a qué venían. Después de entregar los bustos de Orleans y Necker, Curtius pudo pronunciar un breve discurso digno de los mejores actores del Théâtre-Français: «Amigos míos —afirmó—, lo llevo siempre [a Necker] en mi corazón y por eso estoy dispuesto a abrirme el pecho para dároslo. Aquí tengo solo su imagen. Es vuestra». Una magnífica actuación. Los bustos fueron llevados en triunfo por la muchedumbre que aclamaba.

A lo largo del día el Palais-Royal había sido un hervidero. El rey y sus consejeros habían pensado que era mejor que el público se enterase del exilio de Necker (como sabían que sucedería, pese a todo el secreto) durante el domingo, porque de ese modo se impedía una reacción inme-diata a la Asamblea Nacional. Sin embargo, para el centro opositor ofi-cioso —el Palais-Royal—, el domingo era el mejor día para los melodramas. Estaba atestado de visitantes, *flâneurs*, oradores, campesinos de las aldeas *hors des murs*, artesanos de los *faubourgs*. Alrededor de las tres, una muche-dumbre de unas seis mil personas se había reunido en torno a un joven, de cutis pálido y ojos oscuros, con los cabellos cayéndole desordenados sobre los hombros, que hablaba excitado desde una de las mesas que es-taban frente a un café.

Camille Desmoulins tenía entonces veintiséis años, y era el hijo preferido de una numerosa familia de Guise, en la Picardía. Su padre, teniente coronel del *bailliage* local, se había esforzado y había ahorrado para asegurar la educación en París de su precoz hijo. Los hermanos ha-bían debido contentarse con seguir la carrera militar y concertar matri-monios modestos y, en el caso de una hermana, con el inevitable ingreso en un convento. Desmoulins había asistido al Lycée Louis-le-Grand, donde conoció a Maximilien Robespierre, De Arras, y a un grupo hete-rogéneo de varones —algunos aristócratas, muchos burgueses, otros in-cluso hijos de artesanos— que formaban la población estudiantil de esa extraordinaria institución. Como ellos, había absorbido muchas cosas de Cicerón, de Tácito y de Tito Livio, y había sentido las revueltas romanas en su propia sangre.

Aunque su padre esperaba que se dedicara al derecho, Desmoulins trató de mantenerse como escritor ocasional y así compuso una «Oda a los Estados Generales». En junio de 1789, *La France Libérée* fue aceptado por el editor Momoro, a quien gustaba autoproclamarse «el primer impresor de la libertad». Aunque fue publicado pocos días después de la toma de la Bastilla, el folleto de Desmoulins constituye un excelente ejemplo del tipo de declamación sensiblera y provocadora que entonces prevalecía en el Palais-Royal. Desde las primeras líneas, el estilo presupone una audiencia más que un público lector:

> Escuchad, escuchad a París y a Lyon, a Ruán y a Burdeos, a Calais y a Marsella. De un extremo al otro del país se escucha el mismo clamor universal [...] todos quieren ser libres.

Los apóstoles de la libertad reunirían a sus tropas mediante la voz más que apelando a la vista. Pues, mientras el ojo seducía, la voz disciplinaba. En su condición de joven *habitué* del Palais-Royal, Desmoulins estaba muy preocupado por la incitación sexual como una poderosa arma de la corrupción real y aristocrática. La monarquía, escribió, hace todo lo posible para corrompernos con el fin de «debilitar el carácter nacional y pervertirnos rodeando a nuestra juventud de lugares de seducción y de disipación y asediándonos con prostitutas».

Este maquiavélico designio se vería frustrado, pues solamente en la capital había más de treinta mil hombres dispuestos a abandonar sus *délices* para unirse, «a la primera señal, con las sagradas cohortes de la *patrie*». Ya habían ocupado el teatro de la elocuencia. «Ahora, solo los patriotas elevan sus voces. Los enemigos del bien público se han visto silenciados o, si se atreven a hablar [...], inmediatamente se identifican para sufrir el castigo de su felonía y su traición.»

Aprovechando sus ejercicios escolares sobre los clásicos, Desmoulins utilizó en su discurso el mismo tono de virtud militante, pero, para acentuar el efecto, añadió el martillo patriótico ejemplificado en los cuadros históricos neoclásicos del Salón y en el teatro. La sangre era importante en estos retratos. Desmoulins se comparó con Otírades, el guerrero caído que escribió «Esparta ha triunfado» con su propia sangre en un estandarte confiscado. «Yo, que he sido tímido, ahora me siento un hombre nuevo, [de modo que] podría morir alegremente por una causa tan gloriosa y, atravesado por los golpes, también escribiré con mi propia sangre: "¡Francia es libre!".»

De modo que Desmoulins ya había redactado el texto de la actuación que ofrecería, con tanta intensidad, ante la muchedumbre reunida frente al café Foy el 12 de julio. Escribió a su padre que, al llegar al Palais-Royal, alrededor de las tres, se vio con varios amigos; todos animaron a los ciudadanos a empuñar las armas contra la traición que había acabado con Necker, «cuya persona la nación había pedido que se protegiera». Individuo movido por el impulso (por tanto, sometido a la naturaleza y no a la cultura), se subió a una mesa, con la cabeza «llena de ideas», que expresó sin el más mínimo respeto por el orden. De Necker dijo que debía erigírsele un monumento, en lugar de decretar su destierro. «A las armas, a las armas y [arrancando hojas de un castaño] mostremos todos una escarapela verde, el color de la esperanza.» En ese momento, Desmoulins creyó ver que se acercaba la policía o, por lo menos, eso afirmó. La sospecha le llevó a adoptar la actitud de una inminente víctima de la tiranía. Advirtió que se aproximaba una nueva matanza de San Bartolomé: una referencia que ya estaba convirtiéndose en un importante cliché de la retórica patriótica y que se vería reforzada por la obra más popular de 1789: *Charles IX*, de Marie-Joseph Chénier. Señalándose el pecho con una mano y agitando en la otra una pistola (otra forma teatral que llegaría a ser corriente en la Convención), Desmoulins desafió a los secuaces de la tiranía: «Sí, sí, yo convoco a mis hermanos a la libertad; prefiero morir antes que someterme a la servidumbre».

El púbico reaccionó agradecido. Desmoulins se convirtió al momento en héroe y se vio rodeado por brazos que le sostenían, gritos de «bravo», besos, vehementes juramentos que prometían no abandonarle jamás. Fue llevado en medio de grandes gritos y vivas por la multitud que se apoderaba de todas las cosas verdes al alcance de la mano —cintas, hojas, ramas: un pequeño ejército en busca de héroes y armas—.

Los héroes no estaban presentes: Necker se encontraba en Bruselas y Orleans actuaba en su propio teatro de aficionados de Saint-Leu. (Al enterarse de la revuelta de París, un miembro de su compañía, un pintor llamado Giroux, cabalgó a todo trapo todavía ataviado como el cíclope Polifemo y una muchedumbre casi lo apaleó en la *barrière*, porque supuso que su único ojo era la siniestra marca de un espía de la policía.) Sin embargo, Curtius podía proporcionar reproducciones en cera de los *personnages*. Compensaban su falta de elocuencia con su capacidad portátil y tolerante, algo de lo que carecían sus originales.

El teatro se había trasladado del espacio acostumbrado a la calle. Allí se representó con mortífera seriedad y pasó enseguida a imponer su tremendo drama al mundo del simple *divertissement*. Ahora el público debía prestar toda su atención a la Revolución. Una multitud de unas tres mil personas invadió la Opéra, donde ya comenzaba la representación de *Aspasie*, de Grétry, y afirmó que era día de duelo a causa de la pérdida de Necker. Otros teatros, sobre todo los del Palais-Royal y el boulevard du Temple, cerraron sus puertas sin más. Los *agents* de la Bolsa cercana anunciaron que el recinto permanecería cerrado el lunes, es decir, el día siguiente, y así sumaron otro elemento de sobresalto económico a la sensación cada vez más intensa de crisis. Como Desmoulins, muchos de los actores de este drama se sintieron de pronto dentro de un momento histórico sobre el cual se proyectaba una brillante luz. Todo lo que hacían o decían adquiría consistencia, como si estuviesen incorporándose a la historia de un nuevo Tácito en el mismo momento en que actuaban. Esta consciente gravedad llegó a acentuarse todavía más cuando la procesión, que ahora contaba con unas seis mil personas, desplegó estandartes negros y vistió chaquetas y sombreros negros, para indicar la fúnebre solemnidad de la ocasión.

Todo esto no habría importado mucho a las autoridades si los discursos, los clamores y las campanas no se hubiesen visto acompañados por la reclamación de armas. Ahora el barón de Besenval, responsable de la comandancia militar de París y su región, percibía con claridad que los seis mil agentes de policía —el millar de guardias, los condestables del Guêt; los arqueros y los arcabuceros, con sus atuendos ceremoniales, y el puñado de *maréchaussées* (acantonados fuera de los límites urbanos)— no podían afrontar la algarada cada vez más intensa. Había tropas regulares en Saint-Denis, Sèvres, Saint-Cloud y, dentro de la ciudad, en los Inválidos, en la École Militaire, en la plaza Luis XV y en los Campos Elíseos. En el Campo de Marte, esa misma mañana, antes de que las noticias sobre Necker llegasen a París, las mujeres habían bailado con los húsares húngaros del regimiento Berzcheny. Horas después, los hombres formaban en orden de combate. Se habían trasladado cuatro cañones al Pont Luis XVI, pero cómo y cuándo usar esta fuerza militar era tan problemático en el París de finales de 1789 como lo había sido en Grenoble un año antes y en muchas otras ciudades de Francia a lo largo de la primavera.

La situación culminó en la place Vendôme. El príncipe de Lambese, que mandaba una compañía del regimiento Royal-Allemand destacada en la plaza Luis XV (que más adelante sería rebautizada como plaza de la Revolución y que hoy es el espacio neutro y consensuado de la place de la Concorde), recibió la orden de despejar el lugar. El procedimiento habitual era que la caballería usara los sables de plano, pero la consecuencia igualmente habitual era que se rodeaba a los caballos hasta que se conseguía que se detuvieran. Superados en número, los dragones se retiraron hacia la plaza Luis XV. Desde la place Vendôme la multitud corrió hacia los jardines de las Tullerías. Allí chocaron con otras tropas y el hombre que portaba el busto del duque de Orleans cedido por Curtius fue arrastrado detrás de un caballo hasta la plaza Luis XV. Cuando otros soldados de caballería trataron de entrar en los jardines, la multitud, que gritaba «Au meurtre», pasó a la terraza con balaustrada y, desde allí, arrojó contra los soldados todo lo que tenía a mano. Sillas, piedras obtenidas de una obra, incluso pedazos de estatuas que pudieron romper y mover llovieron sobre los hombres, asustando a los caballos e hiriendo a los soldados.

La escaramuza duró el tiempo necesario para permitir que circulase por la ciudad la noticia de que «los alemanes y los suizos están masacrando al pueblo» y, de este modo, varias unidades de los *gardes françaises* llegaron a la escena en orden de combate para enfrentarse a los soldados de Lambese. Era la primera vez que una fuerza armada organizada se oponía a los soldados del rey, decidida al contraataque. Y lo que fue aún más sorprendente, los *gardes* llegaron con la fortaleza suficiente para expulsar por completo de las Tullerías a los soldados de caballería. A partir de este momento, comenzó la batalla por la soberanía sobre París.

Pese a todas las semanas de preparación y planificación militar, primero a cargo del mariscal de Broglie y, después, de Besenval, no fue una batalla muy encarnizada. Parecía claro que la compañía asediada en la plaza Luis XV necesitaba ayuda, pero el regimiento suizo Salis-Samade la proporcionó del modo más laborioso posible. Mientras se ponía el sol, los soldados cruzaron el Sena en solo dos embarcaciones, con los cañones puestos en la proa para rechazar el fuego de la orilla derecha, donde los *gardes françaises* habían consolidado sus posiciones. Después de dos horas de este mísero avance, los soldados intentaron reorganizarse en orden de combate bajo un cielo de noche cerrada. Había luz cuando las posiciones de los *gardes françaises* disparaban sobre ellos en los bulevares. Hacia la una, el comandante del Salis-Samade había decidido que la posición era insostenible. Cuando Besenval volvió, adoptó la decisión todavía más drástica de evacuar todo el sector, replegándose hacia el oeste, en dirección al Pont de Sèvres.

La retirada de las tropas reales del centro de la ciudad entregó este a la violencia desordenada. Los armeros se vieron forzados a entregar sus mosquetes, sables, pistolas y tahalíes. Un maestro armero informó después a la Asamblea Nacional que habían asaltado treinta veces su tienda y que él había perdido 150 espadas, 4 cuchillas grandes, 58 cuchillos de caza, 10 pares de pistolas y 8 mosquetes.

Provistas de este surtido de armas —así como de cuchillos de cocina, dagas y barrotes—, las multitudes del extremo norte de la ciudad se dedicaron a destruir el odiado símbolo de su confinamiento: el muro de los recaudadores generales y sus 54 *barrières*. Esa *enceinte* había sido la última obra maestra de Lavoisier en el campo de la técnica, con sus tres metros de altura, los casi treinta kilómetros de circunferencia y, a intervalos, los extraordinarios pasos aduaneros de Claude Ledoux. La multitud no estaba interesada en la tecnología o en la arquitectura. El muro representaba los precios altos y la brutalidad policial, la humillación y el hambre. Fue destruido en varios lugares y, después, demolido de forma desordenada; las piedras fueron un arma más para usar contra los soldados. Unos cuarenta puestos aduaneros fueron saqueados y las puertas y los muebles se quemaron al mismo tiempo que los documentos y los registros tributarios. Entre los atacantes había quince que afirmaron (en 1790) que eran contrabandistas, que, en la euforia del momento, como observó Jacques Godechot, no atinaron a advertir que estaban quedándose sin trabajo. Las multitudes procedían sobre todo de los *faubourgs* norteños e incluían a varios albañiles, de modo que no es descabellado suponer que algunos de los que habían construido la *enceinte* se dedicaran ahora a demolerla.

El tercer objetivo fue, por supuesto, el pan, o por lo menos el cereal y la harina. El monasterio de Saint-Lazare (el escenario de la humillación de Beaumarchais) no solo era una prisión, sino también un depósito comercial. Resultó inevitable que gozara de la reputación de ser una residencia llena de robustos monjes instalados sobre inmensas pilas de cereal. Las multitudes, formadas por algunos de los parisienses más pobres y más hambrientos, saquearon el lugar y retiraron todos los alimentos que pudieron hallar. La gente se incautó de grandes cantidades de cereal, así como de vino, de vinagre, de aceite, de veinticinco quesos gruyer y, por inverosímil que parezca, una cabeza disecada de carnero.

Durante esa noche de disturbios y demoliciones que en general no hallaron oposición, París se perdió para la monarquía. La única esperanza de recuperarla era que Besenval estuviese dispuesto a usar sus tropas al día siguiente para ocupar la ciudad y sofocar brutalmente el desorden. Sin embargo, la operación nocturna, confusa y caótica, había debilitado aún más su capacidad de mando. Cuando sus propios oficiales le dijeron que no podía contarse con la tropa, ni siquiera con los suizos y con los alemanes, se mostró poco dispuesto a tomar la ofensiva.

El lunes afrontó una amenaza más grave que el espontáneo desastre de la víspera. A las once de la noche del domingo algunos electores habían celebrado una reunión en el Hôtel de Ville. Se decidió que había que convocar a sesiones urgentes a cada uno de los sesenta centros de distrito al alba del día siguiente. El único modo de lograrlo era emitir la señal reconocida en momentos de peligro —el toque a rebato— y reforzar el mensaje con disparos de cañón y redoble de tambores. De modo que, con esta tremenda cacofonía —el repicar de las campanas de las iglesias y el disparo de los cañones— se convocó a los ciudadanos con el fin de que cumpliesen con su deber patriótico.

En el Hôtel de Ville la principal preocupación era asumir el control de una situación que amenazaba con desintegrarse para convertirse en anarquía. La manera de conseguirlo, como en muchísimas otras ciudades de Francia, era formar una milicia prohibida a los elementos electorales de la población: en otras palabras, a aquellos que tenían algo que perder. Debían movilizarse unidades de ochocientos individuos en cada distrito para formar un ejército de ciudadanos de cuarenta y ocho mil hombres. Incluso descontando la inevitable inexperiencia y la necesidad de que fuesen guiados y entrenados por los *gardes françaises*, se trataba de una fuerza imponente, suficiente para afrontar un doble cometido: rechazar cualquier intento posterior de represión militar, y contener y, si era necesario, castigar la violencia ilegal. Para la transferencia de autoridad representada por este acto resultaba fundamental el suministro de insignias que pudieran identificarse. Como no podían proveerse de uniformes en tan breve lapso de tiempo, se usarían escarapelas colocadas en las chaquetas y en los sombreros. Se excluyó el verde al descubrirse que no solo era el color de la esperanza, sino también el de la librea del conde D'Artois. Como una alternativa que expresó de manera más rotunda el traspaso de la legitimidad, los colores de París, el rojo y el azul se convirtieron en los de sus ciudadanos-soldados. Sin embargo, el carácter oficial de esta decisión no excluyó otras interpretaciones más románticas. Como poeta y patriota, Desmoulins describió los colores del uniforme como el rojo, que representaba la sangre que se derramaría por la libertad, y como el azul, que representaba la constitución celestial que sería más tarde su bendición. Y uno de los primeros que usó la tricolor fue el ciudadano Curtius, que ofreció de forma voluntaria sus servicios a la milicia el primer día de actividad de este cuerpo.

Las primeras municiones no añadieron mucho a la dignidad de la nueva milicia, aunque, en efecto, le confirieron un aspecto más teatral. Al saquear el *garde-meuble* real, cerca de las Tullerías, consiguieron alabardas y picas antiguas, una espada, que, según decían, había pertenecido al héroe popular Enrique IV, y un cañón revestido de plata que había sido un regalo del rey de Siam a Luis XIV. Las dificultades aumentaron cuando se intentó echar mano de un equipamiento más serio. La pólvora había sido trasladada del arsenal a la Bastilla por orden de Besenval pocos días antes. Cuando se pidió a De Flesselles, el real *prévôt des marchands*, que entregase otras armas depositadas en el Hôtel de Ville, pudo presentar solo tres mosquetes. Algunas sugerencias planteadas por el mismo funcionario —el monasterio cartujo junto al Luxemburgo y la fábrica de armas de Charleville— no dieron resultado, de modo que, hacia el final del día la credibilidad del propio De Flesselles se vio puesta en entredicho. Aceptó pedir a De Sombreuil, comandante de la guarnición de los Inválidos, que entregase los treinta mil mosquetes que allí tenía, pero también este se escudó en que primero debía solicitar la autorización de Versalles.

Finalmente, aparecieron treinta y cinco pequeños barriles de pólvora cargados en una barcaza que estaba en el Port Saint-Nicolas y se distribuyeron armas y pólvora suficientes para equipar a las patrullas que debían actuar esa noche, la del día 13. En contraste con la noche de la víspera, los burgueses que simpatizaban con la Revolución se sintieron bastante seguros como para salir a la calle, pues vieron que la milicia desarmaba a los grupos de trabajadores. Incluso hubo ahorcamientos ejemplares de saqueadores y las velas y las lámparas de aceite iluminaron de nuevo las casas y las calles.

La batalla se ganó temprano durante la mañana siguiente, con el cielo de París nublado. Insatisfecha con la respuesta que había recibido la noche de la víspera, una inmensa multitud, calculada por algunos en unas ochenta mil personas, confluyó en los Inválidos. Unos días antes, ochenta de sus camaradas, en los Inválidos, ya se habían cambiado de bando y el resto respondió con una actitud de entorpecedora lentitud ante la orden de De Sombreuil de sabotear los treinta mil mosquetes que permanecían en los depósitos. Puede que los veinte *invalides* veteranos asignados a esta tarea no se encontrasen en la flor de la edad, pero quizá podían haber hecho algo más que desarmar veinte mosquetes en seis horas; en realidad, el entusiasmo patriótico también los había contagiado. Después de una negociación sin resultados, el peso del número forzó la entrada y De Sombreuil apenas consiguió salvar la vida. La guarnición facilitó más que estorbó la invasión y, lo que fue más grave, no se intentó movilizar a las tropas que estaban cerca, en el Campo de Marte. Se distribuyeron más de treinta mil mosquetes, un tanto al azar, así como cañones (que habían sido mal clavados).

No fue en absoluto una victoria definitiva; pues, pese a las pruebas de que hubo deserciones en algunas tropas y apatía en sus comandantes, aún circulaban rumores de que, antes de que pasara mucho tiempo, los regimientos comenzarían a marchar y el cañón resonaría disparando desde Montmartre. ¿De qué servían los mosquetes y los cañones sin pólvora? A estas alturas, muchos sabían dónde estaba la pólvora que lograría que el ejército de ciudadanos fuese invencible en París: en la Bastilla. Solo quedaba ir a buscarla.

¿Enterrados vivos? Mitos y realidades de la Bastilla

La Bastilla tenía dirección. Era el número 232 de la rue Saint-Antoine, como si se hubiera tratado de una desmesurada pensión, con muchas *chambres garnies* y huéspedes de diferente extracción social en habitaciones que variaban según los medios y el nivel de vida de cada uno. El patio exterior (excepto durante el alzamiento de julio) estaba abierto al público, que llegaba y charlaba con el portero (sentado en su pequeña cabina), se paseaba entre las tiendas que cercaban la entrada o inspeccionaba los progresos del huerto del director.

Sin embargo, también era una fortaleza. Ocho torres redondas, cada una con paredes de 1,5 metros de espesor, se elevaban sobre el arsenal y el *faubourg*. Los cuadros que celebran la toma y demolición de la Bastilla invariablemente la muestran más alta de lo que en realidad era. La más alta de las torres irregulares no tenía más de veinticinco metros, pero Hubert Robert, especialista en ruinas gloriosas, le confirió un perfil babilónico. En sus cuadros, esos muros se convirtieron en monstruosos contrafuertes cortados a pico, que solo podían haber sido conquistados por la voluntad y el coraje sobrehumanos del pueblo.

Como tantos de sus primeros devotos, Hubert Robert acabaría, a su vez, como prisionero de la Revolución; pero, en 1789, ya era un ferviente defensor de la estética romántica: las abrumadoras emociones de lo sublime y lo terrible esbozadas en la primera gran publicación de Edmund Burke. Su gran mentor visual fue Giambattista Piranesi, cuyos pasos siguió en la presentación de visiones de los monumentos antiguos convertidos en expresivas ruinas. Quizá en ese momento también compartió la pesadilla de Piranesi, las *carceri d'invenzione*: prisiones de la mente en las que el genio mecánico de la edad moderna se aplicaba a la ciencia del confinamiento y del dolor. Desde luego en su cuadro, la altura de la Bastilla, con minúsculas figuras que se agitan animadas sobre las almenas, sugiere un inmenso castillo gótico de sombras y secretos, un lugar donde los seres humanos desaparecían sin más y nunca volvían a ver la luz del día, hasta que los excavadores revolucionarios desenterraban sus huesos.

Esta era la leyenda de la Bastilla; pero su realidad era mucho más prosaica. Construida a finales del siglo XIV como defensa contra los ingleses, Carlos VI la había convertido en la prisión oficial. Sin embargo, el cardenal Richelieu fue el que le confirió su aciaga reputación como el lugar en que se sepultaba a los prisioneros de Estado. Durante el reinado de los Borbones, la mayoría, aunque no la totalidad, de sus prisioneros estaban detenidos a causa de las *lettres de cachet*, es decir, un mandato expreso del rey, y sin ningún tipo de proceso judicial. Desde el principio, muchos de ellos fueron individuos de alta cuna: conspiradores contra la corona y sus ministros; otros eran prisioneros religiosos, protestantes; y, a principios del siglo XVIII, «convulsos» católicos acusados de fomentar la herejía. Había otras dos importantes categorías de detenidos: la primera

estaba formada por escritores cuyas obras habían sido declaradas sedicio-
sas y un peligro para la decencia pública o el orden (o para ambas cosas);
la segunda, por delincuentes, generalmente jóvenes, cuyas familias habían solicitado al rey que los encarcelase.

Las condiciones variaban mucho. Los espantosos *cachots*, subterráneos, resbaladizos por la humedad y llenos de alimañas, ya no se utilizaban
hacia el reinado de Luis XVI, pero las *calottes*, justo debajo del techo, eran
casi tan terribles, pues dejaban pasar la nieve y la lluvia en el invierno y
prácticamente asfixiaban a los prisioneros con el calor del verano. Sin
embargo, para la mayoría de los prisioneros, las condiciones en absoluto
eran tan malas como en otras cárceles y sobre todo como los horrores
que prevalecían en Bicêtre. (Comparada con lo que conocemos de las
tiranías del siglo XX, la Bastilla era el paraíso.) El director recibía ciertas
sumas para atender la subsistencia de los diferentes rangos: quince libras
diarias en el caso de los *conseillers* del Parlamento, nueve para los *bourgeois*
y tres para los plebeyos. Paradójicamente, para los «hombres de letras»,
que crearon el mito de una fortaleza llena de atrocidades, se asignaba la
suma más elevada, diecinueve libras diarias. Incluso admitiendo que el
director y su *service* extraían, sin duda, ganancias de estas asignaciones,
estas superaban considerablemente el nivel con el que la mayor parte de
la población francesa intentaba subsistir.

La mayoría de los prisioneros ocupaban habitaciones octogonales,
de unos cinco metros de diámetro, en niveles intermedios de las torres
de cinco a siete pisos. Durante el reinado de Luis XVI, en cada una había
una cama con cortinas de sarga verde, una o dos mesas y varias sillas.
Todas tenían una cocina o chimenea y, en muchas habitaciones, los prisioneros podían subir a una ventana cerrada por tres barrotes utilizando
una escalera de tres peldaños puesta contra la pared. A muchos se les
permitía llevar allí sus pertenencias y tener perros o gatos para hacer
frente a las alimañas. El marqués de Sade, que estuvo allí hasta la semana
que precedió a la toma de la Bastilla, aprovechó plenamente estos privilegios. Trajo (entre otras cosas) un escritorio, un guardarropa, un *nécessaire*
para sus objetos de tocador; un juego completo de camisas, calzones de seda,
chaquetas de frac de color marrón camello, batas, varios pares de botas y
zapatos; sus morillos y tenazas favoritos; cuatro retratos de familia, tapices
para colgar de las paredes de yeso blanco; almohadones y almohadas de
terciopelo, colchones para tener una cama más cómoda; una colección

de sombreros; tres perfumes —agua de rosas, agua de azahar y agua de colonia— para refrescarse; y muchas velas y lámparas de aceite. Todo esto era necesario, pues, al ingresar en 1784, también llevó una biblioteca de 133 volúmenes, en las que se incluían las historias de Hume, las obras completas de Fénelon, novelas de Fielding y de Smollett, la *Ilíada*, las piezas teatrales de Marmontel, la literatura de viajes de Cook y de Bougainville en los mares del Sur, así como obras acerca de ellos, y una *Histoire de filles célèbres* y *Le danger d'aimer un étranger*.

Si alguna vez hubo un motivo que justificara la existencia de la Bastilla, este fue el marqués de Sade; pero, si bien los delitos que lo llevaron allí fueron particularmente detestables (juzgados por las normas de cualquier siglo), sus condiciones de vida allí no lo fueron. Recibía visitas casi semanales de su apenada esposa y, cuando sus ojos sufrieron las consecuencias del exceso de lectura y escritura, los oculistas iban a verle con regularidad. Como otros que estaban en la torre de la Libertad, podía pasear por el patio y el jardín amurallado, así como entre las torres. Solo cuando abusó de ese derecho profiriendo divertidas o indignadas obscenidades a los transeúntes (lo que hizo con un frecuencia cada vez mayor en 1789), se limitó ese privilegio.

El alimento —ese aspecto fundamental de la vida de los prisioneros— también variaba según la condición social. Es probable que los plebeyos detenidos por los disturbios de la «guerra de las harinas» de 1775 recibiesen potajes y sopas, a veces con un minúsculo trozo de tocino o de jamón grasiento; pero incluso ellos recibían una provisión decente de pan, de vino y de queso. Sin embargo, no era necesario ser noble para gozar de una cocina mucho mejor. El escritor Marmontel recordaba con añoranza «una sopa excelente, un suculento trozo de carne, el muslo de pollo hervido rezumando grasa [un cumplido en el siglo XVIII]; un platito de alcachofas o espinacas marinadas y fritas; peras cressane realmente buenas; uvas frescas, una botella de borgoña añejo y el mejor café moca».

Nadie quería estar en la Bastilla; pero, una vez allí, la vida de los más privilegiados podía ser soportable. Se permitía el consumo de alcohol y tabaco y, durante el reinado de Luis XVI, aparecieron las partidas de cartas para los que compartían una celda, así como una mesa de billar para los caballeros bretones que la solicitaban. Algunos de los detenidos del ambiente literario incluso creían que un tiempo en la Bastilla reforzaba las credenciales que podían exhibir como auténticos enemigos del despotismo. Por ejemplo, el abate Morellet escribió: «Vi la gloria literaria iluminar los muros de mi prisión. Perseguido, mi nombre sería más conocido [...], y esos seis meses en la Bastilla serían una recomendación excelente y forjarían con toda seguridad mi fortuna».

El reconocimiento de Morellet sugiere que, a medida que la realidad de la Bastilla se convirtió cada vez más en un anacronismo, su demonización llegó a resultar más importante para definir la oposición contra el poder oficial. Si debía describirse a la monarquía (no sin razón) como arbitraria, obsesionada por el secreto y dotada de caprichosas atribuciones sobre la vida y la muerte de sus ciudadanos, la Bastilla era el símbolo perfecto de esos vicios. Puede afirmarse, sin temor a equivocarse, que, de no haber existido, habría sido necesario inventarla.

Y en cierto sentido, fue reinventada por una sucesión de escritos de los prisioneros que, en efecto, habían sufrido entre sus muros, pero cuya versión del lugar trascendió todo lo que podían haber experimentado. Sus versiones fueron tan vívidas y acerbas que lograron crear una siniestra contraposición, alrededor de la cual se reunieron los críticos del régimen. La maniquea contraposición entre la cárcel y la libertad, entre el secreto y la franqueza, entre la tortura y la humanidad, entre la despersonalización y la individualidad, y entre el aire libre y la oscuridad del encierro fueron elementos básicos del lenguaje romántico en que se expresó la literatura contraria a la Bastilla. La crítica fue tan enérgica que, cuando la fortaleza fue tomada, la decepcionante liberación de solo siete prisioneros (dos dementes, cuatro falsificadores y un aristócrata delincuente que había sido recluido con Sade) no pudo destruir las míticas expectativas. Como veremos, la propaganda revolucionaria rehízo la historia de la Bastilla, tanto en el texto como en la imagen y en el propósito, para adaptarla mejor al mito que la inspiraba.

La década de 1780 fue el gran periodo de la literatura sobre las cárceles. Casi no pasaba un año sin que se conociera otra aportación al género, en general con el título *La Bastilla revelada* o alguna variación similar. Utilizaba los habituales recursos de la literatura gótica consistentes en provocar escalofríos de aversión y temor, así como esperanzadores momentos que aceleraban el pulso. Sobre todo, como ha destacado Monique Cottret, utilizaba el pavor a ser enterrado vivo, algo que estaba de moda. Esta era una obsesión tan intensa a finales del siglo XVIII (y no solo en Francia) que uno podía afiliarse a sociedades que garantizaban el envío de uno de sus miembros al entierro del interesado para comprobar los posibles sonidos y señales de vida, y confirmar que la persona en cuestión no fuese enterrada viva.

En el que fue con mucho el más grande y, con todo merecimiento, el más popular de todos los libros contrarios a la Bastilla, *Memorias de la Bastilla*, de Linguet, se describía esta prisión justo como una tumba en vida. En algunos de sus pasajes más intensos, Linguet representaba la cautividad como una muerte aún más terrible, porque la persona eliminada oficialmente tenía cabal conciencia de su propia destrucción.

Las memorias de Linguet desprendían el calor de la traición personal. El autor señalaba que, en 1780, le habían inducido a regresar hasta Francia desde Inglaterra, donde estaba publicando sus *Annales Politiques*, con el expreso acuerdo de que, de hecho, estaría a salvo de la persecución. Apenas volvió, fue enviado a la Bastilla debido a su ataque al mariscal Duras. Su relato de las condiciones físicas que tuvo que soportar es mucho más agobiante que todo lo que experimentaron Morellet, Marmontel o Sade y, por supuesto, no aparece en los archivos de la Bastilla. Sin embargo, no existe ningún motivo para suponer que falseara la realidad cuando hablaba de «dos colchones comidos por los gusanos; una silla de caña en la cual el asiento tenía apenas unas pocas tiras que sostenían el armazón, una mesa plegable [...], dos recipientes de porcelana, uno para beber, y dos adoquines para hacer fuego». (Un tiempo después los carceleros le trajeron algunos hierros y tenazas para el fuego, pero no *brass dogs*, según la queja del propio Linguet.) El peor momento era cuando los huevos de los ácaros y las polillas se abrían y toda su ropa de cama y las prendas de uso personal se transformaban en «nubes de mariposas».

Por sórdidas que fuesen estas condiciones, la tortura mental, más que la física, era lo que provocaba peores sufrimientos en Linguet y lo que él expresa con sorprendente originalidad en su breve libro. De hecho, esta memoria es la primera reseña de la psicología carcelaria en la cultura occidental y, desde el punto de vista del lector actual, posee una suerte de poder profético que todavía la convierte en una desconcertante lectura. Michel Foucault se equivocó al suponer que la categorización de los prisioneros era una de las técnicas más represivas, pues Linguet se oponía con especial energía a la falta de dicha categorización. «La Bastilla, como la propia muerte —denunciaba—, iguala a todos los individuos a quienes se traga: a los sacrílegos que han reflexionado sobre la ruina de su *patrie*, así como al hombre valiente culpable solo de haber defendido con excesiva pasión sus derechos» (es decir, el propio Linguet). Sin embargo, lo peor era la obligación de compartir el mismo espacio con los que estaban confinados allí a consecuencia de su abyección moral.

En el régimen de la cárcel todo, incluso cuando en la superficie parecía suavizar el gesto brutal, era parte de un siniestro plan destinado a despojar de su identidad al detenido: el «yo», que para los románticos era sinónimo de la propia vida. Por ejemplo, al ingresar, los objetos que podían ser peligrosos —una categoría que incluía tanto las tijeras como el dinero— eran confiscados e inventariados, para ser devueltos al salir (justo como se sigue haciendo hoy). Se leían en voz alta al prisionero los motivos de estas confiscaciones, algo que Linguet interpretaba como una actitud deliberadamente humillante: se trataba de la sistemática reducción de un adulto racional a la dependencia de un niño. Esa condición se veía acentuada por toda suerte de mezquinas tiranías, como, por ejemplo, la obligación de tener que llevar escolta mientras se paseaba por el pequeño patio rodeado de altos muros.

Y hasta peor era la imposibilidad de comunicarse, irritante en exceso para un escritor y terrible en un cautiverio de duración indefinida. Apresado sin ser advertido de ello antes —y en general de noche— y arrancado del mundo de los vivos, la víctima de este secuestro oficial se veía privada de cualquier medio para poder comunicar su existencia a los amigos o a la familia que estaban más allá los muros. Para la mayoría de los prisioneros esto no constituía, en realidad, un problema, pero, durante un tiempo, Linguet se vio privado de útiles de escritura y la impotencia ante este hecho fue lo que más le deprimió. El enorme espesor de los muros, que impedía hablar o escuchar a otros detenidos, incluso llamar a un médico en caso de una repentina enfermedad, como mucho acentuaba la sensación de que uno estaba enterrado en vida. Así, los muros de la Bastilla se convirtieron en la frontera entre la existencia y la inexistencia. Cuando le presentaron al barbero de la prisión, Linguet formuló la macabra pregunta que le hizo famoso: «Y bien, monsieur, ¿tiene una navaja? ¿Por qué no la usa para demoler la Bastilla?».

El hombre que amaba a las ratas

Si Linguet fue el escritor que permitió que los miles de personas que leyeron su libro tuvieran de manera indirecta la experiencia de las sombras, otro libro, distinto pero igualmente popular, permitió que sus lectores conocieran el entusiasmo de la fuga. En este sentido, la autobiografía del *chevalier* Latude fue el mejor complemento de la memoria de Linguet.

Latude era, en realidad, un soldado llamado Danry, que se encontró sin medios ni posibilidades en París después del fin de la guerra de Sucesión de Austria. Como muchísimos aventureros de poca monta, intentó utilizar el favoritismo de la corte para progresar personalmente, pero lo hizo apelando a una estratagema que encerraba un riesgo particular. En 1750, escribió una carta personal a madame Pompadour —blanco de innumerables conspiraciones personales— para prevenirle de que, un poco más tarde, le enviarían una bomba dentro de una carta. Danry-Latude podía estar seguro de ello, porque él era el autor de dicha carta. El torpe plan fue aclarado deprisa y, en lugar de recibir una pensión como gratitud por haber salvado la vida de la amante del rey, Latude fue a parar a la Bastilla. Trasladado después de unos meses a Vincennes, protagonizó la primera de una serie de fugas.

El relato de Latude sobre sus primeros momentos de libertad, corriendo entre los campos y los viñedos en busca del camino, ocultándose en una *chambre garnie* de París, presenta una gran veracidad. Sin embargo, aún más asombrosa fue su decisión de resolver el problema de su condición de perseguido escribiendo de nuevo a madame Pompadour para explicar su locura y entregarse a su compasión. Como había llegado a relacionarse nada menos que con el doctor Quesnay, Latude puso en sus manos este memorándum en el que expresaba su arrepentimiento.

Resultó ser un grave error. Latude había confiado de forma tan cándida en la clemencia que incluso indicaba su dirección en la carta. Un día después, más o menos, estaba de nuevo en la Bastilla; se trataba de un tropiezo, pero no de una derrota. El inocente estaba acostumbrándose muy deprisa a los ardides del mundo. Unos pocos meses más tarde, ya había ideado un buzón de correos secreto y, con ese fin, había aflojado un ladrillo de la capilla de la cárcel y, con un compañero de celda llamado D'Alègre, había dedicado seis meses a fabricar una escala de cuerdas que debía devolverle la libertad. Esta extraordinaria labor exigió muchísimo sacrificio, pues debían realizar los peldaños con la madera que se les proporcionaba a los prisioneros durante el invierno. Las camisas y la ropa de cama, desgarradas, anudadas y cosidas de nuevo con doloroso esfuerzo, formaron los dos lados de la escala. Se hizo un tosco cuchillo con el barrote de hierro de una mesa de borriquetas. Con su pasión por asignar nombres solemnes a los instrumentos que le iban a otorgar la libertad (lo cual también era una precaución ante la posibilidad de ser descubierto), Latude llamó «Jacob» a la escala y la cuerda blanca fue su «paloma». En sus memorias, Latude se presenta como el perfecto artesano: frugal, trabajador, ingenioso y puro de corazón, es decir, Jean-Jacques, como convicto.

La noche del 25 de febrero, los dos prisioneros subieron por la chimenea de su celda, «casi sofocándose por el hollín y a un paso de quemarse vivos», y después apartaron la reja de hierro para pasar al tejado de una de las torres. Desde allí usaron la escala de cien metros para descender a uno de los fosos. En ese momento, dijo Latude, sintió una punzada de añoranza ante la necesidad de abandonar sus herramientas y la escala que tan bien les habían servido: «Extraños y valiosos monumentos de la industria humana y de las virtudes que fueron el fruto del amor a la libertad». Los dos hombres aún no estaban libres. La lluvia con la cual contaban para alejar a los centinelas había cesado y los carceleros realizaban sus habituales rondas acostumbradas provistos de grandes faroles. El único modo de fugarse era desde abajo, retirando los ladrillos del muro, uno por uno, con el menor ruido posible, para permitir por fin la salida. Y cuando lograron abrir un agujero que les permitió pasar, los dos hombres cayeron a oscuras de cabeza en un conducto de agua y casi se ahogaron.

Después de pasar esta prueba, un sastre los ocultó algún tiempo en la abadía Saint-Germain y, después, los dos hombres se dirigieron por separado a los Países Bajos. En Amberes, Latude conoció a un saboyano que, sin dudar, le relató la historia de dos hombres que se habían fugado de la Bastilla. Según dijo, a uno de ellos ya lo habían vuelto a apresar y los «exentos» —la policía que iba y venía libremente a través de las fronteras— estaban buscando al otro. En Ámsterdam descubrieron a Latude y este, sujeto con un horrible arnés de cuero, «más humillante que el de un esclavo», fue llevado de nuevo a la Bastilla. Su libertad había durado solo tres meses.

Esta vez decidieron cortarle las alas al pájaro. Latude fue arrojado a uno de los horribles *cachots* subterráneos para impedir completamente cualquier tipo de fuga. Y en este confinamiento, que era una auténtica pesadilla, Latude descubrió a sus nuevas compañeras: las ratas. Comparadas con la inhumanidad que Latude había soportado, las ratas parecían entrañables. Utilizando pedazos de pan las entrenó de modo que comiesen de su plato y ellas le permitían que les rascase el cuello y el mentón. También fueron bautizadas y algunas, como por ejemplo la hembra Rapino-golondrina, pedía como un perro o hacía cabriolas para solicitar pan. Este idílico infierno se completó cuando Latude consiguió fabricar una rudimentaria flauta con pedazos de su reja de hierro; con ella, de vez en cuando, podía ofrecer serenatas a sus amigas roedoras y ejecutar un aire o una gavota mientras las ratas masticaban satisfechas los restos de la comida. Según escribió el propio Latude, eran su «pequeña familia»; formaban un grupo de 26 y Latude observó con atención el ciclo vital de estos animales —los apareamientos y las crías, las peleas y los juegos— con el cariñoso interés de un guardián y tutor rousseauniano.

Pasaron los años. Latude se dedicó a preparar un proyecto de reforma de la organización de los alabarderos y los piqueros del ejército francés. Estaba seguro de que el ministro del Ejército desearía leerlo. Como carecía de papel, usó tabletas de pan, humedecidas y aplastadas con su saliva, que después secaba, y su propia sangre diluida con agua hizo las veces de tinta. Cuando le sacaron del *cachot*, lamentó perder a sus ratas, pero formó una nueva familia con las palomas, aunque en un airado acceso de venganza el alcaide ordenó que las matasen. Hubo otra fuga en 1765, abortada nuevamente a causa de la incurable candidez de Latude, que se presentó en la oficina en Versalles de un ministro del Gobierno que tenía reputación de benévolo. Fue llevado al Château de Vincennes y, cuando comenzó el nuevo reinado Malesherbes, se enteró de la situación de Latude y ordenó que le trasladasen al manicomio de Charenton. Allí volvió a reunirse con D'Alègre, su antiguo compañero de fuga, que había perdido por completo su cordura a causa de los años de cárcel. Al ver a Latude, D'Alègre pensó que era Dios y le cubrió de lágrimas y de bendiciones.

En 1777, Latude salió por fin en libertad, pero no mucho después publicó sus *Memorias de la venganza*, que aseguraron su nuevo arresto, primero en el Petit Châtelet y, después, en Bicêtre. Desde allí continuó escribiendo relatos de las muchas pruebas que había sufrido y uno de ellos llegó a manos de una pobre vendedora de panfletos y revistas llamada madame Legros. En su campaña en favor de Latude a las puertas de *les Grands*, ella encontró un público muy bien dispuesto en madame Necker (y hasta en la reina). En marzo de 1784, Latude fue liberado y, aunque de manera oficial se le «desterró» de París, no solo se le permitió vivir allí, sino que se le concedió una pensión real de cuatrocientas libras anuales. A diferencia de D'Alègre, Latude se las había ingeniado para pasar veintiocho años en la cárcel con su agudeza intacta; se hizo famoso de repente. Celebrado por la Académie Française, adorado por Jefferson, se convirtió en beneficiario de un fondo público.

La historia de Latude, publicada de muchas formas y en diferentes ediciones antes de la Revolución, se presentó como el triunfo del *honnête homme* sobre los peores suplicios que el despotismo podía infligir. Junto con el libro de Linguet y otros escritos, como *La Bastilla revelada*, contribuyó a una campaña cada vez más intensa, orientada primero a conseguir que solo se empleasen las *lettres de cachet* y el arresto sin mandato judicial contra los que en verdad amenazaban la paz pública y, después, a la demolición total de la Bastilla. Tales planes concordaban con los proyectos de mejora urbana que eliminaron los muros y las ciudadelas medievales para dar lugar a los jardines, a las plazas y a los paseos públicos. En 1784, como un añadido al memorándum de Breteuil que limitaba el uso de las *lettres de cachet*, el arquitecto Brogniard propuso un espacio abierto, circular y con columnatas, y en junio de 1789 la Académie Royale d'Architecture reanudó el proyecto.

Por tanto, unas pocas semanas antes de que cayera en manos del ejército de ciudadanos, la Bastilla ya había sido demolida sobre el papel. En el amplio espacio abierto que dejaría al ser derribada, se levantaría una columna, tal vez de bronce, más alta que la vieja prisión. Su base estaría revestida de rocas dotadas de fuentes, en armonía con la nueva estética romántica. Una sencilla inscripción bastaría para explicar a la posteridad la victoria de la bondad sobre la tiranía: «Luis XVI, Restaurador de la Libertad Pública».

No se llegaría a esta victoria pacífica. El intento de la monarquía de imponer su voluntad mediante la fuerza militar había destruido cualquier posibilidad de reconstituir su legitimidad como benefactora de la libertad. En cambio, las torres de la Bastilla, con sus cañones apuntando desde las troneras, se alzaba como el símbolo de la intransigencia. De modo que, como los historiadores no se cansan de destacar, si bien la muchedumbre de miles de personas que se reunió frente al patio delantero iba a buscar pólvora más que a provocar su demolición, no cabe duda de que también se movilizó a causa de la gran fuerza de la aciaga mística de la Bastilla.

Por su parte, el marqués de Sade sabía muy bien cómo aprovechar esta situación. Informado por su esposa durante las visitas semanales de todas las noticias de Versalles, decidió unirse a la nómina de honorables mártires de la Bastilla. Sus alocuciones voceadas periódicamente desde los andariveles de la torre a los transeúntes cobraron de pronto un cariz político a principios de julio. Privado de esos paseos, el marqués continuó la tradición de ingenio artesanal de la Bastilla al convertir en improvisado megáfono el embudo de metal que utilizaba para enviar al foso su orina y sus heces. Desde su ventana, a intervalos regulares, como boletines informativos emitidos a su hora, llegaban las noticias de que el alcaide de Launay proyectaba masacrar a todos los detenidos, que en ese mismo momento estaban masacrándolos y que el pueblo debía liberarlos antes de que fuese demasiado tarde. De Launay, que ya estaba sobre ascuas, ordenó que el agitador fuese llevado a Charenton alrededor del 5 de julio, y allí el marqués de Sade soportó la humillación de verse encerrado con epilépticos y locos.

De Sade se había pasado a la Revolución.

EL 14 DE JULIO DE 1789

Bernard-René de Launay había nacido en la Bastilla, donde su padre era el alcaide, y moriría la noche del 14 de julio a la sombra de sus torres. El aristócrata revolucionario De Sade se burlaba del «*soi-disant* marqués, cuyo abuelo fue *valet-de-chambre*». En verdad, el alcaide de la cárcel era un típico funcionario de menor rango del Antiguo Régimen, más o menos concienzudo, aunque un tanto arisco; en todo caso, un avance en comparación con el brutal rigor del alcaide de Berryer, que había provocado la desgracia de Latude.

El 14 de julio sintió temor y por un buen motivo. Parecía que, por defecto, toda la autoridad real de París se depositaba en él. El barón de

Besenval, de hecho, había evacuado el centro de la ciudad. El comandante de los Inválidos le había enviado la enorme carga de 250 barriles de pólvora (alrededor de quince mil kilos), pero De Launay apenas disponía de una pequeña fuerza para defenderla. Respondiendo a una urgente petición de refuerzos, el 7 de julio llegaron treinta y dos hombres del regimiento suizo Salis-Samade y esta tropa se sumó a los ochenta y dos *invalides* pensionados que se encontraban allí. Bien conocidos en el *faubourg* como un grupo de simpáticos vagos, resultaba improbable que los *invalides* defendiesen la fortaleza hasta el final. Peor aún, en caso de un asedio, la Bastilla tenía solo una provisión de alimentos para dos días y no había un suministro interno de agua. En definitiva, eso fue quizá lo que decidió la rendición.

Frente al patio externo se reunieron alrededor de novecientos parisienses. Entre ellos había unos pocos hombres que eran propietarios y que poseían cierto estatus, como Santerre, un amigo de Réveillon, dueño de la famosa cervecería Hortensia, especializada en las cervezas fuertes y de estilo inglés que gozaban de mucha demanda en la capital. Había también un considerable número de soldados desertores y de *gardes françaises.* Sin embargo, el contingente más numeroso de todos estaba formado por los artesanos locales que vivían en el faubourg Saint-Antoine (carpinteros, ebanistas, sombrereros, cerrajeros, zapateros, sastres, etcétera). Había también un elevado número —veintiuno, según el listado oficial de las *vainqueurs de la Bastille*— de comerciantes de vinos, es decir, propietarios de los *cabarets*, que servían y vendían vino; estas tabernas eran los centros vecinales del comentario y de la política. Uno de los dueños, Claude Cholat, cuya taberna estaba en la rue Noyer, realizó un gráfico «rudimentario», famoso con razón, que representaba los episodios de la jornada. De los seiscientos acerca de los que poseemos información, por lo menos cuatrocientos habían emigrado hasta París desde las provincias y, como el 14 de julio el precio de la hogaza de cuatro libras alcanzó un nivel nunca visto antes, la mayoría de las familias de estos hombres estaban, sin duda, pasando hambre.

Además, eran presa de un temor considerable. Durante la noche habían circulado rumores de que las tropas se disponían a marchar o de que ya estaban en camino desde Sèvres y Saint-Denis para aplastar el alzamiento de París. Y la Bastilla parecía una fortaleza bien provista de armas, con quince cañones de cuatro kilos en las torres y tres más en el patio interior, apuntando hacia las puertas. Unos doce cañones más en las murallas podían disparar proyectiles de unos tres kilos y, debido a su nerviosismo, De Launay incluso se había hecho acopio de un extraño conjunto de proyectiles de asedio, como, por ejemplo, adoquines y hierros oxidados, para arrojarlos a los atacantes, si resultaba necesario.

La primera intención de la muchedumbre fue, sencillamente, neutralizar los cañones y apoderarse de la pólvora. Con ese fin, dos delegados del Hôtel de Ville pidieron ver al alcaide y, como eran alrededor de las diez de la mañana, fueron invitados al *déjeuner*. Incluso juzgado según las normas del último día del *ancien régime*, dio la impresión de que este agasajo se dilató demasiado. Desde el principio, la multitud se había mostrado suspicaz cuando De Launay rehusó admitir a más de dos delegados y, debido a ello, había reclamado a cambio tres soldados que servirían de «rehenes». El prolongado almuerzo, junto con ciertas actividades poco claras alrededor de los cañones instalados en las murallas (en realidad, se intentaba retirarlos de las troneras), aumentó las sospechas. Otro representante, Thuriot de La Rozière, fue enviado desde el cuartel general del distrito de Saint-Louis-la-Culture y también él fue llevado ante De Launay, esta vez con órdenes concretas. Los cañones, así como la pólvora, debían ser retirados y entregados a la milicia que representaba a la ciudad de París y una unidad de la milicia debía entrar en la Bastilla. De Launay replicó que eso era imposible hasta que hubiese recibido instrucciones de Versalles, pero llevó a Thuriot hasta las murallas con el fin de inspeccionar la retirada de los cañones.

Eran alrededor de las doce y media. Ninguno de los dos bandos había conseguido mucho. No se había aceptado ninguna de las demandas principales de Thuriot y, aunque él había realizado esfuerzos con el fin de persuadir a los *invalides* de que concertaran un acuerdo con el pueblo, los oficiales de De Launay habían insistido en que era deshonroso entregar la fortaleza sin una orden explícita de los superiores. Thuriot decidió informar a los electores del Hôtel de Ville y obtener nuevas instrucciones para negociar. A su vez, estos se resistían a agravar la situación y, a la una y media, Thuriot se disponía a regresar a la Bastilla con otro elector, Éthis de Corny, provisto de un clarín y un altavoz que permitiría anunciar al pueblo la retirada de los cañones, cuando el Hôtel de Ville se estremeció a causa de una explosión seguida por el crepitar del fuego de mosquetes que venía del fuerte.

Durante su ausencia, la impaciencia de la multitud había sobrepasado el límite. Se oyeron gritos como «Entregadnos la Bastilla» y los novecientos se habían lanzado sobre el patio exterior que no estaba defendido; la rabia había aumentado de tono por momentos. Un grupo, que incluía a un antiguo soldado que ahora era fabricante de carros, se había subido al tejado de una perfumería contigua a la entrada del patio interior y, como no pudo encontrar las llaves que daban al patio, había cortado las cadenas del puente levadizo. Este último había caído sin previo aviso y había matado a una persona de la muchedumbre ubicada debajo; después, cientos de sitiadores pasaron sobre el puente y sobre el cuerpo de la víctima. Aquí, los soldados que defendían la Bastilla gritaron a la gente que se retirase, porque, de lo contrario, dispararían; también esto se interpretó erróneamente como un intento de animarlos para que continuaran avanzando. Sonaron los primeros tiros. Después, cada bando afirmaría que el otro había disparado primero; pero, como ninguno de los atacantes sabía que su propia gente había roto las cadenas del puente levadizo, se supuso que se les había permitido acceder al patio interior con el fin de masacrarlos con el cañón en ese espacio delimitado.

Todo concordaba con las restantes sospechas de traición y de conspiración: el recibimiento cordial que disimulaba el plan de muerte y destrucción. Artois y los responsables de la destitución de Necker; De Flesselles, que había desorientado a los buscadores de armas proponiendo inútiles pesquisas; la reina, que parecía demostrar un corazón dulce, pero planeaba la venganza —estos eran algunos miembros, según el pueblo, del grupo de canallas—. Y ahora De Launay, el alcaide, que cortaba el puente levadizo para apuntar mejor, se incorporaba a este clan. La furia desencadenada por este «engaño» impidió que las siguientes delegaciones de electores (hubo muchas) franquearan la barrera de fuego y organizaran alguna forma de tregua.

El combate empezó a endurecerse. Alrededor de las tres y media de la tarde, la muchedumbre fue reforzada por compañías de *gardes françaises* y por desertores, incluso algunos que habían luchado en la campaña estadounidense. Sobre todo dos, el teniente segundo Jacob Élie, portaestandarte de la infantería de la reina, y Pierre-Augustin Hulin, director del lavadero de la reina, representaron un papel fundamental, porque convirtieron el ataque incoherente en un sitio organizado. Como varios participantes decisivos de los hechos de 1789, Hulin había sido un revolucionario ginebrino en 1782, y, en un encuentro con madame de Staël, durante la víspera, había jurado «vengar a nuestro padre en esos bastardos que tratan de asesinarnos», una promesa que nadie sabe si ella consideró satisfactoria.

Hulin y Élie también trajeron un abundante suministro de armas retiradas esa mañana de los Inválidos. Incluían dos cañones, uno de bronce y el otro la pieza siamesa revestida de plata que había sido retirada del depósito real el día anterior. De modo que el juguete de Luis XIV acabaría con el Antiguo Régimen en París.

Se decidió apuntar los cañones directamente sobre la entrada (pues las balas parecían rebotar sin efecto sobre las paredes de 2,5 metros de espesor). Antes de que pudiera hacerse esto, fue necesario retirar de las vías de acceso a la puerta los carros repletos de estiércol y paja ardientes, encendidos por Santerre con el fin de que el humo cubriese los movimientos de los sitiadores. Arriesgando su vida, Élie ejecutó la maniobra con la ayuda de un mercero conocido como Vive l'Amour. Los cañones pesados fueron arrastrados sobre sus cureñas, cargados y apuntados.

Ahora un portón de madera dividía el cañón de los sitiadores de los que estaban en poder de los defensores —quizá había entre ellos una distancia de unos treinta metros—. Si hubiesen disparado, el resultado habría sido una terrible carnicería. Sin embargo, si los atacantes no podían ver los cañones de los defensores, las tropas que guarnecían la Bastilla tenían una clara conciencia del peligro que corrían. En vista de la creciente renuencia de los *invalides* a prolongar la lucha, el propio De Launay estaba desmoralizado. En todo caso, no tenía alimentos para soportar un sitio prolongado, de modo que ahora su principal interés era una rendición que preservase el honor y la vida de la guarnición. Podía jugar una carta, la pólvora. En sus momentos más sombríos, pensó simplemente en la posibilidad de volar la Bastilla —y destruir gran parte del faubourg Saint-Antoine— en lugar de capitular. Disuadido de este acto desesperado, decidió usar la amenaza para, al menos, obtener una evacuación honrosa.

Como no disponía de una bandera blanca, se agitó un pañuelo desde una de las torres y las armas de la Bastilla cesaron el fuego. Alrededor de las cinco, una nota que solicitaba esa capitulación, escrita por el director —en la que se amenazaba con la explosión, si no se concedía—, pasó por una grieta de la pared del puente levadizo del patio interior. Se tendió una tabla sobre el foso y varios hombres se colocaron en un extremo para afianzarla. La primera persona que la pisó cayó al foso, pero la segunda —cuya identidad fue después motivo de acalorada disputa— consiguió afirmarla. De todos modos, se rechazó la petición y, como respuesta a la permanente ira de la muchedumbre, Hulin, al parecer, se preparaba para disparar el cañón siamés, cuando, de pronto, descendió el puente levadizo.

Los *vainqueurs* corrieron hacia la prisión, liberaron a los siete encarcelados, se apoderaron de la pólvora y desarmaron a las tropas defensoras. Los guardias suizos que, por prudencia, se habían despojado de las chaquetas de sus uniformes, fueron confundidos al principio con los prisioneros y no sufrieron daño. Sin embargo, algunos *invalides* fueron tratados con brutalidad. A un soldado llamado Béquard, uno de los que disuadieron a De Launay de la idea de detonar la pólvora, le cortaron la mano casi justo después de abrir una de las puertas del fuerte. Creyendo que era uno de los carceleros de la prisión, la multitud paseó la mano por las calle aferrando todavía la llave. Más avanzada la tarde fue confundido de nuevo y esta vez creyeron que era uno de los astilleros que habían disparado sobre el pueblo; lo ahorcaron en la place de Grève, junto a uno de sus camaradas, frente a los treinta guardias suizos alineados para formar un obligado público.

La propia lucha había provocado la muerte de ochenta y tres hombres del ejército de ciudadanos. Otros quince habrían de morir a causa de las heridas. Solo uno de los *invalides* había perecido en el combate y había tres heridos. El desequilibrio en las cifras de las bajas fue suficiente para inducir a la muchedumbre a exigir alguna clase de castigo en forma de sacrificio y De Launay pagó el precio. Todo el odio que en gran medida había respetado a la guarnición se descargó sobre él. Le arrebataron sus atributos de mando —la espada y el bastón— y lo condujeron hacia el Hôtel de Ville rodeado por una enorme multitud, cuyos miembros estaban convencidos de que él había tramado una diabólica conspiración para masacrar al pueblo. Hulin y Élie consiguieron impedir que la muchedumbre lo matase en la calle, aunque, más de una vez, fue derribado y sacudido con fuerza. Durante la caminata le cubrieron de insultos y de escupitajos. Frente al Hôtel de Ville, hubo diferentes propuestas sobre el modo de ejecutarlo y algunos plantearon atarlo a la cola de un caballo y arrastrarlo sobre los adoquines. Un pastelero llamado Desnot dijo que era mejor introducirlo en el Hôtel de Ville, pero en ese punto De

Launay, que ya no soportaba la situación, gritó: «Quiero morir», y descargó puntapiés con las botas, que golpearon con fuerza la ingle de Desnot. Fue alcanzado al momento por cuchillos, espadas y bayonetas, fue empujado hacia la calle y fue rematado con una descarga de disparos de pistola.

La Revolución en París había comenzado con algunos bustos alzados sobre la multitud. Habían sido las cabezas de los héroes, elaboradas con cera y transportadas como una especie de apoderados de los jefes. Ahora se necesitaba un final simétrico: más cabezas, esta vez con el carácter de trofeos de guerra. Entregaron una espada a Desnot, pero este la rechazó y utilizó un cuchillo para cortar el cuello de De Launay. Poco más tarde, mataron a tiros a De Flesselles, el *prévôt des marchands*, que también había sido acusado de engañar de forma deliberada al pueblo con respecto al lugar en que estaban los depósitos de armas, al salir del Hôtel de Ville. Las cabezas fueron clavadas en las picas, que se balanceaban y sangraban sobre las muchedumbres que avanzaban por las calles aclamando, riendo y cantando.

Nueve días más tarde fue posible exhibir dos cabezas más: las de Bertier de Sauvigny, *intendant* de París, y la de Foulon, uno de los ministros del Gobierno que debía reemplazar al de Necker. El segundo fue acusado de tramar la conspiración para provocar el hambre, por lo que se llenó la boca de la cabeza cortada con hierba, paja y basura, para dar a entender cuál era el delito cometido. El joven pintor Girodet consideró pintoresco este simbolismo popular y realizó un boceto con mucho detalle de las cabezas que pasaban frente a él.

Más que el número total de bajas originadas en los combates (que, como hemos visto, fueron muy reducidas), estos castigos en forma de sacrificio se convirtieron en una especie de sacramento revolucionario. Algunos, que habían exaltado la Revolución mientras se expresaba en abstracciones como la *Liberté*, sintieron náuseas ante el espectáculo de la sangre derramada frente a sus propios ojos. Otros, que tenían nervios más fuertes y un estómago menos fácil de revolver, se sumaron al pacto moderno de que podía asegurarse el poder mediante la violencia. Los beneficiarios de este trato se engañaron al creer que podían aplicarlo y detenerlo como quien abre y cierra un grifo, y dirigir su fuerza con un criterio de rigurosa selectividad. Se le preguntó a Barnave, el político de Grenoble que en 1789 fue uno de los partidarios más incondicionales de la Asamblea Nacional, si las muertes de Foulon y Bertier realmente eran necesarias para garantizar la libertad. Dio una respuesta que, convertida en instrumento del Estado revolucionario, sería la justificación para matarle también a él en la guillotina:

—¿Y qué?, ¿acaso su sangre es tan pura?

La vida posterior de la Bastilla: el patriota Palloy y el nuevo evangelio

El primer número de las *Révolutions de París*, publicado el 17 de julio, fue consagrado a una descripción extensa —y un tanto confusa— de la insurrección. Su culminación alrededor de la Bastilla fue representada como un gozoso festival de familia, con los *gamins* jugando alrededor de la escena de la lucha:

> Las mujeres hicieron todo lo posible para apoyarnos y, después de cada andanada disparada desde la fortaleza, incluso los niños corrían aquí y allá recogiendo las balas y la metralla; y luego regresaban alegremente en busca de refugio, para entregar esos proyectiles a nuestros soldados.

Después de los niños llegaron los abuelos. La liberación de los hombres sepultados en la cárcel llevó a la luz del día a varios patriarcas, hombres que habían envejecido, emparedados por la tiranía que había olvidado que estaban encarcelados. «Los calabozos fueron abiertos para liberar a víctimas inocentes y ancianos venerables que contemplaron sorprendidos la luz del día.» La realidad era menos terrible. De los siete prisioneros, cuatro eran falsificadores que habían sido juzgados según el preceptivo proceso legal. El conde de Solages, como el marqués de Sade, había sido encarcelado a petición de su familia, acusado de libertinaje, y se sentía feliz al verse liberado. Se le proporcionó alojamiento gratuito en el Hôtel de Rouen, del distrito Oratoire, antes de que desapareciera en la ciudad con gran pesar de sus parientes. Los dos detenidos restantes eran dementes y ambos regresaron en un periodo relativamente breve a Charenton. Sin embargo, uno de ellos, «el mayor Whyte» (descrito como inglés en las fuentes francesas y como irlandés en las inglesas) era ideal para la propaganda revolucionaria, pues tenía una barba que le llegaba hasta la cintura. Con sus largos bigotes plateados y el cuerpo encogido y huesudo, parecía, a los ojos de la gente que esperaba ver a muchos Latude saliendo de las mazmorras, la encarnación del sufrimiento y de la privación. Así, se declaró que Whyte era el *major de l'immensité* y se le paseó en triunfo por las calles de París, mientras él saludaba con gestos amistosos, aunque débiles, pues, en su propio desconcierto, aún creía que era Julio César.

Tan intenso era el poder simbólico de la Bastilla y su capacidad de concentrar en sí todos los males que ahora se imputaban al «despotismo» que las fantasías góticas vinieron a realzar la realidad cuando se procedió a saquear el edificio. Se dijo que unas antiguas piezas de armadura eran diabólicos «corsés de hierro» aplicados para estrangular a la víctima y una máquina con dientes, que era parte de una prensa, fue declarada una rueda de tortura. Innumerables grabados creados en los talleres de la rue Saint-Jacques, que habían doblado su producción para atender la intensa demanda de noticias, generó una imaginería apropiada y terrible, y mostró esqueletos erguidos, instrumentos de tortura y hombres con máscaras de hierro.

El 16 hubo un auténtico encuentro entre la leyenda y la realidad, pues Latude acudió a examinar el lugar en que había permanecido cautivo. Vio asombrado que le mostraban la cuerda de una escala, así como las herramientas utilizadas para fugarse, todo ello conservado concienzudamente por los guardias que las habían descubierto treinta y tres años antes. Fueron ofrecidas solemnemente al famoso fugado como una «propiedad adquirida con justo derecho». En el Salón organizado ese otoño se exhibió todo este material junto con un espléndido retrato de Latude realizado por Antoine Vestier; en esa obra, el héroe señala la ruta que siguió en su fuga y muestra la escala como el atributo de su santidad revolucionaria.

Por tanto, la Bastilla fue mucho más importante en su «otra vida» de lo que jamás había sido como institución real del Estado. Confirió forma e imagen a todos los vicios contra los cuales la Revolución se había declarado. Convirtió un anacronismo casi vacío, dotado con escaso personal, en la sede del «brutal despotismo» e incorporó a los que se regocijaban con su caída, que, de este modo, se convirtieron en miembros de la nueva comunidad de la nación. Los participantes, los testigos, los celebrantes, todos eran amigos de la humanidad, portadores de la luz que había llegado a la ciudadela de las sombras.

Nadie percibió mejor que Pierre-François Palloy las oportunidades creadoras ofrecidas por la fortaleza tomada. Él debía ser al mismo tiempo el promotor y el empresario del mayor trabajo de demolición de la historia moderna. Aunque utilizó los servicios de escritores de memorias y de poetas y artistas gráficos, el elemento que convirtió a la Bastilla en un símbolo nacional e internacional de la humanidad liberada fue la idea de Palloy sobre la utilidad política de este culto. Al destruir el edificio, reconstruyó un mito que, empaquetado, comercializado y distribuido, estuvo al alcance del público y de los clientes a lo largo y lo ancho del país.

Palloy también entendió (y en esto no fue el único) que la Revolución había creado la demanda de un nuevo tipo de historia: la épica del hombre común. Debía narrarse de un modo distinto, no con el ritmo tranquilo y la sarcástica objetividad de un Gibbon o de un Voltaire, sino por medio de cortes practicados con pasión —las *actualités*—, de modo que la historia se convirtiese en un fenómeno completamente contemporáneo de la vida del lector. En ese presente continuo, el lector y participante podía insertar su propia experiencia, aunque esta fuese de segunda mano. Esto también exigía un nuevo tipo de exposición, saturado de sobrecogedoras hipérboles y de exclamaciones patrióticas. En lugar de contemplar los siglos como un erudito instalado en su estudio, correspondía dividir la nueva historia en las unidades correspondientes a la memoria de un trabajador (un solo día o una semana). Finalmente, para conferir inmediatez a los que geográficamente estaban lejos del hecho, sus recuerdos —los *souvenirs*— debían cobrar forma concreta, si era necesario mediante la producción masiva, con el fin de que, al contemplarlos o tocarlos, el ciudadano pudiese participar de la intensidad del «gran día revolucionario». Los *Gravures Historiques*, de Jean-François Janinet, que aparecieron todos los martes de noviembre de 1789 hasta marzo de 1791, proporcionaron esta presentación de estilo cinematográfico y, por solo ocho *sous*, ofrecían el grabado de un hecho famoso y ocho páginas con su texto explicativo. Tanta fue la importancia del 14 de julio que se dedicaron ocho números diferentes solo a ese día.

¿Quién era el «patriota Palloy»? Tenemos aquí otro ejemplo de un burgués que había progresado por sus propios medios, que había prosperado gracias al auge de la economía urbana del Antiguo Régimen y que, desde luego, no necesitaba una revolución para amasar su fortuna. La madre y el padre provenían de familias propietarias de tabernas, pero, aun así, habían conseguido enviarle al Collège d'Harcourt, adonde asistían muchos hijos de aristócratas liberales. Como estos, recibió un rango en el ejército y, a los veinte años, en lo que quizá pareció un paso hacia atrás, aunque de hecho era una astuta maniobra, se convirtió en aprendiz de albañil. Un año después, contrajo matrimonio con la hija de su maestro y se dedicó a la industria de la construcción, que, durante la década de 1770 y principios de la de 1780, era la actividad empresarial más rentable de París. Palloy trabajó en residencias privadas de Saint-Germain, en el muro de los recaudadores generales (más adelante ayudó a demolerlo), en el nuevo mercado de carne de Sceaux y pronto pasó de albañil a capataz y a empresario. Hacia 1789 había acumulado una sorprendente fortuna de quinientos mil libras, era dueño de tres casas, incluso de una heredada de su suegro, así como de una serie de tiendas y parcelas todavía sin construir. Tenía todos lo que adornaba el éxito mundano —un carruaje, hermosos muebles, una biblioteca nutrida y bien seleccionada— y, al igual que a muchos habitantes de París, le agradaba citar historias romanas como ejemplos destinados a inspirar a la generación contemporánea. Tenía treinta y cuatro años.

Como muchos otros revolucionarios, Palloy no era un fracasado, sino un hombre que había alcanzado un éxito ejemplar durante el capitalismo del Antiguo Régimen. Sin embargo, ello no impidió que se identificase de inmediato con la causa de la *patrie*. El 14 de julio era el comandante de la milicia local de su distrito en la Île Saint-Louis. Desde allí podía oírse el estrépito del combate que se libraba en la Bastilla y Palloy afirmaba que había corrido al lugar de los hechos y, al llegar, cuando estaba junto al teniente Élie, una bala le había atravesado el tricornio. Aunque su nombre fue escrito erróneamente como Pallet en la lista oficial, no cabe duda de que, en efecto, obtuvo su *brevet de vainqueur*, la prueba de que había sido uno de los sagrados novecientos.

Palloy necesitó un día para comprender que, como *vainqueur*, como ingeniero de la construcción y como experimentado patrón de las cuadrillas de trabajo, estaba en condiciones de adquirir la propiedad inmobiliaria más importante conocida hasta ese momento. El día 15 llevó a ochocientos hombres a la Bastilla y se preparó para iniciar el trabajo de demolición, si los electores lo aceptaban. Esta prisa le granjeó enemigos al instante. Los arquitectos tenían planes encaminados a preservar la Bastilla como monumento de la tiranía derrocada; ciertos oficiales de la milicia voluntaria (que pronto se convertiría en la Guardia Nacional) creían que debían tener la custodia exclusiva del edificio. Sin embargo, los planes de demolición de Palloy se vieron ayudados por el temor de los electores a que las tropas reales ocuparan la ciudadela usando los pasadizos subterráneos, que, según los rumores, se prolongaban desde el Château de Vincennes. Así, los mitos de la Bastilla influyeron incluso en antiguos prisioneros de carácter decidido como Mirabeau. Pues este, respondiendo a los informes de residentes locales que hablaban de que habían escuchado gemidos y conversaciones que procedían de los sótanos del lugar, realizó una visita a los *cachots* y a las bóvedas subterráneas y golpeó los muros y las puertas, acompañado por el hijo de uno de los excarceleros, para comprobar si, en efecto, existía un túnel que comunicase el lugar con Vincennes, hacia el este.

Después de calmarse, Mirabeau subió a las torres para realizar una ceremonia menos siniestra. Saludó a la muchedumbre que estaba abajo, descargó un pico sobre la almena y la primera piedra cayó en medio de grandes aplausos. Le siguieron otros notables, como Beaumarchais y el marqués de Lusignan, y, después, hubo una avalancha general. Los días siguientes se procedió a dispersar, quemar o guardar como recuerdos los papeles. Se encendieron hogueras durante el día y hubo castillos de fuegos artificiales por las noches. Los carceleros, ahora aceptados como buenos patriotas, guiaron las visitas a los calabozos, desgranando sus anécdotas según la mitología común y corriente sobre la tortura y las cadenas. Algunas mujeres se encerraban allí para pasar la noche, lo que, por la mañana, les permitía decir que habían dormido con las ratas, con las arañas y con los sapos que fueron los acompañantes de Latude.

Mientras se desarrollaban todos estos festejos, Palloy planificaba su trabajo. El comité permanente del Hôtel de Ville, convertido ahora en ejecutivo municipal, era el organismo que debía autorizar el trabajo. Palloy no era más que uno de los cinco especialistas designados para atender la demolición; otros estaban a cargo de la carpintería, de la ebanistería, de los herrajes y de otros aspectos similares. Sin embargo, Palloy conquistó rápidamente una categoría más elevada que sus colegas. Comparado con la labor de demolición de la mampostería, el resto era secundario y la cuadrilla de Palloy era la más numerosa, pues llegó a sumar un máximo de mil trabajadores. Cobraba ciento cincuenta libras mensuales y, a su vez, él pagaba bien a sus hombres: cuarenta y cinco *sous* diarios a los capataces, cuarenta a los subcapataces y treinta y seis a los peones. A finales del verano de 1789, cuando el trabajo escaseaba mucho y los precios eran altos, esa demolición fue una verdadera bendición, sobre todo para la población local de Saint-Antoine y las áreas que estaban justo al norte y el sur del Sena, de donde provenía gran parte de la fuerza de trabajo manual que se reclutaba.

Palloy no solo dio trabajo y sueldo, sino que confirió estructura a todo el asunto. Los hombres que trabajaban en la obra debían llevar tarjetas de identidad, diseñadas especialmente por el propio Palloy, con los tres colores patriotas: blanco para los capataces, azul para los inspectores en el lugar de la obra y rojo para los operarios. En cada uno aparecía un globo coronado por una flor de lis, los emblemas de los tres órdenes y el optimista lema *Ex Unitate Libertas*. Las propias tarjetas se convirtieron pronto en artículos apreciadísimos por los coleccionistas, que ofrecían hasta doce libras por cada una. Palloy estaba siempre en el lugar de trabajo y representaba el papel de patrón y de padre, organizaba fiestas para los obreros, jugaba con los muchos niños que participaban en el asunto y los ponía a salvo de los restos que caían. Con un bastón y una campanilla para llamar la atención de la gente, también representaba los papeles de policía, de juez y de jurado, y multaba a los delincuentes que se enredaban en peleas de borrachos o que se veían sorprendidos en actos de saqueo. Dos de estos malhechores incluso fueron ahorcados y, al finalizar el trabajo, Palloy resumió las bajas del siguiente modo: «cuatro insurrecciones; quince accidentes; ocho asesinatos y dos heridos»; por supuesto, consideró que entraba dentro de la normalidad.

A pesar de todas estas interrupciones, el trabajo se desarrolló con sorprendente rapidez. Hacia finales de julio, las bóvedas y las vigas quedaron al descubierto y, durante todo ese mes, trabajando de arriba abajo, se procedió a la prolongada demolición de los pisos. Una torre con un reloj, que mostraba a los prisioneros encadenados dando las horas, fue enviada a una fundición y, en agosto, el escultor Dumont recibió cuatrocientas libras por la destrucción de cuatro figuras de piedra: san Antonio, Carlos V, Carlos VI y Juana de Borbón, que habían adornado la porte Saint-Antoine.

Hacia finales de noviembre, la mayor parte de la Bastilla estaba demolida. En los trabajadores se manifestó cierta ansiedad, porque su celo ahora amenazaba con dejarlos sin trabajo. El propio Palloy estaba interesado en que el encargo no acabase en las ruinas de la fortaleza. Así, mientras se terminaba la labor física, en realidad, su propia e inspirada versión del asunto de la Bastilla apenas había comenzado.

Parte de esto requería nuevos proyectos. La municipalidad le encomendó la construcción de una plataforma sobre el Pont Neuf, frente a la estatua de Enrique IV, donde podría montarse el cañón de la Bastilla. Durante los meses de invierno, parte de la cuadrilla original eliminó los fosos y las zanjas del fuerte; pero Palloy consagró la mayor parte de sus energías a promover el culto a la Bastilla como una atracción orientada hacia el turista político, con su secuela de visitas guiadas, conferencias históricas y narraciones de los *vainqueurs* sobre los hechos del 14 de julio. A principios de 1790, Millingen, hijo de un médico británico, fue llevado por su padre a visitar la famosa atracción.

> Miles de personas se reunían para contemplar las ruinas de la Bastilla y mi padre me llevó a ver esta derribada fortaleza del poder tiránico. En las mazmorras en ruinas que se encontraban cerca de las zanjas, infestadas por ratas de agua, sapos y otros reptiles, aún podían verse las piedras sobre las cuales habían descansado los infortunados prisioneros, condenados a expirar en las *oubliettes*, olvidados por todo el mundo, forzados a ser sepultados en vida; las argollas de hierro a las cuales estaban aseguradas sus cadenas aún se encontraban fijas en la dura pared que mostraba las marcas de los miembros doloridos.

Lo que importaba era presentar —en el sentido teatral de la expresión— hechos que recapitularan tanto los horrores de la Bastilla como la euforia provocada por su toma, con el fin de reclutar a sucesivas oleadas de patriotas visitantes para el fervor revolucionario. El primero de estos episodios de Palloy fue una ceremonia que organizó para sus propios trabajadores, que de este modo se convirtieron en *vainqueurs* de la mampostería del fuerte. El 23 de febrero se levantó entre las ruinas un «altar» (en el primero de todos los festivales revolucionarios que seguirían), construido totalmente con esferas de hierro, cadenas y esposas. Al día siguiente, después de una ceremonia religiosa en la iglesia de Saint-Louis, los setecientos trabajadores juraron lealtad a la Constitución y, gracias a un artefacto mecánico muy ingenioso, el hierro del castigo se autodestruyó y reveló un enorme adorno floral (¿flores artificiales, en vista de la estación?). Después de ese milagro escénico, los setecientos fueron en procesión al Hôtel de Ville, transportando una maqueta de la Bastilla que ellos mismos habían creado con las piedras de la fortaleza.

La idea de fabricar una maqueta de la Bastilla no procedió de Palloy, sino de uno de sus albañiles, un hombre llamado Dax. Sin embargo, fue característico que Palloy recogiera una ingeniosa idea artesanal y la convirtiera en una gran iniciativa (y, al proceder así, reclamase para sí el mérito del proyecto). Otros hechos que sucedieron en la primavera de 1790 ayudaron a Palloy a mantener el interés por la Bastilla. A finales de abril se descubrieron trozos de esqueletos humanos en la subestructura y de inmediato se afirmó que eran los restos de prisioneros que habían muerto en cautividad, sujetos a los muros, olvidados incluso por sus carceleros. Quizá eran huesos de guardias y se remontaban al Renacimiento, pero la oportunidad para despertar sensación resultó irresistible. Fueron exhumados solemnemente y el 1 de junio fueron llevados en cuatro ataúdes distintos (aunque nadie sabía muy bien qué huesos pertenecían a quién) al cementerio de Saint-Paul, donde se inhumaron otra vez. En su sermón, el obispo radical de Caen, Claude Fauchet, utilizó esos huesos para asumir el papel del revolucionario Ezequiel, que saluda a un nuevo «día de las revelaciones, pues los huesos se han alzado al escuchar la voz de la libertad francesa; a lo largo de siglos de opresión y muerte han venido a profetizar la regeneración de la naturaleza y la vida de las naciones».

Durante un tiempo las iniciativas de Palloy pasaron a un segundo plano, desplazadas por los monumentales preparativos en vista de la Fête de la Fédération en el Campo de Marte, pero su fecha —el 14 de julio— contribuyó a mantener el interés por la Bastilla. Antes del primer aniversario, las obras teatrales que volvieron a evocar la gran jornada, así como una gran cantidad de grabados e impresos, de poemas y de canciones, fueron un material que redundó en beneficio de Palloy. No menos importancia tuvieron los cientos de miles de guardias nacionales de las provincias que habían llegado a París para asistir al gran festival de la unidad patriótica, para quienes una visita a la Bastilla era una peregrinación obligatoria. Palloy organizó para los guardias un gran baile en las ruinas de la Bastilla, con brillantes luces y fuegos artificiales, grandes tiendas adornadas con la tricolor y un enorme cartel que decía: «Ici l'on danse».

De todos modos, aún había muchos millones de franceses para quienes la toma de la Bastilla constituía un episodio remoto. Y con el propósito de incorporarlos al ámbito patriótico, Palloy organizó su muestra ambulante de la Revolución. Debía estar a cargo de «apóstoles de la Libertad», especialmente designados y ataviados con prendas características, que irían a los 83 departamentos en que se había dividido Francia. Entre ellos estaban el hijo de diez años de Palloy, Fauchet; Dusaulx, autor de la popular *Obra de siete días* (la re-creación del mundo en julio de 1789); y otro de los amigos de Palloy, Titon Bergeras, que más adelante habría de ensordecer a la Asamblea Legislativa con su oratoria de barítono. Siempre que fuera posible, el propio Latude acompañaría a los apóstoles con su escala de cuerdas, para ofrecer un relato personal de sus padecimientos.

Con el fin de proveer a sus apóstoles, Palloy preparó 246 cofres de *souvenirs*. Aguijoneado por la idea de Dax, ya había comenzado la producción y había creado toda clase de artículos con los restos de la Bastilla que conservaba. Se fabricaron tinteros con los grillos y otros objetos de hierro; abanicos con imágenes de la batalla, utilizando diferentes tipos de papel; pisapapeles con las piedras en forma de pequeñas Bastillas; cajas de rapé; dagas ceremoniales. El delfín incluso recibió un juego de dominó de mármol y las fichas tenían la forma de Bastillas. Estos elementos podían ser vendidos o entregados gratuitamente a los patriotas de las provincias, pero eran artículos especiales en los cofres, cuya estructura fue estipulada de forma estricta por Palloy.

Cada equipo estaba formado por tres cofres. En el primero se hallaba la *pièce de résistance*, un modelo a escala de la Bastilla, casi con todos los detalles, con las puertas, con las rejas y con los puentes levadizos; todos estos elementos se podían articular. Una miniatura de la escala de Latude se enganchaba de la torrecilla correspondiente y un pequeño patíbulo con la cuerda colgante se añadía al patio para conseguir el efecto apropiado (pese a que en la Bastilla nunca se realizaron ejecuciones). Para las escenas de los combates había cañones y balas en miniatura, así como una bandera blanca. El reloj pintado marcaba las cinco y media: el momento sagrado de la rendición. El segundo cofre contenía la plataforma de madera para la maqueta y un modelo grabado del rey; el tercero, imágenes de los «esqueletos» y su nueva inhumación, retratos de los notables de la Revolución, como Lafayette y Bailly, una bala y una coraza de la

Bastilla, la biografía de Latude, un plano de la fortaleza y poemas sobre los diferentes episodios escritos especialmente por el propio Palloy. Un último elemento para el tercer cofre —también al alcance del público parisiense— era un «fragmento de una corteza, de cinco a siete centímetros de espesor, formada sobre las bóvedas de las celdas por el sudor, la respiración y la sangre de los infortunados prisioneros».

Una idea de la misión que debían cumplir en relación con el nuevo evangelio se desprende de la experiencia de uno de los apóstoles: el actor François-Antoine Legros. Dadas las condiciones del viaje y la carga de los 33 cofres que transportaba, la magnitud del recorrido de Legros fue poco menos que épica. Partió en noviembre de 1790 hacia Borgoña, atravesó Melun, Auxerre y Dijon, y después enfiló hacia el sur, en dirección a la Provenza. En Lyon ayudó a arrestar a algunos conspiradores enemigos de la *patrie*, pero, cerca de Salons, su arreo de mulas fue atacado por bandidos. Legros consiguió matar a uno, pero el disparo de la pistola asustó a su caballo, que se encabritó y le desmontó; se rompió una pierna. Cuando llegó a Tolón se le había acabado el dinero (la asignación de nueve libras diarias otorgada por Palloy llegaba a intervalos y, en todo caso, resultaba insuficiente), de modo que Legros tuvo que incorporarse a una compañía en la que antaño había sido actor. Aunque su actuación en *Zaïre*, de Voltaire, no logró, como él mismo dijo, «alcanzar el éxito que yo había esperado», parece que ganó lo suficiente para reanudar su misión, pues embarcó para viajar a Bastia, en Córcega, es decir, la última etapa de su extraordinario viaje. Cuando concluyó, había viajado durante diez meses y había recorrido casi dos mil cuatrocientos kilómetros.

Si los apóstoles estaban agotados por sus esfuerzos, el propio Palloy podía decir más o menos lo mismo. La Revolución no le permitió amasar una fortuna y, en realidad, parece que la perdió en su incansable esfuerzo por difundir el nuevo evangelio. Había una permanente demanda de sus *souvenirs*, uno llegó de un lugar tan lejano como la Sociedad de St. Tammany, en Nueva York, en 1792, y Palloy fundó lo que él esperaba que fuera un Museo de la Libertad, una institución permanente en las cercanías del Pont Neuf.

Sin embargo, desde el punto de vista político estaba perdiendo terreno. El mito de la unidad patriótica entronizado en el culto de la Bastilla se vio sometido a una severa prueba en 1792 y muchos de los héroes predilectos de Palloy estaban desacreditándose deprisa. Mirabeau, cuyo busto Palloy creó a partir de una piedra de la Bastilla y que presentó en su funeral, en abril de 1791, fue desenmascarado como un intrigante realista un año más tarde; Lafayette, para quien había forjado una espada con el material de cuatro pernos de la Bastilla, huyó para reunirse con los austriacos el mismo año. Peor todavía, el rey, con cuya imagen había adornado todos sus cofres, fue sorprendido cuando intentaba huir del país. Incluso en julio de 1792, un mes antes de la caída definitiva de la monarquía, Palloy todavía confiaba en que el rey se presentaría en la ceremonia de inauguración del proyecto real de una columna levantada en el asiento de la Bastilla.

En diciembre de 1793 fue a ver a su viejo amigo el ciudadano Curtius, que estaba atareado preparando una cabeza de madame Du Barry, la amante de Luis XV, para ofrecerla a la venganza de los buenos patriotas. Palloy sabía reconocer a otro genio cuando lo tenía delante. Se maravilló del parecido y Curtius le dijo en tono seco que sí, que también él creía que el trabajo era particularmente bueno, pues había podido ir al cementerio de los girondinos para inspeccionar el modelo real recién cortado. A pesar del frío, se había instalado allí para obtener la mejor imagen de cera posible, la que reflejaba la expresión de la mujer al recibir el golpe de gracia.

Tres semanas más tarde Palloy estaba en la cárcel de La Forcé, pese a que decía ser el republicano Diogenes Palloy, víctima de una injusta y traicionera conspiración. El 8 de febrero de 1794, el hombre que había inducido a Francia a creer que, con la demolición de la Bastilla, las cárceles nunca volverían a mancillar la faz de la libertad en Francia escribió desde lo que él denominaba su *cachot*, para reclamar su inocencia, su *patriotisme* y para impartir debidamente aún las instrucciones necesarias para el despacho de modelos de la Bastilla a los departamentos «liberados» poco antes. El 17 de marzo recobró libertad, pero, aunque colaboró en la realización de las festividades republicanas, en julio observó con desaliento mal disimulado que, «si bien hasta ahora he utilizado únicamente las ruinas de la Bastilla, sede sagrada de los comienzos de la libertad, para organizar fiestas alegóricas [...], los ciudadanos desean ahora ver otro género de espectáculo y han instalado allí la "ventanita" de Guillotin».

París, rey de los franceses

El 14 de julio de 1789 el diario de Luis XVI mostró una entrada formada por una sola palabra: «Rien». Los historiadores ven invariablemente
en esta anotación un cómico indicio del impotente distanciamiento del
rey frente a la realidad política; pero no era así. El diario no era tanto un
diario como una de las listas en las que implacablemente enumeraba las
piezas cobradas en la cacería. Como su pasatiempo favorito se había visto interrumpido de manera más o menos permanente, no podía existir
una expresión negativa más elocuente de las dificultades en que se veía
que la palabra «rien».

A decir verdad, él era el principal responsable del aprieto en que se
hallaba. Su popularidad personal, sobre todo fuera de París, aún era inmensa. Incluso después del «juramento del juego de pelota», había tenido
muchas oportunidades de aprovecharla, como deseaban Mirabeau y
Necker, para crear una auténtica monarquía constitucional. Las había
desaprovechado todas. Y lo que era aún peor, Luis se había mostrado
débil y sumiso —como en la inmediata secuela de la *séance royale*— o
artero y reaccionario, como en la acumulación de fuerzas militares promovida alrededor de la destitución de Necker.

La noche del 14, el vizconde de Noailles, cuñado de Lafayette y
partícipe de su entusiasmo revolucionario, informó a la Asamblea Nacional de los episodios del día. A su vez, la asamblea decidió transmitir
esta información al rey, que se adelantó con el anuncio de que ya había
determinado que retiraría las tropas del centro de París para enviarlas a
Sèvres y a Saint-Cloud. Manifestó su tristeza y su incredulidad ante la
posibilidad de que se hubiese derramado sangre como resultado de las
órdenes impartidas a los soldados, pero no propuso, como deseaba la
asamblea, restituir a Necker. Más avanzada la noche, llegaron dos de los
electores de París y confirmaron los informes de Noailles, pero parece
que el rey no tenía clara la verdadera gravedad de la situación.

Aún más entrada esa noche, alrededor de las once, el duque de la
Rochefoucauld-Liancourt, otro miembro del círculo de Lafayette, pidió
ver al rey en sus habitaciones privadas. Una famosa versión anecdótica
del episodio dice que el noble-ciudadano informó a Luis por primera
vez de la toma de la Bastilla. El rey reacciona con la pregunta: «¿Es una
revuelta?» y Liancourt replica: «No, Sire, es una revolución». Aunque

Luis ya estaba al tanto del alzamiento por Noailles y por los electores, es muy posible que este diálogo existiera y probable que la narración, al parecer gráfica, que hizo Liancourt de la muerte de De Launay y De Flesselles finalmente persuadiera al rey de la tremenda importancia del episodio. Su poder militar en la capital se había derrumbado y, por tanto, ya no se podía coartar mediante la fuerza la autoridad de la Asamblea Nacional.

A la mañana siguiente, en la asamblea, se decidió enviar dos representantes que debían ver al rey y reclamar la renuncia del ministerio de Breteuil. Cuando se disponían a salir, Mirabeau realizó otra de sus famosas intervenciones y destacó que los depravados lacayos de las potencias extranjeras se disponían a pisotear los derechos innatos de Francia liberada.

> Decid al rey que las hordas extranjeras que nos rodean fueron visitadas por príncipes y princesas, favoritos de ambos sexos que les demostraron mucho aprecio [...], toda la noche estos satélites extranjeros atiborrados de oro y vino pronosticaron en sus impías canciones la esclavitud de Francia y la destrucción de la asamblea; decidle que [...] los cortesanos bailaron al son de la música bárbara y que una escena parecida precedió a la matanza de San Bartolomé.

Apenas había concluido su discurso cuando se anunció la llegada de Luis. Mirabeau de nuevo impuso silencio al aplauso espontáneo y reclamó una recepción más fría, por lo menos hasta que se conocieran las intenciones del rey. «El silencio del pueblo —observó— es una lección para los reyes.» No necesitaba molestarse, pues el estilo de la llegada del rey fue tan asombroso, tan desconcertante en su desnudez, que equivalía a una abdicación. Llegó a pie, sin aparato, ni séquito, sin ni siquiera un solo guardia con calzón y peluca. Venía acompañado por sus hermanos, Provence y Artois, tanto física como ideológicamente a su izquierda y a su derecha, respectivamente. Confirmó a la asamblea la retirada de las tropas restantes que estaban en el Campo de Marte y, de manera explícita, negó que hubiese ningún designio contra la seguridad de los miembros del cuerpo.

Aunque el rey no llegó a anunciar el regreso de Necker, la confirmación oficial del fin de la amenaza militar fue suficiente para provocar grandes vivas en la asamblea. Se propagó hacia la multitud reunida fuera y provocó otra de esas manifestaciones, mitad éxtasis, mitad amenaza, que exigían la presencia de la familia real en el balcón del palacio. A las dos, un enorme cortejo de 88 diputados en 40 carruajes salió para divulgar la buena noticia en la ciudad de París. A la cabeza iba Lafayette, como vicepresidente de la asamblea. La última parte del viaje, desde la plaza Luis XV hasta el Hôtel de Ville, fue salvada a pie y se convirtió en una suerte de marcha triunfal a través de la ciudad. En el edificio donde, cuarenta y un años más tarde, aparecería en una epifanía similar, Lafayette dirigió la palabra a la enorme multitud, que estaba engalanada con escarapelas patrióticas. Anunció que el rey había sido mal aconsejado, pero que ahora había recuperado toda la benevolencia de su corazón. A su vez, los electores prometían fidelidad. Y en lo que parece que fue una improvisada propuesta (planteada por Brissot de Warville, amigo de Lafayette) recogida por la multitud, el marqués aceptó el mando de la nueva milicia parisiense. Por su parte, Bailly se convirtió en alcalde de la ciudad. Siguió un tedeum en Notre Dame y allí Lafayette juró defender con su vida la libertad.

Con la marcha penitente del rey hasta la asamblea, había perecido la augusta corte de los Borbones. La mañana del 16 de julio el consejo real se reunió por última vez en su forma tradicional. Tenía que examinar problemas graves. El mariscal de Broglie aclaró bien que, dada la desintegración del ejército, los intentos de contraatacar París resultaban inconcebibles. Entonces, ¿qué podía rescatarse? La reina y Artois deseaban que el rey se trasladase a una capital de provincias, cuanto más cerca de la frontera austriaca o prusiana, mejor —por ejemplo, Metz—, y que, desde allí, reagrupase a las tropas fieles. Con sentido realista, De Broglie hizo saber al rey que, como la cadena de mando se estaba desmoronando con tanta rapidez, no podía garantizar la seguridad del rey si emprendía un viaje largo.

No quedaba más remedio que rendirse, con la mayor elegancia posible.

Para el hermano menor del rey y su grupo, la humillación de la monarquía era intolerable. La misma noche del 16 de julio, Artois, con los príncipes de Conti y Condé, sus amigos los Polignac y el abate Vermond, consejero personal de la reina desde que ella había sido princesa en Viena, partieron de Versalles en dirección a la frontera. La emigración confirmaba todo lo que los panfletos revolucionarios habían dicho de la corte: que era un enclave extranjero que vivía a expensas de la nación. Ahora se sumaría al motivo anterior de hostilidad la reputación de ser cliente de ejércitos extranjeros, de los cuales dependía para reafirmar su autoridad en Francia. Desde luego, Artois no disimulaba el hecho de que esperaba concertar cierto tipo de alianza entre los regimientos franceses fieles y las fuerzas todavía no definidas (pero muy probablemente austriacas) para invertir el curso de la Revolución. Sin embargo, no habría podido creer que necesitaría quince años más para ejecutar su plan.

Al día siguiente, 17, Luis XVI comenzó a recorrer su propio camino a Canossa. La Rochefoucauld-Liancourt ya le había animado a demostrar su buena voluntad personal presentándose en París, pero el monarca aceptó lo inevitable solo después de las amargas conclusiones a las que llegó en el consejo del día 16. En todo caso, le habían forzado la mano en el tema del Gobierno. El retorno de Necker y el alejamiento del ministerio Breteuil fueron anunciados con general regocijo y las tropas ya habían comenzado a levantar sus tiendas del Campo de Marte y a retirarse a Sèvres, donde otros 75 hombres desertaron de inmediato.

No por última vez, Luis demostró una dignidad ante la impotencia que nunca tuvo en los intermitentes momentos de autoafirmación. Sin demostrar señales de pánico, adoptó medidas relacionadas con el mantenimiento del Gobierno real en el caso de que él no volviese. Redactó su testamento y depositó en Provence, el único de los príncipes reales que había decidido permanecer en Francia, la autoridad de teniente general del reino. El rey rezó en la capilla real con su familia y, después, partió, vestido con una sencilla chaqueta de frac, sin ninguno de los acostumbrados adornos de la majestuosidad. Aunque su coche tenía ocho caballos negros, tampoco estaba adornado. Al frente marchaba un pequeño destacamento de su guardia personal, superados en número por una escolta mucho más nutrida de la milicia de Versalles, con sus uniformes improvisados y engalanados profusamente con escarapelas. Detrás marchaba un centenar de diputados de la asamblea y un numeroso y desordenado séquito de habitantes de Versalles, que cantaban, gritaban «Vive le roi» y «Vive la nation» y esgrimían picas, fusiles de chispa y podaderas.

El tiempo, descrito siempre por los contemporáneos como si hubiera sido un protagonista revolucionario, fue cómplice del pesar real. Pues el sol que brilló esplendoroso sobre la procesión que se dirigía a París anunciaba el eclipse de la fantasía del Rey Sol. Luis XIV había construido Versalles para contar con un refugio que le protegiese de las presiones de la capital, un lugar que pudiera satisfacer su apolínea voluntad utilizando la piedra y el agua, el ritual y los iconos. En 1775, en el momento de su coronación en Reims, se supuso que Luis XVI había comenzado una nueva era de luminosidad solar. En cambio, el sol había sido descendido a la tierra.

¿Qué clase de monarca era ahora? Por doquier la respuesta era la misma: no Luis XIV, sino Enrique IV. El culto del primer Borbón, que había terminado con las guerras de religión y que había sido asesinado por un fanático católico, ahora había alcanzado proporciones de plaga. En su persona, al parecer, se combinaban todas las formas de la bondad, la humanidad y el saber; el prototipo del rey-ciudadano que el pueblo de Francia, todavía abrumadoramente realista, deseaba ver reencarnado en Luis. En las canciones y en los versos populares se describía a Enrique sobre todo como un padre-rey ideal, que no habría podido dañar al pueblo de Francia, al igual que no podría haber asesinado a sus propios hijos. La misma idea se expresaba en el grandioso diseño de un nuevo monumento a Enrique IV, destinado expresamente a asociar al mártir patriótico con su nueva encarnación, es decir, Luis. Una amplia rotonda rodeada por una doble hilera de columnas. En el centro, una estatua del rey caído «en la actitud del buen padre rodeado por sus hijos [...] vestido con el sencillo atuendo que él prefería». Sobre el pedestal, la inscripción: «A Enrique IV, de parte de toda la humanidad» y, en un gran día festivo, Luis XVI debía depositar una corona sobre su cabeza y pronunciar las palabras (como una admonición dirigida a sí mismo): «Voilà le modèle des Souverains».

Por tanto, no puede sorprender que, al recibir a Luis XVI en la porte de Chaillot, Bailly aludiera a este antecesor recomendado incansablemente, y sobre todo a su entrada en París en 1604. Al ofrecer al rey las llaves de la ciudad —una costumbre relacionada con las entradas triunfales—, el alcalde incluso mejoró la escena original. «Estas son las mismas llaves —dijo— presentadas a Enrique IV; él había conquistado a su pueblo; ahora su pueblo ha conquistado al rey.» Es posible que Luis no apreciara la inversión de la forma.

Siguieron otras modificaciones graves de las ceremonias de entrada triunfal de la realeza. Los reyes Valois del Renacimiento francés —Francisco I, Enrique II y Carlos IX— habían sido saludados por arcos que proclamaban su identidad con el Hércules galo, el dueño (a veces incluso el emperador al estilo de Carlomagno) de *Gallia et Germania*. En cambio, Luis XVI fue recibido por Lafayette con atuendo civil, engalanado con la escarapela azul y roja de la ciudad (y, un signo de mal augurio, los colores de la casa de Orleans), y llevado a través de las calles rodeadas de guardias armadas de ciudadanos hasta la plaza Luis XV. El resto de la procesión se vio engrosada por las mujeres del mercado, vestidas con el atuendo blanco que usaban en las ceremonias, adornadas con cintas rojas y azules, y flores. En el Hôtel de Ville, sobre el arco de espadas desenvainadas para él —como si se combinaran el homenaje y el reto—, el rey pudo leer la designación oficial de su nueva identidad.

LUIS XVI, PADRE DE LOS FRANCESES, REY DE UN PUEBLO LIBRE

En un gesto que implicaba admitir esta reinvención de la realeza, Luis aceptó la escarapela que Bailly le ofreció sobre los peldaños del Hôtel de Ville y la ajustó en su sombrero, mientras las trompetas y los cañonazos acompañaban las salvas de vivas. Después de un discurso breve, en general inaudible, en la Grand Salle, donde el rey intentó expresar su satisfacción hacia las designaciones de Lafayette y Bailly —otra legitimación de actos sobre los cuales carecía de control—, se exhibió de nuevo en el balcón, con la escarapela.

Alrededor de las diez de la noche, Luis llegó a Versalles, exhausto y desorientado, aunque muy aliviado, porque el día había concluido sin derramamiento de sangre. Saludó con afecto a su esposa y a sus hijos, que se sentían aún más aliviados. La seguridad física de su familia era en ese momento su máxima preocupación. Ahora que la corte estaba casi abolida y que se le había despojado del ceremonial regio, Luis XVI se había convertido, al fin, simplemente en otro *père de famille*. Y para protegerlos, había aceptado convertirse a la vez en el «bon père de la France». Los idealistas de una monarquía revolucionaria afirmarían que el segundo título era nada más que una prolongación del primero. Los pesimistas (la minoría en 1789) anticipaban disputas de familia. Y si sobrevenía ese conflicto, todavía no estaba claro, sobre todo a los ojos de Luis XVI, a cuál de las familias debía consagrar el resto de su vida.

TERCERA PARTE

Decisiones

11

Razón y sinrazón
Julio-noviembre de 1789

ESPECTROS (JULIO-AGOSTO)

En julio de 1789 madame de La Tour du Pin fue al balneario de Forges-les-Eaux, en Normandía, para tomar las aguas. Tenía apenas diecinueve años y la gestación y el nacimiento de su segundo hijo habían sido particularmente traumáticos; el médico de la familia había insistido en una cura de reposo. Inteligente y bondadosa, Henrietta-Lucy provenía del clan católico angloirlandés de los Dillon, algunos de cuyos miembros se habían exiliado a Francia cuando, en 1688, el rey Jacobo II fue derrocado. Cuando ella nació, en 1770, los Dillon ya se hallaban bien asentados en la nobleza militar, tenían sus propios regimientos y estaban relacionados con las familias más ricas y cultas del país. Hija de la Ilustración, como toda su generación, había leído muy atentamente a Richardson y a Rousseau (e incluso al *whig* Defoe). Consciente de la inteligencia de la joven, su mundano tío bisabuelo, el arzobispo de Narbonne, había acordado que Chaptal (más tarde ministro de Interior de Napoleón) fuera su tutor en ciencias. Gracias a sus conocimientos de química, física, geología y mineralogía, ella podía recorrer las minas de carbón y azufre que los Dillon tenían en Cévennes como una visitante bien informada.

Recibida en la corte por la reina, también se codeó con la sociedad elegante de la nobleza liberal de París. Lally-Tollendal era un primo lejano; los hermanos Lameth, que desplegaban aún más militancia política, eran parientes políticos de De La Tour du Pin. Mientras gozaba de los últimos placeres del Antiguo Régimen, en el que, como ella escribió más adelante, «riendo y bebiendo nos acercamos al precipicio», Lucy mantuvo una actitud sensata y cauta.

En el verano de 1789, la Revolución se acercó a su familia. Se decía que su distinguido suegro sería ministro del Ejército de Necker (y, en efecto, pronto fue designado para ese cargo). Su marido estaba acantonado a unos sesenta kilómetros de distancia, en Valenciennes, pero, cada vez más inquieto por la seguridad de su mujer, abandonó su regimiento (obtuvo tardíamente una licencia) para reunirse con ella en Normandía. Así, la familia pasó sus últimas e idílicas vacaciones del modo como suelen recordar vívidamente los supervivientes de las revoluciones.

La mañana del 28 de julio se disponía a iniciar su acostumbrada cabalgata matutina, cuando oyó una gran conmoción en la calle, bajo sus aposentos. Grupos de aldeanos caminaban de un lado a otro llorando, retorciéndose las manos, rezando y gimiendo que «estaban perdidos». En el centro se encontraba un hombre vestido con «una chaqueta verde rota y gastada», montado en un caballo gris que aún echaba espuma por la boca y que tenía los flancos ensangrentados porque lo habían espoleado con dureza. «Llegarán aquí en tres horas —dijo a su atemorizado público—; en Gaillefontaine [a unos ocho kilómetros de distancia] están saqueando todo e incendiando los graneros.» Después de transmitir este útil mensaje, el hombre se alejó en su caballo para llevar la buena nueva a Neufchâtel.

En este caso, «ellos» se refería a las tropas austriacas que, según se comentaba, habían invadido Francia desde los Países Bajos. Sin embargo, durante las semanas de pánico que siguieron a la toma de la Bastilla, «ellos» también podían haber sido la infantería de Marina británica, que se creía que había desembarcado en Brest y Saint-Malo, el regimiento de suecos enviado por el conde D'Artois en la frontera nordeste o los treinta mil soldados españoles que se preparaban para saquear Burdeos. Más frecuentemente, se decía que «ellos» eran los «bandidos», que formaban ejércitos y recibían su paga de Artois y de los príncipes, o la aristocracia en general, para vengarse sangrientamente de la osadía del Tercer Estado. Se trataba de un panorama particularmente aterrador, pues se suponía que los bandidos se complacían cometiendo atrocidades: violando, descuartizando e incendiando todos los cultivos, los graneros y las casas.

Como su esposo había ido por su cuenta al balneario, Lucy debía encargarse de apaciguar a los espíritus agitados. Aseguró a los aldeanos que no había guerra. Su esposo, que estaba apostado justo en la frontera con los Países Bajos austriacos, habría sabido desde luego algo en caso de que esas tropas se hubiesen movilizado. Sin embargo, Forges se encontraba en el centro de una región cuyos nervios se veían continuamente alterados por los constantes disturbios relacionados con los alimentos en Ruán, a unos cuarenta kilómetros al noroeste, y por las instrucciones impartidas en Lille de tocar a rebato a la más mínima señal de peligro. Cuando se dirigió a la iglesia, Lucy descubrió que el cura se disponía a tirar de la cuerda de la campana. La joven comprendió que, apenas se oyese el repique, ya no habría vuelta atrás y se extendería el pánico, de modo que aferró al *curé* por el cuello de la sotana e intentó llamarle al orden, al mismo tiempo que le impedía con todas sus fuerzas que hiciera sonar la alarma. Las aguas de Forges le habían debido de devolver la energía, pues, cuando regresó, el marido descubrió cómo los dos seguían aún luchando alrededor de la cuerda. Los dos cónyuges prometieron ir a Gaillefontaine, donde se creía que los austriacos habían acampado, y, después, regresar para refutar los temores de la aldea.

Los agitados momentos de la jornada aún no habían terminado. En Gaillefontaine tuvieron que hacer frente a campesinos que les apuntaban con fusiles de chispa oxidados que querían saber si los soldados habían llegado hasta Forges. Una reunión con los habitantes pareció convencer a estos de que no, lo que los serenó, hasta que uno de ellos, que miraba atentamente a Lucy, la identificó con la reina. Durante un momento, Lucy estuvo en peligro; de pronto un cerrajero, riéndose a carcajadas, insistió en que la verdadera reina tenía el doble de edad y era el doble corpulenta que madame de La Tour du Pin. Liberados, el marido y la esposa regresaron a Forges, donde toda la aldea ya estaba convencida de que habían sido apresados por los austriacos y de que jamás volverían a verlos.

Escenas de este tipo se repitieron en toda el área de la Francia oriental, desde Hainaut y la Picardía, en el norte, pasando por la Champaña y Alsacia, hasta Borgoña y el Franco-Condado. El desplazamiento hacia el oeste de lo que los contemporáneos denominaban «el Miedo» alcanzó a Poitou y llegó hasta la campiña que se extiende alrededor de Versalles. Incluso en circunstancias normales, los cuatro mil policías provinciales de la *maréchaussée* habrían sido incapaces de hacer frente a una histeria colectiva de esta magnitud. Sin embargo, ahora que la autoridad del Gobierno central casi se había derrumbado, la consecuencia de este

pánico fue convertir Francia en una serie de facciones de milicias armadas por su cuenta y de comunas municipales autónomas, movilizadas
para otear el horizonte a la espera de que llegaran los ejércitos de bandidos, de españoles o de austriacos.

A veces el pánico duraba unas pocas horas. En el minúsculo villorrio
de Vaux, cerca de Creil, Marie-Victoire Monnet, la mayor de una familia
de quince hijos, se ocultó en un pajar con tres de sus hermanas. La madre
les había suministrado una hogaza de pan y un cuarto de brie, suficiente
para poder resistir el asedio de varios días que se preveía que iba a tener
lugar en la aldea. Se decía que los salteadores de caminos ya habían masacrado a los hombres de la localidad más próxima. Después de permanecer tres horas en el caluroso, polvoriento y oscuro recinto, y de comer
todo el pan y el queso, el terror de las niñas se convirtió en aburrimien-
to, este en decepción. Marie, seguida por sus hermanas, bajó con movimientos nerviosos y, como no vio señales de la catástrofe aventurada,
regresó a su casa, donde descubrió a su madre y al resto de los niños igual
de desconcertados ante la ausencia de los temidos criminales.

En otros lugares, las consecuencias fueron más graves. En ciudades
importantes como Lyon y Dijon (resulta significativo que ambas mira-
sen hacia el este), miles de milicianos voluntarios vigilaron los puentes
y las entradas durante interminables semanas, pues suponían que, apenas
bajaran la guardia, los salteadores sin duda aparecerían. Por supuesto,
intentaron al mismo tiempo rechazar los violentos ataques contra los
depósitos de cereal, las panaderías y las residencias de los funcionarios
reales de la ciudad. Fue el primer ejemplo del síndrome de la *patrie en
danger*: las situaciones de urgencia patriótica que promoverían regímenes represivos cada vez más extremos.

La ocupación de los depósitos locales de municiones y la creación
de milicias de apoyo, responsables ante los comités revolucionarios improvisados, indujo a generaciones posteriores de historiadores realistas a
suponer que el pánico era consecuencia de un plan, concebido por
conspiradores como el duque de Orleans, para convertir Francia en un
campo armado e irrecuperable para la autoridad tradicional. Al mismo
tiempo la corte y, por extensión, la totalidad de la nobleza, fue estigmatizada como, literalmente, un campo enemigo: los extranjeros que no se
detenían ante nada cuando se trataba de organizar la masacre de los
hombres y mujeres franceses para recuperar sus privilegios perdidos.

Sin duda, puede afirmarse que el estado paranoico (en ambos lados), que fue la característica más manifiesta de la política revolucionaria, no apareció como consecuencia del Terror, sino de 1789. Sin embargo, también parece claro que las teorías acerca de conspiraciones organizadas de manera consciente fueron, a su vez, fruto de la imaginación. El Gran Miedo, como destacó su historiador Georges Lefebvre, muestra todos los rasgos de un pánico espontáneo.

Había sucedido antes. En 1703, cuando se creyó que los ejércitos de Luis XIV perdían la guerra librada para resistir la invasión de Francia y cuando el hambre se había adueñado de amplias áreas del país, se extendió la sospecha de que el rey Guillermo III había ordenado a los merodeadores protestantes que se vengaran de forma indiscriminada. El simple hecho de que se insistiera en que Guillermo había muerto hacía más de un año no suscitaba el menor efecto en la histeria. En 1789, el pánico se difundió del mismo modo, cuando un jinete aparecía de forma brusca montado un caballo brutalmente espoleado y anunciaba con inequívoca convicción que la masacre general se estaba produciendo en una aldea cercana. Resultaba muy frecuente que se creyese en la palabra de estas personas, porque eran individuos que, se suponía, tenían particular acceso a ese tipo de información: posaderos, correos, soldados. Si eran personas de calidad, se dispensaba todavía más confianza a su palabra. Por ejemplo, en Rochechouart, cerca de Limoges, el 29 de julio, el Sieur Longeau de Bruyères entró al galope en el pueblo y, mientras cabalgaba, iba gritando que había visto con sus propios ojos una masacre de ancianos, mujeres y niños pequeños. «Es horrible, tremendo; sangre y fuego por doquier [...], salvaos [...]. *Adieu, adieu*, quizá por última vez.»

Nunca sabremos lo que realmente vio este hombre, aunque con su alusión a las «casas incendiadas» tal vez se refirió a uno de los muchos incendios de listados de señoríos y de títulos feudales de las propiedades que fueron quemados ese verano. Sin embargo, en el tenso ambiente de finales de julio, incluso algo menos grave podía provocar una reacción en cadena. Y como ya señaló Lefebvre, en momentos en que el deseo de noticias de París, por parte de las provincias, se veía saciado de un modo insuficiente e incierto por las diligencias, la credibilidad que se otorgaba a los «correos» y a aquellos que se autodenominaban «testigos» era desproporcionadamente alta. Es más, los anuncios oficiales habían confirmado que, en efecto, existían salteadores, pagados por los británicos, encargados de sabotear el nuevo orden con actos delictivos cometidos al azar.

Así, cerca de Angulema, se dijo que una polvareda anunciaba la llegada de los bandidos. En Saint-Omer, al norte, y en Beaucaire, al sur, el pánico comenzó cuando una puesta de sol se reflejó en las ventanas del castillo local y convenció a la gente de que los bandidos habían incendiado la propiedad. En la Champaña meridional, el 24, unos tres mil hombres se movilizaron completamente para perseguir a lo que, según se afirmó, era una banda de malhechores, aunque un examen más detallado reveló que se trataba en verdad de una gran vacada.

La reacción fue extraordinariamente parecida. Como descubrió madame de La Tour du Pin, nadie esperaba ninguna confirmación más. Se tocaba a rebato y todos los que estaban en los campos regresaban deprisa a la plaza de la aldea. Allí se formaba una milicia aldeana, armada con hoces y horquetas, si no se disponía de nada más imponente. Se evacuaba u ocultaba a las mujeres y a los niños, y se acudía a advertir a la aldea más próxima para colaborar en su defensa. Sin embargo, cuando salían al camino, la aparición de esta gente, es decir, de un grupo abigarrado y armado de manera heterogénea, casi con toda seguridad se tenía la sensación de que esto constituía una prueba de la cercanía de los «bandidos» contra los cuales se habían movilizado.

El fantasma de los salteadores no surgió de la nada, en 1789. El Gran Miedo fue solo una forma muy concentrada de la sensación general de ansiedad provocada por los desarraigados y por los vagabundos —hombres sin domicilio fijo que no reconocían ley—, una sensación compartida por los aldeanos, por los ciudadanos y por los funcionarios oficiales en la Francia del siglo XVIII. Olwen Hufton ha ofrecido una impresionante reconstrucción de las grandes oleadas migratorias que llevaron a los trabajadores rurales de sus parcelas insuficientes en las regiones montañosas y boscosas a las llanuras más densamente pobladas, para realizar tareas estacionales en la época de las cosechas. Algunas provincias —entre ellas Auvernia, en el centro, el Limousin y los Pirineos, en el oeste, y los Vosgos, el Jura, el Morvan y Saboya, al este— perdieron la mayor parte de su población masculina debido a este movimiento migratorio. Los caminos estaban bien señalizados y, a lo largo de ellos, los emigrantes mendigaban o, con frecuencia, robaban frutas de los huertos o huevos de los gallineros sin cierre, para poder subsistir. A veces aparecían acompañados por toda la familia, pues los niños mendigos siempre impresionaban más.

Algunos jamás regresaron y se instalaron con otros individuos de su propia región en los distritos de inmigrantes de las grandes ciudades como Marsella y París. Sin embargo, la crisis de finales de la década de 1780 redujo la demanda de brazos para la cosecha y, al mismo tiempo, limitó las posibilidades de encontrar empleo temporal en industrias como la construcción (y hasta en los mercados). Por la misma época, la excesiva inflación del precio de los alimentos (pues estas personas no podían alimentarse con el producto de sus propias parcelas) y el endeudamiento, habían convertido a muchísimos pequeños propietarios en un proletariado rural. Hufton ha trazado la existencia de un doble flujo de indigentes en esta «economía improvisada»: los que volvían de las ciudades al campo en busca del trabajo cada vez más escaso, y los que iban de las aldeas a las ciudades con igual propósito.

Cuando la privación se convirtió en desesperación, muchos de los que se habían acostumbrado a mendigar unieron fuerzas. La línea divisoria entre la mendicidad y la extorsión se desdibujó, por lo menos para las autoridades, que entendieron que los *errants* se habían convertido, sucesivamente, en *errants-mendiants*, y, finalmente, en *vagabonds*. Parece que las bandas de malhechores crecieron durante la década de 1780 y sus hazañas, a veces espectaculares, se difundieron ampliamente y pasaron de boca en boca. Sin embargo, la criminalización de la pobreza en el lenguaje oficial fue el factor que sobrevoló sobre los temores generales de los que apenas se encontraban un poco mejor que los pobres de solemnidad en la escala social. Lo que los separaba de sus enemigos imaginarios era que, como aldeanos, habían permanecido en el lugar para defender su parcela de tierra o para recoger la cosecha de 1789 (mucho mejor que la del año precedente). Las guerras locales de julio y agosto, por tanto, fueron libradas entre los que tenían algo que perder y los que, según ellos imaginaban, no tenían nada que perder.

En realidad, no sucedió así. La violencia que fue la chispa del Gran Miedo no partió, en la mayoría de los casos, de las hordas anónimas y errantes, sino de campesinos asentados. Se trataba de una continuación de los disturbios de la primavera, dirigidos contra los derechos señoriales de caza, los documentos que registraban las obligaciones en especie y trabajo, así como otros símbolos de su subordinación, por ejemplo, la veleta del señor y los escaños diferenciados con blasones en la iglesia. En algunas regiones bien definidas de Francia —el «bocage normando», la Picardía, Borgoña, el Franco-Condado y Alsacia— los ataques a los castillos fueron generalizados. En ciertos casos, como en el gran castillo de Senozan, cerca de Mâcon, que pertenecía al hermano de Talleyrand, la residencia fue literalmente arrasada. Sin embargo, el número de muertes fue extraordinariamente reducido y los campesinos asaltantes estaban encabezados por personas que visiblemente pertenecían a la misma clase: algunos agricultores muy acomodados y hasta, en numerosas ocasiones, el funcionario de la aldea local, es decir, el *syndic*. Más aún, en casi todos los casos la gente afirmaba que cumplía la misión encomendada por el rey, del mismo modo que todos suponían que el monarca no solo había aprobado, sino, en realidad, promovido la suspensión del pago de todos los tipos de impuesto feudal. En el Franco-Condado, donde el régimen señorial era particularmente desfasado, un grupo de campesinos armados que se dirigía a incendiar el castillo intentó convencer al barón Tricornot de que «tenemos órdenes del rey, ya están impresas, pero no se preocupe, usted no está en la lista». En el Mâconnais, el cura de Péronne dijo que había tenido en la mano un papel manuscrito en nombre del rey que permitía que los campesinos entraran en los castillos y reclamaran los títulos de los gravámenes señoriales; si esos documentos no aparecían, podían proceder a quemar y a saquear con total impunidad.

Esta diferencia entre actos violentos e ilegales —el hecho de que dicha violencia, en realidad, fuera más legal que la de quienes se resistían— tenía su equivalente en los disturbios urbanos que se habían producido por los alimentos y que continuaron estallando en toda Francia durante el verano. En Cherburgo y en Estrasburgo, el mismo día, el 21 de julio, se reclamó la venta de pan a dos *sous* la libra (en lugar del precio de mercado, que era casi el doble), con el argumento, de nuevo, de que el rey había ordenado que sus súbditos-ciudadanos estuviesen bien aprovisionados. Tanto en la ciudad como en el campo, la violenta ira se orientaba hacia los que se suponía que frustraban la voluntad real: los funcionarios municipales, de quienes se decía que habían acaparado cereal y harina para elevar el precio; y los salteadores y los aristócratas, que para provocar hambre al pueblo habían segado el cereal cuando aún estaba madurando en los campos. El resultado en ambos casos era explosivo. En las ciudades, los blancos humanos no solo asistían al saqueo (el sótano siempre representaba un papel destacado), sino que, a veces, como en Saint-Denis, también perdían la vida. En el campo, resultaba menos frecuente que hubiese bajas humanas, pero solía ocurrir que los mayordomos y los administradores de las propiedades señoriales fuesen seriamente golpeados antes de ser expulsados.

La consecuencia fue una completa destrucción de la estructura de la autoridad local, seguida muy deprisa por la formación de nuevas autoridades armadas, con las atribuciones necesarias para contener la agitación. Sin embargo, estos estallidos «reales» de los desórdenes fueron los que, una vez difundida la noticia, alimentaron las expectativas de un estallido de bandidaje. Los habitantes de las ciudades leían las noticias referidas a los saqueos y los incendios en la campiña como prueba de que el temido terror con que amenazaban los emigrados y los aristócratas para castigar al Tercer Estado avanzaba de forma inexorable hacia ellos. Los habitantes de la campiña escuchaban los relatos de los disturbios y de la destrucción en las ciudades y suponían que escuadrones de *gens sans aveu* —hombres sin profesión— se desplegaban desde París y desde otras grandes ciudades en dirección a sus campos y granjas. En el mundo completamente absurdo de los malentendidos, los individuos podían aparecer de un modo en la ciudad y, de otro, en el campo.

Por ejemplo, el científico de talento, maestro forjador y empresario Frédéric Dietrich aprovechó el disturbio tremendamente destructivo del 21 de julio para expulsar del poder a Klinglin, el principal funcionario real de Estrasburgo. Dietrich ocupó su lugar y se convirtió en el primer alcalde de la ciudad, con el apoyo de una milicia de ciudadanos armados. Sin embargo, en el campo, el héroe del Tercer Estado era conocido también como el barón de Dietrich, señor de Rothau, cuyo *Schloss* sufría la amenaza de ser atacado si no abolía todos los derechos señoriales. Incluso más vulnerables eran sus forjas de hierro y los aserraderos que le suministraban combustible. Estas instalaciones fueron importantes blancos del odio incendiario del campesinado, que había asistido a la expropiación de sus derechos consuetudinarios con respecto a la madera.

El verdadero significado del Gran Miedo fue el vacío de autoridad que creó en el corazón del Gobierno francés. Aunque determinó, por defecto, una Francia formada por una miríada de comunas, esta descentralización armada no era en absoluto lo que la mayoría de la gente deseaba. Por el contrario, como los *cahiers* habían demostrado con insistencia, lo que se deseaba era más, y no menos, vigilancia. Las repetidas invocaciones del nombre augusto y benefactor del rey por las personas que se disponían a cometer actos de violencia o amenazaban cometerlos sugiere que temían profundamente el vacío originado en el desplome del poder real. La misma gente que alegremente apedreaba los carruajes de los *intendants* que salían a la fuga también ansiaba la restauración de una gran autoridad paternal que la alimentase y que la protegiese de los abusos de los inferiores. Así pues, la violencia popular de 1789 —por lo menos, fuera de París— no estaba destinada a promover lo nuevo, sino que buscaba la protección.

Si el propósito de los disturbios y de las multitudes armadas no era revolucionario, sus consecuencias sí tuvieron, desde luego, ese carácter. Tanto los campesinos como los habitantes de las ciudades tenían una clara conciencia de que habían cruzado cierto tipo de frontera al quemar los títulos señoriales o al entrar a cuchillo en los palomares. Se tranquilizaban diciendo que habían aplicado una especie de antigua ley moral autorizada por la Asamblea Nacional y el rey, que era completamente superior a las instituciones que hasta entonces los habían mantenido cautivos. Sin embargo, a no mucha distancia de la dicha de la liberación se encontraba el temor al castigo. ¿Qué sucedería si los habían llevado por mal camino? ¿O si los ministros que habían separado al rey del pueblo que lo amaba durante tanto tiempo volvían a prevalecer? En ese caso, aún podía recaer sobre ellos un destino terrible.

Una reacción frente a este tipo de imaginario y gráfico temor a la muerte, como ha observado René Girard en el caso de la Antigüedad, consiste en exteriorizar el terror y proyectarlo sobre un tercero, en quien se puede concentrar en forma de sacrificio dicho temor a la muerte. En otras palabras, los individuos o los grupos a quienes se atribuye la responsabilidad del peligro en que se encuentran las comunidades se ven, primero, separados de la hueste en la que, según se afirma, llegaron a ser poderosos y, después, se los destruye en actos que son, al mismo tiempo, de desafío y de propiciación. En 1789, Francia proporcionó de este modo toda clase de víctimas propiciatorias, algunas imaginarias y otras reales. Para los aldeanos de las comunidades estables del Mâconnais que habían acercado la antorcha al régimen feudal, el mayor enemigo del que había que vengarse podía estar representado por los leñadores y por los fabricantes de carbón de los bosques y las montañas del Morvan y el Jura. En el caso del campesinado alsaciano, los extraños a quienes debía eliminarse eran, sin duda, los judíos, cuyas casas saquearon y quemaron, y a quienes golpearon en lo que sencillamente puede describirse como pogromos espontáneos. Los buhoneros a los que antes se conocía como inofensivos vendedores ambulantes que comerciaban con pieles de topo o de conejo, o con remedios de charlatanes, adoptaban ahora el siniestro aspecto de envenenadores. Los esclavos enviados a galeras constituían otro grupo predilecto de la demonización del Miedo; el rumor afirmaba que los aristócratas se proponían liberarlos y que eso era el preludio de la terrible venganza. Algunos campesinos incluso afirmaron que habían visto a libertos de las galeras y que podían identificarlos por la marca que los caracterizaba: las letras GAL en la espalda o en los hombros.

Sin embargo, todavía más temibles eran los individuos a quienes ahora se negaba el título de franceses, que no eran *citoyens de la patrie,* sino verdaderos extranjeros. Al emigrar el 16 de julio, Artois y Condé habían revelado su verdadero carácter de líderes de esta trama extranjera. Según se decía frecuentemente, se habían llevado consigo millones de libras de oro francés para pagar a los mercenarios extranjeros que serían los instrumentos de su venganza. Y peor aún, como se rumoreaba en las tabernas, era el hecho de que María Antonieta hubiera permanecido en la sombra solo para organizar la destrucción del núcleo de la Asamblea Nacional. En sus viajes a través de Borgoña y del Franco-Condado, Arthur Young conoció en Dijon y Besançon a personas muy inteligentes y educadas que insistían en que la reina se disponía a minar la Asamblea Nacional, a envenenar al rey y a poner en su lugar a Artois. Aun más habitual era el comentario que afirmaba que ella había escrito a su hermano, el emperador de Viena, para pedirle una fuerza invasora de cincuenta mil hombres.

El efecto de este prolongado estado de inquietud fue fomentar una política paranoide, que, con el tiempo, englobaría a toda la Revolución. La idea de que, entre 1789 y 1791, Francia se convirtió en cierta clase de jardín liberal de los placeres antes de proceder a la erección de la guillotina constituye una completa quimera. Desde el propio comienzo, la violencia que en un principio hizo posible la Revolución determinó exactamente las brutales diferencias entre patriotas y enemigos, entre ciudadanos y aristócratas, en un marco que no admitía matices humanos intermedios.

Con consternación y enorme enojo, Arthur Young descubrió que tenía que lidiar con funcionarios de segundo orden obsesionados con los pasaportes, individuos mucho más entorpecedores y lentos que todo lo que él había experimentado en el Antiguo Régimen. Apremiado en repetidas ocasiones, Young escribió con comprensible molestia que «estos pasaportes son cosas nuevas creadas por hombres nuevos dotados de un poder nuevo y demuestran que no soportan bien los nuevos honores». Como inglés que viajaba por Francia sin un propósito comprensible para las autoridades locales (pues la investigación agrícola y científica les parecía una razón absurdamente improbable para salir a cabalgar por los caminos de los valles del Ródano y el Saona), se convirtió en blanco de intensas sospechas. Sus frenéticas anotaciones fueron consideradas la prueba de que era un espía de la reina, de Artois o, en el Vivarés, del conde D'Antraigues. En las afueras de Besançon fue detenido por no llevar pasaporte y, luego, se le negó ese documento aduciendo que no tenía conocidos dignos de confianza en la ciudad. Después se produjo un cómico enfrentamiento, en el que el agricultor de Suffolk se enrabietó cada vez más: «Se trata de la primera vez que tengo que lidiar con ustedes, messieurs del Tercer Estado y nada contribuye a que me haga una idea muy elevada de ustedes». El funcionario se encogió de hombros y respondió: «Monsieur, cela m'est fort égal» (monsieur, me importa un rábano). Completamente exasperado, Young finalmente esgrimió el arma definitiva del escritor: la promesa de incluir todo el diálogo en su siguiente libro. Parece que esta terrible amenaza no dejó sin habla al funcionario. «Monsieur, je regarde tout cela avec la dernière indifférence» (monsieur, considero esa amenaza con la mayor indiferencia).

Young se sintió impresionado en repetidas ocasiones a causa de la discrepancia que encontraba entre la vívida retórica de los revolucionarios de la élite (sobre todo en París) y la hosca desconfianza, la apatía política y la información errónea o la caótica violencia que observó en las provincias. Mientras contemplaba una estridente turba saquear el Hôtel de Ville en Estrasburgo, le parecía difícil relacionar la escena con el carácter grandiosamente sentencioso que hallaba en todas las *soirées* de París y Versalles.

En realidad, algunos de los más ardientes partidarios del cambio estaban preocupados, pues veían que las cosas se les estaban escapando de las manos. Por ejemplo, Lally-Tollendal, pariente de Lucy de La Tour du Pin, tal vez se sintió impulsado a acentuar su conservadurismo debido a los episodios del Château de Saulcy, que pertenecía a sus amigos. El propio Lally-Tollendal relató cómo madame de Listenay había huido con sus hijos del castillo en llamas, mientras arrancaban los cabellos y las cejas del chevalier D'Ambly y le arrastraban hasta un estercolero, y cómo colgaban a otros acompañantes de los dos primeros de las paredes de un pozo mientras la gente discutía qué hacer con ellos. La familia de Stanislas Clermont-Tonnerre también había sido sorprendida por la violenta rebelión de Vauvilliers, que concluyó con la muerte o con las graves heridas infligidas por los soldados a veinte campesinos y con la duquesa fuera del henil donde se había refugiado.

La noche del 4 de agosto una mezcla de temor y expresivo patriotismo exaltó a los diputados de la nobleza y del clero de la Asamblea Nacional. Hacía mucho que el régimen señorial de Francia estaba debilitándose fuera de los bastiones del feudalismo, como Borgoña, Bretaña y el Franco-Condado. En gran parte del país, ese régimen se había convertido en una práctica empresa comercial y no había motivos que impidieran que los negocios continuasen después de que la estructura oficial del poder señorial fuese eliminada. Resulta característico que los nobles-ciudadanos que se pusieron en pie durante la sesión del 4 para proponer y, después, exigir la extinción de su propia sociedad consuetudinaria pertenecieran a la capa superior: hombres como el duque de Châtelet y el duque D'Aiguillon, cuya considerable riqueza podía soportar sin desmedro la anulación de los derechos de molienda y la obligación de aportar jornadas de trabajo. Sin embargo, esos mismos aristócratas también tenían un historial consecuente de apoyo firme a la causa de la libertad patriótica, antecedentes que se remontaban a los servicios prestados a América en la década de 1770. Por tanto, no debemos creer que sus destacadas intervenciones fueran solo posturas temerarias o un cínico intento de salvar algo del desastre.

El estallido fue algo imprevisible, pues la asamblea estaba discutiendo cara a cara la urgente necesidad de mantener, más que suspender, los impuestos vigentes hasta que se legislasen otros nuevos. Entonces, el vizconde de Noailles, cuñado de Lafayette, transformó el debate estrecho y limitado en una expresión de oratoria revolucionaria. Dijo que el reino «flotaba entre dos alternativas: la completa destrucción de la sociedad o el establecimiento de un Gobierno que sería admirado e imitado en toda Europa». Para realizar esto era necesario serenar al pueblo, demostrarle que la asamblea se interesaba de forma activa por su dicha. Teniendo en mente esa meta, propuso que todos los ciudadanos asumiesen la obligación formal de pagar impuestos de acuerdo con sus medios, que se cancelasen todas las obligaciones feudales, amortizándolas, y que se aboliesen por completo todos los residuos de servidumbre personal, como, por ejemplo, la *mainmorte* y la *corvée*.

Noailles fue secundado por su amigo, el duque D'Aiguillon, uno de los más poderosos terratenientes de Francia, quien se refirió en particular a las «escenas de horror» que habían tenido lugar en Francia, debidas a una insurrección cuyo fundamento se hallaba en las duras vejaciones sufridas por el pueblo. Nada demostraría mejor el compromiso de los miembros de la asamblea con la igualdad de derechos que la eliminación de los restos de la «barbarie feudal» de la que el pueblo se quejaba.

Fue un momento de súbito autorreconocimiento, si bien el episodio había sido preparado por la revolución cultural sobrevenida en el corazón de la nobleza desde la paz de París. La vanguardia de la nobleza liberal había afirmado durante mucho tiempo que deseaba canjear su estatus basado en los títulos y en las «supersticiones» feudales por la nueva dignidad aristocrática del «ciudadano». Ahora se le ofrecía la oportunidad de realizar dicha aspiración. La noche del 4 de agosto la aprovechó. Imitando a Noailles y D'Aiguillon, como nerviosos y risueños monaguillos emocionados por la iniciación, una serie de duques, marqueses, vizcondes, obispos y arzobispos se despojaron de todas sus prerrogativas para quedar en la feliz desnudez de su ciudadanía.

El caballero bretón Le Guen de Kergall se refirió a los humillantes títulos que «obligaban a los hombres a atarse al arado como animales de tiro» y que «forzaban a los hombres a pasar noches enteras agitando los pantanos para impedir que las ranas perturbasen el sueño de los voluptuosos señores». El duque de Châtelet (quizá para horror de muchos curas que asistían a la asamblea) propuso la abolición de los diezmos; el obispo de Chartres y el marqués de Saint-Fargeau propusieron la supresión de todos los derechos exclusivos de caza y la autorización concedida a los campesinos para que matasen a todos los animales que perjudicasen sus cosechas o que simplemente podían servirles de alimento. El vizconde de Beauharnais habló de la necesidad de la absoluta igualdad en las sentencias judiciales y de la equiparación de todos los ciudadanos que deseaban acceder a los cargos civiles y militares, pero se vio superado por el marqués de Blacon, que se ufanó de que los Estados Generales del Delfinado, ese organismo muy avanzado, ya había establecido dicho régimen. El marqués de Saint-Fargeau, colega de Hérault de Séchelles en el Parlamento de París, no solo propuso la abolición de todas las exenciones impositivas que favorecían a los nobles, sino que solicitó que el decreto tuviese aplicación retroactiva a los inicios de 1789.

Siguió una ofensiva general contra las especificidades. Los mismos privilegios provinciales y las constituciones especiales que habían sido defendidos con tanto empeño en las reformas del Antiguo Régimen, al considerarlos irreductibles elementos de la «Constitución francesa», fueron ahora arrojados de forma despreocupada a la pila de los anacronismos abolidos. Los representantes de los antiguos *pays d'états* —Borgoña, Artois, Languedoc, Delfinado, Alsacia, Franco-Condado, Normandía y el Limousin— dieron un paso al frente para sacrificar sus privilegios. Siguieron los diputados de ciudades privilegiadas como Lyon, Burdeos, Marsella y, por supuesto, París. La compra y el carácter hereditario de los cargos —otras «libertades» que habían sido amenazadas por Maupeou y Brienne y que determinaron que fuesen condenados— también fueron desechados, al igual que la miríada de beneficios de todas clases del clero. Desapareció la cartera de abadías productoras de renta de Talleyrand; también los regimientos particulares de Lafayette. De Ferrières, que se sentía asimismo rendido de admiración, dijo que había sido «un momento de patriótica embriaguez».

Después de esta marea de altruismo revolucionario, no podía sorprender que el arzobispo de París propusiese un tedeum para celebrar dicho acontecimiento. Otros propusieron que se realizara una fiesta nacional el 4 de agosto de cada año y que, en su recuerdo, se acuñase una medalla especial. En todo este asunto, Lally-Tollendal, uno de los primeros y más apasionados paladines de la libertad, tuvo una sensación cada vez mayor de inquietud. Estaba contemplando la ingenuidad de la embriaguez romántica y envió una urgente a nota su amigo el duque de Liancourt, que presidía la sesión. «Han perdido la cabeza —escribió—, levantad la sesión.» Sin embargo, Liancourt no tenía ni la valentía ni la osadía suficientes para intentarlo. En cambio, el sol del mediodía atravesó las ventanas de la Salle des Menus Plaisirs, mientras los diputados lloraban, se abrazaban, cantaban y se entregaban a la rapsodia patriótica. Por lo menos, pensó Lally-Tollendal, la monarquía adquiría cierto prestigio gracias a la efusión de todo este amor fraterno.

De modo que, finalmente, se puso en pie y, con cierto esfuerzo, reconoció que también él estaba «ebrio de dicha». Exagerando bastante las cosas, pidió a los diputados que recordasen al rey, por cuya invitación estaban allí, que los había convocado a esa gozosa reunión de mentes y de corazones. Después de todo, el buen rey Luis XII había sido declarado «Padre del Pueblo» en medio de su nación y, ahora, en el seno de la Asamblea Nacional, ellos debían proclamar a Luis XVI «Restaurador de la Libertad Francesa».

La noche del 4 de agosto creó un culto a la renuncia. Dar a la nación algo de lo que uno tenía se convirtió en una demostración de honradez patriótica. Los que no tenían títulos feudales o abadías, podían contribuir a los apremiados cofres del Gobierno mediante otras formas de donación. Por ejemplo, el 7 de septiembre, una delegación de esposas de pintores encabezada por madame Moitte, que incluía a madame David, madame Vestier, madame Vien, madame Vernet, madame Peyron y madame Fragonard, compareció ante la asamblea para ofrecer sus joyas como contribución patriótica. Parece probable que (a semejanza de los propios pintores) hubieran comenzado a vivir en el mundo de las virtudes neoclásicas, pues la renuncia a las joyas recordaba vivamente la historia muy repetida de Cornelia, la madre de los Gracos, quien, al ser preguntada por un patricio que la visitaba dónde estaban sus joyas, mostró con orgullo a los hijos. Madame Moitte y otras mujeres pusieron cuidado en vestirse de blanco, con los cabellos peinados con sencillez, como si hubieran salido de pronto de un cuadro que representara algún acontecimiento de la historia romana, y afirmaron que las joyas eran baratijas y que «se avergonzarían si las usaban cuando el patriotismo les exigía sacrificarlas». Después de escuchar el reconocimiento oficial y recibir un voto de gratitud, las mujeres fueron llevadas al Louvre en un desfile de antorchas, con una guardia de honor formada por los alumnos de la Académie de Peinture, mientras una banda interpretaba la conocida melodía: «¿Acaso hay mejor lugar para alguien que el seno de su propia familia?».

Después las mujeres encabezaron la campaña de contribuciones patrióticas. Las monjas del Priorato de Belle-Chasse, en Versalles, enviaron su platería; la marquesa De Massolles, sus pendientes; la Dame Pagès, treinta mil libras de su empresa manufacturera. Lucile Arthur, de nueve años, envió una cadena de oro, sus ahorros, que se elevaban a dos luises de oro, así como una carta en la que imploraba a la asamblea que los recibiese, pues, si los rechazaba, le provocaría «mucha pena y dolor». Incluso las cortesanas aportaron algo gracias a sus corazones de oro: el 22 de septiembre Rabaut Saint-Étienne leyó una carta de una de las «Magdalenas», que decía a la asamblea: «Messieurs, tengo un corazón consagrado al amor y he acumulado algunas cosas porque he amado; ahora deposito en vuestras manos mi homenaje a la *patrie*. Que mi ejemplo sea imitado por mis colegas de todas las jerarquías».

Aunque resulta indudable que las mujeres determinaron el tono, también los hombres comenzaron a presentarse y a demostrar su devoción hacia el bien común. El periódico de Camille Desmoulins, *Les Révolutions de France et de Brabant*, redactó con meticulosidad la lista de contribuciones, como un modo de expresar la solidaridad de las provincias con la causa patriótica. En Lyon, un grupo de jóvenes ofreció joyas y un poema dedicado a los «Padres de la Patria, los augustos Senadores»; once criados de un milord inglés enviaron ciento veinte libras; los clientes del café Procope (donde el propio Desmoulins bebía con Danton y el impresor Momoro) llenaron una bañera con hebillas de plata arrancadas de sus zapatos y formaron una cadena de cuarenta pares que, después, llevaron a la asamblea. Como podía preverse, en París y en todas las provincias se desató una plaga: acabar con las hebillas de plata. Que a uno le viesen con ese adminículo en los zapatos equivalía a una autoacusación.

Por tanto, la Revolución francesa comenzó con actos de ofrenda, así como con actos de apoderamiento. Sin embargo, su futuro inmediato dependía de lo que su primer ciudadano, Luis XVI, pudiese decidirse a ofrecer en bien de la *patrie*. En el momento en que las necesidades del Tesoro eran tan apremiantes y aún no se habían cobrado los impuestos que los súbditos debían pagar, sacrificó gran parte de la platería de la mesa real y la envió a la fundición. Después de todo, Luis XIV había fundido los adornos de plata del Salón de los Espejos cuando el fondo de guerra lo exigió. Sin embargo, de este rey se exigía más. El sacrificio que se reclamaba tenía que ver más con sus prerrogativas que con sus caudales. Y eso parecía un despojo mucho más doloroso.

PODERES DE PERSUASIÓN (JULIO–SEPTIEMBRE)

Los decretos de agosto fueron la primera prueba importante de la credibilidad de Luis XVI como rey-patriota. Como de costumbre, estaba indeciso. En una carta dirigida al arzobispo de Arlés expresó su satisfacción ante «la noble y generosa *démarche* de los dos primeros órdenes del Estado. Han realizado grandes sacrificios en favor de la reconciliación general, de su *patrie* y de su rey». Por otra parte, manifestó con sobrada claridad que, incluso si el «sacrificio era excelente [*beau*], no puedo admirarlo; nunca aceptaré el despojo de mi clero y mi nobleza [...]. Nunca aprobaré los decretos que los despojan, pues, si lo hiciera, un día el pueblo francés me acusaría de injusticia o flaqueza».

En los últimos tiempos la carta ha sido compasivamente interpretada como un indicio de la buena disposición de Luis a aceptar gran parte del trabajo de demolición ejecutado el 4 de agosto. Se dice que la principal preocupación del monarca era la adecuada indemnización por la pérdida de los cargos heredados y de los derechos señoriales, que podía creerse que tenían que ver con los derechos de propiedad, más que con el sometimiento personal. Puede que esto sea cierto, pero que el rey utilizara, aunque fuese sin advertirlo, expresiones como «los dos primeros órdenes» y el pronombre personal regio sugiere cuáles eran las verdaderas dificultades con las que tropezaba para adaptarse al mundo político anunciado por la declaración de los derechos del hombre.

Aunque había muchas diferencias de acento en los diferentes borradores presentados a la Asamblea Nacional, todos coincidían en ciertos postulados básicos que debían ser la base de la nueva Constitución. El primero era que la soberanía residía en la nación, de modo que, en la práctica, esta definía a su monarca y no a la inversa; el segundo era que «todos los hombres nacen libres e iguales». Dicho llanamente, como un asunto del indiscutible derecho natural, este principio, sin duda, excluía todo lo que fuese la distinción institucionalizada de la clase presupuesta en una sociedad de órdenes. El tercero era que el propósito del Gobierno residía en exclusiva en la búsqueda de la felicidad de los gobernados.

En este sentido, su deber fundamental era salvaguardar las libertades que constituían un rasgo inalienable de la ciudadanía.

Sin embargo, fuera de estos principios muy generales, existía muy poca coincidencia incluso en el grupo relativamente reducido de políticos que dominaban los comités constitucionales creados en julio. Y las divisiones de opinión se destacaban con mucha mayor nitidez cuando se abordaba el tema del papel de la monarquía en la nueva Francia.

La disputa acerca de los principios básicos supuso una gran decepción para Lafayette, que había sido el primero en proponer a la asamblea, el 11 de julio, un borrador de declaración de derechos. Se sobreentiende que Lafayette tenía en mente algo similar al modelo estadounidense y que él había creído que ese enunciado podía contener suficiente universalidad para suavizar, más que agravar, las diferencias y para dar a los hombres y a las mujeres franceses un vívido sentimiento de la comunidad a la que ahora pertenecían. Como nuevo presidente, su padre y mentor Washington no podía aportar comentarios detallados, porque estaba excesivamente atareado o quizá por discreción política. Sin embargo, esos escrúpulos no inquietaban al embajador Thomas Jefferson, que leyó todos los borradores preparados por Lafayette a lo largo del verano y añadió algunas de sus reflexiones, surgidas de la experiencia estadounidense, sobre todo la cláusula que contemplaba una convención constitucional reformadora periódica.

En un principio, el momento escogido por Lafayette no pudo haber sido más desafortunado, pues su propuesta fue presentada a la asamblea la víspera del día en que se conoció la noticia de la destitución de Necker. Y cuando la asamblea abordó de nuevo esta cuestión, resultó patente que la breve armonía que había prevalecido después de la reunión de los órdenes era ya cosa del pasado. La división estaba claramente definida. De un lado se encontraba un grupo más pragmático (encabezado por Mounier) que incluía a Lally-Tollendal, a Clermont-Tonnerre, al arzobispo de Burdeos (Champion de Cicé) y a Malouet (*intendant* de la Marina). Estos hombres temían que una declaración de derechos crease unas expectativas más altas de las que podían surgir de una Constitución a la que había que dotar de eficacia práctica. «Nada es más peligroso —comentó el conde de La Blache— que proporcionar a la gente ideas sobre una libertad indefinida, a la vez que se omite la enumeración de las obligaciones y deberes.» Entendían, como no sucedía en el caso de Lafayette, que, desechado el problema de la monarquía, para los estadounidenses había sido mucho más fácil de lo que sería para Francia pasar de los principios generales a las instituciones concretas. «No debemos olvidar —dijo De La Blache el 9 de julio, con cierta falta de tacto— que los franceses no son un pueblo que acaba de salir de la soledad de los bosques para formar una asociación original.» En lugar de buscar principios «naturales», sería mejor crear una Constitución y un Estado con los materiales disponibles, no todos absolutamente inferiores. Esto implicaba aceptar que la monarquía continuaría siendo el poder ejecutivo indispensable, con derecho a designar ministros, controlar la política exterior y, si era necesario, disolver la legislatura. Si se quería que la monarquía fuese en verdad una rama por completo independiente del Gobierno constitucional, también era necesario conceder al rey la atribución de vetar la legislación cuando así le pareciese oportuno.

Mounier, que desarrolló sus ideas más extensamente que el resto de su grupo, también insistió en una legislatura bicameral. Al principio dijo que el rey debía designar con carácter vitalicio una Cámara Alta, pero, con el fin de lograr que el principio fuese aceptado, estaba dispuesto a contemplar la alternativa estadounidense de Lafayette, es decir, un Senado elegido por un periodo de seis años. Con este propósito, hizo todo lo posible para modificar el enunciado acerca de la igualdad natural en la declaración de derechos, para hacer lugar a posteriores distinciones, siempre que estuviesen basadas en exclusiva en la utilidad.

Se aceptó sin dificultad el modelo británico de gran parte del pensamiento constitucional de los *monarchiens*. Pocos años antes, este aspecto podría haber sido una recomendación; pero, en el acalorado ambiente patriótico de 1789, era más probable que perjudicase la causa que la beneficiase, incluso cuando Mounier afirmó que se trataría de una Constitución británica depurada de sus imperfecciones.

A este grupo más conservador se oponía un partido más amplio y variado, que incluía a Sieyès, a Talleyrand, a los hermanos De Lameth, a Barnave, a Adrien Duport y al bretón Le Chapelier. Inicialmente, el Club Bretón de Versalles había sido organizado para coordinar la acción antes de las sesiones formales de los Estados Generales. No solo había incluido a los portavoces más avanzados, sino también a los que representaban las opiniones de Mounier. Sin embargo, hacia finales de julio las diferencias se habían acentuado en exceso, de modo que el club no pudo mantener su unidad y se convirtió en el principal centro de la oposición organizada a los monárquicos. Sobre todo Sieyès le dio la vuelta a la preocupación de Mounier por un Estado viable. Si los monárquicos estaban interesados en estabilizar la Constitución separando claramente sus tres ramas, Sieyès subrayó la unidad. Si para Mounier el peligro provenía de una legislatura dictatorial y un Gobierno débil, Sieyès planteó el problema justo a la inversa.

No estaban en juego solo pequeñas cuestiones referidas al detalle institucional, sino una línea divisoria que se extendía en gran medida en la cultura de finales del siglo XVIII. Mounier y el partido «inglés» eran herederos de Montesquieu y, remontándose aún más, de una tradición aristotélica que veía en la variedad, en las divisiones y en los contrapesos un sólido equilibrio. Sus contrarios, tanto si partían del rigor neoclásico como si les interesaban las consecuencias de tipo rousseauniano, defendían la unidad. Para ellos, la *patrie* era indivisible y respondían a la acusación de que estaban creando un nuevo despotismo de la mayoría replicando que la nueva y única soberanía era un animal moralmente renacido, que nada podía tener en común con las impurezas del antiguo. Para Sieyès, que guardaba una manifiesta deuda con el contrato social de Rousseau, a la vez que la voluntad general no era más que la suma de todas las voluntades, por definición aquella era incapaz también de menoscabar las libertades de las que derivaba su soberanía. En este sentido, los ciudadanos eran incapaces de encontrarse entre sí.

Para Mounier, tal aserto era ingenuo o hipócrita. La única protección segura contra la tiranía de la mayoría, el único modo de reconstruir una autoridad ejecutiva que pudiese gobernar Francia, era conceder al rey un veto «absoluto». Pasar por alto la necesidad del refrendo real de las reformas implicaba, según él, promulgar una república que lo era en todo menos en el nombre, o bien provocar la guerra civil. Sin embargo, muchos diputados destacaron que otorgar al rey un poder permanente de bloqueo equivalía a amenazar la propia Constitución. Después de convencer a Sieyès de que abandonase su oposición hacia todo lo que significase un veto, se agruparon alrededor del compromiso propuesto por Necker, es decir, un veto «en suspenso». Esta atribución podría postergar la legislación en el curso de dos votaciones plenarias, pero podría ser superada por una tercera.

El debate entre los *monarchiens* y sus contrarios no se desarrolló en el discreto aislamiento de Versalles. Se informó ávidamente sobre él en la prensa política, que era mayoritariamente hostil a la posición de Mounier. Sobre todo la publicación *Révolutions de France et de Brabant*, de Camille Desmoulins, aplicó a los partidarios del veto el estereotipo de «aristócratas», consagrados a una acción de retaguardia para preservar el privilegio y una monarquía arrogante. Por supuesto, la verdad era que había tantos nobles-ciudadanos en el grupo de Sieyès como en el de Mounier, y que los hermanos de Lameth eran apenas algo menos aristócratas que Clermont-Tonnerre o que Lally-Tollendal. Sin embargo, como carecían de órganos de opinión pública en París, los *monarchiens* permitieron que se los describiese como un grupo hasta cierto punto antipatriótico y casi inglés: hombres que desconfiaban del pueblo y que estaban más dispuestos a condenar los esporádicos actos de castigo popular que a los culpables a quienes se reprimía.

Todas estas cuestiones vinieron a parar en una gran pregunta: ¿cuál es la relación entre la violencia y la legitimidad? El asunto acosaría a la Revolución francesa a lo largo de toda su historia, a medida que los sucesivos regímenes se derrumbaban frente a la voluntad de sus contrarios de aplicar la violencia como castigo en beneficio de la justicia patriótica. Solo cuando el Estado recuperó el monopolio de la fuerza —como haría en 1794— la cuestión se resolvió. Por lo menos, en este sentido, Robespierre sería el primer contrarrevolucionario en lograr éxito. Mounier, que se sentía muy preocupado por la amenaza de intimidación física en perjuicio de la independencia de la legislatura, olvidó convenientemente que su propio desafío a la autoridad establecida en Grenoble, dos años antes, había sido posible gracias a la Jornada de las Tejas.

A mediados del verano de 1789, la acción sanguinariamente festiva de la violencia popular —la manifiesta satisfacción que la multitud obtenía colgando de los *réverbères* a los malhechores señalados de forma arbitraria y desfilando con las cabezas clavadas en las picas— fue el hecho que más asustó a «moderados» como Mounier. Clermont-Tonnerre estaba tan nervioso que insistió en una propuesta que, cuando fue atribuida al rey, provocó la sospecha de un golpe de Estado promovido por la nobleza: que la Asamblea Nacional se alejase de las cercanías de París. A estos diputados no solo les alarmaba el carácter espontáneo del castigo popular, sino la violencia verbal y periodística que parecían provocar dichas manifestaciones. Y no cabe duda de que algunos de los más mordaces y leídos de los muchos periódicos que comenzaron a publicarse por esta época descubrieron el atractivo que suponía escandalizar mediante la descarga de improperios. Por ejemplo, *L'Ami du Peuple*, de Marat, ponía habitualmente en la picota a los políticos a quienes condenaba y no solo afirmaba que estaban equivocados, sino que eran ejemplos de un inhumano vampirismo —«sanguijuelas» era el término favorito— y que debían ser apartados enseguida del cuerpo político.

Quizá era más malintencionado el tono adoptado por el nuevo órgano con mayor éxito: *Révolutions de Paris*, de Élysée Loustalot. Este último, que sobreviviría solo hasta 1790, era un abogado de veintisiete años que había demostrado un genio natural en el ejercicio de un periodismo innovador. Pudo atraer a un público lector completamente nuevo usando una brillante combinación: la crónica redactada por testigos oculares, los editoriales vehementes y, lo que era más importante, un material gráfico que, por primera vez, ilustraba los hechos del momento y que constituía una parte propia del periódico. «La honrada vocación de escribir sobre las revoluciones de la capital —dijo en su periódico a principios de agosto— no solo significa ofrecer un seco relato de ciertos hechos [...], nuestro deber consiste mucho más en apelar a la fuente de los hechos y descubrir las causas de los cambios, así como desentrañar los diferentes matices que todos los días se adueñan del estado de ánimo de la gente, de acuerdo con los asuntos que atraen el interés general.» Podría haber sido el manifiesto del periodismo popular moderno.

Loustalot comprendió qué deseaban sus lectores: menos recitados secos de los debates institucionales y más información gráfica acerca de los hechos que ofreciese a las regiones de París y sobre todo a las provincias una sensación de estar asistiendo a los sucesos. Así, mientras fingía sentirse impresionado por muchos de los aspectos de la violencia que él describía, su prosa chapoteaba en ella. La cabeza de Foulon, con la boca llena de heno, clavada sobre una pica, el tronco arrastrado sobre los adoquines hasta que quedó convertido en un guiñapo, «anunciaban a los tiranos la terrible venganza del pueblo justamente encolerizado». Foulon no era solo una lamentable víctima, elegida y sacrificada casi al azar, sino un monstruo cuya malignidad se ajustaba de este modo a su muerte: un «hombre cruel y ambicioso que existía solo para concitar el odio de los hombres y provocar el sufrimiento de los desafortunados».

Naturalmente, Loustalot publicó, mediante el texto y la imagen, el momento del 22 de julio en que Bertier de Sauvigny, yerno de Foulon, ya arrestado por la multitud, se vio frente a la cabeza de su suegro, antes de ser colgado y mutilado. Había sido conducido a la sala municipal, escribió Loustalot, en una procesión con pífanos y tambores que proclamaba «la cruel alegría del pueblo». Cuando le pusieron enfrente la cabeza oscilante, «Bertier se estremeció y, por primera vez, quizá su alma sintió los espasmos del remordimiento. El miedo y el terror lo dominaron».

Las líneas siguientes eran incluso más sensacionalistas, pues Loustalot pasaba al tiempo presente para obtener efectos más inmediatos y describía una escena en el ayuntamiento, donde los electores no habían podido impedir que la muchedumbre se apoderase de su prisionero:

> Bertier ya no existe; su cabeza no es más que un tocón mutilado separado del cuerpo. Un hombre, oh, dioses, un hombre, un bárbaro arranca su corazón [de Bertier] de las vísceras palpitantes. ¿Cómo puedo decirlo? Está vengándose de un monstruo, el monstruo que había asesinado a su padre. Las manos chorrean sangre, va a ofrendar el corazón, todavía humeante, bajo los ojos de los hombres de paz reunidos en este augusto tribunal de la humanidad. ¡Qué horrible escena! Tiranos, volved la mirada hacia este espectáculo terrible y repulsivo. Estremeceos y contemplad cómo vosotros y los vuestros seréis tratados. Este cuerpo, tan delicado y refinado, bañado en perfumes, ha sido arrastrado horriblemente por el lodo y sobre los adoquines. ¡Déspotas y ministros, qué terribles lecciones! ¿Habríais creído que los franceses podrían desplegar tanta energía? No, no, vuestro reinado ha concluido. Temblad, futuros ministros, si os domina la iniquidad [...]
>
> ¡Franceses, exterminad a los tiranos! Vuestro odio es repulsivo, terrible [...] pero al fin seréis libres. Sé, mis amados conciudadanos, cómo estas escenas nauseabundas afectan vuestras almas [...]; pero pensad en cuán ignominioso es vivir como esclavos. Pensad en qué castigos deben aplicarse por el crimen de *lèse-humanité*. Pensad, finalmente, qué bien, qué satisfacción, qué felicidad os esperan y aguardan a vosotros y a vuestros hijos [...], cuando el augusto y sagrado templo de la libertad se abra para vosotros.

La suposición de que existía una relación directa entre la sangre y la libertad —más aún (como Loustalot dio a entender), entre la sangre y el pan— según muchos era el lenguaje corriente de los castigos del jacobinismo, del Terror. Sin embargo, fue una invención de 1789, no de 1793. El Terror fue sencillamente 1789 con un número mayor de víctimas. Desde el primer año quedó patente que la violencia no solo representaba un lamentable efecto secundario del que los patriotas ilustrados podían apartar de forma selectiva la mirada; era la fuente de energía colectiva de la Revolución. Era la que confería carácter revolucionario a la Revolución.

Nadie percibió este espantoso hecho con mayor rapidez que Lafayette. Como ser mimado por la multitud, había sido la figura a la que se había presentado la ofrenda votiva de los *disjecta membra* de Bertier. Había rechazado el ofrecimiento con el seco comentario de que él y el alcalde estaban demasiado atareados para atender a nuevas «delegaciones». Sin embargo, el hecho de que el comandante de la Guardia Nacional se hubiese mostrado impotente a la hora de impedir la ejecución inmediata de Bertier era de por sí la preocupante prueba de que se necesitaba algo más que la excelsa declaración de los derechos del hombre (en la que Lafayette continuaba trabajando con Jefferson), si se deseaba que la Revolución en París no se escorase con rapidez hacia una sangrienta anarquía.

Cabe suponer que también Sylvain Bailly se sintió ofendido por la brutalidad que se veía obligado a presenciar. Para su confianza ilustrada en el civismo del hombre, quizá fue irritante contemplar los resultados de los aspectos más brutales del ser humano con esos cuerpos que se balanceaban colgados de las *lanterneses*. De un modo más inmediato, Bailly debía afrontar la necesidad de aportar cierta calma al Gobierno de la capital, pero esa posibilidad se veía amenazada por la violencia de las asambleas electorales de los distritos. Mientras se mantuvo la asamblea de electores reunida en el Hôtel de Ville, sucedió otro tanto con quienes los votaban en las sesenta «repúblicas en miniatura» creadas durante la primavera. Estos organismos se habían convertido en sociedades de debates que se reunían regularmente y que examinaban, a menudo de manera muy crítica, las medidas aprobadas por el comité de Bailly, en particular en lo referente a dos asuntos que serían el centro de la política parisiense durante los cinco años siguientes: el pan y la policía. Las asambleas más orgánicas —precisamente los Cordeliers de la margen izquierda— ya se veían en el papel de reencarnaciones de los demócratas atenienses: las células básicas de la libertad, a las cuales en definitiva los representantes electos debían someterse. Y la libertad con que los periodistas locales y los oradores de los cafés criticaban las decisiones adoptadas tanto en el Hôtel de Ville como en Versalles fue un factor que indujo a Sieyès a reclamar que la Asamblea Nacional rechazase el «mandato imperativo». Si los diputados se veían forzados a atender las opiniones de sus electores en todas las cuestiones, la Asamblea Nacional no sería más que una reunión de correos jerarquizados, corriendo eternamente entre los distritos y la asamblea. Bailly trató de contener la tendencia a crear una especie de democracia primitiva rousseauniana mediante la imposición de que cada uno de los sesenta distritos eligiese dos representantes a un organismo del Hôtel de Ville que recibiría el nombre de Comuna. Sin embargo, tan pronto como los oradores pudieran hacerse oír y los periódicos populares llegaran a sus lectores, mientras persistieran las sospechas de que los funcionarios conspiraban para elevar los precios del pan, sería difícil controlar desde el centro de la política parisiense. Por ejemplo, en la culminación del debate acerca del veto real, Loustalot propuso seriamente que la Asamblea Nacional postergase sus sesiones mientras se consultaban las opiniones de los diferentes *bailliages* electorales del reino.

Podían adoptarse algunas medidas para impedir el desplome total de la autoridad organizada; pero, incluso en el periodo en apariencia liberal de la Revolución, sus políticos descubrieron enseguida que disponían de poco espacio para maniobrar entre la anarquía y la coerción. Si se distanciaban de la quiebra total del orden, no podían evitar la recreación de instituciones del poder oficial que, apenas modificados, se convertirían en instrumentos del Terror. En la Asamblea Nacional, a finales de julio, Volney y Adrien Duport crearon dos comités ejecutivos destinados a centralizar las decisiones políticas en dos áreas esenciales. El primero, llamado Comité de Relaciones, tenía autoridad, al margen del consejo real, para aprobar o invalidar las designaciones locales. Así, como señaló con cierta alarma De Ferrières, sus miembros podían decidir arbitrariamente cuáles, entre las innumerables revoluciones municipales, eran legítimas y cuáles, no. En otras palabras, tenía el poder de provocar una guerra civil.

El segundo, denominado Comité de Búsquedas, era de hecho el primer órgano del Estado policial revolucionario. Se arrogaba todos los poderes que habían parecido tan nocivos durante el Antiguo Régimen: abrir cartas, crear redes de informadores y espías, allanar casas sin una orden especial, preparar el engranaje para las denuncias y alentar a los patriotas a comunicar sus sospechas a las autoridades. Este comité de 12 miembros (el mismo número del futuro Comité de Salud Pública) incluso podía encarcelar sin juicio previo a los sospechosos, mientras estos representasen un peligro para la *patrie*. Teóricamente era preferible a los caprichos de una multitud que, basándose en un artículo del diario de Marat, identificaba a los individuos destinados a la proscripción y la justicia sumaria. Sin embargo, ya encerraba la posibilidad de convertirse en lo que De Ferrières denominó «el temible tribunal ante el cual todos temblarán».

En París, el dilema fundamental, es decir, cómo conservar la condición de amo más que la de impotente servidor de la fuerza revolucionaria, vino a caer sobre el marqués de Lafayette. Se trataba de una figura tan dominante durante el verano y el principio del otoño de 1789 que impresiona advertir que apenas tenía treinta y dos años, y que era un completo neófito en política. En su experiencia estadounidense nada le había preparado para la prueba de fuego de los distritos y los *faubourgs* parisienses. Pues él había concebido el advenimiento de la libertad como una cruzada sin complicaciones, con héroes y canallas fácilmente identificables. Frustrado por la nobleza conservadora de Auvernia y obligado a obedecer el mandato de este sector en los Estados Generales, aun así había supuesto que, en los momentos críticos, la inquietud común por el bien general enterraría las diferencias en una explosión de fraternal concordia.

Cuando volvió los ojos hacia las calles de París no vio nada parecido a esta feliz escenografía. En cambio, todos los días observaba el espectáculo de las multitudes desesperadamente hambrientas, poseídas por sospechas irracionales, que, en el lapso de horas, podían pasar de la ira al asesinato. Lafayette tuvo que desarrollar muy deprisa cualidades de negociador laboral, árbitro, comandante de la milicia y diplomático político. Lo extraño no es que esas cualidades en definitiva fallasen, sino que lograra ejercer cierto control en la capital durante tanto tiempo.

Su primera tarea fue ocuparse de que los suministros de cereal, harina y pan llegasen a los mercados correspondientes y de que los precios se mantuvieran a unos niveles que evitaran el desencadenamiento de algaradas. Hacia el final de la primera semana de agosto, el precio de la hogaza de cuatro libras había descendido de catorce *sous* y medio a doce *sous*. La posibilidad de que hubiera una cosecha mucho más abundante en 1789 contribuyó a calmar la sensación de pánico, pero el tiempo continuaba imponiendo crueles pruebas a los parisienses. Una sequía dejó de nuevo fuera de servicio los molinos de agua, de modo que resultaba habitual que los panaderos de la ciudad careciesen de harina. La consecuencia fue que, a finales del verano y principios del otoño, estallaron frecuentes disturbios alrededor de las panaderías y que hubo robos e incautación de hogazas; muchas de las turbas estaban encabezadas por mujeres. Lafayette y Bailly tuvieron que hacer todo lo posible para convencer a los asalariados de la ciudad de que al menos las autoridades municipales no estaban conspirando para elevar los precios y perpetuar la «conspiración del hambre».

Por tanto, las dificultades económicas siguieron siendo una grave amenaza para la restauración del orden. Una serie de grupos de artesanos se manifestaron para pedir salarios más altos con los que poder hacer frente al precio hinchado del pan y, solo después de dos turbulentas asambleas en la plaza del Louvre, los oficiales sastres lograron que se elevase el salario medio de treinta a cuarenta *sous*. También los fabricantes de pelucas estaban enojados, tanto por la Revolución, que había hecho redundantes sus habilidades (los cabellos sin adornos se convirtieron en formas *de rigueur* para muchos patriotas, a excepción de Robespierre), como por los «aristócratas», a cuyos caprichosos gustos, en cierto modo, achacaron la culpa de la situación. Destacó sobre todo una manifestación de cuatro mil Fígaros y Suzannes —criados— en los Campos Elíseos que exigían que se anulase su descalificación (en su calidad de dependientes) para servir en la Guardia Nacional.

Muchas de estas reclamaciones, en realidad, eran típicas de la airada mentalidad cerrada del artesano revolucionario. Los criados insistían en que los saboyanos se excluyeran de su profesión y otros grupos de artesanos reclamaban que la ciudad suspendiese las obras públicas destinadas a combatir el desempleo, realizadas en las alturas de Montmartre, basándose en un panfleto que afirmaba que los indigentes que trabajaban allí se dedicaban a afinar la puntería de sus armas de fuego sobre la ciudad que se hallaba debajo. Por consiguiente Lafayette tuvo que hacer frente a la hostilidad de ambas partes: los que deseaban la clausura de los *ateliers de charité* y los indigentes obreros de la construcción que fueron despachados a las parroquias donde habían nacido, fuera de la ciudad, a consecuencia de la clausura.

Otro motivo de resentimiento fue la necesidad de proteger las rentas municipales, sin las cuales los restantes *ateliers* que permanecían abiertos tendrían que ser clausurados. Esta cuestión obligó a la Guardia Nacional a patrullar en algunos de los puestos aduaneros que aún se mantenían y donde continuaban cobrándose impuestos por artículos como el tabaco. Sin embargo, en general Lafayette consiguió equilibrar los aspectos sin duda impopulares de su política con algunas ocasiones que debían realzar su popularidad personal, sobre todo cuando recibía la total atención que le dispensaba su amigo Brissot en el *Patriote Français.* En una de estas impresionantes escenas, el equivalente de lo que hoy se denominaría una «foto oportuna», Lafayette visitó casas del faubourg Saint-Antoine, donde algunos *vainqueurs de la Bastille*, heridos el 14 de julio, languidecían sin alimentos ni la atención médica más elemental. En todas estas actividades —y, ni apuntar conscientemente hacia la dictadura— resulta patente que comenzó a ocupar el espacio dejado por la autoridad real. Al menos durante unos meses, Lafayette fue el *père nourricier*, el padre-proveedor de la ciudad; su juez y árbitro, la fuente de protección policial y de autoridad militar. Si bien el modo en que afrontó todos estos problemas no fue perfecto, ni mucho menos, él y Bailly tuvieron el mérito de afianzar la credibilidad del Gobierno revolucionario.

Nada de esto podría haberse llevado a cabo sin la Guardia Nacional. Y Lafayette tuvo que ejercer sobre las sesenta compañías adscritas a cada distrito el control necesario para evitar que degenerasen en instrumentos de los feudos locales. Advirtió la existencia de este problema ya el 16 de julio, cuando Georges Danton, oficial de los guardias de los Cordeliers, llevó a empujones a una lamentable figura hasta el Hôtel de Ville. Se trataba de Soulés, llamado «el segundo alcaide de la Bastilla», que había rehusado permitir el acceso a la milicia sin una autorización específica. En realidad, Soulés era el elector a quien el Hôtel de Ville había confiado el cuidado de la fortaleza, como una especie de portero, a la espera de los acuerdos relacionados con la demolición; pero solo la intervención de Lafayette le salvó de un grave maltrato.

La Guardia Nacional tuvo que esgrimir una espada de doble filo:

contra la conspiración realista, por un lado, y contra la anarquía de las turbas, por otro. Lafayette se preocupó —en gran medida con la aprobación de Bailly y de Necker— de que la fuerza estuviese formada solo por gente que él creía que era digna de confianza en ambos aspectos. En el centro estaban los cuatro mil ochocientos guardias a sueldo, integrados sobre todo por antiguos *gardes françaises*, desertores de las compañías y tropas del ejército real y diferentes unidades paramilitares, como los estudiantes de derecho y los empleados de la *basoche*, también armados. Hacia mediados de septiembre esta fuerza estaba bien pertrechada con seis mil fusiles de chispa y se convirtió en el «centro» de la Guardia Nacional. Lafayette evitó el elitismo mediante la distribución de su potencial humano entre los sesenta distritos, de manera que cada uno tuviese una compañía de hombres a sueldo por cuatro de hombres sin remuneración. El resultado, al menos en teoría, fue una fuerza policial parisiense de unos treinta mil hombres, más eficaz que todo lo que había existido durante el Antiguo Régimen.

La integración de los diferentes tipos de guardias no se realizó sin tropiezos. Hubo disputas acerca de las diferencias del atuendo militar. ¿Los antiguos *gardes françaises* podían conservar alguna forma externa de identidad especial? ¿El personal judicial de la *basoche*, aficionado al uso del sable, tenía en verdad derecho a desfilar con sus chaquetas plateadas y escarlatas excesivamente elegantes? ¿Quién podía llevar charreteras y con qué diseños?

Lafayette trató de superar esta petulancia del vestido asignando a los guardias un uniforme teñido con los colores de la *patrie*: chaquetas azules con solapas, cuellos, mangas, chalecos y polainas blancas, ribeteadas de rojo. El hecho de que tuviesen que pagar este espléndido traje, así como sus armas y las municiones, garantizaba que los guardias fueran reclutados exclusivamente en las clases acomodadas de la ciudad. (Incluso el capitán Danton, en 1789, poseía una propiedad bastante importante, aunque gracias al crédito de su esposa.)

Lafayette también se ocupó de que, casi desde el principio, la Guardia Nacional tuviese un fuerte sentido de su propio *esprit de corps*. El domingo 9 de agosto ordenó que se presentaran por primera vez vistiendo sus nuevos uniformes. Se celebraron misas en las iglesias de la compañía y el comandante asistió a Saint-Nicolas-des-Champs. Fuera, en las calles, varios cantantes de la Opéra y algunas bandas militares en marcha anunciaron el nacimiento de un cuerpo de ciudadanos. Y por la tarde, en el Palais-Royal, los batallones de varios distritos desfilaron «al son de tambores y música marcial». Se encargó a cada uno de los nuevos batallones que diseñara su propia bandera; estas banderas recibieron la bendición ceremonial en las iglesias que daban su nombre a los distritos. Lafayette trató de asistir al mayor número posible de estas ceremonias y, cuando eso resultó imposible, envió a Bailly o, en el caso de la *fête patriotique* celebrada en Sceaux, a principios de septiembre, al duque y la duquesa de Orleans con sus hijos. El 27 hubo una bendición general en Notre Dame, precedida por un gran desfile de todos los batallones, que marcharon desde sus cuarteles en los distritos hasta el centro de la ciudad. En la catedral, el abate extremista Claude Fauchet, diputado por Caen y predicador de la «religión social», pronunció un sermón acerca de la santidad de la libertad armada.

Lafayette apreciaba de verdad el poder psicológico de los símbolos emotivos. Sabía que, en momentos en que se habían roto los lazos que unían a los hombres en relaciones mutuas de respeto, era vital reincorporarlos a una nueva comunidad patriótica. Si se quería que el nuevo vínculo funcionase, las formas externas que podían significar «amigo», «hermano», «ciudadano» eran tan fundamentales como los decretos (quizá más) que emanaban de la Asamblea Nacional. De modo que inventó la escarapela tricolor como un distintivo obligatorio de la identidad patriótica. Ansioso de evitar la acusación de que las tropas de la Guardia Nacional eran la legión particular del duque de Orleans, añadió el blanco borbónico al rojo y al azul, que, por coincidencia, eran los colores de París y de la casa de Orleans. Se la veía por doquier: no solo en los tricornios de los guardias, sino también de manera espontánea en las fajas aplicadas sobre las camisas blanquísimas que eran las favoritas de las ciudadanas, reemplazando a las hebillas de plata, adheridas a los bastones y usadas como bolsillos de los relojes. En definitiva, este asunto aportó enormes ventas a los fabricantes de cotonada. En las provincias se convirtió de inmediato en la prenda que expresaba solidaridad con París y con la asamblea. En Brest, el 26 de julio, una actriz vestida con estos colores cantó que ellos indicaban el blanco por la pureza, el rojo por el amor que los súbditos profesaban al rey y el azul por la felicidad celestial experimentada por todos los franceses en 1789. Mercier, que escribió un folleto entero titulado *La escarapela nacional*, la consideraba el emblema de la nueva estirpe de los ciudadanos-guerreros. Y el propio Lafayette utilizó este tema del imperio de la libertad cuando profetizó que la escarapela recorrería «el mundo; una institución al mismo tiempo civil y militar; que está destinada a triunfar sobre las viejas tácticas europeas y que reducirá a los gobiernos arbitrarios a la alternativa de soportar la conquista a menos que la imiten».

Parece indudable que a Lafayette le complacía representar el papel del nuevo padre de la *patrie,* pero también percibía su utilidad como centro de reagrupamiento. Y conocía muy bien el valor de la retórica de la familia en las revoluciones. Su esposa Adrienne y su hija Anastasie le acompañaron en muchas de las ceremonias de bendición de la bandera, en las que realizaron colectas para los pobres. En el curso de una cena especial que los guardias de Saint-Étienne-du-Mont les ofrecieron el 22 de septiembre, fueron celebradas en canciones y poemas en los que se declaró que madame Lafayette estaba ahora con su familia, pues la familia del marqués, en realidad, pertenecía a toda la humanidad. De ese modo, Adrienne se convirtió en la «madre universal». Se profetizó que llegaría un día en que sus hijos serían honrados en toda Francia como retoños del «padre que había salvado a Francia». Con la misma disposición, cuando los guardias del distrito de La Sorbona quisieron designar teniente segundo a George Washington Lafayette, el hijo del marqués, que entonces tenía diez años, el marqués protestó que el ascenso era un tanto prematuro, pero que el niño se sentiría honrado sirviendo como simple fusilero. (A decir verdad, en los guardias había compañías de niños, que constituían un aspecto especial durante los ejercicios y los desfiles.) Cuando la compañía insistió, el padre cedió, adoptando un estilo majestuosamente romano: «Caballeros, mi hijo ya no es mío, os pertenece y pertenece a la *patrie*».

Durante agosto y gran parte de septiembre, esta combinación de contención armada y de carisma patriótico mantuvo sus posiciones en París oponiéndose tanto a la contrarrevolución como a la anarquía. Por ejemplo, el 30 de agosto otro aristócrata radical, el marqués de Saint-Huruge (liberado poco antes del manicomio de Charenton, donde compartía el patio de recreo con otra figura igual de aristocrática, el marqués de Sade), intentó encabezar una manifestación popular que marchó del Palais-Royal a Versalles. Saint-Huruge había redactado una lista de sesenta partidarios del «veto absoluto» y, de antemano, los había tachado de «traidores»; reclamaba que se los expulsara de la Asamblea Nacional. Además, pedía el regreso permanente de la familia real a París. Lafayette estaba bien preparado para enfrentarse a esta expedición y la obligó a retroceder utilizando fuertes destacamentos de la Guardia Nacional y arrestando a Saint-Huruge.

Aunque esta amenaza pudo resolverse fácilmente, Lafayette no podía permitirse el lujo de una actitud complaciente. Los ánimos en las proximidades de las panaderías a menudo se agriaban, pues, a pesar de los esfuerzos por controlar los precios, los suministros escaseaban y las colas se alargaban. Algunos panaderos se vieron amenazados con la *lanterne*; los guardias aparecían en las colas del pan para mantener el orden y ahora eran cada vez más frecuentes las quejas de que los funcionarios municipales eran cómplices de una conspiración para provocar hambre al pueblo. El 3 de septiembre un oficial techador fue arrestado porque atribuyó la escasez al propio Lafayette y amenazó con colgarle.

Este incidente sugirió que el héroe del momento, engalanado con flores y con una actitud impasible en su caballo blanco, muy bien podía convertirse fácilmente en el canalla o en la víctima de mañana. En definitiva, la capacidad de Lafayette y de Bailly para mantener a la multitud parisiense fuera del camino que llevaba a Versalles dependía de la conducta de la Asamblea Nacional, del ministerio de Necker y, lo que no era menos importante, del propio Luis XVI. Mientras la actitud del rey frente a su inminente transformación en un monarca constitucional no fuese conocida, Lafayette tenía posibilidades reales de lograr un feliz desenlace. Aunque el sentimiento de ningún modo era correspondido, su actitud hacia el rey y la reina, en todo caso, tenía un cariz sentimental. Abrigaba la esperanza de hacer de Luis XVI, en 1789, lo que haría de Luis-Felipe en 1830: un rey-ciudadano envuelto en el manto de la tricolor.

Poco más tarde sobrevendría una de esas apariciones en el balcón, es decir, una de las actuaciones más destacadas de Lafayette; pero no sería una coronación patriótica, sino más bien un acto de liberación, en que el terror estaría a un milímetro de distancia del aplauso.

La disputa de las mujeres (5-6 de octubre)

María Antonieta estaba acostumbrada a recibir en Versalles a las mujeres de los mercados de París. En la fiesta de San Luis, el 25 de agosto, ellas formaban parte de la delegación de «personas honradas» que acudían al castillo para ofrecer sus saludos y gestos de obediencia al rey y a la reina. Ataviadas con el color blanco exigido por el protocolo, convenientemente aseadas y sin los olores del mercado, ofrecían a la reina ramilletes de flores como muestras de su lealtad y de su afecto. Generalmente un cortesano que colaboraba con el maestro de ceremonias redactaba para ellas los breves discursos, pero a veces podía suceder que, como divertimento, se incorporasen unas pocas líneas expresadas en el auténtico lenguaje de los mercados: el *poissard*.

El nombre deriva de la palabra francesa que significa «brea» (*poix*) y el *genre poissard* no fue un auténtico *patois,* sino lo que su historiador, Alexander Parks Moore, ha denominado un sistemático atentado contra la gramática. Haciendo un estricto uso de la elisión, de la descomposición gramatical y de la sintaxis y de la rima forzada, el *poissard* era ideal para la versificación divertida y ofensiva, para los insultos rimados y una especie de expresión verbal directa e intimidatoria en la que la mofa sarcástica representaba un papel importante. Sus canciones y bromas se mantenían vivas de forma espontánea en las tabernas y en los mercados de París; pero también se había cultivado en un tipo de literatura popular barriobajera habitual en los medios aristocráticos a finales del Antiguo Régimen. Los que se desternillaban de risa ante los burdos insultos con olor a tabaco que brotaban del Père Duchesne de vodevil en la feria de Saint-Germain eran aquellos cuyas cabezas serían exigidas por la reencarnación política del personaje en el periódico *enragé* de René Hébert. El duque de Orleans presentaba con regularidad obras *poissard* en su teatro privado y, en 1777, la reina convocó a un grupo de pescaderas y mujeres del mercado, que fueron al Trianon para enseñar a los actores aficionados de María Antonieta el modo de pronunciar bien el *poissard*.

En 1789, el *poissard* cesó de pronto de resultar divertido. La «Moción de las pescaderas de La Halle», un canto revolucionario de los primeros tiempos, ahora resultaba más amenazadora, porque los últimos versos imitaban de manera sarcástica la acostumbrada deferencia que las mujeres del mercado habían manifestado en sus apariciones usuales en la corte.

> *Si les Grands troublent encore*
> *que le Diable les confonde*
> *Et puisqu'ils aiment tant l'Or*
> *que dans leur gueule on en fonde*
> *Voilè les sincères vœux*
> *qu'les Harengères font pour eux*

(Si los encumbrados continúan provocando dificultades
que el Diablo los confunda.
Y puesto que tanto aman el oro
que se les funda en las fauces.
Este es el deseo sincero
que formulan las pescaderas.)

En 1789 aún hubo ocasiones en que las *poissardes* —las pescaderas y las mujeres del mercado— se atuvieron a su papel ceremonial. En la *fête* de San Luis ellas habían encabezado la procesión de mil doscientas personas a Versalles, en compañía de la Guardia Nacional, llevando ramilletes envueltos en gasa con la inscripción en letras doradas: «Homenaje a Luis XVI, el mejor de los reyes». También participaron con frecuencia en las muchas procesiones organizadas en honor de la *patronne* de París, Sainte-Geneviève, que se realizaron hacia finales del verano.

Sin embargo, al margen de su elegante atuendo, las trabajadoras de París se inclinaron cada vez más por actividades menos corteses. Como eran las primeras responsables de poner el pan sobre la mesa, se desesperaban y se airaban más ante la escasez que, después de una buena cosecha, parecía mucho más inexplicable. Se aproximaba rápidamente el *terme* de octubre, cuando debían pagarse la renta y las cuentas de los comerciantes, y a lo largo de septiembre se aceleró el ritmo de los ataques contra las panaderías sospechosas de engañar en el peso o de retener el producto. Las mujeres también se mostraron poco a poco más audaces en sus incursiones en busca del cereal, que, según los molineros, escaseaba. En Chaillot, al oeste de París, el 16 de septiembre detuvieron la marcha de cinco carros cargados de cereal, que llevaron al Hôtel de Ville. El 17, después de una manifestación contra los panaderos, detuvieron otro carro en la plaza de las Trois Mairies y lo llevaron al local central del distrito.

No existen pruebas de que, cuando recibió información acerca de esta situación de hambruna, María Antonieta dijese algo como «que coman pasteles»; pero la versión apócrifa de todos modos constituye un elocuente testimonio de la sospecha y el odio cada vez mayores orientados contra la corte, considerada, al igual que los funcionarios de París, la responsable de las dificultades que atravesaba el pueblo llano. Y cuando la crisis provocada por el hambre pareció agravarse, a finales de septiembre, otro tanto sucedió con la crisis política. En el imaginario popular, las dos cuestiones estaban relacionadas.

El 10 de septiembre los *monarchiens* de Mounier habían sufrido una dura derrota en la votación sobre los principios básicos de la Constitución. La Asamblea Nacional eligió una legislatura unicameral (no bicameral) por 849 votos contra 89, con 122 abstenciones. Al día siguiente, optó por el veto «en suspenso» de Necker-Lafayette, en lugar del veto absoluto, con un margen casi tan impresionante: 673 a 325, con 11 abstenciones.

Pero ¿el rey aceptaría que se le confiriese carácter constitucional? En definitiva, los oradores de la asamblea creían que tenían el poder de establecer las «leyes fundamentales» de la Constitución, pese a la oposición del monarca, si a eso se llegaba, aunque en gran medida preferían contar con su consentimiento. El 19 de septiembre las perspectivas de un acuerdo amistoso parecían escasas en los momentos en que se leyó la respuesta del rey a la declaración de los derechos del hombre y del ciudadano, así como a los decretos de agosto. A pesar de que el monarca declaraba que en general aprobaba el «espíritu» que había presidido la sanción de estos, ponía tantas reservas sobre la amortización de los diezmos, sobre los derechos señoriales y sobre los cargos hereditarios que la declaración parecía más un rechazo que una aceptación. El 21 el rey anunció que había ordenado la publicación de los decretos, un paso que destacó más el retraso en la promulgación de estas leyes. Sobre todo resultó imprudente la insistencia de Luis en la necesidad, en la cuestión de los derechos feudales, de prestar una especial atención a los derechos de los príncipes extranjeros alemanes que tenían propiedades en Alsacia. Si hubiera deseado ofrecer a los periodistas razones para acusarle de contemplar los derechos de los dinastas extranjeros antes que los que correspondían a los patriotas franceses, difícilmente habría podido hacer un trabajo más eficaz.

En los cafés del Palais-Royal, los clubes políticos y las páginas de la prensa combativa, todo esto parecía, o se trató de que pareciera, los preparativos de un nuevo golpe de Estado realista. En todo caso, el concepto de «veto» fue muy mal recibido. En el imaginario popular aparecía con frecuencia como una especie de nuevo impuesto o de una funesta arma conspirativa para provocar el hambre. El *Courrier de Versailles*, de Gorsas, incluía una conversación imaginaria sobre este asunto entre dos campesinos. El más informado pregunta a su compañero: «¿Sabes lo que es el veto? —y después añade—: Te lo diré. Tienes un cuenco lleno de sopa y el rey te dice: "Vuelca tu sopa", y tienes que derramarla. Eso es el veto». En vista de este grado de sospecha popular parecía probable que el público se mostrase sensible al llamamiento de Marat, en su *L'Ami du Peuple*: era necesario separar a los canallas de los virtuosos. «Abrid los ojos —reclamó Marat a sus lectores—, sacudid vuestro letargo, depurad vuestros comités, preservad únicamente a los miembros sanos y apartad a los corruptos, a los pensionados reales y a los taimados aristócratas, intrigantes y falsos patriotas. Nada tenéis que esperar de ellos, excepto la servidumbre, la pobreza y la desolación.»

Las peores sospechas en este sentido se acentuaron cuando, a pesar de la derrota de sus propuestas, Mounier fue elegido presidente de la asamblea y Saint-Priest, el ministro del Ejército, decidió llamar a Versalles al regimiento de Flandes. Tanto por el número como por los lugares que ocupó el traslado del regimiento no podía compararse con la campaña militar de julio. Se había movilizado al regimiento como una medida preventiva para proteger al Gobierno y la casa real de Versalles ante la posibilidad de una nueva marcha. Sin embargo, no es necesario decir que esa actitud provocó el propio hecho que debía prevenir.

Todos estos demonios afloraron de manera espectacular el 2 de octubre. Ese día, el periódico de Loustalot informó sobre un banquete ofrecido la noche anterior por la Guardia Real al regimiento de Flandes. Esos banquetes de bienvenida constituían una convención militar, pero este cobró grandes proporciones y utilizó el enorme espacio del Château Opéra. En unos momentos de incuestionable necesidad la iniciativa demostró tener una gran falta de tacto, pero, además, la ocasión se convirtió en algo similar a una manifestación de lealtad a la corona.

Se ejecutaron melodías de la ópera popular de Grétry sobre el encarcelamiento de Ricardo Corazón de León después de la cruzada —entre ellas «O Richard mon roi, l'univers t'abandonne»— y se animó a la familia real a que se mostrara brevemente, algo poco habitual en tales ocasiones: la reina recorrió las mesas mostrando al delfín de cuatro años, que ofreció para admiración de los soldados. Se hicieron brindis a la salud de los monarcas y, cuando estos se retiraron, el alboroto no se detuvo, sino que continuó aumentando cada vez más. Y mientras los presentes se emborrachaban y perdían los estribos, las mujeres de la corte comenzaron a distribuir escarapelas (negras por los colores de la reina, blancas por el rey).

Al día siguiente, en el periódico de Loustalot, en *L'Ami du Peuple,* de Marat, y en *Les Révolutions de France et de Brabant,* de Desmoulins, esta celebración algo inocente de lealtad se convirtió en una «orgía», un término que, debido al renovado flujo de libelos sexuales que circulaban sobre la reina, evocaba tanto escenas de disipación como de gula y traición. Sin embargo, el momento más abominable no tenía que ver ni con el sexo, ni con la gula. Se decía que la escarapela patriótica había sido pisoteada. Era la exageración de un suceso real (narrado minuciosamente en el *Courrier de Versailles,* de Gorsas), el momento en el que un oficial exclamó: «Abajo la escarapela de los colores; que todos adopten la negra, que es la mejor». Sin embargo, la versión tuvo el previsible efecto de provocar un inmenso estallido en París, donde la falta de respeto hacia la escarapela equivalía a una profanación de la hostia. Se comentaba que el episodio había contado con la aprobación de la reina y, cuando después se supo que, al recibir a una delegación de la Guardia Nacional, ella había expresado su «satisfacción» con el banquete, se supuso que su intención había sido insultar de forma consciente a la *patrie.*

El hambre y la ira confluyeron de nuevo la mañana del 5 de octubre y las mujeres fueron las que se mostraron más ofendidas. La víspera, las mujeres del distrito de Saint-Eustache habían llevado al Hôtel de Ville a un panadero acusado de estafar en el peso. Allí, se había salvado por muy poco del linchamiento. En una arenga ante otra multitud, una mujer del mercado imputó a la reina la culpa del hambre general e instó a sus oyentes a marchar sobre Versalles para reclamar pan. A primera hora del día 5, se tocó a rebato en la iglesia de Sainte-Marguerite y, encabezada por una mujer que redoblaba un tambor, se organizó una marcha en la que la muchedumbre voceaba el título del panfleto más reciente: *¿Cuándo tendremos pan?* A medida que avanzaba, la columna reclutaba mujeres de otros distritos, muchas armadas con mazas, palos y cuchillos. Cuando llegaron al Hôtel de Ville, la multitud contaba con seis o siete mil personas.

Además de reclamar pan, las mujeres insistían en que la insolente Guardia Real fuese castigada, pues, después del banquete de Versalles, las escarapelas negras y blancas habían aparecido en diferentes calles de París, lo que había provocado peleas en cualquier sitio donde se las veía. En poco tiempo, la situación en el Hôtel de Ville dio muestras de empezar a descontrolarse por completo. En una actitud incomprensible, Lafayette había dejado menos de un batallón de distrito para vigilar la plaza de Grève. La multitud tuvo que enfrentarse a Hermigny, suplente de Lafayette, pero sus hombres dejaron claro que no dispararían sobre las mujeres del mercado. Comenzó un saqueo general, en el que se apoderaron de setecientos rifles y mosquetes; además, a este armamento se sumaron dos cañones destinados a la defensa del Hôtel de Ville. Finalmente, la multitud, ahora reforzada por algunos hombres de los distritos vecinos, amenazó con saquear el edificio y con quemar todos sus papeles y archivos. Fueron disuadidos por Stanislas Maillard, capitán de un destacamento de voluntarios de la Bastilla. A diferencia de sus hombres, Maillard, en efecto, era uno de los *vainqueurs* y se había hecho célebre por afirmar que fue el hombre que caminó sobre la tabla de madera tendida para salvar el foso y quien había recibido la nota en que De Launay solicitaba la rendición. (Parece más probable que la persona en cuestión fuese Hulin, un hombre más humilde.)

Este renombre local convirtió a Maillard en una figura de confianza para las mujeres —como ya no ocurría con Lafayette, pues se oyeron murmullos y gritos que afirmaban que, si el general rechazaba las reclamaciones, también él debía ser colgado de la *lanterne*—. Maillard cortó la cuerda del infortunado abate Lefèbvre, que había sido maniatado para ser colgado de una *lanterne*, pues había negado armas a las mujeres, y prometió dirigir la marcha hacia Versalles. La extraordinaria procesión, que esta vez no tenía ramilletes, sino cañones, mosquetes y picas, partió bajo una copiosa lluvia hacia el palacio real. Mientras avanzaban por los *quais*, gritaban y cantaban que iban en busca de «le bon papa» Luis. Y correspondía a la naturaleza del *poissard* que la línea divisoria entre el afecto y la ofensa mortal nunca estuviese definida con total claridad.

Las muchedumbres habían cobrado tal magnitud en el centro de la ciudad que Lafayette necesitó dos horas para entrar en el Hôtel de Ville. Cuando, en efecto, llegó allí —alrededor de las once—, supo que las mujeres ya habían partido y que se preparaba un importante movimiento en la Guardia Nacional, que estaba dispuesta a marchar por su cuenta a Versalles. Una de las razones explícitas fue el deseo de los que habían sido *gardes françaises* de reanudar sus antiguas funciones de defensa del rey; y el sonado banquete parecía ahora a estos hombres un motivo añadido para reemplazar a la Guardia Real. Lafayette comprendió de inmediato que una marcha de los guardias nacionales constituía un problema mucho más grave que la procesión de las *poissardes*, pues era difícil interpretarlo de otro modo que no fuera un acto de coacción por parte de París en perjuicio del rey, de sus ministros y de la Asamblea Nacional. Hizo todo lo posible para disuadir a los granaderos, pero, después de muchas horas de inútiles discusiones y de vanos recordatorios del juramento de lealtad que poco antes habían prestado en las iglesias de los batallones, resultó claro que las tropas estaban decididas a salir, si era necesario sin el consentimiento de Lafayette. En realidad, estaba gestándose el colapso total de la disciplina de la Guardia Nacional, lo que destruiría la imagen de pacificación ordenada y responsable que Lafayette había tratado de acentuar desde julio. Y lo que era peor, Lafayette se vio amenazado por algunos de sus propios hombres. Quedaba cada vez más patente que, si no se avenía a la reclamación, no solo le abandonarían, sino que muy probablemente también le matarían.

Al margen de sus muchos defectos, Lafayette no era cobarde. Su propia seguridad personal le parecía menos importante que la necesidad de mantener al menos una apariencia de relativo orden en la guardia. También supuso, y no se equivocó, que solo si él participaba en la marcha podía tener la esperanza de garantizar que sus soldados defendiesen, y no amenazaran, la seguridad de la casa real y la asamblea. Rindiéndose ante lo inevitable, trató de dar a la marcha una apariencia de legalidad y solicitó «autorización» a las autoridades municipales de París, algo que fue rápidamente concedido. Para garantizar que la asamblea y el Gobierno estuviesen advertidos, Lafayette envió un correo rápido que avisó de la marcha. Y alrededor de las cuatro de la tarde, quince mil hombres de la guardia —una brigada enorme— partieron en dirección al palacio, bajo una lluvia torrencial acentuada por el viento. Montado en su caballo blanco, Lafayette marchó al frente, «prisionero de sus propias tropas», según dijo un testigo.

Cuando la guardia llegó a las afueras de París, la procesión de mujeres, dos de ellas a caballo sobre el cañón, ya estaba en Versalles. En el camino se encontraron con algunos dragones del regimiento de Flandes, en cuyo honor se había realizado la «orgía de la guardia». Maillard y las mujeres creyeron que los soldados intentarían detenerlos, pero se asombraron al oír gritos como «Estamos con vosotros», así como promesas de confraternización. En Versalles, se les unieron otras mujeres, entre ellas una extraordinaria figura que montaba un caballo negro azabache. Tocada con un sombrero de plumas y ataviada con una chaqueta de montar rojo sangre, con pistolas y un sable, ese personaje era Théroigne de Méricourt, cuya apariencia, sin duda, estaba concebida para atraer la atención y que concitó el obsesivo interés de los escritores del siglo XIX por su carácter de «amazona» de la Revolución; veían en ella a una mujer liberada tanto sexual como políticamente.

Aunque según todas las crónicas fiables Théroigne poseía una sorprendente belleza, el 5 de octubre no solo fue una presencia destacada por representar el símbolo de la Revolución, sino también por ser una mujer todopoderosa: el prototipo de «Marianne». Como veremos, su futura historia fue un expresivo emblema de un tipo específico de lamentable carrera revolucionaria; ella gozaría del dudoso honor de que el médico de una prisión austriaca le diagnosticase que padecía de una enfermedad moderna y maligna: la «fiebre revolucionaria». Sin embargo, bajo su esplendoroso aspecto se escondía una historia banal. «Théroigne la amazona» era, en realidad, Anne-Joseph Méricourt, descendiente de una familia acomodada de Lieja venida a menos, lo que la obligó a vivir de su ingenio y de su cuerpo. En París había sido la amante del marqués de Persan y la amiga del castrato Tenducci. Después de mantener otra relación en Génova, había regresado a Francia y, como mucha gente, cambió de personalidad en 1789. Después de convertirse en una cortesana de veintisiete años, pasó a ser una elocuente y amenazadora presencia política, según muchos contemporáneos de sexo masculino. La mantenida era una persona libre. Asimismo, parece claro que se complacía en su propia y atrevida ostentación. En Versalles se la vio conversando con la guardia de palacio cuando las *poissardes*, que más adelante serían la causa de su caída, entraron en la localidad, con las ropas desordenadas, coléricas y hambrientas, después de caminar durante seis horas.

Una recepción cordial, con discursos y vino, calmó un poco la ira de la multitud. Las saludó el comandante de la Guardia Nacional de Versalles y representantes del ayuntamiento y del ministerio. Solo cuando intentaron entrar en los terrenos del palacio vieron cortado el paso por la verja de hierro cerrada y por unidades del regimiento de Flandes y los guardias suizos que estaban delante y detrás de la entrada. Aun así, tropezaron con menos dificultades en la Asamblea Nacional. Maillard fue recibido por Mounier para explicar el propósito de la marcha, y aquel lo hizo citando sobre todo la frase: «¿Cuándo tendremos pan?». «Los aristócratas —dijo— desean que muramos de hambre.» Le habían informado ese mismo día de que un molinero había recibido un soborno de doscientas libras por no producir harina. «Llamadlo», gritaron los diputados, pero antes de que Maillard pudiese continuar hablando la Salle des Menus Plaisirs se vio invadida por cientos de mujeres que aplicaron, literalmente, el derecho recomendado por Rousseau, es decir, la «revocación» de sus diputados. El paño húmedo, que olía a lodo y lluvia, se acomodó entre las chaquetas y los calzones con puntillas. Los cuchillos y los garrotes se depositaron sobre las sillas vacías y humedecieron los papeles escritos con textos sobre el debate legislativo. Algunas mujeres, al ver al arzobispo de París, gritaron las consignas anticlericales que se habían popularizado en París y le acusaron de ser uno de los principales instigadores de la «conspiración del hambre». En un equivocado intento por calmarlas, otro diputado del clero tuvo el despiste de tratar de besar la mano de una de las acusadoras. Esta le rechazó: «No estoy hecha para besar la pata de un perro».

Mounier trató de calmar a las mujeres y les dijo que el rey y el Gobierno hacían todo lo posible para que París se mantuviera bien abastecido, pero quedaba patente que las mujeres deseaban hablar con el propio rey. Cuando la noticia de la marcha llegó a Versalles, Luis estaba cazando en Meudon, de modo que regresó deprisa al palacio antes de la llegada de la columna. Con cierta valentía aceptó recibir a una reducida delegación de las mujeres. Pierrette Chabry, una florista de diecisiete años que sobresalía por su educada forma de expresarse y por su virtuosa apariencia, fue elegida como portavoz. En el momento decisivo le fallaron los nervios y se desmayó a los pies de Luis. Sin duda porque comprendía a una persona que compartía sus propias dificultades a la hora de hablar en público, el rey le trajo sales aromáticas y la ayudó a incorporarse. Después, el monarca explicó que había impartido órdenes explícitas de que el cereal retenido en las afueras de París se entregara de inmediato. Cuando la pequeña delegación salió de la entrevista, las sospechas contra la corte eran tan intensas que Chabry fue acusada al momento de haber recibido soborno del rey. Sin embargo, el halo de paternal majestad no se había disipado del todo, pues este encuentro directo, combinado con el cansancio, contribuyó en gran medida a disipar la ira que se había manifestado al inicio de la marcha.

De todos modos, el peligro no había pasado. El mensajero de Lafayette llegó para alertar a la asamblea de la marcha sobre Versalles de lo que, en realidad, era un pequeño ejército. Muy pocos diputados recibieron con entusiasmo la noticia, aunque algunos, entre ellos Barnave, que ya habían recomendado que el rey residiese en París, vieron justificado su propio vaticinio. Mirabeau, que comunicó la noticia a Mounier, lo encontró en una actitud extrañamente jocosa con respecto a todo el asunto, como si ya se hubiese resignado a ver el final de su papel en la Revolución.

Alrededor de las seis, Luis convino en aceptar sin demoras ni salvedades tanto la declaración de los derechos del hombre como los decretos de agosto. Después pidió el consejo de sus ministros en cuanto al mejor modo de proceder. Saint-Priest le exhortó a huir o a resistir; Necker se opuso a ambos criterios y dijo que cualquiera de esas líneas de acción satisfaría a los que decían que el rey hacía la guerra a la Revolución en lugar de apoyarla. Luis se debatía entre la inquietud por la seguridad de su familia y el rechazo a la posibilidad de que se creyese que eludía su deber. Decidió permanecer.

No mucho antes de la medianoche la Guardia Nacional entró en Versalles, en filas de seis hombres. El número era tan elevado que, incluso marchando a paso redoblado, necesitaron una hora para entrar. Aunque las mujeres del mercado no habían concebido la idea antes de llegar a Versalles, los guardias ya habían decidido que volverían a París con la familia real y que la retendrían allí. Por tanto, todo estaba preparado para un enfrentamiento violento entre la Guardia Real y la Guardia Nacional. Entre los dos bandos estaba la Guardia Nacional de Versalles, que había recibido la orden de cooperar con sus compañeros de París. La Guardia Real llegó a la conclusión de que la estaban eligiendo como cabeza de turco y se preparó para resistir. Alrededor de las nueve hubo algunos esporádicos tiroteos, pero, preocupada sobre todo por la seguridad de los reyes, la guardia se retiró a posiciones que estaban dentro del perímetro del patio y del interior del palacio.

A medianoche, Lafayette dijo a la Asamblea Nacional que la incursión de la Guardia Nacional no buscaba la coacción, pero confesó que no había tenido más alternativa que conducirla a Versalles. Podía restablecerse la calma si el rey retiraba el regimiento de Flandes, si los *gardes françaises* reemplazaban a la guardia alrededor del rey y si Su Majestad se decidía a realizar un gesto de simpatía hacia la escarapela nacional. Aunque los oficiales y los hombres se resistían a permitir que Lafayette entrase solo en el castillo, por temor a que lo atrapasen, era la condición que el rey imponía para verle. Cuando se dirigió a las habitaciones reales, encontró miradas y comentarios hostiles. Apostado en la escalinata, estaba el padre de su propia esposa, el duque D'Ayen, que, como capitán de la Guardia Real, habría disparado sin dudarlo sobre su yerno si así lo hubiera exigido una orden real. Mientras avanzaba, Lafayette oyó la voz de un cortesano que decía en susurros: «Ahí va Cromwell». «Cromwell —replicó ásperamente Lafayette— no habría venido desarmado.»

Salpicado con dramatismo de lodo, el héroe de los Dos Mundos llegó ante el rey con un texto que, sin duda, había ensayado durante la marcha: «He venido a morir a los pies de Su Majestad». Sin embargo, dijo, suavizando el tono teatral, podían evitarse estos extremos si el rey permitía que los *gardes françaises* «protegiesen su sagrada persona», si garantizaba el sustento en París y si aceptaba residir en la capital (en «el palacio de sus antepasados en el Louvre»). Luis accedió a las primeras peticiones y prometió considerar la última, para dar a entender que antes debía consultar con su familia. Lafayette informó de este encuentro a la Asamblea Nacional y, después, a sus propios soldados y oficiales. Aunque muchas versiones posteriores se quejaron de que los siguientes episodios sobrevinieron porque Lafayette se durmió, permaneció en realidad muy despierto hasta alrededor de las cinco de la mañana para asegurarse de que no estallara la temida batalla entre los dos grupos de guardias. El sol, que no había salido en todo el día, brilló finalmente en

Antoine Callet, retrato de Luis XVI con los ropajes para la coronación.

Elisabeth Vigée-Lebrun, *María Antonieta y sus hijos*.

La toma de la Bastilla vista por uno de los combatientes, el tabernero Claude Cholat. Siguiendo el estilo típico de un grabado popular, todos los hechos de la jornada están condensados en una sola imagen.

Philibert-Louis Debucourt,
*Lafayette como comandante
de la Guardia Nacional*, 1789.

Jacques-Louis David, *El juramento del Juego de Pelota*.

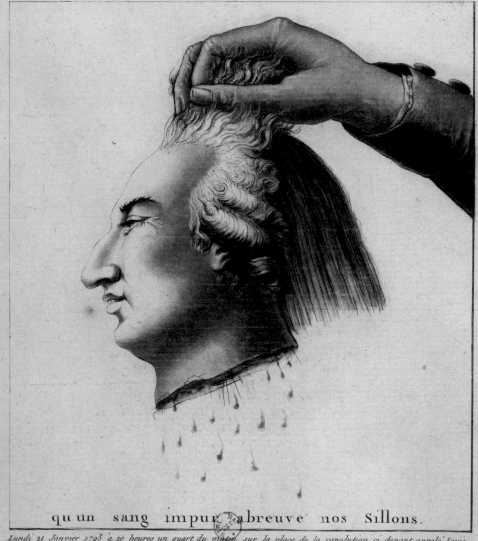

qu un sang impur abreuve nos Sillons.

Lundi 21 Janvier 1793 à 10 heures un quart du matin sur la place de la révolution, ci devant appelé Louis
XV. Le Tiran est tombé sous le glaive des Loix. Ce grand acte de justice a consterné l'Aristocratie anéanti la
super titton Royale, et créé la république. Il imprime un grand caractère à la convention nationale et la
rend digne de la confiance des francais............
ce fut en vain qu'une faction audatieuse et des   Orateurs insidieux épuisèrent toutes les ressources de
la calomnie, du charlatanisme et de la chicane; le   courage des republicains triompha: la majorité
de la convention demeura inébranlable dans ses   principes, et le génie de l'intrigue ceda au génie
de la liberté et à l'Ascendant de la vertu.   à ses commetans.
        Extrait de la 3.ᵉ Lettres de Maximilien Robespierre

        A Paris chez Villeneuve Graveur rue Zacharie S.ᵗ Severin Maison du passage N.º 72.

«Tema de reflexión para los bufones de la corona.» El texto inferior fue tomado de la carta de Robespierre
a los electores y declara que la ejecución «ha investido a la Convención Nacional de autoridad y la hace
merecedora de la confianza de Francia».

Jacques-Louis David, *La muerte de Marat*.

De Brehen, retrato de María Antonieta (considerablemente idealizado), vestida de luto en la prisión del Temple.

Anónimo, Robespierre.

ROBESPIERRE, guillotinant le bourreau après avoir fait guillot.° tous les Francais

Anónimo, Robespierre guillotinando
el verdugo.

un cielo claro antes de que el marqués se derrumbase en un diván, en la casa de su abuelo.

Tendría un despertar de pesadilla. Alrededor de las cinco y media de la mañana una muchedumbre armada entró en los terrenos del palacio. Por motivos desconocidos —quizá la inminente aparición de salteadores—, el comandante de la Guardia Real había enviado a un nutrido destacamento de tropas al extremo opuesto del parque, alrededor del Gran Trianon. En consecuencia, la Cour des Ministres estaba relativamente mal vigilada. Parece probable que, introducido por uno de los soldados, el pueblo irrumpiese en la «corte de mármol» y subiese la escalera que conducía a las habitaciones reales. Un guardia afirmó después que oyó gritar a una de las mujeres que era necesario «arrancar el corazón de la *coquine* [María Antonieta], cortarle la cabeza, *fricasser* su hígado e incluso entonces no todo estaría resuelto». Un guardia disparó contra la gente que se abalanzaba; un hombre cayó y el soldado fue abatido allí mismo. Miomandre de Sainte-Marie, el segundo guardia apostado a la entrada de las habitaciones de la reina, intentó razonar con los intrusos y, como no obtuvo éxito, gritó a los que estaban dentro que la vida de la reina corría peligro. También él fue derribado, pero su advertencia llegó a tiempo. Aterrorizada por los disparos y por los gritos, María Antonieta corrió descalza, sosteniendo en una mano las pantuflas y gritando: «Amigos míos, amigos míos, salvadme y socorred a mis hijos». Un corredor la llevó a las habitaciones del rey, pero Luis, a su vez, había salido a buscar a los niños. Durante más de diez minutos la reina golpeó desesperadamente la puerta que estaba cerrada con llave, mientras la muchedumbre atravesaba el Salón de los Espejos persiguiendo airada a la «prostituta austriaca»; los guardias, superados en número, se iban retirando poco a poco a través de la hilera de habitaciones. Finalmente, los gritos y los golpes frenéticos de María Antonieta fueron escuchados y la familia se reunió en el Salón de l'Œil de Bœuf. El delfín y su hermana lloraban, mientras la madre y el padre trataban de consolarlos lo mejor que podían. Si Greuze los hubiese pintado en ese momento, se habría convertido en la máxima figura del Salón.

Antes de que pudiese sucederles nada, las primeras compañías de la Guardia Nacional mandadas por Lazare Hoche, que después sería uno de los más extraordinarios generales de la república, avanzaron contra la multitud y salvaron del peligro a la familia real. Fuera estaban paseando las cabezas de dos guardias reales muertos, clavadas en las picas. Un modelo de artistas llamado Nicolas, vestido con las túnicas seudorromanas que utilizaba para trabajar en los estudios, paseaba de un lado a otro la cabeza de Miomandre de Sainte-Marie. Se oían risas, vivas y aplausos, y, más avanzado el día, los trofeos fueron llevados al Palais-Royal, donde los exhibieron en el jardín como hubieran hecho con una de las obras de cera del ciudadano Curtius.

Conmovido por el desastre, Lafayette corrió hacia el castillo sin esperar a que le ensillasen un caballo. Antes de llegar se encontró frente a una turba armada que se abalanzaba sobre los guardias reales que se le cruzaban y que se preparaba para lincharlos allí. Ante la orden de detenerse, uno de los hombres se volvió hacia Lafayette y dijo a los guardias nacionales que le matasen. Encolerizado, Lafayette aferró al hombre e intentó detenerle; pero le distrajo la necesidad de persuadir a sus propios hombres de que liberasen a los guardias del rey, pues declaró que había prometido al monarca que no sufrirían daño.

En el Salón de l'Œil de Bœuf descubrió a la familia real gravemente afectada por la situación. Sabían que habían estado a un paso de la muerte. Cuando el rey recobró la compostura se dirigió serenamente (por una vez, sin incómodas pausas) a los guardias de París —la mayoría *gardes françaises*— para explicar que los guardias reales eran inocentes de las acusaciones que se habían vertido contra ellos. La reacción frente a la palabra del monarca fue completamente inesperada: los guardias le juraron lealtad. Paradójicamente, el deseo de regresar a Versalles casi había provocado el fin de la monarquía. Envalentonado por este momento, Luis aceptó salir al balcón con su familia y decir a la multitud reunida en la «corte de mármol» que iría a París, confiando su suerte «al amor de mis buenos y fieles súbditos». Cuando se calmó la salva de aplausos, dijo que sus guardias reales habían sido calumniados. Sin embargo, fue Lafayette quien, con su genio innato para la escena política, coronó el momento abrazando a un suboficial de los guardias reales y fijándole una escarapela tricolor en el sombrero. Bastó ese gesto para lograr que la Guardia Real se reincorporase a la nación.

Había que legitimar a otra persona «extranjera». Resultó ser el momento más difícil. Lafayette pidió a la reina que se presentara sola en el balcón. Es natural que, después de lo que había soportado, María Antonieta no se hiciese ilusiones acerca de su popularidad y que retrocedie-

514

se ante la petición. «¿Habéis visto los gestos que me dirigen?» «Sí, madame —respondió Lafayette—. *Venez*.» Sacando fuerzas de flaqueza, ella llevó consigo a los niños y de la multitud brotó un clamor: «Nada de niños». La familia de Greuze había perdido su capacidad de seducción, pero no podía decirse lo mismo de Lafayette. La reina entró con sus dos hijos y salió sola al balcón para enfrentarse a la multitud. Después, Lafayette se le unió y en lo que, según dijo más tarde, fue un instante de intuición pura, hizo una profunda reverencia y le besó la mano.

El efecto pudo haber sido catastrófico y ridículo, una confirmación de que él no era nada más que un lacayo de la corte que fingía ser un patriota. Sin embargo, produjo un milagro. Los gritos de «Vive la reine», que no habían sido escuchados desde el periodo anterior al «*affaire* del collar de diamantes», se mezclaron con las aclamaciones al comandante.

Tres horas después, un cortejo inmenso, calculado por Lafayette en sesenta mil personas, salió de Versalles. Al frente y a la retaguardia estaba la Guardia Nacional; en el centro, el carruaje real escoltado por Lafayette, con los ministros del Gobierno de Necker, los diputados de la Asamblea Nacional y el resto de la corte de Francia. Detrás, un séquito de carros y carromatos cargados con la harina de los depósitos del palacio. Los soldados y las mujeres llevaban hogazas de pan clavadas del extremo de sus picas y bayonetas, y cantaban que estaban llevando «a París al panadero, a la esposa del panadero y al hijo del panadero».

En las puertas de la ciudad, Bailly ofreció de nuevo a Luis las llaves y el séquito real continuó hasta el Hôtel de Ville, donde se había instalado un trono para recibirlos. Después de otras apariciones en el balcón, finalmente llegaron a su nueva residencia de las Tullerías a las ocho de la noche. El delfín consideró que su nuevo cuarto era muy feo, pero al día siguiente la reina escribió a Mercy d'Argenteau, embajador austriaco:

> Tranquilizaos, estoy bien. Si olvidamos dónde estamos y cómo llegamos aquí debemos considerarnos satisfechos con la actitud de la gente, especialmente esta mañana, si no falta el pan [...]. Converso con la gente; con los milicianos y con las mujeres del mercado, y todos me ofrecen las manos y yo les ofrezco las mías. En la propia ciudad he sido muy bien recibida. Esta mañana la gente nos pidió que nos quedáramos. Les dije que, por lo que al rey y a mí se refería, dependía de ellos que

permaneciéramos, pues solo deseábamos que cesaran todos los odios, y añadí que el más mínimo derramamiento de sangre nos induciría a huir horrorizados.

Por su parte, las *poissardes* cantaban:

> *A Versail' comme des fanfarons*
> *j'avions amené nos canons*
> *Falloit voir, quoi qu'j'étions qu'des femmes*
> *Un courage qui n'faut pas qu'on blâme*

> *Nous n'irons plus si loin, ma foi*
> *quand nous voudrons voir notre Roi*
> *J'l'aimons d'une amour sans égale*
> *puisqu'il d'meur dans notre' Capitale*

> (A Versalles como fanfarrones
> fuimos con todos nuestros cañones.
> Teníamos que demostrar que, aun siendo mujeres,
> nuestro valor no merece reproche.

> [Ahora] no tendremos que llegar tan lejos
> cuando queramos ver a nuestro rey.
> Lo amamos con un amor sin igual
> pues ha venido a vivir a nuestra capital.)

El mismo día la Asamblea Nacional aceptó la propuesta de Target de que el título constitucional que correspondía oficialmente a Luis fuera el de *roi des Français*, en lugar del de *roi de France et de Navarre*. Nunca debía sugerirse de ningún modo que el reino era una especie de propiedad. Sin embargo, Target consideraba que la nueva designación también era un abstracto juego de palabras. Luis estaba destinado a ser la reencarnación del *Rex Francorum* medieval, el jefe territorial de los francos, cuyo propio nombre proclamaba su libertad; pero el monarca seguramente advertía que el hecho de ser saludado como rey de los libres equivalía de hecho a convertirle en prisionero.

A unos veinte kilómetros de distancia, bajo la supervisión de M. de

La Tour du Pin, estaban clausurando el gran palacio de Luis XIV. Se pusieron grandes candados de hierro en las puertas con el propósito de desanimar a los saqueadores y unos pocos guardias vigilaron los silenciosos patios. El rey apolíneo de Le Brun continuaba montado en su carro contra el advenedizo neerlandés en el techo del vacío Salón de los Espejos, pero las paredes de la escalinata de mármol estaban salpicadas de metralla. Versalles ya se había convertido en un museo.

12

Actos de fe
Octubre de 1789-julio de 1790

El 23 de octubre de 1789, la Asamblea Nacional conoció al hombre más viejo del mundo. Se llamaba Jean Jacob y fue llevado ante la presencia de los diputados con su partida de bautismo en la mano; estaba firmada en 1669, es decir, tenía ciento veinte años. Los expertos de lo inverosímil afirmaron que había un superviviente todavía más viejo: un hortelano escocés llamado John Melville, que era un bebé cuando, en 1649, cortaron la cabeza de Carlos I. Sin embargo, los esponjosos rizos blancos y los ojos pálidos de Jean Jacob eran testimonio suficiente de su honestidad a los ojos de la asamblea, que le declaró oficialmente «el *doyen* de la raza humana». Con la cara surcada de arrugas, Jean Jacob parecía pertenecer al tiempo geológico. Había nacido el año en que comenzó la construcción del palacio de Versalles para el joven Rey Sol y había vivido bastante para ver cómo se convertía en un edificio superfluo, o quizá incluso para presenciar su demolición. Aislado en una árida montaña del Jura, su existencia social se había visto preservada por las cumbres nevadas, congeladas en las normas del feudalismo del siglo anterior, de manera que los diputados podían saludarle como a un fósil viviente: «el siervo de las montañas del Jura». Ahora, como dijo con un extraño gruñido, había acudido a París para agradecer que su vida se hubiese prolongado hasta alcanzar la condición de hombre libre. Aunque era tan antiguo como la propia Francia, la Revolución le había concedido una segunda vida. Según una de las palabras claves de 1789, había recibido las bendiciones de la *régénération*. A su vez, los diputados hicieron una suscripción de al menos tres libras cada uno para celebrar el permanente vigor del anciano.

Otros ciudadanos veteranos, meros jovenzuelos en comparación con Jean Jacob, también afirmaban que sentían la Revolución como un flujo de sangre nueva que recorría las viejas venas. El conde de Luc, un auténtico *noble-enragé*, juró que la Revolución le había curado el reumatismo. El septuagenario Chevalier de Callières se sintió tan rejuvenecido que se convirtió en prolífico compositor de canciones patrióticas (incluso una que declaraba de un modo poco convincente que la libertad le parecía «cien veces más preciada que el amor»). El entusiasmo de De Callières lo indujo a formar un cuerpo especial, un batallón de veteranos de la Guardia Nacional que no aceptaba reclutas menores de sesenta años y en el que la barba era obligatoria. (Se descubrieron algunas postizas, fruto del esfuerzo inútil de poder obtener el ingreso en él.) En las fiestas y las ceremonias revolucionarias, se reservaban lugares especiales para los patriotas venerables, con frecuencia junto a los niños, expresiones simbólicas del pasado «gótico» superado por Francia y del futuro inocente en que había renacido. Así, cuando un niño de once años presentó a la asamblea sus hebillas de plata y la escudilla de su bautizo como un «regalo patriótico» y pidió se le permitiera escuchar los debates, se concedió la solicitud y se le hizo el cumplido de que su generosidad demostraba que había aprovechado la excelente educación cívica impartida por sus padres.

Durante su primer año, la Asamblea Nacional recibió toda clase de muestras de devoción patriótica, pues, si ante todo estaba consagrada a la tarea práctica de proporcionar a Francia nuevas instituciones de gobierno y de representación, también jugó el papel de un teatro político: el lugar en el que la oratoria y el gesto, incluso, en ciertas ocasiones, la poesía y la música, debían dramatizar los principios que, según se afirmaba, la Revolución defendía. Y como la asamblea había repudiado lo histórico y la tradición, aquellos principios legitimadores necesariamente tenían que aspirar a la validez universal. Algunas de las presentaciones ante la tribuna de la Constituyente (como ahora se autodenominaba la asamblea) reflejaban debidamente dicha universalidad. Por ejemplo, a principios de junio de 1790, se presentaron de manera oficial dos convictos del cantón suizo de Friburgo que habían sido condenados a galeras. Francia no solo había utilizado sus galeras para sus propios criminales, sino, además, sobre la base de lucrativos contratos, para los de otros Estados europeos que necesitaban un lugar donde recluir a sus indeseables. La asamblea aún no había decidido abolir las sentencias de galeras para la población francesa (en primer lugar porque cerca de los depósitos existentes en el Mediterráneo y en el Atlántico existía el temor popular de que se preparase la liberación de los *galériens*). Sin embargo, ansiaba declarar que ya no sería el instrumento de una innoble «esclavitud» de los «despotismos» europeos. Aclamados por los diputados y abrazados por el presidente, los convictos suizos (uno de los cuales, gracias a un sublime golpe de suerte, se apellidaba Huguenot) fueron presentados como héroes y sus cadenas fueron colgadas de las vigas de la Église des Prémontrés para que sirvieran como fuente de inspiración y como advertencia. En honor de estos hombres esa noche se representó en el Théâtre-Français una obra titulada *El honrado criminal*.

Estos espectáculos eran más que actuaciones en un circo revolucionario. Alimentaban la confianza de los diputados en ellos mismos y ratificaban su idea de que, después de todo, su nación no estaba sola en el mundo y era parte de una familia de «oprimidos» más amplia, que se prolongaba hasta el infinito (los propios oprimidos que ahora podían volver la mirada hacia Francia en busca de libertad). El 19 de junio de 1790 una delegación de representantes de las «naciones oprimidas del universo», encabezada por Anacharsis Cloots, autoproclamado «orador de la raza humana», se presentó con los pertinentes atuendos nacionales: alemán, suizo, neerlandés, incluso indio, turco y persa, todos adornados con la faja tricolor. Felicitaron a la asamblea por haber «restablecido la antigua igualdad entre los hombres» y prometieron que, «alentados por el glorioso ejemplo de los franceses, todos los pueblos del universo que suspiran igualmente por la libertad pronto romperían el yugo de los tiranos que los oprimen». En su respuesta, el presidente Menou, hábilmente, los invitó a retirarse, pero con palabras que podían interpretarse como una alabanza más que como un rechazo. Les dijo que debían convertirse en heraldos de la nueva época. Al regresar a sus propios países debían buscar una audiencia en sus respectivos gobernantes y enseñarles a imitar el ejemplo grande y bueno de Luis XVI, el Restaurador de la Libertad.

A los escépticos todo el asunto les pareció ridículo. De Ferrières escribió a su esposa que la abigarrada banda de delegados había alquilado, sin duda, sus trajes en el guardarropa de la Opéra. Sin embargo, aunque tales ocasiones fuesen absurdas, correspondían a la religión igualmente sentenciosa de la fraternidad y de la amistad universales predicadas tanto oralmente como por escrito, entre otros por Claude Fauchet. En sus sermones, reproducidos en la *Bouche de Fer*, de Nicolas de Bonneville, Fauchet, sacerdote de Caen, predicaba una especie de universalismo cristiano rousseauniano que era el principio fundamental de su «círculo social»; no un club, como él mismo lo destacaba, sino una asociación de ciudadanos dispersa sobre la superficie del globo. Antes de la Revolución, el mundo estaba gobernado por las leyes de la descendencia, que trataban de dividir a los hombres. Ahora, estos podían aferrarse al más fundamental de todos los preceptos cristianos, el del amor universal, y hallar la verdadera libertad en la fraternidad. Según explicaba Fauchet, el emblema del círculo había sido elegido, a su vez, debido a su poder unificador. El recurso mediante el cual se promovería este gran «pacto de familia» era la regeneración moral de la Verdad unida a la Razón. Otros oradores y escritores de moda, como el vegetariano universal Robert Pigott (que extendía al reino animal el mensaje de la fraternidad) y el cuáquero David Williams, ambos peregrinos ingleses que habían llegado a la sede sagrada de la libertad, se hicieron eco del sentimentalismo cívico de Fauchet.

Sin embargo, para la mayoría de los diputados el reino milenario del amor y la fraternidad expresado por Fauchet constituía un mero globo utópico, que, gracias al aire caliente de la retórica, se desplazaba sobre el paisaje revolucionario. Sabían que su propia labor como miembros de la asamblea estaba rigurosamente establecida. Sin embargo, los hombres que formaban los comités de la Constituyente —la verdadera fábrica del cambio institucional— se subordinaban, a su vez, a principios que, en muchos aspectos, no eran mucho menos abstractos y optimistas. Si no llegaban a sumarse a una religión universal que mostraba a todos los hombres como hermanos que esperaban la unión fraterna, en todo caso presuponían que los franceses merecían un trato igual, porque tenían necesidades idénticas de satisfacción mental o material. Por ejemplo, Condorcet se hizo eco de la convicción fundamental de Rousseau de que todos los hombres nacían iguales y de que se habían apartado de esa igualdad natural solo por la acción de las instituciones socializadoras arbitrarias a las que se había conferido un poder ilegítimo. Esta visión de la Ilustración tardía los obligaba a apartarse de dichas excrecencias «góticas» de la historia: las divisiones arbitrarias impuestas por la costumbre, el hábito y la jurisdicción, es decir, las secuelas de antiguas conquistas. Sería necesario reemplazar todo esto con instituciones igualizadoras y racionales que establecieran entre los hombres las relaciones que los unen en tanto que ciudadanos, sujetos a las mismas leyes y sometidos a la misma soberanía: la suya.

La declaración de los derechos del hombre y el ciudadano ya había expresado la esencia de esta visión, sobre todo en el sexto principio de Talleyrand, que afirmaba la igualdad ante la ley y el derecho de todos los ciudadanos a los cargos, si poseían las cualidades necesarias. En la práctica, ese principio obligaba a la asamblea a destruir el esquema absurdamente heterogéneo de las jurisdicciones superpuestas que caracterizaba al Antiguo Régimen y a crear en Francia un sistema único de gobierno uniforme. Nadie demostró más entusiasmo hacia esa tarea que esos dos archirracionalistas del clero, Sieyès y Talleyrand. El segundo fue quien, en primer lugar, propuso la uniformidad de pesos y medidas; y Sieyès, el promotor de la sorprendente propuesta de reemplazar las provincias francesas por un esquema de ochenta casillas idénticas, que recibirían el nombre de *départements*.

Propuesto a la asamblea por Thouret, exparlamentario de Ruán, esta inflexible muestra de aritmética política partía de la premisa de que la división de Francia en jurisdicciones impositivas diferentes y caprichosamente superpuestas (las *Fermes*), eclesiásticas (las diócesis), militares (las *généralités*) y judiciales (los *bailliages*) era incompatible con un «Gobierno representativo». En cambio, debía racionalizarse Francia; el «hexágono» —la forma de la Francia de seis lados— debía ser cubicado, pues parece que la raíz cúbica fue una obsesión de los legisladores revolucionarios quizá por influjo de los preceptos masónicos. De acuerdo con el plan de Thouret, debían existir 81 *départements*, cada uno con una extensión de 324 leguas cuadradas (unos 1.800 kilómetros cuadrados) y el complemento de la rejilla correspondería a París. Después, cada *département* se dividiría convenientemente en nueve distritos, y, después, otra vez por nueve en las comunas. Cada unidad tendría una asamblea representativa local, que elegiría los organismos del gobierno local.

Por radical que fuese esta medida, representaba la culminación de muchos planes visionarios trazados durante el Antiguo Régimen. Ya durante el reinado de Luis XV, D'Argenson había sido el primero en acuñar el término *départements* y la combinación de la rigurosa uniformidad con la restitución gubernamental había sido deseada durante mucho tiempo por fisiócratas como Du Pont de Nemours. Racionalizada, Francia sería gobernada al fin por las prácticas científicas y no por un insensato manojo de «prejuicios» heredados.

Sin embargo, esta visión de una Francia estandarizada y dividida en unidades idénticas no complació a todos. Mirabeau, cuyos instintos eran tan románticos como racionales, acusó al comité redactor de un excesivo «geometrismo» y «apriorismo» y arguyó que una unidad más razonable de medición era la población, más que la mera extensión geográfica. De este modo, sería posible considerar también la topografía local, los ríos y las montañas, los valles y los bosques que conferían su identidad a una determinada área. Muy pronto se vio que la mayoría de los diputados prefería este criterio, a pesar de que los enredaba en innumerables discusiones locales acerca de los límites departamentales, lo que habría podido evitarse mediante el tratamiento de la rejilla. Besançon fue un caso típico por su enfado cuando se la rebajó de su condición de sede del Soberano Parlamento del Franco-Condado al de mero *chef-lieu* del Departamento del Doubs. La ciudad envió a la Constituyente al abate Millot y al abogado Bouvenot como delegados especiales con la misión de quejarse de que se habían asignado las fértiles tierras bajas a los departamentos vecinos, por ejemplo, el de Haute-Saône, y en cambio Doubs estaba dominado por las montañas y las mesetas rocosas. ¿Acaso Besançon se veía ahora condenado a languidecer, al igual que localidades como Lons-le-Saunier («las casas y los edificios están desiertos y se convierten en chozas miserables, mientras las calles y las plazas se cubren de hierba»)?

Este tipo de quejas se repitió en toda Francia, pero, bajo la guía del conde de Cassini, astrónomo y cartógrafo, y después de muchos meses de discusión, cada uno de los 83 *départements* de Francia (un número felizmente indivisible por tres) cobró forma, con la bendición de un nombre extraído de su geografía natal. Así, de Normandía, la Provenza y Bretaña surgieron la Mancha, Calvados y Bouches-du-Seine; Gard, Var y Bouches-du-Rhône; Morbihan y Finistère. La nomenclatura era y continúa siendo una especie de poesía burocrática: el racionalismo reformado por la sensibilidad.

Hubo otros importantes ejercicios simbólicos destinados a eliminar las diferencias externas que separaban a los ciudadanos. En octubre de 1789, los diputados abolieron formalmente los atuendos ceremoniales de sus respectivos órdenes. Y el 19 de julio de 1790, dieron un paso más drástico, la eliminación de todos los títulos de nobleza hereditarios. En el mes de agosto anterior, en el momento de abolirse muchas formas de las obligaciones laborales en beneficio de los señores, aún se suponía generalmente que las formas de la nobleza perdurarían como jerarquías honoríficas; pero ahora la Constituyente declaró que eran incompatibles con la igualdad jurídica de la ciudadanía. Se prohibieron expresamente todas las insignias que señalaban la superioridad social: los escudos de armas en las casas y en los carruajes; la librea de los criados o de los cocheros (un aspecto importante para la élite tardía del *ancien régime*), los escaños y las veletas señoriales. En adelante, el ciudadano no podía tener un nombre que significara el dominio o la posesión de un «lugar». El único signo heredado de identidad debía ser el apellido del padre.

El aspecto más destacado de estas transformaciones consistió en que, de nuevo, fueron de forma abrumadora el resultado de la acción de los aristócratas, los *ci-devant* nobles. Aunque los aristócratas no dominaban en número la asamblea, los comités de trabajo que redactaron la Constitución y dotaron a Francia de la forma de sus nuevas instituciones estaban monopolizados por una élite intelectual relativamente reducida, muchos de cuyos miembros se conocían desde antes de la Revolución, mientras que un número sorprendente estaba formado por funcionarios de la antigua monarquía en el ejército, la judicatura, el Gobierno o la Iglesia. En todo caso, la Asamblea Constituyente declaradamente no fue burguesa.

Había diputados de origen aristocrático incluso entre los elegidos para representar al Tercer Estado, no solo casos famosos, como Mirabeau, sino otros como Edmond Dubois-Crancé, señor de Balans y oficial militar que representó a Vitry-le-François; Louis Laborde de Méréville, perteneciente a una rama de la gran dinastía financiera, elegido por el Tercer Estado de Étampes; Jean Mougins de Roquefort, elegido por el Tercer Estado de Draguignan en la Provenza; y Louis de Naurissart, señor de Brignan elegido por el Tercer Estado de Limoges. Y entre los diputados, había por lo menos treinta y ocho miembros de los parlamentos, incluso tres presidentes, todos ansiosos de asestar un golpe mortal a sus antiguas instituciones. La asamblea también incluía a un número sorprendente de oficiales militares; por supuesto, muchos habían llegado como representantes de la nobleza. Una abrumadora mayoría de los hombres que crearon la nueva Francia estaba formada por funcionarios del Antiguo Régimen.

Parece claro entonces que la solidaridad creada entre estos hombres por la dramática experiencia que tuvieron en Versalles durante la primavera y el verano de 1789 se había impuesto a la relevancia de sus orígenes sociales. Ahora estaban unidos por una historia común reciente, pero también quizá por los hábitos culturales. Todos habían leído los mismos libros, aunque discrepasen acerca de la importancia que les atribuían. Por ejemplo, era muy natural en los debates sobre los poderes atribuidos o negados a la monarquía citar a Montesquieu, exactamente como habían hecho en las quejas del Parlamento. Estos diferentes modos de retórica —legal, teatral, clerical y literaria— encontraron un público ya familiarizado. Las referencias a Plutarco o a Cicerón eran entendidas de inmediato. Los intereses legislativos de estos hombres se asemejaban al orden del día de una academia de provincias: la reforma de la justicia, el desmantelamiento selectivo de la economía de las corporaciones, los planes globales de educación, una Francia gobernada por el servicio social más que por los prejuicios heredados. Todos eran devotos de la razón y practicantes de la virtud. Sobre todo, se veían en el papel de patriotas. Incluso podía afirmarse que formaban una nueva aristocracia, cuya credencial soberana era la posesión del lenguaje político y cuya característica más sorprendente era la guerra simbólica a la misma casta de la cual provenían muchos de ellos.

Ninguna de esas afinidades garantizaba la armonía política. En realidad, la segunda mitad de 1789 y el año 1790 presenciaron una división cada vez más profunda entre hombres con antecedentes idénticos y amistades prolongadas en el tiempo, que ahora defendían posiciones políticas contrapuestas. Adrien Duport, que había sido *conseiller* del Parlamento de París, y Michel Lepeletier (*ci-devant* «de Saint-Fargeau»), que había sido uno de sus presidentes, tenían ambos posturas rotundamente antimonárquicas y De Ferrières afirmaba que pertenecían «a la izquierda» (la primera vez que se usó el término en la historia europea). A ellos se unían individuos de impecable linaje aristocrático, como los hermanos De Lameth, que habían servido con Lafayette en América, pero que ahora sentían el más profundo recelo ante la actuación de Lafayette al mando del ejército de ciudadanos.

Ese grupo, cuyo orador más extraordinario e intransigente era Barnave, dominaba las sesiones de la Sociedad de los Amigos de la Constitución, que, después del traslado de la asamblea a París, se reunió en el antiguo monasterio de los jacobinos, en la rue Saint-Honoré. Sin embargo, varios de sus antiguos colegas de la Sociedad de los Treinta y de su sucesor, el Club Bretón de Versalles, se separaron para formar el club rival en 1789. Entre ellos estaban Mirabeau, Sieyès y Tayllerand. Mientras los jacobinos buscaban enérgicamente la adhesión pública y aceptaban a los que no eran diputados entre sus afiliados y en la tribuna, los hombres de 1789 preferían manifestar una mayor exclusividad y entendían que su sociedad era la continuación de las comidas y los desayunos políticos que, durante el invierno precedente, habían originado la soberanía del Tercer Estado. Ahora expresaban intereses más pragmáticos o, más bien, podía decirse que se consagraban en mayor medida a los problemas de la creación de un Estado viable. Mientras Barnave y los hermanos de Lameth creían que el principal peligro para la Revolución eran la conspiración realista y los recortes a la democracia, Mirabeau y Talleyrand entendían que la Revolución estaba amenazada más seriamente por la anarquía y la bancarrota. El liderazgo jacobino sospechaba que los hombres de 1789 eran intrigantes elitistas; sus adversarios devolvían el cumplido afirmando que los de Lameth y Barnave eran irresponsables retóricos que se creían dechados de virtud.

En el fondo, las diferencias llegaban más lejos que las personalidades políticas, por importante que ya fuese, y continuase siendo, este aspecto durante la Revolución. (Pasar por alto estos enfrentamientos personales como un tema relevante de la política revolucionaria ha sido una de las más lamentables omisiones de la historiografía moderna.) Estaban en juego las prioridades de la Revolución, su razón de haber sido. Para los jacobinos de 1789 y 1790, todo giraba en torno a la idea de asegurar una representación libre y responsable, de subordinar el Estado al ciudadano. Para sus adversarios más moderados —muchos de los cuales, como Du Pont de Nemours y Talleyrand, habían actuado en los ministerios reformistas de la monarquía—, el propósito de la Revolución era la creación de una Francia más poderosa y dinámica. Los ciudadanos se sentirían satisfechos en la medida en que el Estado en que se hallaban representados se viera, a su vez, reforzado. Nada de lo que sucedió durante los años revolucionarios que siguieron contribuyó a resolver este debate fundamental.

Este se vio agravado por el carácter cada vez más anómalo del Gobierno oficial. A pesar de todas las esperanzas depositadas en él, Necker había fracasado visiblemente en la tarea de promover un tipo de autoridad constitucional que resolviera la permanente crisis financiera de Francia. La declaración de los derechos del hombre no había conseguido aplicar una alquimia política que alejara la amenaza de quiebra. En agosto, Necker había llegado a la asamblea angustiado por la necesidad de obtener un préstamo de ochenta millones que permitiese cubrir el año y se le había concedido la autoridad requerida. Sin embargo, hacia finales de septiembre, la situación continuaba siendo arriesgada, de modo que Necker volvió a la Constituyente con la propuesta de aplicar un impuesto extraordinario equivalente a una cuarta parte del ingreso anual. Los ciudadanos que ganaban menos de cuatrocientas libras anuales estaban exentos; el impuesto podía pagarse a lo largo de cuatro años y debía considerarse como un préstamo que el Gobierno reembolsaría a medida que su situación fiscal se fuese aliviando de forma gradual.

Como podía preverse, el proyecto provocó un clamor en la asamblea. Mirabeau, que continuaba detestando a Necker y que, hasta que la Constituyente prohibió de manera oficial que los diputados fuesen ministros, abrigaba la esperanza de reemplazarle a la cabeza de un Ministerio de Talentos, contempló con agrado el manifiesto aprieto del ginebrino. Escribió a sus votantes en Aix que la bancarrota se usaba como amenaza para intimidar a la asamblea y obligarla a aceptar el impuesto que repercutiría en los ciudadanos comunes. «Como la quiebra afectaría solo a los grandes capitalistas de París y de otras ciudades que están arruinando al Estado con las excesivas tasas de interés que obtienen, no veo que esto vaya a suponer un mal muy grande.»

Apenas unas semanas más tarde había cambiado, sin duda, de actitud. Aunque continuaba mostrándose escéptico frente al proyecto de Necker, Mirabeau presentaba ahora la bancarrota como una terrible catástrofe que recaería por igual sobre la viuda indefensa y el honrado artesano. «¿Qué es la bancarrota sino el más cruel, el más injusto, el más desigual y desastroso de todos los impuestos?» Mientras examinaba los medios para impedirla y proponía un proyecto diferente, a saber, un préstamo forzoso más selectivo aplicado a las principales fortunas, Mirabeau esgrimió su retórica más combativa para mostrar a la asamblea los defectos de su propia ingenuidad colectiva. Fue una extraordinaria actuación, que desbordaba exasperación, ira y una agitada impaciencia. Y aunque Mirabeau habló de sacrificio de dinero, no de vidas, su estilo romano de acusación anticipaba la aparición de una hipérbole más siniestra. Robespierre era uno de los diputados que escuchaban mientras el orador reclamaba un castigo selectivo y advertía de que los que intentaran evitarlo, a su vez, serían considerados responsables:

> ¡Elegid! Pues, sin duda, ¿es necesario que un reducido número perezca de modo que se salve la masa del pueblo? [...]. Golpead, destruid sin compasión a estas lamentables víctimas, arrojadlas al abismo [...]. ¿Qué, retrocedéis horrorizados? Hombres inconsecuentes y pusilánimes [...].
> Contempladores estoicos de los males incalculables que esta catástrofe volcará sobre Francia; egoístas impasibles que suponéis que las convulsiones de la desesperación y el sufrimiento pasarán como tantos otros [...], ¿estáis tan seguros de que tantos hombres sin pan os permitirán paladear en paz los manjares cuyo número y cuya delicadeza no habéis recortado? No, pereceréis, y, en la conflagración universal que sin temor avaváis, la pérdida de vuestro «honor» no salvará ni siquiera uno de vuestros detestables placeres.

Si, concluía Mirabeau, con sus primeros actos los diputados «superaban las torpezas de los gobiernos más corruptos», no podrían aspirar a la confianza popular y todas las promesas de libertades constitucionales serían como una construcción levantada en la arena.

La verdad de gran parte de la argumentación de Mirabeau era convincente. A menos que se satisficieran valientemente y con la mayor brevedad posible las necesidades del Estado, el nuevo régimen sería una Revolución sobre el papel. Sin embargo, a los diputados de la asamblea no les agradó ser tachados de cobardes y de «egoístas», expresiones que los desacreditaban, extraídas del vocabulario rousseauniano, y que ahora se habían incorporado al discurso habitual de la acusación política y que se utilizarían con propósitos letales durante el Terror. Además, explicaban que Mirabeau excitaba la indignación pública para promover su popularidad particular, a la vez que se congraciaba con la corte.

En realidad, estas sospechas estaban bien fundadas. Como demostró su oposición al veto limitado y su apoyo al control real de las decisiones referidas a la guerra y la paz, Mirabeau había continuado siendo un firme monárquico. No veía que hubiese contradicción entre esa posición y su apoyo a las inquietudes populares, pues creía que lo que más convenía a Francia era precisamente cierto tipo de «monarquía popular». Sin embargo, esa concepción, en la práctica, le llevaría a mantener una conducta que, después de su muerte, sería denunciada como una maquiavélica hipocresía. A principios de octubre, utilizando los servicios de un intermediario, destacó que él mismo era la mejor esperanza que el rey tenía de restablecer la autoridad real. Los medios que pensaba utilizar eran impresionantes. Mirabeau recomendaba que la corte se trasladase bruscamente a Ruán, donde estaría fuera del alcance de la intimidación parisiense, y que, al mismo tiempo, emitiese una proclama general insistiendo en que no procedía así para sabotear, sino para afianzar la Revolución.

Se trataba de una quimérica y peligrosa fantasía; pero no solo se concibió para promover la carrera del propio Mirabeau (por importante que fuese, sin duda, este aspecto), sino para conferir cierto poder real al aspecto ejecutivo de la Revolución. El orador sabía que, si no se procedía así, todo el proceso derivaría, impulsado por vendavales de retórica vacía, entre la anarquía y el despotismo.

Apostasía

¿Quién podía ayudar a Mirabeau a ejecutar su absurdo proyecto? Por supuesto, se volvió hacia sus colegas del club de 1789 para derrocar a Necker y organizar un Gobierno alternativo de salvación nacional. Sin embargo, los elegidos —Du Pont de Nemours, Ségur, Panchaud, Talleyrand— se parecían penosamente a una reunión del *trust* de cerebros juveniles de Calonne. La única excepción era Lafayette. Cuanto más crecía la figura del general en el culto popular, menos agradaba a Mirabeau, que le apodaba sarcásticamente Gilles César; pero se veía obligado a reconocer que la aprobación activa de Lafayette sería indispensable para legitimar el *coup* que estaba planeando. Aún más extraordinario era, a primera vista, que eligiera a Talleyrand como ministro de Finanzas.

Quizá solo un deudor crónico como Mirabeau podía haber creído que este era el cargo adecuado; pero, pese a sus gustos caros, Talleyrand no era un ingenuo (y mucho menos cuando se trataba del dinero). Se había labrado su reputación pública como administrador y contable de la propiedad eclesiástica y su conocimiento de primera mano del capital que la Iglesia guardaba fue lo que le indujo a proponer una atrevida solución al problema de la financiación de la Revolución. Al igual que Mirabeau, Talleyrand advertía claramente la necesidad de crear un Estado ejecutivo viable, si se deseaba que la nueva Francia no se convirtiera en una impotente criatura a merced del capricho legislativo. Toda su formación era burocrática, racional y volteriana. Más que una nación de ciudadanos virtuosos unidos en un fraternal abrazo, deseaba un Estado-nación rejuvenecido: un imperio de la razón en el que prevaleciera el criterio más que la sensibilidad. Sin embargo, también comprendía que las mismas fuerzas que convertían a Mirabeau en un hombre extraordinario, a menudo le privaban de sentido común. En la misma medida en que a su amigo, le agradaba el riesgo, pero, hasta donde humanamente era posible, Talleyrand quería apostar sobre seguro. ¿Cómo lograrlo?

Durante la primera semana de octubre de 1789, mientras Mirabeau se reconciliaba con la corte, Talleyrand reflexionaba sobre el destino de la Iglesia. Aún era el obispo de Autun, pero, por al menos, en lo que se refería a la vestimenta, había colgado los hábitos y como mucho dejaba entrever una elegante cruz en el pecho bajo la chaqueta, como muestra de su cargo episcopal. Cuando sus amigos le llamaban «el obispo», solían hacerlo con una sonrisa, como si estuvieran complaciéndose con un inocente chiste. Aunque nunca se mostró tan cínico como muchos de ellos querían creer, en todo caso le trataban como si hubiese sido un Voltaire con mitra. Como apóstatas de la aristocracia, ellos en definitiva no se sorprendieron cuando Talleyrand aplicó a la Iglesia el principio de hacer la guerra contra el orden al que uno mismo pertenecía.

El 10 de octubre, en el curso de otro debate acerca del problema financiero, Talleyrand declaró que, como el Estado se veía amenazado por el desastre económico, «los grandes peligros reclamaban remedios igual de drásticos». La solución se encontraba al alcance de la mano y había un inmenso recurso que permanecía inmovilizado en la propiedad y las tierras de la Iglesia. Si se recuperaban «para la nación», podían usarse como garantía de un nuevo préstamo o, incluso, cabía venderlos para atender las necesidades más apremiantes del Estado. Lo que sobre todo airó a sus colegas del clero fue la despreocupación con que se dejó caer esta bomba. Con su cara más amable, Talleyrand afirmó que el asunto no exigía una prolongada discusión, pues «el clero, qué duda cabe, no es propietario como lo son otros; dado que la propiedad que utilizan en usufructo no puede ser alienada libremente y que no se les entregó para su beneficio particular, sino para el ejercicio de un cargo o de una función».

La intervención de Talleyrand fue aún más contundente, porque no dependía de un tosco anticlericalismo para conseguir cierto efecto. Aunque se le denunciaría desde el púlpito como un Judas, como un ministro de Satán, como una bestia del Anticristo (entre otras cosas), en realidad no era un obispo anticlerical. Sus inclinaciones eran prácticas y utilitarias y, en ese planteamiento, la Iglesia debía representar un papel social específico, atendiendo a las necesidades de los crédulos, ofreciéndoles amparo espiritual y manteniéndolos en una relación ordenada con el Estado. Talleyrand manifestó claramente, en su discurso del 10 de octubre, que, en cuanto a esta labor, el Estado garantizaría a los clérigos un salario decente, muy superior al nivel del que solía gozar un cura de aldea. Debían convertirse en funcionarios de moralidad.

El aire de fresca sensatez con que Talleyrand parecía afirmar «seguramente todos los hombres de buena voluntad y sano criterio coincidirán» no era tan ofensivo como quisieron creer sus muchos enemigos. Su visión de la Iglesia concordaba con una importante meta del pensamiento político de la Ilustración tardía. A pesar de todo su deísmo personal, Voltaire siempre había creído que la religión, despojada de su poder legal de coerción, resultaba indispensable para la moral pública. Para Rousseau, la veneración del «ser supremo» admitía la fuente de las virtudes naturales y confería su esencial personalidad moral al Estado y a su legislador. Sin embargo, según ambos autores, los misterios sacerdotales y las doctrinas teológicas que separaban a la Iglesia institucionalizada de los ciudadanos constituían fraudes nocivos. En lugar de un orden autónomo que reclamaba su propia jurisdicción, concebían una Iglesia disuelta en los propósitos generales del dominio público: una institución útil más que inefable. El abate Raynal lo dijo del modo más conciso: «Me parece que el Estado no está hecho para la religión, sino que la religión está hecha para el Estado».

Fuera de Francia se había realizado al menos un intento de aplicar esta visión de un catolicismo práctico. Durante la década de 1780, el emperador austriaco José II, el extraordinario hermano de María Antonieta, había comenzado un programa sistemático con el fin de abolir los monasterios y los conventos mendicantes y contemplativos, para convertir a sus residentes en «ciudadanos útiles». A semejanza de Talleyrand, creía que el clero debía incorporarse a un sistema nacional de educación elemental (pero sin controlarlo), que educase a las masas sin suministrarles adoctrinamiento teológico. Y al igual que Talleyrand, consideraba que la propiedad eclesiástica era un fondo general, controlado por el Estado y aplicado a operaciones de beneficencia social, como la ayuda a los pobres, la educación de los huérfanos y el mantenimiento de hospitales y manicomios. El clero asalariado podía continuar administrando estos fondos, pero con la estricta condición de que reconociera que sus miembros eran funcionarios públicos.

No es necesario aclarar que estos modos de actuar originaron un choque directo con el papado. Sin embargo, el emperador pudo utilizar ese conflicto para destacar el carácter patriótico de sus reformas del clero. Asimismo, en la Francia revolucionaria, los que deseaban integrar al clero en el cuerpo político presentaban el programa propuesto como una extensión natural de la soberanía nacional. En agosto de 1789, la Asamblea Nacional ya había suprimido las «anatas» —los honorarios pagados al Papa como reconocimiento de las peregrinaciones anuales a Roma—, por entender que implicaban infringir dicha soberanía. Y al afirmar que la propiedad de la Iglesia estaba a disposición de la nación, Talleyrand y Mirabeau (que el 13 de octubre presentaron a la asamblea una breve resolución sobre ello) abrigaban la esperanza de apelar al mismo tipo de sentimiento «galo» que había decidido la expulsión de los jesuitas en 1765. Sabían que tenían ciertos aliados en el seno de la Iglesia: hombres como el abate Grégoire, que no veía en el recorte de la propiedad eclesiástica un saqueo, sino una oportunidad de devolver a una organización corrupta los propósitos puramente evangélicos que habían determinado su nacimiento. Y había un cuerpo considerable de obras, en parte jansenistas, en parte «richeristas», que proponían un catolicismo más austero, purgado de las impurezas mundanas y hasta en condiciones de coexistir con otras confesiones. Era el tipo de opinión que se expresaba en publicaciones prerrevolucionarias como *El cura-ciudadano* (*L'Ecclésiastique Citoyen*), de 1787, que caracterizaba a los monjes contemporáneos como *une bonne vie bourgeoise*, una mesa excelente; todos los placeres concedidos a los hombres de mundo; todos los refinamientos permitidos por la opulencia [...], frecuenta la mejor compañía; recibe a un amplio círculo de amigos [en] residencias inmensas, soberbios aposentos, atuendo a la moda, incluso bajo el hábito; buenos libros y cuadros [...], la caza, el juego, todas las formas del lujo y del entretenimiento, de modo que los pretendidos pobres de Cristo ahora son conocidos como los mimados de la riqueza y la fortuna.

En cambio, continuaba el autor, la pobreza de los *curés,* su soledad y el cansancio provocado por sus trabajos determinaban que fuesen de forma más genuina los sucesores apostólicos de los primeros cristianos. Talleyrand creía que, al contemplar especialmente la cuestión de los beneficios materiales del clero rural, podría reclutarlos como aliados contra el clero diocesano y monástico, que, como él sabía, sería su más serio enemigo. Por lo menos uno, Dominique Dillon, *curé* de Vieux-Pouzanges, que, sin embargo, había sido elegido delegado del Tercer Estado de Poitiers, convenía en que «si en estos tiempos difíciles, el sacrificio de la propiedad del clero puede impedir que se apliquen nuevos impuestos a la gente», debía, en consecuencia, procederse así.

Si Talleyrand esperaba en realidad el apoyo casi unánime de los miembros de la Iglesia, se vería seriamente decepcionado. Muchos de los curas rurales que habían contribuido de manera decisiva a la victoria del Tercer Estado en julio se enfurecieron por la ligereza con la que la asamblea abolió el diezmo el 4 de agosto, pese a que esta ordenó que se continuara cobrando el gravamen hasta que se adoptaran otras medidas que resolvieran el problema del respaldo económico. En realidad, como ellos sabían muy bien gracias a la experiencia acumulada en sus parroquias, la simple noticia de la abolición del diezmo había determinado que resultase incobrable. Sin embargo, hubo otras formas de oposición aún menos previsibles. El abate Sieyès, que durante mucho tiempo había mostrado unas inclinaciones eclesiásticas todavía más débiles que las de su viejo amigo Talleyrand, se opuso el 2 de noviembre a la resolución de Mirabeau, pero no con el argumento de la devoción religiosa, sino porque aquella violaba el compromiso de la declaración de los derechos del hombre de considerar inviolable la propiedad. «Habéis declarado que la propiedad, que, según se afirma, pertenece a la Iglesia, ahora pertenece a la nación, pero yo solo sé que ello implica afirmar como hecho algo que es falso [...]. No veo cómo una simple declaración puede modificar la naturaleza de los derechos [...] ¿Por qué permitís que estas mezquinas y odiosas pasiones presionen vuestra alma y consigan manchar con la inmoralidad y la injusticia la mejor de todas las revoluciones? ¿Por qué queréis apartaros del papel de legisladores y con qué propósito os convertís en anticlericales?»

El insólito y vehemente tono que distinguió el discurso de Sieyès reveló la agitación emocional que la propuesta de Talleyrand y Mirabeau había desencadenado. Todo empeoró, en lugar de mejorar, porque muchos clérigos parroquiales habían sido firmes partidarios de la Revolución y ahora, en su mayoría, se sentían traicionados e injustamente perseguidos. Su oposición al programa de la asamblea no era solo la defensa de unos intereses creados, como afirmaban los oradores. Nacía de convicciones sinceras sobre el carácter de su función pastoral y del resentimiento que les había provocado el hecho de verse degradados a no ser más que una especie de departamento de Estado. Aunque reconocían sin dificultad que su posición material podía mejorar, la cesión de su autonomía a una especie de superintendencia nacional parecía un precio excesivamente elevado. Y les inquietaba todavía más el hecho de que su posición particular, de la cual la Iglesia católica había gozado históricamente, se pudiese ver amenazada por la tolerancia frente al protestantismo. Durante los meses que siguieron a la aceptación por parte de la asamblea de la propuesta de Mirabeau, el 2 de diciembre, por una mayoría de 510 votos contra 346, se presenciaron una serie de amargas disputas con respecto de la «nacionalización» de la Iglesia.

Ciertas figuras, como Boisgelin, arzobispo de Aix, que habían defendido con un sincero entusiasmo la Revolución, ahora se convirtieron, como mucho, en tibios partidarios. Una táctica inicial de resistencia fue invocar el principio representativo en defensa del clero, con el argumento de que los decretos debían pasar a un sínodo nacional convocado expresamente para ello. Cuando se rechazó la propuesta, por entender que implicaba allanar la soberanía de la nación representada por la asamblea, Boisgelin comenzó a exaltarse más. «¿Vosotros deseáis golpear con la espada a los ministros del altar?», dijo en un enérgico discurso pronunciado ante la asamblea el 14 de abril de 1790. «Declaramos absolutamente que no podemos, ni debemos sumarnos al decreto que aprobaréis y que nos reservamos el derecho de apelar por todos los derechos y las prerrogativas que nos pertenecen por ley, por tradición y por la creación de la Iglesia gala.» (Aunque de hecho el arzobispo sería uno de los que aconsejarían al rey la firma de la Constitución civil.)

Por su parte, los reformadores se vieron apoyados por una clase de agresivo anticlericalismo parisiense que habían deseado evitar. El día de la votación de la «propiedad nacional», los diputados eclesiásticos conocidos por su oposición a la medida fueron saludados con gritos de burla y con diferentes proyectiles frente a la asamblea. Las caricaturas, las canciones y los poemas *poissard* renovaron una antigua y abundante veta satírica contra los monjes, los papas y los obispos. Una parodia popular de la invocación *O filii* decía:

> *Notre Saint-Père est un dindon*
> *Le calotin est un fripon*
> *Notre Archevêque est un scélérat*
> *Alleluia*

(Nuestro Santo Padre es un pavo real.
El cura es un sinvergüenza.
El arzobispo es un canalla.
Aleluya.)

Otra canción sugería que estos clérigos avaros, sexualmente rapaces, se preparaban para empuñar las armas y masacrar a los ciudadanos en una nueva matanza de San Bartolomé, un tema muy repetido y que debía su difusión a *Charles IX*, la obra inmensamente popular de Marie-Joseph Chénier. En ella, los cardenales y los obispos aparecían conspirando y rezando por la aniquilación de los buenos ciudadanos y Chénier hacía todo lo posible por hacer explícitas las comparaciones con la Revolución. Talma, el mejor actor de Francia, mostraba al rey como una especie de diabólico retrasado en quien la detestable inmoralidad y las taimadas maquinaciones aparecían concentradas hasta alcanzar una inhabitual intensidad que producía un profundo desagrado. Una delegación especial de diputados clericales y de obispos pidió al Gobierno y al rey que prohibiese la obra debido su carácter ofensivo, y —a excepción de 1789— se admitió su petición. Sin embargo, incluso después de retirar de escena la obra, la identificación del sacerdocio con los enemigos de la ciudadanía continuó siendo muy grande en el imaginario popular parisiense.

Cuando los partidarios de la «Iglesia nacional» tropezaron con la dura resistencia del clero, se sintieron inclinados a utilizar tanto la propaganda de altas miras como la de bajo nivel en sus intentos de imponer la medida. El 19 de diciembre, se decidió la subasta de propiedades eclesiásticas hasta alcanzar el valor de cuatrocientos millones de libras con la mediación del Ayuntamiento de París. Esta operación permitiría al Gobierno contratar un nuevo e importante préstamo con la garantía del producto de la subasta; y de hecho era el comienzo de la expropiación oficial de la Iglesia. Los curas y los obispos denunciaron la acción desde sus púlpitos, amenazaron con excomulgar a los compradores y advirtieron que la riqueza sagrada podía caer ahora en manos de los protestantes y hasta (horror de los horrores) en manos de los judíos. Respondiendo a estas amenazas, los panfletos que apoyaban la venta recordaron al público que los «aristócratas», tanto clericales como legos, habían sido los responsables de la escasez de capital. Era el equivalente metálico de la conspiración para provocar el hambre, pues los emigrantes y los abates exportaban o escondían vastas acumulaciones de lingotes y dinero para privar de capital a la economía.

El mismo tipo de guerra de oraciones contra panfletos estalló cuando la Constituyente adoptó, el 13 de febrero de 1790, la trascendente decisión de anular el reconocimiento de los votos monásticos. Por fin, decían los reformadores, los ejércitos de monjes y monjas inútiles y perezosos se convertirían en ciudadanos útiles. Se abrirían las puertas de los claustros para permitir que los internos se incorporasen al dominio público; pero la reacción de los dos sexos ante esta súbita oportunidad resultó ser muy distinta. Muy pocas monjas decidieron alejarse, aunque las del convento de Sainte-Madeleine, de París, organizaron una protesta formal contra el «despotismo» de la abadesa, una aristocrática Montmorency-Laval. Una reacción mucho más característica fue la declaración de las carmelitas de París, que afirmaron: «Si hay felicidad sobre la tierra, la hallamos en el refugio del santuario». Tampoco todos los monjes se mostraron ansiosos por escapar. Los benedictinos de Saint-Martin-des-Champs habían votado en septiembre de 1789 que renunciaban a su propiedad a cambio de las asignaciones pagadas por el Estado, pero, en 1790, decidieron que de todos modos mantendrían sus votos monásticos. Sin embargo, el espectáculo más dramático procedió del propio corazón de la renovación monástica promovida durante el siglo XII: las grandes abadías cistercienses de Clairvaux, Cluny y Citeaux. De los inmensos y bellos refectorios góticos, de las bibliotecas y de las residencias comunales, creados para establecer una barrera independiente «contra» las corrupciones del mundo, surgió una gran columna de ciudadanos tonsurados que fue a reunirse con sus semejantes.

La invasión de la autonomía clerical por parte del Estado tuvo consecuencias en todos los ámbitos de la vida eclesiástica. Antes de las primeras ventas de propiedades, en diciembre, se habían enviado comisionados a las casas de los capítulos diocesanos para inspeccionar y sellar los títulos de propiedad y evitar así las falsas declaraciones o las transferencias clandestinas a terceros. En marzo y abril de 1790, llegaron a los conventos y a los monasterios más hombres engalanados con las fajas tricolores, para asegurar que los decretos de la asamblea fuesen comunicados y respetados por los abates y por las madres superioras.

En febrero, el propio púlpito había sido reclutado para la Revolución. El 9, el abate Grégoire, cura de Lorena y defensor de la emancipación de los negros y de los judíos, comunicó que habían estallado disturbios generales en la campiña de la accidentada región ribereña del sudoeste. En el Quercy, el Rouergue y el Tarn los campesinos estaban cometiendo actos violentos, porque suponían que los decretos del 4 de agosto habían abolido todos los derechos y los impuestos pagaderos al terrateniente, sin tener en cuenta las importantísimas y delicadas diferencias que la asamblea había formulado cuidadosamente entre los servicios personales y lo que ahora eran las obligaciones de tipo rentístico. Según dijo Grégoire, gran parte de estos malentendidos procedían de la ignorancia del francés en una región en que se hablaban el *patois* local y las variedades de la *langue d'oc* meridional. Sin embargo, en la ciudad maderera de Sarlat, en la Dordoña, el obispo había dado un excelente ejemplo al publicar una circular particular que explicaba los decretos y al utilizar la oportunidad que le ofrecían sus sermones para aclarar los malentendidos (todo esto con un sentido pastoral).

La conclusión de Grégoire fue, primero, que uno de los principales deberes de la Revolución era unificar la nación mediante una activa campaña de instrucción en lengua francesa, apoyada por la propaganda;

y él estaba dispuesto a encabezar el esfuerzo. Sin embargo, por el momento parecía necesario lograr que el clero ayudase al pueblo, sobre todo en la campiña, a comprender la legislación revolucionaria. Al día siguiente, Talleyrand dijo que el mejor modo de hacerlo era inducir a los curas a leer los decretos desde el púlpito y aprovechar la ocasión para desmentir los falsos rumores ante la gente. La propuesta era menos chocante de lo que se quiso dar a entender, pues Luis XIV y muchos de sus predecesores habían reclamado con frecuencia que los clérigos leyesen a sus rebaños los decretos reales. Después de todo, la misa dominical era una de las pocas situaciones en las que uno podía tener la certeza de reunir a los campesinos de parcelas que estaban muy dispersas en la región; pero la apelación ocasional a la Iglesia para que publicase las declaraciones de guerra o la condenación de los herejes no era lo mismo que convertir el púlpito en un tablón de anuncios revolucionario. Incluso el Rey Sol había reconocido que no podía obligar al clero a publicar los decretos.

Cuando amenazaba a los curas con separarlos de su parroquia y con negarles sus derechos electorales como «ciudadanos activos», la Revolución estaba llegando mucho más lejos que la monarquía en el proceso de anexión de la Iglesia como departamento de instrucción pública. De hecho, estaba llevando a la práctica la reclamación del abate Raynal de que el Estado fuese el árbitro inapelable de la moral pública, así como el que determinase si la Iglesia actuaba por o contra dicha moral. «El clero existe solo en virtud de la nación —declaró Barnave—, de modo que la nación [si así se desea] puede destruirlo.» Y en contra de esta relación subordinada y de los actos de intimidación política destinados a reforzarla, las publicaciones clericales organizaron una intensa campaña de contrapropaganda. Algunos periódicos, como el realista y católico *Hechos de los Apóstoles*, y el *Diario Eclesiástico*, del abate Barruel, negaron el derecho del Estado a legislar en asuntos referidos a la enseñanza, la celebración o la liturgia cristianas. Y como respuesta a la reclamación oficial de que la Iglesia se integrase en los objetivos generales de la nación, reiteraron con tenacidad la naturaleza particular e independiente de su sagrada autoridad.

El órgano de Barruel fue muy eficaz, porque no solo publicó las propias y elocuentes arengas del abate contra la legislación revolucionaria, sino también las cartas de los curas rurales (de las cuales algunas al menos tenían una cierta impronta de autenticidad), en las que se quejaban amargamente de la coacción oficial. Una decía: «Mi casa, dijo Jesucristo, es una casa de oración [...], nuestros templos no son lugares públicos o municipios»; y Barruel respondía: «Los discípulos de Cristo no son hombres del César; si hay verdades que publicar en la Iglesia son las verdades de las leyes de Cristo y los preceptos del evangelio».

Por supuesto, esta disputa era algo más que un nuevo y reciente episodio de una antigua serie de hostilidades entre la Iglesia católica romana y los Estados europeos. Tanto por su práctico oportunismo como por su versión de la obediencia de la Iglesia a las normas laicas, Talleyrand no avanzaba mucho en comparación con Enrique VIII o Thomas Cromwell. Rousseau había reemplazado a Lutero como autoridad alternativa en el asunto de la superfluidad de la independencia sacerdotal; pero en Francia la situación se complicaba por la clara negativa, incluso en la mayoría de la asamblea, a abandonar el catolicismo como religión privilegiada. Solo cuando se presionó demasiado a los diputados, como, por ejemplo, el 10 de abril, el día en que Dom Gerle insistió en que la asamblea declarase que la Iglesia romana era la única religión oficial de Francia, las posiciones se dividieron de forma peligrosa. Sin embargo, los legisladores también esperaban que el propio papado representase un papel pasivo o incluso dócil; sobre todo porque su enclave territorial de Aviñón se veía amenazado por la «reunión» (es decir, la anexión a Francia).

En cambio, durante la primavera y el verano de 1790, comenzó a sentirse en la Iglesia una sensación cada vez más intensa de marginación por parte de París y por el hostigamiento secular de la Revolución. Como demostró Timothy Tackett, la geografía del descontento fue bastante singular. La resistencia fue más acentuada en el oeste y el sudoeste, y en la Francia oriental, desde los Vosgos, a través de Alsacia y Lorena, hasta Flandes y la Picardía. El valle del Ródano y el Midi, al parecer, se caracterizaron tanto por el anticlericalismo como por un catolicismo militante, y el régimen revolucionario fue aceptado más ampliamente en el valle del Sena, la región de París y las zonas más pobres de Francia central, donde el incentivo de un mejor estipendio para los curas pudo convertirse en un factor decisivo. Incluso en determinadas áreas, había acentuadas diferencias entre la campiña y la ciudad. Por ejemplo, en la ciudad normanda de Bayeux, Olwen Hufton encontró un alto grado de rechazo en el clero local y observó que los colegas de estos clérigos en la campiña vecina tendían a adoptar una actitud más práctica.

El propio capítulo de Talleyrand en Autun (cuyos miembros, por supuesto, no le habían visto después de su ordenación) tenían posiciones muy claras y comenzó a replicar a su obispo. Les incomodaba en particular que él hubiese propuesto en la asamblea de enero —junto con ese célebre pecador que era Mirabeau— la emancipación de los judíos españoles y portugueses. Todo parecía desembocar en un meditado acto de traición, un obispo que se unía a los usureros asesinos de Cristo y a otros capitalistas igual de detestables para saquear la propiedad de la Iglesia y mejorar su propia situación. ¿Este era el modo en que él cumplía su voto sagrado, formulado ante el altar de la catedral, «de defender con su vida la propiedad de su esposa, la Iglesia de Autun»? Las cartas dirigidas a la prensa local le calificaban de Judas, de apóstata, de asesino del evangelio. Talleyrand escondió un poco más dentro de su chaleco la cruz que llevaba en el pecho.

A su vez, los legisladores se dieron cuenta de que los *curés-citoyens* en quienes habían depositado sus esperanzas —los hombres de buena voluntad cívica que podían reconciliar su vocación cristiana con su deber cívico—, en efecto, no eran muchos. Se podía identificar a algunos, como, por ejemplo, un tal Pupunat, que, desde su parroquia de Étables, en el departamento de Ain, cerca de Nantua, escribió a la asamblea para informar de que los funcionarios locales rehusaban proporcionarle el texto de los decretos para leerlos y que él siempre había creído que «su principal obligación religiosa era unir de forma indisoluble la enseñanza de los decretos de la augusta Asamblea Nacional con los del dogma de la moral cristiana».

El hecho de comprender de una forma cada vez más clara que los Pupunat escaseaban y que estaban muy desperdigados destruyó la cómoda suposición de la asamblea de que un cuerpo leal de sacerdotes-ciudadanos se formaría de manera espontánea. Para llenar este vacío, la asamblea avanzó en dos direcciones. En primer lugar, decidió designar *lecteurs* de decretos que serían los intermediarios oficiales de la asamblea y que podrían, aunque no forzosamente, realizar sus anuncios desde el púlpito; y, en segundo lugar, una vez que se eximía de esa obligación al clero, este de todos modos debía comprometerse a mantener una rigurosa fidelidad mediante un juramento de lealtad a la nación y a sus leyes.

Se trataba de una fórmula casi idéntica al juramento prestado por todos los funcionarios públicos y soldados de cuya fidelidad, si no mediaba ese compromiso, podía dudarse; pero, para la Iglesia, representaba la total subordinación a una autoridad seglar. Hay indicios de que, cuando se presentó la Constitución civil del clero a la asamblea, en julio de 1790, la mayoría de los legisladores la vio simplemente como la incorporación definitiva a la nueva nación revolucionaria de su personal retribuido, titulado y examinado. Después de todo, Mirabeau había dicho que como «la religión pertenecía a todos», sus ministros debían ser servidores públicos, como los soldados y como los magistrados. En adelante, los *curés* y los obispos serían elegidos como los nuevos jueces de paz y como tribunales de distrito y las diócesis coincidirían con los límites de los *départements*.

El abate Montesquiou, un hombre respetado a quien se designó presidente de la Constituyente, entendió que esto no era una reforma, sino un proceso de aniquilación. En abril había preguntado si la Constitución sería ahora «uno de esos cultos paganos que exigen sacrificios humanos». ¿Sacrificaría al santo clero? ¿Acaso «el ángel exterminador pasaría sobre la faz de esta asamblea»?

La Constitución civil no fue solo otro aspecto de la legislación institucional; fue el comienzo de una guerra santa.

Los ciudadanos en acción

En toda Francia, a lo largo de 1790, los Árboles de la Libertad aparecieron en los espacios verdes de las aldeas o en las plazas públicas frente a los municipios. A veces eran verdaderos árboles: *mais sauvages,* árboles jóvenes o renuevos, limpios y trasplantados. Sin embargo, con mucha frecuencia las hojas se marchitaban y las ramas caían, lo que echaba a perder el efecto buscado de rejuvenecimiento primaveral. De modo que los reemplazaban con postes desnudos, que se asemejaban más a los árboles de mayo, que eran su precedente simbólico más inmediato. Muy festoneados con cintas tricolores, esos postes se convirtieron en el principal centro de la lealtad de la aldea a la Revolución, la alegórica declaración de que un lugar ya no era propiedad señorial y de que el pueblo ya no estaba formado por subordinados.

Durante las ceremonias especiales se consagraban los árboles a la causa de la libertad constitucional: el alcalde pronunciaba sus juramentos y le hacía eco un destacamento local de la Guardia Nacional; un sacerdote local bendecía los árboles y había música y poemas a cargo de los escolares y del bardo local, que era al menos un miembro correspondiente de la academia provincial de letras. Alrededor del mástil cívico se danzaba *en ronde*: la unión de las manos de miembros de los diferentes rangos y órdenes, en la unidad fraternal afirmada por el nuevo orden.

Los Árboles de la Libertad celebraban el mito de la armonía decretado, con su peculiar estilo masónico, por los políticos revolucionarios de París. Se suponía que la devoción a la *patrie* era tal que anulaba todas las formas precedentes de lealtad —a la corporación, al orden social, a la provincia o a la confesión— para entrar en una nueva familia política prolongada indefinidamente. Sin embargo, esta integración militante, por definición, exigía la existencia de extraños, con el propósito de definir sus límites e infundir en los miembros el sentido de sus propios lazos. De modo que todas las imágenes de incorporación presuponían la existencia de imágenes contrarias de denegación: los anticiudadanos obstinados que, al negarse a asumir sus diferencias en el seno de la comunidad revolucionaria, tenían que ser excluidos de ella. El pintor Jacques-Louis David proporcionó al menos dos de estas imágenes: el diputado Martin d'Auch, que se negó a prestar el juramento de la Pista de Pelota, sentado, encorvado y abatido, con las manos cruzadas míseramente sobre el pecho mientras todos juraban. Más inquietantes eran los cadáveres de los hijos de Bruto, con los pies en primer plano, ejecutados por orden de su propio padre, puesto que habían vuelto la espalda a la Roma republicana.

Se tendió cada vez más a identificar a esos extraños con un calificativo que sugería la traición, el término «aristócrata», incluso cuando en realidad procedían del mundo de los plebeyos o cuando el propio acusador era un individuo de alta cuna. Por tanto, resultaba posible que un *ci-devant* noble patriota pudiese acusar de «aristócrata» a un comisionista de baja cuna porque antes había trabajado para la recaudación general. Estas ironías sociales provocaban extraños enfrentamientos. El 27 de abril de 1790, el *Courrier de Versailles* publicó la noticia de una disputa pública entre dos *ci-devants,* el marqués de Saint-Huruge, un destacado militante, y el Chevalier de Ladavèse, cerca de la rue Saint-Honoré. «À l'aristocrate», había gritado Saint-Huruge, al ver a su adversario. «Démagogue!», aulló en respuesta el Chevalier. Saint-Huruge, que vestía el uniforme de capitán de la Guardia Nacional, desenfundó su sable y el Chevalier, su estoque, y habrían combatido si no los hubiera separado un tercer *ci-devant*, el conde de Luc, el septuagenario cuyo reumatismo había desaparecido gracias a una dosis de igualdad. Fue una expresión muy característica del espíritu de 1790 que el conde pudiese imponer su autoridad a los dos combatientes en virtud de dos insignias heroicas, su uniforme de ciudadano-soldado del distrito de Oratoire y la cruz de Saint-Louis, que aún llevaba bajo la faja tricolor.

Estos encuentros, en los que cada bando hostil intentaba afirmar su carácter de representante del auténtico patriotismo revolucionario y mostrar a sus antagonistas como «aristócratas», se repitieron en todas las clases sociales. Los hermanos —por ejemplo, los Mirabeau— se acusaban uno al otro de fanatismo o de traicionera indecisión. Las cuentas personales se convirtieron en causas políticas. Jacques-Louis David, cuyo celo político se había mantenido más o menos confinado en sus cuadros, comprendió ahora que la negativa de la Académie a conceder honores póstumos a su alumno Drouais no solo era una afrenta personal, sino el síntoma de su descomposición y obstinación aristocráticas. La situación empeoró cuando se le propuso para el cargo de director de la École Française de Roma. La Revolución aportó a David un vocabulario que le permitió dar a estos agravios el carácter de problemas públicos, de modo que, en adelante, su lenguaje pictórico y verbal se pudieron complementar mutuamente. El artista, al igual que el arte, era ahora político.

El mismo proceso que llevó a la confluencia de los asuntos personales y profesionales en la retórica política se repitió en la carrera del actor Talma, amigo de David. Ya había demostrado ser un ferviente patriota durante la primavera de los Estados Generales, al utilizar el *compliment* tradicional —una alocución ante las luces del proscenio, pronunciado por un miembro de la compañía del Théâtre-Français al principio y al fin de la temporada— para exaltar las virtudes de la Revolución en un vibrante discurso escrito por Marie-Joseph Chénier. «Tengo por enemigos —afirmó Talma— a todos los que deben su vida al perjuicio y lamentan la destrucción de la servidumbre [...] y por amigos debo tener a los que aman a la *patrie*, a todos los franceses auténticos [...]. Los restos de la estructura feudal pronto se derrumbarán gracias a los esfuerzos de la augusta asamblea que os representa.»

Para Talma, ahora no solo los teatros oficiales eran *ancien régime,* sino que podía asignarse ese carácter a todo su arte: forzado, artificial, académico, absurdamente elitista, consagrado a la frivolidad y muy distante de las poderosas verdades universales que podían y debían comunicarse mediante el teatro. No podía extrañar que Jean-Jacques hubiese creído que el teatro era incompatible con una sociedad virtuosa; no podía extrañar que aún se negase el voto a los actores.

Así, Talma llevó a escena los cuadros históricos romanos de David en una representación de *Bruto*, de Voltaire, en la que él decía solo diecisiete líneas en el papel del tribuno Próculo. Inspirándose en la colección de monedas y antigüedades de David, Talma revistió la toga larga hasta el suelo, se cortó los cabellos y los peinó hacia delante al estilo del Bruto capitalino reproducido en el cuadro de su amigo. «Ay, qué feo está —comentó su colega mademoiselle Contat (la Suzanne de Beaumarchais), al ver la figura romanizada de Talma—; parece una estatua antigua.» Así transformado, Talma salió a escena, avergonzando de forma deliberada a los principales miembros de la compañía, que continuaban vistiéndose como en la época de Racine y de Corneille, con peluca, medias y calzones. Formando un sorprendente contraste, Talma se rodeó con tiras de cuero los pies y dejó los muslos desnudos.

Su aparición provocó exactamente la sensación que él había pretendido lograr y demostró que los veteranos miembros de la compañía eran actores aristócratas. En el otoño, la oportunidad de representar *Charles IX,* de Chénier, profundizó la división de la compañía. En el ambiente de finales de 1789, ningún miembro de la *troupe* deseaba representar el papel de un rey-idiota asesino. Se ofreció a Talma el papel cuando el primer candidato declinó la oferta y aquel abordó la tarea según el estilo acentuadamente romántico del shakespeariano británico Kean, utilizando maquillaje para cambiar completamente su cara. Su Carlos IX tenía labios pálidos y finos, y ojos rasgados, casi mongoloides. David se sintió conmovido. Dijo a Talma que se parecía exactamente a un retrato de Fouquet que había en el Louvre. Al final de la obra, Talma muestra cómo el rey se encoge, atribulado por el remordimiento, como un insecto que se muere:

He traicionado a la *patrie* y al honor de las leyes.
Que el cielo me convierta en ejemplo de los reyes.

Aunque los obispos se las ingeniaron para conseguir que se prohibiese la obra después de treinta y tres representaciones con la sala llena, *Charles IX* hizo de Talma una celebridad revolucionaria por derecho propio. Ahora estableció relaciones estrechas con otras luminarias importantes del teatro político y sobre todo con ese consumado actor aficionado que era Mirabeau. En el primer aniversario de la toma de la Bastilla, coronó su conversión política apareciendo en una obra como el fantasma de Jean-Jacques Rousseau, vestido tal y como se muestra en los retratos conmemorativos. Sin embargo, una semana después, el 21 de julio, el teatro y la política confluyeron en una misma actuación. Esa noche, un grupo de provenzales encabezados por Mirabeau reclamó a gritos que se representara la obra prohibida, es decir, *Charles IX*. Naudet, el director de la compañía, avanzó hasta el borde del escenario y dijo que era imposible, pues la primera actriz estaba enferma y otros actores importantes también se encontraban indispuestos. Estos argumentos fueron saludados con gritos y silbidos. En ese momento Talma salió a escena para anunciar que la garganta de madame Vestris le permitiría representar y que podían leerse otras partes si era necesario. La noche siguiente la pieza fue debidamente representada ante un público de entusiastas guardias nacionales.

El drama aún no había concluido. A pesar de su enorme popularidad en la escena y fuera de ella, en septiembre de 1790, Talma fue suspendido en el Théâtre de la Nation, acusado de indisciplina. Sin embargo, Dugazon, segundo jefe de la facción patriótica de la compañía, se presentó de nuevo ante las luces del proscenio para pronunciar una alocución política en la que defendió a Talma como un ciudadano y un actor ejemplar. El público aclamó, entonó canciones revolucionarias, mientras destruía butacas o utilizaba estas para subir a escena y a los palcos más caros. Dugazon y su esposa acompañaron a Talma en un breve y heroico destierro del teatro, hasta que el alcalde Bailly los reincorporó a su puesto a la fuerza. El 28 de septiembre volvió a representarse *Charles IX*.

Al movilizar al público como una infantería que los ayudaba a librar sus batallas entre bambalinas, Talma y los Dugazon habían franqueado la frontera que separaba el teatro de la política. Del mismo modo que David llegó a considerar que sus cuadros eran, en cierto sentido, protagonistas revolucionarios, Talma por su parte percibió su retórica como un instrumento destinado a reactivar las virtudes públicas y a derribar las barreras que separaban a los dirigentes de los dirigidos. En adelante, los actores participarían de forma regular en las ceremonias revolucionarias y las calles serían el escenario del teatro político. Por ejemplo, cuando Dugazon quiso manifestarse en contra de los privilegios permanentes de la Comédie-Française, vistió a ocho actores como lictores romanos, llenó cuatro grandes cestos con la utilería de Talma —cascos, togas, corazas— y condujo a este ejército romano en una lenta y antigua procesión en dirección al Palais-Royal, donde pronunció agrios discursos contra los patricios.

Al menos en París, los límites de la participación política estaban ampliándose rápidamente, de modo que no solo presionaban sobre las convenciones del Antiguo Régimen, sino sobre las que el Nuevo Régimen de 1789 había formulado por su propia seguridad. La retórica del liderazgo revolucionario había alentado este proceso. Utilizaba términos de una integración por tiempo indefinido —la nación, la *Patrie,* la ciudadanía—, como si todos los franceses y las francesas tuviesen el máximo interés en esa familia política ampliada. Ahora, los periódicos repetían estas fórmulas universales, no solo en el lenguaje de los individuos cultos, sino con frecuencia en el habla callejera de los mercados y los *cabarets.* Por lo tanto, se perfilaron expectativas populares referidas a múltiples utopías tanto de la ciudad como de la campiña: fincas sin rentas, iglesias sin obispos ni monjes, un ejército sin sargentos reclutadores, un Estado sin impuestos. Y el carácter extrañamente transitorio del país, que estaba siendo estructurado por la asamblea, acentuó estas expectativas poco realistas.

Poco después, las contradicciones que subyacían en las profundidades de la personalidad de la Revolución francesa se convertirían en francas hostilidades; pues, si las expectativas milenarias de los ciudadanos se originaban en el impulso antimoderno que había movilizado a las multitudes de las calles, los que habían salido beneficiados de esta violencia deseaban algo muy diferente para Francia. Querían un Estado moderno, viable y poderoso: una monarquía constitucional con acento galo, no una democracia populista.

Con ese propósito incorporaron toda clase de limitaciones, diferencias y restricciones a la participación política, lo cual chocaba directamente con los mitos unificadores que ellos habían fomentado. Por ejemplo, la declaración de los derechos del hombre y el ciudadano parecía hablar a todos los franceses, y en 1791 la actriz Olympe de Gouges extendió de forma natural ese razonamiento a una *Declaración de los derechos de las mujeres y de las ciudadanas*, un documento que, entonces y después, provocó burlas, pero que en realidad propone argumentos certeros y emotivos en favor de la inclusión de las mujeres en las promesas totalizadoras de la Revolución. Por supuesto, la Constituyente no solo no estaba dispuesta a contemplar la participación de las mujeres en el proceso político activo, sino que también rechazó a otros grupos que solicitaron la ciudadanía. Los diputados de las Antillas francesas, que sin vacilar invocaron los principios de los derechos del hombre para reclamar ser liberados de las reglamentaciones del derecho colonial, negaron vehementemente la aplicación de los mismos derechos a los esclavos negros. Albert de Beaumetz, que fue uno de los más enérgicos partidarios de la elegibilidad plena de protestantes a los diferentes cargos, aclaró el 24 de diciembre que los mismos derechos no podían concederse a los judíos, pues estos habían sido «condenados por una maldición política y religiosa».

El más destacado incumplimiento de la promesa de los derechos «universales» estaba incluido en los límites que la Constituyente impuso a la participación política. Después de haber formulado un concepto global de «ciudadanía» en la declaración de los derechos del hombre, los diputados llegaron a la conclusión de que algunos eran más iguales que otros. Solo los franceses varones mayores de veinticinco años, que habían tenido domicilio estable durante más de un año, que no eran servidores domésticos, ni dependientes de ningún tipo y que pagaban impuestos por un valor de tres días de trabajo, tenían derecho de votar en las asambleas electorales primarias. En los niveles más altos de la jerarquía electoral, estos límites eran aún más restrictivos. Para ser miembro de una asamblea electoral se exigía el pago de impuestos equivalente a diez jornadas de trabajo y, para poder ser elegido como diputado de la propia legislatura se requería la importante suma de un marco de plata, que equivalía a cincuenta días de trabajo.

Estos límites privaban de derechos a amplios sectores de la población: todos los jornaleros y los peones rurales, el personal doméstico, muchos artesanos —es decir, los sectores sociales que habían tenido una participación fundamental en las algaradas revolucionarias de 1788-1789 y que habían llegado a esperar grandes cosas de su liberación política—. Incluso así, el electorado que se creó de este modo alcanzó una cifra superior a los cuatro millones —fue el experimento más amplio de gobierno representativo intentado en la historia europea—. Sin embargo, para los defensores de una democracia más pura —una reveladora minoría en la asamblea—, las restricciones eran cobardes e hipócritas. Representaban, dijo Maximilien Robespierre, diputado por Artois, «la destrucción de la igualdad». Desmoulins repitió la acusación en *Les Révolutions de France et de Brabant*: «¿Quiénes son realmente los ciudadanos en activo? —preguntó retóricamente—. Los que han tomado la Bastilla, los que trabajan en los campos; en cambio, los *fainéants* de la corte y el clero, pese a la inmensidad de sus dominios, son meros vegetales».

Desmoulins adoptó el seductor estilo rousseauniano de dirigirse a sus lectores como si estos fueran amigos personales: «mes chers souscripteurs». Y en sus páginas, trató de infundir en ellos el sentimiento de lo que podía ser el revolucionario modelo del distrito urbano: el *incomparable* distrito de los Cordeliers, donde, según afirmó, él conocía a todos los ciudadanos, la *terre de la liberté,* caracterizada unas veces como la «pequeña Esparta» y otras como una «pequeña Roma», poblada por incansables patriotas dispuestos a debatir las cuestiones públicas hasta entrada la noche y a correr en defensa de sus hermanos y amigos contra las maquinaciones de los tiranos del Hôtel de Ville. «Nunca puedo atravesar su territorio —escribió en enero de 1790— sin experimentar un sentimiento religioso, pensando en la inviolabilidad que han conquistado para beneficio de los hombres honrados.» Los «hombres honrados» que tenía en mente, por supuesto, eran periodistas y, además de Desmoulins, esa apretada comunidad incluía a Marat, Loustalot, Fréron y Hébert, así como al poderoso editor e impresor Momoro y al dramaturgo Fabre d'Églantine. Sin embargo, su personalidad dominante era el abogado Georges Danton, que, en enero de 1790, propuso la creación de un comité de cinco «Conservadores de la Libertad» (incluido él mismo), sin cuya aprobación ningún arresto sería válido.

Marat, el ácido médico-inventor convertido en periodista, fue quien, en su periódico *L'Ami du Peuple*, proporcionó la prueba de los límites de la libertad de expresión al denunciar en repetidas ocasiones como «enemigos públicos» a Necker, a Lafayette y a Bailly. El 22 de enero se intentó su arresto, con la fuerza de dos compañías de húsares y de cientos de guardias nacionales que bloquearon las calles próximas al Théâtre-Français, donde Marat vivía y trabajaba. Danton movilizó a la asamblea del distrito y dijo que «nuestro propio territorio» era «invadido», si bien aconsejó una resistencia no violenta. Cuando descubrió que la orden estaba destinada al Châtelet, una jurisdicción cuya eliminación ya se proyectaba, decidió apelar a la Asamblea Nacional. Cuando la apelación fue escuchada y rechazada, Marat había conseguido huir, aunque no antes de publicar un extraordinario panfleto en el que ridiculizaba los esfuerzos empleados por las autoridades municipales para apresarle. Observó que veinte mil soldados armados con ochenta cañones y treinta morteros habían acudido para apoderarse del amigo del pueblo, bombardear la asamblea del distrito y apostar zapadores en los tejados, con el fin de pinchar los globos que Marat (devoto del vuelo) había intentado utilizar para evadirse.

Con gran pesar de Desmoulins, la breve pero espectacular carrera de la república popular de los cordeleros terminó a causa de la reorganización administrativa de París, que pasó de sesenta distritos a cuarenta y ocho secciones. «Oh, mis amados cordeleros —se lamentó—. Adiós a vuestra campana; adiós a vuestra silla de la presidencia, a la tribuna que resonó con la palabra de tantos oradores ilustres.» Sin embargo, su lamento era prematuro, pues, aunque se dividió el «territorio» entre varias secciones, sobre todo la del Théâtre-Français y Saint-André-des-Arts, los cordeleros sobrevivieron como el club político más importante de la margen izquierda. Con una suscripción mínima, los cordeleros se esforzaron por reclutar a miembros en la población trabajadora, con el fin de conferir cierta credibilidad a sus ruidosas afirmaciones de que representaban al pueblo contra los opresores del gobierno municipal.

Pese a todo lo que se hablaba de unidad y de indivisibilidad, los requerimientos del Estado —por ejemplo, la venta de la propiedad eclesiástica— fructificaron en la forma de la división y del conflicto. El principio electivo incorporado al gobierno municipal y por departamentos agravó todavía más la situación, pues proporcionó a sucesivas generaciones de políticos locales la oportunidad de acusar a los titulares de entregar los intereses locales al codicioso dominio del centro. Mientras sobrevivieron las instituciones representativas, el problema no se resolvió. En su forma más intensa, degeneró en una abierta guerra civil entre París y las provincias que adoptaban actitudes más desafiantes. Los indicios de que sobrevendrían situaciones más terribles ya se manifestaban en los violentos choques librados en el sur, donde los protestantes que habían acudido en tropel a la Guardia Nacional soportaban los ataques de las multitudes católicas instigadas por los sacerdotes y las reacias administraciones locales. En el peor de estos choques, en Montauban, cinco guardias fueron muertos y más de cincuenta gravemente heridos. Justo para oponerse a este prepotente localismo, los sólidos ciudadanos de la Guardia Nacional decidieron unir las manos a lo largo del país en una demostración de confraternidad. Envueltos en la tricolor y unidos unos con otros por solemnes juramentos, serían la invencible legión del patriotismo.

ESPACIOS SAGRADOS

La Francia revolucionaria no podría ser a la vez una gran potencia europea rejuvenecida y una confederación de cuarenta mil comunas electas. En determinado punto, sus líderes tendrían que decidir si debían acercarse más al modelo de la Gran Bretaña imperial, donde el traspaso de competencias constitucional estaba severamente limitado en beneficio del poder del Estado central, o al del Estados Unidos republicano, donde en teoría se suponía que el Gobierno nacional era solo el agente de los electores provinciales, que aprobaban las medidas adoptadas por aquel. Sin embargo, en 1790, durante un tiempo dio la impresión de que sería posible preservar la feliz ficción de una armonía en la que los intereses locales y nacionales se fusionaban de forma inocente. Las demostraciones de fraternidad que culminaron en la gran Fête de la Fédération en París, en el primer aniversario de la toma de la Bastilla, incluyeron todas la confluencia de las voluntades individuales en un nuevo sentido comunitario. El brazo derecho extendido por todos en la misma dirección, hacia un solo centro; los miles de voces que convergían en el juramento de la Constitución; las diferencias confesionales disueltas en la comunidad revolucionaria. Tal como había recomendado el orador de la Logia de la Unión Perfecta, la Revolución se convertiría en «una vasta logia en la que todos los buenos franceses serían realmente hermanos».

Aunque las manifestaciones de la nueva religión revolucionaria —el culto a la Federación— fueron teatrales y forzosamente efímeras, no por eso fueron menos relevantes. En el emotivo ambiente de 1790, puede afirmarse que influyeron más por medio de una impactante escenografía que mediante cualquiera de las complicadas modificaciones institucionales en las que, hasta hace poco, los historiadores concentraron la atención. Sería bastante erróneo creer que eran solo una deliberada mascarada, presentada por los políticos que intentaban disfrazar su débil legitimidad. Las abrumadoras pruebas recogidas en muchas regiones de Francia no solo sugieren que muchas de las «federaciones» de 1790 fueron espontáneas, sino también que comprometieron a un enorme número de personas en sus «teatralizaciones» del entusiasmo patriótico compartido. Pese al hecho de que las fuerzas organizadoras eran siempre los guardias nacionales, que, en este momento, se reclutaban entre los «ciudadanos activos» acomodados, el número de los que actuaron como participantes y espectadores permite considerar que la Revolución de 1790 tuvo más un carácter de «revolución popular» que el jacobinismo coactivo de 1793-1794, al que con más frecuencia se aplicó esta expresión.

El movimiento de las federaciones se originó en la obsesión revolucionaria con respecto a la prestación de juramentos. El momento en que se creyó que Luis XVI se había convertido al fin en un rey-ciudadano fue el 4 de febrero, día en el que compareció ante la Asamblea Nacional ataviado con un sencillo traje negro para jurar que defendería y que sostendría «la libertad constitucional, cuyos principios han sido sancionados por la voluntad general, en armonía con la mía». Al mismo tiempo, el monarca prometió educar al delfín como un «auténtico monarca constitucional». Bailly respondió a esta afirmación prometiendo al rey que ahora «seréis Luis el Justo, Luis el Bueno, Luis el Sabio, seréis realmente *Louis le Grand*». Después del episodio, Lafayette, que había presidido similares ceremoniales ritualizados durante el otoño precedente, propuso que se renovasen los juramentos patrióticos de los guardias para defender la ley, la nación, al rey y la libertad.

Por repetitivas y superfluas que pudieran haber sido estas ceremonias, los ciudadanos concienzudos jamás se cansaban de imitar a los

Horacios de David, con los brazos extendidos esforzadamente, así como con las propias identidades unidas en una sola voluntad patriótica. Les satisfacía sobre todo celebrar la unión de compromisos de fidelidad que, según se decía, habían sido divididos artificialmente por el Antiguo Régimen. Así, el 29 de noviembre de 1789, se celebró la primera de las grandes ceremonias a orillas del Ródano y allí doce mil guardias nacionales del Delfinado y del Vivarés juraron, «en presencia del cielo, sobre sus corazones y sus armas», que ni el río, ni ninguna otra cosa los detendría en su propósito común de sostener la libertad constitucional. Hubo escenas similares de histriónico regocijo durante la primavera siguiente en Marsella, Lyon, La Rochelle y Troyes. El 20 de marzo de 1790, a orillas del Loira, los guardias de Anjou y Bretaña se abrazaron en una «santa fraternidad» y se comprometieron a renunciar a sus antiguas rivalidades provinciales, «pues ya no eran bretones o angevinos, sino franceses y ciudadanos del mismo imperio».

En Estrasburgo, la Federación del Rin reunió a cincuenta mil guardias de toda Francia oriental, desde el Alto Marne hasta el Jura. Miles de civiles fueron utilizados como acompañantes de la ceremonia y todos vistieron el atuendo de la religiosidad revolucionaria. Cuatrocientas adolescentes vestidas de blanco virginal remontaron y descendieron por el río Ill en una flotilla de embarcaciones tricolores antes de acercarse a un enorme «altar patriótico» erigido en la Plaine des Bouchers. Doscientos niños pequeños fueron adoptados ritualmente por los guardias nacionales como el «futuro de la *patrie*»; los pescadores consagraron el Rin y sus peces a la causa de la libertad. Los agricultores patriotas desfilaron precedidos por arados, empujados por equipos intergeneracionales de niños y ancianos, todos con hoces y guadañas. Sobre todo fue importante el simbolismo de la unidad confesional cuando dos niños pequeños, uno protestante y otro católico (en una ciudad que poseía una sólida presencia reformadora), fueron sometidos a un bautismo ecuménico compartido por padrinos de ambas confesiones. Se afirmó que sus nuevos nombres eran Fédéré y Civique.

En Lyon la *mise en scène* para la Federación tuvo un carácter más trabajadamente neoclásico. Sobre la margen izquierda del Ródano, se erigió un templo de la Concordia con columnas dóricas de veinticinco metros de altura. Sobre este, una montaña de yeso se elevó otros quince metros en el aire y el conjunto quedó coronado por una colosal estatua de la Libertad que sostenía en una mano una pica y, en la otra, el gorro frigio ofrecido a los esclavos liberados en la antigua Roma y copiado fielmente de algunas monedas antiguas. La ceremonia se celebró el 30 de mayo, pero durante dos días afluyeron a la ciudad delegaciones fraternales de otras regiones —Lorena, Bretaña, el Mâconnais y la Provenza—, cada una con sus característicos trajes, pero destacando su fraternidad con la ayuda de enormes fajas tricolores. El día señalado, al son de los cañones y la música, cincuenta mil personas se reunieron a orillas del río para ver más de cuatrocientas banderas de regimientos de la Guardia Nacional que saludaron a la Revolución y se unieron en la masiva entonación del juramento, que resonó a través de la copiosa lluvia.

En el siglo XX es difícil simpatizar con estas demostraciones colectivas de unidad fraternal. Hemos asistido a muchos despliegues orquestados de banderas —grandes extensiones de brazos extendidos en extática solidaridad— y hemos escuchado muchos cantos al unísono para evitar el cinismo o la suspicacia. Sin embargo, por aburrida que fuese la experiencia, no cabe duda de que los participantes la sentían intensamente como un modo de convertir los temores más íntimos en un extrovertido regocijo, de disimular la consternación y la inquietud provocadas por la novedad revolucionaria con un gran manto de solidaridad. ¿Había algo mejor que sentir el ánimo de miles de desconocidos a quienes se podía, al menos durante una mañana húmeda, denominar «hermanos»?

Así, era lógico pasar de las celebraciones provincianas de la Federación a un acontecimiento parisiense aún más ambicioso, que debía unir a los ciudadanos-soldados de toda Francia con las fuerzas organizadoras de la Revolución. La sugerencia acerca de esta «federación general» pareció proceder espontáneamente de compañías de la Guardia Nacional pertenecientes al distrito de Saint-Eustache. Los representantes de los guardias prestarían juramento de fidelidad en presencia de los legisladores y «el mejor de los reyes». Sylvain Bailly, que era muy aficionado a estos gestos grandilocuentes, adoptó la decisión oficial y el 7 de junio Talleyrand informó a la Constituyente sobre las disposiciones proyectadas. Aunque su escepticismo personal respecto de estas celebraciones de ningún modo se había atenuado, Talleyrand también tenía la suficiente astucia para percibir su poder psicológico. Informó de que la ceremonia debía ser solemne, gloriosa, pero no ruinosamente cara (en definitiva, costó unas trescientas mil libras).

El Campo de Marte, un amplio espacio abierto utilizado para los ejercicios y los desfiles por los cadetes de la École Militaire (y, exactamente, un año antes, el lugar donde habían acampado las tropas de De Broglie), fue elegido como lugar para la ceremonia. En concordancia con el fetichismo romano de la Revolución, el espacio debía convertirse en un circo o en un gigantesco anfiteatro. Tendría treinta peldaños y, en un extremo, la entrada estaría señalada por un grandioso Arco de Triunfo de triple arcada. En el centro estaría el Altar de la Patria, ahora habitual, y allí se prestaría el sagrado juramento. No fue tan fácil decidir dónde se pondría al «mejor de los reyes». No podía asignársele un lugar junto al altar sin dar a entender que se le concedía excesiva importancia; por tanto, se resolvió construir un pabellón que alojaría tanto al grupo real (el ejecutivo) como a los diputados de la asamblea (el legislativo), en una situación de asociación e interdependencia simbólicas.

Estas disposiciones no fueron aprobadas por la Constituyente hasta el 21 de junio, por lo que apenas se disponía de tres semanas para llevar a cabo la inmensa tarea de preparar el lugar. El amplio espacio destinado a recibir a unas cuatrocientas mil personas estaba lleno de piedras y era necesario remover estas antes de que se pudiera trabajar y alisar el duro suelo. La mayor parte del campo debía excavarse hasta una profundidad de 1,20 metros, de modo que el sector correspondiente al altar, en el centro, se elevase en la misma medida; pero no había zanjas de drenado y las intensas lluvias de finales de junio habían convertido en un lodazal gran parte del área del anfiteatro, sobre todo en la proximidad de los arcos triunfales. Se necesitaron enormes cantidades de arena y de grava para conseguir afianzar la superficie. También fue necesario completar de forma apresurada otros preliminares igual de difíciles, como ampliar la rue de Marigny y otras calles, de modo que el ancho permitiese el paso de tres carruajes, o enarenar copiosamente el camino por donde desfilarían los *fédérés*.

Fue una tarea enorme, pero el ferviente entusiasmo revolucionario permitió vencerla. En poco tiempo toda el área del centro y el oeste de París se convirtió en un enorme hormiguero de trabajo organizado. Las crónicas contemporáneas destacaron tanto en el texto como por medio de la imagen el cariz socialmente redentor e igualitario de la tarea, en la cual participaban monjes y mujeres de alcurnia, estas con los cabellos recogidos bajo los grandes bonetes; todos trabajando junto con los artesanos y los soldados. Para Mercier, fue un *tableau* de un país completamente distinto de la colección de abominaciones que él había disecado de forma tan memorable. Era la pocilga redimida, un gran festival de la humanidad purificada moralmente por el trabajo comunitario.

> Allí [en el Campo de Marte], vi a ciento cincuenta mil ciudadanos de todas las clases, de todas las edades y ambos sexos formando el cuadro más soberbio de concordia, trabajo, movimiento y alegría que jamás se haya visto [...]. Qué magníficos hombres, qué espléndidos los ciudadanos de París que pudieron convertir ocho días de labor en el festival más emocionante, inesperado y novedoso que jamás haya existido. Es un tipo de espectáculo tan original que incluso el más *blasé* de los hombres tiene que sentirse conmovido.

En este gran ejército de trabajadores patriotas, los poderosos se mezclaban con la gente humilde. La duquesa de Luynes permitió que la carretilla especial que había ordenado fabricar con caoba brasileña la empujaran las floristas, que eran sus compañeras de equipo. En un grupo de monjas y de monjes laboriosos, Mercier vio al héroe naval Kersaint, «con la fisonomía radiante de la libertad», que empujaba una carretilla con la misma alegría que había demostrado en la *Belle-Poule* cuando tuvo que luchar contra los enemigos de la *patrie*. Según la entusiasta versión de Mercier, lejos de cansar a los que participaban en los turnos, el trabajo les provocaba tanto placer que los reanimaba, hasta el extremo de que los aguadores, los vendedores ambulantes y los porteadores del mercado competían unos con otros para ver quién duraba más tiempo, y los veteranos demostraban «que sus brazos podían mantener su vigor mientras el valor sostuviese sus almas». Varios oficios mostraron sus señas de identidad en el trabajo y los impresores tenían fijas en sus sombreros escarapelas que rezaban: «La imprenta, primera bandera de la libertad»; los carniceros, con una intención más amenazante: «Temblad, aristócratas, aquí están los ayudantes de los carniceros».

El lugar de trabajo también había sido representado como un idilio familiar. En una de estas escenas se veía una feliz división del trabajo, en la que el padre esgrimía la piqueta, la madre cargaba la carretilla y el niño de cuatro años estaba en brazos del abuelo de noventa y tres cantando el «Ça ira» para distraer al resto de la familia. La paz social y un altruismo ejemplar prevalecieron hasta tal extremo que entre la enorme multitud no hubo un solo incidente violento o criminal. Mercier afirma haber visto a un joven que llegaba a trabajar, se quitaba la chaqueta y depositaba encima sus dos relojes. Cuando alguien le recordó que los había dejado allí, respondió con una convicción originada directamente en Rousseau: «Uno no desconfía de sus hermanos». Cuando los *cabarets* ambulantes hacían la ronda con el vino o la cerveza gratuitos, los barriles mostraban un lema igualmente optimista: «Hermanos, no bebáis, a menos que estéis realmente sedientos».

Incluso la familia real se vio contagiada por esta plaga de buena voluntad. Una semana antes de la Federación, Luis abrió la biblioteca real y los jardines botánicos a los guardias visitantes; cuando fue a inspeccionar personalmente el lugar, le recibió una guardia de honor que formó un arco con las piquetas. En una recepción destinada a las delegaciones provinciales, el rey dijo que le habría agradado explicar a toda Francia que «el rey es su padre, su hermano y su amigo; que puede sentirse feliz solo con el bienestar de todos y enfermar con los males de todos». Y pidió a los *fédérés* que transmitiesen ese sentimiento a los «*cottages* y chozas» más humildes.

Cuando llegó el gran día, el tiempo no fue propicio. Algunos ciudadanos le acusaron de ser un «aristócrata». Al amanecer, se reunieron cincuenta mil guardias nacionales en el boulevard du Temple, con los electores parisienses de 1789, los representantes en ejercicio de la comuna, un batallón infantil con un estandarte que afirmaba que eran «la esperanza de la *patrie*», los barbudos veteranos del Chevalier de Callières, compañías regulares de soldados y marineros y, finalmente, los delegados de los *départements*, incluso guardias de Lyon que habían llevado consigo un estandarte romano. El honor de portar la insignia del *département* fue concedido al guardia de mayor edad de cada regimiento. Llovía sin parar y, hacia las ocho, cuando las columnas de ocho en fondo iniciaron la procesión, se había convertido en diluvio. Sin dejarse arredrar por los uniformes empapados y por el chapoteo de las botas, la columna marchó hacia el oeste a través de París, a lo largo de la rue Saint-Denis y, después de la rue Saint-Honoré, acompañada por las salvas de artillería y la música de las bandas militares. A pesar de que hiciera un tiempo tan desapacible, la multitud era enorme y arrojaba flores al paso de los soldados. Las mujeres y los niños se acercaban a los hombres para ofrecerles golosinas y pasteles y les entonaban más coros del «Ça ira».

En la plaza Luis XV se unieron los diputados de la Asamblea Nacional y la inmensa procesión por fin llegó al Campo de Marte alrededor de la una. Allí, la triple arcada se elevaba unos veinticinco metros sobre el anfiteatro, coronada por una plataforma de observación peligrosamente atestada de espectadores. El clamor de cuatrocientos mil de ellos saludó la entrada, un *crescendo* que, naturalmente, debió de impresionar a los comerciantes, a los abogados o a los boticarios que vestían sus empapados uniformes azules y blancos de guardias. En el centro del Campo estaba el Altar de la Patria, con su acabado de *faux marbre* y sus adornos simbólicos. En un lado, una mujer encarnaba a la Constitución; en el otro, los guerreros que representaban la *patrie* aparecían con los brazos extendidos, en el gesto revolucionario admitido. Un cartel anunciaba que «todos los mortales son iguales; no se distinguen por la cuna, sino solo por la virtud. En todos los Estados la ley debe ser universal y todos los mortales serán iguales ante ella». En el lado opuesto, una imagen de la Fama proclamaba los decretos de la inmortal asamblea y pedía al pueblo que reflexionara sobre las tres «palabras sagradas que los garantizaban»:

> *La Nación, la Ley, el Rey.*
> *La Nación eres tú.*
> *La Ley también eres tú.*
> *El Rey es el guardián de la Ley.*

A las tres y media Talleyrand inició su ceremonia de la misa y de la bendición. Su responsabilidad era proporcionar una fórmula que uniese la piedad con el patriotismo y, si bien era inevitable que se apartase de la liturgia habitual, al mismo tiempo conservaba elementos ortodoxos suficientes para ponerle nervioso. Como obispo de Autun era célebre por su inclinación a embrollar el ritual. De modo que la noche de la víspera había realizado un ensayo en casa de su amigo De Sousseval, vistiendo el atuendo episcopal completo y utilizando como altar el borde de la chimenea. Con conocimiento demasiado experto para el gusto de Talleyrand, Mirabeau entonó las partes del coro e interrumpió a su amigo siempre que este se equivocaba. Una anécdota apócrifa repetida mucho después afirma que, en el Campo de Marte, Talleyrand había implorado a Lafayette, que se le unió frente al altar, que no provocase su risa. Sin embargo, en realidad todos los datos de los que disponemos demuestran que estos dos hombres se tomaron muy en serio la ceremonia. La Constitución civil del clero había sido aprobada por la Asamblea Nacional apenas dos días antes, el 12 de julio; y Talleyrand, que había sido su principal defensor, tenía una clara conciencia de la necesidad de proporcionar una forma de religión revolucionaria inspirada que pudiese aprovechar las mismas pasiones emotivas, y hasta místicas, que solía emplear la Iglesia católica a la hora de unir a los fieles con la Revolución. Y mientras Talleyrand ejecutaba los siguientes pasos de la ceremonia, guiado por su eminencia Mirabeau, una cantata extraordinaria, medio sacra, medio profana, titulada *La toma de la Bastilla,* se ejecutaba en Notre Dame. Incluía a actores de la compañía de Montansier, cantantes de la Opéra y de los Italiens, e incluso *artistes* de los teatros del boulevard de Nicolet y el Ambigu-Comique, reclutados para representar el papel de los belicosos patriotas. Además de un coro religioso completo, utilizó una orquesta militar, cañones y extractos del libro de Judith cuyos ecos se elevaban sobre el estrépito. Todo lo que Talleyrand creía conveniente para la moral general.

Sin embargo, bajo la lluvia, Talleyrand se veía en dificultades para mantener la dignidad exigida por la ocasión. El viento apagaba sin cesar el incienso y sus ropas empapadas pesaban una tonelada. Bajo la mitra que goteaba lluvia sobre su elegante nariz, el pontífice de la Federación observaba las interminables columnas de guardias que entraban en el recinto. «Ces bougres-là ne vont-ils pas arriver?» (esos tipos, ¿no acabarán de llegar?), comentó a su ayudante, el abate Louis, que después sería ministro de Finanzas laico bajo el Imperio y la Restauración. Finalmente, todo estuvo dispuesto y Talleyrand inició la misa y la bendición de las banderas, elevando los brazos benévolamente sobre los estandartes flameantes. «Cantad y derramad lágrimas de alegría —dijo a la multitud—, pues hoy Francia ha renacido.»

El resto del día pertenecía a Lafayette. Después de todo, el país volvía los ojos hacia él como encarnación del ciudadano-soldado, no solo era su comandante, sino su ejemplo heroico. Y como promotor de una especie de visible consenso, Lafayette tenía perfecta conciencia de que la viabilidad de la monarquía constitucional exigía demostraciones teatrales de la voluntad patriótica. A finales de octubre de 1789 había insistido en el gobierno de la ley marcial en París para impedir injusticias, como el linchamiento sumario de un panadero a quien se había acusado falsamente de engañar en el peso. Sin embargo, habían convertido la ocasión en una ceremonia especial y en ella el rey se había presentado como padrino de los niños huérfanos (una demostración literal de su benevolencia paternal). En abril, Lafayette había llevado a París al general Paoli, héroe de la independencia corsa (liquidada por Francia en 1769), para demostrarle que sus compatriotas corsos nada tenían que temer de sus «hermanos» en la nueva Francia. Juntos visitaron el solar de la Bastilla y presenciaron un desfile de guardias nacionales en una muestra de fraternidad.

No todos apoyaban a Lafayette como el héroe del momento. Los periódicos de Desmoulins y de Loustalot sugirieron que la Fête de la Fédération había sido planeada como un medio de autoexaltación. Sin embargo, hay pocas muestras de que esas críticas contribuyeran en gran medida a empañar la gran popularidad de Lafayette ante la Guardia Nacional de las provincias. Alrededor de las cinco del 14 de julio de 1790, él era el centro de todas las miradas. Desde el altar montó en su corcel blanco y cabalgó entre las filas de guardias, que se habían apartado para formar una avenida hasta el pabellón real. Allí desmontó y pidió (y obtuvo) permiso del rey para tomar juramento a los *fédérés* reunidos. De regreso al altar, en su estilo más teatral, Lafayette extendió los dos brazos hacia el cielo en un gesto similar al de un sacerdote y, después, la mano derecha, que sostenía la espada, tocó el altar al estilo del voto de los antiguos cruzados. Como, naturalmente, su voz no podía oírse, salvo por los que se encontraban más cerca, otros repitieron el juramento ante sus compañías a medida que Lafayette lo pronunciaba; y la ceremonia se completó con un resonante coro: «Je le jure». Una andanada de cañonazos resonó de un extremo al otro del campo. Cuando se apagaron los ecos, Luis usó su nuevo título por primera vez y declaró que, como «rey de los franceses», juraba «utilizar todo el poder que la Constitución le ha delegado para aplicar los decretos de la Asamblea Nacional». La reina, con las plumas de avestruz de su sombrero chorreando gotas de lluvia, levantó al delfín ataviado con un uniforme de guardia nacional y lo ofreció a los vivas de la multitud.

Un cuadro, conservado en el Musée Carnavalet, que muestra el clima de este momento apenas refleja la fuerza y la intensidad de la ocasión; pero al menos no solo presenta a los protagonistas —Talleyrand con su mitra de gran tamaño; Lafayette con el uniforme de comandante; los *vainqueurs de la Bastille* sobre el extremo inferior izquierdo, con sus cascos y atuendos romanos diseñados oficialmente—, sino también el espíritu de la escena. En armonía con el precepto romántico de que las fuerzas naturales acompañaban siempre a la política, el pintor muestra las densas y oscuras nubes oscuras atravesadas por un providencial rayo de sol en el momento exacto en que la espada de Lafayette toca el altar. Es el equivalente visual de una canción *poissard* que se popularizó después de la fiesta:

> *Ça m'coule au dos, coule au dos, coule au dos*
> *En revenant du Champ de Mars* [...]
> *Que' qu ça m'fait Sieyés à moi d'êt mouillé*
> *Quand c'est pour la liberté*

(Me baja por la espalda, me baja por la espalda, me baja por la espalda, al regresar del Campo de Marte [...]
Qué me importa si estoy empapado,
por la causa de la libertad.)

Las celebraciones continuaron durante una semana y las compañías de guardias nacionales agotaron de forma paulatina la cordial recepción de París, bebiendo en exceso y reclamando un número muy elevado de comidas gratuitas. La noche del 14 muchos de ellos fueron al gran *bal de Bastille*, donde Palloy había adornado el lugar con linternas y colgaduras y 83 árboles, uno por cada *département* de Francia. Más avanzada la semana, pudieron asistir a otras ejecuciones de la cantata *Prise de la Bastille,* de Désaugiers, o asistir a la ceremonia especial en la place Dauphine, que honró por enésima vez al amable fantasma de Enrique IV. Finalmente, el 18 hubo un espléndido festival acuático en el Sena, con sus barcazas musicales y torneos. El programa fue idéntico a los que tradicionalmente habían saludado la entrada de los príncipes visitantes. Solo que ahora esos príncipes se resumían en el propio pueblo.

Los extranjeros que llegaron a París para beber en la fuente de la libertad se sintieron particularmente convencidos de que estaban presenciando el advenimiento del milenio fraternal. Habían escuchado a los diputados de la asamblea anunciar una «declaración de paz al mundo» y prometer que Francia jamás volvería a impulsar la agresión militar. «¿Cómo puedo describir a todas esas caras alegres, encendidas de orgullo? —escribió el pedagogo Joachim Heinrich Campe—. Deseaba abrazar a las primeras personas que se cruzaran en mi camino [...], pues ya no habíamos nacido en Brunswick o en Brandeburgo [...], todas las diferencias nacionales se habían esfumado, todos los prejuicios habían desaparecido.» William Wordsworth, que desembarcó en Calais el día de la fiesta, sintió más o menos lo mismo. Mientras pasaba bajo los arcos triunfales adornados con flores, percibió una alegría que se difundía por doquier como el olor de la primavera.

Para la joven Helen Maria Williams, que contemplaba las calles húmedas, mientras los guardias atravesaban París, el 14 de julio fue el más «sublime espectáculo» que ella esperaba haber podido ver nunca. Era la verdadera fe revelada en su forma más extática. «Los ancianos se arrodillaban en las calles y bendecían a Dios, porque habían vivido para presenciar ese feliz momento. La gente corría a las puertas de su casa cargada de refrescos que ofrecían a los soldados, las multitudes de mujeres rodeaban a los hombres y sostenían en sus brazos a los niños y prometían esforzarse para lograr que sus niños absorbieran desde la más tierna edad el sentimiento de inviolable lealtad a los principios de la nueva Constitución.»

Si esto era una bobada, se trataba de una bobada disculpable; otras culturas, en otros periodos, se han visto arrastradas por oleadas de unidad no menos sentimentales que las que se vieron en la Fête de la Fédération. Sin embargo, de todos modos, allí había cabezas frías que comprendían el valor de la ocasión y que no se dejaban engañar por su capacidad de crear una unidad perdurable a partir de sentimientos temporales. Por ejemplo, Talleyrand, que había sido el primer organizador del acontecimiento, era un hombre que siempre meditaba bien sus apuestas. En la noche del 14 por fin pudo despojarse de su sotana empapada. Después de vestirse con prendas secas, ordenó que un carruaje le llevase a casa de la vizcondesa de Laval, donde ya había comenzado una partida de cartas en la que se arriesgaban fuertes cantidades. Tosió cortésmente, ocupó su asiento y comenzó a ganar. Continuó ganando toda la velada, consiguió que saltara la banca y «me llevé más dinero del que podía guardar en mis bolsillos o en mis bolsas». Quizá era un buen presagio: la providencia bendecía al Papa de la Federación otorgándole una racha de buena suerte. Aun así, si bien todas las bendiciones y todos los juramentos eran en vano, quedaba al menos el buen oro puro como resguardo; pues Talleyrand nunca había depositado mucha confianza en el papel moneda.

13

Cambios
Agosto de 1790-julio de 1791

MAGNITUDES DEL CAMBIO

La mañana del 30 de septiembre de 1790 una pequeña procesión de hombres con rostros serios se acercó al Palacio de Justicia de Grenoble. A la cabeza iba M. Barral, alcalde electo de la ciudad, que fijó a las grandes puertas de roble del edificio candados de hierro que sostenían sellos oficiales. Después, se clavó en la puerta un anuncio que reproducía el decreto de la Constituyente que abolía las antiguas cortes soberanas de Francia y las sustituía por jueces y tribunales electos. El Parlamento de Grenoble, que había sido declarado en suspensión indefinida, ahora recibía el certificado oficial de defunción.

Por extraño que parezca, el hombre que, al menos ceremonialmente, asestaba el tiro de gracia había sido, a su vez, *conseiller de Parlement*; pues el simple ciudadano Barral era más conocido para los residentes de Grenoble por el nombre de marqués de Barral de Montferrat. Había asumido el cargo de alcalde cuando otro de sus colegas, el marqués de Franquières, declinó la elección debido a su mala salud. Resultaba bastante frecuente que los notables locales alegasen enfermedad cuando deseaban liberarse de la popularidad revolucionaria. Sin embargo, en el caso de De Franquières, la excusa no era falsa, pues falleció pocos meses después. Barral ocupó el cargo y se puso a la cabeza de los patriotas locales, que estaban decididos a impedir que Mounier, de regreso de su ciudad natal, convirtiese Grenoble en un centro de oposición a la Asamblea Constituyente. Después Barral fue elegido miembro de la administración del Departamento de Isère y presidente del nuevo tribunal de distrito que se reunió en las mismas cámaras que el Parlamento utilizaba como sede del tribunal superior. En ese tribunal le acompañaban como jueces cuatro antiguos *avocats* del Parlamento: Duport *aîné*, Génissieu, Lemaître y Génevou. El presidente de la administración del Departamento del Isère era Aubert-Dubayet, otro *ci-devant* oficial militar.

Por tanto, la ruptura revolucionaria con el pasado institucional no determinó forzosamente un reemplazo total del personal. Aunque su existencia colectiva concluyó con la Revolución, muchos individuos que habían ocupado cargos bajo la monarquía no tropezaron con dificultades para trocar su identidad corporativa por la de ciudadanos-servidores de la *patrie*. En efecto, muchos de ellos estuvieron entre los perseguidores más tenaces de sus antiguos colegas. Durante el verano de 1792, la exmarquesa de Montferrat, ahora ciudadana Barral, pronunció un apasionado discurso ante el consejo municipal de Grenoble para reclamar el arresto sin juicio previo de María Antonieta y la designación de un «tutor patriótico» que se hiciera cargo del delfín.

En vista de esta mezcla de continuidad y de discontinuidad, así como del destacado papel jugado por la nobleza del Delfinado en la aceleración del final del Antiguo Régimen, no resulta sorprendente que el epitafio para el Parlamento de Grenoble publicado por un órgano local, el *Courrier Patriotique,* combinase el desdén oficial con cierto respeto reticente.

> Ya no existen esos cuerpos altivos, esos colosos cuya existencia incomprensible no servía al monarca, ni al súbdito, y cuya organización monstruosa y extraña podía funcionar únicamente en un Estado en que todos los principios [de gobierno] estaban confundidos o se interpretaban equivocadamente. Vi clausurado el palacio desde donde, como si hubiera sido una fortaleza, tantas veces ellos desafiaron la furia de los reyes; ese palacio donde la libertad de los franceses [...] halló refugio.

La mezcla de lo viejo y de lo nuevo se repitió en toda Francia. En el papel, la transformación no podía haber sido más brusca o más total. En cuanto organismos corporativos, los parlamentos sencillamente fueron reemplazados por el *fiat* legislativo de la Asamblea Constituyente y por la antigua jurisdicción de los *bailliages* o de los *juges de paix* electos y los tribunales de distrito y de departamento. Del mismo modo, la naturaleza heterogénea del Gobierno, con sus fronteras superpuestas y entrecruzadas que distinguían la administración civil del gobierno militar y de la diócesis eclesiástica, fue absorbida en la unidad global del departamento. Y lo que es incluso más sorprendente, la jerarquía de los funcionarios reales designados —de los regidores municipales o «cónsules» a los *intendants* y los *maîtres de requêtes*— fue desplazada ahora en favor de los funcionarios electos. Desde luego, el concienzudo *citoyen actif* debió soportar, en 1790, una serie de elecciones, pues se le reclamó que votase sucesivamente para elegir alcalde y consejeros locales, funcionarios del distrito y consejos departamentales, jueces de paz y jueces de los tribunales; y, finalmente, al cumplirse el año, un obispo constitucional y un cura local.

La aparición de los «hombres nuevos» —médicos, ingenieros, muchos abogados, a veces un comerciante o un artesano— durante la primera oleada de instituciones creadas por la Revolución estuvo, en parte, en función de la gran expansión de los cargos electivos. Al menos en esta respuesta a las peticiones de los *cahiers* de que hubiera más y no menos gobierno, los notables revolucionarios habían cumplido ampliamente con su deber. Sin embargo, al igual que en Grenoble, este súbito aumento de la demanda de funcionarios experimentados se tradujo en que, en todo el país, muchos de los que acudieron a ocupar cargos ya habían sido funcionarios bajo el Antiguo Régimen. No siempre formaban la mayoría, pero con bastante frecuencia ocupaban los cargos más influyentes, como, por ejemplo, alcalde o presidente del directorio del *département*, y un sorprendente número de ellos de hecho correspondió a los *ci-devant* nobles. Las listas habituales de profesiones presentadas por los historiadores a la hora de examinar a los hombres de 1790 y 1791 a menudo omiten este hecho, porque «aristócrata» o «noble» ya se había convertido en sinónimo de «traidor» y muchos antiguos *conseillers* de los parlamentos ahora se inscribían simplemente como «abogados», profesión que, en efecto, desempeñaban. En muchos casos, después de la supresión de los títulos hereditarios, estos hombres, naturalmente, habían abandonado sus nombres aristocráticos, de modo que D'Eprémesnil ahora era sencillamente M. Duval, y su adversario de izquierda Huguet de Sémonville ahora era solo M. (bajo Napoleón, barón) Sémonville.

Un examen más atento de los nuevos regímenes en muchas de las ciudades de provincias francesas, grandes y pequeñas, revela que un elevado número de estos residuos del Antiguo Régimen ocupaban lugares decisivos. Por ejemplo en Toulouse, la reputación célebremente inflexible de la aristocracia local —los *capitouls*— no excluyó que algunos de ellos se sumasen al nuevo régimen. El funcionario electo que representaba localmente al rey, el *procureur-général-syndic,* era Michel-Athanaze Malpel, que no solo era un antiguo *capitoul,* sino uno de los más ricos, pues, debido a su matrimonio, había adquirido una fortuna de más de ochenta mil libras. La nueva municipalidad, que sucedió al *capitoulat* abolido, incluía a otro oligarca, Pierre Dupuy, y el presidente del tribunal era Étienne-François Arbanère, que había sido *procureur du Parlement.* En el extremo opuesto de Francia, en el puerto de Calais, sobre el Canal, Nicolas Blanquart des Salines y Pierre de Carpentier, dos veteranos *procureurs du roi,* fueron elegidos, respectivamente, para el tribunal de distrito y el cargo de alcalde. Cuando el segundo, a su vez, fue nombrado para la judicatura, le sucedió en el puesto de alcalde el extraordinario Jacques-Gaspard Leveux, hijo de un recaudador general del almirantazgo, uno de los cargos más remunerados del Antiguo Régimen. Leveux no solo ocupó varias veces el cargo de alcalde, sino que, gracias a su obstinada preocupación en defensa de los intereses locales, logró sobrevivir al Terror, el Directorio, el Consulado y el Imperio, y falleció cuando todavía ejercía el cargo y era legionario de honor, durante el reinado de Luis XVIII.

No eran casos excepcionales. En París, al menos el 20 por ciento de los representantes electos de la municipalidad eran antiguos parlamentarios. Solamente en el distrito de las Filies de Saint-Thomas, Brissot, director del *Patriote Français,* compartía la delegación con los *conseilliers* Lacretelle y Sémonville, el funcionario de finanzas Mollien y Trudaine des Ormes, alto funcionario de la recaudación general. En Lyon, un exnoble liberal, Palerne de Savy, reemplazó a otro, Imbert-Colombes, al frente de la administración municipal. Ambos se vieron atacados por un tercer grupo de patriotas demócratas, encabezados por Roland de La Platière, que provenía de una familia de nobles magistrados dueños de dominios en las proximidades de Amiens y que tenía una propiedad rural en Thizy, del Beaujolais, y una casa en la ciudad, sobre uno de los *quais* a orillas del Ródano.

Desde el punto de vista social estos hombres se distinguían poco unos de otros, sobre todo en un gran centro comercial como Lyon, donde las fronteras entre la nobleza y la riqueza común eran borrosas desde hacía ya mucho tiempo. Y lo que es más importante, todos pertenecían a un medio cultural similar: el mundo de las academias y de las logias masónicas. Todos se sumaban al optimista proyecto de la Ilustración tardía, que veía en las ciencias el agente que, sin duda, llevaría a una prosperidad más grande y a un gobierno más perfecto. Y de este modo también representaban, más que una ruptura con él, una continuación del clima cultural del *ancien régime*. Después de todo, Roland había sido un tenaz defensor de las bendiciones de la tecnología como inspector general del rey en relación con las manufacturas. Su firme entusiasmo en los procesos inventivos incluso le llevó a impulsar la idea de fabricar jabón a partir de la grasa de los cadáveres humanos, sin el más mínimo atisbo de macabro pudor. Sus colegas, rivales y enemigos en la vida pública de Lyon incluyeron al diputado Pressavin, cuya fama descansaba en unos gruesos volúmenes consagrados a las enfermedades venéreas; su amigo Lanthénas, que en 1784 había publicado un típico trabajo ilustrado: «La educación [es decir, la ausencia de la misma] como primera causa de todas las enfermedades»; y a otro médico, el doctor Vitet, que dirigió la escuela de comadronas del municipio y que contribuyó en Lyon a la campaña de Beaumarchais en favor de la lactancia a cargo de la madre del niño. Como Roland, Vitet era un revolucionario más ferviente que Palerne de Savy, a quien reemplazó como alcalde; pero Palerne fue también presidente de la Académie de Lyon y, antes que él, Imbert-Colombes también fue más conocido como estudioso de la botánica y rector del Hôpital-Général de pobres.

Por supuesto, esta hermandad cultural no excluía la existencia de fuertes sentimientos de hostilidad política. Incluso es posible que le añadiese el peculiar veneno que se observa en las guerras entre los *savants* (y los académicos). Sin embargo, debemos aclarar —pues Lyon no era un lugar atípico, ni mucho menos— que las *sociétés de pensée*, las academias y los *musées* contribuían con mucha frecuencia al aprendizaje por medio del cual los miembros de diferente ascendencia social podían desafiarse entre sí y reclamar la pertenencia al imperio de la razón. Es más, el destacado papel de los *savants* y de los *philosophes* de provincias entre los hombres de 1790 y 1791 atestigua la convicción general que prevalecía en ellos de que la Revolución, en muchos aspectos, continuaba y culminaba la actividad modernizadora promovida —con resultados desiguales— durante el reinado de Luis XVI. Los representantes de los distritos de París incluían al arquitecto y escritor Quatremère de Quincy y a científicos-filósofos como Jussieu, Condorcet y el conde de Cassini, el astrónomo-cartógrafo que había ejercido una importante influencia en la fijación de los límites de los *départements*. ¿Y quién podía ser más apropiado como diputado ante la Asamblea Naciónal, elegido por Calais, que Pierre-Joseph des Androuins, el noble aficionado al vuelo tripulado que fue el primero en ofrecer la hospitalidad de su castillo a los aeronautas Blanchard y Jeffries, después de que cruzaran el Canal en globo?

No deseo minimizar el influjo de la Revolución temprana en la vida y en las instituciones francesas. Hubo importantes instituciones —sobre todo la Iglesia y el cuerpo de oficiales del ejército real— que se dividieron en dos por las exigencias del proceso revolucionario. Sin embargo, casi no existen pruebas convincentes de que los «criterios» mediante los cuales los funcionarios, los sacerdotes, los exoficiales, los notables o los abogados decidieron apoyar u oponerse a la Revolución para convertirse en patriotas o emigrados, estuvieran determinados socialmente.

Una de las razones, y no de las menos importantes, de este fenómeno fue que las consecuencias de la Revolución desde 1789 hasta el Terror en general tuvieron un cariz socialmente conservador. Los efectos de gran parte de la legislación de este periodo beneficiaron de forma directa los intereses de grupos que habían prosperado mucho hacia el fin del Antiguo Régimen (aunque es posible que sufriesen perjuicios eventuales a causa de la crisis de 1787-1789) y que ahora tenían nuevas oportunidades de prosperar aún más. Los que ya habían podido definir sus intereses económicos en cuanto a la propiedad y el capital, más que el privilegio, y los muchos que cambiaron para adoptar ese punto de vista encontraron sobradas ocasiones para progresar durante la Revolución. Esto no es lo mismo que decir que la Revolución «era necesaria» para su prosperidad, y mucho menos para el avance del capitalismo; pero, durante sus dos primeros años —quizá solo en esos dos primeros años—, hizo poco para estorbar o invertir los procesos de las décadas precedentes.

Así, justo los individuos de quienes se quejaban tan amargamente los *cahiers* rurales —los *coqs de village*, es decir, campesinos acomodados

y codiciosos, así como otros propietarios (algunos de ellos nobles)—
fueron los que se hicieron con las propiedades de la Iglesia cuando se
pusieron en venta. La Constituyente había determinado que las parcelas
fuesen a parar a manos del mejor postor, de manera que solo cuando los
campesinos podían unirse en un sindicato comprador (como hicieron
en algunas regiones del norte) lograban adquirir tierras. Por ejemplo, en
Pusieux-Pontoise, en la región del Seine-et-Oise, la tierra cultivable
estaba dominada por las propiedades del marqués de Girardin (el amigo
de Rousseau) y por la abadía de Saint-Martin. Cuando las tierras de la
abadía fueron puestas a la venta, el arrendatario más agresivo de Girardin,
llamado Thomassin, pudo permitirse la compra de 55 hectáreas de la
mejor tierra por la importante suma de 69.500 libras. Otras parcelas
importantes las compraron arrendatarios igual de adinerados de las aldeas
vecinas y un comerciante de aves de Puiseux. El propio De Girardin,
que como podía preverse se había convertido en un ferviente defensor
de la Revolución, y cuyo hijo Stanislas era jefe de la administración del
département, adquirió una propiedad de 15 hectáreas en sociedad con
otro *laboureur* acomodado.

Tampoco puede afirmarse que la abolición del régimen señorial
fue tan directa como había parecido la vertiginosa noche del 4 de agosto de 1789. Cuando prevalecieron las cabezas más frías, se reclamó la
ayuda de expertos de la Ilustración tardía en el derecho feudal, de los
que había un elevado número, para que establecieran diferencias legales
entre los derechos (como la *mainmorte*) considerados particulares y abolidos directamente y que tenían un carácter contractual. No es necesario aclarar que estos últimos, definidos como una especie de propiedad
legítima, podían —si ambas partes concordaban— ser redimidos, con
frecuencia según una tasa equivalente a veinticinco veces su valor anual,
índice que, sin duda, impedía que, salvo los campesinos más acaudalados,
el resto aprovechase los beneficios de la ley. Todo lo que sucedió en esas
circunstancias fue que los señores completaron su transformación en
terratenientes, un proceso que ya estaba bastante avanzado durante la
última parte del siglo.

También era previsible que la estructura del poder en la aldea variase muy poco. En la Comuna de Les Authieux-sur-le-Port-Saint-
Ouen, en Normandía, la asamblea local de cuarenta aldeanos designó
alcalde al *curé* y se formó un consejo dividido entre los *laboureurs* posee-

dores de tierra y los comerciantes locales, como, por ejemplo, el tabernero, además de algunos funcionarios menores, como el *procureur*.

El mismo esquema puede aplicarse a los efectos de la Revolución
en la Francia urbana. Gran parte de la legislación de la Constituyente
que influyó en la Francia urbana estuvo destinada a reanudar las políticas iniciadas bajo los regímenes de Turgot y Calonne, a impulsar todavía
más a Francia por el camino de la expansión capitalista. La frustrada
reforma de las corporaciones concebida por Turgot se convirtió en una
supresión total a principios de 1791. Sin embargo, cuando la manifiesta
satisfacción que los oficiales artesanos sintieron al verse liberados de las
restricciones corporativas se convirtió en una serie de huelgas —sobre
todo de los carpinteros, los herreros y los sombrereros—, la asamblea
respondió con la ley de Le Chapelier, que prohibía todas las coaliciones
o las asambleas de trabajadores. Según indica la relativa ausencia de discursos y artículos contemporáneos acerca del asunto, la ley de Le Chapelier fue aprobada no tanto a causa de una fijación ideológica con el
comercio libre como por el deseo de proteger los intereses comunes de
los ciudadanos —expresados en las instituciones nacionales— contra el
particularismo que se atribuía a las huelgas.

Asimismo, muchas de las dudas y de las divisiones de opinión sobre
el camino más corto para alcanzar la modernización económica que
habían cristalizado durante las últimas décadas del Antiguo Régimen se
reprodujeron en la Revolución. En la Constituyente quizá hubo un consenso para la preservación de la libertad interior del comercio de cereales, pero se reveló una decisión igual de firme sobre la necesidad de
impedir la exportación a otros países. Las ciudades textiles de Normandía, que habían retrocedido frente a la competencia británica por el
tratado comercial de 1786, presionaron con fuerza para conseguir la
anulación de este convenio (más aún, para lograr la prohibición de todos los artículos importados) y ciertos centros comerciales como Burdeos, cuyo comercio de vinos con Inglaterra florecía, trabajaron con la
misma tenacidad para mantener el tratado. Sin embargo, cuando se llegaba al comercio colonial, los comerciantes de Burdeos, como los de
Nantes y Ruán, abandonaban de pronto su defensa del comercio libre
y argüían (contra los plantadores de las Antillas) en favor de la preservación de las leyes que imponían que los artículos coloniales fuesen despachados exclusivamente pasando por Francia. No es necesario aclarar

que todos estos grupos apelaban al lenguaje de la política para justificar sus contradictorias posiciones. Sin embargo, los argumentos en defensa de la «libertad» o el «patriotismo» eran apenas una capa superficial que disimulaba una tenaz protección de los intereses locales.

Con la excepción, de gran trascendencia, de la expropiación de la Iglesia, entre 1789 y 1792 la Revolución no provocó una significativa transferencia del poder social. Se limitó a acelerar las tendencias que se habían puesto de manifiesto durante un periodo más prolongado de tiempo. La sustitución de los cargos designados por los electos amplió el área de reclutamiento del personal oficial, al incorporar a las profesiones a hombres que habían estado llamando a la puerta. Sin embargo, incluso antes de la Revolución, esa puerta rara vez se tradujo en el bloqueo que la retórica posterior presentó. En el caso de la élite —tanto noble como eclesiástica—, esta se dividía según los criterios de la convicción política y de la solidaridad regional, más que de las clasificaciones sociales. Los que se aferraron a una jerarquía anacrónica que solo podía preservarse en una sociedad corporativa formada por órdenes se vieron castigados, estigmatizados como individuos desprovistos de espíritu cívico, obligados a emigrar o a alzarse en armas. En cambio, los que pudieron replantear su propia identidad para adoptar la del ciudadano-tribuno, la de servidor del Estado, y consiguieron su propia fortuna con la propiedad más que con el privilegio, pudieron protagonizar la metamorfosis fundamental de nobles a notables. Como terratenientes, funcionarios oficiales, administradores de *départements* y jueces y médicos, banqueros y fabricantes, formaron un centro de influencia y de poder que prevalecería de hecho en la sociedad francesa durante el siglo siguiente.

La incontinencia de la polémica

Sin embargo, esto no implica sugerir que nada importante cambió como resultado directo de la primera fase de la Revolución francesa. Las libertades entronizadas en la declaración de los derechos del hombre para proteger la libertad de expresión, de prensa y de reunión habían determinado la aparición de una cultura política en que la liberación de la falta de respeto, literalmente, no conoció límites. Fue, de lejos, la creación más radical de la Revolución; pues, aunque su estilo injurioso y sus concepciones básicas se habían forjado durante el Antiguo Régimen de mano de escritores y periodistas como Linguet y Mercier, la supresión de la censura y las acusaciones judiciales permitió que el debate político llegara a un público que, por su amplitud, carecía de precedentes.

La consecuencia fue una incontinencia polémica que inundó a todo el país. Ahora que las noticias de París podían llegar a los límites oriental y meridional de Francia en tres o cuatro días, la Revolución nacionalizó la información hasta el extremo de que, en verdad, había que huir muy lejos para escapar de la continua omnipresencia de la política. Desde las guarniciones militares, donde los soldados exigían el derecho a confraternizar con los civiles e incluso a asistir a las reuniones de los clubes, pasando por las iglesias rurales, donde se utilizaban las puertas como tablones de anuncios y donde el púlpito se convertía en un campo de batalla de ortodoxias rivales, hasta los palcos de los teatros del bulevar, donde multitudes de oficiales artesanos volcaban sobre los actores jocosos improperios y canciones patrióticas, nada quedaba fuera del alcance del alargado brazo y la retumbante voz de la arenga política.

Este grado de movilización no respetaba la cortesía que exigía la intimidad. Es más, esta última, a su vez, resultaba sospechosa, porque se parecía demasiado a las tácticas de encubrimiento que, según se afirmaba, constituían la esencia de la cultura aristocrática. Por tanto, la verificación de la virtud patriótica no se detenía ante la puerta del dormitorio. Algunos órganos, como el *Orateur du Peuple,* de Fréron, se complacían informando (o inventando) historias de las Lisístratas revolucionarias que interrumpían el coito en el momento crucial para reprochar a sus maridos que hubiesen prestado juramento de lealtad a Lafayette. «Detente, detente, detente ahí mismo —exclamaba una decidida ciudadana de la rue Saint-Martin, en París—; nunca más gozarás de las tiernas caricias que tantas veces he malgastado contigo hasta que abandones ese amor que te somete al Corruptor.» En cambio, se exaltaban los matrimonios patrióticos como la sólida base sobre la cual debía construirse una *patrie* auténticamente virtuosa. En diciembre de 1790, Brissot felicitó irónicamente a Camille Desmoulins con motivo de su matrimonio, a la vez que expresaba el deseo de que «al ser feliz, nuestro amigo no se muestre menos tenaz como defensor del interés público». En una etapa posterior del ciclo de la vida conyugal de los patriotas, se honraba en particular a las madres que tenían una gran prole por su contribución a la *patrie*. Una extraordinaria mujer, que afirmaba haber dado a luz nada menos que veinticinco hijos, tuvo el honor de llevar la bandera nacional en una ceremonia especial realizada en la catedral de Notre Dame, de Ruán, en mayo de 1791.

También se reclutó a los niños con el fin de que participaran de este mundo de incansables demostraciones de las virtudes públicas. Los jacobinos alentaron la formación de jóvenes afiliados, los Jóvenes Amigos de la Constitución, y en ocasiones permitieron que los miembros asistieran a sesiones del «club de madres» de París. En toda Francia los Batallones de la Esperanza, formados por varones de siete a doce años, recibieron uniformes y se les enseñó a marchar, a recitar extractos de la declaración de los derechos del hombre y el ciudadano, y a desfilar frente a sus embobados ciudadanos-padres vistiendo pequeños uniformes de la Guardia Nacional. Por ejemplo, en Lille, un veterano soldado, el antiguo *sieur* de Boisragon, ahora solo M. Chevallau, instruyó a un grupo de ochenta varones (al igual que en otros lugares, los denominó Bon-Bons Reales, una burla al regimiento de los Borbones reales). Con la colaboración de su *curé* local, Chevallau organizó una *fédération* de niños, con la correspondiente bendición de la bandera y el debido juramento. «Viviremos para nuestra *patrie* —prometieron César Lachapelle, de ocho años, y Narcise Labussière, de nueve—, y nuestro último aliento será para ella.» Ante los majestuosos diputados de la Asamblea Nacional, afirmaron: «Cuando nuestros padres y maestros se vanaglorian incansablemente de la sabiduría de vuestros decretos y cuando de todos los rincones de Francia nos llegan aplausos a vuestra obra inmortal, cuando toda Francia derrama bendiciones sobre vuestras cabezas, cómo es posible que nuestros corazones permanezcan insensibles [...]. No, messieurs, el reconocimiento y el respeto nada saben de edades».

Este tipo de edificante expresión tampoco se limitaba a los discursos, a las ceremonias y a los textos. Inundaba el mundo de los utensilios y adornaba las fuentes de cerámica, las tazas de café y las jarras de estaño con elementos patrióticos, como la Bastilla semidemolida y coronada por el gallo galo que saludaba a la alborada de la libertad; las banderas de la Guardia Nacional y la trinidad consagrada de «La Loi, le Roi et la Constitution». La fábrica de algodones estampados de Oberkampf, en

Jouy, que primero había producido telas para tapizar con diseños que celebraban la guerra estadounidense, ahora abordó escenas de los épicos días de 1789, de modo que la ofensiva de la propaganda política fue tanto una cuestión de imágenes como de textos. Los grabadores de la rue Saint-Jacques, que antes de la Revolución creaban imágenes populares de santos, héroes populares y soldados, ahora dedicaban casi todo su tiempo a realizar enormes cantidades de grabados con temas abiertamente políticos. Las colecciones de la Bibliothèque Nationale contienen, literalmente, decenas de miles de ejemplos de estos grabados, que no solo documentaban para la gente analfabeta los episodios de la Revolución y los comunicaban a los habitantes de las provincias alejadas de París, sino que, además, asentaban estereotipos fundamentales de héroes y canallas. Casi es posible medir el ascenso y la caída del prestigio de figuras como Necker, Lafayette y Mirabeau mediante el ritmo de la producción y el tono fluctuante de los grabados que representan a estas personalidades.

Otras formas de literatura ilustrada familiar fueron utilizadas de modo similar para inculcar las virtudes específicas defendidas por las facciones revolucionarias competidoras. Los almanaques eran el medio preferido. Por ejemplo, Sylvain Maréchal, que antes de la Revolución había ido a la cárcel por la publicación de su *Almanach des Honnêtes Gens*, ahora podía publicarlo y su *Carpeta del Patriota* repitió su mezcla de información práctica e igualitarismo social utópico. El *Almanach du Père Gérard,* del dramaturgo y actor Collot d'Herbois, ganó un premio especial otorgado por los jacobinos (lo eligió un comité que incluía a Condorcet y a Grégoire) por tratarse de una obra que combinaba la misión apostólica de la educación política con un estilo deliberadamente sencillo destinado a interesar a los campesinos a quienes supuestamente se dirigía. El Père Gérard era un diputado a la Constituyente por Rennes, alabado porque había ocupado su lugar en los Estados Generales vestido con una sencilla chaqueta de pana parda, máxima muestra, al parecer, de la bucólica sencillez defendida en el código rousseauniano de moralidad social. Y Collot, en efecto, había conseguido un tono que rezumaba rústica bonhomía para explicar el sentido de la palabra «Constitución», al compararla con el cuerpo sano de un robusto muchacho campesino llamado Nicolas, «cuyo saludable apetito, cabeza sensata y brazos fuertes son la propia imagen de la Constitución».

El teatro popular del *vaudeville,* que mezclaba el canto, la danza, la payasada y el humor burdo, se convirtió en otro brazo de la propaganda política. Cuando se estrenó, *Nicodemo en la Luna o La pacífica Revolución* superó todos los récords con noventa representaciones en el Théâtre-Français, donde reunió a un público verdaderamente heterogéneo. Utilizó toda la gama de trucos del boulevard du Temple y del Palais-Royal y, aprovechando la obsesión por los viajes en globo, envió a la Luna a su héroe, el campesino Nicodemo, una mezcla particularmente gala de sencillez y de astucia en el estilo de Bourvil. Allí descubría a un rey afable, pero olvidado, intimidado por una esposa difícil y falsa. Nicodemo describe el cuadro de ese paraíso terrenal que es Francia, donde su propio soberano aceptó libremente una revolución que dio la felicidad a toda la nación.

La elocuencia política afectaba incluso los estilos del peinado. Por ejemplo, el *Patriote Français,* de Brissot, publicó, en octubre de 1790, una extensa carta en la que defendía los cabellos cortos, lacios y sin empolvar como el tocado patriótico apropiado. El motivo era que había sido el peinado favorito de los virtuosos cabezas redondas ingleses y que, por el contrario, las trenzas largas y rizadas habían sido el signo externo de los caballeros aristocráticos, vanos y corruptos. Como en el caso de los romanos, el autor de la carta suponía que los tiranos decadentes como César y Antonio se rizaban los cabellos, y en cambio Casio y Marco Bruto, «que tenían almas orgullosas y aterrorizaban el corazón del dictador», llevaban los cabellos cortos y los peinaban hacia delante en el estilo que podía verse en los papeles Talma representaba en el escenario. «Este tocado —insistía el autor— es el único apropiado para los republicanos: es sencillo y económico, y requiere poco tiempo; no necesita cuidados y, por tanto, garantiza la independencia de la persona; atestigua la existencia de una mente dada a la reflexión, tan valerosa que desafía a la moda.»

El órgano de Brissot no fue el único que trató de reforzar las noticias con los editoriales, la prédica política y las anécdotas edificantes destinadas no solo a crear un público lector curioso, sino también moralmente avisado. Entre todos los medios de difusión que permitieron plasmar un electorado político, es posible que la prensa fuera el más poderoso. La magnitud de su expansión después de 1789 fue por sí misma asombrosa. Antes de la Revolución existían quizá unos sesenta periódicos en toda Francia —aunque, como ha señalado Jeremy Popkin, las gacetas extranjeras francófonas constituían un complemento importante—. Hacia agosto de 1792 eran casi quinientas solo en París. Por supuesto, no todas eran importantes o podían vanagloriarse de gozar de una vida regular o de tener más que una circulación modesta. Sin embargo, los grandes éxitos, como por ejemplo los *Annales Patriotiques*, de Carra, alcanzaron tiradas de ocho mil ejemplares y la *Feuille Villageoise*, el órgano inmensamente popular del abate Cérutti, destinado a ofrecer un catecismo político al campesinado, consiguió tener cifras muy superiores. Jacques Godechot incluso ha calculado que, por medio del considerable número de suscripciones comprometidas por los clubes políticos, puede ser que el periódico de Cérutti llegara a un público lector de doscientas mil personas, aunque esta cifra pertenece al reino del optimismo editorial.

Lo que impresionaba en la expansión de la prensa política no era tanto su amplísima circulación, sino la enorme gama de estilos, tonos y formatos adoptados, que englobaba la tediosa y meritoria información de la Constituyente en el *Patriote Français*, de Brissot, así como la jugosa procacidad en el caso de *L'Orateur du Peuple*, un órgano mucho más ameno. Algunos órganos, como por ejemplo el de Marat, mantenían la atención mediante la mera e implacable ferocidad de sus denuestos y las oleadas de indignación y pánico que podían provocar al denunciar los nidos ocultos de traidores y conspiradores, más o menos como rabdomantes políticos armados con varas que les permitían adivinar y acusar. Otros, aún más vanguardistas, como el *Père Duchesne*, de Hébert, y algunas publicaciones efímeras, como el *Tailleur Patriotique*, conseguían reproducir la auténtica voz del *bon bougre*, el hombre de boca sucia y hablar campechano de las tabernas y los mercados, con la cabeza envuelta en los vapores del alcohol y el tabaco, y con la lengua caliente debido a los insultos dirigidos a la Autri-Chienne (la perra austriaca, es decir, la reina). Su atracción residía en la violencia verbal, hasta el extremo de que, por ejemplo, el *Tailleur Patriotique* describía regularmente a los clientes que acudían a él para que les tomase las medidas de los trajes como *aristocrates à pendre* (aristócratas para colgar).

Los periódicos de más éxito eran también instrumentos de adoctrinamiento y trataban de disipar las dudas de los que vacilaban, predicar a los iletrados e informar a aquellos que tropezaban con dificultades a la hora de comprender los decretos de la asamblea o la diferencia entre los patriotas «honrados» y los «falsos». La *Feuille Villageoise*, de Cérutti, era una especie de manual básico para el campesino patriótico y le proporcionaba consejos sobre el modo de combatir las pestes igualmente perniciosas de los hongos que atacaban los árboles en el huerto y de los sacerdotes que no habían prestado su juramento en el púlpito. Este órgano también reproducía, con ferviente respaldo en cuanto al uso general, el texto de la oración patriótica de Lequinio: «Oh, Dios de la Justicia y la Igualdad, puesto que habéis querido que nuestro buen Pueblo recobrase todos sus derechos, cuidad que se los preserve a pesar del trabajo de los locos y los fanáticos, y mirad por que los hermanos no luchen contra los hermanos, no sea que todos sean vencidos por los enemigos de nuestra Familia». Cérutti también publicaba relatos de lejanos misioneros de la fe revolucionaria, que trabajaban denodadamente para difundir el evangelio, a menudo, literalmente, en el patio trasero. En una de estas cartas, un maestro de escuela informaba de que

> todos los domingos en nuestra aldea nos reunimos en un jardincito contiguo a mi casa y, allí, sentados sobre un montículo, leo a nuestros campesinos, que me rodean en círculo, la *Feuille Villageoise*. Escuchan tan bien que me obligan a repetir todas las palabras que no entienden. Les explico todo lo que sé, pero con frecuencia comprendo que hay cosas de las que sé poco o que entiendo de forma equivocada.

Según la historia de los jacobinos de Michael Kennedy, la *Feuille Villageoise* era la suscripción preferida de los clubes de este grupo, sobre todo en provincias, y desde luego fue en las sociedades populares donde la mayoría de los franceses —y algunas francesas— se iniciaron en el lenguaje de la política revolucionaria. Al principio, la Sociedad de los Amigos de la Constitución, que se reunía en el convento de los jacobinos de la rue Saint-Honoré, no era tan ambiciosa. Representaba simplemente una continuación del Club Bretón (de diputados) de Versalles, que se había reunido para coordinar la táctica que aseguraría la victoria de la asamblea contra las maquinaciones del Gobierno. Al ampliar la afiliación de la sociedad de modo que incluyese al público y reducir la suscripción anual a veinticuatro libras, que podían pagarse mensual o trimestralmente, los jacobinos de París ofrecieron un lugar donde los ciudadanos y sus «mandatarios» podían debatir las cuestiones públicas en un ambiente de apoyo mutuo. De modo que, aunque aún no era el foco del igualitarismo militante en que se convertiría después de 1792, la sociedad naturalmente realizó críticas al pragmatismo o a la «actitud moderada» gubernamental, fundadas en lo que, según afirmaban, eran los primeros principios de la Revolución.

En la primavera de 1790, otros patriotas de opinión similar, en ciudades de provincias como Dijon, Lille, Estrasburgo, Grenoble y Marsella, que deseaban contar con un centro de reagrupamiento desde el cual poder denunciar las intrigas de los locales reticentes (a veces atrincherados en las administraciones locales), formaron sus propias sociedades y escribieron para pedir la afiliación común con sus «amigos y hermanos» de París. A su vez, la «sociedad matriz» envió activistas que promovían la creación de células locales, en lo que una circular denominó «una sagrada coalición para mantener la Constitución», sobre todo en las ciudades en que la sociedad consideraba que la verdadera causa se veía amenazada. A veces el esfuerzo podía frustrarse, como, por ejemplo, cuando el actor Bordier fue ahorcado en Ruán por instigar a una insurrección popular. Sin embargo, era más frecuente que la labor se ejecutase de forma pacífica y que hallase una pronta respuesta en las reuniones informales de partidarios, formadas por abogados, *savants*, funcionarios o el inevitable excura local, revolucionario y patriota.

Hacia agosto de 1790 los jacobinos de París tenían mil doscientos miembros y unos ciento cincuenta afiliados en las provincias. Un año después, ese número había aumentado a más de cuatrocientos. Un éxito tan extraordinario puede explicarse solo, como ha señalado Kennedy, por la afición del siglo XVIII a la sociabilidad practicada en los clubes, lo cual sugiere que los jacobinos heredaron el sentido de la importancia de la solidaridad y la igualdad fraternas de las logias masónicas populares que habían brotado como hongos en Francia durante la última parte del siglo. También tomaron de la masonería el placer del rito y del arcano simbolismo e insertaron los mensajes de la política revolucionaria en emblemas masónicos, como el ojo vigilante y la escuadra del albañil (que indicaba la igualdad), así como la obsesión de los masones por los triángulos. Las exaltadas profesiones de fe en defensa de la fraternidad universal de los hombres bienintencionados eran también una repetición de una fórmula masónica bien conocida. En cambio, era muy distinta la repulsa que los jacobinos sentían hacia el secreto y también el hecho de que tuviesen una visión proselitista de sus propios clubes como escuelas de moral pública.

También, desde el punto de vista físico, los clubes jacobinos eran un cruce entre la iglesia y la escuela. Con frecuencia se instalaban en monasterios abandonados (o, más adelante, confiscados) y otras veces lo hacían en oficinas del gobierno local o incluso en pequeños teatros o tabernas. Su distribución casi invariablemente incluía una tribuna para el orador, en la parte delantera de la sala, sobre un estrado bajo donde también estaban las sillas de los representantes que dirigían la sociedad. Los que no eran afiliados podían asistir a las reuniones, pero estaban separados de los afiliados por una balaustrada baja o por una cuerda que atravesaba el ancho de la sala. Sin embargo, el Club de París distribuía sus asientos a lo largo de la pared de la vieja biblioteca, lo cual ofrecía una mayor visibilidad tanto a los oradores como al público. Las paredes estaban adornadas por los símbolos obligatorios de la fraternidad: bustos de yeso de figuras ejemplarizantes de la Antigüedad, como Junio Bruto y Catón, así como héroes más contemporáneos: Jean-Jacques Rousseau, Benjamin Franklin y (en los clubes provinciales alejados de París, porque en esta ciudad los jacobinos desconfiaban de él más que le admiraban) Mirabeau. Entre estos bustos, había copias enmarcadas de la declaración de los derechos del hombre, colgadas a menudo junto a grabados de las grandes jornadas revolucionarias, extraídas en general de la serie publicada por los *Tableaux de la Révolution Française*.

Sin embargo, el rasgo más imponente de los jacobinos estaba representado por los sonidos más que por las imágenes. Las paredes de sus clubes resonaban con los ecos de interminables discursos, discusiones, lecturas críticas de la legislación; una oratoria predeterminada que imitaba a los virtuosos del club de París y de la Asamblea Nacional. Cada club provincial tenía su estrella local, que emulaba en las expresiones de indignación patriótica y retórica ciceroniana los diferentes estilos retóricos de Mirabeau (fervoroso), Barnave (tenso) y Robespierre (lógico-sentimental). Y es justo en los grandes clubes locales, como por ejemplo en Burdeos y en Lyon, donde la siguiente generación de políticos revolucionarios, que se convertirían en los Cicerones y los Catones de la Asamblea Legislativa —Lanthénas, Isnard, Vergniaud y Gensonné—, realizó su aprendizaje.

Incluso durante el primer periodo, cuando entre sus afiliados había muchos «moderados» (monárquicos confesos o encubiertos), los jacobinos asumieron el papel de opositores a las autoridades constituidas (locales y nacionales). Desempeñaron de manera consciente el papel de guardianes morales de los principios revolucionarios y estaban dispuestos a cumplir inflexiblemente con su deber patriótico, aunque eso significara oponerse a la mayoría de la Constituyente o a los funcionarios elegidos localmente. De todos modos, la militancia de estos hombres tenía un cariz más político que social. Si eran demócratas, gozaban de una posición relativamente acomodada, pues la mayoría correspondía al mismo tipo de personas que formaban los cuadros de oficiales de la Guardia Nacional: profesionales, escritores y periodistas, un número algo mayor de intermediarios y comerciantes de lo que podría haberse encontrado en las administraciones locales y quizá el 20 por ciento de artesanos, casi todos, de forma abrumadora, maestros independientes.

Ese electorado intermedio que pagaba veinticuatro libras dejaba a la izquierda de los jacobinos un espacio que sería ocupado por clubes políticos orientados específicamente hacia los grupos excluidos por la primera definición de ciudadanía de la Revolución. Obviamente, los grupos que más respondían a estas características eran las mujeres y los asalariados (aunque, hasta donde sabemos, no se formó ninguna sociedad que se interesara en ese grupo enormemente numeroso de los excluidos: los criados). Este fue el objetivo explícito de los nuevos Cordeliers, que redujeron la cuota de ingreso a solo una libra, es decir, cuatro *sous*. Según un observador inglés, las asambleas de los cordeleros estaban formadas por sujetos pendencieros cuyo «atuendo era tan sucio y descuidado que uno los habría confundido con una panda de mendigos». Sin embargo, docenas de sociedades más reducidas siguieron el ejemplo de la política de integración de los cordeleros. Las más destacadas fueron los Mínimos, la Sociedad de Indigentes y, en particular, la Sociedad Fraternal de Patriotas de Ambos Sexos, fundada por el maestro de escuela Claude Dansard. Todos estos clubes aceptaban a las mujeres y, sobre todo la Sociedad Fraternal, a mujeres como Louise Robert (hija del revolucionario bretón y aristócrata Kéralio, director del *Mercure National*); Pauline Léon, la hija del fabricante de chocolate; Théroigne de Méricourt; y la extraordinaria Etta Palm d'Aelders (que era a la vez espía al servicio del Gobierno neerlandés del Stadtholder y una feminista convencida); cada una de ellas representó un importante papel en la organización a la que pertenecía. De estos clubes surgieron las propuestas de formar compañías de mujeres armadas —por ejemplo, para vigilar a la familia real en las Tullerías en 1791 y como destacamento en las fronteras en 1792—, así como reclamaciones ya planteadas con anterioridad por Olympe de Gouges y Etta Palm en favor del sufragio femenino. Se sentían molestas en especial por la típica actitud jacobina que consistía en relegar a las mujeres a la cocina y al hogar, y por comentarios como el que hizo el fabricante de cerveza Santerre: «Los hombres de este distrito prefieren volver del trabajo a casa y hallar su hogar en orden en lugar de ver a sus esposas regresando de una asamblea donde no siempre adquieren un espíritu dócil».

En las sociedades populares —que en París atraían como mucho a dos o tres mil partidarios durante este periodo—, los ideales de igualitarismo social y autonomía democrática alcanzaron su nivel más alto. Allí también la retórica de la conspiración y la denuncia de los traidores que actuaban dentro y fuera del país fue más estridente. Mientras los órganos de Marat y de Fréron eran con frecuencia demasiado toscos para el gusto de los jacobinos, los cordeleros los leían en voz alta con profunda aprobación. Y si los debates de los jacobinos crearon la siguiente oleada de políticos revolucionarios que prevalecerían durante los años de la guerra y del Terror, las sociedades populares produjeron figuras aún más militantes, que a su vez atacarían a aquellos por su elitismo y su cobardía (extraordinarios personajes como Pepin-Dégrouhette, que carecía de piernas, dramaturgo fracasado, abogado profesional y defensor de los porteadores del mercado de París).

Fue también en estos clubes donde se puso de manifiesto del modo más severo la dicotomía en el carácter de la Revolución francesa. Los sentimientos de ira que rebotaban en las dagas cruzadas y los bustos de Bruto fabricados en serie, así como los resonantes coros del «Ça ira» («tous les aristocrates on les pendra», «todos los aristócratas irán a la horca»), coincidían exactamente con el tipo de furia anticapitalista y antimoderna que caracterizaba a la obra de Linguet y de Mercier anterior a la Revolución. La retórica era rousseauniana, con voz áspera y con un filo que reflejaba una sanguinaria impaciencia. La Revolución había inducido a los miembros de los clubes a creer que un mundo de justicia económica y social estaba al alcance de la mano, pero, hasta donde ellos podían ver, aún tenían que pagar impuestos por el vino y por el tabaco, aún necesitaban implorar a los patrones el trabajo que se les pagaba en un papel moneda devaluado a causa de las depredaciones de los especuladores. El Gobierno y la Constituyente aún estaban compuestas por *les Grands,* «codiciosos financieros, ahítos de la sangre más pura del pueblo, cínicos, tontos, hombres saturados de orgullo», que habían levantado barreras para poder ser elegidos, que habrían marginado incluso al propio Jean-Jacques, al que hubieran impedido sentarse con ellos.

La antítesis de estos «devoradores de la esencia del pueblo» era Jacques Cordonnier, un prototipo inventado por el órgano las *Révolutions de Paris* en diciembre de 1790, «un artesano respetable que reunía a los vecinos en su casa y a la luz de la lámpara [...], que leía los decretos de la Asamblea Nacional y complementaba la lectura con sus propias reflexiones y con las de sus atentos vecinos». Y era justo el sencillo fervor de estos *honnêtes hommes* lo que podía hacer viable la auténtica democracia, con la única condición de que quienes ejercían la autoridad política tuviesen el valor de confiar sus leyes al pueblo, como había recomendado —eso afirmaban— Rousseau. Una de las propuestas más extraordinarias procedió nada menos que del *ci-devant* marqués de Girardin, que en julio de 1791 arguyó que todas las leyes aprobadas por la legislatura nacional debían someterse a un referéndum popular y universal. Estos plebiscitos, sin duda, representaban el encuentro de la historia con la teoría, pues a juicio de Girardin serían a la vez los descendientes de las antiguas asambleas de francos a caballo y los depositarios de la omnisciente voluntad general de Rousseau. El optimismo de Girardin acerca de este nivel de compromiso popular con el deber cívico fue tal que incluso supuso que los domingos —consagrados a la oración, a la bebida o a ambas cosas— ¡podían reservarse para las votaciones semanales!

La utopía plebiscitaria de Girardin y la invención del trabajador-ciudadano ideal de las *Révolutions de Paris* nunca tuvieron la posibilidad de institucionalizarse en la Revolución francesa, ni siquiera en la cúspide de la influencia popular sobre la Convención Nacional. Sin embargo, su retórica inevitablemente insatisfecha, así como su crónica obsesión hacia la explotación, hacia la conspiración y hacia el castigo público, lograron movilizar a muchedumbres airadas y poderosas que, en los momentos críticos, condicionaron de forma decisiva el curso de los acontecimientos. En definitiva, esta perpetua presión opositora determinaría que la Revolución resultase totalmente inviable, pues opuso exigencias imposibles de pureza política a las necesidades prácticas del Estado francés. Contrapuso las microdemocracias locales y autónomas a los requerimientos del poder centralizado; la satisfacción de las necesidades materiales mediante la intervención obligada en la economía, a la movilización de capital para el Estado y el mercado; la libertad ilimitada de expresión y de reunión, a la negociación regular de los asuntos públicos; y el castigo sin juicio previo, a menudo espontáneo, a la aplicación ordenada de la ley.

El dilema que afrontaron sucesivas generaciones de políticos que pasaron de la oratoria a la administración fue que debían su propio poder al tipo de retórica que hacía imposible la posterior gestión de gobierno. La Revolución como insurrección habría sido imposible sin derramamientos regulares de bilis y sangre, pero la Revolución como Gobierno era imposible, a menos que se lograse encauzar de forma selectiva el proceso.

Era la primera vez que una generación de políticos revolucionarios se planteaba este angustiante dilema: la libertad revolucionaria acarreaba el terror revolucionario. Sin embargo, no sería la última que se descompusiese a causa de sus consecuencias.

Mirabeau paga sus deudas

El 3 de julio de 1790 Mirabeau besó la mano de María Antonieta en un umbrío rincón del parque de Saint-Cloud y, como un valeroso caballero mal vestido, prometió: «Madame, la monarquía está salvada». Aunque la reina había dicho cierta vez que «nuestra situación nunca podrá ser tan desesperada que debamos apelar a Mirabeau», evitó de todos modos estremecerse cuando una cara salpicada de viruela se inclinó sobre su brazo. Incluso ella había ensayado un modo apropiado de halagar al ogro. De acuerdo con madame Campan, la reina comenzó observando que «en presencia de un enemigo común que ha jurado la destrucción de la monarquía [...], yo estaría dando el paso menos aconsejable, pero en presencia de un Mirabeau».

Por su parte, Mirabeau se conmovió ante esa mujer pálida de finos cabellos grises, que no era ni mucho menos la Mesalina de las sátiras pornográficas difundidas en París. Le impresionaron también la inteligencia y la fortaleza de María Antonieta, sobre todo cuando la comparó con la impotente indecisión del rey. «El rey tiene un solo hombre» en quien confiar, observó, «[...] su esposa». Después, al reflexionar fríamente sobre el episodio, es posible que su gesto impulsivo le recordase la galantería táctica de Lafayette en el balcón de Versalles, durante la sangrienta mañana del 6 de octubre. Qué embarazoso haber repetido el *beau geste* de un hombre a quien Mirabeau despreciaba tan profundamente, por entender que era una mediocridad vanidosa; peor aún, ¡una mediocridad vanidosa e «incapaz de expresarse»! Por lo menos en el jardín no había una multitud que observara, aunque le preocupaba la posibilidad de que dos granaderos hubiesen identificado a las dos figuras que paseaban por el parque.

Saint-Cloud era un lugar de descanso y allí, durante el verano, la familia real podía evitar el implacable escrutinio cotidiano de las Tullerías, así como los ácidos insultos de la prensa parisiense. Mirabeau ya llevaba dos meses recibiendo dinero del rey; pero lo había hecho con la conciencia limpia, sin creer jamás que le habían comprado y pensando más bien que se le pagaba por asesorar al rey acerca del modo de restablecer su autoridad. Un asesoramiento que Mirabeau creía fervorosamente era indispensable si se quería salvar al monarca tanto de la contrarrevolución como de la destrucción democrática.

Sin embargo, esto no quiere decir que la recompensa por el «tratado» que él había firmado con la corte en mayo fuese poca cosa. Aún no se había secado la tinta cuando sus deudas, por un total de 208.000 libras, súbitamente fueron saldadas y se esfumaron. Las dos cruces de su vida —su padre y sus acreedores— habían desparecido. Su padre Victor, el anciano y apoplético tirano que se autoproclamaba «amigo de la humanidad», había fallecido dos días antes de la toma de la Bastilla, siempre burlándose de su hijo mayor, a quien había encarcelado tantas veces y al que ahora desheredó en favor de su hijo menor, que era ultrarrealista. Ese grueso lerdo era una espina que Mirabeau no conseguía sacarse nunca y se regodeaba en su propia celebridad como colaborador del periódico contrarrevolucionario *Hechos de los Apóstoles,* para avergonzar mejor a su hermano mayor. Se le injurió en la prensa patriota llamándole «Mirabeau-Tonneau», pero, en cierto modo, el apodo implicaba el propio sobrenombre de Gabriel, «Mirabeau-Tonnerre», lo que resultaba absurdo. Su aportación al restablecimiento del orden en el ejército había sido robar banderas y borlas de su propio regimiento de Turena, acantonado en Perpiñán, cuando advirtió que los soldados se rebelaban contra los oficiales. Descubierto con los estandartes del regimiento en su baúl, fue arrestado y solo la intervención de su hermano mayor, con el argumento de la inviolabilidad personal de un diputado a la asamblea, consiguió su libertad. Su gratitud adoptó la forma de la emigración a Renania, donde intentó organizar una brigada de húsares de la Muerte antes de quedar espetado en la espada de otro oficial con quien había sostenido una pelea de borrachos.

Con una asignación mensual de seis mil libras, el mayor de los Mirabeau pudo al fin permitirse darse el lujo de vivir como su propio sentido de la magnificencia le había reclamado siempre. Abandonó la casa alquilada a Julie Carreau, la actriz amiga de Talma, y pasó a una elegante residencia en la rue de la Chaussée d'Antin. Empleó a un chef cuyos esplendores culinarios utilizó para suavizar la ira incluso de destacados fanáticos, como Camille Desmoulins. (Algunos opinaban que la comida estaba excesivamente condimentada. «Casi escupí sangre cuando cené con Mirabeau», recordaba una invitada de paladar más delicado.) Había un *valet* que le presentaba los trajes de botones labrados que, con gran placer de Mirabeau, provocaban los gestos de reprobación de los jacobinos. Sobre todo tenía un secretario, pagado por la corte, con el nombre perfecto (para un amanuense) de M. Comps, que obedientemente transcribía la enorme cantidad de escritos y discursos de Mirabeau. Y no le importaba en absoluto si algunos *bougres* de cara larga, como los hermanos Lameth, pretendían privarle de algunas inofensivas vanidades, como vestir a sus lacayos con librea y exhibir el escudo de la familia en su nuevo y reluciente carruaje. Finalmente, se convirtió en terrateniente, al adquirir (aunque nunca la pagó) una bonita casa del siglo XVII con su parque en Argenteuil, la misma que antaño había sido propiedad del filósofo Helvecio.

La inverosímil aproximación entre Mirabeau y la corte había sido promovida por su amigo el conde de La Marck, un aristócrata belga que se había instalado en Francia, donde compró tierras y fue elegido miembro de los Estados Generales. De La Marck había insistido ante el embajador austriaco Mercy d'Argenteau, el más íntimo confidente de la reina, en que Mirabeau ardía en deseos de servir al rey y, en marzo de 1790, desde el otro extremo llegó una señal para sondearlo. Hacia finales de mayo, Mirabeau, debidamente incorporado, libró su primera batalla en la Constituyente y defendió el derecho a conservar para la monarquía cierto papel en las decisiones sobre la guerra y la paz.

Para Mirabeau resultaba imprudente estar a sueldo de la monarquía justo en el momento en que la publicación del *Livre Rouge*, que revelaba las pensiones secretas pagadas por el Antiguo Régimen, provocaba tanto escándalo. El súbito mejoramiento de su estilo de vida mal podía escapar a la atención general, sobre todo cuando el 21 de mayo coincidió de forma sospechosa con un apasionado discurso en el que proponía el mantenimiento de las atribuciones reales en la declaración de guerra. Poco después se difundió por París un panfleto escrito por Lacroix que afirmaba haber descubierto la «traición» de Mirabeau. La imprudencia de Mirabeau puede explicarse solo por el hecho de que creía que su conducta era absolutamente pura, que había recibido honorarios por el asesoramiento prestado de manera desinteresada y en total armonía con los principios políticos que él siempre había defendido.

En la base de dichos principios estaba la creación de una monarquía constitucional que aceptaba las conquistas de 1789, pero sin resignarse a la condición de ser un instrumento pasivo de la voluntad de una legislatura. Como escribió a De La Marck, Mirabeau estaba a favor del «establecimiento del orden, no del antiguo orden». Por tanto, la premisa de su política era que la monarquía debía evitar todo aquello que implicase un acercamiento a la contrarrevolución; debía despedirse de todo aquello que conllevara el restablecimiento de una sociedad formada por órdenes con instituciones corporativas, como los parlamentos. Asimismo, según él, la justicia libre y ciega ante las diferencias sociales, así como la prensa libre, eran irrevocables. Más aún, la corona debía abrazar la Constitución civil del clero como la lógica extensión del galicanismo y el único medio, absolutamente indispensable, de evitar la bancarrota. Sin embargo, al mismo tiempo, tenía que ser un auténtico ejecutivo, libre a la hora de designar a los ministros; y, a pesar del decreto de la asamblea del 7 de noviembre de 1789, Mirabeau aún reclamaba que ellos fuesen responsables ante la legislatura y elegidos entre sus miembros, para evitar una lucha continua entre los dos brazos de la Constitución. A menos que la corona diese pasos urgentes para recobrar algunas atribuciones

gubernamentales importantes, decía Mirabeau, la soberanía casi autónoma de la legislatura se convertiría en un hecho consumado. «El pueblo
acabaría acostumbrándose a otro tipo de Gobierno, y la realeza, completamente anulada, denigrada, pero de todos modos muy costosa, pronto no parecería más que un fantasma.»

Mirabeau trazó en dos documentos estas posiciones, así como sus
consecuencias políticas y tácticas más inmediatas; uno, en octubre de
1790, y el otro, en un memorándum mucho más completo, dirigido a
Montmorin, ministro de Relaciones Exteriores, el 23 de diciembre. El
extenso *aperçu* es una obra extraordinaria, no solo por su gran profundidad teórica, sino también por su sorprendentemente moderna comprensión de la naturaleza del poder revolucionario. Antes de Lenin, Mirabeau fue el analista más inteligente del mecanismo táctico utilizado en
las situaciones revolucionarias y supo ver con muchísima claridad lo
que había bajo la retórica de la mayoría de los discursos revolucionarios.
Cuando abordó el tema de lo que denominó la *irritabilité* de la Asamblea
Nacional —su propensión a frustrar las decisiones del Gobierno mediante una disputa entre facciones—, explicó este rasgo como una consecuencia natural de las posturas teatrales (a las que, por supuesto, él
había realizado inolvidables aportaciones). «Tiene sus oradores, sus espectadores, su teatro y su *parterre,* su vestíbulo y sus galerías, aplaude a
un talento cuando sirve a sus propósitos y le humilla si le contraría.»
También apreció la necesidad de que un Gobierno eficaz tuviese sus
propios órganos de propaganda periodística, a bajo precio y con gran
circulación, para evitar que el campo quedase en manos de una eterna
oposición.

Mirabeau enumeró los restantes obstáculos que se oponían a la recuperación de la autoridad real. Comenzó con la indecisión del propio
monarca, las limitaciones impuestas a la actividad de la reina, la constante amenaza de la intimidación física en París y la demagogia que la
provocaba. Para consolidar su posición, el rey necesitaba ministros capaces y decididos (como el propio Mirabeau y quizá Talleyrand, Le Chapelier y Thouret). Necker, a quien Mirabeau nunca había podido soportar, finalmente había renunciado a finales de septiembre, en gran
medida debido a su incapacidad para cumplir sus propias promesas de
magia fiscal o de responder a una publicidad que había saludado su
vuelta al cargo y que le confería perfiles mesiánicos. Sin embargo, los

partidarios de Necker, como Saint-Priest y De La Tour du Pin, continuaban en sus cargos, por lo que Mirabeau reclamaba una ruptura mucho más tajante. Más aún, en un movimiento audaz y astuto, Mirabeau recomendó que se designara como ministros a algunos de los fanáticos jacobinos, con el fin de amortiguar el filo de su oposición. Afirmaba (con mucha clarividencia) que, si compartían el poder, las necesidades objetivas del Estado eran tan apremiantes que lograrían neutralizar su ideología. «Los jacobinos en el ministerio —comentó— no serían ministros jacobinos.»

La otra figura importante de la que había que rescatar a Luis era la mayor tortura de Mirabeau, el insufrible Gilies César, es decir, Lafayette. Para Mirabeau, había sido muy enojoso ver cómo se utilizaba teatralmente la Federación en beneficio exclusivo del general, mientras el rey quedaba reducido de forma deliberada a una función auxiliar. Si Luis hubiese prestado el juramento de lealtad —en el propio centro de la ceremonia—, el hecho podría haber constituido un sello simbólico ideal de su aceptación de la Revolución. En cambio, se le había asignado una parte gris y ambigua, de modo que su intervención no había silenciado los comentarios de que el rey, en realidad, era un actor renuente en las ceremonias. Después, había que reorganizar la Guardia Nacional y ponerla más firmemente bajo el control oficial, si no se deseaba que el rey fuese siempre el rehén de un ejército parisiense.

Como no podía hacerse nada para sofocar la agitación política de París, lo más conveniente era permitir que esta se manifestase. Cuanto más ofensiva se mostraba y cuanto mayor era su apetito de anarquía y militancia, más profunda sería la ruptura con las provincias, a las que pretendía gobernar en nombre de «la nación». Cuando la labor del Gobierno se paralizara a causa de las amenazas originadas en las insurrecciones parisienses, las provincias se convencerían de que era necesario un poder público más firme y mirarían con hostilidad hacia el monopolio de la capital. En definitiva, este fue uno de los pronósticos más certeros de Mirabeau, más impresionante aún si se tiene en cuenta que lo expuso en unos momentos en que la ficción de la soberanía de una nación unida acababa de consumarse en el Campo de Marte.

Podía sugerirse una solución similar al problema de la agresividad de la asamblea. Que la asamblea se desacreditara al dividirse irremediablemente entre algunos fatuos contrarrevolucionarios, por una parte, y los insoportables fanáticos, por otra. Cuando al fin hubiese conseguido bloquear el Gobierno, el rey podría realizar un movimiento audaz, convocar otra elección y obtener una legislatura diferente que gozara del derecho a revisar lo que, a juicio de Mirabeau, era una Constitución peligrosamente inaplicable. También aquí podía recomendar una sagaz maniobra táctica que no justificaría las imputaciones de contrarrevolución. Mirabeau sostenía que los diputados enviados a la nueva asamblea debían ser elegibles solo por los distritos en los que en efecto residieran, pues suponía que, de ese modo, podía impedirse que los militantes de los clubes de París actuasen como representantes de, por ejemplo, Arrás o Marsella. En espera del traslado, debía proveerse a esa segunda asamblea de su propia fuerza militar, para liberarla de la dependencia de la Guardia Nacional de París.

Había mucha sensatez y mucha locura en los proyectos de Mirabeau. Por una parte, la idea de un ministerio jacobino que propusiera la sustitución de la Constituyente parece totalmente irreal; pero, por otra parte, Mirabeau veía con absoluta lucidez las cuestiones que determinarían la fidelidad en una etapa revolucionaria. Por ejemplo, los impuestos serían una cuestión en la que «se desgarrará el velo», pues

> se ha prometido al pueblo más de lo que es posible; se le han infundido esperanzas que será imposible realizar; se les permitió sacudir un yugo que nadie podrá restablecer, y, aunque haya delicadas reducciones y economías [...], los gastos del nuevo régimen, en realidad, serán más elevados que los del antiguo y, en un último análisis, el pueblo juzgará la Revolución solo sobre la base de este hecho: ¿gasta más o menos dinero? ¿Estamos mejor que antes? ¿Tenemos más trabajo? ¿Y se paga mejor ese trabajo?

La perspicacia de este juicio era más impactante, porque provenía de un reconocido maestro de la retórica revolucionaria, pero que, cómo dudarlo, no se dejaba seducir por su propia hipérbole. Mirabeau puso una enorme pasión en su defensa del uso obligatorio de la bandera tricolor en los navíos de guerra, porque entendía que lo que estaba en juego no era meramente «una bagatela», sino (en otra tremenda anticipación a las inquietudes del siglo XX) lo que él denominaba «el lenguaje de los signos». Insistía en que esto era en todas partes el código simbólico más poderoso, que transmitía solidaridad o conspiración, lealtad o desafío. Si se permitía que los oficiales navales enarbolasen la bandera blanca —es decir, el color de la contrarrevolución—, ello se traduciría en una explícita manifestación de su desprecio por la Revolución. «Creedme, que no os adormezca un peligroso sentimiento de seguridad —dijo a la asamblea—, pues vuestro despertar será terrible.» Finalmente, Mirabeau previó que la imposición de una definición parisiense de la pureza revolucionaria al resto del país provocaría profundas divisiones que, a menos que fuesen atendidas por un Gobierno solícito, conducirían sin ninguna duda a la guerra civil.

Y si hasta su visión de una monarquía responsable, con ministros que debían rendir cuentas ante una legislatura, parece completamente optimista dado el carácter de los protagonistas históricos en 1791, de por sí no era un escenario inverosímil para Francia. Con su alternancia periódica de reyes, emperadores y presidentes, la mayor parte de la historia francesa durante los dos siglos siguientes reivindicó plenamente la visión de Mirabeau.

Solo en dos cuestiones —aunque de suma importancia— la habitual sagacidad de Mirabeau falló. En primer lugar, se vanagloriaba creyendo que, al convertirse en servidor de la corte, también estaba llegando a ser su educador político. No era tan ingenuo como para suponer que Luis estaba dispuesto a cumplir las extensas y sutiles instrucciones que recibía. En realidad, cabe preguntarse si el rey, que se veía cada vez más paralizado por la impotencia y la depresión, verdaderamente las leyó. Sea como fuere, Mirabeau consideró que era su deber organizar su plan para salvar al Estado y creyó que esos memorándums tendrían un efecto acumulativo, pues demostrarían de forma gradual a Luis que no había más que dos alternativas: o bien la capitulación o bien la contrarrevolución. Sin embargo, la realidad de la corte era mucho menos prometedora. Cuanto más se engañaba Mirabeau creyendo que era el tutor de la monarquía, más se regocijaba el círculo que rodeaba a la reina, porque había maniatado a un magnífico antagonista. Cuanto más ladraba Mirabeau al número creciente de enemigos que tenía en la izquierda de los jacobinos, más simpatizaba la corte con él, porque dividía al frente enemigo.

Incluso así, el éxito en la tarea de reeducar al rey no estaba totalmente fuera de lugar. A lo largo de 1790, Luis se mantuvo realmente

inseguro respecto de su propia orientación política y se comprometió
con la intervención contrarrevolucionaria mucho menos que la reina.
Lo que en definitiva le indujo a abandonar todo lo que significase encauzar la Revolución según los criterios recomendados por Mirabeau
fue la cuestión religiosa. En este problema de suprema importancia, es
difícil saber si Mirabeau adoptaba una postura de desacertada incomprensión o, en efecto, era un político ultramaquiavélico. Había aceptado
de buena gana disparar la primera andanada en la asamblea, en noviembre de 1789, para apoyar el plan de Talleyrand y, a medida que la legislación destinada a crear una Iglesia oficial cobró una forma más acabada,
Mirabeau prestó su ferviente apoyo en cada etapa. En la Provenza consideró a la numerosa población protestante —acomodada, bien discipli-
nada y que destacaba por sus virtudes cívicas y económicas— como un
baluarte del nuevo régimen. En los judíos de Burdeos y Aviñón vio otra
cultura comercial y erudita que convertía en absurdo y criticable el
dogma del monopolio católico. Su propio banquero favorito de París,
Panchaud, parecía medio protestante y medio judío.

Y al margen de todas las restantes cuestiones, el tema de la Constitución civil era tanto un asunto referido a la integridad nacional como
a la utilidad social y a la humanidad filosófica. Mirabeau creía que las
instituciones morales de Francia no debían quedar determinadas por la
ciega fidelidad a un obispo italiano jerarquizado, que basaba su autoridad en una pretensión, sin duda risible, a la sucesión de san Pedro. Esa
cuestión de la lealtad llegó a ser más grave cuando Boisgelin, arzobispo
de Aix, publicó su *Exposición* de los principios sobre los cuales el papa
Pío VI se basaba para rechazar toda colaboración con la Constitución, y
de hecho amenazaba con la excomunión a todos los que colaborasen
con la elección de los obispos y de los sacerdotes. Las cosas se agravaron
todavía más en noviembre de 1790, cuando el diputado Voidel describió la resistencia clerical a la Constitución civil como una especie de
conspiración que incluía a los sacerdotes que arengaban a las tropas a
atacar a los guardias nacionales y a desafiar a las autoridades locales. (En
efecto, los grabados revolucionarios de los disturbios en el sur muestran
en general a los sacerdotes sosteniendo en alto cruces para bendecir a la
gente que ataca a los guardias nacionales, al estilo del cardenal de Lorena cuando bendijo las dagas en *Charles IX*, de Chénier.) Para resolver de
una vez el asunto, Voidel propuso que se obligara a todo el clero a pres-

tar juramento de fidelidad sin reservas a la Constitución en el plazo de ocho días. Durante el debate del 26 de noviembre ese plazo se extendió hasta finales del año, pero, en todo caso, representaba la decisión brutal del Estado de llevar hasta el límite la prueba de su soberanía efectiva.

Al parecer, Mirabeau tenía una actitud firme en esta cuestión. Denunció a los diputados episcopales de la asamblea (cuarenta de un total de cuarenta y cuatro habían rechazado la Constitución) como hipócritas, porque afirmaban que querían impedir el cisma, pero instigaban a sus rebaños a resistirse a las leyes del Estado. Ante la insistencia del abate Maury, que afirmó que los obispos recibían su autoridad inmediata de Dios por medio de su vicario en la tierra, Mirabeau replicó que la división de la Iglesia en unidades como las diócesis era sencillamente una cuestión de «policía eclesiástica» y que la conveniencia administrativa nada tenía de sagrado. En realidad, la autoridad papal era simplemente una jurisdicción política de ese carácter a gran escala. Cuanto más devastadora era su ridiculización, más estrepitosos sonaban los aplausos y los comentarios de Mirabeau armonizaban por completo con sus convicciones y con las de conciudadanos espirituales, como los abates Grégoire y Lamourette (que habían redactado gran parte del discurso); pero, como Mirabeau señaló en sus cartas privadas a De La Marck, si el rey estaba buscando un asunto que provocase el descontento de las provincias frente a la asamblea, esta era una oportunidad ideal.

Sin embargo, para Luis XVI resultaba difícil aceptar el cinismo táctico de Mirabeau. Después de muchas y atormentadoras dudas, los obispos liberales, como Champion de Cicé, de Burdeos, y el arzobispo de Vienne, le persuadieron de que firmase la Constitución civil. Aun así, las censuras procedentes de Roma turbaban cada vez más su conciencia, sobre todo porque no solo tenían defensores elocuentes en la asamblea, en las personas de Maury y Boisgelin, sino fuera, en diarios y volantes. Aún le agradaba pensar que él era el Rex Christianissimus, ungido con el óleo sagrado en Reims: el defensor juramentado de la fe apostólica. De modo que, con los más serios temores, ratificó el decreto de la asamblea que obligaba al clero tradicional de Francia —quizá la mitad del número de delegados clericales en la asamblea y, en ciertas regiones, como el oeste, el sudoeste y Alsacia y Lorena, una proporción todavía más alta— enfrentarse a la alternativa de convertirse en rebeldes o herejes, de perder sus derechos cívicos o de verse excomulgados.

Este episodio fue quizá el que dividió la conducta de Luis en una máscara pública y una confesión privada. Alentado por María Antonieta, que consideraba una farsa blasfema el ordenamiento de los obispos constitucionales (por Talleyrand, que ya había renunciado a su obispado), Luis se volvió cada vez más hacia los capellanes privados en busca de confesión. Sin embargo, en febrero de 1791, ya no fue posible mantener el asunto en privado, pues las ancianas tías del monarca, Adélaïde y Victoire, manifestaron públicamente su oposición a la ley al anunciar que se proponían ir a Roma en Semana Santa. Mirabeau aconsejó enérgicamente al rey que prohibiese el viaje, pues, según dijo, no solo parecería que estaba condonando la infracción a sus propias leyes, sino que se interpretaría como un ensayo de su propia emigración. Ya algunos periodistas, como Desmoulins y Fréron, estaban insistiendo en que las tías debían renunciar al millón de libras que recibían del presupuesto de la casa real si deseaban gastarlo en Roma. Las secciones de París tocaron a rebato y se celebraron asambleas para discutir los modos de impedir, si era necesario mediante la fuerza, la partida de las *tantes*. Sin embargo, el rey no hizo nada para impedir el viaje y las dos piadosas ancianas, sin la menor idea de gran parte de esta agitación, partieron con su acostumbrado y modesto séquito de veinte personas, acompañadas por Berthier, comandante de la Guardia Nacional de Versalles. Bellerive, el castillo de las damas, fue invadido por multitudes de airadas *poissardes*, pero, en Arnay-le-Duc, los carruajes fueron detenidos por orden del alcalde, un hombre caracterizado por su celo patriótico.

A juicio de Mirabeau, la partida de Adélaïde y Victoire constituía un gesto de gravísima imprudencia política, pero también creía firmemente que la Revolución había declarado con carácter absoluto el derecho a la libertad de movimientos (un privilegio que a él se le había negado con frecuencia a causa del empleo de las *lettres de cachet* por parte de su propio padre). Si las tías, en realidad, no habían violado ninguna ley, no existían motivos para negarles esa libertad básica, y Mirabeau consiguió persuadir a la asamblea de ello. El 28 de febrero, el problema se acentuó todavía más cuando la asamblea discutió una ley que reglamentaba el movimiento de los emigrados sospechosos. Se propuso designar un comité de tres personas, nombradas por la asamblea, para determinar el derecho de una persona a salir de Francia y entrar en ella y para identificar a los ausentes sospechosos y ordenar su regreso so pena de declararlos rebeldes.

Mirabeau comprendió de forma intuitiva que este era el momento de la verdad para la Revolución. Su convicción más profunda, expresada ante la asamblea, era que tales restricciones no se conciliaban con la libertad de movimientos garantizada por la declaración de derechos y la Constitución; pero su táctica durante el transcurso del debate resultó ser torpe. En un intento de impedir la discusión e incluso de evitar la lectura del proyecto, insistió en leer una carta que había escrito al rey de Prusia acerca del mismo asunto, en la que afirmaba que no era posible que los hombres estuviesen atados por la fuerza al territorio, puesto que no eran cosas («campos o arados»). Aunque no negaba la validez de cierto tipo de policía, se mantuvo inflexible en la postura de que el ejercicio de esa vigilancia debía realizarse rigurosamente según el debido proceso legal. Pronosticó que cualquier otra actitud conduciría a la dictadura. Con respecto al proyecto de ley, dijo que era «temerario».

En una democracia representativa del siglo XX es imposible leer el discurso de Mirabeau (y las diferentes interrupciones posteriores mediante las que trató de dominar el debate) sin aceptar la irrefutable verdad de sus observaciones y la nobleza moral con la que las expresó. Tenía toda la razón.

En efecto, ese fue el momento clave de la Revolución francesa, el momento en que, menos de dos años después de la apertura de los Estados Generales, el Estado se asignó a sí mismo el carácter policial. Mirabeau no era tan ingenuo como para taparse los ojos ante las verdaderas conspiraciones y ante las tramas contrarrevolucionarias, muy graves sobre todo en el Midi. Ese mismo día, el 28 de febrero, un grupo de oficiales militares había sido descubierto en los aposentos del rey en las Tullerías con espadas y puñales escondidos, que, según dijeron, habían traído «para proteger al rey»; pero, a juicio de Mirabeau, nada de esto se aproximaba ni remotamente a una justificación de la actitud del nuevo régimen, que se arrogaba atribuciones que habrían avergonzado al antiguo.

El debate degeneró en una trifulca acerca del procedimiento entre los partidarios de la primera moción y Mirabeau, que deseaba reemplazarla con una declaración referida a la inconstitucionalidad de aquellas leyes que limitasen la libertad de movimientos. En cierto momento, se le acusó de imponerse a la asamblea, a lo cual respondió con aire virtuoso afirmando que «toda mi vida he combatido contra el despotismo y siempre seguiré haciéndolo». Cuando empezaron a oírse murmullos hacia la izquierda, gritó como un maestro de escuela encolerizado: «¡Silencio, que se callen esas treinta voces!». El reproche fue muy ingrato para Barnave y los Lameth, pues reducía sus pretensiones de representar al pueblo al mero recuento de números de una facción poco numerosa.

No se perdonó a Mirabeau esta reprimenda en público. Esa misma noche se le prohibió la entrada en la casa del duque D'Aiguillon, un viejo amigo con quien debía cenar. Más tarde, Adrien Duport contempló asombrado cómo atravesaba tranquilamente las puertas del club jacobino, justo en el momento en que Duport ofrecía a la sociedad un relato de la infamia del coasociado. «Los hombres más peligrosos para la libertad no están lejos de aquí —anunció—, más aún, ahora están con nosotros, son los hombres en quienes depositamos las más elevadas esperanzas.» Los dedos apuntaron a Mirabeau y los gritos de «traidor» llovieron sobre su cabeza. «Sí, M. de Mirabeau —dijo Alexandre de Lameth, hirviendo de cólera—, no somos los treinta de esta mañana, sino ciento cincuenta que nunca se separarán.» Se acusó a Mirabeau de intentar destruir a los jacobinos, a quienes había presidido el mes de noviembre precedente; de denigrar y rebajar a sus colegas del club; de traicionar a la propia Revolución.

Abrumado por la violencia de las acusaciones, Mirabeau se defendió como pudo y en definitiva afirmó su lealtad hacia los jacobinos tanto como a la Revolución, a pesar de las diferencias que los separaban en esta cuestión. Dos años después, ese tipo de diferencia expresada en público (sobre todo con Robespierre), literalmente, habría resultado fatal. Sin embargo, Mirabeau, al parecer en la cumbre de su fuerza, no se inquietó demasiado. Continuó manteniendo una posición alta en la asamblea. Había sido un presidente ejemplar en enero, tratando de mostrarse imparcial, y su intervención contra la ley sobre la emigración significaba que ejercía verdadera influencia sobre la derecha monárquica. Su más reciente redactor de textos, el ginebrino Solomon Reybaz, estaba demostrando que poseía una pluma inspirada y Mirabeau había concebido muchos y grandes proyectos, ninguno más importante que una ambiciosa ley de educación nacional que había preparado con Talleyrand.

Falleció un mes más tarde.

El 25 de marzo pasó la noche con dos bailarinas de la Opéra, pero la enfermedad que le provocó violentos cólicos intestinales dos días más tarde, en Argenteuil, respondía a algo más que el castigo por los excesos sexuales. Soportó un viaje a París para defender la concesión de su amigo De La Marck en las grandes minas de carbón de Anzin, en Pas-de-Calais, contra la afirmación de que los derechos sobre los minerales pertenecían «a la nación». Reybaz había redactado un extraordinario panegírico de la intrepidez del empresario industrial, con sus humeantes pozos mineros y los heroicos millones hundidos en la ávida tierra. Agobiado por el dolor y con un terrible aspecto, Mirabeau llegó a la casa de De La Marck y, poco después, se desmayó. «No debéis ir», dijo su amigo. «Debo ir e iré», afirmó el tribuno y, reanimado por una botella de tocai Esterházy, consiguió llegar a la asamblea y pronunciar el discurso. Sus colegas vieron a un Mirabeau espectral: pálido, bañado en sudor, con los cabellos rizados convertidos en mechones lacios a causa de la enfermedad. La gran voz de barítono ahora se había convertido en un profundo gruñido. «Vuestro caso está ganado —dijo después a De La Marck—, y yo estoy muerto.»

No se trataba de una exageración. Unos pocos días de descanso en Argenteuil le permitieron recobrarse en medida suficiente para regresar a París, y hasta trató de escuchar a la diva Morichelli en una velada en los Italiens. Salió en mitad de la actuación, temblando, negándose a esperar en un café hasta que pudiesen encontrar un carruaje y regresando con paso vacilante a su casa. Su amigo y médico Cabanis le encontró postrado, tosiendo sangre. Cuál era su enfermedad fue algo que se discutió entonces y, desde ese momento, ha sido un tema de debate. Por supuesto, Fréron y otros periodistas enemigos dieron a entender que, finalmente, una enfermedad sexual le había abatido. Después de una autopsia para investigar si había sido envenenado, se declaró que había fallecido de pericarditis linfática, complicada por inflamaciones del hígado, de los riñones y del estómago. Sin embargo, al margen de cuál fue la verdadera causa de su muerte, Mirabeau sabía que estaba muriéndose y decidió que fallecería de un modo acorde con la desmesura de su propia su vida. Una afligida multitud se había reunido alrededor de su casa mientras una corriente de visitantes iba y venía. Uno de ellos era Talleyrand, que poco antes había sido excomulgado por el Papa y que decía a todo el mundo que la sanción papal le había complacido muchísimo. «Un digno confesor», dijo una lengua envenenada. Conversaron dos horas con la chanza elegante y el sentido de lo intelectual que siempre había sido la sintaxis de la peculiar amistad entre ambos. «Dicen que la conversación es mala para los enfermos —observó Mirabeau—, pero uno puede vivir muy bien rodeado por amigos y hasta incluso morir agradablemente.»

Talleyrand comentó más tarde, con cierta crueldad, que Mirabeau «había teatralizado su propia muerte». Quizá recordaba el comentario de su amigo cuando oyó el sonido del cañón: «¿Ya han comenzado el funeral de Aquiles?». Sin embargo, el lecho de muerte era para los neoclasicistas estoicos de finales del siglo XVIII una forma artística ejemplar, celebrada en las grandes telas de David, que muestran las muertes de Séneca y Sócrates. Mirabeau también deseaba partir con sus asuntos en orden, rodeado de amigos y acólitos, después de haberse despedido debidamente. Exhortó a De La Marck a retirar o a quemar los papeles, y, aunque todavía más endeudado que adinerado, destinó veinticuatro mil libras a Coco, el hijo ilegítimo que había tenido con Yet-Lie.

En la habitación de abajo su secretario Comps, poseído por un acceso de romántica tristeza, se acuchilló en un intento de seguir a su amo. Indiferente al melodrama, hundido en grandes y esponjosos almohadones, mientras el sol primaveral llegaba desde el jardín, Mirabeau anunció a Cabanis, la mañana del 2 de abril, que deseaba que le afeitasen, pues «amigo mío, hoy moriré. Cuando uno ha llegado a esto, todo lo que puede hacer es dejar que le perfumen, que le coronen de flores, que le envuelvan en música, para esperar apaciblemente el sueño del cual nunca despertará».

Ritos de paso

El cadáver de Mirabeau apenas se había enfriado y ya comenzaban a urdirse leyendas alrededor del ataúd. Según se rumoreaba, en la autopsia ordenada por el *procureur* de su sección de París, el difunto héroe había revelado una imponente erección. Esta prueba de «satiriasis» fue lo que determinó que su hijo caracterizase el célebre apetito erótico de Mirabeau como «involuntario». Sus últimas palabras habían sido una petición de opio al doctor Cabanis para ahorrarse sufrimientos; pero el público apesadumbrado necesitaba algo más edificante. De modo que se informó de que Mirabeau había enunciado su propio epitafio en forma de oráculo, como hacían los estoicos: «Llevo conmigo la muerte de la monarquía. Las facciones se arrojarán sobre sus restos». Las palabras, o variantes de estas, aparecieron en muchos de los grabados conmemorativos producidos deprisa para satisfacer la demanda de la afligida población de París. En uno, perteneciente a Borel, el pesimismo de Mirabeau se transforma en la decisión de «combatir a las facciones dondequiera que estén», un sentimiento grabado junto a su lecho, sobre ejemplares de la declaración de los derechos del hombre y la Constitución. Mientras la Muerte se acerca por detrás a una Francia entristecida, Mirabeau señala un lienzo alzado por la Verdad, que revela al fondo, a la derecha, una sombría escena de luchas, cuando las «facciones» reducen a la corona, al clero y al pueblo a un caos de disputas y enfrentamientos.

Cuando la noticia llegó a la Asamblea Constituyente, un devastador sentimiento de pérdida recayó de pronto sobre los diputados y afectó incluso a los que, como Barnave, se habían contado entre los enemigos más acérrimos de Mirabeau. Hubo sollozos en todas partes, mientras Bertrand Barère proponía que toda la asamblea, y no solo una delegación, asistiese al funeral. Después, Talleyrand se puso en pie como último testigo y, como comulgante, estaba el indispensable Elisha. «Fui ayer a ver a M. de Mirabeau; en la casa había mucha gente y yo acudí con mayor tristeza aún que la que sentían los asistentes. El espectáculo de la desolación llenaba la imagen de la muerte, estaba por doquier, salvo en el espíritu del hombre que corría un peligro más inminente.» Mirabeau le había entregado el último discurso, un don arrebatado a esa ladrona que era la propia Muerte, el testimonio de un hombre público.

Por desgracia, lo que siguió no estuvo a la altura de este sorprendente retazo de puesta en escena conmemorativa. Talleyrand leyó un análisis extenso y extrañamente gris, escrito por Solomon Reybaz, sobre las leyes hereditarias, que solo se salvaba porque el asunto estaba de un modo muy obvio en la mente de Mirabeau al ver cómo se acercaba su fin. El hombre que poco antes de su muerte había defendido con tanta pasión el heroico materialismo completaba su carrera encargando un debate de sentido contrario: en favor de la prioridad de la justicia fraterna (es decir, la herencia igualmente irrenunciable) por encima de la libre disposición de las herencias. Sin duda, el hecho de que él mismo hubiese sido desheredado no había estado lejos de su mente.

Al día siguiente la asamblea continuó la reunión, algo poco habitual en domingo, con el único propósito de discutir los preparativos relacionados con el funeral de Mirabeau. A juzgar por las pasiones que estaban en juego, así como por el sentimiento general de dolor en las calles y en toda Francia, resultaba claro que la Revolución, que se había consagrado a la declaración de principios abstractos, también alentaba los sentimientos más profundos por los héroes que expresaban aquellos. Las obras históricas modernas (con algunas honrosas excepciones) se han resistido a admitir este aspecto, como si hacerlo implicase aceptar la visión del siglo XIX de que la Revolución fue el producto de las «grandes vidas». En cambio, se ha presentado la Revolución como la consecuencia de las fuerzas impersonales: la fricción de la estructura social y la disfunción institucional. Sin embargo, para los contemporáneos, la confluencia de la obsesión neorromana con los *exempla virtutis* y el intenso amor romántico a la voluntad prometeica significaron que un episodio trascendente como la Revolución no podía entenderse si se despojaba de su encarnación en el culto a los héroes y a los mártires. Que los candidatos a representar este papel ejemplar hubiesen mostrado sus imperfecciones no constituía ningún obstáculo, pues ¿acaso el propio Homero no había utilizado ampliamente esa fragilidad humana de los dioses y los héroes? Y así sucedió que Mirabeau, que en sus cuarenta y dos años había mostrado todos los signos de una mortalidad común y corriente, fue el primero en elevarse a las filas de los inmortales modernos.

De acuerdo con el culto de los héroes-patriotas que había estado desarrollándose constantemente desde la guerra de los Siete Años, ya se había decidido que existiera una «abadía de Westminster de los franceses». La idea de un panteón fue anterior a la Revolución y una serie de proyectos de la década de 1770 incluía a los mismos individuos meritorios que habían figurado en las necrologías y en las historias que figuraban en las medallas: Turenne, Colbert, Lamoignon. Este monumento a los *grands hommes* se distinguiría de un panteón real debido a que exaltaría la virtud por encima del linaje, así como el esfuerzo personal por encima de la tradición. Cuando el marqués de Pastoret propuso un panteón, su primer y obvio candidato, Descartes, fue representado como un individuo perseguido por los reyes, obligado a llevar la vida errante del filósofo independiente. El encarcelamiento y los exilios de Voltaire y de Rousseau encajaron muy bien en ese mismo esquema.

La hermosa iglesia de Sainte-Geneviève, proyectada por Soufflot y todavía incompleta, pareció apropiada, porque su austero neoclasicismo sugería una proyección de las virtudes asociadas con los filósofos y con los estadistas patrióticos. El arquitecto Quatremère de Quincy, a quien se encargó la tarea, entendió que el edificio era ideal justo porque constituía exactamente el extremo contrario de la cripta gótica de los reyes en Saint-Denis, con sus espacios arbitrariamente atestados. Como ha destacado Mona Ozouf, el espacio elegido debía estar libre de asociaciones con la muerte, pues su función era celebrar la inmortalidad de los héroes. Por consiguiente, sería un espacio triunfal, no un lugar destinado a la inhumación.

A primera vista, la candidatura de Mirabeau a ocupar el primer lugar entre los héroes revolucionarios que debían reunirse en el panteón suscitaba toda clase de problemas. Las virtudes ejemplares de los *grands hommes* supuestamente debían ser personales y familiares tanto como políticas o filosóficas. Sin embargo, el gran caudal de lamentos que siguió tras su muerte disipó de tal modo el escepticismo que incluso Robespierre y Barnave, para quienes los vicios de Mirabeau habían sido muy manifiestos, expresaron su apoyo al proyecto.

Así, el funeral fue concebido como una gran demostración de veneración patriótica que culminaría con la llegada de Mirabeau al panteón. Alrededor de las seis del 4 de abril, un largo cortejo militar salió de la casa de Mirabeau, encabezado por compañías de la Guardia Nacional a caballo y a pie, la infantería con los rifles boca abajo y los tambores envueltos con crespón negro. En el centro estaba una urna de plomo con el corazón de Mirabeau, sede de lo que, según se había decretado, eran las soberanas virtudes de la sinceridad, de la pasión y de la honradez de Mirabeau. Detrás de los porteadores, que también eran soldados de la Guardia Nacional, seguían los batallones de veteranos y de niños (que ahora eran un elemento habitual en estas ocasiones); representantes de la municipalidad de París y la administración departamental en que Mirabeau había servido; casi toda la Asamblea Constituyente; y hasta, lo que es aún más sorprendente, los jacobinos en bloque, pues, a pesar de la apostasía del desaparecido, habían decretado una semana de duelo por su expresidente y habían decidido que todos los años, el 23 de junio, se leería en voz alta la réplica de Mirabeau al marqués de Dreux-Brézé. El final del cortejo se disolvía sencillamente en una gigantesca multitud de parisienses y de aquellos que habían acudido a la ciudad para estar cerca del héroe muerto; según se afirmó, había una masa de trescientas mil personas, un enorme flujo humano que recorrió las calles sosteniendo antorchas, mientras caía la noche sobre París. «Parecía —escribió Nicolas Ruault a su hermano— que viajábamos con él hacia el mundo de los muertos.»

En la iglesia de Saint-Eustache, revestida de colgaduras negras, se hizo un alto para permitir que el abate Cérutti hiciera el panegírico del muerto de un modo compatible con las creencias no muy ortodoxas de Mirabeau. Después, se reanudó la procesión, que avanzó lentamente acompañada por la música de una misa de réquiem compuesta especialmente por Gossec y arreglada para instrumentos de viento poco usuales que emitían notas que gemían en medio de la pompa convencional. Cerca de la medianoche la procesión llegó finalmente a Saint-Geneviève, donde el corazón del orador fue puesto sobre un túmulo, al lado de la tumba del filósofo.

Algunos relatos prolongaron aún más el viaje mediante la palabra y la imagen. Una obra improvisada, *La llegada de Mirabeau a los Campos Elíseos,* teatralizó el contenido de un grabado de Moreau le Jeune, que mostraba al conde recibido por Rousseau, coronado por Franklin y agasajado por Voltaire, Montesquieu y Fénelon. En otro plano, sus antecesores en la oratoria, como Demóstenes y Cicerón, exaltaban sus virtudes. Solo Brissot se opuso en su periódico a las incesantes alusiones a la *virtue* de Mirabeau. Conocía bien al hombre que había fallecido para saber que habría chocado con las palabras de los homenajes, pues su «tumba no se honra con una mentira».

Mirabeau no solo se convirtió en objeto de la veneración colectiva en París, sino también en provincias. En Reims se ofició una misa de réquiem y en la iglesia de Notre Dame de Burdeos se puso un sarcófago para el gran hombre sobre cuatro columnas y, sobre los lados, se tallaron las hazañas del «heroico Hércules». Y en drástico contraste con la inverosímil beatificación de Mirabeau, se aceleraba el descenso del respeto al rey. Su complicidad en la salida de las tías se representó en la prensa patriótica como un acto de conformidad o incluso de comprensión ante la posición del Papa, cuya denuncia oficial de la Constitución civil se anunció en marzo y cuya efigie se quemó en las calles de París. Pío VI había declarado *ex cathedra* que el ordenamiento de obispos constitucionales constituía un sacrilegio y había exigido que todos los sacerdotes que habían prestado el juramento se retractaran en un lapso de cuarenta días, so pena de suspensión. Mientras ocurría todo esto, Luis estuvo enfermo (una reacción poco característica en él), con fiebres altas e intensa tos con manchas de sangre. Cavilaba dolorosamente sobre su aprobación de la ley que imponía el juramento, en la nochebuena de 1790, y ahora se arrepentía de la apostasía. Su capellán, que había prestado el juramento, fue reemplazado por el padre Hébert, un piadoso sacerdote que no había querido jurar, y el rey decidió que, en adelante, evitaría aceptar tomar la comunión de un sacerdote constitucional. Ahora que se aproximaba la Semana Santa, la mejor solución parecía ser viajar a Saint-Cloud, donde estas devociones podían realizarse lejos del airado anticlericalismo de los parisienses.

Eso era más necesario aún porque el estado de ánimo de la capital durante la primavera de 1791 no era favorable. Las turbas enfurecidas, a menudo movilizadas por las sociedades populares, protestaban ante la falta de trabajo y denunciaban a los traidores contrarrevolucionarios a quienes, según decían, habían desenmascarado. Hubo repetidas amenazas de cerrar las obras destinadas a aliviar la necesidad pública, que pagaban veinte *sous* diarios a casi treinta mil hombres y mujeres. El mismo día del «asunto de los puñales» en las Tullerías, una multitud similar de trabajadores de la cervecería de Santerre había intentado marchar sobre el castillo de Vincennes, que, según dijeron, estaba siendo acondicionado para cumplir la función de una nueva Bastilla. Varios fueron arrestados y maltratados severamente; pero el desorden continuó, con una oleada de huelgas convocadas por los artesanos mejor organizados —herreros, carpinteros y sombrereros— para reclamar salarios más altos.

Todos esos estados de ánimo —el hambre, la pobreza, la ira anticlerical y la paranoia patriótica— concluyeron el lunes de la Semana Santa, 18 de abril, cuando en las secciones se difundió la noticia de que el rey y la reina se disponían a partir en dirección a Saint-Cloud. La víspera, el Club de los Cordeliers había publicado una resolución que declaraba que, al ofender a la Constitución civil, Luis había traicionado su propio título de Restaurador de la Libertad Francesa y le recordaba que, como «primer funcionario del Estado», era también «el primer súbdito de la ley». Decían que, con su ejemplo, había autorizado la rebelión y estaba «preparando para la nación francesa todos los horrores de la discordia y el azote de la guerra civil». Y en el momento de la enfermedad del rey, el periódico de Fréron había afirmado que la expresión oficial de la asamblea mostraba a «mil doscientos legisladores mancillando su dignidad como hombres y representantes de la nación francesa al caer en éxtasis durante ocho días por el estado de la orina y las heces del rey, hasta el extremo de echarse de bruces frente al retrete del monarca, como si ese objeto hubiera sido el trono más resplandeciente».

Cuando el rey y la reina intentaron llegar a su carruaje, aparcado a las puertas del palacio, descubrieron que una numerosa y airada multitud les cerraba el paso. Entonces María Antonieta propuso usar una berlina que podía ser preparada en el patio y escoltada por guardias nacionales bajo el mando de Lafayette. Sin embargo, cuando el general intentó abrir paso para la salida del vehículo, los hombres rehusaron obedecer y comenzaron —como en la mañana del 5 de octubre de 1789— a dirigir amenazas directas contra él. Las constantes arengas resultaron inútiles. Durante una hora y tres cuartos los reyes permanecieron en el carruaje soportando insultos. Para la muchedumbre y los soldados eran no mucho más que el híbrido monstruo del grabado «Los dos hacen solo uno», que mostraba a un hombre, un macho cabrío con cuernos (por tanto, cornudo), en un extremo, y a una mujer-hiena emplumada, en el otro. Cuando Luis trató de pronunciar un breve discurso, para manifestar su sorpresa ante el hecho de que a «aquel que dio a la nación francesa su libertad ahora se le niega su propia libertad», un granadero de la Guardia Nacional replicó: «Veto». Otro le dijo que era un grasiento cerdo cuyo apetito costaba al pueblo veinticinco millones al año. La reina estaba acurrucada contra un lado del carruaje y por su rostro corrían lágrimas de aflicción y sobresalto. El terror ante esta prueba dejó poco a poco sitio al desánimo, y este a la resignación. Lafayette comprendió que no había más remedio que soportar la humillación. Los caballos retrocedieron y Luis y María Antonieta regresaron a sus aposentos del palacio, con la amarga conciencia de que ahora más que nunca estaban presos. Al día siguiente, el rey reiteró su reclamación ante la Asamblea Nacional con el fin de que se respetase su derecho legal a desplazarse en un radio de unos treinta kilómetros de la capital. Un día después el periódico de Brissot publicó una elogiosa reseña de una obra de cierto Louis La Vicomterie titulada *Los crímenes de los reyes de Francia de Clodoveo a Luis XVI*.

Esta desagradable experiencia fue la que, según el propio Luis, le indujo a idear un plan de fuga más drástico. La muerte de Mirabeau había eliminado a la única figura que, con su capacidad de persuasión y con su inteligencia, tal vez habría hecho posible una verdadera monarquía constitucional. La conciencia intranquila del rey con respecto a la religión y su preocupación cada vez más profunda por la seguridad física de su familia le empujaron todavía más hacia los planes secretos de fuga, que, durante mucho tiempo, había sido la forma elegida por María Antonieta para librar a la monarquía del apuro en que se hallaba. Una sucesión de consejeros la habían animado en este sentido, y sobre todo había jugado ese papel el exministro Breteuil, que ahora se encontraba sano y salvo en Suiza. Desde su propio exilio en Londres, Calonne, que había asumido hasta cierto punto el liderazgo activo de la contrarrevolución, coincidía en que esa era la mejor estrategia. Y lo que es más importante, el marqués de Bouillé, primo de Lafayette y comandante militar de Metz, indicó que las tropas de una guarnición fronteriza podían agruparse y garantizar la protección de los fugitivos. El mes de agosto anterior, De Bouillé había respondido con contundencia ante un motín de los suizos de Châteauvieux, pertenecientes a la guarnición de Nancy (la última de una serie de insurrecciones a causa de los salarios y el derecho a confraternizar). Como los soldados estaban bajo jurisdicción militar especial, las sentencias fueron muy severas. Un soldado fue despedazado en la rueda; veinte fueron ahorcados y cuarenta y uno sentenciados a galeras de por vida. Para María Antonieta, estos castigos parecían la prueba segura de que se podían fiar de De Bouillé.

La ciudad elegida sería Montmédy, sobre la frontera con los Países Bajos austriacos, donde cuatro regimientos alemanes y dos suizos del ejército real proporcionarían suficiente seguridad, si el rey levantaba allí su bandera. Era la frontera más próxima a París, unos trescientos veinte kilómetros. El emperador Leopoldo tendría bastante fuerza militar para impedir los intentos de volver a apresar a los monarcas o incluso para instaurar de nuevo la autoridad del rey, del mismo modo que los granaderos prusianos habían restablecido al príncipe Guillermo V en La Haya en 1787. Dirigiría el plan de fuga Axel Fersen, oficial del regimiento sueco del ejército francés, que se había convertido en un apasionado admirador de la reina, y que se sentía cada vez más angustiado por la difícil situación de la familia real. Se han gastado resmas de papel para intentar descubrir si Fersen y María Antonieta eran o no amantes,

un asunto que ha provocado la morbosidad de sus detractores y la indignación de sus defensores. Si se tienen en cuenta el estilo y la apariencia de la reina, de un dramatismo más sombrío durante este periodo, así como la incesante vigilancia que se ejercía sobre ella, una relación
sexual parece más que improbable, pero, en todo caso, esta conjetura
está fuera de lugar. Según la cultura de la veneración sentimental, la
pasión de Fersen anteponía la caballerosidad al deseo erótico. Lo que él
ansiaba era la libertad y la dignidad de la mujer ofendida. Escribió: «Es
un ángel y yo trato de consolarla lo mejor que puedo». Al parecer, uno
de los medios para conseguirlo era comprarle una caja tras otra de los
más suaves guantes de cabritilla suecos, impregnados con aceite de
esencia de rosas.

Garantizar la fuga exigía una cuidadosa planificación y buena suerte; pero, ante la posibilidad de que los planes se frustrasen y la buena
suerte virase en otra dirección, Fersen había reclamado, y con razón, que
se utilizara para el viaje un coche liviano y rápido, y que el rey y la reina
viajasen separados para no levantar sospechas. Sin embargo, la reina insistió en ir en una espaciosa berlina que transportaría a toda la familia y
que viajaría a unos once kilómetros por hora. Puesto que la Revolución
se preparaba para reducirlos a meros ciudadanos comunes, resultaba
apropiado que trocasen los papeles con sus criados. La gobernanta real,
madame de Tourzel, representaría el papel de baronesa Korff, a cuyo
nombre se prepararían los pasaportes para viajar hasta Fránkfurt; la reina,
con un sencillo abrigo negro de convincente pulcritud, sería la gobernanta de los niños (y el delfín viajaría vestido de niña, con el hermoso
nombre de Aglaé); madame Elisabeth, hermana del rey, sería una niñera
tocada con su correspondiente gorro; y el rey, con el sombrero redondo,
la peluca y la chaqueta simple, sería el *valet* Durand. Alrededor de la
medianoche del 20 de junio, el rey pasó frente a los guardias del palacio,
que le confundieron con el Chevalier de Coigny, que durante algunas
semanas había vestido con cuidado el atuendo usado como disfraz y
había ejercido de forma patente su derecho a ir y venir cuando quisiera.
Al salir poco después por un corredor oscuro y sin vigilancia, María
Antonieta casi tropezó con Lafayette, que realizaba en carruaje su acostumbrada ronda con el fin de supervisar la seguridad del palacio. La
reina se volvió bruscamente y apretó la cara contra el muro para evitar
que la reconocieran. Descolocada, la reina se perdió después por los

oscuros senderos que había alrededor de las Tullerías y necesitó media hora antes de encontrar el carruaje con sus inquietos pasajeros.

A las dos de la madrugada, en una noche en que por suerte no había luna, el carruaje pasó por la Porte Saint-Martin en dirección al noroeste. Cuando la barrera quedó atrás, Fersen alcanzó a los reyes con la berlina y, poco a poco, se apostó al lado del primer carruaje, con movimientos lentos y cuidadosos, de modo que todo el grupo pudiese pasar de un carruaje a otro sin que los vehículos tuvieran que detenerse. El primer coche quedó detrás y seis rápidos caballos de postas fueron enganchados a su suplente. Fersen condujo el carruaje en la primera etapa e imploró al rey que le permitiese continuar, pero Luis tenía al menos conciencia de que resultaría muy poco apropiado que el rey de los franceses fuese llevado a la frontera por un soldado extranjero. Fersen desapareció en la noche y prometió reunirse con ellos en Bruselas.

Hacia el alba la familia comenzaba a tranquilizarse un poco. Los tiros de los caballos eran enganchados y desenganchados según lo previsto. En Claye, las doncellas de la reina se reunieron con ella en un pequeño *cabriolet* que iba detrás. Sin embargo, no había nada fuera de lo común en una berlina negra y verde de ruedas amarillas, un vehículo muy cargado que se desplazaba velozmente y cuyo equipaje se balanceaba. En Meaux, a más de cuarenta kilómetros de París, el grupo desayunó un *bœuf à la mode* con *petits pois* y zanahorias con gelatina; y, por otra parte, comenzaban a sentirse libres. «Una vez que mi trasero esté nuevamente sobre la montura, seré un hombre diferente», dijo Luis, volviendo a ese tipo de lenguaje familiar que estaba acostumbrado a utilizar en Versalles. Una señal incluso más obvia de que estaba recuperando la forma fue el obsesivo modo de trazar el curso del viaje en un plano preparado especialmente para ello. Las granjas que salpicaban la planicie del Marne, una región próspera y sin ningún interés, pasaban de largo y, en una casa de postas cercana a Châlons les sirvió *consommé* la esposa del administrador, que identificó al rey, pero se limitó a guardar un silencio complacientemente devoto.

No mucho después, al enfilar un puente a gran velocidad (es decir, a unos dieciséis kilómetros por hora), una rueda golpeó un pilón de piedra, lo que provocó que se rompiera el correaje y que se cayeran los caballos. Se necesitó otra media hora para enderezar el carruaje; esto, sumado a las demoras anteriores, significaba que la berlina llevaba un gran retraso con respecto a la hora pactada con las escoltas militares que debían conducirla a Montmédy. De Bouillé había ordenado al joven duque de Choiseul que proveyese de una escolta militar cuando el carruaje real llegase al Pont de Somme-Vesle; esta sería la primera de una serie de escoltas que acompañarían a la familia real hasta arribar al punto seguro de Montmédy. Sin embargo, la repentina llegada al Pont de Somme-Vesle de una tropa de soldados de caballería había despertado los temores de los habitantes, que suponían que esa tropa acudía para hacer que la recaudación de impuestos se ejecutara, y algunos grupos de campesinos y aldeanos estaban reuniéndose para resistir. Mientras esperaba nerviosamente el carruaje, que no aparecía, De Choiseul aseguró a la gente que los guardias eran necesarios solo para escoltar un «tesoro» a Sainte-Menehould, a cierta distancia en el mismo camino; pero, a las cuatro y media de la tarde, el grupo real ya llevaba un retraso dos horas y De Choiseul poco a poco empezó a creer que el plan había fracasado. Con él esperaba otra figura, al parecer indispensable para la reina, el peluquero Léonard, veterano de la época dorada de madame Vigée-Lebrun y Rose Bertin. Al partir deprisa, De Choiseul entregó a Léonard una nota para los oficiales de los restantes grupos; en ella decía que algo había salido mal y que él iba a reunirse con De Bouillé. Esperó otra hora, poco más o menos, y después se adentró con sus hombres en el bosque de Argonne, donde por supuesto se extraviaron.

A partir de este punto, se echó a perder la coordinación esencial del viaje. La noticia de la fuga del rey, procedente de París, ya había llegado más lejos que su carruaje, es decir, a Sainte-Menehould, y la Guardia Nacional de la localidad había desarmado a la fuerza a un grupo de dragones, sospechoso de proteger a los fugitivos. El administrador de postas, Drouet, había visto a la reina mientras él servía en la caballería y, ahora que los comentarios sobre la fuga real se habían convertido en el asunto principal en el pueblo, necesitó poco para convencerse de la identidad de los pasajeros. Cuando comparó la cara del corpulento *valet* que estaba en el rincón del carruaje con la imagen del rey impresa en un *assignat* de cincuenta libras, cualquier tipo de duda desapareció.

Ahora que ninguno de los soldados prometidos aparecía y que las miradas de los administradores de postas de las aldeas tenían una expresión inquisitiva más que comprensiva, Luis tomaba cada vez más conciencia de que el 21 de junio era el día más largo del año y de que negaba a los viajeros el anonimato de la noche; pero existían otras dificultades. En Varennes, a unos setenta kilómetros de Montmédy, el capitán de la escolta militar proyectada, un joven de dieciocho años llamado Rohring, en vista del hastío y del desconcierto de los soldados, permitió que estos trataran de encontrar un lugar donde poder pasar la noche. Hacia las diez y media, recibió la orden de reagruparlos; pero resultó imposible sacar a los soldados de las tabernas y de las casas adonde habían ido a buscar un sitio para dormir y gozar de otro tipo de comodidades.

Cuando Luis llegó a Varennes en busca de caballos frescos y de la esquiva escolta, se le había adelantado el administrador de postas, que, como antiguo dragón, sabía cabalgar deprisa. Se había difundido la alarma general y, debido a la ausencia del alcalde, el carruaje fue detenido por el *procureur* local, M. Sauce. Se procedió a examinar los papeles, que parecían estar en orden; pero la insistencia de Drouet en que, en efecto, eran el rey y la reina y en que permitirles el paso equivalía a una traición cambió la actitud de Sauce. El pueblo estaba ahora completamente despierto, los habitantes iban provistos de antorchas y los guardias locales, armados con fusiles cargados, ocupaban las calles empedradas. Sauce ordenó que el grupo esperase en su casa, donde vendía velas y provisiones. Se les proporcionó un dormitorio en el primer piso y allí los niños, exhaustos, pudieron acostarse. Alrededor de la medianoche M. Destez, un anciano juez de paz que había vivido en Versalles, fue llevado a la casa. Desconcertado y aturdido por la presencia del rey, dobló instintivamente la rodilla. «Eh bien —respondió Luis—, en efecto, soy vuestro rey.»

¿Había en esta actitud cierto reflejo condicionado? Un súbdito profundamente conmovido, más que un ciudadano, un súbdito que doblaba la rodilla e involuntariamente pronunciaba las fatales palabras.

En París, el descubrimiento de la fuga de los reyes provocó consternación. «En veinticuatro horas el reino podría ser presa de las llamas y quizá el enemigo se encuentre a nuestras puertas», exclamó Charles de Lameth. Lafayette era el responsable directo de la vigilancia de los monarcas y seguro que en su carruaje Luis se había regodeado pensando en el apuro en que había metido a su guardián. En el Club de los Jacobinos, Robespierre y Danton no solo aprovecharon la ocasión para declarar responsable al general, sino para sugerir que había sido cómplice de la fuga. «Vos, M. Lafayette —amenazó Robespierre—, responderéis con vuestra cabeza ante la asamblea por la suerte del rey.»

Cuando la noticia llegó a la asamblea, la invención de un *enlèvement*, un secuestro ejecutado por personas malintencionadas, sirvió para impedir un estallido de republicanismo. Sin embargo, la prensa de los jacobinos y de los cordeleros, que desde varios días antes de la fuga había señalado ciertos movimientos poco habituales de tropas y armas en dirección a las fronteras del norte y el este, saltó en una actitud de desdeñosa indignación. El periódico de Fréron adoptó una actitud característica al afirmar que el episodio era obra de un infernal «comité austriaco» presidido por la reina, con Lafayette como cómplice y Luis como el lamentable instrumento del plan trazado.

> Se ha marchado este rey imbécil, este rey perjuro y esa perversa reina que combina la lascivia de Mesalina con la sed de sangre de los Médicis. Mujer execrable, *Furie* de Francia, ¡tú eres el alma de la conspiración!

Las multitudes airadas recorrieron las calles de París dañando o destruyendo los anuncios de las tiendas y de las tabernas que exhibían el nombre del rey. Los notables, cuyo título de profesión aparecía en letreros que incluían la flor de lis, se apresuraron a retirarlos. Alguien puso un anuncio en el palacio de las Tullerías con las palabras: «Maison à louer»; pero la reacción más llamativa correspondió a los políticos relativamente moderados, cuya fe en una monarquía constitucional viable y «viva» se vio irreparablemente dañada. Por ejemplo, Condorcet se convirtió de inmediato al republicanismo, que, hasta ese momento, era el dominio exclusivo de los cordeleros más fanáticos, y discutió con Brissot y con Tom Paine los planes encaminados a lanzar un diario que hiciese una campaña activa en favor del fin de la monarquía. El ciudadano De Ferrières, que desde luego no era una persona militante, en una carta a su esposa habló por primera vez como un fiscal revolucionario que se desmarcaba de los «aristócratas» y asumía su propia identidad como ciudadano De Ferrières.

> Y a esto, *ma bonne amie,* han llevado las intrigas y las mezquinas conspiraciones de esos aristócratas sin escrúpulos y culpables. Han abusado de la debilidad del rey para aconsejarle que acometa tan perniciosa iniciativa; en beneficio de sus propios intereses egoístas y de la venganza de su orgullo, no han temido exponer a la *patrie* a los horrores de la más criminal

guerra civil; al rey, a quien dicen amar, a la pérdida de su corona; y a toda su familia, a las más terribles consecuencias. Han fracasado, como siempre fracasarán, y sus esfuerzos criminales recaerán sobre sus propias cabezas. No me quejaré de ello, porque merecen su destino. Pero ¡el rey! ¡Qué humillación! ¡La reina! ¡La reina, a quien, según parece, Francia fue entregada por la cólera de Dios!

María Antonieta y su marido, qué duda cabe, se vieron obligados a apurar el cáliz hasta las heces. Confinados en la habitación del piso alto del *procureur* y fabricante de velas, a la mañana siguiente, al amanecer, tuvieron que recibir a dos correos de la Asamblea Nacional que exigían su regreso a París. La reina afirmó que la reclamación era una actitud insolente; Luis afirmó que «ya no hay rey en Francia». Partieron de Varennes rodeados por seis mil ciudadanos armados y guardias nacionales, un contingente que indujo al rey a rechazar la sugerencia de que se utilizaran las tropas de De Bouillé para garantizar su liberación mediante la fuerza. Solo hubo un lamentable intento cuando el conde Du Val de Dampierre, poseído de fervor realista, intentó acercarse sobre su caballo al carruaje y saludar al rey. Casi sin ofrecer resistencia, fue apartado por la guardia y despedazado por una multitud formada por campesinos para quienes había sido un *seigneur* con fama de cruel.

Al igual que los involuntarios viajes a París, en julio y en octubre de 1789, el humillante desfile de 1791 significó la destrucción de la mística real. En Versalles, la jerarquía de la corte se había definido mediante rigurosas convenciones que regían la proximidad física al rey y a la reina, y que se aplicaban diariamente en los rituales del *lever* y el *coucher*. En Épernay, esos tabúes fueron desechados, sin muchos miramientos, cuando dos representantes oficiales de la asamblea, Jérôme Pétion y Barnave, subieron al carruaje y se sentaron, sin pedir autorización, entre el rey y la reina. Cuando estos comían, los dos hombres hacían lo mismo; cuando Pétion necesitaba aliviarse, el carruaje se detenía. Barnave obligó al delfín a demostrar que sabía leer bien repitiendo en voz alta el nuevo lema de moda grabado en sus botones: «Vive Libre ou Mourir». Henchido de vanidad, Pétion incluso imaginó (o así aparece en sus memorias) que madame Elisabeth estaba tan prendada de él que le apretaba el cuerpo con significativa insistencia. Por otra parte, la «atmósfera de sencillez y el sentimiento familiar» que observó en el grupo real le sorprendió y le complació.

En el mismo momento en que el carruaje traqueteaba de regreso a la cautividad, la noticia de la fuga se difundía por todo el país. Como se necesitaban tres o cuatro días para que las novedades llegasen a los rincones más alejados de la nación, mucha gente se dejó llevar por el pánico, sobre todo en las fronteras. En Bayona se habló de una invasión española, que sobrevendría casi enseguida; sobre la costa bretona se procedió a apostar vigías para observar los movimientos de una flota británica de cuarenta buques que transportaba a un ejército de cinco mil emigrados. Incluso cuando se recibió en Metz, no muy lejos, la noticia del arresto del rey, los jacobinos emitieron una proclama en la que llamaban a las armas a todos los ciudadanos: «¡Defended vuestros hogares, contad únicamente con vuestros hermanos!». Se difundieron muchos otros rumores de que Varennes ya había sido arrasada por los soldados austriacos, como represalia por haber frustrado la maniobra del rey.

El desprecio suavizó el temor en el caudal de grabados satíricos, muchos de ellos basados en la fama de glotón del rey. Varios le mostraban mientras cenaba, en el momento en que los airados guardias nacionales acudían a arrestarle. Una rudimentaria creación de este estilo, que recuerda mucho a las sátiras inglesas, muestra a Luis atacando la carne asada cuando llega el decreto de su arresto. «Al demonio con eso —replica—, permitidme cenar en paz.» María Antonieta, que está mirándose en el espejo, implora a su marido: «Mi querido Luis, ¿no has terminado tus dos pavos, ni has bebido tus seis botellas de vino? Recuerda que debemos cenar en Montmédy». Se felicita al delfín por sus esfuerzos en el orinal y de la pared cuelga un grabado de la toma de la Bastilla junto a una proclama real puesta del revés.

A medida que el carruaje real se aproximaba a París, el estado de ánimo interior era cada vez más sombrío. En Pantin, a las afueras de la ciudad, las mujeres insultaron a la reina. En el propio París, a diferencia de las entradas de 1789, no hubo ni la más leve pretensión de que la de ahora fuese regia. La asamblea había ordenado a las multitudes que, en lugar de aclamar, mostrasen una reservada falta de respeto. «Quien aplauda al rey será castigado —decía un anuncio distribuido por todas partes—; quien le insulte será ahorcado.» Los jacobinos recomendaron que, para demostrar su descontento, los ciudadanos no se descubriesen al paso del carruaje. En las calles, los guardias nacionales cruzaron los fusiles en el aire en actitud de desafío. Incluso Lafayette se vio obligado (tanto por su seguridad como por la del rey) a echarle una reprimenda, en la que decía a Luis que, si separaba su causa de la del pueblo, la lealtad del propio Lafayette correspondía ante todo al segundo.

«Es cierto que vos os habéis atenido a vuestros principios», respondió Luis y, un tanto avergonzado, confesó que solo con este último viaje penitente a través de Francia había advertido lo grande que era el apoyo a esos principios.

Ahora que la familia real había regresado a París, la asamblea se encontraba en un apuro, pues no sabía cómo reaccionar frente al intento frustrado de fuga. Como había dejado atrás una extensa declaración, leída y publicada en todos los periódicos, mientras él estuvo ausente, el propio Luis había hecho imposible el embuste de presentarse como víctima de un «secuestro». El documento era una particular mezcla de inteligencia y de falta de tacto. La parte principal consistía en una crítica lúcidamente razonada de las limitaciones impuestas a la monarquía por los decretos de la asamblea, en su mayoría eco de las inquietudes del propio Mirabeau, ahora compartidas por Barnave, Duport y los Lameth. En una serie de párrafos que constituían, en conjunto, un extraordinario razonamiento, Luis se refería al carácter problemático del lugar que debía ocupar un monarca en un sistema que deliberadamente le asignaba un papel constitucional, pero que de hecho no le atribuía ningún poder para representarlo. ¿Cómo podía afirmarse que los magistrados administraban justicia en nombre del rey, cuando él no tenía nada que ver con sus candidaturas o con la sanción de los cargos y cuando el poder real de conmutar sentencias y otorgar indultos le había sido arrebatado? ¿Cómo podía afirmarse que Francia estaba representada en el exterior por los servidores del monarca, cuando él no intervenía en nada en la confirmación de embajadores y en la negociación y cierre de los tratados de paz? ¿Cómo podía existir disciplina en el ejército, si se permitía que los clubes eliminasen o aprobasen a los oficiales sobre la base de cierto patrón de ortodoxia política, como reclamaban los jacobinos? De hecho, ¿cómo era posible tener un Estado gobernado de modo coherente, «con la extensión y la población de Francia», si los gobiernos eran rehenes de la agitación, la histeria del periodismo y la opinión de los clubes?

Todas eran preguntas completamente legítimas y relevantes. Como observó el propio Luis, habían ocupado cada vez más el pensamiento de las *gens sages* de la asamblea, pero él había visto cómo esos mismos hombres (por ejemplo, Mounier y después Sieyès) caían en el descrédito. Los enemigos de Mirabeau, es decir, Duport, Barnave y los Lameth —y, más adelante, incluso los girondinos— seguirían exactamente el mismo camino. Nada defiende mejor el contenido de lo que Luis sostuvo en la declaración que el propio hecho de que Robespierre y el Comité de Salud Pública llegaran justo a la misma conclusión y resolvieran restablecer la autoridad oficial aplastando a la opinión pública y los clubes políticos a finales de 1793.

Sin embargo, por desgracia, la declaración del rey también estuvo teñida de su característica irritabilidad. Repitió la historia de su hostigamiento físico de 1789, lo cual demostró a las claras que todas sus afirmaciones de lealtad al pueblo de París habían sido el fruto de la presión y de la necesidad de defender la vida de los miembros de su familia. Se quejó de que los veinticinco millones asignados al presupuesto de la casa real no eran suficientes para «sostener el honor de Francia» y de que las comodidades de las Tullerías en octubre de 1789 estaban lejos de lo que la familia real tenía derecho a esperar o del alojamiento al que estaba acostumbrada. Preguntó a los franceses si realmente deseaban que la «anarquía y el despotismo de los clubes» reemplazaran a «un Gobierno monárquico bajo el cual Francia había prosperado durante mil cuatrocientos años»; pero el propio monarca había determinado que esa anarquía fuese más probable al prohibir a sus ministros que firmasen decretos en su ausencia.

Más que cualquier otro aspecto del texto de la declaración, el modo en que se difundió, a iniciativa de un rey ausente que se escapaba a toda prisa hacia la frontera, impedía que pudiera tomarse en serio. De todos modos, para la mayoría de la asamblea no estaba muy claro cuál era la respuesta que había que dar. El día 22 los Cordeliers hicieron una característica declaración en la que exigían que sus miembros se comprometiesen solemnemente al «tiranicidio» ante las amenazas a la libertad, tanto en el país como fuera de él, «dondequiera que puedan manifestarse». Danton, que antes había declarado que Lafayette era un traidor o un imbécil al haber permitido la fuga, ahora aplicaba los mismos calificativos al propio Luis. Sin embargo, obtuvo muy poco apoyo para su propuesta de reemplazar de manera sumaria al rey con un Consejo Ejecutivo elegido por representantes designados especialmente para la ocasión. Cuando Condorcet publicó en el *Moniteur* la traducción de una declaración escrita por Tom Paine que argüía que la ausencia de Luis Capeto, de hecho, ya había instituido una república, se vio refutado por el argumento contrario de Sieyès, que reiteró que los hombres eran más libres en una monarquía, porque «los reyes son necesarios para salvarnos del peligro de los amos». Incluso Robespierre, en el Club de los Jacobinos, enturbió el asunto, al declarar que la Constitución ya aportaba a Francia lo mejor de ambos mundos, pues le ofrecía «una república con un monarca».

Incluso en el más deshonroso momento de la carrera del rey, la mayoría de los franceses se aferraban a la posibilidad de que la deserción de Luis hubiese sido consecuencia de la acción de un «comité austriaco». Cuando, desde el otro lado de la frontera, De Bouillé lanzó una proclama en la que amenazaba con graves consecuencias a quien dañase a Luis, su actitud pareció como mucho confirmar la tesis de la conspiración. En todo caso, como ha demostrado Marcel Reinhard, las peticiones en favor de una república enviadas a la Constituyente desde todos los rincones del país fueron realmente muy pocas.

¿Qué otras alternativas había? ¿Quizá podía deponerse al rey en favor del delfín y de cierto tipo de regencia? «Monsieur Orleans», como ahora gustaba que le llamasen, se olió una oportunidad y regresó a París, y, asesorado por el escritor Choderlos de Laclos, incluso trató de entrar en el Club de los Jacobinos, como testimonio de su fervor revolucionario. Sin embargo, el orleanismo ya había tenido su momento como alternativa viable a los Borbones. Además, prevalecía la sensación de ansiedad ante la posibilidad de que el derrocamiento de Luis XVI provocase una guerra contra Austria, un paso que la mayoría de la asamblea todavía deseaba evitar. A mediados de julio se declaró que la función del rey en el Gobierno quedaba «suspendida» hasta que la asamblea hubiese completado su trabajo en la Constitución. La totalidad del proyecto constitucional sería presentada entonces al monarca para que este respondiese de manera afirmativa o negativa; pero, como elemento vivo del cuerpo político, Luis XVI ya se había convertido en un factor superfluo. Condorcet, que detestaba la hipocresía momificada de preservar cierto tipo de ingenio, símbolo de la monarquía, cuando su verdadera razón de ser había desaparecido ya, profundizó todavía más en esta idea al publicar una mordaz sátira en la cual un rey-autómata realizaba todos los inevitables gestos de la realeza —vetos y otras cosas similares—, pero dejaba el poder real en manos de quienes accionaban las palancas.

Este paso del absolutismo sacerdotal a la disponibilidad constitucional llegó a acentuarse más a causa de un desplazamiento en sentido contrario realizado dos semanas después del regreso de la familia real a París. En noviembre de 1790, otro marqués revolucionario, Charles de La Villette, en cuya casa había fallecido Voltaire, pronunció un discurso en el Club de los Jacobinos en el que reclamaba que se otorgara algún tipo de reconocimiento nacional a los restos del filósofo. El problema era grave, pues la abadía de Sellières, donde estaba enterrado, caería en muy poco tiempo bajo el martillo del subastador. «¿Permitiréis que esta valiosa reliquia se convierta en propiedad de un individuo? —preguntó retóricamente De La Villette—. ¿Permitiréis que se venda como otra "propiedad nacional"?» (*Biens nationaux*: el eufemismo utilizado por Talleyrand para vender la propiedad eclesiástica en beneficio del Estado.)

En todo caso, De La Villette fue uno de los principales defensores del proyecto del panteón y la Constituyente coincidió con su juicio sobre Voltaire: «La gloriosa Revolución ha sido el fruto de sus obras». Por consiguiente, los diputados decidieron que los restos de Voltaire debían volver a París para ser inhumados junto a los *grands hommes*. El momento era particularmente oportuno. Durante la primavera de 1791 se había asistido a algo similar a un culto de Voltaire. Talma había estado representando *Bruto* en el apropiado estilo antiguo e incluso había añadido una escena que reproducía exactamente el gran cuadro histórico de 1789 creado por David y, en ese pasaje, el actor estaba sentado y cavilaba protegido por la sombra que proyectaba la «Madre» Roma, mientras los cadáveres de sus hijos, monárquicos y conspiradores, ejecutados por su orden, son llevados en litera. En el Club de los Cordeliers, el 22 de junio, en que se prestó el juramento en favor del tiranicidio, los discursos aludieron en concreto a un momento anterior de la historia de Bruto, cuando la noticia del rapto de Lucrecia por los hijos de Tarquinio llegó a oídos del cónsul y él juró «con el casto puñal exterminar a la raza de Tarquinio». Cuando el innoble rey intentó regresar a Roma le cerraron en la cara las puertas de la ciudad. «Qué grandeza, qué dignidad —comentó Fréron—. Franceses, ¿por qué no existe un Bruto entre vosotros?»

La apoteosis de Voltaire el 11 de junio respondió a una escenografía destinada de forma deliberada a destacar las virtudes «romanas» del pensador, a expensas de la desacreditada monarquía. Fréron, a cuyo padre Voltaire había detestado y de quien había comentado en una frase memorable: «Una serpiente mordió a Fréron; la serpiente murió», se permitió una sola referencia al «irascible filósofo», pero se sintió impresionado por el carácter puntillosamente antiguo del homenaje. El cuerpo había sido trasladado desde Romilly-sur-Seine en un sencillo carro adornado con un lienzo azul y había sido recibido, en etapas sucesivas, por dignatarios municipales y por funcionarios. En las afueras de París se le añadió una escolta de guardias nacionales que le acompañó hasta las puertas de la Bastilla, donde la sonrisa del filósofo quizá tomó nota de su victoria sobre la fortaleza en la cual había estado encarcelado dos veces. ¡Él, decía el mensaje, había sobrevivido donde las piedras habían caído! Después, el ataúd fue depositado detrás de una hilera de álamos y cipreses, y acompañado por sucesivos turnos de guardias nacionales y niñas vestidas *à l'antique,* con túnicas blancas.

Para la procesión hasta el panteón, un descomunal carruaje, de la altura de una casa de dos plantas, fue ideado por un pequeño comité que incluyó a Quatremère de Quincy y a Jacques-Louis David. Tenía las ruedas de bronce, como las de los modelos romanos. El sarcófago era de pórfido imperial y se levantaba sobre tres peldaños. Encima descansaba Voltaire en un antiguo diván, dormido, con su rostro detenido en la benévola expresión con que aparece en las réplicas de los bustos de Houdon. Al lado había una lira rota y, detrás, la figura de la Eternidad depositaba una corona de estrellas sobre la cabeza del filósofo. En las esquinas del túmulo varias figuras que representaban al Genio estaban sentadas con expresiones de duelo, con las antorchas boca abajo. Sobre los cuatro lados había frases de las obras de Voltaire, incluso una de Bruto: «Oh, dioses, dadnos la muerte antes que la esclavitud». Cuatro caballos blancos ataviados nada más que con la tricolor tiraban del carruaje.

El cortejo incluía al conjunto habitual de personajes —jacobinos, diputados, representantes de la Comuna, guardias nacionales—, pero era mucho más interesante gracias a las representaciones de las obras y la vida de Voltaire. La vigésimo tercera maqueta de la Bastilla confeccionada por Palloy con el material de la demolición ocupaba un lugar destacado y un grupo de hombres vestidos con atuendos romanos portaban como gloriosos trofeos ediciones de todas las obras de Voltaire. Otro grupo de actores de la compañía de Talma representaban a la familia de Jean Calas, el protestante a quien habían ejecutado por el supuesto asesinato de su hijo y cuya defensa había sido la más famosa *cause célebre* de Voltaire. Varios ciudadanos del faubourg Saint-Antoine transportaban estandartes sobre los que se habían pintado las caras de individuos de similar relevancia: Franklin, Rousseau y Mirabeau. Llovía, como solía ocurrir en París durante el mes de julio. Aun así, unas cien mil personas acudieron a ver la procesión que avanzó a través de una serie de «estaciones» hasta el panteón y que se detuvo en los lugares que habían sido escenarios de los triunfos volterianos: la Opéra, donde las actrices entonaron un himno para la ocasión compuesto por Gossec y Chénier; el Théâtre-Français, donde se cantó el aria de *Sansón,* que exhortaba: «Pueblo, despierta; rompe tus cadenas; recobra tu antigua grandeza». El cortejo partió a las tres de la tarde y llegó a las diez de la noche al panteón, donde se convirtió en la tercera figura de esa extraña trinidad. Sin embargo, en muchos aspectos, el viejo newtoniano era un acompañante más apropiado de Mirabeau que de Descartes.

Se dijo entonces que, cuando la inmensa procesión pasó por el Pont-Royal, Luis XVI espiaba desde una ventana del piso superior. Por todas partes, en la prensa popular y sobre todo en las imágenes impresas, se destacó la relación entre la vergüenza del rey y la apoteosis del filósofo. En un ejemplo característico del género, la figura alegórica de la Fama saluda el entronizamiento de Voltaire según el modo acostumbrado, a la vez que lanza un saludo completamente distinto al monarca derrocado. La ingrata comparación se pone de manifiesto en todos los detalles del grabado y se opone la inmortalidad de Voltaire a la torpe mortalidad del *faux pas* —referencia a la frustrada fuga a Varennes—, reforzada por el lema, procedente de una de las piezas del filósofo, de que «un rey no es nada más que un hombre con un majestuoso título; es el primer servidor de las leyes y está obligado a ser justo». Al pie de los respectivos pedestales aparecen una lira y un desordenado matorral de arbustos y cardos.

Esta comparación poco halagüeña no era exactamente la intención de los que organizaron la *fête de Voltaire.* En todo caso les interesaba más desgastar la hoja de la agitación en favor de una democracia republicana que se manifestaba en las sociedades populares que afilarla. El 9 de mayo se había emitido un decreto que denegaba todas las peticiones que llevasen «firmas colectivas». Unido a la ley de Le Chapelier, aprobada a finales de junio, que prohibía las «coaliciones» obreras, representaba un esfuerzo coordinado para imponer unos límites severos a la capacidad de bloqueo de la política popular. En consecuencia, una de las inscripciones sobre el sarcófago de Voltaire aludía enérgicamente al lema favorito de Lafayette y Bailly, ahora ratificado por Barnave y Duport: la necesidad de obedecer a la ley. Y uno de los héroes conmemorados en los estandartes del desfile era el soldado Desilles, caído mientras intentaba separar a las tropas reales de los amotinados en Nancy y al que se había canonizado como mártir de los «moderados».

La mayoría de las historias sostienen que estos esfuerzos destinados a incluir el republicanismo en las invenciones de la unidad revolucionaria fracasaron. El 16 de julio, François y Louise Robert, del Comité Central de Sociedades Populares, difundieron una petición que declaraba que Luis XVI había «desertado de su puesto» y que, con ese acto y su «perjurio» había de hecho abdicado. Hasta que el resto de la nación manifestase una voluntad contraria a la solicitud, los que la rubricaban proclamaban que ya no lo reconocerían como rey. Se convocó a una manifestación de firmantes que debía reunirse al día siguiente en el «altar de la *patrie*» del Campo de Marte. La mañana del 17 dos hombres fueron descubiertos ocultos bajo el altar y, como se sospechó de inmediato que tenían intenciones delictivas, fueron ahorcados sin juicio previo. Esta vez Lafayette consiguió persuadir a Bailly de que declarase la ley marcial, de modo que alrededor de cincuenta mil manifestantes desarmados, muchos de ellos procedentes de los distritos más pobres de la ciudad, tuvieron que enfrentarse a la Guardia Nacional. A las pedradas, los guardias respondieron abriendo fuego y mataron a varias personas, trece según las autoridades y cincuenta según uno de los cabecillas de la manifestación.

En la inevitable sucesión de los acontecimientos revolucionarios, este choque en el Campo de Marte no aparece solo como la anticipación, sino como la propia causa del republicanismo popular de 1792 y 1793; pero, en agosto y septiembre de 1791, eso no es lo que parecía. Al contrario, daba la impresión de que los intentos de los constitucionalistas de detener el movimiento de la Revolución hacia lo que ellos denominaban «anarquía» habían tenido éxito. El 18 de abril, cuando se impidió que el rey partiese para Saint-Cloud, Lafayette había requerido a

Bailly que declarase la ley marcial, pero este se había negado. En julio aceptó y la represión fue tan sangrienta como el general deseaba. Robespierre había convencido a los jacobinos de que no apoyasen la petición de «abdicación» y, aunque condenó la represión violenta en el Campo de Marte, se negó a sumarse a su causa. A pesar de esta reticencia, el club se dividió en dos a causa de la crisis. El grupo más numeroso e influyente estaba formado por los que ahora se denominaban Feuillants, dirigidos por Barnave, Duport y los Lameth. Robespierre y Pétion se encontraron en la rue Saint-Honoré hablando frente a un núcleo pequeño de alrededor de cien afiliados. La represión posterior contra los cordeleros y otras sociedades populares logró incluso de un modo más completo eliminarlos como centros populares de propaganda en el entorno de los artesanos parisienses. Madame Roland escribió que los guardias de Lafayette recorrían los puestos de vendedores, recogían ejemplares de los periódicos de Marat y los destruían con total impunidad.

En el extremo contrario, las tácticas de los realistas tradicionales —los Noirs— en la asamblea se habían visto completamente descalabradas por el fracaso de la fuga del rey. Desaparecido Mirabeau, y con Lafayette desacreditado después del Campo de Marte, el papel de guardianes de la Constitución pasó a los «triunviros»: Barnave, Adrien Duport y Alexandre Lameth. Los tres eran hombres que procedían de la disputa judicial del Antiguo Régimen y que se habían convertido a la soberanía nacional, más que a la popular. En septiembre de 1791 tenían ciertos motivos para suponer que las posibilidades de consolidar la Revolución eran mejores que hacía algún tiempo. El día 13 el rey aceptó sin demora la Constitución y, al día siguiente, tomó posesión de su cargo oficialmente: una nulidad política como «Rey de los Franceses».

Dos días antes, el Salón bienal se había inaugurado en el Louvre. En el centro había tres grandes telas, todas de Jacques-Louis David, que parecían proclamar, con una elocuencia que no podía compararse con la de ninguno de los oradores de la asamblea, las invenciones dominantes de la unidad patriótica revolucionaria. En el centro estaba el pensativo Bruto, prestado por Luis XVI, que era todavía su propietario, además de la víctima principal. A la izquierda, los Horacios y, justo debajo, los diputados de los Estados Generales repitiendo el gesto de los hermanos romanos al levantar los brazos en el Juramento del Juego de Pelota. Esta última obra, de enormes dimensiones, era aún boceto, pero la austeridad del monocromo marrón de hollín parecía apropiada para la ferviente austeridad de la atmósfera y, en cierto modo, reforzaba la enorme gravitación de la composición hacia su centro patriótico, donde la luz jugaba sobre la cabeza de Sylvain Bailly, que proponía el juramento.

A estas alturas, la armonía que el dibujo conmemoraba estaba cobrando rápidamente un tono discordante. En el centro de la obra, estaba la concordancia triangular de las tres confesiones: el protestante Rabaut Saint-Étienne, el capuchino Dom Gerle (que, en realidad, no estuvo ese día en la pista de pelota) y el abate patriota Grégoire. Sin embargo, Dom Gerle se había convertido en enemigo de la Revolución desde que el 10 de abril de 1790 propuso que el catolicismo fuese declarado única religión oficial; los guardias protestantes y los rebeldes católicos estaban masacrándose en el Midi y en el valle del Ródano; y, si bien Grégoire continuaría siendo Conventionnel, Rabaut ya había retrocedido ante los excesos de la insurrección popular. Bailly, hacia quien todos los brazos apuntaban, estaba perdiendo deprisa el control del Gobierno de París. Sieyès, sentado frente a un escritorio en el papel de ideólogo de la soberanía nacional, se había distanciado a causa de la Constitución civil y acababa de redactar una refutación del manifiesto republicano de Tom Paine. Si Barnave, a la derecha del cuadro, destacaba por la premura de su gesto, por lo menos estaba equilibrado por Maximilien Robespierre (sin apenas relevancia en junio de 1789), que aparecía con los brazos cruzados sobre el pecho, con el lenguaje corporal de la sinceridad y de la virtud rousseaunianas.

Sin embargo, David mostró la actitud más optimista acerca de la Revolución, sobre todo en las tres esquinas en que hay espectadores. Allí el pueblo, invocado constantemente por los políticos, aparece como el público, los alumnos y los ciudadanos ideales: patrióticos por su fuerza, pero nunca amenazadores en su indisciplina. En su mayoría lo forman emblemas de la estética política jacobina: el *sans-culotte* con el gorro frigio se muestra como una estatua antigua y tiene la postura similar a la de un fresco de Miguel Ángel. El grupo del extremo superior derecho (quizá extraído de los propios hijos de David) incorpora la inevitable alianza sentimental entre lo venerable y lo juvenil: el sufrimiento pasado y la esperanza futura.

Pueden disculparse los clichés, porque David incorpora a la composición la intensa fuerza de la tempestad revolucionaria, reflejada, lite-ralmente, en las cortinas agitadas por el viento. Las convenciones del Antiguo Régimen y la soberanía tradicional aparecen vueltas del revés, como el paraguas que está en el extremo superior izquierdo del cuadro. Incluso la expresión de quien lo sostiene registra el momento preciso de transformación en que un *coup de foudre* toca la capilla real. Este gran vendaval político penetra en el espacio vacío de la pista y encuentra los gestos tensos, extáticos y colectivos de los diputados, en el centro ilumi-nado de la cruz ortogonal.

En las figuras, dijo un crítico, «se respira el amor hacia la *patrie*, hacia la virtud y hacia la libertad. Por todas partes se encuentran Catones dispuestos a morir por ellas». La famosa discrepancia de Martin d'Auch, sobre el extremo inferior izquierdo, vino a reforzar como mucho el sentimiento de que este era un himno a la unidad revolucionaria. Sin embargo, David nunca pudo terminar la obra, porque, durante el año siguiente, se comprobó el falso carácter de muchas de las formas de unidad. Cuando se descubrieron sus tratos con la corte, Mirabeau, pues-to por David más cerca del espectador que cualquier otra figura, cayó en desgracia, hasta el extremo de que, en 1793, sus restos fueron exhuma-dos del panteón y arrojados a una fosa común. Bailly y Barnave mori-rían en la guillotina. Sieyès conseguiría sobrevivir mediante destacadas hazañas de hábil pragmatismo. El propio David firmaría órdenes como miembro del Comité de Seguridad General y se esforzaría en sus expre-siones públicas de lealtad a Robespierre y a Marat.

Los poetas que anunciaron el romanticismo, como André Chénier y William Wordsworth, que percibió su carácter dramático, continuaron describiendo la Revolución como una gran perturbación ciclónica. Sin embargo, fue cada vez menos la tormenta que reaviva y depura; fue más bien una ira elemental, sombría y poderosa, que avanzó provocando una destrucción indiscriminada. Su aliento ya no era dulce, sino fétido. Era el viento de la guerra.

14

«La Marsellesa»
Septiembre de 1791-agosto de 1792

¿ASUNTO CONCLUIDO?

El 18 de septiembre de 1791 un globo lleno de aire caliente, adornado con cintas tricolores, flotó sobre los Campos Elíseos para anunciar la aceptación formal de la Constitución por parte del rey. Aunque no sin ciertos recelos, Luis había acudido a la Constituyente cuatro días antes para jurar que la mantendría «en el país y que la defendería contra los ataques externos, así como que utilizaría todos los medios que esta le concede para cumplirla fielmente». La reina le había recomendado que indicase su aceptación con digna brevedad y Luis intentó que su promesa pareciese condicionada a la decisión de la asamblea de «restablecer el orden». Sin embargo, durante la sesión, ocupó un sillón que visiblemente estaba en el mismo plano que el asiento del presidente de la asamblea, un detalle que escandalizó a la derecha realista. Al menos ciento cincuenta hombres de este sector declararon que jamás respaldarían un documento firmado bajo presión por un «rey-prisionero». Al mismo tiempo, la izquierda se burló de la idea de que el fugitivo de Varennes pudiera estar comportándose de buena fe.

De todos modos, esta situación dejaba una amplia mayoría en el centro. Por su parte, De Ferrières creía que el rey había aprendido de su experiencia y que se aferraba a la Constitución para protegerse tanto de la contrarrevolución como de la anarquía. De modo que, al menos de momento, las inocentes fiestas acallaron las voces que discrepaban. Se cantó un tedeum en Notre Dame y, cuando el rey y la reina aparecieron en la Opéra para asistir a una representación apropiadamente penitente de *Edipo en Colono*, fueron saludados, para variar, con grandes vivas. Las luces y los fuegos artificiales iluminaron los cielos nocturnos del otoño y en los bailes públicos se brindó por la Constitución y por la nueva era que esta anunciaba.

La culminación de lo que, según se dijo, era el «evangelio» de la Revolución significó el fin de la prolongada labor de la Asamblea Constituyente. Aunque modificada por las deserciones, los retiros y algunas pocas sustituciones, era todavía en general el mismo cuerpo formado por los hombres que habían llegado como miembros de los tres órdenes para reunirse en Versalles, en marzo de 1789. Ahora, el fruto de sus trabajos comenzaba con un preámbulo que decía:

> ya no hay nobleza, ni aristocracia, ni diferencias hereditarias entre los hombres, ni régimen feudal, ni justicia patrimonial, así como tampoco títulos, clases o prerrogativas [...], ya no hay corrupción, ni herencia en ningún cargo público, como tampoco para cualquier sector de la nación o para cualquier individuo puede haber exención frente al derecho común de los franceses.

Se trataba de uno de los más sorprendentes cambios de identidad colectiva de la historia política, la transformación de un reino basado en los órdenes y en las corporaciones definidos formalmente para pasar a la entidad uniforme de una nación soberana. Sin embargo, por supuesto, el concepto que le sirvió como base no se inventó en los dos años que siguieron a la convocatoria de los Estados Generales. En muchos aspectos, la Constitución fue la realización de un proyecto de la Ilustración: del sueño de una «monarquía democrática» de D'Argenson basada en la anulación política de la nobleza.

Una vez redactada la Constitución, cuando el prolongado trabajo de la asamblea llegaba a su fin, hubo intentos cada vez más frecuentes de proclamar que la Revolución había concluido. Adrien Duport lo había anunciado en mayo; Le Chapelier planteó la misma aspiración cuando propuso en septiembre una ley que limitase la libertad de los clubes y una mayoría de la asamblea apoyó una resolución que proclamaba un *terme* para la Revolución. A nadie interesaba más que a Barnave que Francia saliese del estado perpetuo de «devenir» para alcanzar la meta institucional. Mucho antes de sentarse en el carruaje entre Luis y María Antonieta para conversar amablemente y jugar con el delfín, Barnave estaba convencido de la necesidad de afianzar la monarquía y de defender las instituciones centrales del Estado francés frente a las amenazas perpetuas de insurrección popular. De hecho, sus ideas sobre estos asuntos eran muy similares a las de Mirabeau. Sin embargo, desde el momento en que comenzó a dirigir sus tiros contra la figura a la que ahora se denominaba oficialmente el *grand homme* en la Asamblea Nacional, Barnave había hecho carrera criticando a Mirabeau por la izquierda. Una vez desaparecido su antiguo adversario, estaba en condiciones de adoptar muchas de las ideas aleccionadoras del propio Mirabeau. Tampoco Lafayette constituía ahora un obstáculo. Incluso antes de la fuga del rey, se había observado una llamativa aproximación entre el general y los Lameth, y el apuro en que Lafayette se vio en junio se tradujo en que ahora resultaba más fácil incorporarlo a los planes de Barnave, que contemplaban el uso de la fuerza, si era necesario, para terminar con la fase insurreccional de la Revolución.

Ahora que estos dos posibles centros de poder estaban totalmente neutralizados, Barnave asumió la dirección de los que deseaban dotar de eficacia a la monarquía constitucional. Contó con el apoyo de los que habían sido sus colaboradores más estrechos en el grupo de los viejos jacobinos —Duport, Le Chapelier y los Lameth— y que ahora eran los caudillos de los Feuillants. Todos compartían la idea general de que la «nueva» Francia no podría sobrevivir a la permanente intimidación física de las secciones parisienses, a la polémica sin restricciones de los clubes y la prensa y, lo que era más importante, a la democratización de la disciplina en el ejército y la Marina. Al mismo tiempo, creían necesario proteger al Estado de todas las formas de conspiración contrarrevolucionaria o de las incursiones armadas. La oleada de huelgas y de altercados provocados por los trabajadores en primavera también los había convencido de que el «flanco Turgot» del proceso de modernización de la Revolución —es decir, un orden económico liberal— necesitaba protección frente al colectivismo social de los artesanos revolucionarios y de sus defensores: los Cordeliers y el círculo social de Fauchet.

La estrategia que aplicó Barnave a la resolución de estos problemas se elaboró minuciosamente. Después de rechazar la amenaza de republicanismo que siguió a Varennes, negoció en secreto con la reina, que, según él suponía ahora, estaba bastante agradecida para escuchar atentamente el consejo del propio Barnave. Le sugirió que renunciara, definitivamente y de buena fe, a toda forma de coqueteo con la contrarrevolución armada; que garantizara que su hermano el emperador retiraría su apoyo a los emigrados; y que lograse que el rey persuadiera a sus hermanos de que regresaran a Francia. A cambio de esto, estaba dispuesto a trabajar por la reforma de la Constitución, de manera que reforzase el papel del ejecutivo real. Durante los meses de agosto y septiembre hubo una intensa y continuada correspondencia entre Barnave y María Antonieta. «La Constitución —había escrito la reina— es un tejido de absurdos impracticables.» «No, no —protestaba Barnave—, es *très monarchique*», y bastaba con que el rey y la reina tratasen de conquistar «la confianza y se hicieran amar» para que desaparecieran todos los problemas de Francia; «ningún príncipe europeo estaría más seguro en su trono que el rey de Francia».

Sin embargo, no se logró nada importante en todos los esfuerzos realizados por Barnave en la asamblea para reforzar al ejecutivo. No consiguió obtener el Parlamento bicameral, con ministros elegidos entre los miembros de la asamblea, una forma que (ahora Barnave coincidía con Mirabeau) tenía más probabilidades de evitar los callejones sin salida entre las distintas secciones de la Constitución. Sin embargo, su trabajo tampoco resultó del todo improductivo. Según la nueva cláusula, el rey podía elegir a sus propios embajadores y se le designaba oficialmente comandante en jefe del ejército; sus ministros podían defender propuestas ante la asamblea. Incluso las enmiendas que parecían más democráticas, por ejemplo la abolición del marco de plata (equivalente a los salarios de cincuenta días) como criterio fiscal de la elegibilidad a la legislatura, de hecho determinaron una concentración del poder. Mientras se ampliaron los derechos en las elecciones a los cargos locales, como por ejemplo el de juez de paz, la propiedad raíz se convirtió en el criterio de participación en el colegio electoral y de la elegibilidad como diputado. En la práctica, este sistema determinó un electorado más reducido en los niveles en que realmente importaba, es decir, exactamente la estrategia social que reflejó los límites de la élite cultural de las décadas de 1770 y 1780 y que creó las duraderas «notabilidades» de la Francia del siglo XIX. En la práctica, esto significó que, en un departamento relativamente pobre, como Aveyron, el poder político quedaba en manos de apenas unos doscientos ciudadanos que satisfacían los criterios para ser elegidos.

Este programa no careció de oposición. El 29 de septiembre, penúltimo día de las sesiones de la asamblea, René Le Chapelier, que habló en representación del comité constitucional, trató de conseguir que se aprobase deprisa una ley que tendría las más profundas consecuencias en la vida política francesa. Propuso castrar los clubes políticos para devolverlos a la condición de asociaciones privadas o de organizaciones a las que se les permitía «instruir» a los ciudadanos, en los términos más moderados, acerca del contenido de los decretos que ya habían sido aprobados por la legislatura. Cualquier tipo de movimiento de petición, cualquier género de examen crítico de la conducta del Gobierno y sobre todo los ataques a los diputados de la asamblea serían interpretados como formas de sedición y los detractores serían privados de sus derechos ciudadanos durante un determinado lapso de tiempo. Por las mismas razones, las afiliaciones entre organizaciones serían prohibidas como amenazas conspiradoras contra las autoridades admitidas legalmente. En otras palabras, se trataba de un arma fundamental (al igual que una ley similar propuesta por Duport para amordazar a la prensa) en la ofensiva de los Feuillants contra la insurrección popular.

Le Chapelier justificó la ley con un elocuente análisis de la Revolución, elogió a los clubes, porque «agrupaban las mentes, formaban centros de opinión común» en el «periodo tormentoso», pero también insistió en que, ahora que «la Revolución ha concluido», estas «instituciones espontáneas» deben ceder el sitio al principio fundamental de la indiscutida soberanía del pueblo, conferida a los representantes. «El tiempo de las destrucciones ha pasado —proclamó Le Chapelier—, todos han jurado la Constitución; todos reclaman el orden y la paz pública; todos desean que la Revolución concluya; estos son ahora los inequívocos signos del patriotismo.» Solo los «hombres retorcidos o ambiciosos», que deseaban manipular a los clubes para sus propios fines y fomentar campañas calumniadoras contra los ciudadanos honestos, podían oponerse a la medida.

La perorata de Le Chapelier fue interrumpida por una conocida voz, aguda y metálica, que provenía de un hombre delgado y enjuto, de cabellos inmaculadamente rizados y empolvados, y con gafas con montura de acero. Parece probable que las indirectas de Le Chapelier a los partidarios de los clubes políticos provocaran la reacción de Maximilien Robespierre, que insistió en que se le diese la oportunidad de contestar, pues se había propuesto una ley que chocaba de plano con los principios de la Constitución. Sin embargo, a juzgar por el extenso discurso que siguió, parecía claro que Robespierre se había preparado meticulosamente para este enfrentamiento. Como su propia elocuencia había convencido a los diputados de que se excluyesen de la reelección para la nueva legislatura, esta era la última ocasión que tenía de manifestarles y de explicarles, al igual que a la nación política en general, su enérgico rechazo ante la afirmación de que la Revolución ya estuviese cumplida o incluso muerta y enterrada.

Fue la culminación de la carrera política que había realizado hasta ese momento. En 1789 había acudido a los Estados Generales con dos trajes negros, uno de lana y otro de terciopelo; era el quinto diputado del Tercer Estado por Arras y un completo desconocido. Después había pronunciado más de cincuenta discursos, sesenta en los nueve meses de 1791, había sobrevivido al brutal zarandeo de la asamblea y al mordaz ridículo de la prensa conservadora y se había convertido en el indiscutible cabecilla de la izquierda revolucionaria. Lo había conseguido sobre todo mostrando sencillamente coherencia en un mundo político que ya se caracterizaba por los cambios en la cabeza y en el corazón. La absoluta convicción que manifestaba en sus discursos cuando afirmaba que solo las personas de intachable integridad podían asumir la responsabilidad del bien público, provocó el regocijo de los más perspicaces. Sin embargo, a medida que pasó el tiempo, las risas llegaron a ser cada vez más incómodas.

Había aprendido de su padre, que era abogado, estas lecciones de sinceridad moral de la devoción hacia los preceptos y hacia la vida de Jean-Jacques Rousseau y de la pasión por la historia y la oratoria latinas, que le habían hecho ganar premios anuales en el liceo Louis-le-Grand de París, así como el apodo de «el romano». Robespierre fue enviado a este colegio, el más famoso de los oratorianos, gracias a una beca, como protegido del obispo local, otro ejemplo de la meritocracia característica del Antiguo Régimen. Los años que pasó en esa institución formaron una personalidad que se consagraría totalmente a la política y sobre todo a la política intensamente moral recomendada por Rousseau: el Estado reformador debe ser forzosamente una escuela de virtud, capaz de promover una gran regeneración moral de los individuos y de su vida colectiva, porque, de lo contrario, tendría que renunciar al derecho de reclamar lealtad. En sus primeros casos de Arras (en uno defendió el pararrayos de M. Vissery y, en 1788, a un oficial militar que había sido encarcelado por su propia familia con la ayuda de una *lettre de cachet*), Robespierre presentó a sus clientes como encarnaciones de principios generales: víctimas en una lucha maniquea entre la virtud y el vicio, entre la libertad y la tiranía. Este género de virtuosa indignación se convirtió en su forma natural de expresión, que no era menos drástica cuando utilizaba, como sucedía con frecuencia, tonos de amenazadora y calculada calma. Y encontró una audiencia sensible más allá de la asamblea, en una generación entera de Cicerones y de Catones de inclinaciones similares, que esperaban el comienzo de la república de las virtudes. Ya en agosto de 1789, Robespierre recibió una carta en la que le expresaba su más profunda admiración uno de estos desconocidos partidarios: Antoine Saint-Just:

> Usted, que sostiene al país vacilante contra el torrente del despotismo y la intriga, usted, a quien conozco como conozco a Dios, por sus milagros, me dirijo a usted, monsieur, para rogarle que una fuerzas conmigo con el fin de salvar a mi pobre región. No le conozco, pero usted es un gran hombre. No solo es el representante de una provincia, sino el de la humanidad y la república.

Durante los dos años de la Constituyente, Robespierre había hecho todo lo posible para mantenerse a la altura de esta gran vocación y había hablado con sinceridad acerca de todos los asuntos que despertaban su interés. Cuanto más se quedaba en minoría debido a sus convicciones, más elocuente se mostraba: reclamaba la emancipación de los judíos y de los esclavos, la abolición de la pena de muerte y quería que se despojase al monarca de todo lo que implicase un poder de veto. Durante la crisis de 1791, con Danton en Inglaterra y gran parte de la prensa radical cerrada, su propio papel en el mantenimiento de la confianza y sobre todo en la manifestación de la legitimidad de la Revolución militante resultó esencial para la supervivencia de este proceso. La deserción de los Feuillants, que se separaron de los jacobinos, aportó en todo caso un foro sin oposición a sus convicciones y Robespierre aprovechó la ocasión para achacar a sus enemigos la culpa del permanente cisma, consciente de que una mayoría del millar de clubes afiliados de las provincias deseaba ante todo la reunificación.

No podía decirse que tuviese vida privada, pues era un artículo de fe que en el auténtico patriota la vida privada y la pública se fundían en una sola existencia de generoso activismo y de exacta observancia moral. Sin embargo, sus circunstancias familiares eran bien conocidas y solía destacarse su carácter ejemplar. Desde mediados de 1791 vivió con la familia de los Duplay en la rue Saint-Honoré. Duplay era carpintero y ebanista, pero no, por cierto, un hombre agobiado por la pobreza, pues, además de su casa, poseía dos propiedades en París y empleaba a una docena de oficiales. En realidad, era exactamente el tipo de pequeño artesano culto exaltado en los panegíricos que Rousseau hacía de la artesanía y en las rapsodias del género creadas por Greuze. Instalado en un cuartito, con un escritorio y una silla, Maximilien Robespierre aparecía por la tarde para tomar una comida frugal y para leer a las hijas pequeñas de Duplay pasajes de Corneille o de Rousseau, mientras pelaba naranjas, que le gustaban muchísimo.

El otro hogar de Robespierre era el Club de los Jacobinos, donde se sentía entre amigos, algo que no sucedía en la asamblea. Después de la división de julio, su sentido de la propiedad moral se acentuó todavía más, de modo que entraba con puntillosa informalidad, se sentaba al fondo de la sala abovedada, cruzaba las piernas y esperaba a que un asunto interesante le atrajese. Los oradores que ocupaban la tribuna quizá se estremecían al ver los cabellos empolvados y la nariz larga y fina cruzar el umbral.

El discurso con el que Robespierre refutó a Le Chapelier constituyó un ejemplo típico del género que había llegado a convertirse en característico en él. Su técnica peculiar era la exposición de principios generales, como una alusión a su propia vida en particular y a su propia situación. Esta oratoria del ego también provocaba la crítica de los más irónicos, pero coincidía de manera brillante con el estilo confesional inventado por Rousseau. También suscitaba los sentimientos de un modo mucho más directo de lo que se desprendía de su modo de hablar, deliberadamente discreto, un tanto confuso. Más aún, las distintas frases estaban salpicadas, invariablemente, de afirmaciones de suplicio, de invitaciones a la muerte más que a la viva deshonra del pragmatismo, lo cual acentuaba el tenor dramático del sentimiento y lograba que Robespierre sonase exactamente como si estuviese recitando versos de Corneille o de Racine. Incluso adoptó, extrayéndolo del teatro, el gesto de realizar pausas prolongadas después de palabras particularmente significativas, para permitir que se absorbiese toda la potencia de las ideas.

Replicó a Le Chapelier y por extensión a todos los moderados que lo que ellos perseguían chocaba directa e irrefutablemente con los principios más importantes de la Constitución: el derecho de reunirse pacíficamente, de hablar libremente de temas de interés público y de comunicarse por escrito o mediante la publicación con otros ciudadanos de opiniones parecidas. Sin hacer caso de la furiosa interrupción de Le Chapelier —«M. Robespierre no sabe una palabra de la Constitución»—, recuperó uno de sus temas favoritos con el apoyo de melodías compuestas por Jean-Jacques: el «desenmascaramiento» de los hipócritas. ¿Cómo se atrevía Le Chapelier a adoptar una actitud de superioridad frente a los clubes, fingiendo que reconocía sus servicios, cuando su verdadero objetivo era su destrucción, así como la de todas las libertades constitucionales? De modo que la Revolución ha terminado, ¿no es así? «A decir verdad, no comprendo qué intentáis dar a entender con esta idea», dijo Robespierre, fingiendo desconcierto, pues creer que la Revolución había terminado presuponía en verdad el firme asentamiento de la Constitución y en todos los lugares hacia los que Robespierre dirigía la mirada veía enemigos, internos y externos, que aunaban esfuerzos para sabotearla. Después, declamó un tremendo *crescendo*, utilizando siempre la frase «Veo», mientras recorría el escenario de los peligros que amenazaban a la *patrie*, entre otros los procedentes de los hombres «que luchan menos por la Revolución que por su propia férula en nombre del monarca». Después, llegó la acostumbrada oferta del martirio salvador; es decir, la forma más creativa de la paranoia patriótica.

> Si me veo forzado a usar otra clase de lenguaje, si debo cesar de hablar contra los proyectos de los enemigos de la *patrie*; si debo aplaudir la destrucción de mi país, en tal caso podéis ordenarme que ejecute vuestros deseos; pero permitidme morir antes que asistir a la muerte de la libertad.

Finalmente, Robespierre se convirtió en el implacable tribuno romano:

> Sé que mi sinceridad es dura, pero es el único consuelo que nos queda a los buenos ciudadanos, en el peligro en que estos hombres [un

gesto despectivo de la mano] han puesto el interés público, para juzgarlos con severidad.

En la Constituyente hubo una guerra de grupos antagónicos, pero los Feuillants disponían de votos suficientes para conseguir la aprobación de la ley, aunque esta nunca se aplicaría. De todos modos, el discurso de Robespierre le garantizó un triunfo público. Al día siguiente, cuando la asamblea concluyó por fin su propia existencia, Robespierre fue llevado a hombros entre una enorme multitud que le aclamaba, al igual que a Jérôme Pétion, el héroe de los *faubourgs* habitados por los trabajadores. En un viaje de regreso a Artois la aclamación se convirtió en algo similar a una apoteosis y el carruaje fue rodeado por las multitudes dondequiera que aparecía: los pétalos de flores llovían sobre los cabellos cuidadosamente peinados de Robespierre. Cuando regresó a París para fundar un periódico que continuase difundiendo sus opiniones, ahora que ya no disponía del foro parlamentario, su título, *La Défenseur de la Constitution*, no pareció ridículamente pomposo.

Los cruzados

La Asamblea Legislativa que reemplazó a la Constituyente a menudo se ha considerado como una especie de interregno revolucionario que, impotente, deja pasar el tiempo entre la monarquía constitucional y el Terror jacobino. Comparada con su predecesora, se entiende que la conforman un conjunto de figuras anónimas y que sus declaraciones y decretos son formulaciones patrióticas banales que no abarcan los auténticos conflictos de la Constituyente, ni expresan la febril militancia de la Convención. Nada podría estar más lejos de la verdad. Podrían ofrecerse sólidos argumentos en favor de la tesis de que, nada más que por el mero talento político e intelectual, la Asamblea Legislativa fue el más extraordinario de todos los organismos revolucionarios. Su oratoria fue de una intensidad operística, lo que determinó que, en comparación, los discursos de su predecesora parecieran descoloridos. Y puede argüirse que la guerra a la que condujo a Francia fue el hecho particular más importante de la Revolución, después de la decisión de convocar a los Estados Generales.

La Asamblea Legislativa se reunió en París elegida por una porción lamentablemente reducida de los posibles votantes: como mucho, el 10 por ciento. En realidad, después de aquellas primeras elecciones a los Estados Generales, se normalizó el hecho de que, cuanto más se radicalizaba la Revolución, más estrecha era su base electoral, pues la Convención sería el resultado de un número incluso menor de votos. Resulta característico que los miembros de la Asamblea Legislativa se reclutasen en el grupo de políticos de provincias que habían conquistado su reputación oponiéndose a los notables en ejercicio, que aún dominaban las alcaldías y los gobiernos de los *départements*. Por supuesto, en la Asamblea Constituyente había eliminado el nuevo régimen a todos los aristócratas y a los clérigos que se habían aferrado tenazmente a su condición de diputados desde los Estados Generales. Sin embargo, la Asamblea Legislativa, en efecto, incluyó a una serie de aristócratas revolucionarios, como Condorcet, el protestante Chevalier de Jaucourt, el marqués de Rovere y el conde de Kersaint, así como a obispos constitucionales como Lamourette de Lyon y Fauchet de Caen.

Por lo demás, no había mucho que diferenciase a los nuevos legisladores de sus predecesores y los historiadores han consagrado vanos esfuerzos para intentar determinar exactamente cuán burgués era cada grupo. Si sirve de algo, diremos que en la Asamblea Legislativa el número de comerciantes, industriales y financieros era un poco menor que en la Constituyente, pero carece de sentido disecar el organismo en cuanto a la distribución profesional, sobre todo cuando categorías como los «abogados» (que solo de nombre prevalecían otra vez en el organismo) disfrazan enormes diferencias de fortuna y de condición social. Lo que unificaba a este cuerpo era una especie de comunidad cultural y, de este modo, un ingeniero militar como Lazare Carnot (al igual que Robespierre, procedente de Arras) podía dialogar fácilmente sobre asuntos públicos con matemáticos como Monge y químicos como Guyton-Morveau, que había escrito ampliamente acerca del empleo militar de los globos. Otra clase de intelectuales destacaba igualmente: Quatrèmere de Quincy, el árbitro del gusto patriótico y quien proyectó el panteón; Dusaulx, erudito amigo del patriota Palloy, perteneciente al departamento de Epigrafía del Louvre; François de Neufchâteau, que había traducido las novelas más fluidamente sentimentales de Richardson. Dos diputados de Estrasburgo eran *savants* y, previsiblemente, formaban parte del círculo intelectual surgido alrededor de Dietrich: el matemático y profesor Arbogast y el historiador Koch.

Hacia finales de noviembre, alrededor de la mitad de la asamblea declaró sus posiciones políticas. Exactamente 136 estaban afiliados a los jacobinos y 264 eran Feuillants. Aunque esta distribución otorgaba a Barnave la posibilidad de desarrollar la clase de operación de freno que él y sus amigos habían iniciado en la primavera y el verano, de ningún modo constituía una mayoría decisiva, pues quedaban unos cuatrocientos diputados que, de ningún modo, estaban comprometidos con estas dos facciones. Que los Feuillants fracasaran tan sonoramente a la hora de conseguir su apoyo durante los meses siguientes fue consecuencia, en gran parte, del extraordinario influjo ejercido por un grupo muy pequeño formado alrededor del periodista Jacques-Pierre Brissot.

El periódico de Brissot, el *Patriote Français*, fue uno de los de mayor éxito en París (aunque, con su fórmula un tanto árida, a veces resulta difícil comprender por qué). Brissot, después de haber sido un escritor a sueldo y un espía de la policía durante la década de 1780, había llegado a ser algo así como un experto manipulador de la opinión pública. Hijo de un pastelero de Chartres (donde había conocido a Jérôme Pétion durante la niñez de ambos), a diferencia de Robespierre estaba familiarizado con los extremos de la pobreza y había sufrido cárcel por deudas en Londres. Vivía al día de sus escritos, se había convertido en una especie de promotor profesional de causas liberales (entre otras, la liberación de los esclavos negros en las Antillas) y con sus panfletos se había metido en dificultades y había logrado esquivarlas en Bélgica, Suiza y Boston, donde, en 1788, consideró que al fin había descubierto «la sencillez, la bondad y la dignidad de los seres humanos, que es la posesión de los que alcanzan su libertad». Tres años más tarde se había convertido en un republicano convencido y tenía clara su meta: frustrar siempre que pudiera la moderación de Barnave presentando a la consideración de la asamblea cuestiones que obligaran al rey a revelar su verdadera condición de enemigo de la *patrie*. Su plan consistía en marginar a la monarquía, para, de este modo, lograr que fuese inviable. Esta estrategia se ejecutó implacable y eficazmente, pero, en todo caso, Brissot, desde luego, no fue más maquiavélico que Barnave, que continuaba enviando en secreto consejos a la reina sobre la mejor manera de responder a la ofensiva de los republicanos.

Abandonado a su suerte, Brissot no habría sido lo bastante persuasivo como para reunir los votos necesarios que podían permitirle sancionar las medidas radicales destinadas a confundir a los ministros Feuillants, que, cuando comparecían ante la Asamblea Legislativa, hacían el ridículo sentados en pequeños taburetes frente a la mesa del presidente. Sin embargo, Brissot contaba con el apoyo de un grupo de oradores de un nivel que nunca se había visto en una sola sala y, desde luego, no en Francia. Han caído en el olvido por varias razones, ninguna de ellas muy grata. En primer lugar, fueron víctimas de la *Historia de los girondinos*, la hagiografía en varios volúmenes del poeta y político del siglo XIX Lamartine. La muerte de estos hombres en la guillotina, durante el Terror, fue representada sistemáticamente por los historiadores antijacobinos como el destino de un grupo de republicanos liberales condenados a perecer a manos de los que no tenían escrúpulos. Sin embargo, privar a los girondinos (o *brissotins*, como en un principio se los conocía) de su propia falta de escrúpulos implica, en realidad, hacerles un flaco favor, pues así también se los despoja de la complejidad política que en gran medida poseían. Cuando el foco de la historia revolucionaria se desplazó más adelante del análisis político al social, de nuevo pareció que los girondinos no tenían mucho sentido, porque socialmente no era posible distinguirlos de los jacobinos. También decepcionaron a los analistas de los «partidos» de la Revolución, puesto que no eran mucho más que un grupo laxo de amigos que a veces cenaban y bebían juntos en casa de madame Dodun, en la place Vendôme, y otras se divertían aún más en casa de madame Roland, en el Hôtel Brittanique. Sin embargo, en 1792, un club informal de comensales o un grupo de amigos que adoptaban las mismas posiciones, tres procedían de la misma región del sudoeste de Francia —de ahí la denominación de la Gironda—, constituía una unidad política mucho más eficaz que cualquier otro tipo de «protopartido» organizado formalmente. Más aún, Maximin Isnard (cooptado del departamento provenzal del Var), Pierre Vergniaud, Marguerite-Élie Guadet y Armand Gensonné reconocían todos, y cada uno en los restantes, el enorme poder de la elocuencia. Mientras Robespierre trabajaba solo, cultivando, en el estilo de Jean-Jacques, el aislamiento austero del profeta, los girondinos cooperaban como los miembros de un cuarteto de cuerda y la cadencia y el ritmo de su retórica trascendente se elevaba y descendía, se inflamaba y se desvanecía con el efecto que cada uno proyectaba sobre los restantes. Y lo que es más importante, ejecutaban deliberadamente para el público del Manège, la antigua escuela real de equitación contigua a las Tullerías, que ahora albergaba a la asamblea y donde la gente se acomodaba en los bancos de los diputados y en las galerías públicas atestadas para escuchar los grandes debates.

Resulta difícil recuperar la música de esa oratoria, pues su sonido se desvanece incluso en las páginas de la historia más imaginativa, aunque incluso leerla en las hojas amarillentas de los *Archives Parlementaires* puede ser una experiencia apasionante. Sin embargo, todo lo que se necesita saber constituye un lugar común de sobra conocido por todos los historiadores de la oratoria revolucionaria de principios del siglo XX, entre ellos Alphonse Aulard: el efecto acumulativo de los discursos fue decisivo para el curso de la Revolución. Más que cualquier otro factor —más incluso que los disturbios provocados por los alimentos, o el aumento de los precios, o la propaganda jacobina— estos convirtieron a los diputados de la Asamblea Legislativa, que eran políticos, en cruzados. Cuando llegó el momento de declarar la guerra al «rey de Hungría y Bohemia», en abril de 1792, una decisiva mayoría de la asamblea estaba convencida de que lo que se encontraba en juego, en lo que ellos denominaban su «cruzada», no era solo el futuro de Francia, sino el de la propia humanidad. Y la primera premisa de la política de estabilización de Barnave —la preservación de la paz— yacía en ruinas.

Sin embargo, mucho antes de llegar a esto, debió de ser obvio que el plan de Barnave y los dos «triunviros» restantes, Duport y Alexandre Lameth, tropezaba con graves dificultades. Aunque la mayoría de la Asamblea Legislativa no estaba formada desde luego por jacobinos, mostraba una especie de suspicaz hostilidad hacia la monarquía que, desde el principio, determinó que la posición del rey y su Gobierno fuese muy difícil. De acuerdo con toda la historia de la Revolución, los asuntos relacionados con el protocolo tenían una enorme relevancia simbólica, de modo que la primera ocasión en que Luis acudió a la asamblea fue como un derrocamiento mediante gestos. Se reclamó que no se le asignara un asiento especial (y, por supuesto, no un trono). Después de las amenazas y los insultos gratuitos por parte de las Tullerías que hacían referencia a que habría sido mejor que no acudiese, el rey recibió el 6 de octubre una simple silla, pintada con la flor de lis y puesta de forma visible junto al presidente. Cuando llegó, descubrió que los diputados ya estaban de pie y, cuando comenzó a hablar, vio con desánimo que todos se sentaban con estudiada descortesía y volvían a cubrirse, induciendo al rey a hacer lo mismo. El vergonzante sentimiento de humillación de María Antonieta se acentuó cuando vio que su marido, cuya frente había sido ungida con el óleo sagrado de Clodoveo en Reims, se sentaba para leer a los diputados como si hubiera sido un importante notario.

Aunque contestaba con atención y cortesía a las cartas de Barnave, la reina no tenía ni la más mínima intención de seguir los consejos de aquel y de tomar en serio la Constitución. Cuando Barnave le aseguró que la paz política estaba al alcance de la mano, con la única condición de que ella apoyase sinceramente el *statu quo*, María Antonieta le preguntó, no sin cierta razón, qué fuerza podía movilizar la monarquía, si tales circunstancias ideales no prevalecían. Él suponía las condiciones más propicias; ella, las peores. Y el contexto entrevisto por la reina parecía aún más realista cuando los *brissotins* —que pronto llegaron a dominar los comités fundamentales de la asamblea— promovieron una agresiva legislación destinada a forzar a la monarquía a dar pasos que la harían impopular por medio del veto.

Dos cuestiones tuvieron una enorme importancia y ambas fueron presentadas por los *brissotins* como asuntos cuya importancia patriótica podía demostrarse. La primera se refería a los sacerdotes refractarios, aquellos que aún no habían prestado el juramento de lealtad exigido por la Constitución. Como advirtió las posibilidades terriblemente destructivas del cisma religioso que se agravaba cada vez más en extensas regiones de Francia, Barnave trató de suavizar las cláusulas más severas de la legislación emanada de la Constituyente. Como reacción al permanente desorden en la Francia meridional y la Francia sudoriental, ambas ya en una situación de verdadera guerra civil, y a la organización periódica de campamentos armados de católicos realistas, la Asamblea Legislativa acentuó la dureza de su política religiosa. En adelante, se suspendería el pago de estipendios a aquellos sacerdotes que no hubieran prestado juramento; al clero lícito, se le permitiría casarse; y, el 29 de noviembre, aquellos que continuaran adoptando una actitud de desafío contra las leyes de la nación tendrían un único plazo de ocho días para someterse, so pena de ser considerados conspiradores contra la *patrie*.

Incluso Robespierre retrocedió ante esta medida, pues comprendió que irremediablemente provocaría la más intransigente guerra santa. En su periódico declaró que, después de todo, se requería «tiempo» para permitir que «el pueblo madurase», antes de que la gente aceptara con ecuanimidad la posibilidad del matrimonio de los sacerdotes. Sin embargo, Maximin Isnard, del agitado departamento del Var, fijó el tono inquisitorial de la sesión al declarar que «todos los rincones de Francia están siendo manchados por los crímenes de esta casta [...], pues, cuando [un sacerdote] cesa de ser virtuoso, se convierte en el hombre más malvado». Insistió en que castigar a tales sacerdotes no era perseguirlos, pues uno podía perseguir solo a los santos y a los mártires, y en cambio «la mayoría de los intrigantes y los hipócritas que predican la religión proceden así solo porque perdieron sus riquezas. Reprimir a esa clase de hombres es al mismo tiempo el ejercicio de un gran acto de justicia y una forma de vengar a la humanidad ofendida».

No es necesario decir que el rey no podía aprobar esta ilegalización de los católicos fieles. En septiembre había aceptado de mala gana la «reunión» (que él interpretó como «anexión») del enclave papal de Aviñón con Francia. El episodio había llevado a una sangrienta y breve guerra que culminó en la matanza de notables y aristócratas moderados en las cárceles de Aviñón por parte de un grupo armado dirigido por «Coupe-tête» Jourdan. Otras ciudades, como Arlés, estaban en manos de fuerzas católicas realistas igual de sanguinarias, que instigaron al pueblo para que se burlara de la Constitución y ultrajara el uniforme de la Guardia Nacional. Luis se oponía firmemente a hacer nada que supusiera agravar más esta situación, que ya era trágica, aunque eso le llevase a hacer el juego a sus enemigos. Barnave, que hasta donde podía intentaba resolver situaciones muy difíciles, indujo al clero refractario de París a hacer una petición al rey en la que esgrimiera el derecho a la protección constitucional de la libertad de conciencia. Una vez presentada, se aplicó el veto real, que provocó violentas manifestaciones en París y en otros centros anticlericales, como Lyon y Marsella.

La segunda cuestión, que no está desvinculada de la primera, en que fracasaría la estrategia de los Feuillants fue la de los emigrados. Desde que el rey regresó de Varennes, el ritmo de la emigración se había acentuado de forma considerablemente. De Ferrières se lamentaba en una carta a su esposa de que el asunto se había convertido en una «plaga» en el ejército; algunos regimientos habían perdido, a causa de la emigración, un tercio de toda su dotación de oficiales. Por razones obvias, el número de nobles y de sacerdotes emigrados era más considerable en las fronteras (en Alsacia y a lo largo de la frontera oriental, de los Vosgos a las Ardenas; en los Pirineos, el Rosellón y la Provenza, en el sudoeste y el este; y en Bretaña, en el oeste). Sin embargo, esas eran también las regiones de Francia en que el nerviosismo ante la posibilidad de la invasión extranjera era mayor y asimismo donde los diputados a la asamblea tenían un carácter más militante, pues se veían en el papel de patriotas asediados rodeados por una maraña de conspiraciones e intrigas. Se atribuía a los emigrantes la responsabilidad de la especulación con la moneda que estaba devaluando el *assignat* en papel y alimentando la inflación; era la versión más reciente de la permanente «conspiración del hambre». Se dijo que, en sus bases, primero en Turín y después en Coblenza, planeaban la invasión de Francia acompañando a los ejércitos absolutistas que masacrarían a los buenos patriotas y a sus mujeres e hijos, y que arrasarían sus ciudades. La declaración de Pillnitz, que, como veremos, era en realidad un documento muy prudente, emitida en agosto por el emperador Leopoldo, hermano de la reina, se presentó en Francia como una amenaza directa a la soberanía y a la seguridad de la nación.

El 31 de octubre la asamblea afirmó que todos los emigrados que el 1 de enero de 1792 no se hubiesen apartado de lo que, según se juzgaba, eran los campamentos armados serían declarados culpables de conspiración y sentenciados a la pena de muerte y a la confiscación de su propiedad. A esta rigurosa legislación siguió, el 9 de noviembre, una carta de emplazamiento al conde de Provence, hermano del rey, para que regresara en el plazo de dos meses, so pena de verse privado del derecho de sucesión. Finalmente, el 29 de noviembre, el mismo día en que se aprobó la legislación religiosa más dura, se sancionó una ley que exigía el regreso de todos los príncipes reales, en la que se aclaraba que la confiscación de la propiedad de los emigrados incluiría la que pertenecía a miembros de la familia real, aunque estos hubieran permanecido en Francia. Ante este ataque, que afectaba no solo los principios defendidos por el rey, sino al destino de la familia del propio Luis, Barnave no solo aconsejó el veto, sino que insistió en su aplicación. Escribió que proceder de otro modo equivaldría a reconocer una impotencia total y deshonraría al rey ante Europa. Sin embargo, el veto debía llegar acompañado de una carta redactada por propia iniciativa del monarca, en la que pidiera la vuelta de los príncipes y declarara que, en ningún caso, él toleraría jamás cualquier tipo de incursión armada en el territorio de Francia en beneficio de los emigrados.

Este consejo fue aplicado al pie de la letra y Luis incluso sorprendió a la asamblea cuando compareció en persona el 14 de diciembre para expresar su propia indignación patriótica ante la posibilidad de una intervención militar de los monarcas europeos. Aunque los *brissolins* se sintieron desconcertados (como Barnave ya había previsto) por la intensidad del fervor del monarca, Luis tenía sus propias razones para parecer tan decidido. Guiado por el único ministro en quien confiaba de verdad, el antiguo *intendant* Bertrand de Moleville, el rey había llegado a considerar que una política belicista de hecho le beneficiaría. Dado el apuro en que se encontraba, no tenía casi nada que perder (o eso creía). Si la guerra se desarrollaba bien, determinaría, sin duda, la concentración del poder en sus manos como comandante en jefe y tal vez incluso podía darle la fuerza militar que necesitaba para restablecer su autoridad en el país. Si el desenlace era la derrota, Francia podía esperar la intervención extranjera y esta muy probablemente restauraría a Luis en el trono. Por supuesto, todo esto presuponía abandonar la estrategia de paz de los Feuillants y todas las señales indican que, en efecto, esta era su intención hacia el mes de diciembre de 1791, con el apoyo sin reservas de la reina y, aún más, de la hermana del rey, madame Elisabeth. La reina siempre había detestado la política de compromiso aconsejada por los Feuillants y ahora que parecía que el Gobierno estaba a un paso de abandonarla, María Antonieta escribió una carta a Axel Fersen, riéndose entre dientes: «En efecto, creo que estamos a un paso de declarar la guerra a los electores [de Maguncia y Tréveris]. ¡Qué imbéciles! No ven que eso nos será muy útil, pues [...], si la comenzamos, todas las potencias se comprometerán en el conflicto».

El 7 de diciembre el rey designó al conde de Narbonne-Lara ministro del Ejército. Barnave venía recomendando su designación desde hacía un tiempo, pues creía que Narbonne sería un Feuillant obediente cuando ocupase el cargo. Sin embargo, apenas asumió su cartera, el nuevo ministro realizó, con su habitual sagacidad, los aspectos esenciales de la política de la corte. En lugar de apuntar al mantenimiento de la paz, comenzó a prepararse activamente para la guerra. De común acuerdo, debía ser una campaña limitada contra un dignatario de menor importancia, el príncipe-obispo alemán de Tréveris, en cuyo territorio de Coblenza Artois y Condé habían organizado su corte. La magnitud del ejército emigrado —unos cuatro mil hombres— excluía la posibilidad de una campaña seria; pero aquella era bastante considerable para determinar un *casus belli*, si alguien deseaba hacerlo. Narbonne reclamó un subsidio especial de la Asamblea Legislativa, por un total de veinte millones de libras (en metálico, no en *assignats*) con destino a los preparativos militares. Hacia el final del año se había convertido en el prototipo de un ministro del Ejército popular que realizaba visitas en persona a las fronteras para inspeccionar las fortificaciones y las municiones, y que dirigía las ceremonias patrióticas de salvas en los campamentos armados.

Si todo esto parecía una actuación teatral sacada de un prontuario de Lafayette, en todo caso no era fortuito. El general nunca había recuperado del todo su credibilidad después de la fuga a Varennes y se había visto humillado en las elecciones a la alcaldía de París, en octubre, cuando fue claramente derrotado por Jérôme Pétion. Se había retirado a sus propiedades de Auvernia y trabajaba enérgicamente para conseguir un mando militar que restableciese su reputación. Una guerra patriótica de alcance limitado contra el elector de Tréveris parecía una apuesta segura y Narbonne estaba dispuesto a complacerle. Lo único que se necesitaba era asegurar la neutralidad británica ante la perspectiva de que estallasen las hostilidades, y, a mediados de enero, Talleyrand fue enviado a Londres en misión oficiosa, para solicitar esa promesa.

Louis de Narbonne y Talleyrand habían sido buenos amigos durante cierto tiempo y la cordialidad de la relación entre ambos no se vio nunca comprometida por el hecho de que el primero hubiese reemplazado al segundo como amante de Germaine de Staël, la célebre hija de Necker. Madame de Staël había sido una conquista especial para Talleyrand: una mujer culta, emocionalmente generosa, pero a veces capaz de mostrar una ironía que estaba a la altura de la del propio Talleyrand. Desde el punto de vista físico, era una mujer de cuerpo grande, muy aficionada a usar turbantes y túnicas seudoorientales. Durante un tiempo los placeres originados por la viva inteligencia de ambos y la naturaleza sinceramente afectuosa de Germaine los convirtieron en felices amantes, pero la relación entre los dos fue más profunda y duradera como amigos. Al parecer, no hubo una táctica romántica en el hecho de que Narbonne recomendase a Talleyrand para la misión a Londres y sí solo un acto de buena voluntad y el cálculo sagaz de que el exobispo tenía más cualidades para la diplomacia que para el episcopado.

La primera misión en la que sería la carrera diplomática más extraordinaria de su tiempo fue también la más fácil para Talleyrand, pues el Gobierno de William Pitt ya había decidido que no correspondía al interés británico enredarse en un conflicto europeo. Sin embargo, esto no impidió que Talleyrand no tuviera que verse obligado a soportar fulminante esnobismo británico, algo que indujo a muchos a volver la espalda al famoso revolucionario volteriano, al obispo de dudosa moralidad. A semejanza de Mirabeau, Talleyrand abrigaba desde hacía mucho tiempo la convicción de que el entendimiento anglofrancés constituía la condición de la supervivencia francesa, pero su entusiasmo por ese proyecto se vio sometido a una dura prueba por los desaires que sufrió por parte de la sociedad británica culta. Y lo que fue todavía más humillante, su amigo el militar Biron (antes el duque de Lauzun) fue arrestado mientras intentaba comprar caballos para el ejército y fue necesario pagar una fianza para obtener su libertad. Por lo menos Grenville e incluso Pitt recibieron a Talleyrand, el segundo a finales de enero de 1792, en el curso de una fría entrevista en que los esfuerzos de Talleyrand por relajar el ambiente, con la alusión a una reunión que habían mantenido diez años antes en Reims, no consiguió mejorar el poco hospitalario encuentro. Como Talleyrand no estaba debidamente acreditado, no podía esperar un compromiso firme, o algo parecido, por parte del Gobierno de Su Majestad. Eso fue todo.

De todos modos, en los primeros meses de 1792, el problema no fue acuciante, pues, durante un tiempo se alejó temporalmente la amenaza de la guerra. Ello respondió más a la cauta actitud del emperador Leopoldo que a la expresión de un súbito giro hacia la paz por parte de la política francesa.

Si el partido de la guerra en la corte y en la Asamblea Legislativa estaba buscando un adversario bélico que facilitara las cosas, el peor candidato era el emperador. El menor de los hijos con talento de María Teresa había heredado de su hermano José un imperio en estado de insurrección. Provincias enteras, de los Países Bajos a Hungría, se encontraban en franca rebelión contra las medidas drásticamente antiaristocráticas y utilitarias aplicadas por José II durante la extraordinaria década de su Gobierno. En su lecho de muerte, muchas de las reformas censurables, como por ejemplo el impuesto territorial, habían sido anuladas, pero, aun así, Leopoldo necesitó unas excepcionales cualidades de tacto y de pragmatismo para capear la tormenta que se abatió sobre el Imperio habsburgo. Más aún, sus principales problemas de política exterior estaban en el este, no en el oeste: en Polonia, donde Rusia y Prusia afilaban los cuchillos para proceder a otra división de ese desafortunado reino; y en Oriente, donde se desarrollaba una guerra con poco éxito contra Turquía.

Las ideas de Leopoldo sobre el mundo se asemejaban en muchos aspectos más a las de Condorcet que a las de Artois, el emigrado que promovía con más agresividad una guerra de restauración. Como gran duque de Toscana, Leopoldo había sido un modelo de absolutismo ilustrado, había abolido la tortura y la pena de muerte y había iniciado una codificación legal sobre la base de principios recomendados por Cesare Beccaria, el gran reformador penal milanés. Leopoldo no necesitaba lecciones de los franceses sobre los costes y las ocasiones de creación de un Estado moderno.

Sin embargo, al mismo tiempo no podía ignorar del todo el apuro en que se encontraban su hermana y su cuñado. Hacía veinticinco años que no veía a María Antonieta y, en todo caso, siempre había pensado que ella era aún más irresponsable de lo que creía José. Sin embargo, desde los traumáticos días de octubre de 1789, también él había comprendido que la reina y su familia podían correr un peligro físico en determinado momento. Por otra parte, entendía que la acción militar que él impulsara quizá agravaría más ese peligro. De modo que, durante dos años, adoptó una actitud de cauta vigilancia, tratando de consolar y serenar a su hermana por medio del embajador Mercy d'Argenteau, mientras hacía oídos sordos a la continua insistencia de Artois, que le pedía comprometer al imperio en una campaña contrarrevolucionaria. Solo cuando recibió la información equivocada de que la fuga real de París, en efecto, había tenido éxito y de que la familia ya no estaba amenazada, escribió deprisa a la reina: «Todo lo que tengo es tuyo, dinero, soldados, todo».

Cuando resultó patente que, lejos de que los reyes recobraran su libertad, la posición que ocupaban se había deteriorado más que nunca y que la prensa de París atribuía a un «comité austriaco» la responsabilidad de la fuga, la actitud de Leopoldo recobró otra vez la prudencia. No obstante, ahora se convirtió en una preocupación activa, más que pasiva, guiada por el principio de que era obligación de las potencias europeas disuadir a Francia de todo lo que pudiese amenazar a la monarquía y conducir a una guerra sangrienta e irrevocable. Este fue el propósito de la circular de Padua en julio y el nuevo acercamiento, más avanzado el mismo mes, al tradicional enemigo de los Habsburgo, la Prusia de los Hohenzollern. Cuando Leopoldo se reunió con el rey Federico Guillermo en el balneario de Pillnitz, Sajonia, a finales de agosto, participó en la entrevista Artois, que no había sido invitado. Sin embargo, la declaración común que fue el resultado del encuentro constituyó tanto la expresión de la resistencia de los dos soberanos a las demandas en favor de una guerra de intervención como de su inquietud por la seguridad personal de la familia real.

El texto de la declaración de Pillnitz afirmaba que el destino de la monarquía francesa era del «interés común» de las potencias e instaba al restablecimiento de su libertad plena. Se sugería que, si no se tenían en cuenta las advertencias contra la posibilidad de infligir daños al rey y la reina, era posible que se adoptasen medidas colectivas. Que la declaración tenía un carácter preventivo, más que beligerante, se reflejaba claramente en la importancia que Leopoldo asignó, como condición indispensable, al acuerdo común de todas las principales potencias antes de emprender cualquier tipo de acción. Como en ese momento era sabido que no podía contemplarse la aceptación británica de ningún plan de este género, la declaración podía, al mismo tiempo, parecer honrosamente firme sin comprometer en absoluto a Austria. Y sin la ayuda de Austria, resultaba improbable que Prusia actuase. Todos los datos de los que disponemos indican que el tono bélico de la declaración estaba destinado a servir de ayuda a los Feuillants de Francia para que estabilizaran la posición de la monarquía y para que utilizaran la amenaza de una guerra europea contra los republicanos. Esto se vio confirmado por el hecho de que tanto Leopoldo como su octogenario consejero Kaunitz estaban dispuestos a permitir que el arreglo constitucional dirigido por Barnave tuviese ciertas posibilidades de éxito. Si era viable, escribió Kaunitz, representaría «un acto de terrible locura» amenazarlo con una aventura de acuerdo con los planes propuestos por los emigrados. Si no era viable, más valía que se derrumbase por sí mismo y no que pareciese amenazado por la mano espectral del «comité austriaco».

En su sinuosa coherencia, esta era una expresión característica de la diplomacia del siglo XVIII (o de la diplomacia de todos los tiempos). Sin embargo, su propio propósito de tratar de obtener algo diferente de lo que parecía decir situaba a la declaración de Pillnitz en el extremo contrario, desde el punto de vista de la expresión del discurso, del mundo del patriotismo revolucionario. Mientras el lenguaje diplomático, desde la época de los heraldos, había utilizado habitualmente el subterfugio y presuponía que siempre había una diferencia entre las intenciones declaradas y las reales, interpretadas por las personas a quienes se dirigían los mensajes, el lenguaje de los ciudadanos debía ser sincero hasta alcanzar una absoluta transparencia, debía ser directo y sin mediaciones. Frente a la ley moral más elevada de la autodeterminación abrazada por la Revolución, ni siquiera el lenguaje de los tratados entre los príncipes tenía derecho a existir. ¿Cómo podía el Papa afirmar que era el soberano de Aviñón o cómo podían algunos príncipes alemanes del imperio reclamar derechos de propiedad en Alsacia, cuando los ciudadanos de estos lugares jamás habían aceptado la separación de su territorio? Teniendo en mente estos criterios morales más elevados, nada era más fácil que representar la declaración de Pillnitz como una afrenta directa a la soberanía del pueblo, la primera etapa de una guerra contrarrevolucionaria. «Una enorme conspiración contra la libertad no solo de Francia, sino de toda la raza humana» estaba siendo planeada, dijo Hérault de Séchelles, exparlamentario y ferviente jacobino. Sin embargo, la luz brillante difundida por la Revolución penetraría incluso el velo de oscuridad que los tiranos habían extendido sobre sus propias maquinaciones.

La crisis bélica de 1791 y 1792 a menudo la han interpretado los historiadores modernos (muchos de ellos no muy interesados en la historia diplomática) como una aberración de la Revolución, algo tan manifiestamente absurdo que solo puede explicarse haciendo referencia a las tácticas de los Brissotins, encaminadas a arrancar el poder que estaba en manos de los Feuillants. Sin embargo, este enfoque instrumental de la guerra revolucionaria no atina a ver que la guerra patriótica de hecho constituía la culminación lógica de casi todo lo que la Revolución representaba. Así, había comenzado como la consecuencia del esfuerzo patriótico en América y había continuado autoproclamándose, por me dio de las alusiones a Roma, como el reforzamiento del poder nacional mediante la transformación política. Desde el principio había existido una vertiente de tenso desafío en la expresión revolucionaria, que con frecuencia se convertía en paranoia cuando llegaba al pueblo. Así, en 1789 abundaban los rumores de que los austriacos ya estaban apostados en la frontera, de que los británicos navegaban hacia Bretaña y de que los despiadados españoles se disponían a irrumpir en el Rosellón. Peor aún, se suponía que los invasores tenían colaboradores en Francia y que estos anteponían sus propios y egoístas intereses sectarios a los de la *patrie*. Debido a que el nuevo mundo político aparecía definido como «la Nación», los que se consideraban sus enemigos —los aristócratas, los sacerdotes que no habían prestado juramento, la reina «austriaca»— se veían estigmatizados como extranjeros, incluso cuando sus credenciales tenían un origen tan francés como las de los que se autoproclamaban «patriotas».

A esto se sumaba, paradójicamente, una especie de universalismo filosófico que hacía todavía más difícil el comportamiento pragmático de la Revolución. La declaración de los derechos del hombre y el Ciudadano, así como las afirmaciones de derechos naturales en que se basaba la Constitución, por definición, debían aplicarse de forma universal. ¿Cómo podían los hombres nacer libres en un rincón del mundo, pero no en otro? De manera que, si bien la Constituyente de 1790 había sancionado una declaración de paz que abjuraba de todo lo que fuese una guerra de conquista, incluso ese enunciado tenía un aire de sentenciosa predicación destinada a los no cultivados. «La trompeta que tocó la diana de un gran pueblo ha llegado a los cuatro rincones del globo», afirmó Anacharsis Cloots, experto en asuntos de libertad internacional. Durante un tiempo, este tipo de declaración mesiánica pudo desecharse como una concepción utópica. Sin embargo, cuando la situación internacional pareció tomar un cariz amenazador, durante la segunda mitad de 1791, el estado de ánimo pasó del afable cosmopolitismo al engreimiento del cruzado. «Los franceses se han convertido en el pueblo más avanzado del universo —proclamó Isnard—, de modo que su conducta ahora debe corresponder a su nuevo destino. Como esclavos fueron audaces y grandes; ¿se mostrarán tímidos y débiles ahora que son libres?»

Antes de la Revolución, Brissot había hecho carrera concertando estrechas relaciones con «hermanos en la libertad» en su Société Gallo-Américaine, de modo que el enfoque misionero de la liberación internacional resultaba para él algo natural. Asimismo, su colega y amigo Étienne Clavière se había destacado entre los demócratas ginebrinos, cuyo alzamiento contra los patricios de esa república había sido reprimido por Vergennes en 1782. En París ya había clubes de «alóbroges libres» (suizos) y «batavianos» (neerlandeses) que se consideraban parte de una liga internacional contra los «tiranos» y que ansiaban enviar legiones armadas para luchar con los franceses por la liberación de sus respectivas patrias.

El 14 de octubre, Brissot, que de hecho controlaba el importantísimo Comité Diplomático de la Asamblea Legislativa, hizo un repaso de todos estos asuntos en un extenso y enérgico discurso. En la práctica fue una amplia crónica de todos los perjuicios padecidos por los intereses nacionales franceses a manos de las potencias absolutistas y sobre todo de Austria, el supuesto aliado de Francia desde el tratado de 1756. Sin embargo, cuando terminó de pasear a su público por una lista de agravios y humillaciones, Brissot ya había esbozado la existencia de una amplia conspiración que se extendía por Europa, destinada a aislar y a cercenar definitivamente el poder francés. Sirviéndose de una serie de preguntas retóricas, puso en su lugar todas las piezas del rompecabezas. ¿Por qué, de pronto, Rusia había concertado la paz con Turquía en su frontera oriental, si no era para concentrar sus esfuerzos en algo más avieso? ¿Por qué el rey de Suecia, conocido corresponsal de la reina desde su visita a Francia en la década de 1780, movilizaba a sus ejércitos? ¿Por qué, en efecto, esos archienemigos que eran Austria y Prusia se habían abrazado estrechamente en Pillnitz? La respuesta a todas estas preguntas era un puñal que apuntaba directamente al corazón de la única nación realmente libre de habitantes del Viejo Mundo.

El discurso de Brissot suscitó un efecto dramático en la asamblea, no porque se apoyase exclusivamente en los nuevos conceptos de división revolucionaria entre las naciones libres y las «esclavas», sino porque apeló a los conceptos convencionales e incluso tradicionales del interés nacional y sobre todo al «honor» y hasta a la «gloria» de Francia, términos asociados más comúnmente con Luis XIV. Justo porque el «nuevo» patriotismo era de hecho una reelaboración romántica de temas históricos mucho más antiguos —la sangre, el honor y la tierra— emocionaba en mucha mayor medida. Así, cuando Brissot terminó exclamando: «Os digo que debéis vengar vuestra gloria o condenaros vosotros mismos a la deshonra eterna», fue saludado con estruendosos aplausos, que no solo venían de sus partidarios, sino de la gran mayoría de los diputados no comprometidos del centro.

Ahora que también él estaba comprometido con una política belicista (aunque por razones que eran exactamente las opuestas a las que movían a los Brissotins), Luis podía responder enérgicamente a esos intentos de reemplazar al monarca por el pueblo en armas como expresión del patriotismo francés. Tal fue el significado de su aparición en la asamblea del 14 de diciembre para reclamar la dispersión del campamento de emigrados de Coblenza. Y como para complacerle, el elector de Tréveris se apresuró a acatar el ultimátum. Sin embargo, esta fue la señal de una renovada campaña de exhortación patriótica en la prensa y en la asamblea, que concentró todos los esfuerzos en la amenaza austriaca que, según se afirmaba, estaba movilizándose en las fronteras. La prueba correspondiente estaba formada por las notas agresivas enviadas desde Viena en relación con el tema de las propiedades principescas de Alsacia y las órdenes del comandante austriaco de los Países Bajos, general Bender, que disponía que se ayudase al elector de Tréveris, si sobrevenía una invasión francesa de su territorio. Como ha demostrado T. C. W. Blanning en su perspicaz trabajo sobre el estallido de la guerra, el tono más áspero de Kaunitz se basaba en una interpretación lamentablemente errónea de la política francesa. Como los austriacos se felicitaban equivocadamente de haber instalado a los Feuillants como consecuencia de la declaración de Pillnitz, se entendía que otro gesto igualmente conminatorio salvaría al asediado Gobierno de la belicosidad combinada de la facción Lafayette-Narbonne y los Brissotins. No hace falta decir que tuvo exactamente el efecto contrario.

La última semana de 1791 y las dos primeras de 1792 presenciaron una sucesión de extraordinarias actuaciones retóricas de los principales Brissotins, reiteradas en los clubes jacobinos e impresas para su distribución en las provincias. Al mismo tiempo que adoptaban un tono despectivo frente al general Bender, que era el blanco de sátiras insultantes en las caricaturas populares, los discursos actuaron sobre la sensación generalizada de ansiedad ante la perspectiva de una venganza y reclamaron la formación de un ejército de ciudadanos-soldados que demostrase al mundo que los hombres libres eran invencibles. El día de Navidad,

Élie Guadet saltó de la silla del presidente a la tribuna, incapaz de contener decorosamente sus pasiones. «Si la Revolución ya señaló a 1789 como el primer año de la libertad francesa, la fecha del 1 de enero de 1792 indicará este año como el primero de la libertad universal.» Dos días después, Pierre Vergniaud, cuya oratoria solo podía compararse con la de Mirabeau, pues ambos conformaban el torrente retórico más enérgico y vivo generado durante la Revolución, pronunció el discurso de clausura. Ofreció un terrible cuadro de emigrados asesinos, bendecidos por uno curas fanáticos, reunidos en la frontera de la *patrie*.

> Los audaces satélites del despotismo, que reúnen en sus almas feudales quince siglos de orgullo y barbarie, ahora están reclamando en todos los países y de todos los tronos el oro y los soldados que necesitan para reconquistar el cetro de Francia. Habéis renunciado a las conquistas, pero no habéis prometido soportar tan insolentes provocaciones. Habéis sacudido el yugo de los déspotas, pero, sin duda, no lo hicisteis para doblar la rodilla tan ignominiosamente frente a los tiranos extranjeros y someter el sistema entero de vuestra regeneración a la política corrupta de sus gobiernos.

Después, Vergniaud utilizó lo que se convertiría en un asunto habitual de la cruzada revolucionaria: la promesa de la autoinmolación patriótica. «Sí, los representantes de la Francia libre, indisolublemente unidos a la Constitución, morirán sepultados bajo las ruinas de su propio templo antes de proponeros [al pueblo] una capitulación indigna de ellos mismos o de vosotros.» Terminó con una invocación que era casi un himno de nobleza de las armas francesas, una especie de anuncio de los discursos mucho más débiles de Napoleón Bonaparte durante sus campañas. Al terminar, todo el Manège, incluso las galerías del público, estaba de pie agitando los sombreros, jurando lealtad arrastrado por una gran ola de entusiasmo patriótico:

> Así, guiados por las más sublimes pasiones, al amparo de la bandera tricolor que habéis clavado gloriosamente sobre las ruinas de la Bastilla, qué enemigo se atrevería a atacaros [...], seguid el curso de vuestro gran destino que os lleva al castigo de los tiranos que depositaron armas en vuestras manos [...]. *Union et courage!* La Gloria os espera. Hasta aquí los reyes han aspirado al título de ciudadanos romanos; ¡ahora depende de vosotros conseguir que ellos envidien el título de Ciudadanos de Francia!

Por tanto, para los Brissotins, la guerra sería lo que madame Roland denominaba «una escuela de virtud», como había sido para las viriles legiones de Roma. En el campo de los jacobinos, solo una destacada voz se elevó contra este lugar común: la de Maximilien Robespierre. Había aprobado en un principio la retórica marcial como medio de forzar la mano del rey, pero el manifiesto entusiasmo de Narbonne hacia la guerra le había inducido a volver a considerar el asunto. La guerra, arguyó con lógica, haría el juego de la corte o abriría paso a una dictadura militar. Con respecto a los presuntos beneficios que aportaría al resto de la humanidad que estaba esperando la primavera de su liberación, «nadie —afirmó en tono profético— ama a los misioneros armados». Después, como principal figura de la más temible máquina de movilización militar vista en Europa, cambiaría de opinión. En realidad, continúa siendo uno de los sentimientos más válidos que jamás expresó.

El 25 de enero de 1792 el Comité Diplomático de Brissot convenció a la Asamblea Legislativa de la necesidad de enviar a Viena lo que de hecho era ya un ultimátum. Exigía al emperador que explicase su conducta con respecto a los emigrados y que no solo desistiera de prestarles ayuda y socorro, sino de aliarse, bajo ningún concepto (según los términos acordados en el tratado de 1756), con un enemigo de Francia. La respuesta fue igual de dura. Kaunitz se aferró de forma equivocada a la opinión de que, en última instancia, los franceses estaban tan mal equipados para la guerra que no se atreverían a afrontarla. Había cierta dosis de verdad en la suposición de que el ejército no se encontraba en condiciones de emprender una campaña importante; pero el servicio de inteligencia prusiano, en el que Kaunitz se apoyaba, había exagerado el grado de desorganización. El 1 de enero los príncipes emigrados fueron declarados traidores y perdieron sus tierras y sus títulos. El 17 una nota procedente de Viena no solo reclamó la devolución de las tierras alemanas de Alsacia y la liberación de la familia real, sino, por primera vez, la devolución de Aviñón y el Condado Venesino al Papa. El 7 de febrero se concertó una alianza formal entre Austria y Prusia.

El plazo en que Austria debía satisfacer la reclamación de Francia relacionada con el tratado de 1756 vencía el 1 de marzo. (La cuestión fue programada casi como un desafío a duelo, todavía una práctica habitual incluso entre los revolucionarios que lo despreciaban oficialmente como una «superstición».) El mismo día Leopoldo falleció y le sucedió su hijo Francisco, adusto e insustancial, que, mucho más que el fallecido emperador, dependía de los asesores. Estos consejeros estaban mucho más dispuestos que el anciano Kaunitz a recoger el guante arrojado por la Asamblea Legislativa, sobre todo porque María Antonieta les enviaba planes detallados de las medidas militares francesas apenas se difundían en el consejo real. De todos modos, una crisis ministerial en Francia arrebató la decisión de las manos de los austriacos. El ministro de Relaciones Exteriores De Lessart había respondido tibiamente a la última nota áspera de Viena y el 1 de marzo el humillante intercambio de misivas fue leído ante la Asamblea Legislativa, mientras el desventurado ministro escuchaba sentado en uno de los pequeños taburetes que estaban frente al escritorio del presidente. La reacción de los Brissotins fue desencadenar un feroz ataque contra la incapacidad de los Feuillants para enfrentarse a Austria y a Prusia; de hecho, no solo acusaron a De Lessart, sino a Bertrand de Moleville, ministro de Marina, de practicar una forma disimulada de traición. El 9 de marzo, cuando Narbonne unió sus fuerzas a los atacantes, el rey le destituyó. Una semana después Vergniaud reclamó el juicio político a De Lessart.

Durante aproximadamente una semana Luis vaciló, cada vez más angustiado por la necesidad de hallar un Gobierno que apaciguase el creciente clamor. Por fin, quizá recordando el consejo de Mirabeau acerca de la conveniencia de suavizar a los adversarios cooptándolos, creó un Gobierno completamente aceptable para Brissot y sus amigos: Clavière, el inventor del *assignat*, fue ministro de Finanzas; Roland, exinspector de fábricas, ministro del Interior; y Charles Dumouriez, excomandante de Cherburgo, la base que era el orgullo y la alegría de Luis XVI, ya había sido designado ministro de Relaciones Exteriores el 1 de marzo. La presencia de Dumouriez resultaba un tanto extraña, pues se trataba de un lafayettista y no de un Brissotin, pero, en ese momento, cuando estaba en la cincuentena, era una persona dotada de la experiencia militar y de la firmeza política necesarias para afrontar la crisis.

En Viena, el cambio en este ministerio fue considerado como una verdadera declaración de guerra, sobre todo porque poco antes había llegado un emisario especial de la reina con malas noticias. Era el ingeniero Goguelat, una de las lamentables figuras que habían acompañado al duque de Choiseul mientras este esperaba la berlina en el camino a

Montmédy. Ante el consejo imperial declaró como segura la inminencia de la guerra y expuso la opinión de la propia María Antonieta de que parecía muy probable que la sometieran a juicio. En la segunda semana de abril cincuenta mil soldados austriacos fueron desplazados hacia la frontera belga.

El 20 de abril, Luis XVI acudió a la Asamblea Legislativa a oír a Dumouriez la relación oficial de la situación en Francia. La casa de Austria, habían dicho los diputados, había «sometido» a Francia a sus ambiciones desde 1756. La violación de ese tratado, había dicho ya Gensonné, sería un acto de gozosa destrucción similar a la demolición de la Bastilla. Se pedía la inmediata entrada en guerra, a la que solo unos pocos diputados de la misma opinión que Robespierre se oponían. Uno de ellos, Becquet, del Alto Marne, advirtió que «nos ganaremos la reputación de ser gente agresiva y agitadora, que estorba la paz de Europa y viola tratados y leyes internacionales». Esos avisos fueron apartados a un lado por un gran aleluya de afirmación patriótica. Anacharsis Cloots, fuera de sí, dijo en un rapto mesiánico:

> Aquí está la crisis del universo. Dios ordenó el primitivo caos; los franceses ordenarán el caos feudal [...], porque los hombres libres son dioses en su corazón [...], [los reyes] hacen guerras impías sobre nosotros con soldados esclavos y dinero robado; nosotros haremos una guerra santa con soldados libres y contribuciones patrióticas.

El comandante en jefe de lo que Brissot había denominado «una cruzada por la libertad universal», en la que cada soldado diría a su enemigo: «Hermano, no voy a cortarte el cuello [...], voy a enseñarte el camino hacia la felicidad», no parecía muy feliz. Con voz balbuciente, Luis XVI leyó entonces la declaración formal de guerra como si fuera su propia sentencia de muerte. Y así, en realidad, era.

«La Marsellesa»

Cinco días después de la declaración de guerra, la guarnición de Estrasburgo se preparaba para la «cruzada por la libertad universal» prometida por Brissot. Se ofreció un banquete público en el que los oficiales

—muchos de ellos, como De Broglie, D'Aiguillon y Kléber, pertenecían a la nobleza liberal— confraternizaron con los patriotas notables de la localidad, ninguno tan importante como el *ci-devant* barón Dietrich, el alcalde de la ciudad. Brindaron por los motivos preferidos de la guerra: muerte a los déspotas, larga vida a la *patrie* de Libertad. Alguien preguntó al joven ingeniero del ejército Rouget de Lisie, que tenía en París una modesta reputación como compositor, si no podría componer alguna canción que acompañara a las tropas fuera de las fronteras como marcha patriótica. Después de todo, el vigoroso ritmo del «Ça ira» era poco apropiado para el paso militar.

Rouget de Lisie tenía alguna experiencia en este tipo de trabajo. Hijo de una familia de clase media baja del Franco-Condado, había conseguido una beca en la academia de ingeniería militar de Mézières, donde conoció a Lazare Camot y a Prieur de la Côte d'Or. Aunque bastante hábil como zapador, había empleado el tiempo, aparte de en la construcción de puentes y la fabricación de cañones de combate, en componer melodías en el desenfadado estilo que tanto gustaba en París. Tras cinco años de dedicar parte de su tiempo a componer, decidió probar suerte en la capital, donde entabló amistad con Grétry. Su estilo se hizo más serio; compuso un «Himno a la Libertad», aunque, en realidad, era una versión del compositor local de Estrasburgo Ignaz Pleyel, que se tocó en la gran *fête* celebrada cuando se aprobó la Constitución.

De esta aburrida mezcla de talentos, el ingeniero músico de algún modo se elevó con el «Chant de Guerre de l'Armée du Rhin». Motivado por el sentimiento de la batalla próxima y estimulado por el champán, Rouget de Lisie trabajó durante la noche del 15 al 16 de abril y por la mañana presentó los resultados a Dietrich. El alcalde la tocó por primera vez, algo toscamente, tres días después.

La canción, con el título «La Marsellesa», sobreviviría cuando fuesen olvidadas todas las obras de Pleyel, Gossec, Méhul y Grétry. Se trataba de una asombrosa invención, lo más parecido a un discurso de Pierre Vergniaud con ritmo y música, una tonada y una rítmica que aceleraban el pulso y el torrente sanguíneo. Cuando la esposa de Dietrich y Gossec la orquestaron para una banda militar, hizo estallar un gran clamor de comunión patriótica. Nada ha sido escrito nunca —y nada lo será— que exprese mejor que «La Marsellesa» la camaradería de los ciudadanos en armas.

Todos los grandes temas emotivos de la Revolución —familia, sangre, tierra— prestan su voz. El primer verso es el drama familiar. La *patrie* —el Padre tierra— llama a sus hijos a las armas para defender lo que aman (*vos fils, vos compagnes*) contra las hordas de advenedizos mercenarios convertidos en carniceros. La melodía se deja caer brillantemente como un siniestro murmullo que aproxima el terror, pero que, antes de llegar, es repelido por la gran llamada del clarín: «Aux armes, citoyens», repetido como coro a lo largo de cinco versos. En toda la canción, las imágenes de sangre y masacre se utilizan para atemorizar e inspirar. El *étendard sanglant* (el estandarte sangriento) se ha alzado contra los *enfants de la patrie*; por tanto, la *sang impur,* la sangre manchada de los tiranos, *abreuve les sillons* (riega los surcos) de la nación. Aunque las imágenes eran macabras, son un eco exacto del sentimiento contemporáneo. No mucho antes, un joven estudiante había escrito a su padre para justificar su decisión de presentarse voluntario y había declarado que «nuestra libertad puede asegurarse solo si su lecho está formado por un colchón de cadáveres [...]. Yo deseo ser uno de esos cadáveres».

Así pues, «La Marsellesa» no fue una canción revolucionaria del sur. El himno patriótico adoptó ese nombre cuando un grupo de guardias federados de Montpellier la llevó a Marsella, en camino a su acantonamiento de París. Una vez en la capital, los militantes revolucionarios locales, que convirtieron a unos quinientos soldados de Marsella en héroes idealizados de la «segunda revolución», les atribuyeron el nuevo himno. Sin embargo, en realidad fue una auténtica canción de la frontera oriental y septentrional, y no nació de la audacia jacobina, ni de las amenazas de colgar a la aristocracia, como es el caso del «Ça ira». En cambio, se originó en el tenso desafío frente a los «tiranos» cuando la Revolución se preparaba, por primera vez, para enfrentarse a los ejércitos de la monarquía absolutista.

Ignoramos si esos primeros soldados que salieron de Lille hacia la ciudad belga de Tournai tenían en sus labios la canción de Rouget de Lisie; pero, si así fue, desde luego de poco les sirvió. Pues, en un violento contraste no solo con el invencible optimismo del himno, sino con las certezas igualmente expansivas de la retórica Brissotin, la primera campaña de las guerras que durarían veintitrés años y costarían un millón y medio de franceses comenzó como un lamentable fiasco.

El resultado fue más chocante porque los comandantes designados en los tres principales escenarios de la guerra eran todos famosos veteranos de la última y, sin duda, eficaz campaña de Francia en América. Lafayette asumió el mando del frente central, sobre el Marne; el general Luckner se hizo cargo de la frontera alsaciana; y Rochambeau, el héroe de Yorktown y Saratoga, dirigió la zona más peligrosa de la frontera belga del norte. Aunque las conocidas rondas de reconocimiento de Narbonne habían hecho todo lo posible para disimular el hecho, Rochambeau sabía muy bien que, tanto por el número de soldados como por la preparación para la batalla y la disciplina, los ejércitos franceses no estaban preparados, ni mucho menos, para enfrentarse con los austriacos. La destrucción de la jerarquía de los regimientos, reflejada en el motín de Nancy en 1790, no se había detenido como consecuencia de la represión. Más aún, el aumento del número de oficiales emigrados después de Varennes, en todo caso, había sembrado sospechas en los soldados: los oficiales no merecían confianza y quizá estaban traicionando de forma deliberada a la *patrie* bajo la defensa de su propio estatus.

Estas sospechas tendrían consecuencias fatales para Théobald Dillon, comandante local de la fuerza enviada contra Tournai. Primo de Lucy de La Tour du Pin, Dillon era un producto típico de la nobleza liberal, patriótica y eficaz, y desde luego hostil a los emigrados. Sin embargo, como muchos de los oficiales de carrera, profesaba una especial simpatía a Lafayette y desconfiaba del Gobierno Brissotin. Más concretamente, Dumouriez le había encomendado la tarea de activar el escenario belga, que, según creía el ministro, esperaba una señal de los franceses para desencadenar una gran insurrección antiaustriaca. La misión de Dillon consistía en realizar una modesta expedición a Tournai, de la que en general se creía que estaba poco defendida. Para ejecutar la misión contaba con una fuerza de cinco mil hombres, la mayoría soldados de la caballería regular, pero complementada con una fuerza de voluntarios. Se creía, debido la envergadura de esta tropa, que el éxito estaba garantizado.

En la práctica, estas expectativas se vieron frustradas de manera desastrosa. En Baisieux, la vanguardia de la caballería soportó el fuego de artillería. Muy pronto se difundieron entre las líneas francesas rumores acerca de un avance austriaco. Una retirada táctica planeada previamente se convirtió enseguida en un poco glorioso «sálvese quien pueda», pero no encabezado por los voluntarios, sino por los soldados de la caballería regular. Arrastrado por la fuga, Dillon se refugió en una granja campesina y cometió el fatal error de quitarse la chaqueta del uniforme. Alertado por la propaganda patriótica acerca de la presencia de espías y traidores, el campesino creyó que tenía a uno en su casa, tomando su sopa, y avisó a la guarnición de Douai. El infortunado general fue llevado como prisionero a Lille, donde una multitud de habitantes, soldados y guardias nacionales le arrancaron del carruaje, le cortaron la cara y, finalmente, le mataron a bayonetazos sobre el suelo. Después, el cuerpo de Dillon fue colgado de un farol; le cortaron como trofeo la pierna izquierda y la pasearon por la ciudad, antes de que el resto del cadáver fuese arrojado a una hoguera.

La lamentable impresión dejada por el desastre sufrido antes de Tournai se agravó todavía más cuando la fuerza de Biron no consiguió coronar un ataque sobre Mons, aunque, en esta ocasión, el comandante salvó la vida, por lo que, más adelante, pudo morir en la guillotina. Como los austriacos no atinaron a aprovechar la desmoralización de las tropas francesas, desde el punto de vista estratégico poco se perdió. Sin embargo, las consecuencias políticas del desastre determinaron una drástica división. En la derecha, muchos de los altos jefes que aún permanecían en el ejército de línea temían correr la suerte de Dillon ante el más mínimo tropiezo. Algunos renunciaron, empezando por Rochambeau, que ejercía el mando en el norte; otros emigraron. Los que permanecían en servicio, como el propio Lafayette, creyeron que el requisito previo de la supervivencia militar era el restablecimiento del orden tanto en el ejército como en París. Por supuesto, Lafayette estaba dispuesto a usar la fuerza militar para sofocar la amenaza de la insurrección en la capital. A principios de mayo escribió al embajador austriaco Mercy d'Argentau, para proponer una suspensión de hostilidades, mientras él lidiaba con los militantes parisienses.

Sin embargo, los enemigos de Lafayette no eran torpes. Incluso la pausa en los combates durante el mes de mayo confirmó las sospechas de que los comandantes del frente estaban más interesados en atacar a los militantes parisienses que a los austriacos. Esta impresión no se atenuó con la deserción en masa de casi todo el regimiento de los Royal-Allemands, la caballería que había cargado contra la manifestación popular en la place Vendôme y en las Tullerías el 12 de julio de 1789. «No confío en los generales —dijo Robespierre en el Club de los Jacobinos—, la mayoría siente añoranza del antiguo orden.» Esta sensación de que se afrontaba el sabotaje deliberado de los hombres que habían maniobrado para ocupar los puestos de mando se extendía a los problemas económicos y sociales. La devaluación de los *assignats*, que propiciaba la inflación de los precios de los alimentos, fue atribuida a la especulación con el capital, motivada sistemática y políticamente. La cosecha de 1791 había oscilado entre los rendimientos normales y los mediocres, pero, en algunas regiones de Francia, sobre todo en el sur y en el sudeste, la escasez era grave. La eliminación de la regulación del mercado interno de cereales, que había sido el legado de los fisiócratas, la utilizó ahora la Revolución para llevar suministros a las áreas de escasez, pero solo después de retenerlos el tiempo necesario para asegurar unos precios altos. Esto era exactamente lo que los economistas liberales habían recomendado como un modo de garantizar la acumulación de capital en la agricultura. Sin embargo, a corto plazo las grandes teorías siempre provocaban la miseria, el pánico y los disturbios. El ritmo de los ataques a los carros de transporte, a las barcazas y a los almacenes, que se había atenuado desde 1789, ahora recobró un fuerte impulso. Con el argumento añadido de que la «conspiración del hambre» formaba parte de un intento contrarrevolucionario de provocar hambre al pueblo para obligarle a capitular, los violentos ataques a las personas, así como a las propiedades, se extendieron y fueron más intensos. Finalmente, los alzamientos por parte de los negros en las Antillas francesas habían interrumpido los suministros de azúcar y habían determinado que otros artículos a los que la población trabajadora de las ciudades se había acostumbrado —por ejemplo, el café— alcanzaran precios prohibitivos. La consecuencia fue una sucesión de ataques a las tiendas de comestibles en la primavera de 1792.

La acumulación de estas quejas proporcionó a los jefes y representantes de la política popular la oportunidad de abandonar el obligado silencio en el que se habían visto confinados desde la represión del verano anterior. Con Lafayette ocupado en el frente y el complaciente Pétion, más que el nervioso Bailly, como alcalde, la prensa militante y los clubes populares no tardaron mucho en resucitar a su auditorio durante la primavera de 1792. *L'Ami du Peuple*, de Marat, y el Club de los Cordeliers volvieron a la actividad y desencadenaron furiosos ataques, no solo contra la corte y el comité austriaco, que saboteaban deliberadamente la guerra, sino, de un modo más general, contra los ricos, ahora caracterizados explícitamente como la «burguesía», que se habían separado del pueblo y que habían olvidado cuánto les debían porque ellos había suministrado las tropas de choque de la libertad. Más aún, ahora se elevaron voces nuevas y más violentas que reclamaban la eliminación de los traidores y el castigo de los especuladores. El *Père Duchesne*, el periódico de Jacques-René Hébert, utilizaba liberalmente los denuestos de las tabernas para fulminar a los que ejercían el poder. Y Jacques Roux, el *curé* de Saint-Nicolas-des-Champs, en uno de los barrios más pobres de París, un lugar habitado por porteadores del mercado y trabajadores temporales, también reclamaba que se aplicasen castigos sin juicio previo a los responsables del hambre de los patriotas.

No había absolutamente nada nuevo en esas polémicas cristianoigualitarias y, justo por ser tan conocidas, gozaban de tanta popularidad. Evocaban exactamente la retórica anticapitalista y antimoderna de Mercier, que elogiaba la artesanía y detestaba el capital, y que había sido una de las fuentes más poderosas de la ira revolucionaria. La fase realmente radical de la Revolución —su violento derrocamiento de la élite educada y de los notables que habían dominado la Constituyente y las iniciativas reformistas desde la década de 1770— estaba ahora al alcance de la mano. Y desde el comienzo, este código de valores agresivamente antiliberal y antipecuniario fue lo que movilizó a la población y la indujo a tomar las armas. El nombre de *sans-culottes* era de por sí una manera de dotar de cierto romanticismo al mundo de los talleres de artesanos, pues insistía en la incompatibilidad entre la virtud social y las medias de seda y los calzones (artículos que Robespierre usaba siempre). En realidad, los líderes de estos militantes *sans-culottes* de 1792 y 1793 con frecuencia no fueron reclutados entre los muy pobres, sino en los estratos más acomodados de los oficios y de las profesiones artesanales. Desde luego, algunos de sus cabecillas, como el cervecero Santerre, no solo eran individuos acomodados, sino también ricos. De todos modos, alentaban enérgicamente a sus partidarios a exigir cosas que chocaban de frente con el individualismo económico: la reglamentación oficial de los precios de los cereales y otros alimentos; la forzosa aceptación del *assignat* por su valor nominal; y severos castigos (incluso la pena de muerte) para los sospechosos de acaparar y especular, una categoría cuya definición era tremendamente difícil en una economía liberalizada. El paternalismo republicanizado de este programa se resumió en un folleto publicado en Lyon en el mes de junio, que exigía la fijación de precios nacionales de los cereales y que llevaba el inocente título de *Moyens simples et faciles de fixer l'abondance* («Modos sencillos y fáciles de crear la abundancia»).

Lo que, en 1792, infundió una particular fuerza a las reclamaciones de los *sans-culottes* fue la dimensión complementaria del patriotismo militar. Los enemigos de dentro no eran ahora de clase, definidos abstractamente, sino, por decirlo así, austriacos vestidos con ropas francesas. Incluso se afirmaba explícitamente que el siniestro y ubicuo comité austriaco, que provocaba tanto desastre y tanta desmoralización en el frente, también estaba fomentando de forma intencionada las calamidades internas y provocando la desaparición de los suministros de alimentos. El ansia perpetua de identificar y castigar a los hipócritas patriotas de la quinta columna llevó a la obsesión del «desenmascaramiento» (una buena fijación rousseauniana) en los jacobinos y en los cordeleros. Durante la primavera y el verano de 1792 esta necesidad de distinguir entre los auténticos patriotas y los falsos impuso la aceptación de distintivos visibles de la autenticidad patriótica.

El más importante fue el sombrero rojo, el *bonnet rouge*. La Revolución francesa desde luego no inventó el simbolismo del sombrero de la libertad. Extraído de monedas romanas, donde los esclavos manumitidos aparecen recibiendo el «gorro frigio» en el momento de ser liberados, tenía una historia en el arte gráfico, en las medallas y en las inscripciones, que se remontaba por lo menos a la rebelión neerlandesa del siglo XVI. Y se utilizó mucho tanto en la cultura popular como en la sociedad cultivada al menos durante dos siglos, en general con la forma de un gorro de ala ancha con una copa chata. Como un gorro blando, apareció con frecuencia en grabados ingleses del siglo XVIII, como, por ejemplo, la imagen poco lisonjera del radical John Wilkes creada por Hogarth; en los grabados que celebran la libertad estadounidense durante la década de 1770; en el movimiento patriota neerlandés de la década de 1780; y, finalmente, en gran parte de la imaginería de la Federación de 1790, sobre todo en Lyon. El aspecto más destacado de la forma utilizada en 1792 fue el carácter literal del símbolo; ahora no solo se pedía a la gente que reconociese el emblema, sino que lo usara. Incluso en 1791, cuando David dibujó su idealizado hombre del pueblo en la Pista de

Pelota, el sombrero que ese hombre tenía puesto era un emblema más que un auténtico tocado. Un año después eso ya no era cierto. Por supuesto, Robespierre jamás se puso el bonete sobre sus rizos empolvados, pero comenzó a verse en los ambientes jacobinos, usado tanto por los afiliados como por los espectadores, así como en las sociedades populares más activas; y, en las asambleas de las secciones, casi se convirtió en un adminículo *de rigueur*. Incluso algunos oficiales militares exigieron el derecho a usarlo en lugar del tricornio militar.

Por tanto, no sorprende que el momento ritual en el que el hombre, a quien el *Père Duchesne* solía denominar ahora como «Louis le Faux» —o, a veces, simplemente «le Faux-Pas», por la fuga a Varennes—, fue desenmascarado como un no-rey correspondiese al 20 de junio, cuando le colocaron bruscamente sobre la cabeza un gorro rojo. Reducido a un lugar inferior, despojado de los últimos atributos de la majestad (la Asamblea Legislativa había discutido largamente si continuaría llamándole «Sire»), Luis Capeto se vio obligado a beber a la salud del auténtico Pueblo soberano.

Esto fue posible gracias a la transferencia del poder armado, que pasó de aquellos a quienes los jacobinos consideraban la «quinta columna» a manos de patriotas «fiables». El alcalde Pétion se desentendió de las limitaciones impuestas a los clubes, de las reclamaciones y de la prensa propuestas por Duport y por Le Chapelier durante los últimos días de la Constituyente y hasta fomentó la distribución de armas entre las asambleas de las secciones, pues pensó que eran necesarias para defender a sus aliados, los Brissotins, de los intentos de un golpe de Estado militar. En primer lugar, hubo otra interpretación literal del emblema tradicional de la libertad, la pica, que tenía un linaje casi tan antiguo como el del gorro. Una sección de París adoptó el nombre de Les Piques y Hébert dijo a sus lectores: «A vuestras picas, buenos *sans-culottes*, afiladlas para exterminar aristócratas». Pese a toda la hipérbole, la distribución de armas de hierro largas y afiladas no constituyó un insignificante añadido a la violencia popular; pero hacia junio, las asambleas de las secciones admitieron a ciudadanos «pasivos» en sus compañías de Guardias Nacionales, sin pedir autorización formal. Y su equipo incluía, además, mosquetes y rifles nada simbólicos, y, en algunos casos, incluso cañones.

Sin embargo, al mismo tiempo, a finales de mayo se reclamó formalmente al rey que liquidase su propia guardia personal de seis mil hombres, la mayoría apostados en las Tullerías. Ese cuerpo había sido parte de la estrategia de Barnave, encaminada a tranquilizar a la corte demostrándole que una monarquía constitucional tendría los medios necesarios para defender su autoridad frente a las repetidas insurrecciones, aunque el propio Barnave tuvo que decir a la reina que los uniformes celestes que ella proponía, en contraste con el legítimo azul oscuro de la Guardia Nacional, inmediatamente señalaría a la fuerza como un grupo de mercenarios extranjeros. En una típica actitud consistente en canjear sus cartas fuertes por otras más débiles, Luis aceptó este desarme oficial, sobre todo porque deseaba vetar la aplicación de un decreto que permitía que los sacerdotes refractarios fuesen deportados sumariamente respondiendo a la petición de no más de veinte ciudadanos en activo. Poco después, también vetó una propuesta del ministro del Ejército Servan, que contemplaba la organización de un campamento armado de unos veinte mil federados de las provincias, que no llegarían solo con el propósito festivo de celebrar el 14 de julio, sino, además, para recibir «entrenamiento» (de duración indefinida) antes de acudir a la frontera.

Aunque parezca paradójico, Robespierre también se opuso al campamento de los *fédérés*, pues vio en todo el asunto un intento del Gobierno de utilizar a los guardias provinciales para amedrentar a sus conciudadanos parisienses, que, desde el punto de vista político, eran más radicales. Sin embargo, en los Cordeliers, donde, de nuevo, la organización de la insurrección tenía su principal centro de dirección, el último y débil intento de autoafirmación constitucional del rey provocó un gran coro de ataques. Su oposición a los *fédérés* fue representada en la prensa como una clara prueba de que, a su vez, él estaba planeando un acto de fuerza desde su «ciudadela» en las Tullerías. Madame Roland, que dictó una carta a su esposo con el propósito de que la misiva tuviese el sello oficial del ministro del Interior, reprendió severamente la audacia de Luis XVI y le advirtió: «No es tiempo de retirarse o de dar largas. Se ha realizado la revolución en la mente del pueblo; se cumplirá y consolidará a costa del derramamiento de sangre, a menos que la sensatez nos prevenga de males que aún es posible evitar [...]. Sé que el austero lenguaje de la verdad rara vez es bien recibido en las cercanías del trono, pero sé también que precisamente porque rara vez se oye que las revoluciones son necesarias».

Luis no solo no atendió estas advertencias y retiró sus vetos, sino que la de los Roland tal vez le indujo, dos días después, a despedir a todo el ministerio Brissotin. Este súbito cambio de frente había sido idea de Dumouriez, que de ese modo deseaba asegurar mejor su propio dominio del Gobierno. Una vez dado este paso, también pidió al rey que anulara su veto, con el fin de reducir todo lo posible las causas de agitación popular en las secciones; pero este era justo el tipo de maniobra táctica que Luis no podía entender.

El 20 de junio se organizó en las secciones una manifestación, movilizada por los jefes de las sociedades populares, sobre todo Santerre; el carnicero Legendre, amigo de Danton; otro veterano publicista y republicano militante, «el americano» Fournier; el nervioso *ci-devant* marqués de Saint-Huruge; y Jean Varlet, al igual que Santerre, un burgués acomodado (en este caso empleado de correos) que había abrazado el igualitarismo social de Jacques Roux. Todas estas figuras representaban papeles destacados en los Cordeliers resucitados; muchos estaban afiliados a otros clubes, como por ejemplo la Sociedad Fraternal de Patriotas de Ambos Sexos. Algunas líderes del movimiento republicano de mujeres, como Théroigne de Méricourt, la feminista (y espía) neerlandesa Etta Palm y Pauline Léon, hija del *chocolatier*, también actuaron en la movilización de la muchedumbre. Ya habían tenido cierta práctica en un momento anterior de la primavera, cuando los jacobinos organizaron un festival con participación del público para celebrar la liberación de los soldados encarcelados en 1790 por su intervención en el motín de la guarnición de Nancy. (La derecha se había apresurado a replicar con un contrafestival destinado a honrar a Simonneau, el alcalde de Étampes muerto durante los disturbios provocados por los alimentos.)

Sin embargo, el festival de los prisioneros de Nancy fue un asunto ordenado justo porque contó con la bendición de los jacobinos y porque fue necesario programar de antemano con mucho cuidado los arreglos para los desfiles, la música y los habituales discursos. El 20 de junio las cosas fueron muy distintas. El propósito manifiesto de la multitud procedente de las secciones de artesanos y pobres (que eran la misma cosa) fue plantar un Árbol de la Libertad en los terrenos de las Tullerías. Esta ceremonia sería un acto de protesta contra el retiro de los Brissotins y una especie de bandera ritual de conquista en el último reducto real. Como sus colegas habían sido apartados sumariamente del Gobierno, Pétion no tenía un especial interés en contener esta protesta, aunque siempre existía la posibilidad de que el episodio amenazara la seguridad de la familia real.

Se reunieron dos enormes muchedumbres, una en la plaza de la Bastilla y otra en La Salpêtrière, que confluyeron en las Tullerías; estaban dirigidas por Santerre, que ya era una especie de comandante oficioso de los guardias *sans-culottes* armados. Alrededor de la una y media de la tarde, llegaron al Manège y solicitaron permiso a la Asamblea Legislativa para leer su petición. La presentación de peticiones apoyadas por las armas era algo que la ley de Le Chapelier había deseado prohibir, pero, ante la amenaza directa de la intimidación —y con girondinos como Vergniaud todavía airados por el derrocamiento del Gobierno—, los diputados no se mostraron propensos a ofrecer mucha resistencia. Mientras debatían, la multitud plantó un gran Árbol de la Libertad —un álamo— en el jardín de los capuchinos; finalmente, la petición fue admitida, cantando el «Ça ira», en el salón de la asamblea.

Sin embargo, lo que siguió a este agitado y amenazante desfile representó el comienzo del fin del reinado de Luis XVI. Una numerosísima multitud se concentró alrededor del perímetro de los terrenos del palacio y sus propios líderes se resistieron a seguir avanzando; pero, cuando los artilleros del regimiento Val-de-Grâce, que había marchado con los manifestantes esa mañana, llevaron cañones, se abrieron las puertas, tanto para evitar un desastroso amontonamiento de personas como quizá con otros propósitos más funestos. Una enorme muchedumbre entró en el palacio, que no estaba defendido, y encontró al propio rey, con unos pocos guardias y servidores desarmados, en el salón de L'Œil de Bœuf.

Fue el peor momento. Luis retrocedió hacia el marco de una ventana y, a veces apoyándose en el saliente y otras de pie, se enfrentó directamente y con mucha serenidad a los jefes de la turba. Se esgrimieron pistolas y sables desnudos en su cara. Algunas versiones afirman que se agitó frente a él el corazón de un becerro, clavado en el extremo de una pica, que simbolizaba «el corazón de un aristócrata». Luis había utilizado antes su propio lenguaje sensiblero de estilo rousseauniano, pues, para mostrar a sus granaderos que no temía a la multitud que entraba en el palacio, había tomado la mano de uno de ellos, la había apoyado sobre el corazón y había comentado: «Mirad, no palpita». Sin embargo, no cabe duda de que esa tarde representó para él una terrible tortura. Los gritos de «Abajo el veto, al demonio con el veto» fueron lanzados a Luis como si el acto y el hombre fueran una misma cosa. Se dice que el carnicero *sans-culotte* Legendre le dijo claramente: «Monsieur, debéis escucharnos; sois un bribón. Siempre nos habéis engañado; y aún nos engañáis. Sois la gota que colma el vaso. El pueblo está cansado de este juego».

Luis respondió a estas humillaciones sin caer en el ridículo. Se le mostró un sombrero rojo, se lo puso y brindó a la salud del pueblo de París y de la nación. Los indignados realistas recordarían la vejación como la corona de espinas de Luis XVI. Sin embargo, durante todo el desorden se mantuvo inflexible en su negativa a retirar el veto o a llamar de nuevo a los ministros Brissotins. Esta combinación de elegancia y de dignidad desactivó, hasta cierto punto, lo peor de la furia y desde luego evitó la violencia. Toda una tarde era demasiado tiempo incluso para desgranar el más cruel aluvión de insultos. A las seis de la tarde Pétion, que se había mantenido fuera del escenario todo el día, se abrió ahora camino para llegar ante el rey y decirle, de manera muy poco convincente, que acababa de enterarse de la «situación en que estáis». «Eso es sorprendente —replicó Luis—, pues esto dura desde hace varias horas.» Después de prolongadas arengas, Pétion consiguió convencer a la multitud de la conveniencia de retirarse. A las ocho, Luis y María Antonieta se reunieron en una habitación donde también ella había soportado numerosos insultos. El agotamiento de ambos ante el trauma solo se vio compensado por el inmenso alivio que suponía el hecho de que ellos y sus hijos habían sobrevivido físicamente. Sin embargo, también resultaba claro que con la humillación del 20 de junio los últimos vestigios de la aureola real habían desaparecido. A menos que se hiciera algo drástico, ya no sería cuestión de la supervivencia de la autoridad de la monarquía, y mucho menos de su viabilidad constitucional. Todo lo que quedaría sería una brutal prueba de fuerza.

Que esto, en efecto, sucediera no era algo que pudiera darse por descontado. Los reyes tenían aún sus defensores. Cuando la noticia de lo que había sucedido el día 20 se difundió en Francia, llegaron a la asamblea peticiones en defensa del rey desde todas partes del país. Incluso algunas de las asambleas de las secciones repudiaron lo ocurrido. Pétion y Manuel el *procureur* fueron suspendidos en sus cargos por el gobierno departamental, que los acusó de descuidar su deber. Algunos colegas de

Brissot, que se habían sentido más desanimados que regocijados por la invasión del palacio, comenzaron ahora negociaciones secretas. En la culminación de un debate acerca del retiro del delfín, a quien se pensaba separar de su familia para asegurar «una educación patriótica», Guadet fue a ver a la reina. Ella le mostró al príncipe dormido tras una cortina, en la habitación contigua, y Élie Guadet, que desde luego pertenecía a una generación a la que le conmovía la inocencia de la niñez, inclinó sobre el niño su cabeza de rizos inmaculados, le apartó los cabellos y le besó la frente. «Si ha de sobrevivir —advirtió a la reina—, es necesario que le enseñéis a amar la libertad.»

Los ofrecimientos de ayuda por parte de otros sectores fueron recibidos con menos cordialidad. El 28 Lafayette realizó el último esfuerzo para dirigir el destino político de Francia. Se presentó ante la Asamblea Legislativa para reclamar la aplicación de las clásicas medidas de los Feuillants: la clausura de los clubes, la censura de la prensa y la prohibición de formular peticiones. Sus oyentes le escucharon con escasa simpatía, pues sospecharon de manera acertada que esto era el primer anuncio de un golpe de Estado. Sin embargo, Lafayette no era Bonaparte. No había reunido de antemano fuerzas suficientes para garantizar que se prestase atención a sus palabras. Más aún, sus intentos de movilizar a la Guardia Nacional fueron un lamentable fracaso. Cuando se le preguntó en la asamblea por qué había dejado a sus tropas sin contar con la debida autorización, no pudo ofrecer una respuesta adecuada. Y lo que es más sorprendente, la familia real —quizá confiando excesivamente en sus nuevas relaciones girondinas— nada quiso saber de él. La reina sobre todo había odiado durante mucho tiempo a Lafayette y de hecho había apoyado a Pétion en las elecciones para la alcaldía de París, simplemente por el placer de asistir a la derrota de Lafayette. En esta ocasión, ella llegó al extremo de prevenir a Pétion acerca de la revista de tropas en la que el general intentaría agrupar a la guardia.

Despreciado por aquellos a quienes deseaba ayudar, blanco del ridículo y del odio de la prensa, Lafayette regresó a su puesto militar en Alsacia. Después de la caída de la monarquía, el 10 de agosto, realizó el último esfuerzo de resistencia y convocó al alcalde de Sedan y a sus oficiales a la ceremonia que mejor sabía ejecutar: la prestación de un juramento constitucional. Sea como fuere, no pudo decidirse a dar el paso siguiente, que era desencadenar una guerra civil. (En todo caso, comenzó sin él.) Cuando las nuevas autoridades de París le relevaron de su cargo, cruzó las líneas en dirección al campamento austriaco y pasó los cinco años siguientes en la cárcel de Olomouc. Fue un lamentable desenlace para el joven que había recorrido los bosques con el fin de comulgar con la hiena de la Libertad. Pero no fue el fin de la carrera de Lafayette como apóstol de la revolución liberal.

Ahora que el general estaba apartado, la última esperanza de contener las fuerzas que estaban dividiéndose con rapidez residía en la propia Asamblea Legislativa; pero los hechos del 20 de junio, lejos de consolidar la decisión de este organismo, la habían debilitado. Los diputados, inquietos por su propia seguridad, comenzaron a ausentarse de los debates, de modo que, en la cúspide de la insurrección de agosto, quizá apenas asistía una cuarta parte de un total de ochocientos. La dirección girondina estaba dividida en cuanto a la posibilidad de unir su suerte a los militantes de las secciones para evitar que los partidarios de Robespierre concentraran toda la influencia o de defender el orden legal mediante la fuerza. El 5 de junio se hizo una declaración: la «patrie est en danger». Sin embargo, los poderes especiales obtenidos mediante esta suspensión del procedimiento legal y normal eran un medio peligroso de legitimar la política oficial. Si bien podían justificar, como aún temía Robespierre, un ataque a los clubes y las secciones, también podían ser usados por esos mismos elementos para derrocar al Gobierno y la asamblea.

Desesperanzado por el hecho de que no hubiera posibilidades prácticas de reconciliación, Lamourette, obispo constitucional de Lyon, trató en cambio de apelar al sentido dramático y emocional de los diputados. En un llamamiento a los que rechazaban, con la misma vehemencia, las reclamaciones de la derecha en favor de un parlamento bicameral y los de la izquierda en favor de una república, reclamó un «juramento de fraternidad eterna» y pidió que fuera sellada con un abrazo. Por última vez los diputados se pusieron en pie, aclamaron, agitaron los sombreros en el aire y declararon: «La *patrie* está salvada» y se abrazaron unos a otros, besándose y apretándose en un gran trance de entusiasmo colectivo. Es posible que este trance emocional condujera de forma natural a la asamblea a abordar el tema siguiente, que se relacionaba con la autorización que se otorgaba a los menores para que contrajesen matrimonio sin el consentimiento de los padres. Sin embargo, el debate fue interrumpido bruscamente por una furiosa delegación del ayuntamiento, que había sabido que las autoridades del departamento acababan de suspender a Pétion y a Manuel por su responsabilidad durante los hechos del 20 de junio y que declaraba su apoyo incondicional a estos hombres.

Los besos dejaron su sitio a las maldiciones. A medida que los *fédérés* comenzaron a llegar a París, las asambleas y las secciones a las que aquellos asistían empezaron a reclamar la creación de una república. *L'Ami du Peuple*, de Marat, publicó explícitos llamamientos a los pobres, en los que les preguntaba por qué «solamente los ricos deben cosechar los frutos de la Revolución, mientras vosotros habéis obtenido de la Revolución solo el lamentable derecho de continuar pagando elevados impuestos y, como los turcos o los prusianos, veros sometidos al reclutamiento». Muchos de los guardias nacionales *fédérés* provenían de áreas de Francia donde los patriotas revolucionarios debían luchar duramente —Bretaña, el Midi y el Este— y respondían con entusiasmo a este tipo de inflamada retórica. Por supuesto, como muchos de ellos dormían en las instalaciones de los cordeleros o de allí pasaban a alojarse en casas de patriotas de opiniones muy militantes, se incorporaban por esa vía a los planteamientos polémicos y republicanos más inflexibles. Algunos de ellos incluso conocieron las reclamaciones de Théroigne de Méricourt y de Pauline Léon en favor de un regimiento de mujeres armadas con picas.

Poco a poco, sombríamente, París estaba convirtiéndose en un campamento armado. Día tras día las compañías de guardias desfilaban en los lugares públicos, armadas hasta los dientes y cantando el «Ça ira». La culminación, que había sido preparada minuciosamente por el radical Charles Barbaroux desde la primavera, fue la llegada el 30 de junio de quinientos guardias de Marsella entonando el himno de Rouget de Lisie, que, desde entonces, llevó el nombre de estos soldados. En el Club de los Jacobinos, Robespierre, que al fin parecía haberse convencido de la oportunidad de la insurrección, estableció un centro de coordinación de todas las fuerzas. Otro Comité Central de la Insurrección funcionó en el gobierno municipal de la Comuna, y en él se incluía a los delegados procedentes de las secciones, entre ellos Fournier, Santerre y el periodista radical Carra. La coordinación de muchos de estos esfuerzos encaminados a crear una fuerza militar popular y unificada, capaz de administrar el tiro de gracia, estaba en manos de Danton, que ahora, al fin, ocupaba el cargo oficial que durante tanto tiempo había ansiado. Más en concreto, desempeñaba un cargo judicial superior como diputado *procureur* de la Comuna, y así se encontraba en una posición estratégica fundamental, que le permitía impartir o anular órdenes según lo requiriese la situación. Cuando los *fédérés* (sobre todo los marselleses) reñían con unidades de la Guardia Nacional leal, no se hacía nada para juzgar a los culpables y así el ambiente de permanente criminalidad en la ciudad se agravó de forma progresiva durante los últimos días de julio.

El último día del mes, la sección Mauconseil publicó una alocución a los ciudadanos de París, en la que declaraba que «el deber más sagrado y la ley más vital consisten en olvidar la ley para salvar a la *patrie*». El enemigo se acercaba y muy pronto Luis XVI entregaría las ciudades nacionales al fuego sanguinario de los déspotas europeos. «Durante demasiado tiempo un despreciable tirano ha jugado con nuestros destinos [...]. Sin entretenernos más tiempo calculando sus errores, sus crímenes y sus perjurios, castiguemos a este coloso del despotismo [...], unámonos todos para declarar la caída de este monarca cruel, digamos al unísono que Luis XVI ya no es rey de los franceses.» Según afirmaba el manifiesto, la «voluntad general» de la sección ya no le reconocía como soberano.

Esta declaración originó un vacío moral y político, del cual, según decían las secciones, debía surgir un orden completamente nuevo. Tres días después, otra proclama de una fuente muy distinta ahondó de forma brusca el abismo que estaba tragándose la legitimidad de la monarquía constitucional. En un periodo anterior del verano, los prusianos habían entrado en la guerra como aliados del emperador, y, durante el mes de julio, habían avanzado con inquietante regularidad. La declaración de intenciones de los prusianos había sido emitida en nombre de su comandante, el duque de Brunswick, pero la redacción había estado a cargo de un emigrado, el marqués de Limon. En ella se pedía al pueblo francés que se alzara contra los «odiosos planes de sus opresores» y amenazaba con «los rigores [no especificados] de la guerra» a los que tuviesen la temeridad de resistir. Si sobrevenía otro ataque a las Tullerías, París sería elegida como blanco de un «acto de venganza ejemplar e indeleble».

No resulta necesario aclarar que la proclama provocó justo lo que pretendía impedir. Proporcionó a los organizadores de la insurrección la oportunidad que habían estado esperando de acentuar la trascendencia del conflicto político y de convertirlo en una guerra sin cuartel. De hecho, el manifiesto de Brunswick dijo a los parisienses y a sus partidarios de las provincias entre los *fédérés* que ya habían cometido actos por los cuales serían castigados sin piedad; de modo que nada tenían que perder si recorrían el resto del camino. Lo único que importaba era impedir que quienes los amenazaban así y residían en Francia cometiesen actos de traición. Todos los cálculos habían venido a dar en esta decisión última y primaria: matar o acabar muerto.

Esta percepción de una situación extrema fue el factor que alteró de forma definitiva la situación. Se habían realizado intentos de movilizar a las secciones a finales de junio, pero todas se vieron frustradas. El manifiesto de Brunswick determinó rápidamente una importante transformación del equilibrio militar en París. Los guardias nacionales locales (a los que, en contraste con 1790, no les había gustado nada ver cómo su ciudad era ocupada por los *fédérés* provinciales) comenzaron ahora a desertar de sus unidades. Se incorporaron a un comando general organizado por el Buró de Correspondencia dirigido por los jacobinos y encabezado por oficiales de provincias, sobre todo el alsaciano François-Joseph Westermann.

Aunque Marat intentó representar el alzamiento del 10 de agosto como el estallido espontáneo de una incontenible ira popular, la verdad fue justo la contraria. Nunca una revolución fue preparada más esforzadamente o desencadenada con mayores dudas. El ministerio del rey era un Gobierno de paja, desprovisto de cualquier autoridad o poder. Su centro rector, la Asamblea Legislativa, contaba con una fracción de sus fuerzas y no tenía ya poder para imponer sus decretos o para proteger la Constitución que había jurado (muchísimas veces) defender. La Guardia Nacional estaba confundida, dividida y dirigida con indecisión, preocupada más por proteger el territorio de París de la violencia contra la propiedad y las personas que del desenlace de una contienda política. Entonces, ¿qué se interponía en el camino de los insurgentes? Esa era la opinión de la mayoría de los franceses y francesas, a los que se había dicho hasta la náusea que la Constitución era sacrosanta, algo que quizá creían, pero que ahora estaban representados por minorías armadas y militantes, que actuaban en su nombre en la capital. Y lo que era todavía más grave, una tropa de dos mil soldados, la mitad de los cuales pertenecía a la guardia suiza personal del rey, estaba atrincherada en las Tullerías.

El resultado nunca pudo ponerse en entredicho; pero, cuando el toque a rebato resonó durante la noche del 9 al 10 de agosto, muchos de los hombres que se encaminaron al Hôtel de Ville se inquietaron. Después de la cena, Camille Desmoulins y su esposa fueron al domicilio de Danton, para tratar de cobrar ánimos, pero allí encontraron a Gabrielle, la esposa de Danton, hecha un mar de lágrimas. Lucile, que recordaba que ella misma «se reía como una loca», salió con la esposa de Danton a la calle a tomar un poco el aire y, cuando regresaron, encontraron a un gran grupo de gente en la casa; cada uno trataba de anteponerse a los otros con grandilocuentes declaraciones que parecían ajustarse a la sensación, que imperaba en todos, de estar haciendo historia. Sin embargo, bajo las solemnes declaraciones, la agitación y el miedo inquietaban a todos. Cuando Camille desapareció en la noche, llevando un mosquete y prometiendo a su esposa mantenerse junto a la figura enorme y tranquilizadora de Danton, también ella comenzó a llorar desconsoladamente.

En el Hôtel de Ville, una «comuna insurreccional» había desplazado la autoridad del consejo municipal y ahora impartía órdenes a la Guardia Nacional. La Comuna estaba formada por tres delegados, en principio la expresión de la «voluntad general» de cada una de las 48 secciones. Por supuesto era un cuerpo de hecho formado solo por las secciones militantes del sector oriental de la ciudad y de la zona central de la margen izquierda, la base de los viejos cordeleros. Entre ellos estaban Robespierre, el grabador Sergent, Billaud-Varenne y François Robert. El propio Danton era una figura decisiva, imponente, aunque en realidad regresó a su casa durante la noche, mientras se realizaban los primeros y fracasados intentos de movilizar a las secciones insurgentes.

A primera hora del día 10, la decisión del marqués de Mandat, comandante de la Guardia Nacional leal, de bloquear los puentes que cruzaban el Sena e impedir la unión de los *sectionnaires* armados de Saint-Marcel con los de la margen derecha parecía haber tenido éxito. El rey se sentía bastante confiado y, poco después del alba, descendió al patio fortificado para pasar revista a sus tropas. El contradictorio recibimiento que recibió —fieles aplausos de los guardias suizos, inquietantes gritos de «Vive la Nation» de la Guardia Nacional de París— le conturbó. Temiendo que la ofensiva se prolongara, Roederer, *procureur-général* del departamento, había intentado persuadirle de que abandonase el castillo y se pusiese bajo la protección de la Asamblea Legislativa. Aunque se había ya ceñido la espada, cuando Roederer le informó, al igual que a la reina, de que «todo París» estaba en marcha, su voluntad se desvaneció. Él y su familia atravesaron el patio con la mayor dignidad posible, mientras escuchaban gritos cada vez más airados de «Basta ya de vetos». «Las hojas caen temprano este año», dijo el rey a Roederer, con lo cual o sugirió un resignado distanciamiento o una inusitada predilección por la metáfora.

Una vez en el Manège, donde un puñado de diputados permanecía con el único propósito de prevenir las acusaciones de que la nación soberana ya no se reunía, el rey permaneció esperando mientras encontraban, para él y para su familia, un lugar que fuera compatible con la prohibición de su presencia en los debates. María Antonieta y sus hijos, junto con su hermana Elisabeth, fueron instalados en el reducido espacio de la Logographie, un lugar habilitado para los periodistas durante las sesiones. En ese asfixiante cubículo, con las caras cruzadas por las sombras de unos barrotes similares a los de un calabozo, lo que aún quedaba de la monarquía francesa esperó con impotencia su suerte.

Unas dos horas después comenzaron los combates. Desde el comienzo del día ya se tenía conciencia de que la sangre correría con más abundancia que en cualquier otro momento desde el comienzo de la Revolución. El marqués de Mandat había sido convocado por la nueva Comuna al Hôtel de Ville, con el claro propósito de explicar su negativa a levantar las posiciones defensivas de la guardia. Cuando Danton terminó de gritarle, lo detuvieron y, por el camino, lo mataron (quizá fue Antoine Rossignol, otro miembro de la Comuna). Ahora que la autoridad se derrumbaba, no hubo más intentos de resistir a las tropas insurgentes que comenzaban a atravesar el Sena. Cuando el cervecero Santerre, que dirigía a los soldados de la margen izquierda, y Alexandre, que estaba al frente de los que se encontraban en la margen derecha, llegaron a las Tullerías, ya superaban en número a los defensores.

La matanza que siguió fue consecuencia sobre todo de la sensación, como el 14 de julio de 1789, de que se había tendido una trampa a los atacantes. Cuando la familia real salió hacia la asamblea, se extendió rápidamente en la Guardia Nacional la idea de que había existido una capitulación. Se instó a los suizos a confraternizar, y algunos de ellos, al parecer, abandonaron las armas. Animada por esta actitud, la guardia entró en el castillo, pero fue recibida con una letal andanada de disparos que la persiguió a través de la Cour Royale. Cuando se reagruparon, Westermann y Fournier encabezaron un furioso contraataque, con los marselleses a la cabeza abriéndose paso a tiros mientras cruzaban el espacio vacío, en dirección al palacio.

En definitiva, el peso del número había definido la situación. Quizá Luis lo sabía y quiso evitar más pérdidas de vidas garabateando una nota en que ordenaba a los guardias suizos que depusieran las armas. Es posible que recordase la situación del 14 de julio, cuando el agravio provocado por la traición se calmó con el sacrificio de una sola víctima: el alcaide De Launay.

Todo se resolvió de un modo diferente el 10 de agosto. Obedientes hasta el final a la monarquía, los guardias suizos estaban iniciando su retirada del palacio cuando fueron atacados y masacrados brutalmente en cualquier sitio donde estuvieran. La histeria del momento fue tan grande que incluso los *fédérés* de Brest —uno de los grupos rebeldes más militantes— fueron abatidos porque sus uniformes rojos se parecían fatalmente a los de los suizos. Los soldados que pudieron comprender a tiempo lo que les esperaba huyeron frenéticamente, despojándose de las ropas, de las armas y de las cartucheras. Algunos se arrojaron desde las ventanas altas del palacio hasta las losas del patio para adelantarse a sus perseguidores.

Durante ese mediodía no se les dio cuartel. Atrapados, fueron despedazados de forma despiadada: fueron apuñalados, lapidados y asesinados a garrotazos o a sablazos. Las mujeres despojaban a los cuerpos de las ropas y de todas las pertenencias que podían encontrar. Los hombres cortaban los miembros y troceaban los genitales y los metían en las bocas abiertas o los echaban a los perros. Lo que quedaba iba a parar a las hogueras, una de las cuales extendió el fuego hasta el propio palacio. Otros pedazos de los seiscientos soldados que perecieron en la masacre fueron cargados de cualquier modo en carros y llevados a los pozos de cal viva. Fue, dijo Robespierre, «la más hermosa revolución que jamás honró a la humanidad».

Sin embargo, la carnicería del 10 de agosto no fue un momento secundario en la historia de la Revolución. En realidad, fue su lógica culminación. Desde 1789, quizá incluso antes, los políticos se habían mostrado dispuestos a aprovechar la amenaza o el hecho consumado de la violencia que les había conferido el poder de cuestionar a la autoridad constituida. El derramamiento de sangre no era el lamentable fruto de la Revolución, sino el origen de su fuerza. Los versos de «La Marsellesa» y los grandes discursos de los girondinos habían hablado de la *patrie* con la poesía absoluta de la vida y de la muerte. Por equivocado que parezca, solo así podría demostrarse que la sangre, en efecto, corría para defenderla y solo así lograría que pareciera que valía la pena morir por las virtudes de la Revolución. Los medios se habían convertido en fines.

15

La sangre impura
Agosto de 1792-enero de 1793

UN «HOLOCAUSTO» POR LA LIBERTAD

Un día de la tercera semana de agosto, se instaló una guillotina en la place du Carrousel, frente a las Tullerías. La *machine*, como se denominaba comúnmente, no era una novedad, pues se había utilizado de manera esporádica desde abril de 1792 en el lugar tradicional de las ejecuciones públicas, la place de Grève. Los falsificadores de *assignats* eran un blanco especial del odio popular, de modo que su decapitación constituía todo un acontecimiento. Sin embargo, para las multitudes acostumbradas al ritual prolongado y emocionalmente intenso de las procesiones de penitencia, a las estridentes confesiones públicas, a la caída fulminante del cuerpo en el patíbulo, a la exposición de los restos colgados, incluso, en ciertos casos especiales, a la tortura prolongada de la rueda, la *machine* era una gran decepción. Se trataba de un sistema excesivamente expeditivo. Un zumbido y un golpe; a veces ni siquiera se mostraba la cabeza; y el verdugo no era más que un mecánico de poca monta, casi como un lacayo que tira de la cuerda de una campanilla.

Aun así, esta austera condensación del espectáculo del castigo era justo lo que se habían propuesto los creadores de la *machine*. En diciembre de 1789, el doctor Joseph-Ignace Guillotin, diputado de la Asamblea Nacional, había planteado una reforma de la pena capital según el estatus igualitario estipulado para todos los ciudadanos por la declaración de los derechos del hombre. En vez de las bárbaras prácticas que degradaban tanto a los espectadores como al criminal, debía adoptarse un método rápido y quirúrgico. La decapitación no solo ahorraría inútiles sufrimientos al prisionero, sino que ofrecería a los delincuentes

673

comunes una ejecución digna que, hasta entonces, estaba reservada solo a los órdenes privilegiados. El proyecto también eliminaba el estigma de la culpabilidad asociada, que antes recaía sobre la familia de los condenados, y, lo que era más importante, protegía su propiedad de la confiscación requerida por la práctica tradicional.

Un grabado bastante hermoso destinado a ilustrar la humanidad del artefacto de Guillotin sugiere una digna serenidad, más que un macabro castigo. El ambiente es bucólico, pues el buen médico deseaba que el lugar de la ejecución fuese trasladado más allá de la ciudad, lejos de lo que, a su juicio, era el espectáculo primario del populacho de baja estofa. La acción parece estoica, quizá incluso sentimental, pues también el verdugo ha sido transformado y, en lugar de un robusto profesional, es un alma sensible que desvía la mirada mientras corta la cuerda con el sable. El benévolo confesor procede directamente de «La Profession de foi du vicaire savoyard», de Rousseau, y un soldado impasible vigila la barrera que mantiene a los pocos espectadores separados de la *machine*.

Nada podría armonizar mejor con el pensamiento de la Ilustración tardía sobre la pena capital. En la Constituyente había diputados, sobre todo Robespierre, que habrían preferido la abolición total, de acuerdo con la recomendación de Beccaria (excepto en los casos de regicidio o de traición). Sin embargo, si se quería mantener la pena de muerte, más valía que su ejecución consistiese en un procedimiento rápido, compasivo y utilitario. En 1777, Marat había recomendado que se encontrase una forma que combinase la disuasoria severidad con la eficiencia indolora, y la *machine* descrita en la asamblea por el doctor Guillotin parecía reunir completamente esas indicaciones. Su descripción (según el informe del *Journal des États-Généraux*) era esta: «El mecanismo cae como el trueno; la cabeza sale despedida, brota la sangre, el hombre ya no existe», lo que provocó no tanto una pesimista valoración como risas nerviosas. Y si bien los restantes aspectos de su reforma fueron adoptados en 1790, solo dos años más tarde la propia *machine* comenzó a trabajar.

El 3 de junio de 1791 el *ci-devant* marqués Lepeletier de Saint-Fargeau, jacobino militante, propuso que todas las personas condenadas a muerte sufrieran la misma pena, es decir, la decapitación; pero aún no había señales de que este tratamiento igualitario fuese a aplicarse de forma mecánica. Solo las reservas planteadas por el verdugo público Charles-Henri Sanson indujeron al Gobierno Feuillant, durante la primavera de 1792, a contemplar de nuevo la utilización de la *machine*. La preocupación de Sanson, como profesional orgulloso de su oficio, consistía en que la decapitación acarreaba unas posibilidades mucho mayores de cometer errores lamentables que en el caso del ahorcamiento, sobre todo cuando había mucho trabajo. Las hojas podían gastarse; tal vez los verdugos no tenían la habilidad suficiente; la chusma destinada a la guillotina quizá no se comportase con la característica dignidad de los caballeros. Todo esto provocaría que su trabajo fuese tremendamente difícil.

Como destaca Daniel Arasse en su excelente estudio, el doctor Guillotin había abandonado la *machine*, quizá molesto por la incapacidad de la Constituyente para tomarla en serio. Sin embargo, el doctor Louis, secretario perpetuo de la Académie de Chirurgie (y autor de un artículo de la *Encyclopédie* sobre la muerte), rescató el proyecto en un erudito memorándum en el que aseguraba a la Asamblea Legislativa que este mecanismo garantizaba la muerte instantánea gracias al corte radical de los ligamentos del cuello. En abril se encomendó la construcción del prototipo a Tobias Schmidt, un fabricante alemán de pianos. Lo terminó en una semana y, el día 17, en el patio de la prisión de Bicêtre, se realizaron ejecuciones de prueba con cadáveres. Aunque los resultados fueron satisfactorios, al menos un testigo llegó ya a la conclusión de que, aunque la justicia exigía esa solución, la humanidad no podía presenciarla sin «estremecerse».

Según parece, el doctor Guillotin siempre lamentó que un aparato de una impersonalidad tan mecánica se asociara a su nombre (si bien durante el primer periodo de su aplicación también se denominaba «louison» o «louisette», por el nombre de su promotor más reciente). Insistía en que su propuesta siempre había respondido a motivos «filantrópicos» y humanitarios. En todo caso, comenzó a usarse como la expresión penal de la imparcialidad, para decapitar al primer criminal, el 25 de abril de 1792. Se trataba de Nicolas Pelletier y había cometido un robo con violencia. Después del derrocamiento de la monarquía, esta les pareció a las autoridades que competían por los beneficios de su empleo un modo ideal de recobrar el control del castigo violento. Cuando el 21 de agosto se utilizó para decapitar a Louis Collot d'Angremont, secretario de la administración de la Guardia Nacional (acusado de haber intervenido en la «conspiración real»), ya había recuperado las finalidades ejemplares y espectaculares que tanto la «filantropía» de Guillotin como el utilitarismo quirúrgico de Louis habían deseado eliminar. Se eligió como lugar de la ejecución la place du Carrousel, justo porque se dijo que allí el criminal había cometido su fechoría. Se animó al público a presenciar el acto de expiación y la rápida celeridad con que se ejecutaba la justicia de la nación.

Todo esto se contraponía con (y, si era posible, trataba de corregir) las atrocidades de lo que, con un eufemismo, se denominaba «justicia popular» o, en otras palabras, los linchamientos espontáneos y rápidos, y los castigos mortales y los apuñalamientos. Por supuesto, había un elemento de falsedad en la actitud oficial. Los propios comienzos de la Revolución de 1789 no solo se habían caracterizado, sino que habían estado impulsados, por esos actos de castigo espontáneo y por las muertes indiscriminadas en la vía pública. La inclinación de los políticos como Barnave a tolerar esos actos (lo que en definitiva los llevó, al igual que a su régimen, a sufrirlos en carne propia) asentó el concepto de que la «justicia popular» era una parte integrante de la libre y legítima expresión del «pueblo soberano». En cada fase ulterior de la Revolución, los hombres que ejercían la autoridad intentaron recuperar para el Estado el monopolio de la violencia del castigo, pero se vieron desbordados por los políticos contrarios que apoyaron, y hasta organizaron, la violencia popular para sus propios fines. El hecho de que las armas estuvieran ahora a buen recaudo en manos de los gendarmes oficiosos de la voluntad popular significaba que el único modo de imponer la autoridad del Estado era mediante un enfrentamiento militar que, a su vez, parecía justificar nuevos actos de violencia en las calles. Así, el problema esencial del Gobierno revolucionario se centró en los esfuerzos para encauzar la violencia popular en beneficio del Estado, más que oponiéndose a él. Sin embargo, esta fue una meta que ni siquiera los jacobinos consiguieron alcanzar sin apelar a las formas más extremas del control totalitario.

El problema se presentó nada más producirse el derrocamiento de la monarquía, el 10 de agosto. El residuo de la Asamblea Legislativa había reinstalado en un Consejo Ejecutivo Provisional a los ministros girondinos despedidos por el rey —Roland, Clavière y Servan— y les había añadido, para completar el cuadro, a dos jacobinos, el matemático Monge y Danton, en el Ministerio de Justicia. Este último había intervenido personalmente para proteger a un grupo de guardias suizos prisioneros, lo que había evitado que los masacraran en las calles el día 11, pero pensaba que resultaba esencial cierto tipo de castigo institucionalizado si se quería controlar la sed de «venganza» popular. Durante las semanas que siguieron al alzamiento, el centro de poder, en todo caso, no estuvo en la asamblea, sino en la «comuna insurreccional» instalada en el Hôtel de Ville, que impartía instrucciones a sus funcionarios, el alcalde Pétion y el *procureur* Manuel, a quienes también había reincorporado. Precisamente en la Comuna se plantearon las reclamaciones más vehementes en favor de alguna forma de tribunal militar extraordinario que juzgase a los «criminales» del 10 de agosto (los episodios de ese día aparecían ahora descritos de forma rutinaria como una conspiración realista). El 17 se creó un tribunal de ese tipo, cuyos miembros debían ser designados por Santerre, el nuevo comandante de la Guardia Nacional de París; sus juicios y sentencias excluirían explícitamente cualquier tipo de apelación.

La muerte de Collot d'Angremont en la guillotina fue la primera de esas sentencias del tribunal especial. Siguieron un periodista realista llamado Du Rozoi y Arnaud de La Porte, intendente del presupuesto de la casa real. Sin embargo, desde el punto de vista de algunos militantes de la Comuna, como Robespierre y Marat, el número de casos de esta clase era lamentablemente reducido. Por lo menos, ellos habían reclamado y obtenido de la Asamblea Legislativa amplios poderes policiales que les permitían detener, interrogar y encarcelar a los sospechosos sin nada que se pareciese al debido proceso legal. El órgano al que se confió esta labor fue un Comité de Surveillance, donde ocupaban lugares de enorme relevancia dos amigos de Danton de los tiempos del distrito de los Cordeliers: el grabador Sergent y el abogado Panis. Aunque no se puede dejar de subrayar lo bastante que en los días míticos de la libertad revolucionaria, en 1789, la Constituyente creó comités ejecutivos que reanudaron en gran medida el trabajo policial y de espionaje, así como los poderes de detención arbitraria asociados al Antiguo Régimen, en realidad solo en agosto de 1792 se formó en París un verdadero Estado policial revolucionario.

Durante las dos semanas que transcurrieron entre el 17 de agosto y las masacres de las prisiones, a principios de septiembre, más de mil personas fueron detenidas con los pretextos más pobres. La gran mayoría estaba formada por los sacerdotes refractarios retirados de los seminarios, de los colegios y de las iglesias (a veces incluso de domicilios privados donde se habían ocultado vestidos de civil). Otros blancos fueron las personas que habían reclamado contra los manifestantes del 20 de junio o contra la acusación a Lafayette por haber abandonado su puesto. La totalidad de la prensa realista fue clausurada de la noche a la mañana; los directores e impresores, arrestados; y el material, incautado. Otros enemigos menos amenazadores del «pueblo soberano» también fueron detenidos sin más, entre ellos casi todos los servidores personales del rey y de la reina (incluso la gobernanta madame de Tourzel, que había representado el papel de la baronesa Korff en la lamentable excursión a Varennes). La presa principal en este ataque a la corte fue la princesa de Lamballe, antigua amiga de María Antonieta. Menospreciada por la reina desde el ascenso de la camarilla de Polignac, Elisabeth había mantenido una actitud de conmovedora fidelidad. Cuando las hermanas Polignac se dirigieron a la frontera con Artois en 1789, ella decidió permanecer al lado de la reina y se convirtió en la regenta de la casa. Aunque las repetidas andanadas de pornografía solían describirla como una prostituta lesbiana, no tenía aspecto de tal. Sus rizos rubios habían perdido el lustre y la fuerza, pero su cara aún poseía un extraordinario perfil de querubín, como si estuviera posando siempre para uno de los dulces retratos de Greuze. En la prisión del Temple, adonde llevaron a la familia real después de pasar tres días en la Logographie del Manège, la princesa de Lamballe continuó atendiendo a la reina. Los guardias que fueron a buscarla, que detuvieron también a los restantes criados, les dijeron que los llevaban solo para interrogarlos, pero tanto Elisabeth como María Antonieta sin duda temieron que no volverían a verse nunca. Se abrazaron con la ternura propia de una despedida, la misma actitud que la prensa difamatoria inevitablemente debía reseñar como una actitud licenciosa.

En un determinado momento, los arrestos llegaron a ser absurdamente indiscriminados. El abate Sicard, un héroe popular de los artesanos de París, como *père-instituteur* de los niños sordomudos, fue detenido y encarcelado en la abadía, al igual que un elevado número de sacerdotes. El día 30, una delegación de la escuela fue a la asamblea a reclamar la liberación de su «instructor, su proveedor y su padre, encerrado como si fuese un criminal. Es un hombre bueno, justo y puro»; continuaban:

y él nos ha enseñado lo que sabemos; sin él seríamos como animales. Desde que nos fue arrebatado estamos tristes y dolidos. Devolvedlo y nos haréis felices.

Emocionado por esta demostración, un diputado se ofreció para ocupar el lugar de Sicard, pero otro, llamado Lequinio, invocó la indivisibilidad de la justicia revolucionaria e insistió en que no hubiese ningún tipo de exención; y la pequeña y conmovida delegación fue despedida. Esta negativa casi costó la vida a Sicard.

Finalmente, la acción policial permitió saldar viejas cuentas. Desde que habían cruzado las espadas en relación con el asunto Kornmann, en que Beaumarchais había defendido la reputación de la esposa en un litigio complicado y Marat había tomado partido por el honor del marido ofendido, los dos hombres se habían odiado. La amplia residencia del dramaturgo en el faubourg Saint-Antoine había sido amenazada muchas veces por los disturbios populares, pero nunca había sufrido daños graves. Ahora, la Comuna le acusó de haber comprado un gran cargamento de armas con dudosos propósitos (del mismo modo que había adquirido armas para la guerra estadounidense). Corrió el rumor de que la casa de Beaumarchais era casi un arsenal y fue saqueada el mismo día en que cayó la monarquía; el 23 del mes, Beaumarchais fue arrestado. En la *mairie* se comprobó que los cargos carecían de solidez y Beaumarchais —a quien en adelante se ordenó que adoptase el nombre de ciudadano Caron— estaba a un paso de ser liberado cuando su antigua pesadilla entró en la sala y le despachó a la abadía, de donde escapó por poco de la muerte, al ser liberado cuatro días antes del comienzo de las masacres.

El 28 de agosto, a propuesta de Danton, se autorizaron las que por cortesía se denominaban «visitas domiciliarias» supuestamente para permitir localizar armas de fuego con las que defender la *patrie* asediada, pero, con cierta frecuencia, para detener a sospechosos o encontrar documentos incriminatorios. «Todo —decía la proclama— pertenece a la *patrie* cuando la *patrie* está en peligro.» Era característico que las visitas se realizaran entrada la noche o en las primeras horas de la mañana, para sorprender en la casa a todos los ocupantes. Diez o incluso más hombres llamaban a la puerta a golpes e invadían la habitación con sables, picas y armas de fuego. Aunque la experiencia sin duda era terrorífica para la mayoría de la gente, algunos, por su parte, creían que constituía una emotiva demostración de vigilancia patriótica. Por ejemplo, madame Jullien de La Drôme, cuyo ofrecimiento de la escopeta de caza de su padre fue amablemente rechazado, escribió a su marido: «Apruebo esta medida y la vigilancia del Pueblo con tal firmeza que me habría agradado exclamar: "Bravo! Vive la Nation"». Solo «los tontos o los criminales» podían temer estas visitas. Madame Jullien de La Drôme vivía en Montagne Sainte-Geneviève, uno de los sectores de París donde se practicaron muchos arrestos, y, después de ver a los seminaristas empujados por las calles, blanco de las burlas de la multitud, y salpicados de lodo o golpeados en la cara y el cuerpo, declaró con entusiasmo: «¡Qué operación tan inmensa; con cuánta eficacia se defiende el interés público amenazado!».

Las redadas fueron tan amplias y ambiciosas que finalmente crisparon a los pocos que quedaban en la asamblea, que actuaron contra la Comuna y contra sus comités policiales. El 20 de agosto se reclamó la disolución de estos cuerpos y su reemplazo por un sustituto que debía ser elegido con celeridad. El efecto de esta iniciativa fue lamentable, pues, si bien algunas de las secciones menos militantes estaban también preocupadas a causa de los allanamientos y de los arrestos arbitrarios de las semanas precedentes, este desafío directo a la Comuna determinó que hasta aquellas secciones apoyasen a esta última. Robespierre, Marat y los jacobinos radicales denunciaron la decisión de la asamblea como un intento de anular la revolución del 10 de agosto y de proteger a los criminales y a los traidores de las consecuencias de sus fechorías. Bajo este fuego devastador —y sobre todo bajo la amenaza de nuevas formas de intimidación física a cargo de los *sectionnaires* armados dos días después—, la asamblea retrocedió. Se formaría una nueva Comuna, al mismo tiempo que nacería la nueva Convención Nacional, que debería elegirse (más o menos de acuerdo con los criterios propuestos por Robespierre el 29 de julio) mediante el sufragio masculino universal, para dar paso a una nueva Constitución, cabe suponer que antimonárquica.

Es posible que esta acuciante necesidad de poderes policiales no hubiera sido aceptada de no haber existido al mismo tiempo una crisis militar real que podría llegar a convertirse en catástrofe. Para llevar a cabo una estrategia acordada con su aliado el emperador de Austria, los ejércitos del rey de Prusia cruzaron la frontera francesa el 19 de agosto.

Cuatro días más tarde la importante fortaleza de Longwy se entregó, después de ofrecer escasa resistencia al bombardeo. El día 30 el decisivo baluarte de Verdún —por primera, pero no por última vez en la historia moderna— soportó el asedio prusiano. Si Verdún caía, y los pronósticos no eran optimistas, el camino a París quedaba abierto a través del valle del Marne.

Dadas estas circunstancias, prevaleció en la capital una mezcla de terror y euforia marcial. La lentitud de la campaña austriaca, en la primavera precedente, había inducido a los parisienses a pensar en la «guerra patriótica» como un episodio que se desarrollaba lejos y que afectaba sobre todo a los campos belgas sembrados de lino y nabos. De un modo súbito y demoledor, el enemigo parecía estar a las puertas de la ciudad. Más aún, la revolución que acababan de consumar como un consciente desafío al manifiesto de Brunswick parecía exponer a los parisienses, si la invasión se veía coronada con éxito, a una terrible venganza. En efecto, ya se conocían anécdotas de abominaciones teutónicas cometidas en el escenario bélico: campesinas violadas y mutiladas, niños ensartados en las picas y arrojados a las hogueras...; la pesadilla militar de costumbre. Respondiendo a todo esto, el Consejo Ejecutivo Profesional ordenó el reclutamiento inmediato de una fuerza de treinta mil voluntarios que serían enviados al frente, así como la creación de nuevas y más sólidas *barrières* en los muros de la ciudad.

Con una proclama de Hérault de Séchelles (ahora presidente de la Asamblea Legislativa), que, de nuevo, declaraba oficialmente «la patrie en danger», París se convirtió en un lugar con una actividad frenética. En las calles resonaron los ecos de las botas que avanzaban y los tambores redoblaron *la générale*. En escenas de dolorosas despedidas de los seres queridos, los voluntarios se inscribían en el Pont Neuf frente a la estatua de Enrique IV. Cuadros como *La partida de los voluntarios*, de Watteau de Lille, invertían el sentido moral de *El hijo ingrato*, de Greuze, al mostrar a un joven que cumplía, en lugar de descuidar, sus obligaciones y se marchaba a la guerra. En la versión de 1792, el lugar del siniestro sargento reclutador de la obra de Greuze está ocupado por el fiel granadero tocado con morrión, con la silueta recortada contra el marco de la puerta.

Danton fue el hombre que organizó todo este extraordinario empeño. Su propio coraje y su sincera convicción de que París y Francia

681

sobrevivirían a la prueba de fuego eran tremendamente contagiosos. Y las proclamas que a finales de agosto presentó al consejo ejecutivo muy probablemente fueron la diferencia entre la decisión y el pánico absoluto. Incluso consiguió convertir la proximidad del enemigo en un factor favorable a la fortaleza revolucionaria:

> Nuestros enemigos se preparan para asestar los últimos golpes de su furia. Dueños de Longwy, amenazando a Thionville [en la frontera austrobelga], a Metz y a Verdún, desean abrirse paso hacia París [...]. Ciudadanos, ninguna nación de la tierra ha obtenido jamás la libertad sin luchar. Tenéis traidores en vuestro propio medio; bien, sin ellos, la lucha pronto acabaría.

Estas últimas alusiones a los «traidores de dentro» eran muy reveladoras. Siempre había sido un rasgo del discurso revolucionario representar a los enemigos de la libertad en la propia nación como extranjeros armados, una «quinta columna» que trabajaba para la impía coalición del despotismo internacional. Esto podía aplicarse tanto a la retórica de 1789 como a la de los Brissotins de 1791. Ahora que la guerra estaba cerca, la alianza entre los «lacayos mercenarios de la tiranía», los emigrados que habían ido a reunirse con ellos y los malévolos saboteadores ocultos y libres en las calles de París parecía incluso más peligrosa. Así como se decía que los «salteadores de caminos» de 1789 habían sido los sanguinarios esbirros de los vengativos aristócratas, ahora se afirmaba que otra amenaza igual de siniestra acechaba en las prisiones, donde los contrarrevolucionarios recién llegados —los guardias suizos, los sacerdotes refractarios, los escritores realistas— podían sobornar a los delincuentes comunes para convertirlos en cómplices.

Urgía encontrar una solución a este problema, pues se rumoreaba por todas partes que, tan pronto como los voluntarios partieran para el frente, estallaría un motín en las cárceles. La ciudad indefensa sería entregada para facilitar la masacre de las mujeres y de los hijos de los patriotas, justo como el manifiesto de Brunswick había prometido. Es incluso posible que, si bien los miembros de la Comuna no creían en verdad en tales versiones, en todo caso temían que los hombres aptos para la lucha se vieran disuadidos de incorporarse a filas a causa de dicha inquietud.

¿Qué se podía hacer? El *Orateur du Peuple* de Fréron no tenía ninguna duda:

> La primera batalla que debemos librar será tras los muros de París, no fuera. Todos los bandidos realistas reunidos en esta desgraciada ciudad perecerán el mismo día. Ciudadanos de todos los departamentos, tenéis [como rehenes] a las familias de los emigrados; en ese momento que caigan bajo el peso de la venganza popular; tomad sus castillos, sus palacios, sembrad la desolación dondequiera que los traidores han fomentado la guerra civil [...], *las prisiones están atestadas de conspiradores* [...], contemplad dónde serán juzgados.

En este tipo de retórica, el *jugement* era el eufemismo habitual para referirse a la ejecución sumaria. Marat no dejó nada librado a la duda cuando instó a «los buenos ciudadanos a ir a la abadía, apoderarse de los sacerdotes y, en particular, de los oficiales de los guardias suizos y sus cómplices, y atravesarlos con la espada» (*passer au fil de l'épée*). Se ha afirmado con seriedad que Marat hablaba metafóricamente o con el tipo de hipérbole castigadora que era la especialidad de su periódico. Sin embargo, resulta difícil comprender por qué sus lectores y sus partidarios debían distinguir entre las figuras retóricas y las instrucciones literales. Esto es aún más válido en vista de que, por el momento, había interrumpido la publicación del *Ami du Peuple* y estaba imprimiendo sus comentarios en la forma de *placards*, fijados en distintas partes de la ciudad, de un modo que les confería la autoridad de proclamas semioficiales.

Veamos otro *placard*: el *Compte Rendu au Peuple Souverain*, sin firma, aunque se sabe que fue escrito por Fabre d'Églantine, el poeta y dramaturgo devoto amigo de Danton. Ningún texto podría expresar más claramente la relación entre una guerra a muerte en la frontera y un ataque preventivo en París:

> ¡Ciudadanos, de nuevo a las armas! Que toda Francia se erice de picas, bayonetas, cañones y puñales, de modo que todos sean soldados; abatamos las filas de estos viles esclavos de la tiranía. Que en las ciudades la sangre de los traidores sea el primer holocausto [literalmente, *le premier holocaust*] a la Libertad, de modo que, al avanzar al encuentro del enemigo común, nada nos inquiete a nuestras espaldas.

La noticia de la caída de Verdún llegó prematuramente a París el 2 de septiembre. A esas, las asambleas de las secciones, anticipando lo peor, ya estaban aprobando mociones que reclamaban, como en la sección de Popincourt, «la muerte de los conspiradores antes de la partida de los ciudadanos». Otros, como la sección Gobelins, donde Santerre era el líder jacobino, insistían en el internamiento de las familias de los emigrados y de los realistas, para utilizarlos como rehenes contra la violencia prusiana.

Lo que siguió no se asemeja a ninguna otra atrocidad cometida por cualquiera de los bandos durante la Revolución francesa. Afectados por su horror y mal preparados en su discurso profesional para contemplarlo, al llegar aquí los historiadores tienden a mirar hacia otro lado y a desechar el episodio como un asunto hasta cierto punto secundario o «poco importante» para abordar el análisis serio de la Revolución. La tradición anglófona del siglo XX, que en casi todos los demás aspectos ha realizado una abundante y convincente aportación a la historiografía revolucionaria, muestra un historial especialmente indignante de vergonzoso silencio, más o menos como cuando un invitado a cenar tuvo una desafortunada e inexplicable caída en la sala de profesores de la facultad.

Hasta hace muy poco, en Francia, los textos que abordaban las masacres de septiembre estuvieron dominados siempre por el martirologio contrarrevolucionario o por el grueso volumen de Pierre Caron, que de forma premeditada se propone depurar la historia de los mitos hagiográficos. Caron afirma que una revisión atenta de las fuentes contemporáneas debe producir una crónica más «objetiva» del episodio, depurada de la moralización parcial. La obra resultante de este criterio, que todavía merece la reverente alusión de los historiadores, es un monumento de cobardía intelectual y de autoengaño moral. Caron pretende evaluar las relaciones de testigos oculares para compararlas con un índice erudito de fiabilidad, pero de hecho privilegia las que reflejan el punto de vista revolucionario oficial, al mismo tiempo que desecha los relatos de los propios prisioneros (por ejemplo, el del abate Sicard), pues entiende que, por definición, son «sospechosas». En un esforzado intento de acomodar el episodio al lecho de Procusto de la «explicación histórica objetiva», Caron sostiene que, por alguna razón, las masacres no fueron responsabilidad de nadie. Más bien fueron el inevitable desenlace de fuerzas históricas impersonales: el temor de las masas y, como a menudo sugiere el autor, el justificado deseo de venganza ante las bajas del 10 de agosto. El efecto general está destinado a no incomodar al historiador revolucionario: es la normalización erudita del mal.

Sin duda, la muerte de por lo menos mil cuatrocientas personas a sangre fría fue la consecuencia del pánico provocado por la crisis militar y por la retórica apocalíptica de la conspiración de las cárceles. También hubo en ello un ingrediente de higiene armada, la lógica consumación de las quejas de Mercier sobre la suciedad de las cloacas de las metrópolis. La basura que había que eliminar incluía todas las fuentes de contaminación que él mencionó: los remilgados aristócratas, los sacerdotes corrompidos, las prostitutas enfermas y los lacayos de la corte. Sin embargo, la tarea de eliminar todas estas infecciones humanas no fue obra de una movilización a gran escala general e indiscriminada, como sugirió Caron. Por el contrario, como François Bluche ha mantenido en un trabajo valiente y perspicaz, las muertes fueron la obra de organismos humanos específicos e identificables. Y no hay en absoluto escasez de fuentes que describan esos actos, en las cuales el historiador, si así lo desea, puede concentrar su atención. A los que insisten en que acusar no es la tarea del historiador, uno puede contestar que tampoco lo es el olvido selectivo practicado en interés de la corrección erudita.

En primer lugar, no es difícil descubrir a los que tuvieron cierta responsabilidad, porque miraron hacia otro lado y no hicieron nada para impedir las muertes, cuando sin duda se encontraban en condiciones de hacerlo. Entre los principales hombres de este grupo estaban Roland, ministro del Interior, y Danton. En efecto, Roland se sintió turbado por los «excesos» con los cuales los «hijos de la libertad no deben mancharse», pero solo después del 2 de septiembre; en el momento de los hechos mantuvo un discreto silencio. La impasibilidad de Danton es quizá más condenable, pues él ejercía gran influencia en las secciones y en los comités policiales. Es cierto que el día en que comenzaron las muertes estaba pronunciando el discurso de su vida, convencido de que, si no se insuflaba decisión a los franceses, y sobre todo al pueblo de París, la consecuencia sería una total destrucción. Y es muy posible que en esto acertara, sobre todo porque Roland estaba decidido del todo a trasladar a Tours la sede del Gobierno. Sea como fuere, el discurso fue una brillante y enérgica llamada a las armas y, a la vez, un halagador autorretrato de voluntad marcial y una tranquilizadora declaración de victoria:

> La *patrie* se salvará [...]. Todo está en movimiento, todo arde en deseos de luchar [...]. Mientras una parte del pueblo va a las fronteras, otra cava nuestras defensas, y una tercera, armada con picas, defenderá nuestros pueblos y nuestras ciudades [...]. París apoyará esos esfuerzos [...]. El toque a rebato que ha sonado no es una señal de alarma, sino una llamada a cargar contra los enemigos de la *patrie*. Para vencerlos, Messieurs, necesitamos audacia, siempre audacia [*toujours de l'audace*] y aún más audacia, ¡y así Francia se salvará!

El efecto de la oración, que fue declamada con la que, según afirman los contemporáneos, era la inmensa *vox humana* de Danton (no por nada sus enemigos le llamaban «el Mirabeau de la *canaille*»), debió de ser apasionante; pero, al mismo tiempo, el ministro de Justicia cerraba los ojos a una violencia, que, como bien sabía, se fraguaba en París. Cuando el inspector de prisiones Grandpré llegó al Hôtel de Ville, donde el ministro estaba reunido con la Comuna, para expresar su inquietud por la vulnerabilidad de los prisioneros, Danton le rechazó con un seco «Je me fous bien des prisonniers; qu'ils deviennent ce qu'ils pourront!» («Me importan un rábano los prisioneros; que se las arreglen como puedan»). De acuerdo con el informe de Brissot, el 3 de septiembre Danton afirmó que «las ejecuciones eran necesarias para apaciguar al pueblo de París [...], un sacrificio indispensable [...]. *Vox populi, vox Dei* es el lema más válido y republicano que conozco».

Incluso cuando quedó claro que estaba produciéndose una masacre de grandes proporciones, primero en la abadía y después en las otras prisiones, el único movimiento de las autoridades de la Comuna fue la designación de comisarios que investigasen lo sucedido. Sin embargo, a estos hombres no se les encomendaba la misión de frenar las muertes, sino de conferir a la violencia una pátina de respetabilidad judicial. Incluían sobre todo a Stanislas Maillard, el *soi-disant* héroe del foso de la Bastilla el 14 de julio y líder de las mujeres el 5 de octubre de 1789. Ahora Maillard gustaba de pavonearse como capitán de un grupo paramilitar de hombres de acción al servicio de los *sans-culottes* más militantes. Había sido un fervoroso oficial en las redadas y ahora se le encargaba organizar los «juicios» sumarios que aparecían como justificación de la carnicería.

La abadía fue el lugar de la primera matanza. Un grupo de veinticuatro sacerdotes llevados allí con escolta armada desde la *mairie* apenas pudieron escapar del violento ataque de la multitud en la rue de Buci; pero, cuando llegaron a la prisión, otra multitud (quizá el mismo grupo que los había atacado antes, engrosado por refuerzos) reclamó un «juicio sumario». Siguió un interrogatorio grotescamente superficial y, después, fueron empujados escaleras abajo hacia el jardín, donde los verdugos esperaban armados con cuchillos, hachas, hachuelas, sables y, en el caso de un carnicero (de oficio) llamado Godin, un serrucho de carpintero. En una hora y media diecinueve miembros del grupo fueron despedazados. Los cinco que sobrevivieron para atestiguar la atrocidad incluían al abate Sicard, que se salvó solo por la intervención de un tendero llamado Monnot, que era guardia nacional. Más tarde en la asamblea, Monnot fue condecorado por Hérault de Séchelles, en un acto escandalosamente hipócrita de aprobación, por haber salvado «a alguien tan valioso para la *patrie*».

Más avanzado el día 2, la sanguinaria escena se repitió en el convento de carmelitas, utilizado como prisión de 150 sacerdotes. Reunidos allí por Joachim Ceyrat, exmonje convertido en jacobino, se les pasó lista y, después de cada nombre, siguió un brevísimo interrogatorio, una «sentencia» y la muerte infligida con la acostumbrada variedad de armas. Los más afortunados fueron abatidos a tiros. En un intento desesperado por escapar del jardín del convento, algunos treparon a los árboles y desde la pared se arrojaron a la calle; otros corrieron hacia la capilla, de donde fueron sacados a rastras y, después, golpeados y apuñalados. Jean-Denis Violette, comisario de la sección de Luxemburgo, llegó en medio de esta carnicería y detuvo brevemente el procedimiento. Un estilo apenas más formal de proceso judicial determinó de hecho algunas «absoluciones», pero hacia el final del día ciento quince personas habían caído bajo la *hache vengeresse* (el hacha vengadora), entre ellos el arzobispo de Arlés, los obispos de Saintes y Beauvais, y el realista Charles de Valfons.

Durante los días siguientes, se hicieron nuevas visitas a la abadía, donde los verdugos mencionaron su *travail*, por el cual obviamente se les había prometido determinado salario. Según el oficial militar Jourgniac de Saint-Méard, que consiguió sobrevivir y cuya versión de lo que él denominó sus «treinta y ocho horas de sufrimiento» es una de las mejores crónicas de la masacre, el horror se acentuaba con el «profundo y sombrío silencio» con que trabajaban los verdugos. Alrededor de dos tercios de los prisioneros de la abadía fueron asesinados, entre ellos un *valet* del rey llamado Champlosse, el exministro Montmorin y dos jueces de paz, Buob y Bosquillon, que habían cometido el delito «liberticida» de intentar el enjuiciamiento de los responsables de la invasión a las Tullerías el 20 de junio. Entre los que escaparon se encontraba Martin de Marivaux, el abogado parlamentario que en 1791 había tomado en préstamo las panaceas de Rousseau sobre la soberanía popular para atacar el «despotismo» del canciller Maupeou. Hacia 1792, sin duda ya había tenido bastante «voluntad general».

A las dos y media de la madrugada del 3 de septiembre, el Consejo General de la Comuna fue informado por su secretario Tallien (que también era uno de los comisarios) de que, si bien se habían expedido salvoconductos para proteger a los detenidos, el número de ciudadanos aptos que cumplían el servicio militar en las *barrières* era muy alto, de modo que no podía garantizarse la seguridad de los presos. Este fue un destacado ejemplo de la malévola conspiración que permitió a los pocos miembros de la asamblea que aún estaban en sesión demostrar una imparcialidad como la de Pilatos mientras la masacre continuaba. Otro comisario, llamado Guiraut, se esforzó todavía más en autoexculparse, pues afirmó que, «al vengarse, el pueblo también hace justicia». Informó en la Asamblea Legislativa de que había un importante motín de prisioneros en una de las cárceles, la de Bicêtre, y que era necesario resolver ese asunto antes de que se convirtiese en una amenaza para toda la ciudad.

Lo que estaba sucediendo realmente en Bicêtre era la sistemática matanza de adolescentes. Mientras que los detenidos en la abadía, en los carmelitas y en otra cárcel instalada en el monasterio de Saint-Firmin eran casi todos sacerdotes y prisioneros políticos arrestados durante las dos semanas precedentes, los de Bicêtre, La Force y La Salpêtrière, escenarios de masacres similares, eran presos comunes, mendigos y personas detenidas a petición de sus propias familias con arreglo a las convenciones del Antiguo Régimen. Cuarenta y tres de las ciento sesenta y dos personas muertas en Bicêtre tenían menos de dieciocho años e incluían a trece de quince años, tres de catorce, dos de trece y una de doce. Parece que el alcalde principal de la prisión, un tal Boyer, participó enérgicamente en la liquidación de sus propios reclusos. En Saint-Bernard, alrededor de setenta convictos que esperaban ser trasladados a los buques-prisión fueron liquidados; en La Salpêtrière mataron a cuarenta prostitutas después de, muy probablemente, ser sometidas a vejaciones físicas a manos de sus verdugos.

En La Force, la princesa de Lamballe pasaba su tiempo leyendo devocionarios y tratando de tranquilizar a las aterradas damas de compañía de la reina. Cuando se enfrentó a otro de los tribunales improvisados que representaban el papel de juez, de jurado y de verdugo, se le preguntó si conocía las «conspiraciones del 10 de agosto» y respondió con valentía que desconocía que ese día hubiera habido conspiraciones. Se le pidió que prestase juramento de lealtad a la Libertad y a la Igualdad y de odio al rey, a la reina y a la monarquía, y aceptó el primero, pero rechazó el último. Se abrió una puerta de la sala de interrogatorios y vio a hombres que esperaban con hachas y con picas. Empujada a un callejón, fue asesinada en unos pocos minutos. Le arrancaron las ropas del cuerpo para añadirlas a la inmensa pila que más adelante sería vendida en pública subasta; también le cortaron la cabeza y la clavaron en una pica. Algunas relaciones, entre ellas la de Mercier, insisten en que se practicó la mutilación impúdica y la exhibición de los genitales de la dama, algo que Caron desecha con la estrecha certeza del archivero, por entender que era realmente imposible. En todo caso, resulta seguro que la cabeza se paseó en triunfo por las calles de París y se llevó hasta el Temple, donde un miembro de la muchedumbre se acercó a las habitaciones del rey para reclamar que la reina se asomase a la ventana y viese la cabeza de su amiga, «para que podáis saber de qué modo el pueblo se venga de los tiranos». María Antonieta evitó este tormento al desmayarse allí mismo, pero el *valet de chambre* Cléry espió a través de las persianas y vio los rizos rubios de la princesa de Lamballe que se agitaban horrorosamente en el aire.

Según Pierre Caron, este tipo de cosas no representaba más que los «excesos» lamentablemente inevitables que se cometen en esos momentos de histeria colectiva. Describe la exhibición de la cabeza de De Lamballe como «la costumbre de la época», como si se tratara de un pintoresco pasatiempo popular. Y se esfuerza mucho por refutar los relatos de otras atrocidades como mitos obvios producto del martirologio realista. Muchas de las historias —el acoso sexual a las prostitutas de La Salpêtrière, la mutilación de la princesa de Lamballe, la historia según la cual madame de Sombreuil se vio obligada a beber un vaso de sangre para salvar a su padre— quizá son apócrifas. Sin embargo, el rechazo de Caron se basa en parte en que todas estas historias no aparecen registradas en las fuentes «revolucionarias», las únicas a las que da crédito, y en parte a su negativa a creer que los seres humanos, sobre todo los que afirman actuar en nombre del Pueblo soberano, puedan haber perpetrado algo tan atroz. Sin embargo, Caron escribió en 1935. Diez años más tarde la historia europea se desengañó otra vez ante la idea de que la modernidad, hasta cierto punto, permite salvarse de la barbarie.

Aproximadamente la mitad de todos los detenidos en París murió en las masacres de septiembre. En ciertos lugares, como por ejemplo en la abadía y en los carmelitas, murió el 80 por ciento o más de los reclusos. Hubo muestras de arrepentimiento e incluso de desesperación entre los impotentes miembros de la Asamblea Legislativa y hasta en algunos miembros de la Comuna, como Manuel, que señaló como «dolorosas» (*douloureux*) las escenas que había presenciado en persona. Sin embargo, la Comuna nunca persiguió a los verdugos y algunos de sus miembros de hecho alabaron el episodio como una oportuna liquidación de la «quinta columna». Las señales enviadas a los fanáticos de las provincias eran claras y, de este modo, durante las dos semanas que siguieron, hubo una serie de juicios y ejecuciones sumarios similares en el interior de Francia; las víctimas fueron casi siempre sacerdotes y realistas sospechosos. Un grupo de unos cuarenta prisioneros fue enviado de Orleans a París y la Asamblea Legislativa decidió desviarlo a Saumur, para garantizar su seguridad. Sin embargo, Fournier, el americano, uno de los *sectionnaires* parisienses más militantes, salió con una compañía de hombres armados para comprobar que los prisioneros cumplían con lo acordado. En Versalles, todo el grupo, incluido De Lessart, ministro de Relaciones Exteriores, fue masacrado en lo que da la impresión de haber sido un plan premeditado.

Durante días los lugares fueron minuciosamente lavados y regados con vinagre, aunque, en algunas prisiones, como por ejemplo en La Force, algunas manchas de sangre no pudieron eliminarse. Un dibujo de Béricourt representa muy gráficamente la banalización administrativa del asesinato a gran escala. Abajo, a la derecha, un funcionario engalanado con la faja tricolor inspecciona la retirada de los cadáveres y, a su lado, una figura anota en un registro. A su derecha aparece un *vainqueur de la*

Bastille, que puede identificarse por el sombrero, mientras otro mira despreocupado la cabeza cortada. Los hombres del carro parecen muy satisfechos con su trabajo.

Durante los últimos días de la Asamblea Legislativa y las primeras semanas de la Convención Nacional, los políticos girondinos, que no habían carecido de culpa, ni mucho menos, trataron de utilizar las muertes como un argumento para atacar a sus enemigos del grupo de los jacobinos. Brissot sobre todo creía (y no le faltaba razón) que él y sus amigos habían podido ser asesinados y que se habían librado por muy poco.

Justo porque las masacres se convirtieron pronto en un aspecto de las luchas partidistas de la Convención, con frecuencia se han interpretado como un episodio más de la disputa entre facciones. En esta interpretación, o aberración psicológica relacionada con el pánico provocado por la guerra, el episodio ha pasado a ocupar un lugar marginal, como un asunto que solo interesa a la historia sensacionalista o anecdótica y que no merece la atención de ningún análisis serio. Sin embargo, se puede argüir que las masacres de septiembre fueron el hecho que, más que cualquier otro, reveló una verdad fundamental de la Revolución francesa: hasta qué punto esta dependió de la muerte organizada para obtener sus fines políticos, pues, por mucha virtud que se atribuyese a los principios de la Francia sin monarca, su poder para imponer lealtad dependió, desde el propio comienzo, del espectáculo de la muerte.

Al menos un testigo ocular contemporáneo reconoció exactamente la pobreza moral de la situación revolucionaria. En una carta dirigida a una amiga, una misiva sin acabar y que no fue enviada, Claude Basire, diputado jacobino de impecable militancia afín a Robespierre, expresó su alivio porque

vuestros hermosos ojos no se han mancillado con los horribles espectáculos que hemos presenciado durante estos últimos días [...]. Mirabeau dijo que no hay nada más lamentable o repugnante en sus pormenores que una revolución, pero nada mejor por sus consecuencias para la regeneración de los imperios. Es posible que así sea, pero se necesita coraje para ser estadista y mantener la cabeza serena entre estos trastornos y estas crisis tan terribles. Conocéis mi corazón, juzgad la situación de mi alma y el horror de mi posición. Un hombre sensible [*homme sensible*] simple-

mente debe ocultar la cabeza bajo la capa y pasar deprisa junto a los cadáveres para encerrarse en el templo de la ley [la legislatura].

Como destaca Bluche, cuando Basire se ve obligado a salir de su
caparazón de autoprotección oficial, el relato se interrumpe. Designado
por la asamblea como uno de los seis comisionados enviados a imponer
la paz en las prisiones, se dirigió a la abadía, «gimiendo íntimamente
ante la lentitud de nuestro cortejo». Ante el edificio, donde reinaba «una
profunda oscuridad, disipada únicamente por la luz sepulcral de algunas
antorchas y velas», se detiene y, de este modo, bruscamente, se interrumpe su narración. Como si la realidad que allí le esperaba fuese demasiado
para el *cœur sensible*: la fatídica manifestación de la «voluntad general»
expresada en la ofrenda de carne y sangre.

Goethe en Valmy

¿Cómo resuenan las balas de cañón? «El zumbido de los fuelles, el gor-
goteo del agua, el silbido de las aves», según Goethe. El 20 de septiembre
realizó estas observaciones experimentales en las colinas boscosas del
Argonne, el mismo paisaje donde un año antes Luis XVI había echado
a perder su fuga. El protector de Goethe, el duque Carlos Augusto de
Weimar, estaba al mando de un regimiento del ejército prusiano. Cuando, hacia finales del verano, comenzó su lento avance en Francia, el
poeta y filósofo le acompañó, más por curiosidad científica que por
entusiasmo político. A Goethe le interesaba poco el igualitarismo romántico o la antigua legitimidad, pues consideraba que tanto la revolución como la contrarrevolución suspendían de forma brutal el reino de
la razón. Sin embargo, una campaña con asedios y marchas ofrecía una
experiencia dramática nueva y Goethe no pudo resistirse a la tentación.
Estaba sumido en las reflexiones que le llevarían a su importante trabajo sobre la teoría del color, la *Farbenlehre*, aunque Carlos Augusto consideró extraño que durante el bombardeo de Verdún, Goethe se dedicara a observar la escena para descubrir, si eso era posible, cuáles eran los
colores de la guerra.

En Valmy, desde un risco que se elevaba a cierta altura sobre la artillería francesa desplegada en arco, vio el color rojo. Mientras las balas

estallaban alrededor, levantando surtidores de tierra quemada e incendiando las hojas secas, «parecía que uno estaba en un lugar sumamente caluroso y que, al mismo tiempo, estaba penetrado por el calor del asunto, de modo que se sentía unido con el elemento en que se hallaba inmerso. Los ojos nada pierden de su fuerza o su claridad, pero parece como si el mundo tuviese un tinte pardorrojizo, que determina que tanto la situación como los objetos circundantes sean más impresionantes. No pude percibir nada parecido a una agitación de la sangre y en cambio todo parecía envuelto en el resplandor».

Al final del día, esta «fiebre», como la denominó Goethe, se calmó en su fuero interno y cabalgó ileso de vuelta a las líneas prusianas. Allí vio a los soldados en un estado de colapso moral. «Esa misma mañana habían creído que podían humillar a toda la fuerza francesa y devorarla [...], pero ahora todos hablaban solos, nadie miraba a su vecino, o se detenían solo para jurar o para maldecir.» En realidad, los prusianos de hecho no habían sido derrotados y, en un riguroso recuento de las bajas, incluso podía decirse que se habían llevado la mejor parte, pues habían sufrido poco más de un centenar de muertos o heridos graves, cuando los franceses habían soportado un triple número de bajas. Sin embargo, la impresión general, desde el alto mando de Brunswick hasta el último soldado raso, de que el avance prusiano había recibido una herida mortal resultaba acertada. El penoso ritmo del ejército no había podido impedir la conjunción de las fuerzas de Dumouriez y de Kellermann el 19. Las divisiones francesas estaban entonces detrás del ejército prusiano, a espaldas del este. En términos generales, Brunswick podía haber intentado forzar un avance acelerado hacia el oeste, en dirección a París, a través del Marne, pero eso le habría dejado en una posición vulnerable, ante la posibilidad de que una fuerza numerosa y bien situada le atacase por la retaguardia. Por tanto, parecía fundamental eliminar esa amenaza antes de continuar adelante, sobre todo porque su ejército ya estaba gravemente afectado por la enfermedad, y el mal tiempo de septiembre aminoraba la velocidad de su marcha hasta convertirla en un proceso lento por el lodo.

Desde el punto de vista de los franceses, hacerse fuertes en lo que Dumouriez ya había denominado sus Termópilas era todo lo que impedía la llegada de los prusianos a París. La estrategia del general durante todo este proceso había sido detener el avance prusiano mediante un contraataque sobre los Países Bajos austriacos, pero este plan estaba suspendido por orden del Consejo Ejecutivo de París hasta que se hubiera rechazado la inmediata amenaza del ejército de Brunswick. El 20 las tropas de Kellermann, en su mayoría regulares más que voluntarios, ocuparon posiciones bajo un gran molino de viento, sobre las alturas de Valmy. Allí mantuvieron el terreno, primero bajo intenso bombardeo y, después, devolviendo a los soldados prusianos el fuego de la artillería pesada. Mientras marchaban cuesta arriba, en estrechas líneas según el estilo prusiano, los granaderos oyeron, dominando los silbidos y el estrépito del fuego, las voces francesas que entonaban el «Ça ira» y que gritaban «Vive la nation!».

Como no pudo desalojar a los artilleros franceses, Brunswick suspendió la acción, en lugar de intentar un ataque frontal. Los dos bandos estaban padeciendo las graves consecuencias de la enfermedad y de la escasez de alimentos y cada ejército estaba dispuesto de través en las líneas de comunicaciones hacia la retaguardia de su adversario. En una actitud razonable, Dumouriez ordenó a Kellermann que se retirase hacia Sainte-Menehould (la aldea donde el rey había sido identificado por el administrador de postas) y ordenó que los caminos y los campos fueran arrasados ante la posibilidad de que los prusianos intentaran un nuevo ataque; pero este nunca llegó. Con su ejército reducido a la mitad por el desgaste, Brunswick decidió emprender una retirada preventiva, con lo cual coronó la disolución de la moral de sus tropas. Fue, como entendió inmediatamente Goethe, un momento decisivo tanto de la guerra como de la Revolución. Entrada la noche, se sentó con los alicaídos soldados en un círculo, tratando de avivar un fuego obstinadamente húmedo, y los hombres le preguntaron, puesto que era el sabio que tenían al alcance de la mano, qué pensaba del día. «Yo acostumbraba animar y divertir a la tropa con breves comentarios», recordó en su diario de la campaña. Sin embargo, lo que dijo entonces, si bien era intachablemente imparcial, sin duda no los animó mucho. «Aquí y ahora comienza una nueva era en la historia del mundo y todos vosotros podréis decir que estuvisteis presentes en su nacimiento.»

En París, incluso antes de conocerse el desenlace de Valmy, la nueva era tuvo su designación oficial. Desde el 20 de septiembre, día de la sesión inaugural de la Convención Nacional, todos los documentos oficiales debían mostrar visiblemente la fecha: «Año I de la Libertad Francesa». La República, declarada formalmente el 21, era, por tanto, un nuevo comienzo del tiempo histórico. Ahora que el rey y su familia estaban detenidos en la ciudadela medieval del Temple, los recuerdos inánimes de la realeza estaban siendo destruidos alrededor de París. Un día después de la ocupación de las Tullerías, una gran multitud de voluntarios ayudó a derribar la estatua de Luis XIV de su pedestal en la place des Victoires. Ahora, un mes más tarde, el Pueblo soberano podía celebrar su propia proeza militar. En realidad, Valmy fue una aplastante victoria del antiguo ejército real, rehecho por Guibert y Ségur, aunque reforzado por tropas que se habían alistado después de la Revolución y con un rociado de voluntarios. Sin embargo, apenas circularon relatos de los soldados de Kellerman que cantaban «La Marsellesa» y el «Ça ira», se representó el episodio como el triunfo del ciudadano en armas sobre los lacayos armados del despotismo.

Dumouriez no se dejó arrastrar, ni mucho menos, por la retórica que pregonaba la invencibilidad. De hecho, seguía una estrategia de frío pragmatismo. Había heredado dos de las metas tácticas de Lafayette: separar a Prusia de la coalición y consolidar una fuerza militar para utilizarla, si era necesario, contra el París sublevado. Valmy era una oportunidad de acercarse a los prusianos en el momento en que estos eran más vulnerables; pero tan pronto como llegó al frente la noticia de la declaración de la República, el rey Federico Guillermo endureció su posición negociadora y reclamó la restauración de Luis XVI en el trono antes del 10 de agosto como requisito para la paz. En su respuesta, los franceses rehusaron contemplar nuevas negociaciones hasta que los prusianos hubiesen evacuado por completo el país. Las discusiones se interrumpieron de forma brusca y seguido, más que acosado seriamente por los franceses, el ejército prusiano se retiró lenta y penosamente, atravesando primero las fronteras y después el Rin.

Esta situación dejó un grupo de pequeños Estados imperiales expuestos directamente al avance del general Custine, que era el comandante de operaciones de Biron en el centro. (Kellermann había sido apostado en Metz y el ejército de Dumouriez ahora viró al norte, en dirección a Bélgica.) A finales de octubre, la comitiva de carruajes que transportaba a las personas y las pertenencias de los príncipes-obispos, de los electores, de los caballeros imperiales y de los cancilleres partió de las ciudades que se levantaban sobre la margen izquierda del Rin, es decir, Espira, Worms y Maguncia. Con ellos iban los chambelanes, los jueces, los *Kapellmeisters*, los postillones, los maestros de caza —esto es, todo el séquito que había sostenido a estos principados de opereta con el estilo rococó al que naturalmente estaban acostumbrados.

Los franceses avanzaron, saludados sobre todo por los grupos de intelectuales, periodistas y profesores que pronto pasaron a representar el papel de custodios de la liberación. Emitieron proclamas que prometieron a la población local la «libertad» frente al «despotismo» o la «esclavitud», pero lo que invariablemente obtuvieron fue la implacable requisa y las elevadas indemnizaciones impuestas como precio de la libertad. Esta sería la pauta de la ocupación francesa durante los veinte años siguientes, pero la primera resultó una sorpresa atroz. Sus compatriotas se habrían sentido engañados menos cruelmente, se quejó a Custine Georg Forster, el librero de Maguncia que hasta entonces había sido profrancés, «si les hubiesen dicho desde el principio: "Hemos venido a llevarnos todo"».

Ahora que las fuerzas francesas habían pasado a la ofensiva, no solo en Alemania, sino en Saboya, donde Chambéry y Niza se habían «reunido» con *la Nation,* Dumouriez persuadió a la Convención de que avanzase contra los austriacos en los Países Bajos. Allí estaba seguro de contar con el apoyo de un nuevo alzamiento contra el dominio Habsburgo, que, en 1789, había creado brevemente un Estado belga independiente. Sin embargo, el factor decisivo fue menos el entusiasmo francés al ver que los austriacos se marchaban (aunque este de por sí fue bastante intenso) que la considerable superioridad de la fuerza militar que Dumouriez pudo llevar al enfrentamiento. Tanto en hombres como en artillería tenía una ventaja de casi dos a uno. El 6 de noviembre, Dumouriez atacó las posiciones elevadas de los austriacos en Jemappes, al norte de la ciudad de Mons, avanzando en un amplio frente, mientras enviaba otra ofensiva que debía dar un rodeo por la derecha para evitar una retirada. Contraatacadas por la caballería austriaca, sobre todo en los lugares en los que los voluntarios presentaban una línea insegura, las posiciones francesas casi se desplomaron, pero en cada ocasión fue posible restablecer las líneas. Cuando los austriacos vieron de pronto que las tropas francesas aparecían en retaguardia, atravesando el río en botes, Jemappes fue evacuada, dejando allí alrededor de un tercio del ejército, unos cuatro mil hombres, muertos o gravemente heridos. Mons abrió sus puertas a los franceses el 8 de noviembre y, una semana después, las tropas victoriosas de Dumouriez atravesaron la place Royale de Bruselas.

En Francia, Jemappes, más que Valmy, hizo que la guerra pasara de ser una alborotada acción defensiva a convertirse en la «cruzada por la libertad universal» que Brissot había prometido. En contraste con la reacción más bien moderada de los impresores después de la primera batalla, una gran masa de grabados celebró la victoria sobre los austriacos. La *troupe* de actores Montansier, que bajo el Antiguo Régimen había representado regularmente en Versalles, ahora se especializaba en el teatro patriótico y reproducía escenas heroicas de la Revolución para levantar la moral en París. Después de Jemappes, los actores montaron sus obras en el campo de batalla para entretener a las tropas con una versión dramática del encuentro, con sus salvas de cañonazos y sus soldados austriacos de uniforme blanco, adecuadamente aterrorizados, que huían del escenario. Después de proporcionar a los soldados cierta sensación sobre la importancia histórica de su acción, encuadrándola en una retórica teatralizada, la compañía regresó a la capital para presentar *La batalla de Jemappes* ante el entusiasta público de París.

La Convención no era inmune a esta febril atmósfera de invencibilidad. Aunque Robespierre se había opuesto a la guerra y abrigaba la sospecha de que Dumouriez deseaba utilizar una Bélgica independiente como base desde la que marchar sobre París, no pudo imponerse a la gran marea de entusiasmo marcial que anegó a los diputados después de Jemappes. Se habían recibido cartas del pequeño principado de Zweibrücken para solicitar la protección francesa y, en respuesta a esta demanda, el 19 de noviembre la Convención realizó el teatral gesto de prometer ayuda a «todos los que desean recobrar su libertad». Como todas las manifestaciones procedentes de la Convención, el así llamado primer «decreto de propaganda» actuó en dos planos. Desde el punto de vista retórico fue el primer manifiesto de la guerra revolucionaria en la historia europea; pero resulta necesario tener siempre presente que la Revolución francesa fue en gran medida consecuencia de las heridas infligidas al amor propio nacional y de la necesidad de infundir una nueva fuerza a la tradición del patriotismo francés. Así, aunque la presencia de *étrangers, amis de la révolution,* como Étienne Clavière, en el Gobierno podía interpretarse como un compromiso con una guerra ideológica de proselitismo, casi siempre se vio equilibrada por los intereses de Estado, definidos de un modo mucho más práctico. Cuando el 26 de noviembre Brissot advirtió: «No podremos recobrar la serenidad hasta que toda Europa esté en llamas», lo que tenía en mente era una expansión estratégica que crearía satélites aliados o zonas fronterizas protectoras que permitirían salvaguardar de forma adecuada la Revolución.

¿Una Bélgica independiente representaba una zona de ese género? Hacia finales de noviembre varios diputados de la Convención temían que ese país se convirtiese en un feudo militar de Dumouriez, que, como era sabido, estaba dirigiendo casi su propia política exterior y, por ejemplo, prometía proteger la propiedad de la Iglesia católica a cambio de un préstamo voluntario. Para contrarrestar esta actitud, la Convención, el 15 de diciembre, aprobó lo que, según la opinión europea, fue un decreto de significado mucho más radical, pues exigía que las autoridades militares francesas aplicasen la principal legislación de la Revolución —incluso la destrucción del régimen feudal— en los territorios ocupados. Así como ahora se entendía que los «derechos del hombre» eran una posición universal afirmada en la naturaleza, también una convicción natural similar debía determinar los límites territoriales de la Revolución. Tanto Dumouriez como Danton coincidían en que aquellos estaban determinados de un modo muy claro por las barreras geográficas: los Pirineos, los Alpes, el Rin, el Canal y el Mediterráneo. Esta actitud se tradujo siempre en que una política de «liberación» se confundía con otra de anexión, denominada eufemísticamente «reunión», en regiones como Porrentruy, en la frontera suiza, que se convirtió en Departamento de Mont-Terrible, y Saboya y Niza.

Sin embargo, la mera declaración de las «fronteras naturales» no implicaba que las armas francesas se detuvieran allí. Al contrario, mientras estuvieran amenazadas por coaliciones de reyes, o (según autorizaba ahora el decreto de propaganda) cuando fueron convocados por los pueblos sometidos al yugo del despotismo, los franceses se considerarían en libertad de llevar la lucha al enemigo, dondequiera que estuviese este. Tampoco los medios utilizados en esta ofensiva conservarían un carácter ortodoxo. El *ci-devant* marqués de Bry propuso fundar lo que de hecho era la primera organización de terrorismo internacional, los tiranicidas: mil doscientos hombres comprometidos a luchar por la libertad, y enviados a asesinar a los reyes y comandantes de los ejércitos extranjeros dondequiera que se los encontrasen.

En efecto, como observó Goethe, comenzaba una nueva era en la historia del mundo.

«Es imposible reinar y conservar la inocencia»

Al menos un grabado revolucionario muestra con inquietante claridad el nacimiento de la primera República Francesa. De las amplias faldas de una extraordinaria *sans-culotte* surge un infante, la expresión, según explica el epígrafe, de un *citoyen né libre*. Tiene proporciones considerables y, desde el principio, muestra una actitud indudablemente combativa. Sin embargo, al principio de su historia también hubo casos en que la metáfora de la infancia se utilizó con efecto más benévolo. Por ejemplo, el Departamento del Orne celebró sus elecciones de diputados a la Convención el 11 de septiembre como un bautizo (al igual que el Departamento del Meurthe). Toda la asamblea de electores apadrinó a la niña, hija de un joven voluntario, aunque correspondió a un girondino, el oficial del ejército retirado Dufriche-Valazé, realizar los honores. Se recaudaron trescientas libras que fueron entregadas a la madre, Madeleine Chuquet, y en reconocimiento del honor dispensado ella llamó a su hija Aluise Hyacinthe Electeur.

Las elecciones suponían la representación de un acto similar de inocencia política: el retorno del pueblo a su soberanía, de manera que pudiese reconstituir las formas en que se manifestaba. No fueron un referéndum sobre la suspensión del rey (decretada el 13 de agosto), pues, si bien unos pocos monárquicos en efecto intervinieron en las asambleas electorales, el 10 de agosto los había eliminado como fuerza política importante. Sean cuales fueren las reservas que los girondinos tuvieran sobre la movilización armada de los *sans-culottes* parisienses, no estaban dispuestos a destacarse como contrarrevolucionarios cuestionando el veredicto de dicha insurrección. Por tanto, fue un Gobierno dominado por Roland y sus amigos, revestido con las formas legales de la Asamblea Legislativa, el que anunció las detalladas instrucciones referidas a la convocatoria de las asambleas primarias electorales sobre la base del sufragio masculino.

Sin embargo, los resultados no alcanzaron a configurar un panorama de la democracia en acción. Aunque sin duda resulta difícil concretar las cifras, parece improbable que más del 6 por ciento de los siete millones con derecho al voto en verdad lo ejercieran. De modo que, de nuevo, un régimen más radical fue consecuencia de un número menor de votos depositados. Por supuesto, había claras razones que explicaban esta renuencia electoral. En el norte y en el este estaba desarrollándose una crisis militar y dos asambleas de *départements* tuvieron que trasladarse deprisa para evitar el escenario de la guerra. En las grandes ciudades, la atmósfera política era tan amenazante que participar constituía ya de por sí un acto de tremendo valor. En París, la asamblea electoral se reunió en el local de los jacobinos —que desde luego no era el lugar más neutral— el 2 de septiembre, primer día de las masacres en las prisiones. Además, el voto en la capital, como en otros diez departamentos, se realizaba mediante la declaración oral pública, un método que, sin duda, facilitaba la intimidación. Incluso si, como se ha sostenido, los procedimientos fueron tan abiertos allí que había un estrépito permanente, no pudo ser casual que París formase una delegación de veinticuatro de los jacobinos más militantes, entre ellos Robespierre, Marat, Robert, Santerre, Danton, Fabre, Desmoulins y el actor Collot d'Herbois. En otros lugares de Francia es posible que la asistencia al comicio se viera reducida a causa de las necesidades más vulgares del calendario de las cosechas.

Sean cuales fueren las razones, sería un error suponer que la escasa concurrencia implicó un rechazo tácito del 10 de agosto. El exhaustivo estudio de las elecciones a la Convención realizado por Alison Patrick demostró que hubo muy escasa injerencia en los procedimientos, tanto por la acción de espectadores entrometidos o ruidosos como, todavía menos, por muchedumbres armadas. Más aún, las elecciones se completaron bastante antes de que el país tuviese alguna noticia de las masacres de París o una verdadera comprensión de su carácter indiscriminado. En esencia, la versión oficial del 10 de agosto, en que un alzamiento del pueblo de París había frustrado un golpe de Estado militar de los realistas, en general se aceptó. Solo cuando había avanzado más el año, el juicio y la ejecución del rey acentuaron el descontento en regiones enteras de Francia, hasta el extremo de llegar casi a la revuelta sin más.

Incluso sería posible interpretar las elecciones como un voto en favor de la continuidad del pasado reciente, más que como una ruptura radical. De los setecientos cuarenta y nueve diputados a la Convención, por lo menos doscientos cinco habían sido diputados a la Asamblea

Legislativa y otros ochenta y tres habían ocupado escaños en la Constituyente. Sobre todo la reelección de los primeros parece indicar casi la predisposición a creer en la versión de los legisladores que habían tenido una experiencia directa de la monarquía constitucional y que, por tanto, podían garantizar su inviabilidad en manos de Luis XVI. El resto estaba formado por hombres que habían llegado a destacarse en la política local, en su mayoría por su enérgica oposición a las administraciones de turno.

La Convención fue un cuerpo de hombres relativamente jóvenes. Su principal cohorte generacional, aproximadamente una cuarta parte del total, estaba al final de la treintena, pero el estereotipo de los republicanos jóvenes y fervientes no está lejos de la verdad, pues, en el extremo más joven del espectro de edades, el compromiso político era más marcado. Incluso más que sus predecesoras, la Convención fue una reunión de abogados. El 47 por ciento pertenecía a la profesión en alguno de sus niveles y este hecho adquiere un significado fundamental cuando se considera que el acto fundacional de la Convención sería un proceso. Otro grupo representado de forma visible fue el de los cincuenta y cinco clérigos patriotas (incluidos los nueve protestantes, entre ellos Rabaut Saint-Étienne, y por lo menos dieciséis obispos constitucionales, entre los que se contaban Fauchet y Grégoire). Hubo cincuenta y un funcionarios civiles, incluso el administrador de postas Drouet, que había detenido al rey en Varennes, y cuarenta y seis médicos. También incluía, en extremos contrapuestos, al menos un campesino pobre, Jacques Chevalier, y expríncipe y propietario del Palais-Royal, Felipe de Orleans, ahora llamado Philippe-Égalité.

Esta escueta exposición de la gama de edades, profesiones y experiencia política no aporta toda la historia. Tuvo mucha más importancia de lo que su número sugiere la incorporación al cuerpo legislativo de un grupo de periodistas, escritores y panfletistas que ya habían ejercido una enorme influencia por medio de sus publicaciones. Por ejemplo, Carra, el director girondino de los *Annales Patriotiques,* recibió votos suficientes para ser elegido nada menos que en ocho departamentos diferentes (en cambio, Robespierre fue elegido solo en dos). Unidos a Fréron, Marat, Desmoulins y Brissot (cuya fama, naturalmente, llegaba más allá de los lectores del *Patriote Français*) trasladaron a la cámara de debates, como escritores, ese estilo acusador e histriónico que habían afilado en su forma de hacer periodismo. Al tener que enfrentarse con un tipo de oratoria más desbordante, el favorito de girondinos como Vergniaud, se produjeron escenas de imprevisible dramatismo y hasta de violencia verbal, en las que Marat y Guadet se amenazaban con los puños y se gritaban para que los oyeran desde los extremos opuestos de la sala.

Por consiguiente, podía suceder que las hostilidades que afectaban a una minoría de los diputados de la Convención infundiesen, desde el principio, un tono de agria intensidad a las sesiones. Así, los campos enemigos se constituyeron del modo más decisivo en el ámbito formado por los exdiputados de la Asamblea Legislativa y, en menor medida, por los de la Constituyente. El hecho de que estos grupos de ningún modo se asemejasen a los partidos parlamentarios modernos no debe esconder la acritud real de su enemistad, en particular en un núcleo de fanáticos en quienes se dividían las lealtades. Como en la Asamblea Legislativa, expresaron su relación de enfrentamiento sentándose en lugares que se encontraban visiblemente distanciados. Los aliados de Robespierre ocuparon los escaños altos, puestos contra la pared, que ahora estaban a la derecha del presidente, porque el asiento que este ocupaba se había desplazado; de todos modos, ese agrupamiento determinó que se diese a la facción el nombre de la «Montaña». Al principio los diputados evitaron los asientos que antes habían ocupado los Feuillants, como si el mero hecho de utilizarlos justificase que se tachara de realista a un representante. Sin embargo, antes de que pasara mucho tiempo, se convirtió en el sector del Manège donde los principales girondinos agrupaban sus fuerzas. Más abajo y más cerca del suelo estaba la mayoría de los diputados independientes, denominados colectivamente la «Llanura». En lugar de votar según una pauta coherente, desplazaban sus preferencias individuales según el poder de persuasión de los argumentos planteados en cada caso. De todos modos, no eran un grupo anónimo, ni inestable, pues este incluía a hombres tan experimentados e inteligentes como Sieyès y tan elocuentes como el abogado Bertrand Barère, cuya intervención tendría consecuencias decisivas en el destino del rey.

Aunque los orígenes sociales, los antecedentes profesionales o incluso la experiencia política no aportaban elementos que distinguiesen a los jacobinos de los girondinos, ello no significa que fuesen grupos indiferenciados de hombres que se desplazaban de forma laxa alrededor de unos pocos miembros identificables, como Robespierre y Brissot. Había puntos fundamentales en que el desacuerdo de estos individuos con respecto al carácter de la Revolución era profundo. Un sorprendente número de girondinos provenía de las ciudades marítimas y portuarias —no solo de Burdeos, sino también de Brest y de Marsella— y en general se mostraban contrarios a las pretensiones de París de imponer el curso de la Revolución. En cambio, Robespierre hacía todo lo posible, tanto en el Club de los Jacobinos como en la Convención, para elogiar a los parisienses como la indestructible fuente del dinamismo revolucionario. Sin embargo, aunque en la cima de su liderazgo la Montaña se mostraba agresivamente metropolitana, en sus laderas y faldas había muchos jacobinos que provenían de áreas muy distantes de Francia. Era muy frecuente que, cuanto más remoto fuera el departamento, más acosados se hubiesen visto estos hombres, encerrados en su pequeño club jacobino, luchando por sostener lo que ellos entendían que era la fe revolucionaria pura. Cuando llegaban a París, se sumaban al grupo con un entusiasmo y una solidaridad particulares. Por tanto, parecía probable que vieran con malos ojos el intento de los girondinos de presentarse como los guardianes de las libertades provinciales. Esta actitud se puso de manifiesto cuando los girondinos reclamaron la formación de una guardia especial que protegiese a la Convención de la intimidación armada y cuando Barbaroux, el diputado por Marsella, trató de movilizar a sus conciudadanos con el mismo propósito.

Los girondinos también se presentaban, no con total hipocresía, como los protectores de la legalidad contra las arbitrarias brutalidades de la turba. Cuando se conocieron los detalles más terribles de las masacres, los girondinos aprovecharon todas las oportunidades posibles para achacar la responsabilidad a la Comuna y, por extensión, a los jacobinos. El dominio de los girondinos sobre la presidencia de la Convención y su secretariado durante los tres primeros meses les permitió determinar el orden de los oradores e incluso fijar el orden del día de los debates. Sin embargo, manipularon de un modo tan manifiesto este poder que, en lugar de tratar de conquistar el apoyo de la Llanura no alineada, comenzaron a conseguir distanciarla. También parecía claro para muchos que, si bien algunos de los militantes jacobinos tal vez habían representado un papel en las masacres, los girondinos como Roland no estaban exentos de toda culpa. Creyendo que habían escapado por poco al cuchillo del asesino, algunos diputados, como Vergniaud y Gensonné, entendieron que estaban comprometidos en una lucha a vida o muerte con sus enemigos de la Montaña; pero la vehemencia con que atacaron a la oposición con frecuencia pareció presentarlos más obsesionados con la recriminación personal que con los propios intereses de la *patrie*.

Esto quedó muy patente en el desastroso ataque contra Robespierre lanzado por Louvet, director de *La Sentinelle*, el 29 de octubre. Utilizando la forma de crítica empleada por Cicerón en sus *Catilinarias* —una referencia comprendida enseguida por los cientos de exestudiantes que conocían las disputas romanas y que eran miembros de la Convención—, Louvet acusó a Robespierre de crear un culto a la personalidad, de ponerse por encima del pueblo y de aspirar a una dictadura. El 5 de noviembre, Robespierre contraatacó con un discurso que, en muchos aspectos, admitía el reproche de egocentrismo lanzado por Louvet, pero que, al apelar a principios políticos y filosóficos abstractos, conseguía alterar el Yo revolucionario, que dejaba de ser un mezquino vicio, para transformarse en una intachable virtud. Robespierre dio a entender que solo un despreciable oportunista, que se revolcaba en el arroyo de la polémica, podía haber confundido su vanidad con la ambición personal. Por el contrario, esa vanidad nacía de la humildad asociada al sentimiento de que él mismo solo era nada, un depositario de la «verdad histórica». (Que esta posición suscitase respeto más que irónicas risas sugiere hasta qué punto Robespierre ya había ganado la decisiva batalla del tono.) Después de autojustificarse, Robespierre pasó a defender la Revolución de las acusaciones de desmesurada violencia. ¿Acaso quienes promovían esa acusación no comprendían que, desde su propio comienzo en 1789, la Revolución era «ilegal» juzgada según las normas convencionales y que su supervivencia dependía sobre todo de la fuerza que el pueblo pudiera movilizar para apoyarla? El hecho de enjuiciarla a partir de desfasadas normas moralistas ya hacía innecesarias las disculpas. Peor aún, implicaba despojar el alzamiento popular de su legitimidad «natural». «¿Queréis —preguntó retóricamente a la Convención— una Revolución sin revolución?»

La misma afirmación reapareció en el problema que, despúes de Valmy y Jemappes, absorbió casi todas las energías de la Convención: el proceso del rey. Parecía claro que el *statu quo*, con el rey y su familia encarcelados en el Temple, no podía perpetuarse de forma indefinida.

Mientras no se le acusara, la acción del 10 de agosto, sin hablar de la declaración de la República el 21 de septiembre, era reprochable o, por lo menos, carecía de una adecuada legitimación pública. Sin embargo, los girondinos, algunos de los cuales habían intentado un acercamiento con la corte poco antes del alzamiento, se inquietaron sin duda ante la posibilidad del juicio e hicieron todo lo posible para cerrarle el camino obstaculizando el proceso. Sin embargo, para los núcleos de abogados que ocupaban lugares en la Convención resultaba imprescindible que el repudio de la monarquía se viese justificado de forma legal mediante la constatación de que el rey había cometido delitos y traiciones tan terribles que justificaban su liquidación como mandatario y, quizá también, como persona.

Se organizaron dos comisiones preliminares. La primera, presidida por Dufriche-Valazé, debía examinar la montaña de cofres, cajas y sacos de harina repletos de papeles que habían sido retirados de las Tullerías, para comprobar si existían suficientes pruebas que permitiesen llevar a cabo una acusación. El segundo comité, más rápido, encabezado por Mailhe, abogado de Toulouse, debía informar sobre una cuestión procesal previa: a saber, si el rey, cuya inviolabilidad había sido garantizada por la Constitución de 1791, podía ser realmente juzgado y, en caso de que así fuera, qué tribunal debería juzgarlo. El problema surgió cuando se planteó que la Constitución también había definido de forma explícita los delitos específicos (promover la rebelión armada, abandonar el país sin la intención de regresar, etcétera) que permitían la eliminación del rey. Sin embargo, también había prescrito la abdicación como el único castigo. Dado que Luis ya se había visto sometido a una abdicación forzosa, bien podía prevalecer una interpretación rigurosa de la ley (como señalaron los abogados de su defensa): solo se le podía juzgar como ciudadano por los delitos cometidos «después» de la abdicación. Tras los muros del Temple, resultaba imposible que aquellos existieran.

Cuando la comisión Mailhe se presentó ante la Convención el 6 de noviembre para entregar su informe, eludió estas espinosas cuestiones como una apelación a los principios generales más que a la correcta aplicación de la ley. La inviolabilidad exigida al amparo de la Constitución había sido una cualidad conseguida por la nación soberana y podía ser anulada a su vez por esta. Por tanto, el rey podía ser juzgado como funcionario público y como ciudadano. Del mismo modo, la Conven-

ción Nacional, como depositaria actual de dicha soberanía, no solo podía, sino que debía, ser el tribunal indicado, pues ni un tribunal ordinario, ni un tribunal especial designado por ella podían tener la autoridad
plena y necesaria para resolver un caso de esta magnitud. Más aún, el
veredicto tendría que estar ratificado por el voto de todos y cada uno
de los diputados, en tanto que ese voto formaba parte de su responsabilidad como miembros de un cuerpo soberano.

Este incómodo compromiso entre los principios abstractos, por una
parte, y la precisión judicial, por otra, quedó penosamente al desnudo
una semana más tarde cuando la Convención comenzó a debatir el informe de la comisión Mailhe, bajo la presidencia del exconsejero del
Parlamento Hérault de Séchelles. Una pequeña minoría de los diputados, entre los cuales el más solvente era Morisson, insistió en el principio de inviolabilidad. (También se opuso, como dijo el propio Morisson,
a los que «tachan de traidores a quienes no tienen la misma opinión».)
Un grupo más numeroso, que incluía a algunos girondinos y a muchos
miembros de la Llanura, como Grégoire, creía en cambio que «la absoluta inviolabilidad constituiría una monstruosidad, pues provocaría a los
hombres a cometer maldades al saber que sus crímenes gozaban de
impunidad. Declarar inviolable al rey, cuando lo ha violado todo —continuó Grégoire— y acusarlo de que ha infringido las leyes [...] no solo
significa insultar a la naturaleza, sino también a la propia Constitución».

Sin embargo, el ataque más devastador al principio de un juicio
ordinario no procedió de la derecha, sino de la izquierda y correspondió
a la primera intervención más célebre de toda la Revolución francesa.
El orador fue Louis-Antoine Saint-Just, el devoto corresponsal de Robespierre en 1789, que, a los veinticinco años, se había convertido en el
diputado más joven de la Convención. Saint-Just había llegado a París
como autor de un eterno poema, «Organt», descrito en general (aunque
con un exceso de generosidad) como una obra obscena. Influido sin
duda por Robespierre, ahora cultivaba minuciosamente el estilo de un
joven estoico cuyas concesiones al dandismo conseguían, como mucho,
que la implacabilidad de su intelecto resultase aún más inquietante. La
negra cabellera le caía sobre los hombros, un solo arete de oro pendía
de un lóbulo y la expresión habitual de Saint-Just se ajustaba a un gesto
cuidadosamente calculado de inasequible desdén.

Sus observaciones llevaron a una escalofriante conclusión la tesis de

Robespierre sobre la moral objetiva de la conducta revolucionaria. Facilitar un juicio al rey presuponía la posibilidad de su inocencia; pero, en ese caso, la propia revolución del 10 de agosto podría ser puesta en cuestión, algo que la existencia de la Convención negaba. Lo que estaba en juego no era la culpabilidad o la inocencia de un ciudadano, de una persona incluida en el cuerpo político, sino la natural incompatibilidad de alguien que, por definición, estaba fuera de este. Al igual que Luis no podía evitar su condición de tirano, pues «es imposible reinar y conservar la inocencia», así la República, cuya existencia misma dependía de la destrucción de la tiranía, no podía hacer otra cosa que liquidarlo. Lo único que se necesitaba era una inmediata proscripción, la extirpación quirúrgica de esta excrecencia para apartarla del cuerpo de la nación. Un rey tenía que morir para que la República pudiese vivir. Así de sencillo.

Aunque sus conclusiones en definitiva resultaban difíciles de asumir para una mayoría de los diputados, el discurso de Saint-Just suscitó una abrumadora impresión dentro y fuera de la Convención. Sin duda, puso a la defensiva a los girondinos, pues determinó que cualquier postergación pareciese casi un reproche a la propia República. Jugaron brevemente con esa posición, cuando pidieron que el decreto de creación de la República fuese sometido a un referéndum popular. Sin embargo, durante las últimas semanas de noviembre quedó patente que la única posición defensiva hacia la que ahora podían retirarse era aceptar un juicio y tratar de influir en la sentencia u organizar una campaña que sometiera las dos cuestiones a un voto popular. Por lo menos eso evitaría la posición jacobina, reiterada por Robespierre, de que el pueblo ya había dictado su fallo el 10 de agosto. Todo lo que ahora restaba era que el rey escuchase la acusación y la sentencia se cumpliese con rapidez. Cualquier otra cosa constituiría, por definición, un veredicto contra la República.

El molesto retroceso impuesto a los girondinos se vio acelerado por la teatral aparición de Roland ante la Convención el 20 de noviembre. Con un aire de autocomplacencia que pareció incomodar a muchos diputados, Roland les dijo que la información proporcionada por un cerrajero designado por el rey había conducido al descubrimiento de un enorme cofre de hierro con una importante cantidad de documentos que tenían relación directa con las actuaciones que se estaban llevando a cabo. Manteniendo un aire de misterio, Roland consiguió sugerir que los documentos, hasta cierto punto, comprometerían a miembros de la Montaña, de modo que muchos de los diputados, así como otros tantos de la Llanura, se enfurecieron de inmediato por el hecho de que él hubiera asumido la responsabilidad de abrir el *armoire de fer* sin testigos de la Convención. Volaron las acusaciones que sugerían que Roland podría haber destruido o manipulado las pruebas; pero, cuando se conocieron algunos detalles relevantes, quedó claro que, en efecto, había pruebas gravemente incriminatorias en las cartas escritas por el rey a Breteuil, en las que se refería a la Constitución como un documento «absurdo y detestable». Estos documentos demostraban que su aparente aceptación de la Constitución no era nada más que una táctica sinuosa a la que se había visto forzado por las circunstancias. Sin embargo, un grabado popular demostraba que el verdadero esqueleto encontrado en el armario era el de Mirabeau, cuya correspondencia con Luis acerca del modo de restablecer la autoridad real y los pagos realizados por dicho asesoramiento vieron ahora la luz pública. El 5 de diciembre, Robespierre, cuya natural predisposición para «desenmascarar» hipócritas estuvo a la altura de las circunstancias, exigió que los restos de Mirabeau fuesen exhumados del panteón y que se destruyesen los bustos conmemorativos.

Con estas nuevas y condenatorias pruebas del doble juego real, las reclamaciones en favor de un juicio rápido llegaron a ser casi irreprimibles. En las secciones parisienses, el rey incluso fue acusado de la crisis económica que estaba elevando rápidamente el precio de los alimentos. Se decía que había llenado de forma deliberada los depósitos de Verdún y Longwy con dinero en metálico y cereal, con el fin de que fuesen incautados por el avance prusiano. Ante la Convención aparecieron delegaciones de la Comuna encabezadas por Anaxagoras Chaumette que declararon que la incapacidad para castigar los delitos de Luis era la responsable directa de los elevados precios y de la depreciación del *assignat*. «Es hora —dijo el *enragé* Jacques Roux, en la sección pobre de Gravilliers, donde abundaban los porteadores del mercado y los vendedores ambulantes— de que la libertad del pueblo se consolide gracias al derramamiento de la sangre impura.» Airado por las declaraciones del *armoire de fer* y las dilaciones de los girondinos, Merlin de Thionville se puso en pie en la Convención el 3 de diciembre y dijo que él desearía haber matado a Luis el 10 de agosto, un arrebato que provocó un intento de censura y un desorden general en la sala. Dos días después, se decidió finalmente que otro comité redactaría un *acte énonciatif* —de hecho, una acusación que sería comunicada al rey— y, al mismo tiempo determinaría el procedimiento judicial.

El objeto de toda esta enconada atención vivía entretanto en un estado de sosiego casi meditabundo. Encerrado en la fortaleza medieval del Temple (que había pertenecido antes a su hermano Artois) y privado de periódicos, Luis estaba en general a salvo del enconado odio de la ciudad. La familia ocupaba dos pisos, que compartía con un elenco de trece criados y un *valet*, autorizado generosamente por la Asamblea Legislativa. Se traían los libros solicitados por el rey: historias de Roma, devocionarios, la historia natural de Buffon, la poesía de Tasso y los sermones de Bossuet; además, Luis tenía acceso a la antigua biblioteca de la orden de los Caballeros de Malta, custodiada en la torre.

El consuelo que proporcionaban estas comodidades se veía hasta cierto punto desplazado por las innumerables y mezquinas humillaciones que, animados por otros, los guardias infligían a Luis, cuando le recordaban que ya no tenía autoridad sobre nadie. Los hombres mantenían la cabeza visiblemente cubierta y se sentaban en presencia del detenido. Se le prohibía llevar sus condecoraciones durante el paseo de la tarde. Los insultos eran habituales y, como podía preverse, ofendían a la reina y a madame Elisabeth (que había solicitado expresamente que se le permitiera compartir la prisión) más que al rey. Cierta vez un guardia, que según la versión de Cléry era profesor de inglés, siguió a Luis hasta la mesa donde solía leer, se sentó en el antepecho de la ventana, junto al prisionero, y se negó a marcharse. Confiscaron la costura de María Antonieta con el argumento de que estaba bordando algún tipo de código secreto para sacarlo de forma subrepticia de la prisión. Ante el temor de que el rey pudiera salvarse del verdugo, la Comuna incluso le despojó de su navaja e insistió en que lo afeitara únicamente el hombre que le habían designado. Luis respondió a este acto de mezquino rencor con una actitud desafiante y se dejó crecer la barba hasta que, de nuevo, se le permitió afeitarse solo, aunque bajo la mirada de un guardia. Quizá eran peores las pintadas garabateadas en la pared por los guardias:

grotescas imágenes de una figura coronada que colgaba de un patíbulo con la leyenda «Luis tomando un baño al aire» o una gruesa figura que yacía ante la guillotina, *crachant dans le sac*, como afirmaba una de las muchas bromas macabras sobre la *machine*.

Todas estas pequeñas humillaciones carecían de importancia en comparación con el irreal ambiente de calma burguesa que predominaba en la familia, un aspecto registrado con emoción por Cléry. Todas las mañanas se reunían para desayunar y se besaban y abrazaban, agradecidos por el hecho de haber sobrevivido una noche más. Acabado el desayuno, el rey y la reina dedicaban gran parte de la mañana a dar lecciones a su hijo y a su hija, respectivamente. El delfín, a quien ahora se designaba como el «príncipe real», tenía que leer y recitar pasajes de Racine y de Corneille, pero, por supuesto, era con las lecciones de geografía con las que el padre y el hijo disfrutaban más, pues coloreaban y dibujaban (con sorprendente imparcialidad política) los rasgos característicos de los ochenta y tres *départements* de la nueva Francia. Alrededor de mediodía se les permitía pasear por el jardín del Temple, donde Cléry empujaba aros y arrojaba pelotas con los niños. A las dos se les servía la comida, mientras Santerre, el comandante de la Guardia Nacional, llegaba todos los días para inspeccionar las habitaciones.

Durante la velada, después de jugar con la raqueta y el volante, y antes de acostarse, Luis leía a veces a la familia pasajes de alguna de las historias de Roma que había solicitado y con frecuencia se detenía en los pasajes que mostraban un sorprendente y doloroso parecido con el apuro en que se encontraban. En las paredes de la sala principal en la que se reunían se había fijado la declaración de los derechos del hombre y del ciudadano. Sin embargo, las sombrías lecciones de la historia reciente y la noticia de la última reclamación de la cabeza de Luis, voceada por un vendedor frente a la ventana de la torre a las siete se veían suavizadas y amortiguadas por los ejercicios regulares de piedad que caracterizaban la rutina cotidiana del grupo. Se rezaban oraciones a primera hora de la mañana y al terminar la velada; el rey observaba fielmente todas las fiestas religiosas y asumía la responsabilidad del bienestar espiritual de su familia en vista de la falta de un sacerdote. En su fuero interno, continuaba siendo, como siempre, el *Rex Christianissimus* mencionado en el título de su coronación. Sin embargo, también se mostraba más consciente que nunca de la necesidad de cumplir sus obligaciones como *père de famille*. En el momento de su más completo ostracismo con respecto al Estado, los componentes de la familia real se habían convertido por fin en simples ciudadanos.

EL JUICIO

El 11 de diciembre Malesherbes escribió al presidente de la Convención para pedirle que se le permitiera actuar como abogado defensor del rey. Procedió así con una mezcla característica de coraje y de modestia, como si se disculpase por la temeridad de presentar su nombre a la consideración de Luis. Aunque quizá había una pizca de ironía en su observación de que «estoy lejos de suponer que una persona tan importante como vos [es decir, el presidente] deba interesarse por mí, pero dos veces fui llamado al consejo [real] del hombre que era mi señor en momentos en que todos aspiraban a ocupar ese cargo. Le debo el mismo servicio cuando es una función que mucha gente juzga peligrosa».

Una de esas personas era el hombre que había alcanzado la reputación de ser el más grande profesional de la elocuencia jurídica en la Francia del Antiguo Régimen: Target. Aunque el contraataque con el que defendió a De Rohan en el «*affaire* del collar de diamantes» había dejado ensangrentada la nariz de la monarquía, Target después había sido en la Asamblea Nacional un fiel defensor de la monarquía constitucional y hasta había ideado la fórmula del *Rex Francorum* que en apariencia sugería una pacífica transformación. Fue la primera persona elegida por Luis para defenderle, pero, cuando se lo sugirieron, rehusó cumplir con esa función como si le hubieran ofrecido un cáliz envenenado. Alegó ser demasiado viejo (aunque era catorce años menor que Malesherbes), estar enfermo, tener que ocuparse con urgencia de otros asuntos. Lo sentía, pero no era posible. Sin embargo un año más tarde, durante el Terror, Target, el león del Parlamento de París, aparecería con el cargo de secretario del *comité révolutionnaire* de su sección parisiense.

Justo esta desintegración moral de la camaradería intelectual era lo que más afligía a Malesherbes durante la Revolución. En el curso de su larga vida había creído siempre en el poder éticamente purificador de la razón. Por eso había sido el más fecundo y tolerante de todos los *directeurs de la Librairie*, pues, en realidad, no veía sobre qué base de moral o de utilidad podía defenderse la censura. En la primavera de 1789, después de retirarse del desastre del ministerio de Brienne, había redactado un extenso memorándum acerca de la libertad de prensa y con una absoluta ingenuidad lo había enviado a D'Hémery, uno de los más aplicados policías culturales del Antiguo Régimen. Lo que había sucedido después no había alterado su confianza en la enorme importancia del hecho de poder publicar libremente, sino, más bien, en las formas moralmente deleznables en que podía abusarse de la libertad de prensa. Peor todavía era el alto grado compromiso con la violencia que había roto la columna vertebral de las coaliciones liberales de la década de 1780.

¿Cuál había sido la suerte de todo ese grupo de cultivados amigos que cenaban juntos y que se deshacían de la obsoleta Francia con haces de luz y resmas de legislación? Lafayette estaba en una prisión austriaca después de haberse convertido en un traidor; Mirabeau había caído en desgracia cuando se conoció su correspondencia con la corte. Talleyrand estaba en Londres, al parecer en una misión diplomática para la República, pero nadie preveía su regreso. Tanto él como Du Pont de Nemours habían escapado a la muerte por muy poco durante la misma semana, durante la época de las masacres en las prisiones. La Rochefoucauld no había tenido tanta suerte. Identificado como el firmante de un documento redactado por el Departamento de París para instar al rey a vetar la ley que deportaba a los sacerdotes refractarios, había sido brutalmente asesinado por una turba. Sin razones del todo válidas, Malesherbes atribuía a Condorcet el terrible fin de La Rochefoucauld y hasta lo relacionaba con cierta disputa intelectual. De Tocqueville, nieto político de Malesherbes (y padre del escritor), le oyó decir que, aunque estaba dispuesto a proteger a sus enemigos, jamás ofrecería asilo a Condorcet (que muy pronto lo necesitaría de forma desesperada), incluso si su vida corría peligro.

Todo lo que quedaba en ese pozo sin fondo de dolor y confusión era reunir los hilos de la propia integridad y expirar con toda la dignidad que uno pudiese mostrar decentemente. Esto no significa que Malesherbes se entregase con ánimo de renuncia. Aunque tenía setenta y un años, sus nudosos rasgos sugerían mucha decisión y una energía que inducían incluso a Robespierre a menospreciarlos por su apariencia de aristocráticos. Más aún, los años que había vivido desde 1789 no habían sido totalmente fútiles ni miserables. Había visto a una nieta casada con un miembro del clan bretón de los Chateaubriand y había pasado muchas horas felices planeando una expedición al paso del noroeste estadounidense con el joven escritor François-René, exaltado con la visión de la Armada francesa en Brest. Juntos habían explorado los mapas del estrecho de Bering y la bahía de Hudson y los grabados que mostraban morsas y ballenas. «Si fuese más joven iría con usted», confesó el anciano.

Por lo menos, había podido realizar algunos trabajos de botánica en Suiza. Su hija Françoise y el marido habían emigrado a Suiza y Malesherbes fue a reunirse con ellos en Lausana durante la primavera de 1791; recogió entonces muestras de la flora alpina para su colección. Por paradójico que parezca, fue esta inocente unión con los «emigrados Montboissier» lo que justificaría que fuera llevado ante un tribunal revolucionario durante el Terror. Hacia mediados del verano regresó a su casa de la rue des Martyrs en París. Aunque no tenemos conocimiento de lo que pensó con respecto a la fuga a Varennes, estaba lo bastante preocupado por la situación del rey como para visitarle en los *levers* dominicales de las Tullerías, a pesar de «esa maldita espada que se me mete entre las piernas».

Malesherbes no fue la única persona que acudió a ofrecer sus servicios para defender a Luis ante la Convención. Una voluntaria mucho menos verosímil fue la actriz feminista Olympe de Gouges, autora de la *Declaración de los derechos de las mujeres y de las ciudadanas*, que, pese a ser una ferviente revolucionaria, creía que Luis era mucho más víctima que tirano y deseaba, obviamente, demostrar que las mujeres no eran menos capaces de «heroísmo y generosidad» que los hombres. El rey declinó el ofrecimiento de Olympe de Gouges, pero se alegró de tener noticias de su segundo favorito después de Target, François-Denis Tronchet, otro exmagistrado del Parlamento. Al aceptar, Tronchet se quejó por el hecho de tener que abandonar su retiro, pero no pudo negarse a servir a un hombre cuyo destino estaba «suspendido bajo el filo de la ley» (el eufemismo habitual para aludir a la guillotina).

Luis necesitaba toda la ayuda posible. Se le había permitido acudir a los servicios de los abogados solo después de escuchar la acusación que se había levantado contra él y que había sido redactada por Robert Lindet en nombre de la Comisión de los Veintiuno. Lindet, alcalde de la ciudad normanda de Bernay y exdiputado de la Asamblea Legislativa, solía hacerse eco de las opiniones de la Montaña, aunque el hecho de que hubiese protegido a un oficial de los guardias suizos el 10 de agosto ya decía mucho a favor de su humanidad. Durante el Terror sería el único miembro del Comité de Salud Pública que rehusaría firmar la sentencia de muerte de Danton. Sin embargo, su *acte énonciatif* fue un documento desolador: una extensa historia de la Revolución que representaba la conducta del rey durante todo ese periodo como una hipócrita acción de retaguardia, llena de engaños y de violentas intenciones. En muchos casos, ahora sobradamente documentados con la información proporcionada por el *armoire de fer*, difícilmente podía contradecirse a Lindet. En efecto, el rey se había opuesto a la convocatoria de los Estados Generales hasta que se vio amenazado por el completo hundimiento fiscal, se había preparado para usar la fuerza contra la unión de los órdenes y contra las manifestaciones parisienses opuestas a la destitución de Necker, había intentado fugarse, y había negociado en secreto para reinstaurar su autoridad, por lo que había desobedecido los juramentos prestados públicamente. Se trataba de una continuada culpabilidad llena de subterfugios y de mala fe. Por supuesto, no constaba en la relación todo lo referente a la violencia y a la intimidación del otro lado; de modo que, en lugar de la verdadera prueba de fuerza que había caracterizado a la historia de la Revolución, la acusación de Lindet presentaba la conducta real como una serie de delitos manifiestos.

La mañana del 11, Chambon, alcalde de París, fue a sacar del Temple al hombre a quien llamó «Luis Capeto». «No soy Luis Capeto —replicó indignado el rey—. Mis antepasados tenían ese nombre, pero yo nunca fui llamado así.» Fue uno de los pocos momentos de ira durante una jornada en la que, por mucho que le apremiasen, Luis mostró de nuevo un extraordinario dominio de sí mismo. Vistiendo una chaqueta verde oliva, compareció ante la Convención y las galerías abarrotadas de espectadores, hasta que el presidente Bertrand Barère le autorizó a sentarse. Como la Convención sabía muy bien, nada podía haber simbolizado más claramente cómo se le había dado la vuelta al mundo de Versalles, donde la prelación basada en el estatus había sido señalada con exactitud por convenciones que regían la posibilidad de sentarse en presencia del monarca.

Luis escuchó la acusación completa y luego respondió a las preguntas planteadas por Barère y negó que hubiese hecho nada ilegal antes o

714

después de 1791; además, desechó, por considerarla absurda, la acusación de que el frustrado viaje a Saint-Cloud hubiese sido un intento de fuga. Con respecto a las leyes que había vetado en 1791, respondió que la Constitución le otorgaba el derecho a hacerlo y rechazó que se pensara que el refuerzo de las tropas de las Tullerías había sido la preparación para «un ataque a París». En el curso del procedimiento demostró la serenidad de un hombre que cree realmente que su razón es irrefutable. Solo cuando Barère afirmó de pronto que Luis era «responsable de derramar sangre francesa», Luis se permitió una réplica emotiva y airada. Algunos testigos vieron que en ese momento le caía una lágrima, pero, decidido a evitar que sus acusadores advirtiesen la más mínima debilidad, Luis se llevó deprisa la mano a la mejilla y completó el gesto frotándose la frente, como si su intención fuera enjugarse el sudor que de todos modos comenzaba a manar libremente en la sofocante atmósfera del Manège. La parte más inconsistente de su testimonio fue el modo casi descuidado en que se negó a reconocer su propia participación en los documentos extraídos del infame *armoire de fer*.

Entre la designación de sus abogados y el proceso completo, a finales de diciembre Luis se entregó a la preparación de su defensa. La Comuna había decidido herirle todavía más al negarle que pudiera ver a sus hijos, una medida de innecesaria crueldad que la Convención suavizó un tanto al permitir el acceso esporádico. Sin embargo, la rutina del grupo familiar se había roto y fue reemplazada por las idas y venidas de los abogados. Malesherbes (cuyo ofrecimiento había sido aceptado por el rey) y Tronchet habían decidido solicitar la ayuda de un colega más joven que gozara de buena reputación en el tipo de elocuencia enérgica y retumbante en que parecía especializarse el foro de Burdeos: Romain de Sèze. Como grupo, el rey difícilmente habría podido pedir mejores defensores; pero estos hombres no estaban totalmente unidos en su planteamiento. Malesherbes, que según una versión había comentado con el rey ya en 1788 la interpretación de la caída de Carlos I por David Hume, deseaba que Luis cuestionara las credenciales del tribunal que le juzgaba y sobre todo que atacase la actitud de la Convención que reunía los papeles de juez y parte, lo que iba en contra de las convenciones jurídicas establecidas por los propios códigos revolucionarios. Por supuesto, esta estrategia habría significado poner en entredicho toda la legalidad de la revolución de 1792 (exactamente lo que Robespierre

715

había vaticinado); pero al menos Malesherbes pensaba que mantener esta posición la dotaría de una mayor coherencia interna y de un enorme peso moral.

Sin embargo, el rey estaba tenazmente decidido a utilizar su propia debilidad, a insistir en su inviolabilidad constitucional y, después, a defender su conducta como aplicado rey-ciudadano, para refutar la acusación punto por punto, más o menos como había hecho el día 11. Su creencia en que la verdadera justicia demostraría indefectiblemente su inocencia incluso le indujo a suprimir lo que, sin duda, consideraba el alegato excesivamente retórico que incluía la perorata de De Sèze.

La mañana siguiente a la Navidad, Luis fue llevado de nuevo ante la Convención. Aunque no había dormido desde hacía cuatro días, De Sèze estaba en excelente forma para su *plaidoyer* y reiteró el argumento de que la posición asignada al rey excluía la acusación de lo que era de hecho una sección coetánea de la Constitución. Tampoco podía juzgársele por actos que habían determinado anteriormente su abdicación y menos aún por un grupo de hombres que habían decidido y difundido con anterioridad sus ideas acerca de la culpabilidad del monarca. Después, examinó el discurso de acusación de Lindet desde el ángulo opuesto y no presentó la conducta de Luis como un engaño y como una conspiración deliberados, sino como una legítima respuesta ante la intimidación. Afirmó que esta había sido la actitud consecuente del rey, exactamente hasta el 10 de agosto. «Ciudadanos», comenzaba su perorata,

> si en este mismo momento se os dijera que una muchedumbre enfurecida y armada marcha contra vosotros y que no manifiesta ningún respeto por vuestra condición de legisladores sagrados [...], ¿qué haríais? [...] ¿Le acusáis [a Luis] de derramar sangre? ¡Ah! Lamenta la fatal catástrofe tanto como vosotros. Es la herida más profunda que se le ha infligido, su desesperación más terrible. Sabe muy bien que no ha sido el autor del derramamiento de sangre, aunque quizá sí su causa. Y justo por esto jamás se lo perdonará.

De Sèze concluyó pintando el retrato de un joven rey que había ascendido al trono como un sincero reformador, con benévolas intenciones y con una actitud concienzuda en el Gobierno. En general, se trataba de una imagen identificable; pero el abogado cometió el grave error de utilizar una de las frases favoritas de Luis, a saber, que él había «otorgado» la libertad francesa, una versión de 1789 que tal vez no merecía la simpatía del público. Las últimas palabras de De Sèze fueron, como todos los discursos grandilocuentes y ceremoniales de la Revolución, una apelación a la historia: «Pensad en cómo juzgará ella vuestro juicio».

Parece improbable que el hecho de ser convocados al juicio de la posteridad por De Sèze contribuyese mucho a cambiar la convicción de la gran mayoría de los diputados con respecto a la culpabilidad de Luis; pero eso no significa afirmar que su defensa, tanto en la apasionada y enérgica exposición de sus abogados como en la silenciosa dignidad de su persona, no tuviese efecto. Resultaba claro, sobre todo en vista de los grandes esfuerzos de la Montaña para avanzar en el asunto del veredicto, de la pena y de la ejecución, que la opinión pública se había sentido conmovida por las dos apariciones de Luis ante el tribunal. Se habían impreso copias del *plaidoyer* como actas oficiales y se distribuían casi tan ampliamente como el acta de acusación de Lindet. Incluso hubo señales de desórdenes populares en defensa del rey, como, por ejemplo, en Ruán, donde estalló una revuelta.

Un grupo de girondinos percibió en este impreciso movimiento de la opinión pública una última oportunidad para perjudicar a sus enemigos de la Montaña y realizó un gesto teatral con el fin de llevar el escenario del juicio fuera de la Convención. Mucho antes, algunos diputados que como Kersaint se mostraban francamente hostiles al propio juicio habían hecho un «llamamiento al pueblo»; pero ahora la iniciativa fue adoptada sobre todo por Vergniaud y por Brissot, como un modo de evitar al rey una muerte segura. Para demostrar que, al proceder así, de ningún modo eran monárquicos, otro miembro del grupo, Buzot, reanudó el ataque que había lanzado contra Philippe-Égalité, que era miembro de la Montaña. Al reclamar la pena de muerte para todos los que propusieran restablecer la monarquía, puso a los jacobinos, entre ellos a Marat, en la desagradable posición de tener que defender al primo del rey. Y los girondinos demostraron un dominio igualmente sutil de la estrategia al apoyar la convocatoria a una votación popular tanto con respecto al veredicto como a la sentencia. Citando a Rousseau, cuyos textos sagrados eran ahora utilizados por ambas facciones de forma rutinaria para demostrar tesis contrarias, los oradores girondinos del estilo de Vergniaud afirmaron que la Convención no tenía derecho a usurpar la autoridad que, en rigor, aún pertenecía al pueblo, cuyos «mandatarios» eran los propios diputados. Resultaba lógico entonces que se volviera a convocar a las cuarenta y cuatro mil asambleas primarias que los habían elegido para decidir el destino del rey. Solo de este modo la Convención podía tener la absoluta certeza de que no se violaba la «voluntad general». Brissot, algo característico en él, añadió una dimensión exterior al argumento. Afirmó que toda Europa estaba observando el modo de proceder de los diputados (y no exageraba mucho). Los enemigos de Francia se apresurarían a acusar a la Convención de ser un juguete de facciones divididas. ¿No sería más convincente la refutación si podía demostrarse por medio del voto del pueblo que, en realidad, habían actuado en completa armonía?

La más elocuente y extensa procedió de Bertrand Barère el 4 de enero de 1793. Para los diputados no comprometidos de la Llanura, sin duda pareció aún más enérgica, porque se hizo eco de algunas de las opiniones habituales de los principales jacobinos, pero sin su violencia sectaria. Barère ofreció a la Convención una vívida imagen de su propia posición, que, por definición, consistía en llegar a una ruptura definitiva con la monarquía. Arguyó que debía aceptarse esa responsabilidad en lugar de traspasarla cobardemente a los electores, sobre todo porque ello sin duda los enredaría en un abrumador conflicto partidista. Había que elegir entre una Convención decidida a actuar como el auténtico depositario del poder soberano o eludir la responsabilidad y entregar el país a la anarquía y a la guerra civil. Su discurso fue completamente distinto de la sanguinaria histeria de Marat e impresionó profundamente a un grupo de hombres preocupados por su propia autoridad colectiva. Justo por ser diputados, habían aceptado el republicanismo. ¿Cómo podían retroceder a la hora de dar el último paso lógico, que implicaba afirmar y sellar dicha identidad?

Nada de esto supuso dar por descontada la suerte de Luis. Cuando comenzó la votación bajo la presidencia de Vergniaud, el 4 de enero, había que resolver tres cuestiones: la culpabilidad o la inocencia del rey, la sentencia y el asunto todavía no resuelto de una apelación al pueblo. El orden en que se votase fue visto de inmediato como un elemento de una importancia crucial, porque, una vez condenado y sentenciado el rey, la apelación al pueblo parecería un desesperado acto de salvación más que una consulta imparcial. Sin embargo, los girondinos se dividieron ante esta cuestión, como ya habían hecho en relación con la propia apelación. Algunos miembros, entre ellos Maximin Isnard, que habían estado muy cerca de Vergniaud y Guadet, votaron consecuentemente con la Montaña en todas estas cuestiones. Cuando los furibundos gritos de ambas partes y las mutuas acusaciones lanzadas en la sala obligaron a Vergniaud a suspender la sesión, se concertó un compromiso en virtud del cual el asunto de la apelación seguiría al del veredicto, pero precedería al de la sentencia.

La mañana del 15 de enero, la votación comenzó con el *appel nominal*, el voto oral, emitido por cada uno de los 749 diputados. Este método de procedimiento tremendamente pesado lo había exigido Marat para revelar a los «traidores», de modo que no se le pudiese contradecir sin demostrar la tesis que él defendía. Obligados simplemente a responder «sí» o «no» a la pregunta, unas pocas almas atrevidas —como el obispo constitucional del Alto Marne y el gran científico Lalande— rehusaron asumir la posición de jueces. Sin embargo, nadie votó enérgicamente en favor de la inocencia de Luis y 693 diputados (pues algunos de ellos estaban ausentes) votaron que era culpable. Como destaca David Jordan en su excelente libro sobre el juicio, cuando llegó el momento de la segunda votación, la referida a la apelación, sus defensores advirtieron que sus filas se habían debilitado mucho después del discurso de Barère. Algunos incluso expresaron que continuaban apoyándole en principio, pero votaron contra sus posibles consecuencias. En definitiva, la propuesta fue derrotada por 424 a 283.

Naturalmente, la más espectacular de las tres votaciones fue la que se refería a la sentencia, que comenzó el 16 de enero. Como preliminar, el bretón Lanjuinais, que había ayudado a cavar la tumba de la antigua monarquía al encabezar la revuelta de los magistrados de Rennes contra los edictos de Brienne, ahora intentó salvar a su encarnación. Señaló que una decisión tan importante como dictar la sentencia a un rey debía aprobarse solo mediante una mayoría de los dos tercios. La propuesta tuvo que soportar una aplastante réplica de Danton, que había regresado poco antes de Bélgica, donde estaban apostadas las tropas, y que afirmó que, como la Convención no había creído que la abolición de la propia monarquía requiriera una mayoría de dos tercios, consideraba sin duda poco adecuado plantear ahora dicha norma.

Desde las ocho de la noche hasta las nueve de la mañana los diputados continuaron su desfile hacia la tribuna, observados, según la versión de Mercier, por espectadores que bebían y consumían helados y naranjas para mantenerse durante la larga noche invernal. Cuando llegó el turno de Mailhe, sorprendió a la Convención votando por la muerte, pero preguntando después cuándo se ejecutaría el veredicto. De hecho, estaba reclamando una nueva votación sobre la suspensión de este y en esto le acompañaron otros diputados, entre ellos Vergniaud. Sin embargo, que el girondino pudiese responder afirmativamente a la cuestión de la muerte tuvo un efecto abrumador, sobre todo en Malesherbes, que se sintió destrozado al escuchar el voto. Cuando llegó el turno de la delegación de París, Robespierre habló primero, porque era el diputado que había obtenido más votos en la elección. «No reconozco una humanidad —dijo— que masacra al pueblo y perdona a los déspotas.»

Philippe-Égalité era el último miembro del grupo de París. El hombre que en el orden jerárquico del protocolo de la corte podía entregar su camisa al rey en la ceremonia diaria del *lever* votó ahora por la muerte de su primo con el argumento de que «los que atacan la soberanía del pueblo» la merecían.

Cuando amaneció, parecía claro que la pena de muerte sería aprobada. De los 721 presentes y votantes, 361 habían votado de forma categórica por la muerte y 319 por la cárcel, seguida por el destierro después de la guerra. Hubo dos votos a favor de la cadena perpetua con grilletes y dos a favor de la ejecución después de la guerra (cabe presumir que para conservar al rey como rehén). Veintitrés votaron como Mailhe, en favor de la muerte, pero pidieron un debate acerca de una posible suspensión del castigo, y ocho por la muerte con la expulsión de todos los Borbones (incluido Philippe-Égalité). Por lo tanto, la mayoría de los que votaron de un modo o de otro por la muerte no fue de un voto, sino de setenta y cinco.

Cuando Vergniaud pronunció la pena, se permitió la entrada de los abogados del rey con el fin de que se dirigiesen por última vez a la Convención. A los tres se les habían negado los asientos y habían permanecido de pie durante trece horas, es decir, mientras duró la votación. Tronchet leyó primero una carta de Luis, que rehusaba «aceptar un juicio en el que se me acusa de un delito que ni yo puedo reprocharme» y que pedía que se convocase a la nación para que decidiese acerca del juicio de sus representantes. Su tono no era el de alguien que suplica y se entrega a la compasión de sus jueces, y su desafío complicó la tarea de Tronchet y de De Sèze, que reiteraron el argumento de que el destino de Luis debía decidirlo una mayoría de dos tercios.

Exhausto y deprimido, Malesherbes intentó después reclamar la compasión que corresponde a la humanidad común; pero estaba excesivamente emocionado y no pudo mostrar coherencia. Se disculpó porque no lograba improvisar un discurso, tropezó con las palabras y luchó por contener los sollozos: «Ciudadanos, disculpad mis dificultades [...]. Tengo que haceros algunas observaciones [...], ¿padeceré la desgracia de perderlas si no me permitís que las presente [...] mañana?».

Sin duda, algunos diputados consideraron que el espectáculo del anciano abrumado por el sufrimiento a causa de un cliente indigno de él era penoso. Muchos más se sintieron conmovidos por la expresión de su dolor. Después de todo, para esa asamblea de *cœurs sensibles*, las lágrimas eran supuestamente la leche de la pureza moral; pero permitieron que la sintaxis de Malesherbes se deshiciera en un agobiante silencio, interrumpido, naturalmente, por Robespierre. Este concedió con generosidad que podía perdonar a Malesherbes las lágrimas derramadas por la suerte del rey, pero rechazaba que se continuara hablando de una apelación al pueblo. Y no se habló más.

Dos muertes

Malesherbes llevó consigo su dolor al Temple esa misma mañana. Cuando anunció la pena dictaminada por la Convención, la cual, según dijo, había sido aprobada por una mayoría de solo cinco votos, perdió de nuevo el dominio de sí y cayó a los pies del rey. Luis se mostró más preocupado por el estado del anciano que por el suyo y amablemente le ayudó a incorporarse y le abrazó. Después, Malesherbes relató de forma detallada la votación y, solo cuando llegó al voto de De Orleans, el rey pareció manifestar cierta amargura. Esa noche fue la última vez en que el rey y el ministro se vieron. Según se dijo, el rey le comentó: «Nos reuniremos en un mundo mejor; pero lamento separarme de un amigo como usted». El diálogo quizá es apócrifo, porque, de acuerdo con Cléry, Luis, en efecto, esperaba ver de nuevo a Malesherbes y se inquietó cada vez más en vista de su ausencia durante los días siguientes. A decir verdad, el anciano realizó varios intentos de visitar al rey y en cada ocasión se le impidió la entrada en cumplimiento de órdenes explícitas de la Comuna y de la Convención.

Se trataba de otra mezquina crueldad. Mucho antes del juicio, Luis se había resignado a esperar lo peor. Su principal preocupación no era salvar su propia vida, sino, más bien, defenderse de las acusaciones lanzadas contra él. Y sentía un especial temor (de forma justificada) por la seguridad de su familia. Su separación de ellos desde el 11 de diciembre, en todo caso, confería más dramatismo a su inquietud y toda esa sensación de ansiedad se reveló en el testamento que dictó en presencia de Malesherbes (no por casualidad sin duda, el día de Navidad). No era, en ningún caso, un documento político, aunque insistía en su inocencia y decía que perdonaba a sus enemigos, así como a «aquellos a quienes pueda haber ofendido sin querer (pues no recuerdo haber ofendido de forma premeditada a nadie)». Gran parte del testamento tenía un carácter devocional, reafirmaba su fe en el credo sagrado y en la autoridad de la Iglesia y encomendaba su alma al perdón del Todopoderoso; pero también, en gran medida, estaba dirigido a su familia y en él pedía perdón a María Antonieta por los sufrimientos que sus propias dificultades podían haberle acarreado. Como si hubiera querido responder con una conyugal caballerosidad a los grotescos libelos que continuaban apareciendo en la prensa popular, Luis declaraba expresamente que «nunca he dudado de su ternura maternal» y hasta se disculpaba «por las humillaciones que pudiera haberle causado en el transcurso de nuestra unión».

A su hijo Luis, el rey le escribía que, si tenía «la desgracia de ser rey», debía «reflexionar acerca de que su deber era consagrarse del todo a la felicidad de sus conciudadanos, de que debía olvidar aquello que significase odio y resentimiento y, en particular, lo relacionado con los infortunios y con las humillaciones que yo he sufrido; que no se puede lograr la felicidad de una nación, si no es reinando según las leyes; pero, al mismo tiempo, que un rey no puede aplicar esas leyes y hacer el bien que su corazón le impone, a menos que posea la autoridad necesaria, pues, de lo contrario, si se ve maniatado en sus movimientos y no inspira respeto, resulta más dañino que útil».

Era, al fin, la nítida comprensión del dilema en que se había visto atrapado desde el comienzo hasta el final de su reinado. ¿Cómo hacer el bien sin renunciar a la autoridad; cómo lograr que un pueblo fuese feliz cuando deseaba ser libre? Nada de lo que la Revolución llevara a cabo, y desde luego no la muerte de Luis Capeto, conseguiría que la respuesta a ese problema, quizá el legado más letal dejado por Rousseau, fuese más obvia. Quizá su intrínseca insolubilidad se dibujaba en los rasgos del rey, mientras se aproximaba al fin de su vida: una expresión de dolorosa gravedad sorprendida de medio perfil que Joseph Ducreux dibujó en el Temple.

En la Convención, del 18 al 20 de enero, se realizaron esfuerzos de última hora con el fin de obtener una suspensión. Tom Paine, que había sido elegido diputado gracias a su reputación de máximo enemigo de Edmund Burke y que había llegado a París deslumbrado por la Revolución y casi sin hablar francés, ahora sugirió, por mediación de su intérprete Bancal, que Luis fuese enviado a Estados Unidos, donde podría ser rehabilitado como un ciudadano decente. Algunos diputados de la Montaña que se habían emocionado al ver la llegada de Paine, pero que abrigaban sospechas en vista de su amistad con ciertos girondinos (quizá condicionada por el hecho de que ellos hablaban mejor inglés), se sintieron abrumados ahora ante esta intervención. Marat gritó que Paine no podía expresar una opinión, pues pertenecía a la secta de los cuáqueros, famosos por su oposición a la pena de muerte. Sin embargo, la propuesta no se tomó con más seriedad que el largo y muy razonado ataque beccariano de Condorcet a la pena capital. La enmienda de Mailhe se presentó por última vez y se rechazó, aunque, de nuevo, por un margen sorprendentemente reducido: 380 a 310.

Se había completado el proceso. La noche del 20, una delegación de la Convención encabezada por Grouvelle llegó al Temple para leer a Luis la decisión definitiva de la asamblea. Al responder, Luis pidió tres días más con el fin de prepararse mejor para la ejecución, un confesor elegido por él (nombró al sacerdote irlandés Edgeworth de Firmont) y que se le permitiera ver a su familia. Se le negó la primera petición y se le concedieron las dos últimas. Alrededor de las ocho y media de la noche la familia se reunió. Nadie les había informado todavía del destino del rey y, apostado detrás de una puerta de cristal, Cléry pudo ver a las mujeres y a los niños estremecidos por el sufrimiento cuando Luis les comunicó la noticia. Durante una hora y tres cuartos permanecieron reunidos, llorando, besándose y consolándose lo mejor que podían; el niño más pequeño se aferraba a las rodillas de su padre. Cuando llegó el momento de separarse, ninguno de los miembros de la familia pudo soportar el brutal peso de la despedida definitiva. Luis prometió que los vería de nuevo a las ocho de la mañana siguiente. «¿Por qué no a las siete?», preguntó la reina. «Por supuesto, ¿por qué no a las siete?» Se disponían a salir cuando la princesa real, hija del rey, se arrojó de pronto sobre su padre y se desmayó. Ayudarla a reaccionar constituyó el último abrazo de la familia.

Se instaló la guillotina en la plaza rebautizada con el nombre de plaza de la Revolución, la actual place de la Concorde. Una gran estatua ecuestre de Luis XV que había dado su nombre original al lugar fue derribada el mismo día en que se retiró la de Luis XIV de la place des Victoires. Desde su plataforma, a un metro ochenta sobre la multitud de soldados, Sanson podía ver el pedestal truncado que aún ocupaba su lugar. Dispuesta a afrontar cualquier tipo de demostración de compasión, armada o no, la Comuna había convertido París en una inmensa guarnición. Se habían cerrado las puertas de la ciudad; una escolta especial de mil doscientos guardias debía acompañar el carruaje de Luis hasta el patíbulo y en las calles había cuatro filas de soldados. Santerre, que estaba a cargo de todas estas operaciones, incluso había apostado cañones en lugares estratégicos del camino, así como en otros sitios de la ciudad.

En la penumbra invernal, Cléry despertó a Luis y, alrededor de las seis, recibió la comunión de Edgeworth. Se vistió sencillamente, pero ya parecía claro que no volvería a reunirse con su familia, pues pidió al *valet* que entregase su anillo de bodas a la reina, así como un paquete que contenía mechones de cabello para toda la familia. Un sello real, retirado de su reloj, debía ser entregado a su hijo como un símbolo de la sucesión. Cuando llegaron los representantes de la Comuna, Luis les preguntó si Cléry no podía cortarle los cabellos para ahorrarle la indignidad de esa operación sobre el patíbulo. No es necesario decir que la autorización se denegó. Para el verdugo, no era más que otra cabeza. Alrededor de las ocho, llegó Santerre y, después de pasearse de un lado a otro, la propia orden de Luis puso fin al calvario: «Partons». El traslado llevó dos horas a través de las calles de París, envueltas en una húmeda niebla. Parecía que se hubiera cernido un manto de silencio, algo que se vio acentuado por el hecho de que las persianas y las ventanas estuvieran cerradas para cumplir con las órdenes de la Comuna, así como por la extraña sensación de que se hubiese interrumpido la habitual animación de las muchedumbres, que, en otras ocasiones, solían expresar ruidosamente su aprobación o su rechazo.

No mucho después de iniciada la marcha, el barón de Batz y cuatro partidarios realizaron un penoso intento de rescate al grito de «A mí todos los que quieran salvar al rey». Fueron detenidos de inmediato, al igual que uno de los exsecretarios de la reina, que trató de abrirse paso hacia el carruaje. A las diez, la procesión llegó al patíbulo. Bajo la plataforma, Sanson y su ayudante se prepararon para desvestir al rey y atarle las manos, pero el prisionero les dijo que deseaba conservar la chaqueta y tener las manos libres. Parecía claro que tenía ideas tan firmes sobre este último asunto que, durante un momento, dio la impresión de estar dispuesto a luchar y fue necesaria una observación de Edgeworth, que comparó la tortura que él sufría con la del Salvador, para que Luis se resignara a todas las humillaciones que pudieran infligirle.

Los peldaños que llevaban al patíbulo eran tan empinados que Luis tuvo que apoyarse en el sacerdote para ascender. Le cortaron el cabello con la profesional rapidez que había hecho famosa a la familia Sanson y Luis intentó por fin hablar a la gran multitud de veinte mil caras reunida en la plaza. «Muero inocente de todos los delitos por los que se me ha acusado. Perdono a los que me llevan a la muerte y ruego que la sangre que estáis a punto de derramar nunca pueda ser exigida a Francia.» En ese momento Santerre ordenó un redoble de tambores, de modo que no fue posible oír el resto de las palabras del rey. Luis fue atado a una tabla, que, al ser empujada hacia delante, le obligó a introducir la cabeza en el círculo, que la aprisionó. Sanson tiró de la cuerda y la hoja de unos treinta centímetros cayó, zumbando en sus muescas para caer sobre el cuello. De acuerdo con la costumbre, el verdugo retiró la cabeza del canasto y la mostró, sangrante, al pueblo.

La despiadada normalidad con que se desarrolló el espectáculo fue lo que hizo que este resultara verdaderamente insoportable para algunos testigos. Lucy de La Tour du Pin y su marido habían oído como se cerraban las puertas de París más temprano por la mañana y comprendieron que ya no quedaba ninguna esperanza. Aguzaron el oído para oír el sonido del fuego de mosquetes que sugiriese algún tipo de caos redentor; pero no hubo más que silencio en la densa niebla. A las diez y media oyeron las puertas abrirse «y la vida de la ciudad continuó su curso, invariable».

Mercier también observaba. Hubiera podido suponerse que en cierto modo se sentiría justificado, pues a menudo, y de forma muy vehemente, él había vaticinado justo esa clase de apocalipsis destructor de la realeza que ahora se revelaba en Francia; pero no sintió nada parecido. A pesar de toda su violencia literaria, el fenómeno real le repugnaba cada vez más. Aunque ni por asomo hubiese creído en la buena fe del rey durante la Revolución, había votado contra su muerte en la Convención, tanto por compasión como por el hecho de que pensaba, también en esto de forma profética, que la muerte de Luis haría inevitable una guerra europea a una escala nunca vista antes. Por tanto, le sobresaltó presenciar ese tipo de inhumanas celebraciones que parecieron saludar la ejecución, una vez que pasó la primera impresión.

> Se derramó su sangre y los gritos de alegría de ochenta mil hombres armados llegaron a mis oídos [...]. Vi a los alumnos de las Quatre-Nations arrojar al aire sus sombreros; su sangre se derramó y algunos mojaron los dedos en ella, o un lapicero, o una hoja de papel; uno la saboreó, y dijo «Il est bougrement salé» [alusión a un tipo de ganado engordado en los pantanos de sal (pré-salé)]. Un verdugo instalado sobre las tablas del patíbulo vendió y distribuyó paquetitos con cabellos y la cinta que los sujetaba; cada paquete incluía un pequeño retal de las ropas o un sangriento vestigio de la trágica escena. Vi a varias personas que pasaban, tomadas del brazo, riendo y charlando de forma despreocupada, como si estuvieran en una fiesta.

Incluso teniendo en cuenta la inclinación del propio Mercier por lo estrafalario, resulta probable que gran parte de su descripción se ajuste a la verdad. Sanson tenía derecho a vender prendas de ropa y recuerdos de la ejecución como parte de sus privilegios. Menos documentados, pero de acuerdo con otras muertes expiatorias producidas en momentos de crisis históricas, conocemos relatos que hablan de espectadores que empapaban sus pañuelos en la sangre real. Si, en efecto, así sucedió, ¿esto implicaba una especie de bautismo a la inversa, como ha sugerido Daniel Arasse? ¿O era más bien el anhelo de participar de forma colectiva en un sacrificio expiatorio: en una muerte que, una vez compartida por todos, no podía ser imputada a nadie en concreto?

Sin embargo, no fue la única muerte en París. La víspera, cuando Luis se preparaba para afrontar su propio fin, uno de los diputados regicidas fue asesinado a puñaladas en un café del Palais-Royal. Más aún, la víctima, Michel Lepeletier, no era una cara anónima en la Convención. Mucho más que el ruin oportunismo de Felipe de Orleans, su conversión al jacobinismo militante expresó hasta dónde el *ancien régime* había sido destruido por aquellos a quienes beneficiaba; pues Lepeletier procedía de la flor y nata de la aristocracia judicial y no solo había desempeñado el cargo de *conseiller*, sino también el de *président* del Parlamento de París. Íntimo amigo de Hérault de Séchelles, había sido uno de los más activos reformadores de la Asamblea Constituyente y sobresalió en particular en el Comité de Instrucción Pública, que elaboró un ambicioso proyecto para instaurar la educación elemental, obligatoria y gratuita. También aportó sus conocimientos jurídicos a la reforma del código penal y propuso una meticulosa gradación de los castigos, como Beccaria, según cuál fuera el delito cometido. Por ejemplo, se suponía que reservar la pena capital para los asesinatos con premeditación ejercería un terrible poder disuasorio que detendría la mano del criminal.

Este tipo de consideraciones no pesó mucho en la mente del asesino de Lepeletier. Era un exmiembro de la Guardia Real llamado Pâris, que se había acercado de forma amistosa a Lepeletier en un café iluminado por velas, antes de sacar un enorme cuchillo y apuñalar dos veces al diputado para abrirle el pecho en canal.

El cadáver del mártir fue expuesto cuatro días, sobre un túmulo bajo el cual estaba escrito lo que, según se dijo, fueron sus últimas palabras: «Muero contento porque el tirano ya no vive» (aunque no se sabe si, en realidad, el rey murió antes que él). Jacques-Louis David hizo un boceto, inspirado claramente en una *pietà* renacentista, que mostraba la herida de Lepeletier como un corte sagrado y con un cuchillo suspendido sobre el torso. En la misma representación, la cabeza, que en realidad era terriblemente fea, con una gran nariz ganchuda y con los ojos saltones, se convirtió en un busto romano de belleza modélica. Durante el funeral, organizado por David, el cuerpo fue depositado sobre el pedestal vacío de la place Vendôme, de donde se había retirado una estatua de Luis XIV. David ordenó construir un ancho tramo de peldaños con una pequeña plataforma arriba, de modo que, antes de las ceremonias, los patriotas que acudían a rendir su homenaje pudieran ascender hasta el túmulo, pasando entre dos grandes urnas humeantes, para contemplar al patriota en su lecho de muerte romano. A sus pies, rodeando una pica como un estandarte sangriento, estaba la camisa que vestía cuando le asesinaron, ahora parda y ennegrecida bajo la luz de enero. «Me satisface derramar mi sangre por la patria —anunciaba una placa grabada que estaba abajo—, [pues] abrigo la esperanza de que servirá para asentar la libertad y la igualdad.»

Después de los encomios, entre los cuales tuvo una especial resonancia el de Robespierre, se bajó el cuerpo, que fue llevado a través de las calles, detrás de la sagrada camisa. Encabezado por Félix, hermano de Lepeletier, el cortejo fúnebre se dirigió a la Convención y, después, al Club de los Jacobinos. Allí, la hija de Lepeletier fue «adoptada por la nación», aunque en realidad no lo necesitaba, según explica Mercier, pues el legado de su padre ascendía a unas quinientas mil libras. Más adelante esta *fille de la nation* se convertiría en una ferviente realista. Torturada más por la memoria de un padre regicida que por su muerte, ocultó y, quizá, destruyó el cuadro de David. También mutiló la placa grabada preparada sobre el modelo de esa obra. Se conserva una sola copia, que todavía muestra el golpe de gracia que la hija infligió a la imagen que representaba a su padre ya herido.

Mientras la República canonizaba a su primer mártir, el cuerpo de su rey se deshacía en la nada. La supuesta inmortalidad según la cual, cuando un rey moría, la realeza vivía —*le roi est mort; vive le roi*—, ahora se invertía. El ciudadano era quien se había convertido en el héroe inmortal. Por su parte, la muerte del rey debía confirmar la destrucción de la realeza. El propósito consistía en liquidar los restos de Luis Capeto tanto como se pudiera para que solo sobreviviera el polvo mortal. Después de la ejecución, la cabeza fue puesta entre las piernas de Luis en un cesto y todo fue llevado al cementerio de la Madeleine. Allí se depositó en un sencillo ataúd de madera, como los utilizados en los entierros más pobres, y se cubrió con cal viva. Se dijo que la tumba en que se inhumó el ataúd tenía tres metros de profundidad. Ocho meses después, temiendo que se creara cierto tráfico de reliquias, la Comuna emitió otra orden que determinó que se quemasen en pública inmolación todas las prendas de vestir y todos los objetos retirados del Temple.

El *Rex Christianissimus*, encarnación del Sol, se había convertido sucesivamente en el Restaurador de la Libertad Francesa, en el Rey de los Franceses, en el Cerdo de Varennes, en el Tirano Capeto y, por último, en una nada que se deshacía en el suelo de París. Los que le eliminaron perseguían una irreversible desmistificación, algo que convirtiera el acto de destrucción del rey en un episodio casi prosaico. Antes de que pasara mucho tiempo, este proceso había llegado tan lejos que podían adquirirse *demi-tasses* de Sèvres con un dibujo de Duplessis que mostraba a Sanson sosteniendo la cabeza de Luis reproducida a un lado con vivos colores dorados. Los buenos republicanos podían beber su café a la vez que manifestaban su humana normalidad y su singularidad política.

Desde luego, pese a todos los intentos de restauración durante el siglo XIX, la realeza de Francia pereció junto con el rey; pero el conflicto fundamental que había llevado a este desenlace no se resolvió el 21 de enero, pues el sucesor designado como la autoridad real —el pueblo soberano— no fue mucho más capaz que Luis XVI de reconciliar la libertad con el poder.

CUARTA PARTE

Virtud y muerte

16

¿Enemigos del pueblo?
Invierno-primavera de 1793

¿Qué había en Talleyrand? ¿Qué inducía a la gente y sobre todo a los británicos a compararlo con las formas de vida inferiores? Cuando supo que había llegado a Inglaterra en septiembre de 1792, el anciano Horace Walpole, que escribía desde Strawberry Hill, aludió a su persona como «la víbora que se desprendió de la piel». Cuando supo que a Talleyrand se le había visto en compañía de madame de Genlis, dijo de la pareja que eran «Eva y la serpiente», aunque confiaba en que «pocos se sentirían inclinados a saborear sus manzanas podridas».

Quizá la sarcástica serenidad que demostraba Talleyrand era lo que tanto provocaba a la gente. Ninguno de sus detractores modernos llegaría tan lejos como Napoleón, que, furioso por el aplomo de Talleyrand, le llamaría «un montón de mierda envuelto en una media de seda». Sin embargo, la celebridad de Talleyrand, apóstata clerical, cínico político y disipado amoral, le precedió en los salones de la sociedad británica culta. No era así, en absoluto, como él se veía a sí mismo en aquel entonces o después. Los actos que más se le reprocharon —su papel en la creación de una monarquía constitucional— a juicio del propio Talleyrand eran la expresión de convicciones consecuentes afirmadas con sinceridad. Creía que la falta de comprensión frente a su política era más lamentable, porque a principios del otoño de 1792 él aún abrigaba la esperanza de contribuir a impedir la guerra entre los dos países.

En todo caso, este fue el pretexto que le indujo a solicitar un pasaporte diplomático para pasar a Londres después de la revolución del 10 de agosto. Según dijo al Consejo Ejecutivo, se proponía renovar sus esfuerzos, comenzados durante la primavera, para conseguir mantener la neutralidad británica. Ahora que Francia afrontaba la hostilidad de Prusia y la de Austria, este paso parecía más indispensable que nunca para su supervivencia. Sin embargo, las memorias de Talleyrand demuestran claramente que la violencia del 10 de agosto le había persuadido de que los ciudadanos-nobles asociados con la revolución constitucional no solo sobraban políticamente, sino que corrían peligro de muerte.

Durante los días que siguieron al derrocamiento de la monarquía, muchos de los viejos amigos de Talleyrand se habían convertido en fugitivos. Stanislas Clermon-Tonnerre, que, al regresar a su casa, la encontró saqueada por los que buscaban un mítico depósito de armas, fue perseguido por una turba hasta el cuarto piso de la casa de madame de Brissac. Allí le dispararon y arrojaron su cuerpo por la ventana a la calle. Louis de La Rochefoucauld, arrestado en Forges-les-Eaux, fue sacado de su carruaje en Gisors, lapidado frente a su esposa y su madre, y despedazado con sables y hachuelas. Su primo, De La Rochefoucauld-Liancourt, que era comandante de la guarnición de Ruán, había intentado convocar a sus tropas en defensa del rey. Enfrentándose a gritos hostiles de «Vive la Nation», escapó de Normandía tras incautarse de una pequeña embarcación cerca de Abbeville. Oculto con su criado bajo las redes y las pilas de madera, con una pistola colocada en el costado del reacio pescador, Liancourt zarpó y se adentró con su embarcación en la densa niebla, siguiendo la dirección aproximada de la costa inglesa. A veces parecían tan perdidos que su criado estaba convencido de que volvían de nuevo hacia Francia. Tocaron tierra cerca de Hastings y, desde allí, los dos hombres caminaron hasta una taberna y pidieron jarras de cerveza negra. Después, Liancourt se desmayó, a consecuencia de la combinación de la fuerte cerveza y del agotamiento, y se despertó en una sombría habitación. Durante un momento, dominado por el pánico, temió haber regresado otra vez a Francia. Se fue tranquilizando poco a poco, reunió todo su valor y concluyó pocos días más tarde en East Anglia, donde Arthur Young estaba correspondiendo a la hospitalidad del duque con sermones acerca de la irresponsabilidad que le había llevado directamente a su difícil situación. Fanny Burney le vio como un romántico derrotado, «envuelto en nubes de tristeza y cavilación», que por pura cortesía se imponía entretener a los regidores de Bury Saint Edmunds con la historia repetida hasta la saciedad de su anuncio al rey, en julio de 1789, de que en efecto Luis estaba enfrentado a la Revolución.

En una actitud característica, Talleyrand mantuvo su sangre fría al mismo tiempo que hacía todo lo posible para asegurarse una salida segura y rápida. El 31 de agosto Danton le llamó al Ministerio de Justicia, en el lugar que ahora ocupa la place de Piques, para entregarle su pasaporte. Barère le encontró allí tarde por la noche, con un aire indiferente, vestido con calzones y botas de cuero, con los cabellos recogidos en una coleta, como si se preparase para un largo viaje; pero la oficina de Danton no expidió ningún pasaporte esa noche o durante las siguientes. Temeroso de que algún estúpido, por broma o por rencor, le saludase en público llamándole «el obispo», Talleyrand soportó inenarrables angustias durante la semana de las masacres en las prisiones, hasta que, al séptimo día, al fin llegó el valioso documento. En los puertos del Canal se abrió paso entre las turbas de curas asustados que intentaban conseguir pasajes para Inglaterra o para Irlanda. Solamente ese mes setecientos salieron de Dieppe y Le Havre.

Aunque Talleyrand se instaló sano y salvo en la calle Woodstock, de Kensington, su posición oficial continuó siendo insegura. Las cartas credenciales de la embajada francesa ante la corte de Saint James se habían visto perjudicadas a causa de la transformación del país en república, de modo que el recibimiento que Talleyrand obtuvo de funcionarios como Grenville, secretario de Estado, fue incluso menos cordial que en la primavera. Más aún, la línea pragmática y defensiva que adoptó en un memorándum a París escrito a principios de octubre no concordaba con el tono cada vez más mesiánico de la Convención Nacional. «Hemos sabido —escribió con optimismo— que la única política que conviene a los hombres libres e ilustrados es reinar soberanos sobre sus propios asuntos y no alimentar la ridícula pretensión de imponer su voluntad a otros. El reino de las ilusiones —se refería a la sed real de conquistas— por lo tanto ha concluido para Francia.»

De hecho, una nueva era de ilusiones, que en su agresividad no se distinguía de la antigua, acababa de comenzar. Para los que utilizaban esa vociferante retórica, la moderación pragmática de Talleyrand debía de parecer sospechosa. El 5 de diciembre se anunció en la Convención que ciertos documentos comprometedores que le relacionaban con el encargado del presupuesto de la casa real (La Porte) habían sido descubiertos en el *armoire de fer*. En una actitud muy valiente, su antiguo ayudante Desrenaudes publicó un memorándum en el cual negó que Talleyrand hubiese mantenido contactos de ese tipo con la corte; y en efecto la prueba era dudosa. De todos modos, se le incluyó en la lista de emigrados proscritos. Se publicaron órdenes de arresto, incluso una descripción que pedía a los ciudadanos que prestasen atención a todas las personas que cojearan «del pie izquierdo o del derecho».

Siempre un intruso, Talleyrand carecía ahora de nación, pero no de amigos. Aunque rechazado por la sociedad conservadora de Londres, su persona irradiaba una especie de temerario hechizo que atraía al ala radical de los *whigs*, que se aferraban tenazmente a su entusiasmo por la revolución constitucional. Así, fue muy bien recibido por Charles James Fox y por el dramaturgo Sheridan, así como por los partidarios de la London Revolution Society (así llamada en conmemoración de la de 1688). Sentado a la mesa de Fox, Talleyrand, paradójicamente, se sintió impresionado por la elocuencia del orador británico cuando le vio conversar con el lenguaje de signos con su hijo ilegítimo sordo.

Era un extraordinario momento para vivir en Inglaterra, pues el país era presa de una intensa agitación política. En Escocia e Irlanda, los clubes y las sociedades que se solidarizaban públicamente con la Revolución habían adoptado una actitud desafiante y convocaban a convenciones. En ciudades de provincias como Sheffield y Mánchester, todas las semanas se celebraban asambleas para exigir la reforma constitucional y leer la segunda parte de *Los derechos del hombre*, de Tom Paine, con su sorprendente reclamación de la creación de un Estado de bienestar. Es muy posible que la circulación del panfleto alcanzara la cifra de cientos de miles de ejemplares. En la capital, la London Corresponding Society había enviado saludos fraternales al foro de la Convención de París. Y oponiéndose a esta ola de peligroso descontento, una organización realista, la Association for the Preservation of Liberty and the Property estaba entrenando a milicias de voluntarios en los condados.

Es probable que para Talleyrand ambos extremos de la opinión fuesen tan poco atractivos como le habían parecido en Francia. Su visión de los hechos no estaba lejos de la que tenía el inspirado caricaturista James Gillray, cuyas denuncias gráficas, tanto de la jacobinofobia británica como de las atrocidades de los *sans-culottes* franceses, eran imparcialmente crueles. El *Zenith de la libertad francesa,* publicado por la época de la ejecución de Luis, con su *sans-culotte* que muestra el trasero literalmente desnudo sentado en una *lanterne*, de la cual cuelga un sacerdote, no se alejaba mucho de la visión increíblemente ácida que Talleyrand tenía del destino de la Revolución. Escribió una relación en la que condenaba los acontecimientos recientes a su antiguo amigo Shelburne, elevado ahora al estatus de marqués de Lansdowne y todavía el protector más amable de los ciudadanos-nobles franceses en el exilio.

> En momentos en que todo ha sido desfigurado y envilecido, los hombres que permanecen fieles a la libertad, pese a la máscara de sangre y suciedad con que las atrocidades la han cubierto, forman un grupo excesivamente reducido. Atrapados durante dos años entre el terror y el desafío, los franceses se han acostumbrado a la esclavitud y dicen únicamente lo que puede decirse sin peligro. Los clubes y las picas, que sofocan cualquier iniciativa libre, han acostumbrado a la gente al disimulo y a la bajeza, y, si se permite que el pueblo asimile estos lamentables hábitos, gozará solo de la felicidad de cambiar de tiranos. Desde los jefes de los jacobinos hasta los más honrados ciudadanos se someten a los cortadores de cabezas; no resta hoy nada más que una cadena de maldades y mentiras, de la cual el primer eslabón se hunde en la inmundicia.

El dolor solo se veía apaciguado por el *ennui*. En la calle Woodstock, rodeado por la biblioteca que prudentemente había enviado antes y consolado por Adélaïde de Flahaut, Talleyrand se adaptó a una tediosa rutina. Por la mañana trabajaba en una biografía del duque de Orleans o, lo que le parecía más grato, en sus propias memorias. Adélaïde había terminado su novela *Cécile de Senange* y él le ayudaba a corregir las pruebas. Por las tardes, podía ir a la calle Half-Moon para visitar a madame de Genlis y a la hija de dieciséis años de Orleans, también llamada Adélaïde, que vivían tan modestamente que se dedicaban a confeccionar sombreros de paja, como aquellos que se habían puesto de moda gracias a los retratos de Elisabeth Vigée-Lebrun.

Había un solo punto luminoso en este grisáceo exilio. Periódicamente Talleyrand subía a la diligencia que se dirigía a Worthing Road y viajaba al sur, a Surrey Downs. A unos ocho kilómetros al norte de Dorking, cerca de la aldea de Mickleham, Germaine de Staël había alquilado una casa georgiana, conocida como Juniper Hall, y allí se reunía el resto del club de 1789, al que acudía en particular su inconstante amante Narbonne. Aunque ella no llegó a Inglaterra antes de enero de 1793, la casa estaba abierta para cualquiera de sus viejos amigos de París que deseara residir allí y, en muchos casos, Juniper Hall se convirtió en un apacible refugio que permitía defenderse de la pobreza y el hastío. Entre los invitados habituales estaban Lally-Tollendal, Mathieu de Montmorency, Beaumetz, Jaucourt y su amante la célebre vizcondesa de Châtre, Stanislas Girardin (que, naturalmente, exigió que le enseñaran el único lugar de la región relacionado con el recuerdo de Rousseau) y el general D'Arblay, segundo de Lafayette en 1789. La sociedad de Surrey, de Leatherhead a Reigate, se dividía tajantemente entre los que escandalizaban y los que se sentían fascinados. Si se oían murmuraciones en Fetcham y West Humble, en la propia Mickleham los Locke de Norbury Park agasajaban con frecuencia a la colonia francesa. Allí encontraban a la señora Susanna Phillips, hija del doctor Charles Burney, musicólogo.

En noviembre Fanny, hermana de la señora Phillips, que entonces tenía cuarenta años, atraída irresistiblemente por un grupo social y culturalmente tan exótico, realizó su primera visita. «Es imposible concebir nada más encantador y fascinante que esta colonia», escribió a su padre, que se sentía preocupado en vano por el efecto que podía tener sobre la moral de su hija el contacto con las costumbres francesas. Como casi todos los demás miembros del círculo de Lansdowne, sintió una instantánea antipatía hacia Talleyrand, pero muy pronto cayó bajo el hechizo de su enorme encanto. «Es inconcebible cómo M. de Talleyrand me ha convertido. Creo ahora que es uno de los miembros más refinados y encantadores de este conjunto exquisito. Su capacidad para entretener resulta asombrosa, tanto en lo que se refiere a lo mucho que sabe como a la ironía.» Se sintió muy impresionada por la manifiesta indiferencia del grupo frente a los toscos placeres de la nobleza de Surrey y la despreocupada viveza con la que se enredaban en toda clase de discusiones: acerca de la historia (sobre todo la propia), el teatro, la poesía y la filosofía.

Aún más sorprendente era la medida en que todos practicaban estos juegos intelectuales inspirándose en la propia Germaine de Staël. La escuchaban leer fragmentos de su *Carta sobre el carácter y las obras de Jean-Jacques Rousseau*, así como de su radical ensayo en defensa del suicidio: *Reflexiones sobre el suicidio*. En una actitud muy suya, Talleyrand elogiaba el trabajo, pero criticaba el modo en que ella lo leía, con una especie de canturreo, como si, decía con escasa amabilidad, hubieran sido versos. Más difícil para Fanny fue la versión que ofreció Lally de su propio drama histórico: *La muerte de Strafford*. Advirtió que durante la cena él mascullaba los versos para sí, porque deseaba recitarlos de memoria poco después. La lectura estaba a punto de comenzar cuando se notó la ausencia de D'Arblay. Tras dejar pasar el tiempo, Germaine quiso empezar, pero Talleyrand protestó, dijo: «Cela lui fera de la peine» y salió cojeando en busca del ausente.

Era característico de la inocencia de Fanny con respecto a este grupo que supusiera que Talleyrand estaba realizando un benévolo acto al obligar a D'Arblay (que casi con toda seguridad se había escondido en un rincón con una botella de oporto) a asistir a la representación de Lally. Los «aullidos y retumbos alternados de su voz [...] me cansaron muchísimo», reconoció la dama, pero nunca se le pasó por la cabeza que Talleyrand se hubiera mostrado travieso al sugerir la retirada del soldado. También se sintió muy conmovida por la profunda melancolía en que se sumió el grupo cuando se enteró de la ejecución del rey, por lo que no tuvo tiempo de percibir las sutiles estrategias de la política sexual de los distintos miembros. Jaucourt y la vizcondesa de Châtre, así como Narbonne y Germaine, convivían abiertamente. A los veintisiete años Germaine no era una belleza clásica, pero había madurado hasta convertirse en una mujer rozagante y vivaz, cuya personalidad brotaba de su cuerpo como un perfume muy intenso. Parece que todo el asunto desbordaba a Narbonne (cuyo hijo ella había dado a luz en Ginebra el mes de noviembre anterior) y, además, le ofendía el chantaje moral con el que ella le amenazaba: si él realizaba su propia y trágica fantasía de ir a París para atestiguar en defensa del rey, se suicidaría. Cuando se desencantó frente a madame de Staël, esta comenzó a cultivar de nuevo su relación con Talleyrand, tanto para provocar a Narbonne (sin éxito) como para liberarlo de Adélaïde de Flahaut, a quien, sin duda, madame de Staël profesaba cierta antipatía.

En la inolvidable caracterización de Duff Cooper (y él, seguramente, sabía a qué atenerse), fue como si *Las amistades peligrosas* hubiesen sido transportadas al paisaje de *Sentido y sensibilidad*. Durante mucho tiempo, a su vez, un tanto fascinada por el galante D'Arblay, Fanny se mostró maravillosamente ingenua con todas estas intrigas. Ante un gesto más del dedo admonitorio del doctor Burney, ella respondió indignada: «Creo que no podrías pasar un día con ellos sin advertir que la relación que mantienen es la de una amistad pura pero exaltada y, además, elegante». Cuando al fin comprendió la verdad, rechazó con ultrajada frialdad a Germaine, que la había aceptado bajo su amplio manto protector. Sin embargo, D'Arblay fue salvado de esta guarida de desmanes gracias al matrimonio con la virtuosa Fanny y vivió el resto de sus días como una encantadora curiosidad entre los caballeros ingleses.

Quizá había cosas peores que casarse con Fanny Burney. En marzo, el apuro en que se encontraba Talleyrand se agravó pronto. Carecía de ingresos y se vio forzado a vender su biblioteca por la irrisoria suma de setecientas cincuenta libras esterlinas. Abandonó su casita de la calle Woodstock y pasó a habitaciones más pequeñas en Kensington Square. El 13 del mes fue proscrito de forma oficial en Francia, lo que se tradujo en que no solo su propiedad, sino la de su familia, pasaba a manos de la República. Finalmente en mayo, según los términos de la ley de Extranjeros que otorgaba al Gobierno atribuciones sumarias para poder deportar, se comunicó a Talleyrand que debía abandonar Gran Bretaña por ser considerado un indeseable político. Germaine ya había regresado a Suiza para restablecer lazos con su hijo Albert, a quien había dejado a la edad de cinco semanas para reunirse con Narbonne en Surrey. Aunque ella buscó un lugar que permitiese a Talleyrand vivir cerca, él recibió muestras, tanto en Ginebra como en Florencia (también había pensado trasladarse a esta ciudad), de que su presencia no sería bienvenida. Solo quedaba América como posibilidad. Provisto de cartas de presentación de Lansdowne a George Washington y Alexander Hamilton, se embarcó en el *William Penn*. Apenas había partido, el barco casi naufragó durante una violenta tempestad en el Solent y Talleyrand llegó a temer que las aguas le arrojaran contra la costa francesa. Sin embargo, la nave consiguió capear el temporal y, antes de reanudar el viaje, entró en el puerto de Falmouth para realizar reparaciones. Allí Talleyrand conversó con otro héroe caído, con el que pudo comparar un gran número de comentarios sobre la ingratitud y la incomprensión del mundo ignorante. Así fue como el general Benedict Arnold envió a América al exobispo Maurice de Talleyrand.

Parece improbable que Talleyrand creyese que su carrera pública había concluido a la edad de treinta y nueve años. Confirmó a Adélaïde de Flahaut que regresaría y pidió a Germaine que continuase buscando una casa junto al lago de Ginebra; pero por el momento era, desde luego, una baja de la guerra contra Gran Bretaña, un hecho que él siempre había creído desastroso para los intereses franceses. Su única esperanza había sido que Dumouriez heredase la estrategia de Lafayette, que consistía en utilizar la popularidad militar de la que gozaba en el frente contra los jacobinos de París. En efecto, esa era la estrategia del general, pero durante el invierno de 1792-1793 la posibilidad de llevarla a cabo se alejaba cada vez más. Después de Jemappes, su plan era crear una República belga independiente que denegara los Países Bajos meridionales a los austriacos, al mismo tiempo que se abstenía de provocar la entrada de los británicos en la guerra. Este plan conllevaba apoyar al más conservador de los grupos políticos belgas, el de los «estatistas», contra los republicanos democráticos. Se había previsto cooptar a la élite belga que había encabezado la revuelta contra los austriacos, para evitar dejar marginada a la mayoría de la población ante la extensión del anticlericalismo francés en una de las zonas católicas más devotas y piadosas de Europa.

De hecho, era la única política con cierta posibilidad de asegurar la lealtad belga a Francia, pues, como bien comprendía Dumouriez, la rebelión contra Austria se había alimentado de la decisión de las provincias de «proteger» las instituciones tradicionales contra las reformas imperiales. Sin embargo, para los militantes de la Convención todo esto se parecía sospechosamente a la prolongación del compromiso Feuillant con la contrarrevolución. Se acusó a Dumouriez de que deseaba crear su propia base militar y política vendiendo a bajo precio la «liberación de Bélgica», repudiando a los auténticos revolucionarios franceses e intrigando con los aristócratas, los sacerdotes y los contratistas militares del país. Por ejemplo, su proyectado ejército belga francés sería financiado con un préstamo del clero, concedido con la condición de que sus miembros no se verían sometidos a la legislación clerical francesa. Según Dumouriez, este acuerdo era un compromiso razonable; según Cambon y sus críticos de la Convención era la prueba flagrante de una conspiración cesarista.

El decreto del 15 de diciembre estuvo destinado explícitamente a frustrar la política autónoma de Dumouriez, al someter su autoridad a los representantes de la Convención. La fuerza total de los decretos revolucionarios, incluso de los que se referían a la Iglesia, debía ejercerse en las provincias belgas. A finales de marzo de 1793, con su estrategia militar y política destruidas, Dumouriez se quejó amargamente a la Convención de que el inhumano menosprecio de esta por las diferentes sensibilidades locales había arruinado la campaña belga. Según afirmó, el pueblo belga se había visto «sometido a todas las formas posibles de humillación; se violaban los que, a su juicio, eran los derechos sagrados de la libertad; y se insultaba con insolencia su sentimiento religioso». La anexión de la provincia de Hainaut había sido justificada por una «Convención» espuria, que, en realidad, afirmaba Dumouriez, estaba formada como mucho por veinte individuos autoproclamados en Bruselas. Luego se había despojado de su vajilla a las iglesias para pagar la «liberación». «Después, habéis considerado franceses a los belgas, pero, incluso si lo hubieran sido, aún habría sido necesario esperar hasta que esta vajilla hubiera sido entregada como un sacrificio voluntario. Sin esa predisposición, el secuestro mediante la fuerza fue a sus ojos nada más que un sacrilegio.»

Naturalmente, la crítica de Dumouriez a la política francesa en Bélgica no dejaba de perseguir su propio y particular interés. La Convención había saboteado sus planes destinados a crear una base de poder en los Países Bajos y la derrota militar los había desbaratado por completo; pero, a pesar de su interés personal, su comentario sobre el comienzo del imperialismo revolucionario francés era absolutamente exacto.

En todo caso, parece seguro que la nueva política de anexiones y de agresivo expansionismo revolucionario determinó que Gran Bretaña se acercara de forma decisiva a la guerra. La política de rigurosa neutralidad sostenida tanto por Pitt como por Grenville había sobrevivido al derrocamiento de la monarquía francesa. Incluso a finales de octubre, estos hombres no veían suficientes razones que les indujesen a modificar esa posición. Sin embargo, la decisión francesa de abrir a la navegación el río Escalda el 16 de noviembre, que desafiaba el tratado de Westfalia de 1648, representaba un reto mucho más provocador. Al final de la prolongada guerra neerlandesa contra España por la independencia, se había cerrado el paso por el río como una deferencia hacia el interés de Holanda, que deseaba impedir el renacimiento económico o estratégico de la ciudad portuaria de Amberes. Como los neerlandeses y los británicos habían llegado a convertirse en aliados contra Luis XIV a finales del siglo XVII, el mantenimiento del cierre se había convertido en un artículo de fe en el sistema de ambos países que buscaba frenar el expansionismo francés en los Países Bajos. La abolición unilateral del tratado (y el envío río abajo de una cañonera francesa) se convirtió en la mejor prueba de la validez del compromiso británico con un aliado y de su decisión de preservar el *statu quo*. Más aún, hubo otras muestras de que el «derecho natural» y las «fronteras naturales» vendrían a desplazar la convención diplomática tradicional. El 27 de noviembre, Saboya, que había sido ocupada por las tropas de Montesquiou desde mediados de octubre, fue anexionada de manera oficial después de que una «Convención de los alóbroges» votara el derrocamiento del rey de Cerdeña y la «reunificación» de la provincia con Francia. Un día después Grégoire, presidente de la Convención, saludó los mensajes fraternales procedentes de Londres con el anuncio de que «sin duda, está cerca el momento en que los franceses enviarán felicitaciones a la Convención Nacional de Gran Bretaña».

El 1 de diciembre, el Gobierno de Pitt aprobó un decreto de movilización de la milicia británica para afrontar el desafío de los desórdenes internos y como anticipo de las hostilidades; pero su más urgente preocupación no era tanto la revolución en el interior como en la República Holandesa. Pues, aunque el reclutamiento eficaz de una milicia realista había infundido confianza al Gobierno, de modo que creía que podría contener la ola de entusiasmo revolucionario en Inglaterra (sentía menos confianza con respecto a Escocia e Irlanda), temía que el régimen del Stadtholder, restaurado por las tropas prusianas en 1787, estuviera a un paso del desplome. El resurgimiento de la política patriota en los Países Bajos proporcionaría a los franceses una ocasión inmejorable. Las «fronteras naturales» se extenderían hacia el norte, más allá del Mosa, o Dumouriez conseguiría reinstaurar los viejos Grandes Países Bajos con 17 provincias, un sueño que venía acariciando desde hacía tiempo. En cualquiera de ambos casos, el compromiso asumido por los británicos de mantener el Gobierno del príncipe de Orange se convertiría en una mera ficción.

Por lo tanto, el Gobierno británico avanzó hacia la guerra, no por el hecho de que deseara intervenir en la política francesa, por detestable que le pareciese la República. En realidad, en vísperas de Jemappes, Grenville tenía una posición inteligente, pues estaba convencido de que lo peor que podían hacer los enemigos del republicanismo era intentar una guerra de intervención que inevitablemente provocaría una posterior reacción del mesianismo patriótico. «Es ineludible que me mantenga en el convencimiento de que el restablecimiento del orden en Francia, sea cual fuere su forma, debe lograrse solo por medio de un prolongado curso de luchas internas.» Sin embargo, desde el punto de vista del equilibrio del poder y de la estabilidad europea, resultaba esencial que el explosivo poder del desorden revolucionario se viese totalmente cercado en los límites de la propia Francia. Sorprendentemente, Jorge III parecía opinar lo mismo y comentaba a su secretario de Estado que «solo la paz puede aportar una base permanente a la Revolución francesa, pues entonces todos los Estados europeos deberán reconocer a la nueva República». En diciembre, Grenville invitó a la emperatriz rusa Catalina a unirse a la reclamación del «retiro de sus armas [francesas] dentro de los límites del territorio francés, el abandono de sus conquistas, la anulación de todos los actos lesivos para otras naciones y la declaración pública e inequívoca de su compromiso de abstenerse en adelante de fomentar perturbaciones y originar desórdenes contra sus propios gobiernos». Y añadía que, si se aceptaban esas garantías, las potencias «podían comprometerse a abandonar las medidas o los planes hostiles contra Francia».

Sin embargo, un agresivo discurso pronunciado el 1 de enero por Kersaint, el héroe naval de la guerra estadounidense, sugirió que, lejos de que la Convención aceptara este tipo de pragmatismo defensivo, ya pensaba que era necesario, y al mismo tiempo inevitable, un conflicto con el Imperio británico. La alocución de Kersaint estaba colmada de fraternos pensamientos que eran hijos de su anhelo y no solo imaginaba a los escoceses y a los irlandeses, sino también a los *sans-culottes* ingleses al borde de la insurrección. Del mismo modo que Brissot había insistido un año antes en que los podridos despotismos de Austria y de Prusia serían presa fácil, ahora Kersaint dijo a la Convención que la aparente hegemonía del Imperio británico descansaba en el cimiento frágil e inestable de la deuda nacional y en la colaboración con un puñado de banqueros. Gran Bretaña era vulnerable en la India meridional y en el Caribe, su Parlamento era un cuerpo quisquilloso, su primer ministro un individuo cruel y su rey estaba loco. Una invasión bien planeada sin duda sería recibida por la ciudadanía británica con un gran y general entusiasmo, de modo que «sobre las ruinas de la torre de Londres [quedaba claro se le asignaba el papel de la Bastilla londinense] [...], Francia concertará con el pueblo inglés liberado el tratado que orientará el futuro desarrollo de las naciones y que afirmará la libertad del mundo».

Incluso este género de reelaboración mesiánica del tradicional patriotismo francés anglófobo no fue para el Gobierno británico una demostración concluyente de que no podían entablarse negociaciones razonables con la Francia revolucionaria. Sin embargo, la ejecución de Luis XVI suscitó un efecto profundamente sobrecogedor en Londres. Pitt afirmó que era «el acto más horrendo y atroz que el mundo ha visto jamás» y Grenville escribió al embajador británico en La Haya para informarle de que el público de los teatros exigió que se bajase el telón al enterarse de la noticia. Incluso más que la aversión moral sentida por la mayor parte de la élite británica, lo que determinó que la totalidad de las restantes discusiones se convirtiesen en un ejercicio ocioso fue la sensación por parte del Gobierno británico de que ahora estaba tratando con un fenómeno de barbarie e irracionalidad incontenibles.

Solo quedaba una última posibilidad, como señaló Talleyrand a Grenville el 28 de enero: que Dumouriez realizara su propia política exterior con independencia, si era necesario, de la Convención. En efecto, parecía que Dumouriez contaba con la consideración del ministro de Relaciones Exteriores Lebrun. Se ordenó a Chauvelin, embajador en Londres, que comunicase a Grenville y a Pitt que la promesa de «liberación» contenida en el decreto del 19 de noviembre de la Convención no era un cheque en blanco para la insurrección. Más bien indicaba que, una vez liberados por sus propios medios, dichos «pueblos» podían esperar razonablemente que Francia los defendiese. Sin embargo, el asunto en apariencia sin importancia del Escalda se convirtió en el símbolo de la intransigencia de ambas partes. Los franceses justificaron la apertura del río a la libre navegación como un «derecho natural» no negociable; los británicos, su cierre como un asunto relacionado con el acatamiento de los tratados internacionales. ¿Qué sucedería si se permitía que los franceses modificasen esos tratados de acuerdo con su capricho, para convertirse en árbitros de lo que era y no era permisible en las relaciones entre los Estados? Cuando Hugues Maret llegó a Londres con propuestas de Dumouriez acerca de una pacificación negociada, Grenville creyó que se trataba nada más que de una táctica para ganar tiempo. El 1 de febrero, antes de que el enviado pudiese explicar el plan, la Convención declaró la guerra a Gran Bretaña y a la República Holandesa.

Se necesitó muy poco tiempo para advertir que se trataba de un terrible error. Ante la posibilidad de la guerra, Dumouriez se había esforzado por evitar una complicada operación anfibia en Zeeland. Sin embargo, la ruta meridional que él prefería, a través del Brabante neerlandés, era casi igual de complicada, pues imponía asediar de manera forzosa las fortificaciones de Maastricht, Geetruidenberg y Breda, antes de cruzar los ríos que llevaban al sur de Holanda. Y lo que era todavía más inquietante, las líneas francesas ya estaban excesivamente extendidas incluso antes de la invasión neerlandesa. Después de Jemappes, los voluntarios que habían respondido a las llamadas patrióticas del otoño de 1792 habían regresado a sus casas, de modo que la fuerza efectiva del ejército había quedado reducida a la mitad. Aprovechando la debilidad de las posiciones adelantadas francesas, los austriacos y los británicos habían conseguido abrir una brecha entre los ejércitos del Mosela y el Rin en Alemania y la fuerza principal de Dumouriez en Bélgica.

Ahora que Maguncia se encontraba sitiada, existía un excesivo número de circunstancias imprevisibles (y un excesivo número de austriacos y prusianos) para poder contemplar un sistemático avance hacia el interior de la República Holandesa. Mientras Dumouriez plantaba un Árbol de la Libertad en la plaza principal de Breda, el 26 de febrero, después de una semana de asedio, el general Miranda, en el sur, estaba detenido frente a Maastricht, que contaba con importantes refuerzos de los prusianos. El 1 de marzo, Miranda se enteró de que un ejército de cuarenta mil hombres, casi el doble de los que él dirigía, había cruzado el río Roer a sus espaldas. Miranda se apresuró a retroceder y a abandonar Maastricht, y al día siguiente libró un caótico combate. Las repetidas cargas de caballería de los austriacos destrozaron a sus voluntarios. Hacia el final del día, los franceses habían sufrido la pérdida de más de tres mil muertos y heridos, en comparación con las cuarenta bajas de los austriacos.

Durante la semana siguiente Dumouriez trató de reparar lo que eufemísticamente describió como *un échec* en su mensaje a la Convención. Dejó su fuerza expedicionaria en Holanda y concentró la atención en el refuerzo de la posición defensiva de Miranda y en ciertos movimientos drásticos destinados a reconciliar a los belgas. Procedió a cerrar los clubes jacobinos, revocó los decretos revolucionarios y envió una fulminante carta de queja a la Convención. Se trataba de un ensayo preciso del bonapartismo, pero llegaba demasiado pronto a Francia y demasiado tarde a Bélgica. Como en el caso del bonapartismo, la política del atrincheramiento no significaba nada sin el éxito militar. Y el 18, en Neerwinden, el ejército de Dumouriez, primero, no consiguió desalojar a los austriacos y, después, cedió ante el contraataque. Con la fuerza expedicionaria tratando de forma desesperada de salir de Holanda, toda la posición francesa en los Países Bajos, al sur y al norte, se derrumbó en pocos días.

El 23 Dumouriez entabló negociaciones con Coburgo para evacuar Bélgica, con la condición de que no se agrediera a su ejército. El comandante austriaco aceptó estas condiciones, porque quedaba patente que Dumouriez se proponía utilizar sus tropas contra la propia Convención. Al día siguiente, en un movimiento lamentado por pocos miembros de la población belga, los franceses salieron de Bruselas y, hacia el último día del mes, habían vuelto a cruzar la frontera. Cosas mucho peores vendrían. El general Beurnonville, ministro del Ejército enviado al frente para investigar la conducta de Dumouriez, fue arrestado a su vez con los comisionados que le acompañaban y entregado a los austriacos. Durante los primeros días de abril, Dumouriez intentó persuadir a sus propias tropas de que se uniesen a los aliados en una marcha sobre París. Por mucho que los soldados desconfiaran de la Convención, su descontento no llegaba a la traición, ni mucho menos. De modo que el 5 de abril Dumouriez, como Lafayette antes que él, cabalgó hacia las líneas austriacas, acompañado por un puñado de altos oficiales, entre ellos el duque de Chartres, hijo de Philippe-Égalité y futuro Luis-Felipe.

Cuando la noticia de esta traición llegó a París, pareció confirmar las versiones más exageradas de la teoría de la conspiración. Con una mirada retrospectiva, los jacobinos sobre todo llegaron a la conclusión de que toda la expedición a Holanda había sido un plan premeditado por Dumouriez para entregar el ejército a Austria. Como la espuria bandera blanca que había flameado en las torres de la Bastilla o la pausa en los disparos procedentes del castillo de las Tullerías, había sido un intento planificado de llevar a la ruina a los patriotas. En una cultura revolucionaria, en la que la propia aristocracia se veía estigmatizada por su afición a las estratagemas y los engaños, esta última traición parecía coincidir con la práctica de los saboteadores de la «quinta columna» del Antiguo Régimen.

Para los que se mostraron escépticos frente al patriotismo de Dumouriez, no constituyó ninguna sorpresa descubrir que él había sido el responsable de la defensa militar de la Francia occidental; pues la misma semana en que la tricolor cayó abatida en el lodo flamenco de Neerwinden, el Departamento de la Vendée se alzó en una sangrienta insurrección contra la República.

Corazones sagrados. El alzamiento de la Vendée

La pequeña localidad y mercado de cereales de Machecoul estaba a unos veinte kilómetros del Atlántico. Poco después del alba, el 11 de marzo de 1793, Germain Bethuis, de siete años, se despertó por un sordo estampido, semejante al del mar embravecido; pero sus oídos infantiles le indicaron que no provenía del oeste, sino del norte, en dirección a la aldea de Saint-Philibert. El ruido se acentuó y el pequeño comenzó a asustarse. Durante las veladas de las mujeres y los niños que ayudaban a pasar las largas noches de invierno, algunas de las campesinas más ancianas habían hecho inquietantes vaticinios sobre combates y derramamientos de sangre, anunciados por las nubes que se agrupaban formando siniestros dibujos y que aparecían teñidas con matices muy poco naturales. Mientras atisbaba la fina bruma matutina de la Vendée, Germain creyó que alcanzaba a distinguir una aparición de esa clase —más oscura que la niebla— que avanzaba lentamente por los campos hacia la localidad. Su padre, un notario de treinta y dos años, miembro de la administración del distrito, estaba todavía acostado cuando su hijo corrió a despertarle. «Papá, hay una nube negra y atronadora que se acerca al pueblo», le dijo. Sin embargo, el sol había disipado ahora la bruma para revelar a una compacta muchedumbre de miles de campesinos, armados con horquetas, cuchillos para desollar, ganchos, hoces y buen número de escopetas de caza. Según el recuerdo del propio Germain, «los atroces gritos de la gente bastaban para sembrar el terror».

El padre corrió a reunir al puñado de guardias nacionales que se habían agrupado deprisa en la calle principal, y plantó cara a la multitud, formada quizá por unos tres mil campesinos. Los guardias eran casi todos hombres mayores y adolescentes, pues Machecoul había generado su cupo de reclutas militares requeridos por el plan de la Convención, según el decreto del 24 de febrero, que establecía la formación de un ejército de trescientos mil hombres. En realidad, la aparición de los oficiales que reclutaban en las aldeas del Anjou meridional había desencadenado una serie de alzamientos espontáneos en toda la región. En Machecoul, correspondió al anciano presidente de la administración del distrito y director del colegio local, el doctor Gaschinard, enfrentarse a la amenazadora turba. Como maestro de escuela, soltó lo que Bethuis recordaba como «un discurso conmovedor» («un discours pathétique») contra la violencia. Según dijo, para corresponder a la petición de los campesinos, entregaría las llaves de la torre del reloj de la iglesia, si por su parte ellos prometían no dañar a los habitantes del pueblo.

Sin embargo, cuando comenzó a sonar el toque a rebato, resultó imposible cumplir con la promesa. La señal de alarma atrajo a Machecoul a los campesinos de todas las aldeas circundantes y la multitud, agrandada de este modo, se convirtió en una caótica turba. Maupassant, el oficial que había llegado a Machecoul para supervisar los sorteos con destino al ejército, ordenó a los guardias que se mantuviesen firmes, pero la mayoría rompió filas y huyó. Mientras intentaba razonar con los líderes de la turba, fue asesinado con un golpe de pica que le atravesó el corazón. Ya no se podía controlar el desorden. La gente saqueó las casas de todos los que reconocían el gobierno local. Los hombres que encontraron dentro de aquellas eran arrastrados a la calle y golpeados salvajemente al son del *hallali* de los cazadores, emitido cuando acorralaban a la presa. El sacerdote constitucional Le Fort fue arrancado de su iglesia y le cortaron la cara con una bayoneta durante diez minutos antes de rematarlo. Más de cuarenta hombres fueron asesinados en la calle y otros cuatrocientos fueron rodeados y llevados como prisioneros al convento Calvairienne.

Durante un rato Bethuis *père* consiguió esquivar el avance de la multitud oculto en la casa de un amigo, a las afueras de la localidad. Se le aconsejó huir, pero se negó a abandonar a su familia y, tras enfermar, no solo regresó a su propia casa, sino que se acostó. Pronto se reunió con otros hombres en la improvisada cárcel de donde eran sacados de forma regular para someterlos al juicio sumario y la ejecución. Se formaron cadenas de prisioneros, a los que pasaron una cuerda bajo los brazos para crear los infames «rosarios», en los que los hombres eran arrastrados a los campos que se extendían fuera del pueblo; allí los obligaban a cavar zanjas y, después, los mataban a tiros, para que cayesen cerca de sus propias tumbas. El médico Musset fue puesto en la cuerda dos veces y otras tantas, salvado, antes de que lo ejecutaran en un último recuento del rosario. Desesperado ante su propio destino, Bethuis se arrojó desde una ventana del segundo piso y se rompió una pierna. La esposa rogó al comandante vandeano Charette que llamase a un médico para su marido (quizá el propio Musset). Sin embargo, aunque Charette había llegado en parte a Machecoul para imponer cierto orden en las indiscriminadas atrocidades que se estaban cometiendo, contestó a la mujer que «un hombre destinado a morir en unas pocas horas no necesita médico».

Bethuis murió con más de quinientos ciudadanos de Machecoul en las masacres más sangrientas perpetradas por los rebeldes vandeanos. El nombre de la localidad se convirtió en un santo y seña de la retórica republicana del salvajismo y de la inhumanidad de los rebeldes. Y hasta hoy, la historia de la Vendée puede dividir a los historiadores y a los lectores franceses más categóricamente que casi todos los otros hechos de la Revolución. Lo que impresiona de inmediato al historiador no francés es la semejanza de los horribles episodios de Machecoul con actos comparables de venganza violenta perpetrados por el bando republicano. Como las masacres de septiembre, los actos sanguinarios comenzaron con una incontrolable y espontánea necesidad de imponer un castigo público y brutal a los hombres que simbolizaban males intolerables y amenazas inmediatas; es decir, a los que eran ajenos a la cultura del hogar y la casa. Como las masacres de septiembre, el estallido de la ira popular fue rápidamente orientado y controlado, y hasta recibió cierto tipo de forma legal espuria. En Machecoul, el equivalente de Maillard fue el *procureur* Souchu, que presidió las actuaciones procesales que llevaron a la muerte de los prisioneros. Charette ocupó un lugar similar al de Danton: el juez y señor de la guerra dotado presuntamente de la autoridad necesaria para detener los crímenes, pero poco deseoso de proceder y en definitiva sin ninguna capacidad de maniobra.

La brutalidad del alzamiento de la Vendée, así como de su represión, fue un producto del lenguaje maniqueo de la guerra revolucionaria. El «conmovedor discurso» del doctor Gaschinard fue un intento de devolver a ambos bandos la conciencia de su fraternidad común como franceses. Sin embargo, los dos bandos se habían acostumbrado tanto a los estereotipos de condena, que aludían a los monstruos y a las encarnaciones del mal, que la razón se derrumbaba terriblemente ante estas mutuas demonizaciones. Un mes antes del alzamiento, el tejedor de tapices Laparra, presidente del club revolucionario local, la Sociedad de los Amigos de la Libertad y la Igualdad de Fontenay-le-Comte, describía a los sacerdotes y los aristócratas refractarios como

> un monstruo de varias cabezas que asola Francia. El golpe terrible que habéis asestado [la ejecución del rey] ha eliminado la cabeza principal, pero aún no ha muerto este monstruo que devora a todo el universo.

Al instar a la Convención a practicar las ejecuciones más ejemplares, Laparra se entusiasmaba con el tema: «Golpead, asestad grandes golpes contra estas infames cabezas que sin la más mínima compasión arrancan el pecho de su propia madre [Francia] [...], que el hacha vengadora caiga sobre ellos, de modo que la muerte de estos antropófagos sea un ejemplo terrible a sus imbéciles cómplices [...], arrojadlos, arrojadlos desde las alturas de la roca Tarpeya». El autor creía que un buen comienzo era ejecutar a dos de estos devoradores de hombres en la capital de cada departamento de la República.

Del mismo modo, los rebeldes de la aldea de Doulon anatematizaban a los republicanos: «Mataron a nuestro rey, expulsaron a nuestros sacerdotes, vendieron los bienes de nuestra iglesia, se comieron todo lo que tenemos y ahora quieren arrebatarnos los cuerpos [...], no, no los tendrán».

Tanto en la deshumanización retórica del enemigo como en la extrema ferocidad con que se libró la guerra, la Vendée anticipó un ciclo de alzamientos campesinos. Dondequiera que los ejércitos y los comisionados civiles de la Revolución se enfrentaron a un campesinado devoto dirigido por los sacerdotes conocidos en la localidad y por influyentes prelados, hallaron la misma y obstinada resistencia. Lo que comenzó en Francia occidental en 1793 se repitió en los disturbios de «Viva Maria» de Italia septentrional, en los «Sanfedisti» calabreses y en las rebeliones campesinas belgas, todas en 1799, así como en España en 1808. En cada caso, la autoridad del Gobierno republicano se encarnaba en los hombres de las ciudades y los pueblos, y en una minoría de fervientes políticos cuya retórica era aún más estridente por el hecho de estar aislada en regiones que en general no comulgaban con sus doctrinas.

En su obra clásica sobre el *pays des Mauges*, la subregión dividida por el río Layon, Charles Tilly vio el río como una frontera social y, al mismo tiempo, topográfica. Al norte y al este estaba el Val-Saumurois, una región bastante poblada y próspera, donde los agricultores y los hombres de las ciudades tenían un interés común en aprovechar la legislación revolucionaria sobre la venta de la propiedad eclesiástica. Los índices de alfabetización eran más elevados y las prácticas piadosas, más moderadas. La ciudad y el campo se yuxtaponían con menos dureza. En acentuado contraste, hacia el oeste y el sur, los Mauges mostraban una campiña más silenciosa, menos poblada, con túneles lodosos y caminos para carros que tenían que abrirse paso entre altos matorrales y densos bosques. En las pocas localidades de esta región, como, por ejemplo, Cholet y Chemillé, los empresarios textiles aprovechaban la necesidad de trabajo suplementario de los campesinos, que apenas podían subsistir, para contratarlos como tejedores con bajos salarios y duras condiciones de trabajo. Esa población de hecho estaba formada por campesinos urbanos más que por ciudadanos. Por tanto, en contraste con la situación del Val-Saumurois, la población rural de los Mauges veía la localidad como el lugar en que estaban los explotadores y los enemigos.

Inversamente, mientras que en la región más comercial los agricultores y los burgueses hacían causa común contra los nobles y una Iglesia inmensamente rica, en los Mauges, como en otras subregiones de la Vendée propiamente dicha, por ejemplo, el *bocage* boscoso y el Gâtiné, las líneas estaban trazadas, por así decirlo, de forma vertical más que horizontal. Contraponían una cultura rural de cohesión interior a un mundo urbano exterior, al que la Revolución había conferido los poderes del Estado. En ese mundo rural, la nobleza local parece que tuvo un carácter más residencial y provocó un resentimiento menos amargo que en otras regiones de Francia. Los violentos disturbios de 1789 habían sido escasos y espaciados. A causa del relativo aislamiento de unas aldeas con respecto a otras, la Iglesia y sus curas ejercían un papel que implicaba una influencia desproporcionadamente mayor. Bautizaban, casaban y sepultaban; educaban a los niños; ayudaban a los enfermos y a los desvalidos; y los domingos proporcionaban el único lugar donde los habitantes podían encontrarse y experimentar un sentimiento compartido de comunidad.

Como ha subrayado Jean-Clément Martin en la interpretación más reciente y más equilibrada de la revuelta, hubo otras regiones de Francia en que el rechazo a la Constitución civil fue tan vehemente y estuvo tan extendido como en el Anjou meridional y la Vendée. Sin embargo, en ninguna de aquellas los distintos componentes que contribuyeron al alzamiento súbito y violento lo hicieron exactamente del mismo modo. Por ejemplo en Flandes, la Picardía y regiones de Normandía, los índices de curas que no habían prestado juramento eran muy altos. (En los 8 distritos del Departamento del Nord, había solo 190 que sí habían prestado juramento contra 1.057 sacerdotes que no lo habían hecho.) Paradójicamente, los índices de rechazo con frecuencia eran más elevados en las ciudades que en el campo, donde los *curés congrues* disfrutaban de su estipendio y vivían mejor bajo la Revolución que con el Antiguo Régimen. Y lo mismo puede decirse del Midi, donde los índices de aceptación de la Constitución civil giraban en torno al 80 por ciento en las aldeas de la Provenza, mientras que ciudades enteras, como por ejemplo Arlés, continuaban siendo realistas y católicas, y fueron sojuzgadas solo mediante la fuerza militar. En Alsacia y Lorena, así como en Flandes y la Picardía, la hostilidad hacia el clero que sí había prestado juramento también fue muy intensa, pero estas eran zonas de guerra, salpicadas de ciudades con una dotación de nutridas guarniciones, que podían concentrar rápidamente fuerzas suficientes para impedir que los disturbios se convirtieran en grandes insurrecciones. Incluso en Bretaña, donde las condiciones eran muy parecidas a las que predominaban en la Vendée, la conspiración realista del marqués de La Rouërie pudo ser reprimida desde el principio gracias a la detención de los principales protagonistas y al uso de una fuerza de castigo suficiente para poder disuadir las manifestaciones populares.

En cambio, en la Vendée los representantes urbanos aislados de la República y del patriotismo jacobino estaban sumergidos en un gran océano de fervorosa devoción campesina. Más aún, como Dumouriez trató de explicar al Gobierno a lo largo de 1792, la región estaba peligrosamente mal defendida y resultaría vulnerable si sobrevenía un serio movimiento de protesta. Este exceso de confianza era más relevante porque la región ya había ofrecido serias muestras de su descontento con los graves desórdenes de Challans y Cholet en 1791, y, en particular, de Châtillon y Bressuire en agosto de 1792. Sin embargo, hay indicios que revelan que las autoridades atribuyeron a estos episodios un carácter de sucesos aislados, no muy distintos de las muchas algaradas rurales que estallaron en las regiones de Francia donde la Revolución frustró las expectativas de 1789. Durante el verano de 1792, hubo otra oleada de *jacqueries* campesinas en la alta Bretaña; en Quercy, al sudoeste del Macizo Central; y en el *hinterland* de la Provenza. En cada una de estas regiones, el descontento fue provocado por la incapacidad de los campesinos pobres para aprovechar las ventas de las propiedades eclesiásticas. En ciertas zonas, las cercas que delimitaban la tierra comunal donde habían pastado los animales fueron derribadas, pero en otras hubo realmente reclamaciones en favor de la división de la tierra comunal entre las familias más pobres de la aldea.

Sin embargo, estas quejas constituían algo endémico en la vida rural de los *pays des petites cultures*. La redacción de los *cahiers* en 1789 había llevado a los cultivadores más pobres, reunidos en las iglesias para escuchar a sus *curés*, a creer que la vida de todos estaba a un paso de verse transformada por un acto mágico de justicia social. Lo que en realidad sucedió fue que la Revolución no solo modificó, sino que de hecho acentuó la diferencia entre los individuos relativamente acomodados y las poblaciones pobres de la campiña. La respuesta oficial al aumento de la ira y la violencia en 1792 fue la típica combinación de concesiones legales simbólicas y represión selectiva. Después del derrocamiento de la monarquía, durante las últimas semanas de su existencia la Asamblea Legislativa había anulado el complejo programa de pagos de amortización por los derechos señoriales establecido en 1789 y lo había abolido sin más. Sin embargo, como de todos modos los campesinos habían dejado de pagar, esta medida no alteró de ningún modo las rentas más elevadas con que los dueños de la propiedad continuaron compensándose. Se utilizaron compañías de guardias nacionales, así como pequeñas unidades de tropas regulares, para reprimir los desórdenes dondequiera que estos se producían.

Sin embargo, ninguno parecía que pudiera convertirse en ese tipo de insurrección coordinada que devoró a la Vendée en la primavera de 1793. Esa región también tenía su clase oprimida rural, pero historiadores como Marcel Faucheux han tenido que esforzarse mucho para hacer de las quejas sociales la condición que determinó el hecho de sumarse a la revuelta. (Y Martin ha señalado que muchos de los tejedores explotados de Cholet de hecho manifestaron su apoyo a los colores republicanos más que a los de la Vendée.) Uno de los rasgos más destacados de la rebelión fue la integración social y los vínculos que unieron a personas de grupos económicos muy distantes entre sí. El Gran Ejército Real y Católico no solo se formó con campesinos que apenas podían subsistir, sino con ganaderos bastante acomodados y con una fuerte participación del tipo de aldeanos —taberneros, molineros, carreteros, herreros y otros— que, se suponía, eran los representantes de la Revolución en la campiña. Si había representantes de los grupos vinculados con las comunidades locales, como por ejemplo los pescadores de las aldeas marineras próximas a Paimbœuf, también aparecían tripulantes de los botes y las barcazas, cuyo trabajo los obligaba a recorrer los riachuelos y los canales del *marais* de la Vendée. Los carreteros, como el general vandeano Cathelineau, o los vendedores ambulantes dominaban la información de las diferentes comunidades y eso les proporcionaba un conocimiento estratégico de los probables caminos. Los Mauges no eran famosos por su total aislamiento, sino por sus vacadas de grandes animales que eran las mejores que llegaban al mercado parisiense de carnes en Sceaux y cuyos arrieros eran expertos en los caminos y en los senderos que conducían hacia el nordeste, en dirección al Loira. Más aún, había nobles en los dos bandos que hicieron la guerra. Si bien los comandantes nobles del ejército vandeano, como D'Elbée y De La Rochejaquelein, son los más conocidos, el comandante de la Guardia Nacional en Mortagne era el *ci-devant* Sieur Drohuet, *chevalier* de Saint-Louis, que había combatido en América con Lafayette. En las Sables-d'Olonne, el comandante militar local de las tropas republicanas era Beaufranchet d'Ayat, hijo bastardo de Luis XV y de mademoiselle O'Murphy, el desnudo favorito de Boucher.

En lugar de buscar una pauta coherente de cuestiones sociales que «expliquen» una rebelión religiosa con respecto a otra cosa, sería más lógico aceptar al pie de la letra la observación del general Turreau de que «es una auténtica cruzada». El clero de Anjou y la baja Bretaña, que estaban en el ojo del huracán, era, como ha demostrado un reciente trabajo de Timothy Tackett y otros, uno de los menos empobrecidos en la Iglesia francesa. Tanto sus asalariados *curés congrues* como el clérigo que cobraba diezmos se encontraban en mejor situación que sus hermanos de muchas otras zonas de Francia. Un importante número tenía pequeñas propiedades con una extensión suficiente como para poder autoabastecerse y, además, una renta modesta. El clero secular de los pequeños pueblos participaba con frecuencia de forma indirecta de los abundantes ingresos que convertían a la diócesis del oeste de Luçon, Angers y Nantes en algunas de las más ricas de Francia. Y justo por el hecho de que la región, que estaba alrededor de La Rochelle, había sido uno de los últimos baluartes del protestantismo independiente en el siglo XVII, se la había convertido en blanco de una serie de intensas misiones católicas de predicación. Por ejemplo, los Missionaires du Saint-Esprit, organizados por Louis Grignion de Montfort a principios del siglo XVIII, habían conseguido, al parecer, crear en el oeste un sacerdocio auténticamente popular y enérgico. Por tanto, no puede sorprender que se manifestase un inhabitual grado de solidaridad en toda la jerarquía religiosa y que hubiera un número mucho menor de curas rurales marginados en el Midi y en la campiña normanda que fueran candidatos naturales a integrar el clero constitucional.

También tuvo una enorme importancia el que una proporción muy alta del clero de Francia occidental se originase en la campiña. Dado el elevado estatus y los generosos estipendios de la Iglesia, una carrera en esta institución constituía la natural ambición de un muchacho inteligente de origen campesino. Muchos de los que se ordenaban, después de educarse en los seminarios, en las ciudades episcopales, regresaban a sus aldeas de origen o, al menos, a la localidad donde habían nacido. No solo atendían a las necesidades espirituales de su rebaño, sino que aportaban un indispensable personal a las escuelas y a los colegios locales y atendían a los enfermos y a los pobres. Así, más que en muchas otras áreas, los sacerdotes de la Vendée podían afirmar que eran los auténticos hijos del *pays*. De ahí que el clero constitucional que fue a reemplazarlos pareciera aún más extranjero. En la región se los denominaba comúnmente los *intrus* o, de un modo más coloquial, los *truts* o *trutons,* es decir, los intrusos. Debido a su pasión por la defensa de la casa y el hogar (como en muchas otras cosas), los rebeldes de la Vendée eran el reflejo exacto de los *sans-culottes* que iban a combatirlos. Con la salvedad de que los dos bandos tenían concepciones exactamente contrapuestas acerca de quiénes eran los auténticos extranjeros, los individuos cuya eliminación era precisa para la paz y para la libertad.

Por tanto, la aplicación de la legislación revolucionaria con respecto a la Iglesia fue vista en Anjou meridional, casi desde el principio, como una invasión. Un elevado número de sacerdotes que, obedientes a los principios papales publicados por Boisgelin, se negaron a respetar el juramento constitucional, quisieron abandonar sus curatos. Y en efecto, muchos siguieron a sus obispos y emigraron a España, y a veces aún más lejos: a Irlanda o a Inglaterra. Tan grave fue la rápida disminución del potencial humano en la región que algunas autoridades departamentales, como por ejemplo en Maine-et-Loire, en julio de 1791, en realidad pidieron a los sacerdotes refractarios que permanecieran en sus parroquias, si no era posible sustituirlos. Sin embargo, los compromisos pragmáticos de este género, en todo caso, airaron todavía más a los militantes jacobinos locales, que enviaron quejas a la legislatura de París, en las que denunciaban las conspiraciones clericales y reclamaban que se adoptasen medidas drásticas contra ellas. Los decretos de 1792 que impusieron la deportación de los refractarios obstinados agravaron todavía más el conflicto. Se autorizaron las persecuciones a los sacerdotes y se atribuyeron poderes a los guardias nacionales para que pudieran reventar cerraduras, tirar abajo puertas y volcar (o destrozar) los muebles en el curso de sus allanamientos. Las casas donde se practicaba una detención tenían que pagar los salarios y los gastos de los miembros del grupo que realizaba el registro. No es necesario decir que todo esto provocó que una población que ya estaba soliviantada se sintiera tremendamente ofendida. Sin embargo, a pesar de estas amenazas, muchos sacerdotes hallaron refugio en los establos, en los heniles y, a veces, en rudimentarias chozas y hasta en cavernas escondidas en el fondo de los bosques, donde recibían alimentos que los feligreses reales les llevaban.

Mientras se intentaba proteger y ocultar a los sacerdotes refractarios perseguidos por las autoridades revolucionarias, a la vez, por otro lado, se trataba de amargar todo lo posible la vida de los *intrus*. En algunas parroquias el nuevo cura llegaba al porche de la iglesia y veía partir a su rival refractario, completamente vestido con el atuendo sacerdotal y en posesión de toda la vajilla religiosa, mientras la congregación al completo le seguía en procesión. No resultaba infrecuente que el alcalde local de la comuna encabezara la resistencia, cuando en realidad debía mantener el orden. Muchos fingían haber perdido la llave de la iglesia cuando llegaba el nuevo *curé*. Los paños de altar desaparecían de forma misteriosa y el *curé* no podía conseguir otros limpios a menos que los lavase. Si el reloj tenía un desperfecto (y, a veces, los campesinos se encargaban de que así fuera), no podía encontrarse a nadie que lo reparara. El sacerdote que había prestado juramento con frecuencia necesitaba instalarse con la ayuda de un pelotón de guardias nacionales, que tenían que abrirse paso a través de la turba que aullaba: «Ne jurez pas, ne vous damnez pas» («No juréis, no os condenéis»).

Cuando se habían marchado los guardias, el *intru* se quedaba solo para soportar lo mejor que podía el continuo acoso, por no mencionar el bochornoso vacío que reinaba en la propia iglesia. En Melay, el sacerdote que había prestado juramento era un tal Thubert, hijo del alcalde republicano. Cada vez que aparecía le llovían insultos, burlas y puntapiés. Para agravar todavía más las cosas, su propio sacristán, según él se quejaba, no solo se ausentaba de manera llamativa de la misa, sino que, a veces, subía al campanario y, desde allí, le arrojaba piedras. Todos los recursos de los tradicionales ritos carnavalescos de la aldea, incluso el ahorcamiento en efigie, recaían sobre el impotente *truton*. En una de esas representaciones realizadas en Saint-Aubin, el cura aparecía con cuernos como ayudante del demonio, y también como el cornudo de la iglesia. Golpeaban toda la noche la puerta de Thubert y, en otras parroquias, el entrechocar de los objetos metálicos y los agudos silbidos de la estridente música garantizaban el insomnio del sacerdote. Resultaba frecuente que las iglesias ocupadas por los «intrusos» fueran mancilladas de forma ritual: se depositaban en ellas inmundicias, a veces excrementos y en algunos casos hasta cadáveres en la puerta. Por otra parte, en ocasiones, las mujeres ejecutaban llamativos actos destinados a descontaminar. Por ejemplo, cuando el parisiense Peyre se instaló como cura de Le May-sur-Evre, observó sorprendido que las mujeres le seguían hasta el interior de la iglesia mientras limpiaban las huellas de su paso sobre el empedrado. En otras aldeas, se vaciaban de forma brusca las pilas bautismales y se volvían a llenar, para que no se vieran contaminadas por las manos del infiel.

Finalmente, se apelaba a la estrategia del rechazo. La Revolución había convertido el matrimonio en un acto civil, pero, al igual que el bautismo y el entierro, había formas religiosas que también podían complementarse con la ceremonia laica. El clero refractario había aclarado que ninguna de estas ceremonias «cívicas» tenía ningún valor para la fe verdadera. Por consiguiente, la Iglesia consideraba que las parejas que celebraban el matrimonio cívico y una ceremonia bendecida por un sacerdote que había prestado juramento vivían en pecado. Asimismo, la extremaunción dispensada por estos hombres era declarada nula como absolución. En estas circunstancias, la negativa de los feligreses a participar en estos actos no era solo una cuestión de ostracismo, sino un asunto referido a la salvación de sus almas. Los curas refractarios les dejaban con frecuencia detalladas instrucciones acerca del modo de comportarse si ellos se ausentaban. Los entierros debían ejecutarse en campos que estaban fuera de la aldea, siguiendo las costumbres tradicionales. Si los sacerdotes que habían prestado juramento descubrían la ceremonia, se les impedía físicamente la participación. Algunos sacerdotes incluso dejaron indicaciones para continuar las misas tradicionales como si ellos aún estuviesen presentes. Por ejemplo, en su último sermón antes de salir de Saint-Hilaire-de-Mortagne, Mathieu Paunad prometió a su grey que «dondequiera que la Providencia me conduzca rezaré por vosotros». En el caso de que la congregación se viese privada de un «buen sacerdote», de todos modos debía reunirse a las diez, como era habitual, y rezar sus responsos con la conciencia de que, a la misma hora, el sacerdote uniría su culto al de la gente. Por último, se crearon capillas improvisadas en las que se rezaba la misa tradicional, a veces en los escondrijos de los sacerdotes refractarios o en casas rurales alejadas, con las ventanas cubiertas con telas y adonde se escoltaba cuidadosamente a los curas.

Parece claro que con estas historias de tenaz resistencia no se necesitaría mucho para provocar en la Vendée otro tipo de violencia más coordinada. En enero de 1793, Biret, el *procureur-syndic* de las Sables-d'Olonne en el distrito marítimo, escribió a los administradores de *département* que, «con respecto a la moral, creo que la parte principal del pueblo [...] está completamente corrompida por el fanatismo y los esfuerzos de los enemigos internos [...] y, en lo que se refiere a la política, los mismos individuos son igualmente incapaces de razonar. Para ellos, la Revolución no es más que una larga secuencia de injusticias de las que se quejan sin saber realmente por qué». La ejecución del rey, qué duda cabe, terminó por empeorar las cosas. En una reunión en las Sables, Biret informó de que «ciertas personas se atrevieron a afirmar que los legisladores que habían condenado a muerte a Luis eran "salteadores" y "canallas"». A lo largo de febrero se acumularon constantemente los informes acerca de actitudes más osadas: gritos de «Vivan los sacerdotes, la religión y el rey [ahora, por supuesto, el niño Luis XVII]; muerte a los patriotas».

El anuncio del reclutamiento convirtió en una rebelión absoluta esta ira y este resentimiento contenidos. Resulta interesante señalar que Reynald Secher ha descubierto que, en efecto, la Vendée proporcionó al menos su cupo de reclutas de las pequeñas localidades. Es muy probable que los que, por el cargo o por su propia simpatía, ya estaban comprometidos con la República, desearan asegurar su propio armamento para defenderse o, como una actitud comprensible, quisieran alejarse de la región. Sea como fuere, la fuerza simbólica del reclutamiento —que aún no era un servicio militar obligatorio, sino un llamamiento al servicio voluntario para formar una leva, complementada con un sorteo en casos de que no se cubriera el cupo— fue, de por sí, suficiente para provocar la violencia. Y las cosas no mejoraron gracias a una orden emitida la víspera, el 6 de marzo de 1793, que mandaba cerrar todas las iglesias en que no hubiera un sacerdote que hubiera prestado juramento.

Del 10 al 12 de marzo se produjo la primera etapa del alzamiento, cuando las turbas reunidas de manera espontánea en las aldeas y en los *bourgs* atacaron las dependencias administrativas y las propias casas de los alcaldes, de los *juges de paix*, de los *procureurs* y de las unidades peligrosamente aisladas de la Guardia Nacional. La algarada de Machecoul se repitió, aunque fue algo menos sanguinaria, en Saint-Florent-le-Veil, Sainte-Pazanne, Saint-Hilaire-de-Chaléons y Clisson. Los cabecillas que surgieron de esta primera ola de violencia fueron con frecuencia, como el guardabosques y exsoldado Stoffiet, hombres que, durante mucho tiempo, se habían mostrado partidarios en su localidad de la resistencia a las autoridades revolucionarias. Después de expulsar a sus enemigos y de apoderarse de sus armas, las muchedumbres se reagruparon y formaron columnas que marcharon hacia los pueblos más importantes y cuya fuerza creció a medida que avanzaban por los caminos.

En esta etapa, los disturbios en la Vendée no parecían muy diferentes de otros desórdenes similares contra el reclutamiento que se habían visto en muchas otras regiones de Francia, desde Calvados, en Normandía, hasta la Côte d'Or, en Borgoña, y el Puy, en el Macizo Central meridional. Algunos de los peores trastornos sobrevinieron al norte del Loira, en Bretaña. Sin embargo, en esas regiones el Gobierno había estado tan obsesionado con la posibilidad de que se produjeran conspiraciones contrarrevolucionarias que tenía apostadas fuerzas suficientes para adoptar acciones rápidas y decisivas contra los centros de resistencia. En cambio, la Vendée estaba desprovista de soldados, algo que suponía un alto riesgo. Por ejemplo, en Challans había solo doscientos guardias patriotas, que tuvieron que enfrentarse a más de un millar de insurgentes el 12 de marzo. Cuando fue posible llevar refuerzos, los distintos disturbios ya se habían fusionado en una insurrección general. Más aún, de los cincuenta mil soldados republicanos que fueron concentrados en la Vendée hacia la tercera semana de marzo, solo una minúscula parte —quizá menos de dos mil— eran veteranos de «tropa», es decir, el antiguo ejército real. El resto estaba formado por voluntarios novatos, mal alimentados, mal equipados y, lo que era peor, en vista de la situación que afrontaban, hombres muy temerosos de los rebeldes. Ninguno de los ejércitos de Francia en la primavera y el verano de 1793 mostró tanta propensión a dejarse dominar por el pánico y romper filas como los *bleus* de la Vendée. Quizá temían correr la suerte de los republicanos de Machecoul. Muchos de ellos, en concreto, estaban divididos en pequeñas unidades de cincuenta o de unos pocos cientos de hombres, bastante numerosos para ser el blanco de los enfurecidos rebeldes, pero no para intimidarlos.

Cuando la República comprendió la gravedad de la situación, los rebeldes ya se habían apoderado de muchos de los centros principales, sobre todo Cholet, Chemillé y Fontenay-le-Comte. El 14 de marzo Stofflet unió sus fuerzas con las de otro guardabosques, Tonnelet, y con los hombres que seguían al vendedor de carros Cathelineau. Después de un fallido intento de persuadir a las tropas republicanas, mandadas por el ciudadano marqués de Beauveau, de que depusieran las armas, los rebeldes derrotaron a los *bleus* con una gran andanada de fuego, en la que De Beauveau cayó mortalmente herido.

A pesar de este temprano éxito, parecía importante reclutar figuras con cierto prestigio en la nobleza local, cuyo apoyo, a su vez, facilitaría el reclutamiento de más tropas para la casa. No se trataba solo de un asunto de estatus, pues los que fueron abordados tenían todos una considerable experiencia militar sobre el terreno que podría utilizarse a medida que se ampliase el campo de operaciones. Se enviaron delegaciones a los castillos y a las residencias, y con frecuencia tuvieron que superar allí los sentimientos encontrados de la nobleza local sobre las posibilidades de la revuelta. Desde luego, lo que llama la atención en muchos de los nobles de la región (a excepción del joven de veintiún años Henri de La Rochejaquelein) no es su fervor realista, sino su moderación. Los que habían vivido la experiencia de la emigración en Coblenza habían vuelto asqueados de todo lo que vieron. Otros, por ejemplo D'Elbée, que habían sido en un principio partidarios de la Revolución, fueron elegidos electores por el Tercer Estado de Beaupréau, pero, después de votar por el obispo constitucional Pelletier, se habían distanciado a causa de la despiadada legislación sobre la deportación. Bonchamp, otro importante comandante de origen noble, de hecho sermoneó a los rebeldes sobre la gravedad de su conducta: «¿No podéis sentir el horror de vuestra posición? ¿Qué hacéis? La guerra civil. ¿Contra quiénes lucháis? Contra la nación de la cual formamos parte». Resulta indudable que lo que motivaba a la nobleza vandeana era el sentido del patriotismo local: la humillación de los sentimientos del *pays* y la *patrie*. Para ellos, tanto los emigrados como los *bleus* eran invasores. Si se quería revivir a Francia, había que hacerlo con héroes locales, comprometidos con la protección de su propio territorio contra los saqueadores. Este rasgo confirió un carácter muy personal y parroquial al mando que ejercieron después. Idolatrados a menudo por las tropas, jefes como Charette, Sapinaud de la Verrie y D'Elbée, en realidad, eran patriarcas románticos, la versión de los barones y señores de la guerra en el siglo XVIII. Cada uno reclutaba a sus hombres en una determinada región: Bonchamp, en los alrededores de Saint-Florent; Charette, alrededor de Machecoul y el *pays nantais* al norte; D'Elbée en la región alrededor de Mortagne; La Rochejaquelein, en Bressuire y Châtillon. Cultivaban un espíritu de clan que permitía obtener una gran lealtad, pero que conspiraba contra la cohesión necesaria si se quería que el ejército de la Vendée llegase a ser algo más que una efímera confederación de grupos de resistencia.

A lo largo del conflicto los sacerdotes no se destacaron tanto en el campo de batalla como ha supuesto la tradición histórica. Hubo excepciones a esta sorprendente reticencia. La fuerza que se apoderó de Cholet estaba controlada tanto por el abate Barbotin como por Stofflet. Otros —como el abate Bernier, Rousseau de Trémentines, Chamau de La Jubaudière y Gruget de Saint-Florent—, en efecto se convirtieron en importantes figuras en el proceso de adhesión de los campesinos a la causa de la Vendée. Y por supuesto el carácter de la lucha como cruzada fue destacado públicamente a la primera oportunidad. Después de la captura de Chemillé, Barbotin fue designado «limosnero del ejército católico» y concedía la absolución a gran escala antes de los combates. Los vandeanos entonaban con frecuencia himnos y cánticos durante la marcha, enarbolaban estandartes con la Virgen María a la cabeza de sus regimientos y usaban el emblema devoto del Sagrado Corazón dominado por la cruz. Antes de finales de marzo se había compuesto para las tropas una especie de contra-Marsellesa, que comenzaba:

> *Allons armées catholiques, le jour de gloire est arrivé*
> *Contre nous de la République,*
> *L'étendard sanglant est levé [...]*
> *Aux armes poitevins, formez vos bataillons*
> *Marchez, marchez, le sang aux bleus,*
> *Rougira nos sillons*

Sin embargo, sería un error creer que el ejército vandeano era algo más que una miserable horda religiosa. Algunas de las primeras ocupaciones de centros fundamentales como Cholet, en efecto, se realizaron sin tácticas sofisticadas, con un gran número de hombres de infantería avanzando en formación desordenada entre columnas de tiradores a cada lado, con una caballería rudimentaria y un cañón o dos en la retaguardia. Sin embargo, hacia el fin de la primera semana de hostilidades, había nacido algo parecido a un ejército serio, abastecido con las municiones tomadas de los depósitos de los republicanos derrotados. Algunos de los cañones más grandes recibieron nombres; el más famoso fue el Marie-Jeanne (llamado así por las dos hijas del artillero que lo dirigía), un extraordinario artefacto cuyo efecto sobre el enemigo dependía exclusivamente del ruido y del humo provocado por sus ocasionales disparos. Una caballería de unos mil quinientos a dos mil jinetes, calzados con frecuencia con zuecos más que con botas, cabalgaba animales de todas las formas y tipos.

763

Sin embargo, la gran cualidad de los vandeanos fue su dominio del territorio local. Sus tácticas se adaptaban de un modo impresionante al terreno específico en que combatían. Por ejemplo, en el Loira inferior utilizaban patrullas embarcadas para interceptar las municiones y los alimentos que se dirigían a las guarniciones republicanas. Los molinos de viento instalados en las colinas bajas del *bocage* se utilizaban para transmitir mensajes a las unidades más alejadas (las aspas operaban según un código de enlace). Y en toda la región los no combatientes, a menudo mujeres y niños, participaban manteniendo activas las fincas y suministrando alimentos y ropas a los soldados.

Era el tipo de guerra que ahora todos conocemos muy bien, pero para la cual el ejército de la República, sobre todo las tropas retiradas de los campos de batalla de Bélgica y del sitio de Maguncia, no estaba en absoluto preparado. Las tropas uniformadas y disciplinadas estaban destacadas en diferentes guarniciones y podían controlar las localidades más importantes en el perímetro de la zona de guerra, pero no lograban patrullar en el interior, donde cada bosque podía ocultar una emboscada mortal, y tampoco estaban en condiciones de distinguir entre los civiles y los combatientes en las aldeas.

Cuando los generales franceses que habían combatido en la Vendée descubrieron con desánimo unas condiciones similares en la guerra de la Independencia en España, quince años más tarde, la denominaron «la petite guerre», la «guerrilla».

Sin embargo, no fue este tipo de enfrentamiento irregular lo que indicó a la Convención de París que estaba ante una guerra imperial a gran escala. Los combates ante Cholet y Fontenay-le-Comte de hecho habían sido choques frontales a campo abierto o en lugares en que los vandeanos gozaban de la superioridad del número y con frecuencia del poder de fuego. Durante la noche del 19 al 20, una fuerza de más de dos mil soldados del general Mareé libró un combate de seis horas a orillas del Grand Lay, al norte de Chantonnay. Al oír los acordes de «La Marsellesa», Mareé pensó que recibía refuerzos, cuando en realidad se topaba con una columna rebelde que cantaba «Allons armées catholiques». La lucha finalmente llegó a ser desigual y terminó en una acelerada retirada, con los *bleus* dominados por el pánico que huían hacia el sur, en dirección a Sainte-Hermine y Saint-Hermand. Toda la región de la llanura meridional y el *marais* vandeano cayó en manos de los rebeldes, incluso las ciudades de Luçon, Fontenay y Niort. El 22, el desastre se repitió en el extremo septentrional de la región, cuando en Chalonnes trescientos *bleus* se enfrentaron a casi veinte mil vandeanos y huyeron, tras dejar en manos de los rebeldes la mayor parte de su equipo y dieciocho cañones.

Hacia principios de abril, casi toda la Vendée, salvo la zona marítima septentrional, aunque sí quedaba incluida la isla de Noirmoutier, estaba en manos de los rebeldes. Respondiendo a la propuesta del oficial del guardia real Sapinaud de La Verrie, se había establecido un comando unificado y se crearon comités parroquiales electos para organizar el acopio de armas y el avituallamiento con destino a las tropas. Se imprimieron *assignats* con la imagen del rey niño Luis XVII y, en su nombre, el Gran Consejo Vandeano emitió edictos y decretos. Los rebeldes incluso se ufanaban de la posesión de un rudimentario servicio de hospitales de campaña, con su botiquín y sus enfermeras.

Como en el caso de todos los ejércitos irregulares reclutados espontáneamente, su problema más grave era mantener la cohesión, sobre todo después de alcanzar la meta inicial, que consistía en eliminar la autoridad republicana en la Vendée. Los comandantes se dieron cuenta de que todo lo logrado sería solo una victoria a corto plazo, si no aseguraban su base mediante la conquista de grandes centros urbanos, y en definitiva el derrocamiento de la propia República. Por mucho que sus campañas comenzaran como una liberación del *pays* natal, una vez comprometidos en la guerra civil, no había modo de evitar esa meta estratégica mucho más amplia. Sin embargo, por esa misma razón, cuanto más se alejaban de su base, más probable era que perdiesen las especiales ventajas que aquella les había aportado. Al principio, a mediados de abril sufrieron graves derrotas; pero la capitulación impuesta a la guarnición de Thouars a comienzos de mayo les proporcionó una enorme cantidad de provisiones y de munición. Fontenay-le-Comte cayó a finales de mayo y, de un modo más espectacular, sucedió lo mismo con Saumur el 9 de junio. Aun así, en lugar de continuar avanzando hacia el este, Charette concentró sus esfuerzos en el inútil asedio de Nantes, sobre la orilla opuesta del Loira.

A finales de mayo la posición de los rebeldes todavía parecía magnífica. Habían derrotado decisivamente a los ejércitos republicanos enviados contra ellos y habían echado los primeros cimientos de un Estado dentro del Estado. Como si hubiese representado a los potentados que se dirigían a los esbirros de una potencia extranjera, el Gran Consejo publicó una «Alocución a los franceses» escrita por el abate Bernier. Era a la vez un manifiesto y una interpretación de la Revolución, que sobresalía tanto por su elocuencia como por el modo en que le daba la vuelta a la retórica revolucionaria de la libertad y la esgrimía contra la República. Más que cualquier otro documento, consigue transmitir la profundidad y la sencillez de las convicciones que desencadenaron la rebelión.

El Cielo se ha inclinado por la más alta y la más justa de las causas. [El nuestro es] el signo sagrado de la cruz de Jesucristo. Conocemos el verdadero deseo de Francia, que es el nuestro, de recobrar y preservar eternamente nuestra sagrada religión Apostólica, Católica y Romana. Queremos un rey que sea nuestro padre en la nación y nuestro protector exterior [...].

Los patriotas, nuestros enemigos, nos acusan de destruir a nuestra *patrie* por medio de la rebelión; pero sois vosotros los que, subvirtiendo todos los principios de la religión y del orden político, primero proclamasteis que la insurrección es el más sagrado de los deberes. Habéis introducido el ateísmo, en lugar de la religión; la anarquía, en lugar de las leyes; a los hombres que son tiranos, en lugar del rey que fue nuestro padre. Nos reprocháis el fanatismo religioso, vosotros cuyas pretensiones de libertad han conducido a los más extremos sufrimientos.

En la Convención Nacional, donde cundían la ira y el desánimo, Bertrand Barère se encogió de hombros ante la conducta de lo que denominó «l'inexplicable Vendée».

«MÍSERAS MERCANCÍAS»: MARZO-JUNIO

La segunda mitad de marzo añadió un gran número de calamidades a la Francia republicana. En el curso de una misma semana la Convención conoció la derrota de Neerwinden, otro desastre militar cerca de Lovaina, la brusca retirada de Custine en Renania y el alzamiento de la Vendée. Un informe tras otro mostraba a los ejércitos republicanos disolviéndose nada más entrar en contacto con el enemigo (sobre todo en la Vendée); a los voluntarios, desmoralizados y desordenados, desertando o retirándose; a la tricolor, pisoteada en el lodo. Cuando Delacroix regresó del frente belga, trajo consigo una aflicción tan profunda y sombría como las semanas que habían precedido a Valmy. Las tropas francesas habían retrocedido sobre Valenciennes, pero Delacroix se dio cuenta de que, si esa fortaleza caía, no quedaba ya nada entre los ejércitos aliados y París. Para muchos diputados, y no solo los de la Montaña, esta lamentable serie de desastres tenía una sola explicación: la conspiración. Los comisionados que acompañaban al derrotado ejército del general Mareé en la Vendée le acusaron de «la ineptitud más cobarde» o de «la traición más cobarde», lo que aún era peor. Su hijo, el segundo jefe Verteuil y otro Verteuil que se suponía que era su hijo (en realidad, se trataba de un pariente lejano) fueron arrestados, acusados de «traición y de entrar en contacto con el enemigo». Barère, que vio las inequívocas señales de una gran conspiración contrarrevolucionaria, quiso que Mareé fuese juzgado por un tribunal militar en La Rochelle. Lanjuinais, que, al igual que Rabaut Saint-Étienne, era un superviviente de los Estados Generales reconvertido en republicano, insistió en que los aristócratas y los refractarios que estaban contaminando a la *patrie* fuesen eliminados de forma implacable.

En vista de este desplome militar, la Convención, salvo contadas excepciones, reconoció que tenía que reforzar las atribuciones del Estado. Si no se formaba un ejecutivo eficaz y no se establecía una cadena coherente de mando, las fuerzas centrífugas desharían Francia. Por primera vez desde el comienzo de la Revolución, la legislatura se propuso crear órganos de la autoridad central firmes, con la autoridad necesaria para ejecutar la tarea de la República sin interminables referencias al «cuerpo soberano». El 6 de marzo despachó a ochenta de sus propios miembros (denominados a partir de abril *représentants-en-mission*) a los departamentos, con el fin de garantizar el cumplimiento de la voluntad del Gobierno central. De hecho, eran la versión revolucionaria de los antiguos *intendants* reales, es decir, encarnaciones itinerantes de la soberanía. Gran parte de su labor debía relacionarse con las cuestiones judiciales y de castigo. El 11 de marzo se estableció en París un Tribunal Revolucionario especial encargado de juzgar a los sospechosos a quienes se acusaba de actividades contrarrevolucionarias. El 20 de marzo, teniendo presente las rebeliones de la Vendée y Bretaña, la Convención aceptó la propuesta de Cambacérès, que consistía en otorgar a los tribunales militares jurisdicción sobre todos aquellos que hubieran ocupado cargos públicos (incluso el clero y los nobles) y a quienes se descubriera usando la escarapela blanca realista o fomentando la rebelión. Si se los hallaba culpables, debían ser fusilados en el lapso de veinticuatro horas. Un día después, se establecieron en todas las comunas del país comités de vigilancia y se animó a todos los ciudadanos a denunciar a todos aquellos cuya lealtad resultase sospechosa. Como podía preverse, la ley se convirtió enseguida en una forma de autorizar innumerables y mezquinos episodios de venganza.

Finalmente, el 6 de abril se decidió reemplazar el Comité de Defensa General, creado en enero como un organismo de veinticinco personas destinado a coordinar la labor de varios comités de la Convención. En su lugar se creó un comité mucho más reducido, con solo nueve miembros, denominado Comité de Salud Pública. Aunque este sería, por supuesto, el órgano fundamental del Terror, la propuesta no procedió de un jacobino, sino de Isnard, y muchos de los girondinos (aunque no Vergniaud, que lo comparó desfavorablemente con la Inquisición veneciana) admitieron que resultaba indispensable. Sin embargo, en un principio, Robespierre sostuvo que tanto el Comité como el Tribunal Revolucionario eran instrumentos burocráticos en manos de una ofensiva girondina contra la Montaña.

«Seamos terribles para que el pueblo no necesite serlo», dijo Danton a la Convención cuando defendió la creación del Tribunal Revolucionario. Fresco aún el recuerdo de las masacres de septiembre, el argumento impresionó. La República estaba tratando de lograr algo que había sido imposible para todos los regímenes precedentes desde el día en que Brienne no logró imponer sus reformas: la reconquista del monopolio oficial de la violencia autorizada. Para llegar a esto resultaba necesario hacer varias cosas. En primer lugar, como señaló Danton, era esencial que el Estado tomase en sus propias manos los poderes de castigo necesarios para aplacar la sed generalizada de símbolos de la conspiración. Tenía que estar dispuesto a usar esos poderes, pública y efusivamente, si se deseaba negar su presa a las turbas de linchamiento y a las bandas improvisadas. En segundo lugar, había que terminar con los constantes enfrentamientos entre facciones, algo que, de forma reiterada, propiciaba que el Gobierno se viera desbordado por un grupo de descontentos que apelaba a las calles y a las secciones. A su regreso del frente, en marzo, Danton no solo tuvo la audacia de defender a Dumouriez del número cada vez más elevado de detractores, sino de apelar a la Convención para evitar una guerra interna entre los girondinos y la Montaña e impedir que el propio órgano perdiese poder.

Esta reorientación de las energías revolucionarias era tanto más urgente porque, además de las derrotas militares, hacia finales del invierno y principios de la primavera de 1793 la República afrontaba otra temible amenaza: una aguda crisis fiscal y económica. Esta vez la causa no estaba en las condiciones climatológicas. Por el contrario, la República afrontaba una inquietante verdad: la Revolución había comenzado con una crisis de incapacidad fiscal, pero el nuevo régimen no estaba más cerca que el antiguo de resolver sus problemas; en todo caso, podía decirse que estaba más lejos a causa del atractivo de los remedios de los que se había servido. La venta de la propiedad eclesiástica había comenzado a soportar los efectos de la ley de los rendimientos decrecientes, tanto más porque la emisión de papel moneda que esta había facilitado era ahora tanto una maldición como una bendición. La verdadera crisis de 1793 fue un fenómeno para el cual aún no se había inventado un término que pudiera describirlo: la inflación. La sustitución de los antiguos impuestos directos de la monarquía por un solo impuesto sobre la propiedad, el *impôt foncier*, había acarreado grandes pérdidas del Tesoro. Además, los sucesivos gobiernos revolucionarios se habían negado a perseguir con firmeza la renta, porque esto había contribuido en gran medida al descrédito de los recaudadores generales. Tampoco parecía que las «contribuciones patrióticas» tuviesen posibilidades reales de compensar la escasez y los retrasos que se revelaban constantemente en las rentas públicas.

Por tanto, el único modo factible de financiar la guerra había sido un drástico aumento de las emisiones de *assignats*. Como los proveedores militares y algunos regimientos aceptaban solo el pago en metálico, el agotamiento de las reservas de dinero acuñado llegó a ser agudo y elevó la tasa de emisión de más papel para cubrir su disminución. A su vez, este hecho determinó un efecto gravemente negativo en la economía nacional. Pues, a medida que descendió el valor nominal del papel moneda, los proveedores de bienes y servicios (por ejemplo, los agricultores) empezaron a resistirse a entregar sus activos a cambio de moneda depreciada. La limitación de la oferta elevó todavía más el precio de los artículos. Hacia principios de 1793, las pastillas de jabón que habían costado doce *sous* en 1790 ahora se vendían a un precio que oscilaba entre veintitrés y veintiocho *sous*. No puede sorprender que la Convención recibiera el 23 de febrero a una delegación de airadas lavanderas (un grupo relevante en París), que reclamó la fijación de precios oficiales. Los comestibles, las velas y la leña eran preocupaciones todavía más graves. El azúcar sin refinar, que había costado doce *sous* la libra en 1790, ahora se vendía por el triple de esa cifra; el precio del café había pasado de alrededor de treinta *sous* a cuarenta. El 25 de febrero una muchedumbre enfurecida se dirigió de forma generalizada a las tiendas de comestibles y de velas de París; estos sucesos se iniciaron en algunas de las secciones más pobres, como Gravilliers y Lombards, pero rápidamente se extendieron a casi todas las zonas de la capital. De acuerdo con las prácticas tradicionales de estas *taxations populaires*, las muchedumbres no saquearon las tiendas, sino que impusieron a los comerciantes lo que ellas entendían que eran los precios justos (en general, alrededor del 40 por ciento del valor habitual de mercado). Sin embargo, como aquellos tenían que pagar precios inflados a los mayoristas y a los transportistas, les correspondía a los tenderos asumir la pérdida, como manifestaron con elocuencia ante la Convención.

Los disturbios por los alimentos fueron denunciados abiertamente por todos los partidos de la Convención. Marat consideró que el hecho de que estos desórdenes se centraran en lo que él describió como «artículos de lujo» —el café y el azúcar— era la prueba de que existía una conspiración aristocrática. Robespierre zahirió a quienes habían participado en los desórdenes, porque consideraba que estos degradaban el sagrado valor de la insurrección y la provocaban solo por unas «míseras mercancías». Sin embargo, aunque algunos de sus miembros, entre ellos Saint-Just, comprendían las causas inflacionarias de los desórdenes, la Convención parecía bloqueada a la hora de corregirlos. La Revolución cambió en Francia mucho menos de lo que a menudo se supone y una de las cuestiones en que no actuó mejor que la monarquía fue en el modo en que las exigencias a corto plazo controlaban la racionalidad fiscal a largo plazo. La crisis de subsistencia obligó al Gobierno a financiar todo tipo de subsidios, desde el precio del pan en París (con un coste de medio millón de francos diarios hacia principios de 1793) hasta los planes de asistencia pública heredados del *camp des fédérés* de 1792. Para cubrir estos costes, la Caisse d'Escompte «prestó» espuriamente al Gobierno fondos que, en realidad, eran la consecuencia de nuevas emisiones de papel moneda, con lo que se contribuía a agravar más el problema.

El súbito desplome del esfuerzo bélico determinó que todos estos problemas se agudizaran. Al ocupar Bélgica y la Renania, el Gobierno revolucionario había encontrado al fin el modo de financiar la política militar: la extorsión. No se trataba de un recurso demasiado revolucionario y, hasta cierto punto, chocaba con todas las promesas de libertad y de felicidad copiosas dirigidas a las naciones esclavas por el pueblo en armas. Por otra parte, se argüiría, ¿por qué los liberados no podían pagar su propia emancipación, obtenida con la sangre y las armas francesas? Se impusieron grandes «indemnizaciones» a todos los territorios conquistados como precio de la liberación y la medida fue consentida por los gobiernos revolucionarios «libres» instalados después de la ocupación. Hacia principios de 1793, esta expansión autofinanciada —que habría de ser la norma durante los veinte años siguientes— pareció ofrecer una solución a las constantes limitaciones de la política exterior francesa. En realidad, la seductora perspectiva de explotar la economía neerlandesa, destacadamente próspera, constituyó el factor que determinó la expedición de Dumouriez a los Países Bajos septentrionales. Robespierre —que había adoptado una actitud suspicaz frente a la aventura— de hecho fijó el precio de una inminente revolución neerlandesa en la hermosa y redonda cifra de cien millones de libras.

Todas estas risueñas expectativas rebotaron de forma desastrosa cuando la expansión del frente invirtió la marcha. En lugar de acumular activos, la República se enfrentó de súbito, tras los límites de sus propias fronteras, a un estado de excepción militar que podía financiarse solo con recursos nacionales. Por supuesto, la respuesta inmediata fue otra emisión a gran escala de papel. Se autorizó la emisión de ochocientos millones de *assignats*, además de los cuatrocientos millones impresos ya desde octubre. El tope de la circulación fue elevado hasta los tres mil cien millones. Naturalmente, esta medida produjo el previsible efecto de acelerar la devaluación, de modo que, en la época de los disturbios de febrero, el *assignat* había perdido el 50 por ciento de su valor nominal. Los proveedores se mostraban cada vez más renuentes a desprenderse de sus mercancías y la espiral inflacionaria amenazaba con descontrolarse.

La perspectiva encerraba un claro peligro para la estabilidad de la nueva República. Ya había graves desórdenes en la campiña entre los pobres descontentos que no habían sido beneficiarios de la legislación revolucionaria. Las barcazas y los carros cargados de cereal estaban siendo detenidos en el Beauce y en Borgoña. Los consumidores de las ciudades asistían a drásticos aumentos de los precios de los alimentos básicos. Contra la amenaza del descontento a una escala desconocida desde 1789, a finales de 1792 la Convención había debatido la posibilidad de un regreso a la política monárquica de la reglamentación económica a corto plazo. Algunos argüían que la doctrina del libre comercio interior quizá debía modificarse para garantizar un suministro seguro a precios que no provocaran desórdenes. Sin embargo, como ministro del Interior, Roland se oponía con firmeza a todo lo que fuese una injerencia en el mercado al margen del coste. En cambio, deseaba utilizar toda la fuerza represiva del Gobierno contra aquellos que se atrevieran a desorganizar o controlar los mercados apelando a la violencia. En esto no solo contaba con la ayuda de una serie de oradores girondinos, sino también de Saint-Just, que, el 29 de noviembre, pronunció un discurso con su característica sagacidad sobre la relación entre la oferta de dinero y el aumento de los precios. «El comercio libre», reiteró, era la «madre de la abundancia», pero también hizo notar que, así como la miseria había originado la Revolución, también podía destruirla.

En este último punto Saint-Just y Robespierre coincidían por completo, pero discrepaban en gran medida en lo que debía hacerse para resolver la crisis. El joven político (cuyas consideraciones acerca de la economía mostraban una comprensión mucho más extraordinaria de su funcionamiento que todo lo que su mentor alcanzó a decir) estaba interesado sobre todo en contener la oferta de dinero. En cambio, Robespierre se inclinaba más por comprometer a la República en una forma de igualitarismo social que fuese el equivalente económico del reino de la virtud que deseaba fomentar en política. El 2 de diciembre Robespierre esbozó la base de un «derecho de subsistencia» que rápidamente adquiriría el estatus de doctrina en la retórica jacobina. A su juicio, los derechos de propiedad no eran ilimitados. De hecho, solo el excedente más allá y por encima de la subsistencia global necesaria por toda la sociedad podía ser dedicado de forma legítima al comercio. Y los que abusaban de este precepto ganando dinero con la explotación directa de la subsistencia estaban en la práctica cometiendo un delito. Robespierre hizo una pregunta retórica: «¿Por qué las leyes no detienen la mano homicida del monopolista tanto como la del asesino común y corriente?».

Sin embargo, los jacobinos todavía no estaban dispuestos a convertir este igualitarismo logrado mediante el castigo en doctrina oficial. En esto, y en relación con la búsqueda del apoyo popular, se vieron superados en París por un grupo irregular de oradores y políticos a quienes se denominó los *enragés*, un término que en un principio aludía solo al fervor revolucionario. Dos figuras alcanzaron una particular importancia: Jacques Roux y Jean Varlet. Roux era vicario de la parroquia de Saint-Nicolas-des-Champs, una de las más pobres de París, una zona atestada de infraviviendas comunales alquiladas y altillos, donde, durante el invierno de 1793, los porteadores del mercado, los aguadores y los albañiles desempleados intentaban sobrevivir contra el frío y el hambre. En mayo de 1792, Roux había publicado un sermón, «Los medios de salvar Francia y la libertad», en el que una fuerte dosis de igualitarismo social y las invectivas contra los ricos egoístas se combinaban con enérgicas reclamaciones de castigo a los traidores. Quizá su entusiasmo por esta última causa fue lo que le llevó, como representante de la Comuna durante los últimos días de Luis XVI, a no actuar de forma muy cristiana al negar al rey derrocado un dentista que curase su dolor de muelas y a rechazar que se entregara a la familia el testamento del condenado.

Sospechoso, incluso para las figuras más militantes de la Comuna como Chaumette y Hébert, de ser un clérigo fanático, Roux pronunciaba un sencillo y rotundo mensaje: la Revolución había sido explotada por los especuladores para sus propios fines egoístas y por ello el pueblo se encontraba de nuevo tan hambriento como lo había estado durante el Antiguo Régimen. Había llegado el momento de declarar la guerra a esos traidores de la economía. Los monopolistas, los acaparadores y los especuladores merecían la muerte y, si el Gobierno rehusaba aplicar esas penas, el pueblo debía desencadenar una nueva serie de masacres contra «las sanguijuelas». Como lado positivo, el Gobierno debía, como parte de su actividad rutinaria, cumplir con la obligación de proporcionar trabajo y manutención a precios que el pueblo pudiese asumir.

Jean Varlet decía más o menos lo mismo. Como los historiadores no se cansan nunca de señalar, este autoproclamado amigo de los pobres era, por su parte, un acomodado joven que vivía sobre todo de una renta heredada; pero el origen social rara vez ha condicionado el radicalismo político. La mayoría de los militantes de las secciones parisienses, en 1793, no eran artesanos, sino profesionales, así como, ampliando sin mucha maldad el término, intelectuales: abogados, artistas, impresores, dramaturgos, actores y periodistas. Sin embargo, el hecho de que no pasaran necesidad no excluye de ningún modo (aunque tampoco garantiza) la sinceridad de sus convicciones. Sobre todo en el caso de Varlet, eran individuos airados. Lo que deseaban era esencialmente sangre y pan, y se suponía que una garantizaba el otro, al igual que, en 1789, se había creído que la libertad mejoraría las posibilidades de acabar con el hambre.

Como se le negó tanto el Club de los Jacobinos, donde era visto con aversión, como la Convención, así como otros foros desde los cuales pudiera lanzar sus llamamientos a la insurrección contra los ricos, Varlet llevó una tribuna portátil a la Terrasse des Feuillants, a poco más de un tiro de piedra de la Convención. A medida que los precios aumentaron en las tiendas, su público se agrandó, pues Varlet estaba especializado en realizar ingratas comparaciones entre los «ricos egoístas», cuyas ganancias especulativas les permitían nadar en la abundancia, y el *bon sans-culotte*, que vivía del sudor de su frente. En el evangelio de Jaques Roux el *sans-culotte* adquiría una santidad casi apostólica, en la cual la humildad y la compasión se unían al espíritu cívico y a la fuerza. Mientras que el *capitaliste* y el *gros négociant* eran, por definición, individuos que siempre estaban en el límite de la traición, cuando no eran de hecho culpables de cometerla, el artesano moderno era el epítome del generoso patriotismo. Al menos en un grabado anónimo que santifica al *sans-culotte* (y que se basa en la tradición icónica de san Jerónimo), el trabajador comparte su frugal comida con dos animalitos domésticos, mientras la pica permanece preparada para la acción en la pared que aparece detrás. Otros grabados exaltaban la devoción del *sans-culotte* a su familia y mostraban a esta en la armonía de la cena o leyendo juntos algún edificante texto político, a poder ser de Rousseau.

Los historiadores se han apresurado a desechar a los *enragés* como unos alborotadores de poca monta, cuyas ideas cobraron relevancia solo cuando fueron adoptadas finalmente por los jacobinos, en el verano de

1793. Sin embargo, aunque resulta difícil pensar en Roux y en Varlet, así como en el resto de los *enragés*, como pensadores políticos profundos, y mucho menos como eficaces estrategas revolucionarios, sus prejuicios, en efecto, se ajustaban en cierta medida a muchas de las razones por las cuales el pueblo llano había abrazado en un principio la Revolución. Ansiaban el paternalismo, más que el liberalismo económico; la regulación de los precios, más que el libre mercado; y sobre todo deseaban el castigo público de los explotadores. El 11 de febrero, una delegación de sociedades populares exigió una sentencia de seis años con grilletes para quien intentara vender un saco de trigo de doscientas cuarenta libras por más de veinticinco francos, y la pena de muerte si reincidía. Este tipo de riguroso castigo de la explotación atraía muchísimo a los *sans-culottes*.

Tampoco estaban dispuestos a detenerse en acusaciones de carácter general. Al contrario, patrocinaron en los clubes y en las asambleas de las secciones un movimiento encaminado a incriminar a los girondinos como responsables directos de todos los males que asolaban a la República. Los girondinos estaban detrás de las conspiraciones que habían llevado a la derrota militar; eran los protectores de Dumouriez, que estaba muy atareado vendiendo a la *patrie*; se habían negado con tenacidad a aceptar las medidas intervencionistas como el precio límite, que podían contribuir a aliviar la pobreza. Habían intentado proteger al traidor Capeto para tapar las huellas de sus propias y corruptas conspiraciones con él antes del 10 de agosto. Sobre la base de su hipócrita «apelación al pueblo» para que decidiera sobre la pena, continuaban conspirando para entregar la República a una confederación de generales aristócratas. Por tanto, la primera condición de un verdadero imperio de los justos y de los virtuosos era extirpar a los girondinos del cuerpo político. Y Varlet tenía una lista, redactada por algunas de las secciones parisienses más militantes, como Gravilliers (en la parroquia de Roux) y Mauconseil, con veintidós miembros en la Convención, cuyo arresto era, a su juicio, una cuestión que había que tratar con la máxima urgencia pública posible.

Los *enragés*, de por sí, habían sido impotentes para pasar de las injurias contra sus enemigos; pero, hacia marzo de 1793, habían conseguido influir en los *sectionnaires* más militantes que, por su lado, habían creado un centro de poder que competía con la Comuna. La Revolución de

París había demostrado una capacidad (al parecer, irrefrenable) para generar estos centros alternativos de organización insurreccional en cuanto el precedente había sido cooptado en las instituciones del gobierno local. Así, del mismo modo que la Comuna revolucionaria se había organizado contra las autoridades oficiales del Hôtel de Ville, en 1792, y, mediante la fuerza, las había reemplazado, ahora las sociedades populares y los jefes de las secciones comenzaron a reunirse en el arzobispado, el antiguo palacio del arzobispo de París, contiguo a Notre Dame. Después de algunas reuniones informales, estas sesiones se convirtieron en un centro habitual de los delegados de las zonas más militantes de París: Quinze-Vingts, Popincourt, Droits de l'Homme. Mientras la crisis económica se agudizó y la guerra mostró un cariz negativo, siempre existió la posibilidad de movilizar hombres armados en un número suficiente para imponer condiciones a la indefensa legislatura.

Sin embargo, primero era necesario persuadir a las tropas de choque de que se requería otra *journée*, de que sus intereses fundamentales estaban siendo amenazados por los conspiradores. También era necesario superar la reticencia de la Montaña a apoyar todo lo que significara una amenaza a la «representación nacional». Varlet y el comité del arzobispado se apresuraron a creer que ambas condiciones existían hacia mediados de marzo. El 9 y el 10 intentaron promover un movimiento armado que se vio frustrado solo después de destruir las imprentas de los dos periódicos girondinos más importantes: el *Patriote Français*, de Brissot, y los *Annales Patriotiques*, de Carra (de por sí, un preocupante logro alarmante). Fracasó en lograr dos propósitos cruciales: imponer una purga de los veintidós *appelants* (los que habían pedido que la pena aplicada al rey fuese remitida a una votación popular) y la liberación de los prisioneros arrestados en los disturbios de febrero provocados en las tiendas de comestibles. Sin embargo, tuvieron éxito en un aspecto al menos: dividieron tan profundamente a la Convención entre los girondinos y la Montaña que los llamamientos de Danton a la unidad ante el peligro común que amenazaba a la *patrie* cayeron en saco roto.

Saturno y sus hijos

El 13 de marzo Pierre Vergniaud subió a la tribuna y pronunció un discurso que, incluso según las normas, sobresalía, tanto por su fuerza retórica como por su coraje político. Después de las habituales denuncias sobre las maquinaciones aristocráticas mediante las cuales la anarquía ejecutaba el trabajo de la contrarrevolución, se lamentó del hecho de que se hubiese amnistiado a los convictos de violencia en los disturbios de febrero. Cuando se ignoran las leyes por temor a la intimidación, «estamos ante un gran éxito de los enemigos de la República, que así han pervertido la razón y han reducido a la nada todas las ideas morales». Después pasó a hacer una famosa y terrible profecía. «Así, ciudadanos, debe temerse que la Revolución, como Saturno, después de devorar uno tras otro a sus hijos, solo engendre despotismo y las calamidades que siempre le acompañan.»

Señaló que la Convención estaba dividida de manera brutal en dos partes que tenían visiones antagónicas de Francia. «Una sección de sus miembros consideró completada la Revolución tan pronto como Francia se constituyó en una República. Se entendió que, en adelante, era necesario detener el movimiento revolucionario para ofrecer tranquilidad al pueblo y sancionar rápidamente leyes que asegurasen la Revolución. Por el contrario, otros miembros, alertados por los peligros con que la coalición de los tiranos nos amenaza, creyeron que resultaba importante para la fuerza de nuestra defensa continuar sosteniendo toda la agitación de la Revolución.»

Vergniaud habló un rato como si alcanzara a percibir las virtudes de ambos puntos de vista, pero en realidad se encaminaba hacia una tremenda denuncia de la violencia de las secciones y sobre todo del vandalismo del 10 de marzo. Al desarrollar el tema girondino de los peligros que amenazaban a la «representación nacional» a causa de la ilegalidad sin freno de las multitudes parisienses, caracterizó a los partidarios de las secciones como «vagabundos, hombres sin trabajo, anónimos, a menudo incluso extraños a la sección o a la propia ciudad [...], ignorantes, grandes promotores de mociones», enamorados del sonido de su propia voz, hombres que se dejaban corromper con facilidad por las malas causas. Con respecto al Comité Revolucionario Central que ellos habían organizado, «¿qué revolución desea hacer este comité ahora que ya no existe el despotismo? [...]. Quiere derrocar a la propia representación nacional». Vergniaud llegó hasta el punto de mencionar a algunos: el polaco Łazowski, cuyo nombre pronunció mal con el fin de que sonara aún más extranjero, y Desfieux, a quien acusó de ser bien conocido en su Burdeos natal por «toda clase de estafas y quiebras».

Mientras pronunció su discurso, interrumpido muchas veces por los airados gritos de «calumnia» de la Montaña, quedó patente que lo que en verdad enfurecía a Vergniaud era la destrucción de las imprentas girondinas y el continuo intento de amordazar cualquier opinión que discrepara con los jacobinos o con las sociedades populares. Comparó a la turba que destruía las imprentas con los fanáticos musulmanes que habían quemado la biblioteca de Filón de Alejandría con la excusa de que los libros que había en ella eran el Corán o versaban sobre cualquier otro asunto. En el primer caso, eran superfluos; en el segundo, peligrosos. El tipo de libertad que estaba imponiéndose a la República era la tiranía autorizada, la libertad de la fuerza bruta. Con respecto a los gritos de igualdad, Vergniaud dijo que le recordaban al «tirano de la Antigüedad [Procusto] en cuyo lecho de hierro se mutilaba a las víctimas, si estas eran más largas que el propio lecho». Bajo una tormenta de gritos y de silbidos, añadió que «ese tirano también amaba la igualdad, y *voilà*, esta es la igualdad de los canallas que os destrozarán con su furia».

«Ciudadanos —concluyó—, aprovechemos las lecciones de la experiencia. Podemos derrocar imperios con nuestras victorias, pero solo podemos hacer revoluciones para otros pueblos mediante el espectáculo de nuestra propia felicidad. Deseamos derribar los tronos. Demostremos que sabemos cómo ser felices con una República.»

He citado por extenso a Vergniaud porque su discurso representa un inhabitual intento de apartarse de la disputa y pasar revista al paisaje revolucionario. Por supuesto, su propósito era partidista. Consciente de que él y sus amigos estaban siendo acosados por los militantes de las secciones, Vergniaud trataba de recuperar la iniciativa en la disputa; pero el hecho de que enarbolase de un modo tan desafiante los colores de los girondinos no disminuye la fuerza de lo que dijo. Al margen de otras consideraciones, intentaba defender la legislatura de los repetidos ataques a su integridad y a su soberanía.

También era, desde luego, un intento de apelar a la República por encima de las cabezas de los parisienses. Consciente de los alzamientos en los centros provinciales como Marsella y en su propia ciudad, Burdeos, que estaban traspasando el poder a los adversarios de los girondinos, Vergniaud y la Gironda estaban apostando por este incipiente federalismo. Ya habían propuesto que la Convención tuviese la protección de una guardia armada reclutada en las provincias, y en mayo reanudarían el plan de Mirabeau de trasladar la asamblea fuera de la capital, a la ciudad episcopal de Bourges, si no era posible garantizar su seguridad.

Para la Montaña, todo esto se parecía mucho a una declaración de guerra lanzada contra su propia base de poder. Después de evitar durante mucho tiempo asociarse con el comité revolucionario del arzobispado, Robespierre y los principales jacobinos se vieron impulsados a una cooperación más estrecha debido al inicio de la ofensiva girondina. Aparte de otros factores, no deseaban permitir que los *enragés*, o ni siquiera los militantes de la Comuna, como Hébert, Chaumette y Hanriot, controlasen el ritmo y la magnitud de la insurrección, y esa postura les imponía llevar a cabo un programa más militante. Tampoco resulta improbable que los líderes jacobinos en efecto «creyesen» en la teoría de la conspiración, que asociaba a los girondinos con la derrota militar, con la especulación financiera y con las traicioneras alianzas con el enemigo. Estaban muy seguros de que, después de Neerwinden, Francia había estado cerca de un golpe militar organizado por Dumouriez y apoyado por la Gironda.

Así, la primera mitad de abril presenció una serie de declaraciones, tanto en la Convención como en el Club de los Jacobinos, en que la Montaña abrazó el igualitarismo social como la aspiración de la Revolución patriótica. Danton (que había sido desairado por sus intentos de acercarse a los girondinos en privado) apareció para apoyar los préstamos forzosos arrancados a los ricos con el fin de poder subsidiar el precio del pan. Otros puntos del programa *enragé* que ahora merecieron una atención favorable fueron la tasa de cambio aplicable legalmente al *assignat* y los proyectos de infraestructuras públicas, que también serían financiados gravando con impuestos a los ricos. El 10 de abril, Robespierre manifestó haber cedido al precepto *enragé* de que el pueblo tenía derecho a ejercer la democracia directa «revocando a los mandatarios infieles» dondequiera que la voluntad general así lo determinase.

A estas alturas, parecía claro que se preparaba una prueba de fuerza en la Convención. Los girondinos decidieron comprobar su propio po-

der atacando a Jean-Paul Marat, el más extremo e implacable antagonista, que además acababa de acceder a la presidencia de los jacobinos.
Aprovechaba todas las oportunidades que tenía para insultarlos desde su
encumbrado sitial en la Montaña y descendía para intercambiar insultos
y, a veces, incluso golpes en el mostrador de la tribuna. «Sapo chillón»,
gritó Guadet, acalorado. «Vil pajarraco», aulló a su vez Marat. Otro diputado había solicitado que la tribuna fuese desinfectada después de cada
discurso del «amigo del pueblo». Marat retribuyó el cumplido caracte-
rizando a sus enemigos como «Isnard el charlatán, Buzot el hipócrita,
Lasource el maniaco y Vergniaud el soplón».

Aprovechando la ausencia de los diputados enviados *en mission* a los
departamentos, los girondinos reunieron pruebas extraídas de los escritos
de Marat para demostrar que había violado la integridad de la Convención al promover violentos ataques contra sus miembros. Dado el tono
general del periodismo de Marat, no resultaba difícil reunirlas. Se redactó
una acusación de diecinueve páginas para el Tribunal Revolucionario y
en ella se citaban extractos de su *Journal de la République*, donde exaltaba
los beneficios de una dictadura revolucionaria y lamentaba que se hubieran salvado unos pocos cientos de cabezas para proteger a cientos de miles
de inocentes. Había denunciado repetidas veces a los que estaban relacionados con Roland —entre ellos, Clavière, Brissot y la mayoría de los jefes
girondinos—, a los que denominaba «estadistas» (un término muy insul-
tante en el vocabulario de Marat), «cómplices criminales de la realeza»,
«enemigos de la libertad y la igualdad», «charlatanes», «hombres atroces
que día tras día tratan de hundirnos cada vez más en la anarquía y que
intentan avivar las llamas de la guerra civil». Utilizando el *appel nominal* de
carácter individual, un método en el que el propio Marat había insistido
durante el proceso del rey, la Convención votó la acusación por 221 contra 93, pero con 128 diputados *en mission* y 238 ausentes.

Lo que siguió se convirtió en un peligroso fracaso para los girondinos. Después de esquivar durante tres días a la policía, Marat se presentó
por fin y se le asignó una amplia habitación en la Conciergerie, donde
recibió a delegaciones de funcionarios de la Comuna y a otros ciudadanos, todos ansiosos por manifestar su lealtad al «amigo del pueblo» perseguido. El día 24, cuando entró en la sala del tribunal, fue saludado con
una verdadera salva de «vivas» por parte de los espectadores reunidos,
que, de forma periódica, volvían a manifestarse, hasta el extremo de que

Marat tuvo que pedir calma a sus propios partidarios. Se defendió, vívido y convincente, y afirmó, mintiendo, que muchos de los pasajes que parecían incriminatorios habían sido sacados de contexto; que él nunca había predicado «el asesinato y el pillaje» y en cambio había reclamado enérgicas medidas para evitar justo esos males; que no había pedido la disolución de la Convención y en cambio había dicho que la asamblea perduraría o caería en función de sus propios actos y manifestaciones. Aunque aceptados por los girondinos en marzo, los jueces demostraron una visible simpatía hacia el acusado, y el acusador público, un pariente de Camille Desmoulins llamado Fouquier-Tinville, realizó un no muy incisivo interrogatorio. También contribuyó a afianzar la posición de Marat el hecho de que sus denuncias habían sido realizadas con un afán de virtud y de patriotismo, así como que habían apuntado hacia blancos generales.

Cuando llegó la absolución, el episodio se transformó en un triunfo personal de carácter espectacular. Se depositaron coronas de laureles sobre la cabeza de Marat; su «cara grande y amarillenta», como la describió Michelet, sonreía satisfecha mientras era llevado a hombros a la Convención. Las ruidosas multitudes iban y venían por los corredores de la asamblea, cantando y aclamando. El 26 de abril los jacobinos ofrecieron una fiesta especial en honor de Marat, y la muchedumbre reunida para celebrar a su héroe fue tan numerosa que una de las filas de bancos se derrumbó debido al peso.

Decir que el juicio de Marat fue un desastre colectivo para los girondinos implicaría ofrecer una pálida descripción del caso. Habían suspendido de forma selectiva la inmunidad de un diputado de la Convención al creer que podía demostrarse que había abusado de su privilegio. Desde luego, gracias a las muchas ocasiones en que Marat había afirmado que existían traidores «en el seno de la propia Convención», confiaban en que podrían demostrar la acusación. Ahora que el plan había fracasado, la suspensión de la inmunidad se volvería contra ellos. Las demandas y las delegaciones de las secciones más militantes, como Cité, Droits de l'Homme, donde Varlet era presidente, y Bon-Conseil, reclamaron la exclusión de los «Veintidós» (el número se había convertido casi en un símbolo *sans-culotte* de infamia), que habían comenzado a presentarse antes de que se iniciara el juicio y presionaban ahora de manera más firme en la sala de la Convención.

A principios de mayo los girondinos redujeron todavía más su campo de maniobra al argüir enérgicamente contra la imposición de un límite a los precios de los cereales. Sobre todo Charles Barbaroux insistió en que, cualquiera que fuese su forma, el tope tendría el efecto de agravar más que de aliviar el problema de la oferta. Si se fijaba a excesiva altura, ningún agricultor vendería sus productos por debajo del tope estipulado; si era demasiado bajo, el agricultor no vendería nada y era muy probable que los consumidores se apresurasen a comprar todo lo posible, lo que provocaría una escasez inmediata. ¿Cómo podía fijarse el mecanismo de los precios en diferentes regiones? Si era uniforme en toda Francia, los productores no tendrían interés en enviar artículos a su propia costa; si era variable, incitaría a un contrabando tan grande que la evasión de la antigua *gabelle* parecería un juego de niños. Y en definitiva, ¿cómo podía imponerse el sistema sin apelar a los regimientos de los recaudadores generales? «¿Deseáis inaugurar las visitas domiciliarias en la ciudad y el campo para descubrir un *setier* de trigo, como se hacía antes con el tabaco y la sal? ¿Deseáis armar a unos franceses contra otros y lograr que este grupo triunfe sobre otro en la cuestión de los alimentos?»

Las objeciones de Barbaroux fueron una exacta anticipación de los problemas que el precio límite hallaría; pero su aplicación se había convertido en un grito de batalla de los *sans-culottes*. El 1 de mayo llegó a la Convención una delegación del faubourg Saint-Antoine para reclamar su aplicación, así como la pronta creación de un fondo de ayuda a los pobres, sobre la base de un impuesto equivalente a la mitad de todos los ingresos superiores a dos mil libras, y el reclutamiento e incorporación al ejército de todos los individuos considerados «ricos». La delegación respaldó sus reclamaciones con amenazas de una inminente insurrección si no se accedía a sus peticiones. Al día siguiente, la Convención votó en principio la reglamentación del comercio de cereales y el 4 votó decretos que regresaban de una forma directa al paternalismo del Antiguo Régimen. Las autoridades de los *départements* debían establecer topes sobre la base del promedio de los precios obtenidos durante los primeros cuatro meses del año. Los impresores provinciales comenzaron de nuevo a imprimir los antiguos formularios usados en las requisas, en las confiscaciones, en las licencias para comerciar y moler cereales, que no habían visto la luz desde principios de la década de 1780. Se trató de un ejemplo clásico del anhelo de la Revolución francesa, que prefería la seguridad antes que la libertad, los valores del paternalismo más que los del individualismo.

A mediados de mayo se reanudó con mortal encarnizamiento la batalla por la supervivencia entre la Montaña y la Gironda. Más aún, como en el frente habían continuado acumulándose los desastres, muchos de los diputados neutrales de la Llanura habían comenzado a acercarse a los jacobinos, más o menos como habían hecho en la cuestión del juicio y la sentencia del rey. La presión originada en las manifestaciones de *sans-culottes* armados, así como la opinión de que los girondinos eran el partido agresor que mantenía viva la disputa, condujo a muchos de ellos a esta conclusión. Sin embargo, hasta bien entrado mayo, el equilibrio de fuerzas en el seno de la Convención osciló hacia un bando y hacia el otro. Isnard fue elegido presidente el 16 y, dos días después, Guadet sostuvo que se había puesto en marcha una conspiración para disolver la Convención. Era necesario convocar una nueva asamblea en Bourges, desmantelar la Comuna y denunciar y arrestar a los jefes de la conspiración en las secciones. Para desviar este tipo de acción drástica, se creó un Comité de Doce, que debía investigar la amenaza contra la legislatura nacional representada por las sociedades populares y los comités de las secciones. Este comité se convirtió rápidamente en un órgano de persecución contra los jefes *enragés,* como Varlet y Claude-Emmanuel Dobsen. Sin embargo, al ampliar el mandato judicial contra René Hébert (cuyos ataques contra los girondinos en el *Père Duchesne* lograban que, en comparación, los de Marat pareciesen muy moderados), los girondinos convirtieron en aliados y no en rivales a la Comuna y el comité del arzobispado. Hébert comprobó horrorizado que incluso se le obligaba a compartir una celda con ese despreciable tábano que era Varlet. Cuando la Comuna protestó ante la Convención, Isnard replicó con voz atronadora que recordaba a la del duque de Brunswick: «Os digo en nombre de toda Francia que, si estas interminables insurrecciones perjudican al Parlamento de la nación, París será aniquilado y los hombres buscarán los vestigios de la ciudad a orillas del Sena».

Así, la liberación de este grupo más reciente de «mártires» se convirtió en el grito de batalla de las asambleas de las secciones. Como señaló de forma memorable Richard Cobb, los historiadores de los *sans-culottes* se habían mostrado siempre muy propensos a describirlos como si hubieran actuado en masivos bloques y batallones, desplegados aquí y allá como regimientos de marionetas de los trabajadores. Lo que ahora sabemos del número de sus activistas sugiere que hubo una participación mucho más modesta. Es muy probable que como mucho el 10 por ciento de la población masculina adulta asistiera a las «asambleas generales» de las secciones y, aunque es posible que en determinados momentos críticos se contara con una asistencia de cien o doscientas personas, el número descendió a alrededor de cincuenta tan pronto como pasó la crisis. En su momento culminante en París, todo el «movimiento» *sans-culotte* estuvo formado por no más de dos a tres mil partidarios revolucionarios convencidos. Estos asistían a las sociedades populares, redactaban peticiones, aparecían con picas en las puertas de la Convención, «fraternizaban» unas con otras desplegando su fuerza cuando sus compañeros se veían amenazados en la respectiva sección por una mayoría hostil o «moderada». Más aún, incluso en París no dominaban, de ningún modo, la totalidad de las cuarenta y ocho secciones. El movimiento popular tenía un apoyo leal solo en veinte o treinta secciones de una zona que se extendía desde Poissonière hasta el faubourg Saint-Denis, al norte, y descendía por el este a través de las ultramilitantes secciones del Temple, Poponcourt, Montreuil y Quinze-Vingts, y después se internaba en el centro de la ciudad hasta las secciones de Saint-Marcel, al sur (Gobelins y Observatoire).

Sus cabecillas, incluso fuera del círculo cercano de los *enragés*, rara vez eran artesanos y, mucho menos, asalariados. Claude-Emmanuel Dobsen, que desempeñaría un papel fundamental en la insurrección contra los girondinos, era abogado, primer juez de uno de los tribunales de París, ferviente masón y oficial de la Guardia Nacional desde 1790. J.-B. Loys era un abogado y comerciante marsellés que había denunciado a sus dos hermanos como realistas y que había sido herido honrosamente en el ataque a las Tullerías. Dos de los destacados hombres del grupo de los militantes incluso tenían un origen noble: Rousselin, que, como Varlet, había asistido a la antigua escuela de jóvenes aristócratas de Talleyrand, el Collège d'Harcourt, y Luis-Henri «Scipio» Duroure, una oveja negra entre los patriotas, consagrado a la política revolucionaria después de engendrar un hijo con la doncella inglesa de la familia, que continuaba viviendo de una renta de más de veinte mil libras anuales.

Sin embargo, sería un error imaginar que estos hombres eran *playboys* convertidos en *sans-culottes*. Todos vivían en los vecindarios que ellos representaban, con frecuencia en casas no muy diferentes de las que ocupaban los artesanos. En consecuencia, muchos de ellos estaban bastante más cerca del «pueblo» que Robespierre, que tan liberalmente los interpelaba desde la sala de estar de los Duplay. Aunque sin duda formaban una minoría, si atendemos a la implacable firmeza de sus convicciones revolucionarias, estos militantes podían, en los momentos críticos, movilizar a multitudes armadas de decenas de miles de individuos. Sin embargo, el éxito de una insurrección exigía la aprobación, o la participación, de figuras más encumbradas de la jerarquía revolucionaria. Se necesitaba la convocatoria de figuras importantes de la Comuna, como Hébert, de los discursos de Danton o de Robespierre, así como de los discursos publicados en el periódico de Marat para reclutar muchedumbres que se encontraban más allá del núcleo interno de los fanáticos.

Lo que también se necesitaba para desencadenar una decisiva *journée* era un sentido del riesgo. Después de la amenaza de Isnard de levantar a los departamentos contra París, el 27 hubo una turbulenta invasión *sans-culotte* de la Convención que consiguió obligar a los diputados a abolir el inquisitorial Comité de Doce. Sin embargo, la decisión se revocó al día siguiente, cuando los girondinos exigieron una nueva votación basándose en la afirmación de que los espectadores, mezclados con los diputados, habían votado ilegalmente la víspera; pero se confirmó la liberación de Hébert y Varlet. Y lo que es más importante, Robespierre, que todavía a finales de marzo había insistido en la inviolabilidad de la Convención, ahora parecía haber dado luz verde al alzamiento. En el Club de los Jacobinos, el día 26 invitó «al pueblo a levantarse en una insurrección contra los diputados corruptos» y, durante esa semana, varias veces más habló de la necesidad de una «insurrección moral».

No quedaba claro exactamente en qué se distinguía una insurrección moral de cualquier otro tipo de alzamiento, aunque con seguridad Robespierre deseaba evitar un derramamiento de sangre indiscriminado similar al del otoño anterior. Una vez desencadenado por Dobsen, Varlet y el comité central revolucionario del arzobispado, el episodio cobró su propio impulso. Bajo la dirección de François Hanriot, un antiguo empleado de aduanas que había sido designado poco antes co-

mandante de la Guardia Nacional en lugar de Santerre, que por entonces prestaba servicios en la Vendée, los guardias *sans-culottes* armados
acompañaron a los jefes del comité del arzobispado hasta la Comuna.
Los tambores y los guardias entraron en el salón del Consejo General
para informarle de que su mandato había sido revocado por el «pueblo
soberano». Cuando el Consejo General aceptó los puntos esenciales del
programa revolucionario —un impuesto aplicado a los ricos; el arresto
de los girondinos y exministros, como Roland, Clavière y Lebrun; la
creación de un ejército *sans-culotte* para aplicar las leyes revolucionarias;
e incluso el precio límite en los departamentos y un pago de cuarenta
sous per diem a los ciudadanos trabajadores en las armas—, se reinstauró
la Comuna.

Después estas demandas fueron presentadas a la Convención con
el argumento de que el comité del arzobispado había descubierto una
conspiración contra la libertad y la igualdad que exigía, si se deseaba
salvar la Revolución, un nuevo alzamiento. Aunque esto era más o menos exactamente lo que Robespierre había sugerido en el Club de los
Jacobinos, la Convención y sobre todo los diputados de la Llanura no
deseaban admitir imposiciones de este tipo. Los jefes de la Gironda destinados a la expulsión y el arresto se habían armado durante las primeras
horas del 31, cuando oyeron el toque a rebato, pero no pudieron decidirse a aceptar el consejo de Louvet de salir de París y levantar el estandarte antijacobino en las provincias. Tampoco deseaban ser los responsables de una guerra civil total, pero es muy posible que, teniendo detrás
la experiencia del fracasado alzamiento del 10 de marzo, creyesen que
podían predominar en la propia Convención. Sea como fuere, decidieron hacerse fuertes allí y atacaron a Hanriot, al que acusaron de intimidación, y pidieron protección armada para los diputados. Durante la
conmoción, con los soldados *sans-culottes* ocupando los corredores y
esgrimiendo picas y escopetas, aclamando o frunciendo el ceño, amena-
zantes, Vergniaud adoptó una actitud sorprendentemente moderada.
Durante la extensa arenga acusatoria de Robespierre, finalmente interrumpió: «Concluid de una vez». «Concluiré —replicó Robespierre—
y contra usted.» En definitiva, las demandas fueron remitidas al Comité
de Salud Pública.

Parecía claro que las cosas no quedarían así. Dos días después, el
domingo 2 de julio, cuando los habitantes de los *faubourgs* y las aldeas

hors des murs afluyeron a la ciudad, una inmensa multitud rodeó la Convención. La mayor parte de las estimaciones hablan de ochenta mil personas, la mayoría con algún tipo de arma. Se habían reunido para escuchar el informe del Comité de Salud Pública y la respuesta de los diputados, y demostraron claramente que había que pagar un precio muy alto si no se satisfacían sus demandas. La noticia de una rebelión en Lyon contra la municipalidad jacobina, el día 29, ya había llegado a París y daba crédito a la afirmación del comité revolucionario de que se estaban enfrentando a una conspiración contrarrevolucionaria.

Desde el principio quedó patente que la Convención estaba dispuesta a acatar la voluntad del pueblo reunido (aunque no era lo que deseaba), con el fin de evitar una masacre general o el traspaso de todo el poder efectivo al comité revolucionario. En representación del Comité de Salud Pública, Delacroix aceptó la formación de un ejército revolucionario que recibiría el pago de cuarenta *sous* diarios, pero Barère propuso que los girondinos culpables fuesen suspendidos, más que arrestados, y además solo por un periodo determinado.

Resultaba improbable que estas medidas satisficieran a los *sans-culottes*, que se mostraron cada vez más airados a medida que pasaba el tiempo. Los diputados sufrieron presiones y empujones; arrancaron del cuello de Boissy d'Anglas el elegante pañuelo que llevaba; Grégoire fue acompañado por cuatro guardias armados cuando quiso dirigirse al retrete. Cuando Hanriot, que mandaba a los guardias apostados fuera de la sala, recibió un mensaje del presidente Hérault de Séchelles, que le pedía que pusiera fin a la intimidación, replicó: «Decid a vuestra mierda de presidente que él y su asamblea pueden irse al infierno; si en el plazo de una hora no entregan a los Veintidós, los volaremos a todos». Se acercó el cañón a las puertas del Manège, para dar a entender que no estaba bromeando.

Buscando de forma desesperada un modo de afirmar la autoridad o, al menos, de dar la apariencia de una decisión política libre, Barère propuso que todos los diputados saliesen de la sala de debates y que se mezclasen con los hombres armados. Supuso que esa táctica desactivaría la peligrosa división entre soldados y políticos. Alrededor de un centenar de diputados se agruparon detrás de Hérault de Séchelles, como escolares asustados. Al salir a la intensa luz del sol, encontraron a Hanriot montado en su caballo, a la cabeza de numerosas filas de temibles e hirsutos guardias que, sin duda, ardían de ira y agitaban sus armas. Hérault pidió a Hanriot que respetara la obligación de dejar libres la entrada y la salida del Manège. El comandante replicó a Hérault que estaba seguro de que el propio presidente era un reconocido patriota, pero exigió el compromiso, «sobre vuestra cabeza», de que los veintidós canallas fueran entregados en el lapso de veinticuatro horas. No era un compromiso (sobre todo, con el precio que se le ponía) que Hérault estuviese dispuesto a cumplir, de modo que se preparó el cañón y se apuntó directamente sobre la cámara. La penosa columna de diputados, bajo la hostil mirada de los soldados, recorrió el sendero que cercaba el jardín, frente a la sala, buscando una salida, pero, en cada puerta, el paso estaba obstruido por un número cada vez mayor de guardias. Finalmente, regresaron a la sala, donde vieron a otros miembros de las secciones sentados en los bancos con los diputados de la Montaña.

Se trataba de un momento decisivo. Un amortiguado silencio de culpa, temor y vergüenza invadió la Convención. Fue roto por el inválido Georges Couthon, que habló desde su silla de ruedas y sugirió que, después de mezclarse con los guardias, los diputados sabían que ahora eran «libres» y, como todo lo que la buena gente deseaba era la eliminación de los malhechores, ahora sin duda podían pasar a la correspondiente acusación. Después leyó el documento acusador contra Clavière y Lebrun y otros veintinueve diputados, diez de los cuales habían servido en el Comité de los Doce. Cuando concluyó la votación, Vergniaud se puso en pie, desafiante y sarcástico, para ofrecer a la Convención una copa de sangre que calmase su sed.

Todo esto había sucedido mientras Hérault de Séchelles ocupaba la presidencia. Para advertir hasta dónde había llegado la Revolución, basta con recordar que este era el mismo presidente joven del Parlamento de París que, durante la década de 1780, había sido alabado como el modelo de la elocuencia jurídica. Al igual que su amigo muerto Lepeletier, se había convertido en jacobino y podía realizar la habitual condena de la maldad de su propia clase aristocrática siempre que resultaba necesario. No lo hacía de mala fe. Todos los datos de los que disponemos demuestran que Hérault había conseguido reemplazar su sentido aristocrático de miembro de la élite por su posición de tribuno cívico. Sin embargo, lo que él abandonó el 2 de junio de 1793 fue el último atisbo de apariencia de que la Revolución estaba fundada en la legalidad, o en la representación, asuntos que, según afirmó en 1789, debían determinar el mantenimiento o la caída de Francia.

El juicio acerca de ese día se ha visto enturbiado quizá por las pasiones partidistas que, durante los años del centenario de la Revolución, dividieron a los historiadores entre girondinos y jacobinos modernos. Los primeros incluso fueron utilizados antihistóricamente como símbolos colectivos de las preocupaciones propias de los siglos XIX y XX: liberales o socialdemócratas. Los historiadores románticos como Lamartine vieron en la Gironda a su antecedente político; Lamartine encendió su prosa en la pira funeraria de la extinción política de los girondinos. Los historiadores marxistas de una generación posterior consideraron que ese sentimentalismo era propio de la sensiblería burguesa de los estómagos delicados y del cómodo patriotismo. La más moderna y excelente crónica del alzamiento incluso se hace eco del pastiche del marxista Albert Soboul, que, al referirse a la denuncia de Robespierre, afirma que los girondinos bien merecían morir, porque «habían denunciado al rey, pero habían retrocedido ante la posibilidad de condenarle; habían buscado el apoyo del pueblo contra la monarquía, pero rehusaban gobernar con él».

No es necesario apoyar el «mito neoliberal de la Gironda» para percibir la falsedad que encierran estos deplorables razonamientos. La preferencia por una república no implicaba forzosamente que se sintiera entusiasmo por la ejecución del rey; pues eso, y no la condena, era lo que estaba en juego. Todavía menos la creación de una nueva representación nacional exigía que los diputados aceptaran lo que Morris Slavin denomina eufemísticamente la «democracia participativa», dondequiera que esta decidía ejercer sus derechos apelando a la artillería pesada. Incluso Robespierre, aunque sin duda complacido por los resultados del alzamiento, tanto porque eliminaba a sus enemigos como porque evitaba la masacre y el caos políticos, se mostró hostil a la desestabilización crónica del Gobierno, que habría sido la consecuencia si el populacho ejercía sus derechos rousseaunianos a «revocar a sus mandatarios» cuando las secciones así lo decidiesen.

Con frecuencia se afirma que era tan desesperada la situación en la que Francia se encontraba que se requería algún tipo de depuración para preservar la Revolución. La República no podría haber sobrevivido a las derrotas en el campo de batalla y, al mismo tiempo, a las inter-

minables disputas en el seno de la Convención. En efecto, esa había sido
siempre la tesis de Danton, pese a que declaró que se sentía «ofendido»
por la violación de la «asamblea el 2 de junio». Sin embargo, ¿qué clase
de revolución era la que merecía proteger? ¿La revolución en la que la
ley se había arrodillado ante las formas más burdas de la prepotencia?
¿La revolución en que la minoría armada de una parte del pueblo de
París podía humillar a los representantes electos de la nación?

No obstante, había una sombría verdad en este desdichado episodio
de amenaza y rendición. Desde 1788 en adelante, la Revolución francesa se había visto impulsada por la fuerza de las armas, por la violencia y
por la algarada. En cada etapa de su avance, los que se habían aprovechado
de la fuerza revolucionaria trataron de desarmar a los que habían accedido al poder. Y en cada etapa sucesiva se convirtieron a su vez en prisioneros más que en beneficiarios. Este proceso continuaría mientras se
permitiese que el pueblo de París siguiera apelando caóticamente a las
armas. Y quizá no resulta exagerado afirmar que, a partir del 2 de junio,
los jacobinos ya estaban planeando acabar con esta peligrosa situación.
A diferencia de todos sus predecesores, no vacilarían en devolver al Estado revolucionario la violencia que había sido liberada en 1789. Se
guillotinaría a la democracia revolucionaria en nombre del Gobierno
revolucionario.

17

«El Terror en el orden del día»
Junio de 1793-frimario del año II (diciembre de 1793)

LA SANGRE DEL MÁRTIR

Después de ser expulsados de la Convención, los líderes girondinos fueron puestos bajo arresto domiciliario en París. Muchos decidieron permanecer donde estaban, desafiando de forma deliberada su marginación con respecto al cuerpo político; pero otros intentaron huir. Dos de ellos, Jérôme Pétion y el bretón Kervélegan, consiguieron escapar de sus guardias, el segundo tras arrojarse desde la ventana del segundo piso de su casa. Un grupo más nutrido, que ya temía lo peor después de la insurrección del 31 de mayo, había partido de París en fecha temprana, decidido a cumplir su amenaza de poner a las provincias en contra de la capital.

Durante la primera semana de junio de 1793 dio la impresión de que lograrían su propósito, pues, mientras la mayoría de las secciones parisienses adoptó una actitud de «montañismo» militante, lo contrario era válido en algunas de las ciudades de provincias más importantes. En Burdeos, Lucy de La Tour du Pin vio a un millar de jóvenes entrenándose en las laderas del château Trompette. Animados por diputados como Boyer-Fonfrède y Roger Ducos, y pagados por la municipalidad girondina, debían formar el núcleo de un ejército «federalista» movilizado para resistir la dictadura de París. Lucy se inquietó porque el estrépito que hacían con los cañones y en los teatros por las noches no aventuraba nada bueno sobre la fuerza que demostrarían bajo el fuego. También en Marsella las secciones habían protagonizado en mayo una revuelta contra la municipalidad jacobina militante. Se instaló un nuevo régimen, dominado por partidarios de los principales girondinos marselleses, es decir, Barbaroux y Rebecquy, muchos de los cuales procedían de la élite mercantil y comercial de la ciudad portuaria, como en efecto era el caso de Burdeos. Se procedió a cerrar los clubes jacobinos, se disolvió su comité central y los principales miembros fueron detenidos.

Aunque las causas directas de estas revueltas urbanas procedían de la intensidad de la política local, la motivación de los insurgentes era casi la misma en Burdeos, Marsella, Tolón, Montbrison y Lyon, donde el 29 de mayo estalló el alzamiento más grave. En todos estos casos, los hombres que creían ser los jefes políticos y culturales «naturales» de la ciudad —abogados, comerciantes, funcionarios, las luminarias de las academias, los hermanos de la logia masónica, los oficiales de la Guardia Nacional— habían sido expulsados del gobierno municipal después de la caída de la monarquía, con frecuencia tras unas elecciones visiblemente manipuladas o fruto de la intimidación. Rechazados por las autoridades de los *départements*, pero apoyados por representantes de la Convención *en mission*, los regímenes jacobinos locales promovieron después versiones a pequeña escala del Terror en la forma de allanamientos domiciliarios, impuestos forzosos a los ricos, el cierre de los periódicos y las sociedades opositoras, así como los arrestos selectivos.

En Lyon, esta ofensiva militante fue dirigida por Joseph Chalier, cuya capacidad histriónica no se vio superada por ningún otro político de la Revolución francesa. Después de llevar a la ciudad una de las piedras de la Bastilla, organizó una ceremonia en la que cada uno de los fieles se arrodilló para besar la sagrada piedra. Con una actitud más siniestra, Chalier amenazó con emplear la guillotina con los comerciantes de la seda que alegaban la crisis como motivo para no ofrecer trabajo a sus operarios. A principios de febrero había convocado una asamblea general de los clubes, que comenzó con un juramento forzoso bajo pena de muerte, que imponía ajustarse a las decisiones que la asamblea se disponía a adoptar. Después Chalier anunció que se crearía en Lyon un tribunal revolucionario y que «se necesitan novecientas víctimas para salvar a la *patrie en danger*. Serán ejecutadas en el Pont Morand y los cuerpos se arrojarán al Ródano».

Las bufonadas de Chalier consiguieron alinear incluso a los que se creían jacobinos ortodoxos. Temerosos de estar incluidos en una posible lista de «moderados proscritos», hicieron causa común con la oposición más general de las secciones, que incluía un elemento decisivo: los guardias nacionales a quienes los *représentants-en-mission*, Albitte y Dubois-Crancé, habían intentado desarmar. El 29 de mayo los miembros moderados de las secciones y los guardias atacaron el municipio y detuvieron a Chalier y a los miembros de la municipalidad. Lo más sorprendente en el alzamiento federalista de Lyon, como en el de otros lugares, fue que, si bien la élite comercial y profesional de la ciudad lo encabezó desde los puestos de mando que ocupaba en las secciones, el movimiento no habría podido lograr éxito sin el apoyo armado de muchos ciudadanos más humildes, con frecuencia los artesanos que los jacobinos suponían que estaban de su parte. Aunque los tejedores de la seda tal vez se mantuvieron al margen, muchos maestros que poseían pequeños talleres participaron en la rebelión y en el ejército federalista. En Marsella y Tolón los trabajadores de los muelles y del arsenal apoyaron la revuelta. Por tanto, no se trató de la sencilla guerra de clases de la historiografía jacobina. Paradójicamente, la misma retórica que en París achacaba a los gobiernos moderados la prolongación de la crisis económica —el desempleo, la devaluación del *assignat*, la escasez de alimentos y el aumento de los precios— en las ciudades de provincias podía volverse contra los municipios jacobinos. Por ejemplo, en Tolón fue arrestado en julio un hombre por haber dicho que «necesitamos un rey, porque bajo la monarquía el pan costaba dos *sous* [la libra]». En la misma ciudad, los trabajadores de los arsenales hicieron una petición a la Convención Nacional, con igual tono, en la que exigían «paz en nuestras ciudades y pan para nuestras familias. La devaluación del papel moneda y vuestras terribles peleas políticas sugieren que no tendremos ninguna de las dos cosas».

El fenómeno del apoyo popular a los moderados asentados resulta desconcertante solo si se supone que los artesanos y los tenderos estaban realmente convencidos de que los médicos, los maestros de escuela y los escritores de poca monta que profesaban ser *sans-culottes*, en cierto sentido, estaban más cerca de sus intereses que los comerciantes y los abogados de la élite establecida. No hay motivos para aceptar literalmente la retórica jacobina que hizo esta aseveración: pero, incluso si hubiera sido cierto, dicha solidaridad impuesta se habría visto desbordada, sin duda, por los intensos sentimientos de fidelidad local y la antipatía igual de intensa hacia el imperialismo parisiense. Nada era más perjudicial para hombres como Chalier que ser estigmatizados como *étrangers,* es decir, extraños, sobre todo cuando su poder estaba apuntalado por los representantes de la Convención. Así, las grandes fuerzas centrífugas liberadas por la revolución de 1789-1791 podían cambiar el sentido de su movimiento solo mediante la aplicación de la fuerza militar.

La revuelta de Lyon estalló el mismo día en que se realizó la purga de los girondinos en París. A su vez, la noticia de ese episodio acentuó el impulso de la resistencia a la Montaña (no solo en la Francia meridional). Rennes, en Bretaña, fue un importante centro de descontento y dio la impresión de que algunas de las principales ciudades de Normandía se unirían al movimiento. El 10 de julio, el grupo más influyente de fugitivos girondinos apareció en una de estas localidades, la ciudad episcopal de Caen, en el Departamento de Calvados. Sin duda eligieron ese lugar para resistir en vista de su proximidad relativa a París y quizá porque un miembro del grupo, Buzot, era a su vez normando. Se trataba del amante de madame Roland y llegó a la ciudad con un saco lleno de sus cartas, mechones de sus cabellos, miniaturas de su rostro..., y su doliente esposa. Le acompañaban otras figuras importantes, como por ejemplo Charles Barbaroux, Guadet, los periodistas Gorsas y Louvet, el médico Salle, Lanjuinais y los dos fugados Pétion y Kervélegan. Más avanzada la semana se les unió un tercer grupo de diputados, y estos hombres, unidos, establecieron una base política en el Hôtel de l'Intendance, que se levantaba en el centro de Caen.

El objetivo más inmediato era formar una fuerza federalista septentrional, mandada por el general de Wimpffen, que había sido uno de los diputados de la ciudad en la Constituyente. Debía coordinarse una marcha sobre París con movilizaciones similares en los restantes centros federalistas, con la intención de contener y en definitiva destruir el dominio jacobino. Aunque los federalistas eran explícitamente contrarios a la realeza, creían que la incapacidad de los ejércitos republicanos para reprimir la rebelión de la Vendée constituía un factor de confusión que los beneficiaba. La capital y sus satélites serían aplastados a partir del perímetro de las regiones descontentas de Francia, que formarían un círculo prolongado hacia el oeste desde Normandía y Bretaña, atravesando la Vendée, hasta la Gironda y el sur de la Provenza, para subir por el valle del Ródano y llegar a Lyon y el Franco-Condado, donde también Besançon optaba por el federalismo. Tenían la esperanza de que de forma paulatina este anillo se ajustaría como un dogal alrededor de los cuellos de la acosada Montaña.

Incluso en Caen las posibilidades de esta ambiciosa cruzada antijacobina parecían razonables. El día 15 los girondinos y las autoridades del departamento habían redactado un manifiesto. En él se denunciaba a «la comuna conspiradora [de París] saciada de sangre y oro, que mantiene cautivos a nuestros representantes. Se atreve a imponer su voluntad gracias a las bayonetas. La representación nacional ya no existe. ¡Franceses! El hogar de nuestra libertad ha sido violado. Los hombres libres de Neustria [el nombre franco de Francia septentrional] no permitirán este ultraje y esos bellacos serán castigados o todos moriremos». El 22, una asamblea general que representaba a una importante mayoría de las secciones de Caen también apoyó una moción contra la continuación de la «anarquía». Llamado por la Convención, De Wimpffen replicó que iría a París a la cabeza de sesenta mil hombres para restablecer la justicia y la libertad.

Sin embargo, por el momento su fuerza era más modesta. El 7 de julio hubo un desfile militar en la Grande Cour de Caen y no fue posible reunir más que dos mil quinientos soldados federalistas: ochocientos del Eure y Calvados, quinientos del vecino Departamento de Îlle-et-Vilaine, ochocientos de los departamentos bretones de Finistère y Morbihan, y el resto de la Mancha y Mayenne. Al compás de la música de las bandas militares, bastaba para ofrecer un hermoso espectáculo durante la tarde estival, pero no para una guerra civil. Aunque los girondinos habían confiado en que el espectáculo propiciaría una avalancha de voluntarios espontáneos, la tarde proporcionó una escasa cosecha de apenas ciento treinta hombres que se sumaron a las filas.

Una mujer muy hermosa de veinticinco años llamada Charlotte Corday d'Armont contemplaba el desfile. La casa de Caen en que ella se alojaba estaba a pocos pasos de la Intendance, donde los girondinos habían establecido su cuartel general. Desde el balcón, estos hombres lanzaban con frecuencia sus discursos a gente que secundaba sus propuestas y Charlotte Corday los había escuchado muchas veces; el 20 consiguió ser presentada al elocuente y audaz provenzal Charles Barbaroux. Sin embargo, no necesitaba que la convencieran, pues Charlotte Corday ya estaba consumida por un odio intenso, casi fanático, hacia los jacobinos, cuya conducta durante el 31 de mayo y el 2 de junio, según ella creía, había llevado a la República al más bajo nivel de degradación.

Ella deseaba ver el florecimiento de una república; pues, aunque Charlotte había nacido en una residencia hecha de madera, en el seno de una familia de la pequeña nobleza normanda, no era bajo ningún concepto realista. Por el contrario, como madame Roland (que admiró mucho su brusca intervención en la historia de la Revolución), Charlotte había leído a fondo a Rousseau y las consabidas historias de Roma e imaginaba la Revolución como un proceso destinado a promover una exaltada transformación moral. Se convirtió en asesina, pero no para vengar a Luis XVI (más aún, cuando la interrogaron, rechazó explícitamente la comparación con Pâris, el guardia real que había asesinado a Lepeletier), sino para ayudar a la causa girondina y federalista. Su acto, escribiría Charlotte a Barbaroux desde la cárcel, quizá había hecho más que cualquier batalla para ayudar al general de Wimpffen.

Un hecho sobre todo distanció violentamente a Charlotte de la Revolución. El abate Gombault, *curé* de Saint-Gilles, en Caen, había administrado la extremaunción a la madre de Charlotte en 1782, cuando la dama falleció de parto. Como sacerdote refractario, había sido desposeído sucesivamente de su estipendio, amenazado con la deportación y, en abril de 1793, se había ocultado en los bosques de La Delivrande para evitar el arresto. Una patrulla que le buscó con perros consiguió encontrarle y fue ejecutado el 5 de abril en la place du Pilori (el primero de los guillotinados en Caen). Más avanzado el mismo mes, el Departamento de Calvados dirigió la primera de muchas cartas a la Convención para quejarse de la tiranía de una pequeña camarilla de jacobinos. «Vuestras divisiones son la causa de todas nuestras dificultades. Os preocupan y os incitan un Marat, un Robespierre, un Danton, y olvidáis que un pueblo entero sufre.» Esos ataques a la Montaña fueron publicados y ampliamente difundidos en Caen, y parece probable que Charlotte pudo haberlos leído. Un ataque a Marat, el «sanguinario» más célebre, procedente de Pézenas, diputado de Hérault, circuló en Caen y tal vez Charlotte Corday lo consideró muy convincente, entre otras cosas por el modo en que volvía contra Marat su propia obsesión por la economía política de la decapitación.

> Que caiga la cabeza de Marat y se salvará la República [...]. Depurad a Francia de este hombre sanguinario [...] Marat entiende la Salud Pública solo en un río de sangre; por eso mismo la suya debe manar, y su cabeza debe caer para salvar a otras doscientas mil.

Charlotte Corday llegó a la conclusión de que esta tarea era su propia vocación. Descendiente directa del clásico dramaturgo Pierre Corneille, dio la impresión de que ella misma asumía uno de los papeles habituales de su antepasado. Estaba dispuesta a convertirse en una mártir patriótica, en una mujer deseosa de morir en el acto sagrado de desembarazar a la *patrie* de un monstruo. El 9 de julio, cuando reinaba un asfixiante calor vespertino, envió una carta a su padre, que estaba en Argentan, le pidió perdón por salir de Caen sin su permiso y subió a la *diligence* que debía llevarla a París.

El objeto de su atención, entretanto, yacía enfermo en su casa de la rue des Cordeliers. Marat, que nunca había gozado de buena salud, había contraído últimamente una severa enfermedad en la piel que, en erupciones periódicas, convertía esta en una dolorosa combinación de escamas y llagas. El único alivio, cuando se manifestaba esta artritis psoriásica, era descansar en un baño frío. Cuando llegaban las crisis, Marat se retiraba a su cuarto de baño alicatado y continuaba trabajando sobre una pequeña mesa improvisada con una caja de madera invertida que estaba a un lado de la bañera con forma de herradura. Puede que el tórrido calor de mediados del verano empeorase su estado, pues Marat no había acudido a la Convención durante un periodo inusualmente largo. El 12 de julio, un día después de que Charlotte Corday llegara a París, dos diputados le visitaron para preguntar por su salud. Uno de ellos era el pintor Jacques-Louis David, que le halló escribiendo sus pensamientos «acerca de la seguridad de la *patrie*» en su incansable estilo, con el brazo derecho fuera de la bañera. De las paredes de la habitación colgaba un mapa de los departamentos de la República, emblemas de la Revolución, así como un par de pistolas cruzadas, bajo las cuales estaba escrita la leyenda «La Mort». Quizá impresionado por este inquietante lema alarmante, David deseó una rápida recuperación al «amigo del pueblo», a lo cual este replicó: «De ningún modo me preocupan unos diez años más de vida; mi único anhelo es poder decir con mi último suspiro: "Soy feliz, la *patrie* está salvada"». Charlotte Corday no habría podido expresarlo mejor.

A pesar de su abatimiento, Jean-Paul Marat se encontraba entonces en la cúspide de su poder y de su influencia. Después del frustrado intento de los girondinos de condenarle en abril, todo le había ido como deseaba. El día de la absolución por el Tribunal Revolucionario, una mujer le rodeó la frente con una guirnalda de rosas. Un mes después disfrutó aún más de la victoria, pues vio a sus más acérrimos enemigos proscritos y expulsados de la Convención. El mecanismo institucional de la dictadura revolucionaria que él proponía se había convertido ahora en una realidad, de modo que la caótica brutalidad de las turbas en las calles sería reemplazada por el mecanismo sistemático de castigo oficial. Los *enragés*, a los que tenía tanta aversión como a los girondinos, no habían conseguido salir beneficiados de los episodios del 2 de julio y el propio Varlet había sido excluido de los jacobinos. Se escuchaba a Marat en la Convención, se le respetaba en la Comuna, se le dispensaban los mayores halagos en las secciones. Parecía haberse identificado con la persona que él había creado: el «amigo del pueblo», el oráculo de la República, el hombre que desenmascaraba las conspiraciones, el azote de los hipócritas.

Desde luego, estaba muy lejos del hombre de letras itinerante experto en asuntos médicos y científicos que había recorrido Europa en busca de reconocimiento para sus teorías sobre óptica, aeronáutica y electroterapia. Como en el caso de Jacques-Louis David, su vida política era el fruto de un amargo rechazo personal. En el caso de David, la negativa de la Académie a exhibir las obras de Drouais, su alumno favorito (todo un artista prodigio), le había convencido de que la institución estaba dominada por una aristocrática camarilla. A partir de esta convicción, no necesitó mucho para sentir la necesidad de destruirla, por considerarla incompatible con la libertad revolucionaria, y para adoptar un compromiso político que convirtió al pintor en diputado ante la Convención y en miembro del Comité de Seguridad General. El fracaso de Marat, que no pudo obtener el reconocimiento de la Académie des Sciences para sus teorías sobre los fluidos ígneos, que, según él entendía, eran la propiedad esencial de la electricidad, tuvo un carácter mucho más destructivo, pues, a diferencia de la disputa de David, arruinó su carrera. Antes de la crisis de 1780 había sido, al menos de nombre, médico de Artois y contaba con una nutrida clientela a la que administraba su tratamiento de electroterapia. Después esa clientela se redujo ante la acusación de que Marat era un charlatán y solo un premio otorgado por la Académie de Ruán le compensó en parte.

Dolido ante la afrenta, Marat reconstruyó su identidad. En lugar de congraciarse con la aristocracia, se dedicó a criticarla. En lugar de buscar publicidad, creó su propia publicidad viviendo en el sector de los Cordeliers, donde tenía un fácil acceso a los impresores. En Inglaterra, la carrera de John Wilkins le había demostrado de qué modo un periodismo mordaz y combativo, que rozaba los límites del decoro convencional, podía de hecho crear un nuevo público político. Sin embargo, el producto que Marat creó, a partir de otros elementos de la cultura metropolitana, era típicamente francés. De Linguet y Mercier tomó un tono apocalíptico y la disputa teñida de la violencia verbal que zahería los vicios de la moda política. Con mirada retrospectiva se advierte que los orígenes de familia de Marat, tan particulares, que combinaban el jesuitismo sardo con el calvinismo ginebrino (este último por el lado de su madre), constituyeron un adiestramiento perfecto para este tipo de mesianismo agresivo. De Rousseau tomó la disputa paranoide. Así, concentró su ataque contra la autocomplacencia liberal y se ocupó de que, cuando llegasen los contraataques (por ejemplo, de Lafayette), esa «persecución» se pudiera convertir en una ventaja política. Provocando a la acción a adversarios, a quienes describió como traidores, conspiradores, tiranos o ineptos, pudo después presentarse como el campeón de la libertad de prensa. «La libertad de decir algo solo tiene enemigos entre los que desean reservar para ellos el derecho de hacer algo» (es este uno de sus comentarios memorables).

Por tanto, el papel que eligió fue el de un proscrito, un hombre que abjuraba del ingenio, la distinción, la obsesión elegante por la moda en favor de los imperativos de la verdad y de la virtud. El propio motivo resultaba sospechoso, pues, como escribió en junio de 1793, la Revolución casi se había visto frustrada por hombres que preferían como guía la *philosophie* antes que las pasiones. Como había advertido Rousseau, los modales corteses eran simplemente una forma de corrupción practicada por los «charlatanes». «La aspiración de complacer a todos es absurda —escribió en 1793—, pero la aspiración de complacer a todos en momentos revolucionarios es traición.» Según este mismo razonamiento, desagradar al mayor número posible de personas parecía una muestra de su integridad. Marat convirtió en arte este género de agresiva fealdad, para la cual su apariencia personal se prestaba a la perfección. Sus ojos no estaban bien alineados y en cambio relucían sombríos en una cara ancha y aplastada. Sus contemporáneos, que eran muy aficionados a las analogías zoomórficas, se dividían cuando se trataba de decidir a qué clase de ave se parecía más Marat. Sus amigos y admiradores le comparaban con un águila; sus enemigos, con un cuervo depredador. En su propia presentación, Marat desechó el atuendo totalmente convencional que solía usar en favor de una apariencia de llamativa sencillez: el cuello desnudo, los cabellos negros despeinados, una vieja chalina de armiño a veces puesta sobre los hombros. No era de ningún modo la vestimenta de un auténtico *sans-culotte*, pero sí un ropaje adecuado para interpretar el papel de «amigo del pueblo». Se vanagloriaba de su rudeza. En octubre de 1792, mientras buscaba en París a Dumouriez, a quien deseaba enfrentarse, Marat irrumpió en una cena ofrecida por el actor Talma para arengar al general, que se encontraba sentado a la mesa. Estaba dispuesto a buscar la verdad; nada podía escapársele. Sus ojos vigilaban; su voz se elevaba para despertar al pueblo de su sueño letal.

Si Marat ansiaba adoptar la personalidad del Jeremías revolucionario —soñador, profeta, mensajero de un destino funesto—, resultaba esencial el desafío del martirio. A semejanza de Robespierre y de muchos otros jacobinos, se ofrecía constantemente a inmolarse antes que tener que ver comprometidos sus principios, sacrificar su propia persona para vengar a los «liberticidas». El hecho de que Marat huyera con frecuencia cuando el peligro, en efecto, lo amenazaba, no parecía manchar esta imagen de autoinmolación. Solía llevar una pistola cuando se dirigía a la convención (puede pensarse que no tanto para defenderse como para llevar con él un accesorio de utilería). Cuando los girondinos estaban trabajando en la acusación contra él, apretó la pistola contra la sien durante un discurso y declaró que «si en la furia que se ha desencadenado sobre mí se ejecuta el decreto acusador, me volaré los sesos». En otras ocasiones manifestó que él, «la voz del pueblo», estaba siendo «sofocada», «estrangulada» o (con mayor frecuencia aún) «asesinada».

A las ocho de la mañana del 13 de julio, Charlotte Corday salió de su alojamiento cerca de la rue des Victoires y se dirigió al Palais-Royal. Era sábado y los jardines y las galerías estaban más concurridos que de costumbre por personas que venían de las aldeas cercanas y que habían acudido a participar en las celebraciones de la ratificación de París de la nueva Constitución: una ceremonia planeada de forma premeditada para el 14 de julio. Charlotte avanzó entre columnas adornadas con las cintas tricolores y emblemas de la nueva república: la escuadra de carpintero que aludía a la igualdad el omnipresente gorro de la libertad. Bajo un cielo luminoso, los hombres y las mujeres bebían limonada para aliviar el asfixiante calor que parecía haber caído sobre la ciudad. Compró a un vendedor un diario que informaba de la reclamación de Léonard Bourdon en la Convención, donde había pedido que se aplicase la pena de muerte a los girondinos. Se detuvo en una tienda de una de las arcadas para reemplazar su gorro blanco *caennaise* por un sombrero negro más elegante engalanado con cintas verdes. Después del asesinato, todos los testigos recordarían ese tocado verde. ¿Lo eligió como el color de 1789, el símbolo de la libertad de Camille Desmoulins? Charlotte Corday lo convertiría en el color de la contrarrevolución, prohibido, con consecuencias ruinosas para los merceros y los sombrereros, en todos los atuendos públicos. En una cuchillería próxima al café Fébrier, adquirió un cuchillo de cocina con mango de madera y una hoja de unos treinta centímetros y lo ocultó bajo el vestido.

Charlotte se había sentido decepcionada al enterarse de la enfermedad de Marat, pues deseaba acabar con él en medio de la propia Convención, a la vista de todos los «representantes de la nación». Sin embargo, era sabido que el «amigo del pueblo» abría sus puertas a todos los que necesitaran su ayuda o podían informarle de una conspiración, de modo que decidió asesinarlo en su casa. Seguramente vagó por las calles un rato antes de subir a un carruaje, pues, cuando llegó frente a la casa de Marat, en la rue des Cordeliers, eran casi las once y media. Al pie de las escaleras que conducían al domicilio de Marat, Catherine Évrard, hermana de Simonne (la prometida de Marat), la rechazó; le dijo que Marat estaba demasiado enfermo para ver a nadie y que debía esperar hasta que se recuperase del todo. Frustrada, Charlotte le escribió una carta pensada para despertar su curiosidad y le sugirió que podía informarle de las conspiraciones que estaban tramando en Caen los girondinos huidos. Pedía una respuesta, pero su nerviosismo provocó que olvidara anotar su propia dirección.

A las siete de la tarde, regresó a la casa de Marat, ahora no solo armada con el cuchillo, sino también con otra carta en la que le imploraba que la recibiese. Su llegada coincidió con la entrega del refresco y los diarios del día, de modo que ya había subido la escalera cuando fue detenida por Simonne, que sospechó del deseo de Charlotte de ver a Marat. Mientras discutían, Charlotte elevó la voz de forma deliberada para que Marat escuchara que ella deseaba proporcionarle información particular sobre los traidores de Normandía. «Que entre», llegó la voz procedente del baño. Ella lo encontró en el agua, con el acostumbrado trapo húmedo atado alrededor de la frente y con un brazo colgando sobre uno de los lados de la bañera. Durante quince minutos hablaron de la situación en Caen en presencia de Simonne. Entonces, Marat pidió a Simonne que vertiese en el agua un poco más de solución de caolín. Para demostrar su impecable jacobinismo, Charlotte, respondiendo a la petición de Marat de nombrar a los conspiradores, recitó una lista amplia. «Bien —replicó Marat—, en pocos días lograré que todos sean guillotinados.»

La silla ocupada por Charlotte estaba justo al lado de la bañera. Lo único que tenía que hacer era ponerse de pie, inclinarse sobre Marat, extraer el cuchillo de la parte superior de su vestido y asestar el golpe con fuerza y rapidez. Hubo tiempo para una sola cuchillada, bajo la clavícula, sobre el costado derecho. Marat gritó: «A moi, ma chère amie», antes de volver a hundirse en el agua. Cuando Simonne Évrard entró corriendo en la habitación, exclamando «Dios mío, ha sido asesinado», un chorro de sangre brotó de la herida donde estaba abierta la carótida. «*Malhereuse*, ¿qué habéis hecho?», fue todo lo que pudo decir a la asesina. Laurent Bas, que trabajaba en la distribución del periódico de Marat, entró corriendo en la habitación, arrojó una silla sobre Charlotte, erró y, finalmente, la redujo, según dijo al tribunal, «sujetándole los pechos».

La tarde era calurosa y las ventanas estaban abiertas. El grito de Marat había llegado a las calles. Al oírlo y escuchar también las exclamaciones que siguieron, Clair Delafonde, un dentista que vivía enfrente, dejó su trabajo, atravesó deprisa el pequeño patio y subió la escalera. Sacó a Marat de la bañera e intentó contener la hemorragia con trapos y sábanas. Pocos minutos después, se le unió Philippe Pelletan, un cirujano militar que vivía cerca; pero los dos hombres no pudieron detener la sangre que empapaba las vendas improvisadas. La imaginería de la sangre había ocupado un lugar destacado en el vocabulario polémico de Marat. «Debemos consolidar la libertad con la sangre del déspota», había dicho a menudo. Ahora su propia sangre anunciaba el comienzo, pero no de la libertad, sino del Terror. Cuando llegó el comisario de policía local, siguió el rastro de sangre hasta el cuarto de baño y, después, hasta un dormitorio contiguo, donde Pelletan estaba de pie junto al cuerpo. Le informaron de que el «amigo del pueblo» había dejado de vivir.

Tras cometer su crimen, Charlotte esperó indiferente que se cumpliera su destino. Atrapada casi en el propio delito, no deseaba evitar sus consecuencias y sí únicamente explicar clara y fríamente sus motivos. Pudo satisfacer su deseo. Explicó serenamente a Guellard que «después de haber visto que la guerra civil estaba a un paso de estallar en toda Francia, y convencida de que Marat era el principal autor de este desastre, había deseado sacrificar su vida por su país». Una comisión de seis funcionarios, incluido Drouet, el administrador de postas que había reconocido a Luis XVI en Sainte-Menehould, continuó la inspección de la vivienda de Marat mientras bebía refrescos. Ante este grupo, Charlotte Corday reconoció que había viajado hasta París desde Caen con la intención de asesinar a Marat, pero insistió (para decepción de los investigadores, obviamente) en que nadie más estaba implicado.

A medida que la noticia se difundía deprisa en el faubourg Saint-Germain, una airada y apenada multitud comenzaba a reunirse, deseosa de destrozar a la asesina. Una mujer incluso dijo que le habría agradado descuartizar al monstruo y comerse pedazo a pedazo su vil cuerpo. Drouet pudo disuadir a la gente, porque recordó a la muchedumbre que se perderían «los eslabones de la conspiración» si mataban allí mismo a la principal delincuente.

En la prisión de la abadía —la sede de la primera de las masacres de septiembre—, Charlotte fue llevada a una pequeña celda que antes había acogido a Brissot y a madame Roland. Se sentó sobre un colchón de paja, acarició a un gato negro y escribió una carta al Comité de Seguridad General (el comité policial de la Convención). Para intentar que no la despojasen de toda la responsabilidad, protestó contra la supuesta detención de Claude Fauchet, diputado girondino y obispo constitucional de Caen, como cómplice. No solo no habían pactado ningún plan, insistió ella, sino que no estimaba ni respetaba a ese hombre, a quien siempre había considerado un frívolo fanático, carente de «firmeza de carácter». En contraste, en muchos pasajes de la investigación, Charlotte destacó su propia decisión y su creencia de que la habitual suposición de que las mujeres eran incapaces de tales actos la había ayudado en gran medida. Parecía claro que, para ella, constituía una cuestión de honor —y un modo de consciente rechazo a los estereotipos revolucionarios sobre el sexo— afirmar que el suyo tenía, física y moralmente, fuerzas más que suficientes para cometer actos de violencia patriótica.

Este aspecto sobresalió de manera sorprendente en los tres interrogatorios, dos a cargo de Montané, presidente del Tribunal Revolucionario, y uno dirigido por Fouquier-Tinville, el principal fiscal del tribunal. Ambos hicieron todo lo posible para arrancarle información que demostrara la existencia de una amplia conspiración girondina encaminada a matar a Marat. Había un identificable ruido de fondo de temor sexual frente a esa furia vengadora de ojos grises, que aparentaba tener un gran dominio de sí. ¿Había sido inducida quizá por una mano masculina que la controlaba? «Se ha demostrado matemáticamente —afirmó Georges Couthon, en el Club de los Jacobinos— que este monstruo a quien la naturaleza ha dado la forma de una mujer es una enviada de Buzot, de Barbaroux, de Salle, así como de todos los restantes conspiradores de Caen.» Todos los interrogatorios tropezaron con el mismo y tenaz rechazo, algo que, después de todo, parecía acercarse a la verdad. En un último encuentro con Montané, el 17, Charlotte Corday reconoció al menos que leía los periódicos girondinos, pero aprovechó la oportunidad para convertir este hecho en otra afirmación de virtuosa indignación.

MONTANÉ: ¿Gracias a esos periódicos supisteis que Marat era anarquista?

CORDAY: Sí. Supe que estaba pervirtiendo a Francia. He matado a un hombre para salvar a cien mil. Además, era un acaparador; en Caen arrestaron a un hombre que compraba mercancías para él. Yo era republicana mucho antes de la Revolución y nunca carecía de energía.

MONTANÉ: ¿Qué queréis decir con la palabra «energía»?

CORDAY: Me refiero a los que desechan sus propios intereses y saben cómo sacrificarse por la *patrie*.

MONTANÉ: ¿Practicasteis antes de asestar el golpe a Marat?

CORDAY: ¡Oh! ¡El monstruo [es decir, Montané] cree que soy una asesina! (Aquí [dice el acta del tribunal], la testigo pareció conmoverse violentamente.)

MONTANÉ: De todos modos, el informe médico demostró que, si hubierais asestado el golpe de este modo (realizó una demostración con un movimiento amplio), no lo habríais matado.

CORDAY: Asesté el golpe tal como habéis visto. Fue suerte.

MONTANÉ: ¿Quiénes fueron las personas que os aconsejaron cometer este crimen?

CORDAY: Jamás habría cometido esta agresión por consejo de otros. Yo sola concebí y ejecuté el plan.

MONTANÉ: Pero ¿cómo podemos creeros cuando decís que nadie os aconsejó hacer esto y, al mismo tiempo, afirmáis que Marat es la causa de todos los males de Francia, él, que nunca cesó de desenmascarar a los traidores y a los conspiradores?

CORDAY: Solo en París la gente tiene ojos para Marat. En los otros departamentos, se le considera un monstruo.

MONTANÉ: ¿Cómo podéis afirmar que Marat era un monstruo, cuando os permitió que llegaseis a él gracias a un acto de humanidad, porque le habíais escrito que os perseguían?

CORDAY: ¿Qué diferencia hay en que se mostrase humano hacia mí, si era un monstruo hacia otros?

MONTANÉ: ¿Creéis que habéis destruido a todos los Marat?

CORDAY: Ahora que este ha muerto, quizá los otros se atemoricen.

Debidamente juzgada y condenada sin dilación a muerte, Charlotte esperó la ejecución en la Conciergerie, adonde la habían trasladado desde la abadía. En las dos prisiones se le permitió escribir cartas, quizá con la esperanza de que incriminase a otros en la «conspiración girondina» que, de eso estaban seguras las autoridades, habían dirigido el asesinato. La víspera del proceso, ella escribió dos cartas, en diferentes estilos. En la carta dirigida a su padre volvió al papel convencional de la hija obediente e imploró su perdón por «haber dispuesto de mi existencia sin vuestro permiso». No había deshonra en lo que ella había hecho, pues «he vengado a muchas víctimas inocentes (en una actitud mucho más ingenua), impedido muchos otros desastres [...]. *Adieu*, mi querido padre, os ruego que me perdonéis o, más bien, que os alegréis de mi destino. Se trata de una buena causa». Concluía asumiendo el papel de una de las trágicas heroínas de su antepasado Corneille, una mujer que moría virtuosa. Por desgracia, el verso que citó para su propio epitafio no pertenecía al gran trágico Pierre, sino a su hermano Thomas, una figura de segundo orden:

Le crime fait la honte et non pas l'échafaud

(No es el patíbulo, sino el crimen, lo que avergüenza.)

La otra carta estaba dirigida a Charles Barbaroux. La había comenzado en la abadía y en ella se presentaba como una Judith normanda que no estaba arrepentida, es más, contaba con la bendición de su parte natural de *sensibilité*. «Jamás odié a un solo ser [...] y ruego a los que están apenados por mi muerte que consideren que un día se alegrarán de verme gozar del sosiego de los Campos Elíseos, con Bruto y los antiguos. Con respecto a los modernos, son tan pocos los patriotas que saben cómo morir por su país; todo es egoísmo; qué pueblo tan lamentable para fundar una república.» En su juicio, la mañana siguiente, mostraría a los jueces y al jurado «el valor del pueblo de Calvados, pues [veréis que] incluso las mujeres de esa región son capaces de demostrar firmeza».

En un último y extraordinario gesto de teatralización de su propia figura, Charlotte preguntó al tribunal si se le permitiría posar para su retrato antes de la ejecución. Durante la audiencia, había observado que un oficial de la Guardia Nacional esbozaba su figura. Como era un ciudadano que gozaba de prestigio en la sección (Théâtre-Français), se permitió al oficial Hauer que regresase con ella a la Conciergerie para convertir el boceto en un cuadro. Necesitó dos horas y, durante ese tiempo, Charlotte Corday le sugirió que realizara algunas modificaciones en distintas partes del cuadro. Cuando finalmente fueron interrumpidos por el verdugo Sanson, ella le quitó las tijeras, se cortó un mechón de sus cabellos y se lo ofreció al pintor como «el recuerdo de una pobre moribunda».

Al principio de la tarde subió al carro que la llevaría a la guillotina. Rechazó los servicios de un sacerdote que había prestado juramento y no quiso tomar asiento, sino que permaneció de pie, erguida; para mantener el equilibrio mientras el carro pasaba sobre los adoquines apoyaba las rodillas en la trasera del vehículo. Una gran multitud, que deseaba ver a la marimacho que podía haber perpetrado este asesinato, se apretujó en la rue Saint-Honoré para verla pasar. La casa de Pierre Notelet daba a la calle y él observó, al aparecer Charlotte Corday, que los cielos se ensombrecían de pronto y una tormenta estival dejaba caer gruesas gotas de lluvia sobre el polvo. En pocos segundos Charlotte quedó empapada y la desgastada camisa roja de los asesinos de los «representantes del pueblo» se le pegó al cuerpo. «Su bello rostro estaba tan sereno —describió Notelet— que se habría dicho que era una estatua. Detrás, varias jóvenes tomadas de la mano bailaban. Durante ocho días estuve enamorado de Charlotte Corday.»

Enamorarse de una asesina podía resultar peligroso. Adam Lux, un patriota alemán que había huido del desastre de Maguncia, tuvo la osadía de publicar un poema en el que comparaba a Charlotte Corday con Bruto. Después de debatir la posibilidad de que se hubiera vuelto loco, Lux, en noviembre, fue enviado a la guillotina. En cambio, Marat se convirtió enseguida en objeto de culto y veneración. Después de que Charlotte fuera llevada a la abadía, se fijó un cartel sobre la puerta de la casa de Marat y allí se decía, en métrica trágica, lo que había sucedido:

> Pueblo, Marat ha muerto: el amante de la *patrie*.
> Vuestro amigo, vuestro auxilio, la esperanza de los afligidos
> ha caído bajo los golpes de la horda cruel [los girondinos].
> Llorad, pero recordad que ha de ser vengado.

De vez en cuando un *sans-culotte* que sostenía una pica leía la declaración a las multitudes apelando a su estilo más grandilocuente.

La mañana que siguió a la muerte de Marat, en la Convención, el drama estoico se acentuó. Después de que el presidente Jeanbon Saint-André anunciara la muerte de Marat, un representante de la sección Contrat-Social llamado Guiraut convirtió el momento en una escena dramática:

> ¿Dónde está? La mano de un parricida se lo ha llevado. ¡Pueblo! Marat ya no existe.

Volviéndose hacia el retrato de Lepeletier que colgaba en la sala, Guiraut exclamó: «David, ¿dónde estás?; toma tu pincel, que ahora debes realizar un nuevo cuadro».

Por supuesto, David estuvo a la altura de las circunstancias. No solo estaba dispuesto a crear una imagen perdurable del mártir revolucionario, sino que se dedicó a preparar las honras fúnebres como una gran demostración de devoción patriótica. Siguiendo el precedente de Lepeletier, el cuerpo sería embalsamado y expuesto al público durante tres días y, después, habría un solemne cortejo fúnebre debidamente organizado. La dificultad para el artista era preparar el cadáver de Marat de modo que representase la figura idealizada y sacralizada que él tenía en mente, pero dejando suficientes pruebas de la violencia para sugerir la sangre que el héroe había derramado por la Revolución. Veremos que David lograría esta innovación de conseguir expresar al mismo tiempo la muerte y la inmortalidad en sus cuadros mediante recursos formales que demostraban una brillante inventiva; pero los rituales más inmediatos generaban algunos graves problemas técnicos. El cuerpo de Lepeletier había sido expuesto a mediados de enero, cuando el tiempo ayudaba a ampliar el periodo de preservación natural. En cambio, en el intenso calor de mediados del verano, el cadáver de Marat casi comenzó a descomponerse enseguida.

Por siete mil quinientas libras (materiales incluidos) David contrató los servicios de Louis Deschamps, unánimemente reconocido como un genio en su arte, para que realizara el embalsamamiento. Con sus cinco ayudantes, Deschamps trabajó deprisa, pero su tarea se vio complicada por las rigurosas indicaciones de David. El pintor tenía en mente una aspiración particular: el mártir expuesto reposando sobre un lecho romano, con la cara en una expresión de sublime paz. La parte superior del torso quedaría a la vista para mostrar la herida y el brazo derecho estaría extendido, sosteniendo el cálamo de hierro que simbolizaba su incansable devoción al pueblo. Era una idea muy potente, pero la pesadilla de un embalsamador. El inquietante estado de la piel de Marat debía disimularse cuidadosamente con cosméticos, y la propia herida, que había empezado a abrirse, tenía que coserse de tal manera que provocase la impresión justa. Como la cabeza estaba apoyada sobre una almohada, resultaba necesario cortar la ligadura de la lengua para evitar que asomase de un modo inadecuado. Y lo que era peor, había sobrevenido una importante luxación del brazo. El *ci-devant* marqués de Créqui (un observador de la escena que mostró escasa simpatía hacia el asunto) afirmó que, para resolver este problema, se había procedido a unir un brazo de un cadáver diferente, pero que, una noche, con gran consternación de los fieles, se había desprendido del cuerpo y había caído al suelo sin soltar la pluma.

Un cuadro anónimo sugiere el enorme éxito de exposición del cuerpo en la iglesia de los Cordeliers. El lecho se colocó contra un fondo de tapices tricolores diseñados y proporcionados por el patriota Palloy, que también donó dos piedras de la Bastilla grabadas, respectivamente, con el nombre de Marat y las palabras «Ami du Peuple». Depositaron una corona de hojas de roble, símbolo del genio inmortal de Marat, sobre su frente, y se arrojaron flores sobre su túmulo. Mucho más abajo (pues la plataforma en la que descansaba era mucho más alta que lo sugerido en el cuadro), se reunieron los atributos de su martirio: la bañera de porfirio, la túnica ensangrentada, el escritorio de madera con el tintero y el papel. Alrededor de la capilla estaban distribuidos los escritos de Marat.

Asistió tanta gente a la iglesia el 15 y la mañana del 16 de julio que el cortejo fúnebre pudo haber continuado durante muchos días, pero el proceso de descomposición estaba acelerándose de forma inexorable. Periódicamente se salpicaba el cuerpo con vinagre y perfume para disfrazar el olor cada vez más penetrante. Dadas las circunstancias, no quedaba más remedio que adelantar el funeral para la tarde del 16. Quizá debido a la prisa con que tuvo que organizarse el acto hubo una destacada ausencia de representación oficial de la Convención y sus comités. En cambio, el funeral fue en gran medida un episodio dispuesto por el Club de los Cordeliers, las restantes sociedades populares y las secciones. En un cortejo con antorchas, con música y canciones de Gluck, cuatro mujeres llevaron la bañera; otra, la camisa ensangrentada sobre el extremo de una pica. Cuando el cuerpo atravesaba las calles, más mujeres arrojaban flores sobre la cara intensamente pálida de Marat; pero la reliquia más valiosa era una urna de ágata que contenía el corazón del héroe. Embalsamado aparte por Deschamps, había sido declarado «propiedad natural de los Cordeliers» y se colgó de la bóveda de su salón de asambleas, para que pudiera balancearse siempre sobre las cabezas reunidas en las tribunas. El cuerpo debía reposar en una gruta rocosa, improvisada con rapidez por el arquitecto Martin en el jardín del club.

Como ha destacado Jean Guilhaumou, el funeral se organizó pensando en el carácter imperecedero del mártir. La inmortalidad de sus palabras y de sus principios quedaba garantizada mientras durase la República, al igual que el propio Marat. La sangre que él había derramado en abundancia no se perdería para la *patrie* y, en realidad, alimentaría su vitalidad (la sustancia de la vida más que de la muerte). «Que la sangre de Marat se convierta en la simiente de republicanos intrépidos», afirmó un orador, mientras salpicaba un líquido no identificado extraído de un cáliz. Esta denegación de la muerte no pudo haber sido formulada más categóricamente de lo que lo hizo Jacques Roux (uno de los aspirantes al manto de Marat) en su órgano, el *Publiciste de la République Française*. «MARAT N'EST POINT MORT —insistió en letras mayúsculas—. Su alma, liberada de su envoltura terrenal, recorre todos los rincones de la República y, de ese modo, es aún más capaz de introducirse en los consejos de los federalistas y los tiranos.» Así, el águila Marat estaba libre para poder volar sobre el asediado territorio de Francia, planeando y lanzándose para acosar a sus enemigos o para espiar invisible sus maquinaciones. Por extraño que parezca, esta visión aérea del patriota omnisciente se remontaba a muchos de los asuntos que Marat había anticipado en sus visiones de la política de los globos aerostáticos.

Así, al salir de la tumba, Marat recordaba naturalmente otra resurrección a los hagiógrafos. Postrándose ante la urna de ágata, el cordelero Morel exclamó:

> Oh, corazón de Jesús, oh, corazón de Marat [...], tenéis el mismo derecho a recibir nuestro homenaje. Oh, corazón de Marat, *sacré cœur* [...], ¿es posible que las obras y la benevolencia del hijo de María se comparen con las del Amigo del Pueblo y sus apóstoles para los jacobinos de nuestra Sagrada Montaña? [...]. Su Jesús no fue más que un falso profeta, pero Marat es un dios. Viva el corazón de Marat [...]. Como Jesús, Marat amaba fervientemente al pueblo [...]. Como Jesús, Marat detestaba a los nobles, a los sacerdotes, a los ricos, a los canallas. Como Jesús, llevaba una vida pobre y frugal.

Aunque este era un ejemplo extremo, la sacralización de Marat se convirtió en un poderoso instrumento de la propaganda revolucionaria. Por supuesto, Marat muerto era quizá más útil para los jacobinos que el político vivo, imprevisible y airado. En nombre de Marat, se movilizó a Simonne Évrard con el fin de que atacase a los *enragés* cuando llegó el momento de promover su liquidación política. Para defender París y Francia de las «conspiraciones» que le habían destruido, la dictadura revolucionaria que él había recomendado debía ejercerse con firmeza. La identificación con Marat se convirtió pronto en una muestra de pureza revolucionaria. Se cambiaron los nombres de ciertos lugares y así Montmartre se convirtió en Mont-Marat; la rue des Cordeliers, en rue

Marat; y más de treinta comunas de toda la República incluyeron al mártir en su nuevo nombre. Un busto del gran hombre reemplazó a la estatua de la Virgen en la rue aux Ours y en la rue Saint-Honoré se inauguró un nuevo restaurante llamado Grand Marat. Ciertas canciones como «La Mort du Patriote Marat» llegaron a ser muy populares y, en el Théâtre de la Cité, una obra que escenificaba su muerte se convirtió en un éxito rotundo. En septiembre dos curas casados bautizaron a un niño, «en nombre de la Suprema Libertad», Brutus-Marat-Lepeletier. Incluso el joven soldado Joachim Murat, que sería uno de los más brillantes mariscales de Napoleón y el rey de Nápoles, se incorporó al culto sustituyendo la «u» por la «a» en su apellido.

Aunque los grabados del héroe y del modo en que había muerto se difundieron ampliamente en toda Francia, muchos distribuidos por los clubes jacobinos, todos se vieron desplazados por la obra maestra de David, concluida en octubre. El público pudo entrar en el estudio de David; la sección del museo ofreció una gran fiesta como celebración y el cuadro se transportó triunfal y arriesgadamente, con el Lepeletier de David, por las calles, en dirección al Louvre, donde ocupó el lugar de honor en el primer Salón de la República.

Cada generación ha contemplado el cuadro como una transfiguración; al mismo tiempo como una descripción inesperadamente realista del asesinato y como una *pietà* revolucionaria. La sangre del mártir aparece con abundancia, reflejada con impactante claridad. Marat está empapado en ella. Por todas partes se asocian el rojo intenso y el frío blanco: la sangre manchando la pureza de la sábana, derramada sobre la carta de Corday, revistiendo el cuchillo, cuyo mango David ha cambiado de la madera al marfil, para acentuar mejor el contraste. Cerca de la mano de Marat están los documentos irrefutables de su santidad. Se yuxtaponen en un estridente contraste moral. La hipócrita carta de la asesina implora: «Es suficiente que yo me sienta desgraciada para gozar del derecho de vuestra benevolencia», y en cambio los papeles depositados sobre el escritorio de Marat revelan que él es un auténtico «amigo del pueblo». Al lado de un *assignat* David pone una nota de puño y letra de Marat, que imparte instrucciones con el fin de que el dinero sea entregado a una viuda con cinco hijos cuyo «esposo ha muerto por la *patrie*». Así, en el centro moral del cuadro hay una muerte dentro de la muerte, iluminada por la fría e inmutable luz de la inmolación.

«El terror en el orden del día»

Mientras el sol de agosto se elevaba sobre el lugar que había ocupado la Bastilla, un coro de niñas vestidas de blanco lo saludaban entonando el «Himno a la Naturaleza» de Gossec. Se había adornado el espacio de modo que los árboles y los arbustos atestiguaran la victoria de la benévola naturaleza sobre las piedras muertas del despotismo (estas últimas proporcionadas por Palloy). En este lugar, rebautizado como Champ de Réunion, una enorme muchedumbre presenciaba los rituales de la religión revolucionaria. Cuando se ahogaron los ecos de la cantata basada en el extático panteísmo de Rousseau de «La Profession de foi du vicaire savoyarde», el presidente de la Convención, Hérault de Séchelles, ascendió despacio un tramo de peldaños blancos. Sentada en el extremo superior había una estatua de estilo egipcio, entronizada entre leones. Sus manos sostenían los pechos de los cuales brotaba el agua que caía en un pequeño estanque, más abajo. El orador saludó tanto a la estatua como a la multitud y se dirigió a aquella como a la encarnación de la naturaleza, cuya fecundidad estaba bendiciendo a la Revolución, así como a ese día en especial: «el más bello que el sol ha iluminado jamás desde la primera vez que estuvo suspendido en la inmensidad del espacio».

Dirigiéndolo con cuidado, mostró un antiguo cáliz para recoger este milagroso fluido y después lo vertió sobre el suelo, al que rebautizó en nombre de la libertad. Después de verter un segundo recipiente, este ritual fue repetido por ochenta y seis ancianos (cada uno representaba a un departamento de Francia). A medida que se alzaba, se oían los redobles de tambores y las fanfarrias de los metales, así como el silencio mientras se vaciaba la copa, al que seguían cañonazos y besos fraternales.

Esta extraordinaria ceremonia había sido proyectada por David con la ayuda de un equipo de colaboradores que incluía a Gossec y a Marie-Joseph Chénier, para consumar la aprobación oficial de la nueva Constitución. Estaba destinada a contar la historia de la Revolución en un desfile alegórico, en el que una gran multitud se desplazaba de un lugar a otro y terminaba en el Campo de Marte, donde las «tablas» de la Constitución estaban depositadas sobre el altar de la *patrie*. Este Festival de la Unidad y la Indivisibilidad, celebrado el 10 de agosto, primer aniversario del derrocamiento de la monarquía, fue una ocasión absolutamente parisiense. Como si se deseara reafirmar que París era la Revolución, se utilizó la topografía de la ciudad como una serie de espacios teatrales, en los que se aludía a un determinado hecho del pasado reciente, del presente transformador y del futuro incierto, pero benévolo.

Fue también —como ha destacado Mona Ozouf, que escribió la historia de los festivales revolucionarios— un remedio cuidadosamente planificado para tratar de evitar los desórdenes y los espontáneos actos de violencia que, a juicio del liderazgo jacobino, eran cada vez más repulsivos, incluso cuando actuaban a su favor. El caos popular debía de sentirse impresionado (y por tanto desarmado) por las colosales estatuas que representaban, entre otras cosas, al pueblo; por la omnipresente música compuesta para grandiosos coros (Gossec escribió cinco cantatas para la jornada); por la impactante oratoria y por la pirotecnia visual. Jacques-Louis David los honraría con su propia prepotencia, resguardada sana y salva en el universo sereno y adamantino de los símbolos.

Así, la segunda «estación» de las ceremonias era un arco triunfal levantado en el boulevard des Italiens. Como una forma de repudiar las victorias cesaromonárquicas, los exaltados guerreros eran las mujeres del 5 de octubre de 1789, que habían obligado al rey a trasladarse de Versalles a París. Sin embargo, la imagen de las belicosas *poissardes* a horcajadas en los cañones, inquietante por su gran fuerza, había sido neutralizada con sumo cuidado para seguir la doctrina rousseauniana-jacobina estándar del papel de esposa y madre de las mujeres patriotas. Las auténticas mujeres de octubre fueron sustituidas por actrices engalanadas, con la frente coronada de laureles, a quienes se les dijo: «¡Oh mujeres!, la libertad atacada por los tiranos necesita héroes que la defiendan. A vosotras os toca engendrarlos. Que todas las virtudes marciales y generosas confluyan en vuestra leche materna y en el corazón de las mujeres francesas que amamantan».

El momento más espectacular del día llegó con la siguiente «estación», en la plaza de la Revolución. El pedestal que antaño había sostenido la estatua de Luis XV estaba ahora ocupado por la figura de la Libertad entronizada. A sus pies se había reunido una colección de atributos de la realeza: cetros, coronas, orbes, incluso bustos, entre ellos uno que se parecía al joven Luis XIV. A semejanza de las «falsas» *poissardes*, la mayor parte no eran verdaderos objetos, sino que procedían de las salas de atrezo de los teatros parisienses y habían sido transportados en un inmenso ataúd desde la Bastilla hasta la estatua. Tras una señal, una antorcha se acercó a la pila y, cuando las llamas comenzaron a brotar del humo, se soltó una gran bandada de tres mil palomas blancas. Estas constituyeron un deslumbrante *coup de théâtre*, que expresó la liberación de Francia de la monarquía, para elevarse, como los emblemas de la paz cristiana y de la libertad republicana, hacia un cielo de un azul deslumbrante.

Toda la jornada fue, naturalmente, una fantasía de compleja elaboración ejecutada como si de una ópera se tratara. Incluso los escépticos asistentes que consideraron absurdo todo el asunto, como por ejemplo el artista Georges Wille, confesaron que se sintieron conmovidos y transportados por el espectáculo y, qué duda cabe, algo similar debió de sucederles a las multitudes. Sin embargo, pese a todo el despliegue de medios de la ocasión, había algo un tanto desesperado y a la defensiva en todo el asunto, pues se basaba en una sistemático desmentido de las verdades revolucionarias. La Constitución, que había sido reelaborada por Hérault de Séchelles a partir de la refutación del esbozo de Condorcet en febrero, incluía el sufragio masculino universal, las elecciones directas y hasta el compromiso del Estado con un «derecho de subsistencia». Sin embargo, el millón de votos que la ratificó puede considerarse superfluo al lado de los seis millones que decidieron abstenerse, ya fuera por indecisión o por prudencia. Y desde el momento de su aprobación, perdió su sentido, primero debido a la propia Convención, que debía autodisolverse al completar el documento, y después por la creación de las instituciones prácticas del Terror, que de hecho se impusieron a todas las cláusulas de la nueva carta.

Quizá el monumento de David que mostró un optimismo más desafiante fue el que se instaló en los Inválidos, donde el artista creó un descomunal Hércules que representaba al pueblo francés aplastando al federalismo. El héroe ya era conocido como uno de los símbolos habituales de los príncipes renacentistas y, durante el reinado de Enrique IV, se había incorporado bajo la forma del «Hércules galo». En la versión de David, un brazo se preparaba para aplastar al monstruo federalista, que se retorcía a sus pies, y el otro sostenía las varillas pulidas del lictor romano, o *fasces,* que representaba la unidad de los departamentos franceses.

Sin embargo, a mediados del verano de 1793, este feliz desenlace de un pueblo omnipotente y unido que vencía a sus enemigos no estaba, de ningún modo, garantizado. Llegaron algunas buenas noticias. El 13 de julio el pequeño «ejército» normando dirigido por De Puisaye chocó con una fuerza republicana en Pacy-sur-Eure. Ambos bandos se dispersaron al oír los primeros cañonazos, pero los federalistas corrieron más deprisa y llegaron más lejos, por lo que su desmoralización fue mayor. Como algunas importantes regiones de Normandía no se habían unido a la causa realista, este fue de hecho el final del deseo de crear un marco federalista desde el Pas-de-Calais hasta la alta Bretaña. En el sur, el 27 de julio, el general Carteaux había vuelto a ocupar Aviñón, conquistado antes por una pequeña fuerza expedicionaria procedente de Marsella, lo que había impedido la unión entre los federalistas del Midi y los de Lyon.

Aun así, estas victorias fundamentales se vieron desplazadas por una serie de desastres más graves. Durante las dos últimas semanas de julio, las fortalezas fronterizas de Condé y Valenciennes cayeron en poder del ejército austriaco de Coburgo, que, después, inició el sitio de Maubeuge. Si este último baluarte caía, el valle del Marne quedaría abierto para el avance sobre París. En el Rin, el general Custine decidió evacuar Maguncia y abandonarla a los prusianos (y, en París, se le tachó de inmediato de traidor). En el nordeste, el ejército del duque de York en los Países Bajos avanzaba sobre Dunquerque; y, en el sudoeste, los españoles amenazaban Perpiñán. En la Vendée, los pequeños éxitos no habían compensado las importantes derrotas de Châtillon y Vihiers. Los generales *sans-culottes*, como Ronsin y Rossignol, discutían con algunos *ci-devants*, como Biron, el antiguo camarada de armas de Lafayette, y por su parte Barère comparaba el ejército republicano con el tren de equipajes del rey de Persia: arrastraba tras de sí ciento veinte vagones y en cambio los «salteadores» marchaban con una corteza de pan negro en sus mochilas. Finalmente, aunque las ciudades federalistas estaban separadas, no habían sido derrotadas. Se sabía que Marsella y Tolón negociaban con la flota británica el suministro de alimentos y los lioneses habían respondido a la proscripción oficial de su rebelión por parte de la Convención ejecutando a Chalier el mismo día en que Charlotte Corday fue guillotinada.

Lo que agravaba esta inquietante situación eran las amargas divisiones (pese al culto de la unidad) entre las diferentes autoridades y facciones revolucionarias sobre la mejor manera de afrontar la crisis. Hasta el 10 de julio, la presencia dominante en el Comité de Salud Pública había sido Danton. Ahora afrontaba el mismo dilema al que habían tenido que enfrentarse los gobiernos de los girondinos, los Feuillants y el rey: ¿cómo crear un Estado viable envuelto en la confusión política? Su respuesta, como la de todos sus predecesores salvo el rey, fue pragmática más que dogmática; pero Danton tenía suficiente sagacidad para disimular su pragmatismo con la vehemencia retórica. En la tribuna, este podía rechazar las críticas con el simple poder de su agresiva personalidad. A diferencia de Robespierre, cuyo discurso era algo plano y teórico y que persuadía mediante argumentos meticulosamente elaborados y confesiones de honestidad personal, Danton había creado un estilo improvisado e imprevisible. Como Mirabeau, a quien se parecía mucho, utilizaba su cabeza grande y sólida, comparada a menudo por los contemporáneos con la de un toro, para obtener el máximo efectismo y gruñía a sus enemigos y elevaba todo lo que podía la voz, hasta alcanzar una ensordecedora potencia que conseguía imponer la aprobación de la Convención.

En el verano de 1793, Danton se inclinaba hacia la moderación y el escepticismo. Utilizando el arma del ridículo, atacó sobre todo a Anacharsis Cloots por su mesianismo revolucionario, que se mostraba dispuesto a llevar la revolución en armas más allá de las fronteras de Francia hasta que se crease una república universal. ¿Acaso Cloots no había afirmado que no descansaría hasta que hubiese una república en la Luna? Por el momento —recordó Danton a sus oyentes— ya era suficiente con tratar de salvar Francia. Para lograrlo, estaba dispuesto a aceptar iniciativas que él había condenado violentamente un año antes, cuando la República afrontaba una situación similar. Como Dumouriez, tenía la esperanza de separar de la coalición a los prusianos. Aunque resultaba poco probable que el emperador austriaco negociara, sobre todo porque su posición militar parecía cómoda, Danton creía que la protección de María Antonieta podía utilizarse como un arma diplomática, por lo que se opuso a las reclamaciones de la Comuna en favor del juicio a la reina.

Al mismo tiempo propuso condiciones relativamente generosas al Isère y a otros departamentos que estaban inclinándose hacia el federalismo, pero que habían tenido la prudencia de no pasar a la acción militar. Incluso se acercó a Montpellier con la intención de desviar de París las tropas federalistas para dirigirlas sobre Lyon. En la Vendée, se había designado a Biron con la idea de explorar la posibilidad de un acuerdo político. Y Westermann, otro de los aliados de Danton, trataba de imponer la disciplina del antiguo ejército profesional a los generales *sans-culottes*. Finalmente, en el propio París, Danton se opuso a las propuestas de aplicar el Terror económico —amplios controles de precios, ayuda a los necesitados financiada con rigurosos préstamos forzosos y con impuestos a los ricos— que procedían de los *enragés* y la Comuna.

Una sorprendente aparición de Jacques Roux en la Convención la noche del 25 de junio dio la impresión de hacer el juego a este pragmatismo. Llegó acompañado por un grupo de *sans-culottes* y pidió leer una alocución que había sido adoptada por las secciones de Gravilliers y Bonnes-Nouvelles, y por el Club de los Cordeliers. De hecho, se trataba de una diatriba contra su propio público. «Legisladores —les gritó—, no habéis hecho nada por la felicidad del pueblo. Durante cuatro años solo los ricos se han beneficiado de la Revolución.» La «aristocracia comercial, incluso más terrible que la nobleza, ha jugado un juego cruel con [...] el tesoro de la República». ¿Y qué se ha hecho para exterminar a estos «vampiros»? Nada. ¿Acaso se ha sancionado la pena de muerte contra el acaparamiento? ¿El pueblo está protegido de los brutales aumentos de precios provocados por los especuladores?

Roux fue saludado con enojados meneos, toses continuadas, exagerados suspiros y miradas dirigidas al techo. Barère consideraba que este era el tipo de cosas que los diputados debían soportar para tranquilizar a los *sans-culottes*. Sin embargo, cinco minutos después de iniciado el discurso, cierta observación del orador-sacerdote impulsó a los diputados a saltar de sus asientos, indignados y vociferantes, agitando papeles ante la osadía del visitante. Roux había dicho que «la vergüenza del siglo XVIII era que [...] los representantes del pueblo hubiesen declarado la guerra a los tiranos de exterior, pero que se hubiesen mostrado demasiado cobardes para aplastar a los que estaban en Francia [los ricos]. *Bajo el antiguo Régimen jamás se habría permitido que los productos básicos se vendiesen al triple de su valor*» (la cursiva es mía). La nueva Constitución no contribuiría en nada a corregir estos sufrimientos y la Convención continuaba cometiendo un crimen de *lèse-nation* al permitir que el *assignat* se devaluara y al preparar el camino para la bancarrota.

La imputación de que la República de hecho se había mostrado frente al pueblo llano más dura que la antigua monarquía pareció tan chocante que indujo a algunos de los enemigos de Roux (había muchos en todos los sectores de la Convención) a sugerir que los contrarrevolucionarios le habían inducido a descargar ese ataque. Esta ofensa bastó para determinar su arresto y logró que el Comité de Seguridad realizara una agresiva campaña en Gravilliers, lo que obligó a los jefes de la sección a desautorizarle. Sin embargo, con su caótica sinceridad, Roux había dicho una verdad esencial. Muchos de los habitantes cuya violencia, en 1788 y en 1789, había decidido que París resultase ingobernable (y, por tanto, que la Revolución se viera coronada por el éxito) nunca habían sentido mucho amor por el liberalismo o por el individualismo económico. Gran parte de su ira había sido una forma de reacción contra el impredecible e impersonal funcionamiento del mercado. Se habían aferrado a la actitud tradicional que veía en los aumentos de precios y en la escasez las consecuencias de una «conspiración del hambre» y, por consiguiente, lejos de desear que el Estado desmantelase todas las formas usuales de protección, deseaban una política más intervencionista. Por ello, no solo se mostraban indiferentes, sino de hecho hostiles a gran parte de la iniciativa modernizadora y reformista promovida primero por la monarquía y después por los sucesivos regímenes revolucionarios que habían sido sus herederos.

Esto los llevó al enfrentamiento con la élite revolucionaria, incluida gran parte de la que conformaba el liderazgo jacobino. En febrero de 1793, los disturbios generados por los alimentos habían provocado denuncias contra la fijación popular de precios basada en la amenaza o en el hecho consumado de la violencia. Sin embargo, hacia el verano, el pan se vendía a seis *sous* la libra y gran parte de las propuestas del programa *enragé* —la pena de muerte para los acaparadores y los especuladores, la limitación de precios y la aceptación forzosa del *assignat*— no solo se habían convertido en artículos de fe de los Cordeliers, sino también de la Comuna. El discurso de Robespierre en el otoño anterior, cuando sugirió que los derechos de propiedad no eran absolutos y que estaban condicionados por la responsabilidad de no perjudicar la subsistencia del prójimo, abrió paso a un importante cambio de actitud en un sector de los propios jacobinos. Los ataques a los «riches égoïstes» y a las «sanguijuelas», así como la exigencia de que se aplicaran impuestos progresivos y requisas forzosas a los ricos para subvencionar las ayudas públicas a los pobres y la limitación de precios, se convirtieron en lugares comunes.

A mediados de julio se produjo un cambio crucial. Debilitada por una sucesión de derrotas y por la acentuación del caos, la posición de Danton se desplomó. Westermann fue llamado, quizá para tener que enfrentarse al Tribunal Revolucionario. La situación no mejoró con la actitud de Danton, que no demostró mucho interés ni en defenderse, ni en justificar a sus aliados en el Club de los Jacobinos. Cuando el 10 de julio, en las nuevas elecciones, la Convención eliminó a Danton y a su estrecho colaborador Lacroix del grupo de miembros del Comité de Salud Pública, no pareció que el propio Danton se sintiese muy preocupado. Más aún, mostró un visible alivio al recuperar su libertad de acción fuera del Gobierno. Resulta muy probable que calculase que la posición en que se hallaba la República era tan grave que un Gobierno revolucionario no podría sobrevivir sin otra profunda conmoción.

Estos cálculos erraron gravemente el blanco. Después de la muerte de Marat, el Comité de Salud Pública, reducido y reorganizado, se convirtió rápidamente en la más concentrada máquina oficial que Francia hubiese conocido jamás. Abordó el enrevesado problema del Gobierno revolucionario con un ímpetu que no habían demostrado ninguno de sus predecesores. Por primera vez desde Brienne, o incluso desde el canciller Maupeou, los intereses del Estado en guerra merecieron una absoluta prioridad sobre los de la expresión política. Así, el Terror representó la liquidación del sueño inicial de la Revolución: la libertad y el poder patriótico no solo se podían conciliar, sino que ambas dependían una de la otra. Por tanto, lo que parecía el rasgo más incontrolable de la Revolución francesa —su agitación política— quedó encerrado en el recipiente de una dictadura nacional. La política debía concluir para que el patriotismo pudiese imponerse; este sería el credo fundamental del bonapartismo.

En este nuevo Estado revolucionario había cuatro elementos: el regreso a la regulación económica tradicional, la movilización a gran escala de los recursos militares, la reabsorción en el Estado del derecho a ejercer la violencia de castigo, y la sustitución de la política improvisada por un programa de ideología oficial. (Es interesante advertir de qué modo todos los aspectos de esta lista podían describir igualmente a la Francia de Luis XIV.) Los hombres que se propusieron esta tarea reunían, por una vez, unas condiciones ideales para su labor. Robespierre, Saint-Just y Georges Couthon fueron los ideólogos, elocuentes al representar al comité ante la Convención, atentos orquestadores del ritmo y de la intensidad de las ofensivas judiciales destinadas a impedir movimientos de flanqueo contra el comité, originados en los partidarios de Danton, por la derecha, y en los de Hébert, por la izquierda. Mientras Robespierre y Saint-Just proporcionaban la retórica incriminatoria de altos vuelos contra las «conspiraciones extranjeras», Bertrand Barère y Hérault de Séchelles organizaban a los diputados de la Llanura, sin cuyo consentimiento la dictadura no habría podido sostenerse. Otro grupo del comité asumió la función que corresponde a los burócratas de la guerra: los administradores de la logística. Lazare Carnot y Prieur de La Cote d'Or eran ingenieros y se limitaron a abastecer al ejército, mientras Jeanbon Saint-André se ocupaba de la Marina. El exsacerdote Robert Lindet se convirtió en jefe de la Comisión de Abastos y desplazó ingentes suministros de alimentos hacia el ejército y los principales centros de población. Un año más tarde, estas dos diferentes visiones de una Francia templada en el fuego de la guerra dividirían al Comité de Salud Pública. Para los burócratas e ingenieros —los herederos de la pasión monárquica por el gobierno tecnológico— la idea rousseauniana de la República que abrazaba Robespierre, como una inmensa empresa de instrucción moral, no solo era exagerada, sino en realidad subversiva. Sin embargo, durante los nueve meses siguientes, mientras la República obligaba constantemente a retroceder a sus enemigos, la división del trabajo entre los hombres que dirigieron el Terror funcionó con un nivel de fricción extrañamente bajo.

Una primera prioridad fue neutralizar los centros opositores. Las muy democráticas cláusulas electorales de la nueva Constitución podían llegar a descentralizar todavía más el poder. De modo que, el 11 de agosto, un día después del festival con el que se celebró su aprobación, se desechó con indignación la propuesta de disolver la Convención y de celebrar nuevas elecciones. Y como los sucesivos gobiernos revolucionarios habían caído por la acción de los grupos descontentos dispuestos a patrocinar y legitimar las insurrecciones populares, los actuales rivales —los partidarios de Hébert en la Comuna— debían ser separados de su base en las secciones. Al igual que Hébert y Chaumette se habían adueñado de la doctrina *enragé* excluyendo a los *enragés*, ahora los jacobinos estaban dispuestos a desplazar a los anarquistas. No se trataba solo de una cuestión de táctica política. Un número decisivo de miembros de la

Convención y del comité estaba convencido, hacia fines de julio, de que el tipo de medidas a las que se habían resistido durante tanto tiempo ahora, en realidad, resultaban indispensables para la supervivencia de la República.

Por ejemplo, el 26 de julio la Convención aprobó finalmente la propuesta de Collot d'Herbois, que instauraba la pena de muerte para los acaparadores. La misma ley incluyó una extensa lista de «artículos de primera necesidad», entre ellos no solo el pan, la sal y el vino, sino también la manteca, la carne, las verduras, el jabón, el azúcar, el cáñamo, la lana, el aceite y el vinagre. Quienes poseyeran existencias de esta cesta de la compra debían realizar una declaración formal ante las autoridades en el plazo de ocho días. Una vez que tuviesen esta información, los municipios obligarían a los mayoristas o a los minoristas a ofrecer constantemente sus artículos en el mercado, so pena de que se les declarase «acaparadores». El 9 de agosto se dio otro paso de gigante hacia la práctica de la época anterior a Luis XVI, pues, respondiendo a la insistencia de Léonard Bourdon (diputado por Gravilliers y, por tanto, particularmente interesado en desplazar a Jacques Roux), se organizaron «greniers d'abondance» (depósitos de granos) en todo el país. En los periodos y en los lugares en que hubiese abundantes cosechas, el excedente de cereales debía almacenarse para hacer frente, de forma previsora, a los años de escasez, durante los cuales podía llevarse al mercado para ayudar a bajar los precios. Este acto «revolucionario» fue más o menos idéntico a uno de los sistemas reguladores habituales empleados durante el Antiguo Régimen. La única diferencia consistía en que bajo la monarquía las provincias habían gozado de más autoridad para actuar por propia iniciativa que la que ahora se concedía con el Terror económico más paternalista.

Por supuesto, estas medidas presuponían la elaboración de una gran red de datos sobre las cosechas y los cultivos, lo que, a su vez, acarreaba una intromisión sin precedentes del Estado burocrático en la economía rural. Incluso el Terror tenía recursos poco apropiados para este desmesurado ejercicio de vigilancia, que con mucha frecuencia degeneraba en que las *armées révolutionnaires sans-culottes,* enviadas a imponer el Terror económico, saqueaban las aldeas en busca del trigo escondido o vigilaban los campos para evitar que los campesinos recogiesen la cosecha cuando esta aún estaba sin madurar, en lugar de entregarla a los precios fijados.

Respondiendo a los mismos criterios, la respuesta de Cambon a la depreciación del *assignat* consistió en devaluarlo, separándolo por completo de los valores nominales fijados por la antigua divisa fuerte real. Esta medida se adoptó en parte para responder a las objeciones provocadas por el dinero que aún mostraba la efigie real. Sin embargo, hasta cierto punto, se tenía la esperanza de que, con esta tosca maniobra, los productores cesarían de tratar al *assignat* como una parte del dinero «real» y así se abstendrían del inevitable aumento de sus precios. En consonancia con esta ingenua puesta en práctica del ideario económico, se cerró la Bolsa, lo que eliminó de forma oficial a los «viles especuladores» que infestaban el mercado financiero y creó, oficial e inmediatamente, un mercado negro de divisa fuerte. Al mismo tiempo, el Estado decidió reinstaurar el secreto que rodeaba a las decisiones referidas a la emisión de dinero.

Cuando llegó la nueva *journée* revolucionaria, los días 4 y 5 de septiembre, los oradores de la Comuna que reclamaban protección económica y el agresivo castigo de los malhechores descubrieron que no servía para nada. Más aún, un grupo importante de jacobinos de hecho había promovido la «insurrección» con la celebración de una nutrida manifestación frente a la Convención el 23 de agosto; allí se reclamó que se eliminase del ejército a los nobles, que se aplicara una política más general hacia los sospechosos y que se formase un «ejército revolucionario» *sans-culotte* que aplicara las leyes revolucionarias en los departamentos. El 28 los jacobinos llegaron hasta el extremo de «invitar» a las secciones parisienses a hacer a la Convención este tipo de reclamaciones. Por tanto, los datos de los que disponemos no apuntan a un movimiento anónimo y espontáneo que surgió de los sectores militantes y pobres, sino a una estrategia cuidadosamente empleada. Aunque el 2 de septiembre Hébert realizó un llamamiento específico a las secciones con el fin de que se sumasen a la Comuna para reclamar a la Convención, parece que se sintió sorprendido dos días después cuando muchedumbres de trabajadores desempleados, la mayoría procedentes de la sección nordeste del Temple, se abrieron paso hacia el Hôtel de Ville.

Sin embargo, los líderes de la Comuna utilizaron la oportunidad en su propio beneficio. Chaumette se subió a una mesa en el Consejo General para declarar que «ahora tenemos una guerra abierta entre los ricos y los pobres» e instó a la movilización inmediata de la *armée révolutio-*

nnaire que debía salir a la campiña; era necesario destapar las maquinaciones de los *malveillants* y los *riches égoïstes*, arrancarles los alimentos que conservaban y entregar a los propios culpables de modo que los alcanzara el castigo republicano. Para colmo, Hébert añadió que cada batallón debía marchar acompañado por una guillotina móvil. Y añadió que esta exigencia debía llevarse a la Convención al día siguiente.

Como la Comuna había ordenado también el cierre de los talleres, parecía seguro que el 31 de mayo un público muy nutrido rodearía la Convención. Y aunque Robespierre sobre todo no deseaba compartir su escaño con el «pueblo», al que retóricamente abrazaba desde la tribuna, la jornada no debía parecer una imposición de los *sans-culottes* a una Convención renuente y atemorizada. En realidad, la ocasión no se vio dominada por la crisis económica, sino por la impactante noticia de que Tolón había abierto su puerto y la ciudad a una flota británica comandada por el almirante Hood. Esta información originó la atmósfera de patriótico estado de excepción en el que prosperaban Danton y Marat. Por consiguiente, no fue difícil decretar que «el terror estaba en el orden del día», pues tanto la Convención como el Comité de Salud Pública creían estar bastante seguros de que ellos serían los encargados de su aplicación.

Según la sanción del 5 de septiembre, la *armée révolutionnaire* estaba todavía muy lejos de los grandes escuadrones de la venganza republicana. En lugar del gran ejército *sans-culotte* de cien mil hombres imaginados en las primeras solicitudes, o de los treinta mil reclamados por la Comuna, la Convención autorizó una fuerza de solo seis mil infantes y mil doscientos soldados de caballería que operarían la región de París. (Sin embargo, hacia finales del año, la creación de los ejércitos de los *départements* había elevado el número total de soldados a cuarenta mil, distribuidos por todo el país.) También se privó a esta fuerza del tipo de poderes de castigo sumarios previstos por Hébert. Para los jacobinos se trató menos de promover una misión republicana que de exportar al campo a algunos de los militantes más turbulentos y de usar la fuerza para resolver el asunto fundamental del suministro de alimentos a la capital, todo lo cual les permitiría solucionar a la vez dos de los problemas más insolubles a los que tenían que enfrentarse.

De acuerdo con el mismo criterio táctico, Danton se mostró tan particularmente inspirado que parecía responder a los deseos de los militantes, cuando en realidad estaba dando el primer paso decisivo para debilitar su base de poder. Sabía, quizá por su anterior experiencia personal en la «república de los Cordeliers», que los que se autoproclamaban *sans-culottes* y pretendían pertenecer al pueblo llano no eran en general un grupo de pobres asalariados. Desde luego, muchos de los jefes de las secciones —nunca más del 10 por ciento de la población masculina adulta del vecindario— ni siquiera eran maestros artesanos. En su mayoría eran pequeños profesionales, comerciantes, intelectuales no muy destacados y periodistas, y habían alcanzado su influencia en las secciones gracias a su coherente relación con las sociedades populares y las asambleas de las secciones, así como por su trabajo en instituciones locales, como los comités revolucionarios de vigilancia. Volviendo contra ellos su propia retórica populista, Danton propuso terminar con la «permanencia» de las asambleas de sección y en cambio limitar las reuniones a dos veces por semana; los *sans-culottes* que acudieran a esos encuentros recibirían un pago de cuarenta *sous* diarios. Revestida con los mandamientos patrióticos, esta medida parecía un modo de subvencionar la participación del pueblo llano en la política democrática. Sin embargo, lo que los jacobinos tenían en mente era justo lo contrario: formar un electorado de pobres que fuese menos y no más susceptible al control de la Comuna. Sabían lo que hacían: más dinero por menos política era exactamente el eco de lo que el asalariado necesitado deseaba oír. Y si se añadía una pequeña bonificación aquí y allá para espiar en beneficio del Comité de Seguridad General o para desorganizar las secciones donde los hebertistas eran fuertes, tanto mejor. Todo esto podía consolidarse con la decisión (adoptada en nombre de la represión de la «anarquía») de reemplazar a los comités revolucionarios locales, que eran cuerpos electos, por organismos designados, responsables ante los comités ejecutivos de la Convención.

Lejos de ser el momento culminante de la democracia popular, el 5 de septiembre resultó ser el principio del fin de la insurrección revolucionaria en París, así como también el final de la inocencia revolucionaria. En lugar de verse constantemente sorprendida por las contingencias y las imprevistas consecuencias de sus propios actos, la élite jacobina había aprendido lo necesario para manipular el lenguaje y la táctica de la movilización popular en vista del reforzamiento, más que de la subversión, del poder oficial. Se trataba de un momento fáustico.

Ahora que el 5 de septiembre había quedado atrás, el Comité de Salud Pública y la Convención podían ignorar sin riesgos algunas de las reclamaciones más radicales de la Comuna. No habría depuración de los oficiales militares aristócratas, el ejército revolucionario no tendría poderes sumarios de vigilancia, juicio y castigo, y se limitaría a aplicar las leyes de la Convención. Se asignó el precio límite al cereal el 11 de septiembre y, el 29, los precios de cuarenta artículos alimenticios y del hogar se fijaron en un tercio como mucho por encima del nivel de 1790; pero, al mismo tiempo, el Gobierno se reservó el derecho a estipular un precio máximo a los salarios. Como podía preverse, los primeros resultados de esta ambiciosa reglamentación fueron desastrosos. Apenas se anunciaron los precios fijos, millares de personas se abalanzaron sobre las tiendas y las vaciaron, lo que provocó una inmediata escasez. Una vez agotados los inventarios, los productores rehusaron suministrar nuevas existencias y al menos algunos trabajadores hambrientos fueron utilizados como *vérificateurs* para realizar allanamientos de las tiendas, de los sótanos y de los altillos en busca de las pastillas de jabón o el azúcar escondidos.

En definitiva, la instauración del precio límite, del subsidio de cuarenta *sous* y del ejército revolucionario deben entenderse como formas improvisadas que el Comité de Salud Pública puso en práctica para contener las consecuencias políticas del hambre; pero ninguno de ellos abordó la decisiva cuestión de la movilización militar. Después de todo, la Revolución había comenzado como una disputa patriótica sobre la ineficacia del Estado francés y sus garantes más recientes podrían sobrevivir o caerían según el resultado final de la batalla. Aunque las generaciones posteriores se complacerían en imaginar que los franceses crearon un gran «imperio de las leyes» en la Europa que dominaron durante las dos décadas siguientes, Gabriel Hanotaux, historiador del siglo XIX, fue más exacto al describirlo como «un imperio del reclutamiento». Para bien o para mal, la tricolor apareció de Lisboa a El Cairo como un estandarte militar.

Por tanto, entre todas las innovaciones de 1793, la *levée en masse* —la creación de un ejército nacional de reclutados— fue, con mucho, la más importante. Su éxito determinaría la capacidad de la República para reconquistar Lyon y la Vendée, e impedir que los rebeldes franceses se uniesen a los ejércitos extranjeros. También proporciona otro ejemplo de una institución creada en un acceso de entusiasmo romántico que después se convirtió en un brazo oficial organizado profesionalmente y muy disciplinado. La *levée* nació de la desesperación: el intento de movilizar a la población en las regiones amenazadas de forma inminente por el invasor. Por ejemplo, en Lille, durante el mes de julio, se propuso una leva general con el fin de que los ciudadanos-soldados «caigan *en masse* como los galos sobre las hordas de bandidos». En agosto, el *représentant-en-mission* y soldado profesional Milhaud, asunto de un cuadro memorable de David, ordenó tocar a rebato en la región de Wissembourg, en el Mosela. Se impartió instrucción rudimentaria a los campesinos y fueron armados (a veces solo con sus propias horquetas y sus cuchillos de caza) para que se abalanzasen sobre los austriacos. «Uno solo mató a diecisiete austriacos —se informó después del combate— y las mujeres se lanzaban a la batalla armadas con escopetas.»

Por su parte, en su forma original, la *levée* estaba destinada a ser una explosión espontánea de entusiasmo marcial que afectaba a gran número de hombres, mal organizados y separados del ejército profesional. No es necesario aclarar que esta versión de caótico belicismo no gustó nada a los ingenieros y los tecnólogos del Comité de Salud Pública. Sin embargo, un hombre que no era miembro de ese grupo, Danton, fue quien, durante la tercera semana de agosto, trató de encarrilar la idea de un ejército de reclutados, para lo cual intentó que su expansión concordase rigurosamente con la cantidad de municiones, ropas y alimentos que se les podía suministrar. La retórica inspirada del decreto de la Convención el 23 de agosto no era tanto una fórmula para realizar una convocatoria desordenada a las armas como una visión de una comunidad militarizada en la cual todas las palancas y todos los engranajes debían trabajar en una perfecta articulación mecánica. El lenguaje utilizaba muchos elementos de la historia romana, pero la visión era la de la guerra total de Guibert.

A partir de este momento, y hasta que los enemigos hayan sido expulsados del territorio de la República, todos los franceses están sujetos a la leva permanente. Los jóvenes irán al combate; los casados forjarán armas y transportarán alimentos; las mujeres confeccionarán tiendas y uniformes y servirán en los hospitales; los niños prepararán vendas con telas viejas; los ancianos comparecerán en los lugares públicos para insuflar valentía a los guerreros, predicar el odio a los reyes y la unidad de la República.

Todos los hombres solteros y los viudos sin hijos de dieciocho a veintiocho años fueron incorporados como resultado de este llamamiento. No había limitaciones con respecto a la estatura, aunque las incapacidades y las enfermedades graves impedían que el recluta se incorporase al servicio. (El decreto provocó, naturalmente, la consiguiente y rápida plaga de mutilaciones.) No se permitía de manera oficial la presentación de suplentes, aunque, en la práctica, los hermanos o los amigos mayores de veinticinco años podían con frecuencia ocupar el lugar de un recluta cuya presencia era necesaria en la casa. La pieza musical más popular del teatro parisiense durante el Año II (e incluso a lo largo de la Revolución) fue la canción «Au retour». Aunque el héroe Justin cumplirá veinticinco años tres días más tarde —y por tanto se verá excluido del reclutamiento— se niega a esperar. «Es justo "hoy" cuando debo obedecer», dice a Lucette, su acongojada prometida, que le admira. Incluso rechaza el ofrecimiento de un joven que aún no ha cumplido los dieciocho años, que le propone reemplazarle, y va a la guerra después de intercambiar escarapelas con Lucette. Los dos se dicen: «Día y noche las mantendremos cerca de nuestro corazón». En el sensiblero final, descendía el telón mientras se entonaban los versos de la canción, y todo el público se ponía en pie para despedir al soldado con un coro de «Au retour». A pesar del espíritu de sacrificio reflejado en la obra, la exención que favorecía a los casados determinó una avalancha de matrimonios en muchos departamentos. Las autoridades locales tuvieron que decidir si el matrimonio después del decreto la justificaba. Generalmente se resolvía de forma positiva y otro tanto sucedía en el caso del matrimonio con una prometida embarazada, incluso si la concepción había sobrevenido después del decreto. Siguiendo la doctrina rousseauniana del carácter sagrado de la familia, «no es la condición legal, sino el acto de la paternidad, lo que constituye el matrimonio».

Por supuesto, la gran mayoría de los reclutas estaba formada por campesinos y, teniendo esto en cuenta, la Convención, en julio, abolió finalmente sin indemnización los últimos vestigios del régimen señorial. La propaganda oficial trató de atenuar la grave pérdida de potencial humano sufrido por las fincas que la familia explotaba, fruto del reclutamiento, con la excusa de que los ejércitos de la República estaban defendiendo el interés de los campesinos. Si se perdía la guerra, los campesinos podían prever el retorno del sistema señorial, el diezmo eclesiástico y todos los impuestos que habían sido abolidos por la Revolución, por no hablar de los parásitos como los alguaciles y los mayordomos, que llevaban las cuentas y desalojaban a los morosos. Peor aún, los «antropófagos» (un término que, durante el Año II, solía aplicarse a los contrarrevolucionarios) se tomarían una venganza terrible, al apoderarse de la propiedad de los campesinos, al esclavizar o maltratar a sus esposas y a sus hijas, al cortar las manos de todos los que hubiesen plantado un Árbol de Libertad y al masacrar a las embarazadas.

Este cuadro bastante sombrío de los costos de la derrota quizá impresionó a muchos miembros de la población rural a la que estaba dirigido; pues, si bien hubo disturbios contra la recluta forzosa en Finistère, los Vosgos, el Tarn y el Ariège, ninguno amenazó con convertirse en una «pequeña Vendée». Aunque uno de los más recientes historiadores de la *levée*, J.-P. Berthaud, advierte de la dificultad de conjeturar siquiera los índices de deserción y de no comparecencia, calcula que los primeros grupos de reclutados reunieron tal vez a unos trescientos mil hombres para la República. Eran bastante menos que el medio millón requerido por el Comité de Salud Pública, pero de todos modos se trataba de un éxito extraordinario. Durante el otoño de 1793, las aldeas y los pequeños pueblos de Francia presenciaron las mismas y tristes ceremonias de despedida. Dos o tres días después de leída y fijada públicamente la proclama de la Convención, una comisión local divulgaba una lista de hombres en edad de servir, que eran convocados, así como de los que habían quedado exentos. Se practicaba la requisa de las armas, que adaptaban deprisa para el uso de la bayoneta, y la pequeña tropa marchaba al mando de un oficial provisional, al son de los tambores, acompañada por el llanto de las mujeres y por los acordes de «La Marsellesa». Los niños pequeños corrían junto a la fila de hombres sin uniforme, ondeando pequeñas banderas tricolores, hasta que los reclutados desaparecían detrás de una colina, en marcha hacia la ciudad donde se reunirían con otros destacamentos destinados a reforzar las brigadas.

Una vez en el campamento, se veían sometidos a las diferentes influencias de la *amalgame* profesional, destinada a integrarlos en las tropas regulares, y de los oficiales *sans-culottes* que deseaban mantenerlos políticamente puros. Esta última meta se veía facilitada por el hecho de que el Ministerio del Ejército continuó siendo un feudo hebertista hasta bien entrado 1793 y de que incluso asumió la responsabilidad de gastar más de cien mil libras para distribuir gratuitamente a los soldados ejemplares del *Père Duchesne*. Algunas unidades, sobre todo las que servían en la Vendée, donde los comandantes hebertistas gozaban de poder, incluso escuchaban conferencias políticas o recibían la autorización necesaria para asistir a las asambleas del club jacobino local, ocasiones en las que muchos, sin duda, escapaban para ir a beber en la taberna más próxima. Algunos comandantes, entre ellos el general Houchard, insistían en usar sus gorros de la libertad durante los consejos de guerra (un gesto que no salvó de la guillotina a Houchard) y, durante un tiempo, hubo un movimiento que propuso que se eligiese a los oficiales durante un periodo concreto y que después se rotase el cargo entre otros soldados rasos. Si los ciudadanos-soldados deseaban escribir a sus jefes superiores, podían comenzar la carta con la frase: *«Salut et fraternité*, de vuestro igual en derechos».

Esto no podía durar. La *amalgame*, que combinaba cuarenta compañías de reclutados con veinte compañías regulares en una media brigada, poco a poco ejerció su influencia en la profesionalización de los reclutas. Asimismo, la disciplina militar se restableció gracias a la intervención de los *représentants-en-mission* y de los miembros del Comité de Salud Pública, como Prieur de La Marne y Carnot, que demostraron una gran comprensión de los elementos de la estrategia. El joven Saint-Just, que realizó varios viajes al frente belga, era capaz de imponer drásticos castigos si descubría actos de saqueo u otras manifestaciones de desorden militar que desagradaban a su mente ordenada en exceso. Más de una vez ordenó destituir y fusilar frente a sus propios soldados a los oficiales que incurrían en falta, *pour encourager les autres*.

Todos estos esfuerzos habrían sido inútiles si al mismo tiempo el Gobierno no hubiese conseguido proveer de armas, alimentos y ropas a este potencial humano cada vez más ingente. A pesar de las razonables advertencias de Danton, parece claro que, en efecto, el reclutamiento se adelantó a la provisión de suministros; sobre todo en la Vendée, los *bleus* estaban con frecuencia mucho peor equipados que sus enemigos, que habían salido de las fincas y carecían de los artículos más elementales, en particular de algo fundamental: un calzado decente (sin hablar de las botas). Sin embargo, hacia mediados de otoño, el Estado revolucionario se había consagrado a una movilización total de los recursos que no se repetiría en Europa hasta el siglo xx. Se formaron comisiones asesoras con los químicos, los ingenieros y los matemáticos, que, como Monge, Berthollet y Chaptal, eran fervientes revolucionarios. Las grandes fábricas metalúrgicas de Le Creusot y otras de Charleville, en los Vosgos, fueron transformadas eficazmente en empresas oficiales que produjeron cañones, rifles, balas y municiones según las indicaciones y los contratos oficiales. Se retiraron las campanas de las iglesias de toda Francia para llevarlas a las fundiciones; algunas fueron descargadas en las forjas al aire libre establecidas en los parques públicos de París, en los Inválidos y en los jardines de las Tullerías y del Luxemburgo. Hacia la primavera de 1794 tres mil trabajadores estaban produciendo setecientos fusiles diarios y, según Bertrand Barère, seis mil talleres estaban atareados fabricando pólvora.

Finalmente, la Comisión de Abastos, el organismo aprovisionador de Robert Lindet, que trabajaba con lo que según los estándares contemporáneos era un enorme personal de más de quinientas personas, utilizaba todos los recursos de la autoridad o de la fuerza para abastecer a los ejércitos. También aquí se empleó una propaganda edificante y se labró una parte de las tierras de las Tullerías y se inició la siembra de patatas. Al menos en teoría, los soldados de la República tenían derecho a una ración compuesta de casi un kilo de pan, así como unos treinta gramos de carne, habas u otra legumbre, y vino o cerveza. Si tenían suerte, podían recibir una cebolla o un pedazo de queso; y, cuando no había brandy, ginebra o tabaco para empezar el día, los oficiales podían esperar problemas.

Hacia el otoño de 1793, esta máquina militar enorme, pero todavía deslavazada, había comenzado a demostrar su fuerza en varios frentes. El 25 de agosto el general Carteaux derrotó al ejército marsellés y entró en la ciudad; los jefes federalistas que pudieron huir a tiempo escaparon a Tolón. El sitio de Lyon había comenzado a principios de agosto, pero pasaron dos meses antes de que la soga militar se ajustara en la medida necesaria para imponer la capitulación de la ciudad hambrienta el 9 de octubre. En los frentes septentrionales el avance británico fue detenido en Hondschoote el 8 de septiembre y el de los austriacos, en Wattignies, el 16 de octubre. Y lo que es quizá más importante, los ejércitos vandeanos habían sufrido su peor derrota en Cholet el 17 de octubre.

Esta recuperación tuvo la suficiente importancia como para persuadir a la Convención y a sus comités de que la República había pasado su bautismo de fuego. Algunos jacobinos, sobre todo Danton y Desmoulins, no veían ahora ningún motivo que impidiese aflojar un poco la coerción institucional del Terror. Mediante el periodismo y la oratoria promovieron una política «indulgente» destinada a resistir tanto los procesos públicos a María Antonieta y los girondinos como a trabajar en favor de una legislatura electa y de la paz negociada, sobre la base de las fronteras de 1792, con las potencias de la coalición.

Después de cierto éxito inicial, se vieron desbordados por una sólida legión de contrincantes. Sus adversarios más implacables fueron Hébert, Chaumette, Hanriot y los líderes de la Comuna, unidos a sus partidarios en las sociedades populares de las secciones. En el seno del Comité de Salud Pública, la política «indulgente» no solo tropezó con la oposición de sus dos miembros de más fanática inclinación hacia el castigo —Collot d'Herbois y Billaud-Varennes, que habían sido cooptados el 5 de septiembre—, sino también por miembros de espíritu más burocrático, como Carnot y los Prieur, que consideraban arriesgado e imprudente aflojar el Terror en el propio momento en que parecía que se había salvado a la República del desastre.

El 10 de octubre Saint-Just compareció ante la Convención para presentar un informe, en nombre del Comité de Salud Pública, sobre las «dificultades que afectan al Estado». Adoptó una línea rígidamente autocrítica que consistía en declarar que el pueblo tenía un solo enemigo, el propio Gobierno, porque estaba infestado de toda suerte de individuos sin carácter, corruptos y transigentes, que habían pertenecido al Antiguo Régimen. El remedio estaba en la inflexible austeridad del propósito, el implacable castigo a los apóstatas y a los hipócritas. La carta del Terror —la ley de Sospechosos, sancionada el 17 de septiembre, que otorgaba al comité y a sus representantes amplios poderes de arresto y de castigo sobre una extensa gama de personas, a las que se atribuían propósitos contrarrevolucionarios— debía aplicarse con el máximo rigor. «Entre el pueblo y sus enemigos solo puede existir en común la espada; debemos gobernar por el hierro a los que no admiten ser gobernados por la justicia; debemos suprimir al tirano [...]. Es imposible ejecutar las leyes revolucionarias, a menos que el propio Gobierno sea verdaderamente revolucionario.»

Se necesitaba una nueva Esparta. Los ciudadanos debían mantener una vigilancia permanente; los *représentants-en-mission* debían ser los «padres y amigos del soldado», durmiendo en la misma tienda, compartiendo su alimento, frugales e inflexibles. La República tenía que ser terrible, si había de prevalecer y los que gobernaban jamás debían bajar la guardia. «Los que quieran hacer revoluciones en el mundo —dijo Saint-Just, la misma arcilla con la que se modelaría el leninismo—, los que quieran hacer el bien en este mundo deben dormir solo en la tumba.»

OBLITERACIONES

La República jacobina tenía dos expresiones, el ceño imponente del *terroriste* y la faz serena de sus iconos oficiales. En las regiones de Francia influidas por el federalismo, o que se resistían a entregar su grano a las ciudades, el Terror llegó como una presencia destructiva y brutal. Un *représentant-en-mission* como Claude Javogues, que actuó en el Loira, fue capaz de repentinos actos de violencia y golpeaba a la gente en la cara cuando le parecía sospechosa o simplemente le desagradaba. Enfurecido, borracho o ambas cosas, podía utilizar su incuestionable poder en el departamento para imponer complejas humillaciones o para descargar torrentes de insultos a los funcionarios locales. Una demanda de algunos campesinos que provocó su descontento terminó rota y, después, pisoteada por su caballo; hecho esto, Javogues golpeó de plano con su sable a los solicitantes. Después de mantener una fila de prisioneros de Montbrison (denominada Montbrisé tras su conquista por la República) esperando dos horas en la nieve, Javogues dijo al juez del Tribunal Revolucionario: «Cómo desearía tener el placer de guillotinar a todos estos canallas». En la propia ciudad dijo: «Un día la sangre correrá como el agua en las calles después de una gran tormenta».

En Saint-Étienne, Javogues presidió una sesión pública del municipio, convocada para imponer «impuestos revolucionarios» a los ciudadanos más acomodados, mientras varias hermosas niñas, a quienes se había maltratado, depositaban junto a él y vaciaban treinta botellas de cerveza y vino. Cuando un miembro del público hizo un comentario sobre el carácter arbitrario de los impuestos, Javogues gritó al oficial de la guardia: «*Sacré mille foutre!* Arreste a ese canalla para que yo pueda fusilarle».

A una mujer, descrita en el conmovido informe como «une vieille fille», que protestaba porque le habían aplicado un impuesto superior a toda su fortuna, le dirigió una prédica obscena: «Sois una perra [garce], una prostituta, os habéis acostado con más sacerdotes que pelos tengo en mi cabeza; tenéis la vagina tan grande que yo podría entrar entero en ella», y cosas así.

La conducta de Javogues era un caso extremo, incluso juzgada por las normas del periodo anárquico del Terror entre septiembre y diciembre de 1793. Para los jacobinos más estrictos, que más adelante provocarían su derrocamiento, pudo parecer particularmente escandaloso, pues no se trataba de una persona que hubiese crecido en el arroyo. Su padre había sido abogado y consejero real en Montbrison, ciudad en la que poseía una casa en uno de los barrios más acomodados. Al igual que muchos otros que de pronto adquirieron poder durante el otoño del Año II, Javogues sin duda se complacía representando el papel del ángel vengador de su ciudad natal, así como arrojando tierra a la cara de los burgueses y de los campesinos locales. Otros que habían llevado una vida de verdadera privación, utilizaron su nuevo cargo para vengarse en concreto de los individuos que, según ellos creían, habían sido los culpables de sus padecimientos bajo el Antiguo Régimen. Por ejemplo, Nicolas Guénot, que había trabajado en la tremenda labor de hacer bajar los troncos flotantes por el Yonne para entregarlos en los depósitos y los aserraderos de París, se convirtió en agente del órgano policial de la Convención, el Comité de Seguridad General. Haciendo uso de su cargo, envió al tribunal a varios de los comerciantes acomodados a quienes conocía de su antiguo vecindario en París, antes de que también él fuese arrestado.

Con frecuencia, el ladrido de estos hombres era bastante peor que el mordisco. Sin embargo, el modo inestable y arbitrario en que ejercían su jurisdicción aún parecía ofensivo a los políticos de París cuya imagen de la República jacobina era intensamente moral. Para los puritanos como Robespierre y Saint-Just, los desmanes alcohólicos de hombres como Javogues desacreditaban tan gravemente a la autoridad revolucionaria que llegaron a creer que trabajaban para la contrarrevolución. La situación llegó a ser particularmente humillante porque, mientras Javogues metía la mano bajo la camisa de las ciudadanas (a veces en público), los garantes del jacobinismo oficial trataban de convertir en icono el corazón republicano: fecundo, inocente y generoso. Por ejemplo, la *France Républicaine,* de Boizot, es una reelaboración secular de las tradicionales imágenes de la Virgen María, en la cual la exposición del corazón significaba su intercesión ante Cristo en defensa del pecador. En la versión jacobina, la exhibición es un emblema de la inclusión igualitaria. La igualdad de «todos los franceses», regenerada por los pechos nutricios de la República, está simbolizada por la escuadra del carpintero, colgada estratégicamente; por su parte, el alba de la libertad está representada por el gallo, otro tradicional símbolo galo.

La iconografía jacobina fue una repetición de todos los temas habituales de la *sensibilité* prerrevolucionaria: la vida familiar, la pureza del trabajo rústico, la mutua bondad de la libertad y de la prosperidad. En una versión característica de este idilio, una familia *sans-culotte* idealizada, con el arado al lado, se alza ante dos encarnaciones de Francia. Bajo la bienhechora luz del omnipresente y vigilante ojo, la Industria, simbolizada por la colmena, aparece representada como la fuente del cuerno de la abundancia, que derrama sus frutos sobre el suelo mientras la República sostiene los elementos de la libertad y la igualdad junto a los Derechos del Hombre.

Por trilladas y recurrentes que fueran estas imágenes, representaban un sistemático intento por parte de los difusores de la cultura jacobina de crear una moral pública nueva y purificada. La nación no estaría realmente segura mientras todos sus miembros no hubiesen interiorizado los valores que eran la base de su reconstrucción. Habiendo heredado de Rousseau (aunque de forma desordenada) la doctrina de que el Gobierno era una forma de administrador de la educación, los guardianes de la Revolución se proponían emplear todos los medios posibles para devolver a una nación corrompida por el mundo moderno la inocencia redentora del niño presocial. Sobre las ruinas de la monarquía, la aristocracia y el catolicismo romano, se formaría una nueva religión natural: cívica, familiar y patriótica. Los cantos y los festivales públicos, forzosamente celebrados al aire libre, reunirían a los ciudadanos en comunidades armónicas. El teatro adquiriría un carácter más participativo y lograría que el público se acercara a sus edificantes historias. Sin embargo, los evangelistas jacobinos prestaban una especial atención a las imágenes en el sentido más amplio de la palabra. Por ejemplo, Fabre d'Églantine, el poeta amigo de Danton (y su cómplice en el desfalco), utilizó la teoría de las sensaciones aportada por la Ilustración para persuadir a la Convención de que «concebimos las cosas solo mediante imágenes; incluso el análisis más abstracto o las formulaciones más metafísicas solo pueden realizarse mediante imágenes».

Por lo tanto, se puso en marcha un esfuerzo organizado para reemplazar los puntos de referencia visuales de la vieja Francia por un mundo completamente nuevo de imágenes moralmente depuradas. El Salón público de 1793 presentó, a la vez que los dos mártires de David, innumerables cuadros en los que se unían las virtudes familiares y patrióticas. Por ejemplo, la «mujer de la Vendée», presentada en muchas versiones, prefiere autoinmolarse y matar a su familia antes que entregar pólvora a los «salteadores». Los héroes infantiles son importantes y entre ellos se cuenta el «pequeño Darruder», que recogió el arma de su padre en el campo de batalla y atacó con ella al enemigo. En el arte popular, se inducía a los comerciantes a manifestar su patriotismo mostrando «letreros cívicos» en la fachada de sus tiendas, en lugar de los anuncios tradicionales. Incluso los naipes se vieron sometidos a esta depuración y la reina de corazones se transformó en la Libertad de las Artes, y por su parte el rey pasó a ser un general *sans-culotte*.

El intento más serio de crear un nuevo «imperio de las imágenes», por utilizar la expresión sorprendentemente moderna de Fabre, fue la invención del calendario revolucionario. Se trató también de reconstruir el tiempo mediante una cosmología republicana. La comisión especial designada con el fin de plantear propuestas fue una singular mezcla de autores literarios, como Fabre Romme y Marie-Joseph Chénier, y de científicos serios, como Monge y Fourcroy. Juntos, estos hombres persiguieron la reforma como la oportunidad de separar a los republicanos de las supersticiones que, según creían, se revelaban en el calendario gregoriano. Orientaron sus esfuerzos hacia el mundo rural, al que aún pertenecía la gran mayoría de los franceses. En armonía con el culto a la naturaleza, los doce meses no solo debían designarse en función de un cambio del tiempo (según se experimentaba en la Francia septentrional y central), sino como evocaciones poéticas del año agrícola. El primer mes (que necesariamente comenzaba con la creación de la República a finales de septiembre) era el tiempo de la *vendange*, la vendimia, y por tanto se denominó vendimiario. Las voluptuosas encarnaciones de las ilustraciones del calendario de Salvatore Tresca representaban, según creían estos hombres, una satisfactoria variante en comparación con san Marcos, el patrón del viñedo. Fabre se mostró muy categórico sobre de la necesidad de separar al cultivador de las supersticiones mediante las cuales él buscaba la bendición de los sacerdotes para sus cultivos y su ganado. Desaparecería la insensatez que permitía decir a la Iglesia: «Gracias a nosotros, nuestros graneros están colmados; creedme, obedeced y seréis ricos. Desobedeced, y la helada, el granizo y el trueno ensombrecerán vuestras cosechas». El frontispicio del *Annuaire Républicain,* de Millin, mostraba explícitamente la derrota de las antiguas tiranías gregorianas gracias a la sencillez de la explotación rural.

Fabre y la comisión no se contentaron con la aportación de una nueva forma de nombrar. Los doce meses —por ejemplo, brumario, el mes de las brumas; frimario, el mes del frío— se dividieron en tres unidades de diez días, las *décadis*, y se rebautizó cada uno de estos días. En lugar de las asociaciones cotidianas del antiguo calendario sagrado, el anuario de Millin proporcionaba objetos de virtud bucólica para la contemplación diaria. Eran cultivos, verduras, frutas y flores los días de semana; un apero agrícola, el *décadi* del décimo día; y había un animal de campo cada quinto día. Para la tercera *décade* de fructidor —la transición entre el verano y el otoño—, el calendario, por ejemplo, establecía:

> rosa silvestre
> avellana
> lúpulo
> sorgo
> CANGREJO DE RÍO (quinto día)
> naranja amarga
> vara de oro
> maíz
> castaña
> CESTA

Según afirmaba Fabre, cada objeto incluido en esta veneración calendaria era «más precioso a los ojos de la razón que algunos esqueletos hallados en las catacumbas de Roma».

Después de doce meses, cada uno formado por treinta días, restarían cinco en el año, denominados por Fabre *sans-culottes*, y ante el temor de que pareciera un gesto de excesiva deferencia hacia los militantes de las secciones ofrecía una justificación erudita poco plausible. Sostenía que la antigua Galia se había dividido en la *Gallia braccata*, la mitad provista de calzones, que era (por supuesto) la región alrededor de Lyon; y la Galia sin calzones, que era el resto de la antigua Francia. De modo que, por designio de una buena suerte histórica, los francos libres ya eran, en cierto sentido, *sans-culottes*. Los cinco días se consagrarían a festivales, respectivamente, del talento (*génie*), la industria, los hechos heroicos y las ideas (*opinions*). Esta reestructuración del tiempo republicano debía completarse cada cuatro años con un gran acontecimiento con juegos y carreras patrióticos, celebrados el «día de la Revolución» (se suponía que el 10 de agosto).

Aunque parece improbable que los campesinos apreciaran la sustitución del domingo y el «lunes santo» por la mera *décadi*, que aparecía una vez cada diez días, más que cada siete, el calendario revolucionario fue uno de los elementos más perdurables de la cultura republicana y sobrevivió doce años a la caída de los jacobinos. Sin embargo, aunque llegó a aceptarse como un elemento bastante inofensivo de la nueva Francia, su implantación fue una parte integrante de un programa mucho más agresivo de iconoclasia. Tres días después de que la Convención adoptara el calendario, Thuriot dijo a los jacobinos: «Es hora, puesto que hemos llegado a la cima de los principios de una gran revolución, de revelar la verdad acerca de todos los tipos de religión. Las religiones no son más que convenciones. Los legisladores las crean para acomodarlas al pueblo al que gobiernan [...]. Lo que debemos predicar ahora es el orden moral de la República, de la Revolución, que nos convertirá en un pueblo de hermanos, en un pueblo de *philosophes*».

Sin embargo, en la práctica, la descristianización debió menos a estos encumbrados principios y más al anticlericalismo, violento en exceso en París y en el Midi, que había desempeñado un papel fundamental en la radicalización de la política de la Revolución. Fue llevado a los departamentos por los agentes del Terror, que se desplegaron en el otoño del Año II para inculcar la ortodoxia a las regiones descontentas de Francia. Tuvieron el apoyo de los militantes jacobinos locales que habían sido perseguidos durante el dominio federalista o que, sencillamente, se complacían en demostrar su celo anticlerical. Como era previsible, las *armées révolutionnaires* fueron las encargadas del ataque más violento y despiadado contra la cultura clerical. Sus cuarteles generales parisienses de la rue Choiseul estaban dominados por gente del ambiente teatral: actores como Grammont y dramaturgos como Ronsin, que llevaron consigo a casi toda la *troupe* Montansier, pertenecían a una antigua tradición de hostilidad contra la Iglesia, que los había perseguido constantemente en la escena y a la que, con mucho gusto, pusieron en la picota a partir de 1789.

Sin embargo, las manifestaciones más caóticas de descristianización quizá fueron más o menos espontáneas. Por ejemplo, cuando un regimiento del ejército, formado por dos mil hombres, llegó a Auxerre, de camino a Lyon, los artilleros destrozaron las puertas de la iglesia y mutilaron las imágenes y las estatuas de los santos. Retiraron un crucifijo de la capilla de María y lo pasearon boca abajo, mientras instigaban a los ciudadanos a escupirlo. Un obrero de las canteras locales rehusó hacerlo y uno de los soldados le cortó parte de la nariz con el sable. Al llegar a Clermont-Ferrand, un grupo de soldados, muchos de ellos trabajadores metalúrgicos de la sección del Luxemburgo, llamados «vulcanos» por su oficial, fueron derechos a la catedral y

> allí, con golpes terribles y vigorosos, derribaron a san Pedro, destrozaron a los santos Pablo, Lucas y Mateo [...], a todos los ángeles y al propio arcángel Rafael, a toda la banda celestial alada, a la bella María, que tuvo tres hijos, pero continuó siendo virgen.

Hubo formas más organizadas de descristianización gracias a *représentants-en-mission*, como el exsacerdote oratoriano Fouché, que emprendió una campaña tremendamente entusiasta en la Nièvre, donde retiró todos los símbolos religiosos de los cementerios y colocó a la entrada su famosa frase: «La muerte es un sueño eterno». Tales campañas comenzaban con frecuencia con gestos formales de renuncia del clero constitucional, acompañados por declaraciones públicas referidas a su propio «engaño» y su locura. Por ejemplo, en el Hérault, Jean Radier, *curé* de Lansargues, anunció que, puesto que ahora sabía que «la profesión de sacerdote se opone a la felicidad del pueblo, retrasa el progreso del saber e impide la marcha de la Revolución, aquí abdico y me arrojo a los brazos de la sociedad». Al mismo tiempo que estas renuncias formales, a menudo había ceremonias matrimoniales de exsacerdotes (a veces involuntarias) y, sobre todo en el Midi y en el valle del Ródano, cencerradas burlescas en las que se vestía a los asnos con las ropas y la mitra de los obispos y se los paseaba por las calles. En otras ocasiones, se quemaban muñecos con la imagen del Papa después de una ceremonia parecida de escarnio. Como gran parte de la violenta política popular de la Revolución, estos rituales inversos no eran creaciones recientes, sino prácticas tradicionales toscamente puestas al día para las necesidades del momento.

A menudo se despojaba de todos los objetos litúrgicos a las propias iglesias. Aun así, había urgentes razones de utilidad que explicaban este expolio. Se necesitaban las campanas para las fundiciones de armas y el oro y la plata, para el Tesoro de la República, si bien gran parte de este último, sin duda, llegó sobre todo a los bolsillos de los descristianizadores. Sin embargo, existía también simple vandalismo ejercido a gran escala. Se abatían los altares, se destrozaban las vidrieras. En Amplepuis, del alto Beaujolais, un Árbol de la Libertad sustituyó al crucifijo en el crucero de la iglesia. En muchos otros, los devocionarios y los himnarios se quemaron en grandes hogueras, así como los santos de yeso y de madera encontrados en todas las encrucijadas de caminos, que fueron a crepitar y a deshacerse en las llamas como víctimas sin vida de un auto de fe.

La culminación de este extraordinario ataque a la práctica cristiana sobrevino en la segunda semana de noviembre. Una delegación que incluía a Anacharsis Cloots y a Léonard Bourdon fue a ver a Gobel, el obispo constitucional de París, le sacó de la cama y le obligó a abdicar al día siguiente (7 de noviembre) en la Convención. Se leyeron cartas, incluso una del *curé* de Boissise-la-Betrand, en Seine-et-Marne, que comenzaba: «Soy sacerdote, *curé*, es decir, un charlatán, hasta ahora un charlatán de buena fe, pues solo a mí mismo me engañaba». Después, Gobel anunciaba que «no habría más culto público que la libertad y la sagrada igualdad»; y renunció debidamente, seguido por Julien, pastor protestante de Toulouse, que declaró que «el mismo destino esperaba a todos los hombres virtuosos, fuese que adorasen al dios de Ginebra, de Roma, a Mahoma o a Confucio».

Tres días más tarde se celebró un festival en Notre Dame, *débaptisée* Templo de la Razón. En su interior se había erigido bajo la bóveda gótica una estructura grecorromana para la ocasión. Una montaña construida con tela pintada y *papier-mâché* se elevaba al fondo de la nave, donde la Libertad (representada por una cantante de la ópera), vestida de blanco, tocada con el gorro frigio y sosteniendo una pica, se inclinaba ante la llama de la Razón y se sentaba sobre un lecho de flores y plantas. Mercier fue a ver ceremonias similares organizadas por la Comuna en Saint-Germain, donde la iglesia «olía a arenque», y en Saint-Eustache, donde las actrices caminaban sobre tablas que crujían bajo la escenografía de cabañas y escarpas rocosas. Le horrorizó ver alrededor del coro «botellas, salchichas, *andouilles,* patés y otras viandas».

En París, los jacobinos se dividieron con respecto a la descristianización. Los partidarios de Hébert eran entusiastas de este proceso, al igual que el autoproclamado «impresor de la libertad» Momoro. Danton se había quejado de los excesos retóricos, pero después, a finales de octubre, solicitó a la Convención que le autorizara a retirarse a su casa de Arcis. Sin embargo, algunos de sus aliados, entre ellos Thuriot, eran destacados descristianizadores, quizá con el propósito de combatir las acusaciones de que su actitud revolucionaria estaba ablandándose. En cambio, Robespierre se sintió profundamente contrariado por lo que, según creía, era la inmoralidad de un ataque que pretendía pasar por «filosofía». Entendía que los festivales de la Razón eran «farsas ridículas» protagonizadas por «hombres sin honor, ni religión». Al anuncio fijado por Fouché en el cementerio replicó diciendo que la muerte no era solo un «sueño eterno», sino «el comienzo de la inmortalidad». Quizá su influencia impidió que la Convención aceptara la invitación a asistir en bloque a Notre Dame.

En cambio, en Lyon la autoridad de Fouché, que dirigía las ceremonias de descristianización, no tenía freno. Como uno de los *représentants-en-mission* de la ciudad reconquistada a los federalistas, a comienzos de octubre ejercía de hecho poderes dictatoriales. Comenzó eliminando todos los rastros de la iconografía cristiana de la torre y los relojes medievales de Saint-Cyr para sustituirlos por el calendario revolucionario. El 10 de noviembre, los restos de Chalier fueron llevados en triunfo por las calles (más tarde su cabeza fue enviada a París para recibir los honores del panteón, como se había hecho con Marat). Un asno, vestido con los hábitos y la mitra de Lamourette, el obispo constitucional (el mismo que había orquestado el «beso fraterno» en la Asamblea Legislativa de 1792), así como con una Biblia y un misal atados a la cola, fue seguido por carros cargados de recipientes religiosos que, al final de la procesión, fueron destruidos solemnemente sobre la tumba de Chalier.

Mientras bebía de un enorme cáliz, Grandmaison, uno de los ángeles exterminadores jacobinos más incontrolables, parodió la liturgia de la comunión: «En verdad os digo, hermanos míos, que esta es la sangre de los reyes, la verdadera sustancia de la comunión republicana. Tomad y bebed esta preciosa sustancia».

Tres semanas más tarde se celebró una *fête de Raison* en la catedral de Saint-Jean, y allí los funcionarios republicanos se inclinaron ante la estatua de la Libertad y cantaron un antihimno con letra de Fouché, que celebraba a la «Razón como el Ser Supremo».

Sin embargo, Lyon había perdido más que su iglesia. Durante un prolongado sitio durante el cual las localidades satélites exteriores, como por ejemplo Saint-Étienne, fueron evacuadas, la ciudad, hambrienta y bombardeada, capituló el 9 de octubre ante los ejércitos republicanos que la rodeaban. Los *muscadins* de Lyon, como sus colegas de Tolón y de Marsella, no se habían declarado, a diferencia de los rebeldes vandeanos, en favor de la antigua monarquía, sino en favor de la Constitución de 1791. No obstante, en determinado momento su comandante, De Précy, había dicho a la municipalidad federalista que deseaba apoyar una «República, una e indivisible». Aun así, en París gozaba de la reputación de aristócrata que había luchado en favor del bando equivocado en la batalla por las Tullerías, el 10 de agosto de 1792. En consecuencia, la ciudad se vio sometida a algo parecido a una ocupación colonial. Ante las sugerencias de que podía tratarse a la ciudad con la misma indulgencia que a Burdeos, Robespierre declaró de manera tajante: «No, su memoria [la de Chalier y la de los que habían sido arrestados con él] debe ser vengada y esos monstruos, desenmascarados y exterminados. —Y añadió, como solía hacer—: De lo contrario, yo mismo moriré.»

El amigo y leal partidario de Robespierre, el inválido Georges Couthon, fue quien, con otros dos colegas, Châteauneuf-Randon y Delaporte, asumió en un principio la responsabilidad de devolver su carácter jacobino a la ciudad rebelde. El 13 de octubre escribió a Saint-Just que se necesitaba una regeneración completa. Era necesario enseñar de nuevo su «alfabeto» a la gente, pero eso no sería fácil, porque la población local «es estúpida por temperamento, dado que las brumas del Ródano y el Saona desprenden en la atmósfera una niebla que enturbia las ideas claras». Había que aplicarles un enérgico medicamento republicano: «una purga, un vómito y un enema».

No perdió tiempo en aplicar este tratamiento. Después de restablecer el municipio derrocado el 29 de mayo y de reabrir los clubes populares, en su primer decreto, el 12 de octubre, Couthon anunció la política de la Convención, que consistía en borrar a Lyon del mapa de la República. En adelante se la conocería con el nombre de «Ville-Affranchie» (Ciudad Liberada). Se procedería a demoler las casas de los ricos y de todos aquellos relacionados con el delito de rebelión, dejando solo las de los pobres. Sobre las ruinas se levantaría una columna con esta leyenda: «Lyon fit la guerre à la liberté / Lyon n'est plus» (Lyon declaró la guerra a la libertad / Lyon ya no existe).

El 26 de octubre Couthon fue llevado en su silla de inválido, sobre los hombros de cuatro *sans-culottes,* a la place Bellecour, el paseo más famoso y elegante de residencias del siglo XVIII, edificado a principios del reinado de Luis XVI. Con una voz de asombrosa potencia que desmentía su minusvalía, Couthon declaró a la multitud que las casas habían sido condenadas a muerte «como residencias del delito, en las que la magnificencia real afrenta a la miseria del pueblo y la sencillez de las formas republicanas. Que este ejemplo terrible infunda temor a las generaciones futuras y enseñe al universo que, así como la nación francesa, siempre grande y justa, sabe recompensar la virtud, también sabe cómo aborrecer el crimen y castigar la rebelión». Dicho esto, levantó una maza de plata, fabricada para la ocasión, y golpeó tres veces una pared, deteniéndose solemnemente entre un golpe y otro, como los sonoros golpes en el suelo que anunciaban el comienzo de una obra en los teatros franceses. Cientos de trabajadores, incluso mujeres y niños, muchos de ellos pertenecientes a la decaída industria de la seda, se adelantaron con mazas y picos para comenzar la demolición. Se emplearían mil personas en esta labor antes de completarla, y se realizaría el pago con un impuesto de seis millones de libras aplicado a los ricos. Fueron demolidas mil seiscientas casas, incluso muchas del quartier Bourgneuf, a través del cual se estaba construyendo un nuevo camino a París. Y lo que era más importante para la República, las fortificaciones que habían sido tan útiles a los federalistas fueron arrasadas y, entre ellas, estaba la antigua ciudadela medieval-romana de Pierre-Scize.

Cuando la noticia de las demoliciones llegó a la Convención, no a todos los diputados les complació la medida. La mayoría de los miembros de la Montaña profesaban mucho respeto a la propiedad, y uno de ellos, el comerciante de sedas Cusset, nacido en Lyon, preguntó retóricamente: «¿Es republicano derribar casas?». Después de todo, eran hombres y no casas los que habían luchado contra la República. Cuánto mejor hubiera sido seguir el precedente de los romanos, que, cuando entraban en las ciudades conquistadas, no completaban su destrucción, sino que, al contrario, las restauraban hasta alcanzar unos niveles más altos de grandeza y prosperidad.

Sin embargo, en París, el estado de ánimo no se inclinaba mucho por la generosidad. A finales de octubre Couthon fue llamado y Fouché y Collot d'Herbois, que le reemplazaron, sustituyeron su violencia sucedánea ejecutada contra la propiedad más que contra las personas, por formas mucho más directas de castigo. Para Collot, el actor, gerente teatral y autor de *Lucie o los parientes imprudentes*, se trataba del regreso al escenario de experiencias contradictorias. En 1782 había sido bien recibido en el Théâtre des Terreaux (que daba a la plaza donde se había instalado la guillotina) por el intendente de Flesselles; pero sus relaciones con la administración del teatro, con los críticos locales y con el público no habían sido buenas. Y gran parte de ellos tendrían que aprender ahora el castigo de los poco clamorosos aplausos. El criterio general de Collot acerca de la justicia republicana se resumía de forma amenazante en este comentario: «Los derechos del hombre no han sido concebidos para los contrarrevolucionarios, sino solo para los *sans-culottes*.»

En colaboración con Fouché, Collot llegó a la conclusión de que el criterio de Couthon había sido excesivamente puntilloso. Solo de veinte a treinta ejecuciones, la mayoría limitadas a oficiales del ejército federalista y a los miembros más destacados de la municipalidad, habían sido el saldo de octubre. Eso debía cambiar de manera radical. Se creó una comisión provisional destinada a reforzar a los agentes locales de la justicia revolucionaria, sospechosos de indulgencia. Su principal figura fue Mathieu Parein, abogado (e hijo de un talabartero), amigo de Ronsin y, como él, promovido con inverosímil celeridad al rango de brigadier general de la *armée révolutionnaire*. Llegó a Lyon de la Vendée, donde había presidido un Tribunal Revolucionario en Angers, y la declaración publicada por la comisión manifiesta la impronta de su inflexible carácter, así como la de Fouché, con quien al parecer se llevaba muy bien. Anunció un régimen de castigo rápido y a gran escala, animó las delaciones (en parte mediante una tabla de precios de recompensas, con premios especiales en el caso de los aristócratas y de los sacerdotes) y lanzó un ataque directo y sin miramientos sobre los ricos por medio de la aplicación de impuestos forzosos. Por ejemplo, las personas cuyo ingreso se elevaba a treinta mil libras o más debían pagar *ipso facto* un capital de treinta mil libras. Resultaba necesario eliminar todos los vestigios de la religión organizada, pues «el republicano no tiene más dignidad que su *patrie*».

El Terror entró en acción con impresionante eficacia burocrática. Los allanamientos domiciliarios, generalmente practicados durante la noche, fueron numerosos e implacables. Se exigió a todos los ciudadanos que fijasen en su puerta principal un cartel que debía incluir a todos los residentes de la casa. Recibir a quien no estuviera en la lista, aunque fuese por una sola noche, constituía un delito grave. Las denuncias afluyeron a la Comisión. Se acusó a la gente de calumniar a Chalier, de atacar el Árbol de la Libertad, de ocultar a sacerdotes o a emigrados, de esconder fortunas especulativas y —uno de los delitos habituales del Año II— de escribir o decir «merde à la république». Desde principios de diciembre la guillotina entró en acción a un ritmo mucho más veloz. Como en París, su rendimiento mecánico suscitó orgullo. El 11 de nivoso, según las escrupulosas cuentas llevadas entonces, se cortaron treinta y dos cabezas en veinticinco minutos; una semana después, doce cabezas en solo cinco minutos.

Sin embargo, a juicio de los más fervientes *terroristes*, esta era todavía una forma complicada e incómoda de eliminar la hez política, pues los ciudadanos de las calles que se extendían alrededor de la place des Terreaux, sobre la rue Lafont, se quejaban de la sangre que desbordaba la zanja de drenaje que pasaba bajo el patíbulo. De modo que una serie de condenados fueron ejecutados en fusilamientos en masa realizados en la Plaine des Brotteaux, el campo junto al Ródano donde Montgolfier había realizado su ascenso. Otro exactor, Dorfeuille, presidió algunas de estas *mitraillades*, en las que hasta sesenta prisioneros formaban una línea, unidos con cuerdas, y eran abatidos a cañonazos. A los que no morían al momento a causa de los disparos se les remataba con sables, bayonetas y rifles. El 4 de diciembre Dorfeuille escribió al presidente de la Convención que ese día habían sido ejecutados ciento trece habitantes de «esta nueva Sodoma» y que durante las jornadas siguientes tenía la esperanza de que otros cuatrocientos o quinientos «expiarían sus delitos con el fuego y la metralla». Tres días después, el barbero y cirujano Achard escribió complacido a su hermano en París: «¡Todos los días caen más cabezas! Qué placer habrías experimentado si anteayer hubieses visto la justicia nacional dispensada a doscientos nueve canallas. ¡Qué majestad! ¡Qué tono tan imponente! Fue muy edificante. Cuántos de estos grandes personajes ese día mordieron el polvo [literalmente: "mordu la poussière"] en la arena de Brotteaux. Qué cemento para la República. P. S. —agregaba jovialmente—: Saluda a Robespierre, Duplay y Nicolas».

Por la época en que concluyeron las ejecuciones en la «Ville-Affranchie», habían muerto mil novecientas cinco personas. Por supuesto, esa cifra incluía a muchos notables de Lyon, entre ellos Albanette de Cessieux, de setenta y cinco años; Laurent Basset, teniente de la antigua *Sénéchaussée* real de Lyon; y Charles Clermont-Tonnerre. Los oficiales militares aristócratas, los miembros del *département* rebelde de Rhône-et-Loire, los magistrados federalistas y los sacerdotes ocupaban un lugar preferente en la lista, al igual que todos los que pudieran tener cierta relación con la amplia categoría de «los ricos», los «comerciantes» o los intermediarios o fabricantes acusados de delitos económicos por los *sans-culottes*. De todos modos, quedaba un elevado número de condenados que eran gente muy común: miembros, probablemente, de las secciones que habían apoyado a los girondinos contra Chalier, pero que provenían de medios idénticos a los de sus equivalentes jacobinos de París. (Si bien los acomodados estaban desproporcionadamente representados en la lista de las víctimas, la idea de que los ricos estaban siendo ejecutados por los pobres de Lyon parece una simple leyenda.) Si bien hubo muchos fabricantes de seda entre los condenados, también hubo al menos cuarenta oficiales tejedores. Los oficios que proporcionaban el contingente de militantes projacobinos en París, como por ejemplo los sombrereros, los ebanistas, los sastres y los vendedores de alimentos, aportaban la base antijacobina en Lyon. Otras profesiones representadas correspondían a los cerrajeros, los zapateros, los toneleros, los taberneros, los propietarios de cafés, los camareros, los cerveceros (en cierto número); los fabricantes de vinagre, los vendedores de limonada, los libreros y los arquitectos; los fabricantes de chocolate; los carniceros, los panaderos y los fabricantes de velas; los médicos, el director del dispensario de nodrizas; los cocheros y los criados; los tintoreros y los fabricantes de medias; los productores de muselinas; dos tambores, otros dos músicos; tres actores (tenemos la esperanza de que no hubiesen contrariado a Collot en el camerino); los fabricantes de pelucas; los merceros y las costureras; los pintores; dos peluqueros de señoras; un herborista; un botero; algunos impresores y un estudiante de matemáticas de veinte años; un minero de carbón; la pescadera Pierrette Butin; un pastelero; un amanuense público y algunos notarios; abogados, una serie de jóvenes con la mención de «desempleados»; y Jacqueline Chataignier, de cuarenta y cinco años, que fue clasificada sencillamente, aunque para los fines del tribunal eso bastó, como «fanatique». En la última tanda de los guillotinados cayó el verdugo Jean Ripet y su ayudante, cuyo esforzado trabajo a lo largo de los meses no los salvó. Un colega de Clermont-Ferrand fue convocado especialmente para esta tarea.

Como muchos lioneses habían muerto también bajo el bombardeo durante el sitio, un microcosmos entero de la ciudad lionesa fue aniquilado. El trauma dejó cicatrices cuya curación tardó varias generaciones y que, incluso hoy, determina que sus ciudadanos se muestren poco simpáticos cuando se aborda el tema de París y los parisienses. Sin embargo, a causa de la prolongada relevancia de la gran *fabrique* de seda y de la enorme expansión de los mercados promovida por el Imperio napoleónico, Lyon consiguió recuperar en parte su vitalidad económica. En ciertos aspectos, el destino económico de las ciudades portuarias federalistas como Marsella, Burdeos y Tolón, aunque estas lograron evitar las ejecuciones en masa como las de Lyon, reveló un daño más irreparable.

En la Ville-Sans-Nom, como entonces se denominaba a Marsella, los *représentants-en-mission* Barras y Fréron parecían tan decididos como Fouché y Collot a practicar una depuración a gran escala. «Marsella —escribieron— es la causa original y primordial de casi todos los males que han afligido a la *patrie*.» Y como Couthon, tomaron prestada de Montesquieu una teoría geográfica para explicar su terquedad. «Por su propia naturaleza», Marsella se consideraba un lugar diferente. «Las montañas, los ríos que la separan del resto de Francia, su propia lengua son todos factores que nutren el federalismo; [...] quieren leyes para ellos; ven solo a Marsella; Marsella es su país; Francia no es nada.» Y la conclusión era la misma que la de Couthon. Había que desarraigar el obstinado localismo eliminando a la élite comercial, que era el núcleo de la prosperidad y el orgullo de la ciudad. Sin embargo, el Tribunal Revolucionario que ejecutó esta tarea prestó mucha más atención que el de Lyon a las formalidades legales. De los 975 prisioneros que comparecieron ante él, casi la mitad fueron absueltos. Entre los 412 condenados a muerte estaba la flor y nata de la sociedad local: hombres cuya jerarquía y cuyas fortunas se asentaban tanto en la nobleza como en la burguesía, justo en el estilo tan característico del capitalismo del *ancien régime*. Incluían, por ejemplo, a Joseph-Marie Rostan, noble por su cuna, pero que se autodefinía como *commerçant*, un hombre que vivía en la elegante rue Solon y poseía fábricas de jabón, depósitos, residencias, así como reservas de lana de la zona del mar Negro y azúcar y café de las colonias. «No sé si soy noble —dijo al tribunal—. Me he enorgullecido de ser comerciante.» El desconcierto que sintió al verse estigmatizado socialmente constituye un elocuente testimonio del anticapitalismo de la revolución jacobina. Rostan suponía que, al afirmar su condición de comerciante, atenuaría la acusación de nobleza, cuando para sus fiscales esa profesión, en realidad, agravaba aún más las cosas. Sobre muchos otros como él, entre ellos Antoine Chegarry, Jean-Joachim Dragon y Honoré-Philippe Magnon, magistrados del antiguo tribunal de comercio, recayó la misma condena.

No toda Francia padeció de este modo. Hace más de cincuenta años, Donald Greer demostró que el 90 por ciento de todas las ejecuciones durante el Terror se realizó en solo veinte de los ochenta y seis departamentos. Todas estas áreas, excepto París, que tenía una posición especial en el asunto, eran zonas de guerra: escenario de combates contra la Coalición, los baluartes federalistas del Midi o el Valle del Ródano y la insurrección occidental, con su centro en la Vendée. En treinta departamentos hubo menos de diez ejecuciones. En la cúspide del Terror en Lyon y Nantes, había importantes ciudades de Francia, como Grenoble y Besançon, que, gracias al cuidadoso pragmatismo de sus funcionarios públicos y a la mera buena suerte de estar fuera de una zona de guerra, se ahorraron parte de la violencia interior del Año II. Hubo otras localidades más pequeñas en la órbita federalista que se mostraron visiblemente obedientes a la República, entre otras cosas porque sus relaciones con Lyon o Burdeos estaban tan envenenadas como el sentimiento que predominaba en las grandes ciudades frente a París. La amenaza inmediata a sus suministros de alimentos no procedía de París

o de los ejércitos, sino de su importante vecino. Así, a partir del principio de que el enemigo de su enemigo era su amigo, ciudades como
Clermont-Ferrand y Le Puy fueron fecundas áreas de reclutamiento
para los *bleus* que cayeron sobre Lyon.

En muchísimos otros lugares el Terror apenas justificó su nombre.
Por ejemplo, los procedimientos del Tribunal Revolucionario del Meurthe, que según Greer determinaron de diez a cincuenta ejecuciones, no
constituyen un rapapolvo muy espectacular. Aunque Saint-Just y su colega *en mission* Lebas habían creado una comisión especial para imponer
préstamos forzosos a los ricos, en el departamento que estaba fuera del
chef-lieu, es decir, Nancy, el Terror dio paso a episodios sin importancia.
Un antiguo postillón de veinte años, que servía en los húsares, fue sometido a un tribunal militar por besar la flor de lis de su antiguo uniforme. Tres campesinos sufrieron la acusación de haberse apoderado de
una carga de avena que debían entregar al ejército y de arruinar otra
mezclándola con paja y estiércol, pero fueron absueltos por falta de
pruebas concluyentes. En diciembre de 1793, se juzgó a un pescador
por haber gritado «*Vive* Luis XVI», pero, como también gritó: «Al demonio con la religión católica, que vengan los musulmanes a Francia»,
se llegó a la conclusión de que estaba borracho, loco o ambas cosas. En
enero, un soldado de veintidós años llamado Vattel declaró en público:
«Cuando servía al rey tenía dinero, ahora sirvo a la nación y jamás me
pagan, y mi condición es miserable», pero echó a perder esta verdad
innegable y peligrosa añadiendo: «De modo que me cago en la nación
[...], no soy ciudadano y moriré por mi rey», una ambición que se le
permitió realizar. Sin embargo, por cada Vattel, había un número igual
de sus contrarios en estos dramas aldeanos, por ejemplo Nicolas Tron-
quart, maestro de escuela en Lunéville, que fue arrestado, pero no por
realismo, sino por utopismo (concretamente, por predicar la *loi agraire*, es
decir, el reparto de todas las tierras de labranza entre los campesinos).

Por tanto, el Terror tuvo una geografía muy selectiva. La intensidad
de su influjo dependió esencialmente de la asiduidad o la laxitud de los
représentants-en-mission; de la seriedad con que los comités revolucionarios locales cumplían sus obligaciones; de la militancia de las sociedades
populares; de la posibilidad de que una ciudad estuviese o no en el camino de las *armées révolutionnaires;* y del tiempo que se prolongase la
estancia de las *armées* en determinada región. Sin embargo, si es impor-

tante abstenerse de generalizar a partir de la experiencia de Lyon y de Marsella, lo es también negarse a relativizar el Terror, de tal modo que se convierta nada más que en un conjunto de escalofriantes anécdotas, marginal en la historia de cierta ciudad «media». Pues, si bien se manifestó con un efecto demoledor en áreas que, en efecto, eran los centros de la guerra o de la rebelión, en todo caso esas mismas regiones estaban justo en la periferia de Francia que se caracterizaba por el dinamismo económico. Aunque, como destacan incansablemente todas las crónicas históricas, los jacobinos respetaban profundamente la propiedad y la guerra que libraron fue contra el capitalismo comercial, tal vez no fue esa la intención inicial, pero su incesante retórica contra los «ricos egoístas» y la acusación a las élites comerciales y financieras del federalismo determinó que, en la práctica, la iniciativa mercantil e industrial —salvo los casos en que estaba al servicio del esfuerzo militar— fuese, a su vez, atacada. No resulta sorprendente, por tanto, que las grandes regiones dinámicas de la Francia del siglo XVIII —los puertos del Atlántico y del Mediterráneo, las ciudades textiles del norte y el este, las grandes metrópolis de Lyon— fueran las bajas principales de la Revolución. La burguesía, que, según creyó durante mucho tiempo la historia marxista, fue la beneficiaria esencial de la Revolución, de hecho se constituyó en su víctima principal.

Más aún, la visión erudita de un Terror limitado apenas sobrevive al análisis de la más terrible atrocidad del Año II: la destrucción total de una región entera de Francia. En ninguna región tanto como en la Vendée —incluidos los departamentos vecinos de Loire-Inférieure y Maine-et-Loire—, el Terror se atuvo con mayor exactitud a la declaración de Saint-Just, según la cual la «república consiste en el exterminio de todo lo que se le opone».

La marea de la guerra había cambiado cuando Charette se mostró incapaz de ocupar Nantes. Hacia finales del verano, los ejércitos republicanos se vieron reforzados por los regimientos que habían actuado en la defensa de Maguncia y por el primer reclutamiento importante de la *levée en masse*. En Cholet, el 17 de octubre los rebeldes perdieron una batalla decisiva y, además, una dirección militar coherente. El ejército de Charette quedó separado del Gran Ejército principal, que, a la muerte de Cathelineau frente a Nantes, había pasado a manos del joven La Rochejaquelein. Quizá con la esperanza de enlazar con un desembarco británico en la costa (que nunca llegó), el Gran Ejército cruzó el Loira el 19 de octubre. Con un enorme cortejo de mujeres, niños, curas y otros no combatientes, unas veinte mil personas, este ejército itinerante erró tres meses por Bretaña y Normandía, acosado por los ejércitos republicanos, cada vez más numerosos, y a veces librando acciones en las que hizo poco más que defender el terreno. En Angers perdió otra batalla importante y en Savenay, el 23 de diciembre, lo que restaba del ejército huyó; La Rochejaquelein se refugió en los bosques disfrazado de campesino. Westermann, que de este modo sería rehabilitado, escribió al Comité de Salud Pública: «Ciudadanos, la Vendée ya no existe, ha muerto bajo nuestra espada libre, lo mismo que sus mujeres y sus niños. Acabo de enterrarlos en los pantanos y el lodo de Savenay. Siguiendo vuestras órdenes, he aplastado a los niños bajo las patas de los caballos y he masacrado a las mujeres, que, por lo menos [...], ya no engendrarán más salteadores. No tengo prisioneros que puedan reprochárseme».

Puede que, fiel al auténtico estilo *terroriste*, Westermann exagerase para demostrar su celo. Sin embargo, la política de exterminio, si no se aplicaba ya, en muy poco tiempo se convertiría en una realidad demasiado cruel en la Vendée. Había sido anunciada en un momento anterior del verano, cuando el general Beyssier decidió que, puesto que la República tenía que librar una guerra de salteadores, era mejor que lo hiciera con la implacabilidad propia de los salteadores. En los centros urbanos, a lo largo del mes de diciembre, esta actitud originó un terrorismo de una brutalidad desconocida. Doscientos prisioneros fueron ejecutados en Angers solamente en diciembre, y dos mil en Saint-Florent. Otros fueron llevados de las abarrotadas cárceles de Nantes y Angers a lugares como Pont-de-Cé y Avrillé, donde entre tres mil y cuatro mil fueron fusilados en una masacre prolongada e implacable.

Las masacres más destacadas fueron las que se llevaron a cabo en Nantes, donde el *représentant-en-mission* Jean-Baptiste Carrier complementó la guillotina con lo que él denominó «deportaciones verticales» en el río Loira. Se practicaron orificios bajo la línea de flotación en las barcazas de fondo plano y, sobre ellos, se clavaron planchas de madera para mantener los botes provisionalmente a flote. Los prisioneros fueron embarcados con las manos y los pies atados y los botes, empujados hasta el centro del río, para que los llevara la corriente. Después, los boteros-verdugos rompían o retiraban las planchas y se apresuraban a saltar a otras embarcaciones que estaban al lado, mientras las víctimas observaban impotentes cómo el agua los cubría. Los que intentaban sobrevivir saltando eran abatidos a sablazos en el agua. Al principio estas ejecuciones se limitaron a los sacerdotes y se practicaron, casi con un sentimiento de culpa, durante la noche. Sin embargo, lo que la «compañía Marat» de *sans-culottes*, que se destacó en la represión, denominaba de forma sarcástica «los bautismos republicanos» o el «baño nacional» llegó a convertirse en algo rutinario y se practicó a plena luz del día, de modo que algunos testigos sobrevivieron para describir los acontecimientos. En algunos casos, se despojaba de las ropas y de las pertenencias a los prisioneros (este aspecto era siempre una fuente importante de recursos para los soldados), y de este modo se hablaba de los «matrimonios republicanos»: los hombres y las mujeres jóvenes desnudos y atados juntos en los botes. Los cálculos sobre los que murieron de este modo varían mucho, pero desde luego no fueron menos de dos mil y quizá llegaron a cuatro mil ochocientos.

Lo que sucedió en la propia Vendée durante los dos primeros meses de 1794 no fue más comprensivo. La estrategia republicana fundamental de la reconquista quedó establecida durante el verano precedente e implicó un cambio radical con respecto a las convenciones vigentes referidas a las «leyes de la guerra». Como la principal ventaja de los vandeanos era la fuerza de su base local, los republicanos decidieron destruirla. Además de los habituales objetivos militares, es decir, los campamentos, las guarniciones y los arsenales, debía destruirse toda la infraestructura social y económica de la región, hasta que aquellos que se ocultaban en esos lugares quedaran expuestos al fuego. Había que quemar los cultivos, sacrificar o secuestrar a los animales de las fincas, arrasar los establos y las casas, incendiar los bosques. Y lo que fue todavía más inquietante, se desdibujaron las distinciones entre los sectores combatientes y no combatientes de la población. Era sabido que había mujeres y niños que apoyaban a los rebeldes y que, a veces, incluso luchaban junto a ellos. Por eso debían incluirse en el capítulo del «exterminio». Las ciudades o las aldeas que, según se sabía, habían albergado a las tropas rebeldes, se sometían de inmediato a la destrucción. Ronsin, alto jefe militar en la Vendée, incluso propuso la despoblación sistemática y la deportación y dispersión de los «salteadores» en todo el territorio de Francia (o el envío a Madagascar). En su lugar, legiones de colonos franceses «puros» se

instalarían en la región para formar familias que no estuvieran mancha-
das por el delito. Hubo anticipos todavía más siniestros de las matanzas
del siglo XX fruto de la tecnología. Carrier había sugerido echar arséni-
co en los pozos. Westermann pensó que podía enviarse a los vandeanos
un barril de brandy envenenado (aunque le preocupaba la posibilidad
de que sus propios soldados lo bebiesen por error). Rossignol incluso
pidió al eminente químico Fourcroy que estudiase la posibilidad de
utilizar «minas, gases [*fumigations*] u otros medios que permitiesen destruir, adormecer o asfixiar al enemigo».

La producción a gran escala de la muerte mediante la unión de la
tecnología y la burocracia tendría que esperar otro siglo y medio; pero
lo que sucedió en febrero y marzo fue, de por sí, bastante grave. Ahora
que la rebelión militar estaba más o menos aplastada, los ejércitos republicanos iniciaron una marcha «pacificadora» a través de la región. Se
animó a las doce «columnas infernales» del general Turreau (o incluso
quizá se les impartieron órdenes directas) a masacrar a casi todas las personas que hallasen en el camino. Esta matanza indiscriminada inevitablemente incluyó a algunas personas que no simpatizaban con los rebeldes.
La familia de Honoré Plantin, un agricultor acomodado e impecable
patriota republicano que vivía cerca de Machecoul, sobrevivió a la masacre vandeana en esa ciudad, pero sucumbió ante las «columnas infernales». En la primera visita tres de sus hijos y un yerno fueron asesinados, y cuando volvió el último hijo, su esposa y su hija de quince años,
también. Todas las atrocidades que la época podía concebir cayeron
sobre la población indefensa. De forma rutinaria se violaba a las mujeres,
se mataba a los niños y se descuartizaba a ambos. Para ahorrar pólvora,
el general Cordellier ordenó que sus hombres trabajasen con el sable
más que con el fusil. En Gonnord, el 23 de enero, la columna del general
Crouzat obligó a doscientos ancianos, así como a un grupo de madres y
niños, a arrodillarse frente a una gran fosa que ellos mismos habían ca-
vado; después, fueron fusilados y cayeron en su propia tumba. Algunos
que intentaron huir fueron abatidos por el martillo de un albañil patriota local. Unos treinta niños y dos mujeres fueron enterrados vivos cuando se echó tierra en el foso.

Como en todos los lugares donde se perpetraron estos horrores,
algunos republicanos se sintieron repelidos por los episodios que presenciaron y, después, durante muchos años, evocaron el terrible recuer-

do de las masacres. Beaudesson, agente principal del aprovisionamiento militar, escribió que «vio a padres, madres y niños de diferentes edades y de ambos sexos nadando en su propia sangre, desnudos y en posiciones tales que ni siquiera el alma más atroz podía concebir sin estremecerse».

Hacia mediados de abril de 1794 la pacificación militar de la Vendée estaba más o menos concluida. Los únicos comandantes supervivientes del antaño imponente Gran Ejército Real y Católico eran Stofflet y Charette, y ambos se habían dedicado a una *petite guerre* de ataques, emboscadas e incursiones repentinas para evitar los combates frontales e intentar que no los apresaran. Sin embargo, su región era, como habían prometido los generales republicanos, un verdadero desierto con las fincas incendiadas, con las grandes vacadas de gruesas reses sacrificadas, con las aldeas arrasadas y despobladas. Como otros centros de la insurrección, había perdido incluso el nombre y, en adelante, se la llamó la Vengé.

Ha sido habitual que los estudiosos se mostrasen escépticos frente a las afirmaciones de los historiadores provandeanos y frente a sus estimaciones de las pérdidas masivas de población; y se ha aceptado como plausible la cifra de Donald Greer, que menciona cuarenta mil muertes en todo el periodo del Terror y en todos los departamentos. Sin embargo, no resulta necesario aceptar la caracterización de Reynald Secher, que denomina «genocidio» a las masacres, para advertir que, durante el Año II, hubo en la Vendée una catástrofe humana de colosales proporciones que exige una sustancial modificación de estas cifras, con el fin de aumentarlas. Jean-Clément Martin, cuya obra acerca de este mismo tema constituye un modelo de investigación razonada, suministra para la Vendée, Loire-Inférieure y Maine-et-Loire una cifra total de poco menos de un cuarto de millón, es decir, un tercio de la población total de la región. Sin embargo, esta cifra no incluye las decenas de miles de soldados republicanos que perdieron su vida en la guerra.

Ante la prueba de un apocalipsis, no dice mucho de los historiadores que desviaran la mirada en nombre de la objetividad científica. Es cierto que los hechos de la Vendée tuvieron el carácter de una guerra (si bien la carnicería alcanzó su mayor gravedad después de concluidas las batallas); es cierto también que los rebeldes vandeanos, a su vez, cometieron grandes masacres en las primeras etapas del alzamiento. Sin embargo, sean cuales fueren las pretensiones de virtud política que la

Revolución francesa pueda plantear para concitar la simpatía del historiador, ninguna tiene validez suficiente para justificar, en el grado que fuere, las irreflexivas matanzas del invierno del Año II. Todavía parece menos justo asignar a la historia de la Vendée una categoría especial, en obras separadas del resto de la historia de la Revolución, como si se tratase de una especie de aberración. Los exterminios practicados fueron de hecho el desenlace lógico de una ideología que deshumanizaba de forma progresiva a sus adversarios y que había sido incapaz de hallar un camino medio entre el triunfo total y el eclipse total. Al comentar la revolución del 10 de agosto, Robespierre se había regocijado porque «un río de sangre dividirá ahora a Francia de sus enemigos». El río ahora estaba creciendo; la corriente corría veloz, pero, salvo los íntimos del Incorruptible, nadie sabía adónde llevaba a la República.

18

La política de la infamia

LOBISONAS Y OTROS PELIGROS

«No conozco nada tan cruel como despertar en la celda de una prisión, en un lugar donde el sueño más horrible es menos horrible que la realidad.» Con su prestigio como ministro del Imperio napoleónico, Jacques-Claude Beugnot evocaba con horror y aversión los meses pasados a finales de 1793 en la Conciergerie. Con mirada retrospectiva, también le sorprendía haber sobrevivido, cuando tantos otros cientos, arrestados con los pretextos más inconsistentes, habían salido en el carro para acudir a su cita con la guillotina.

Durante el Terror, en París funcionaron más de cincuenta lugares de detención. La ley de Sospechosos del 17 de septiembre había determinado que los criterios del arresto fuesen tan flexibles que hacia principios de diciembre la población carcelaria se elevaba a alrededor de siete mil personas. Aunque la superpoblación persistió, el número de detenidos excedía de tal modo el espacio disponible que se establecieron nuevas e importantes sedes para presos políticos. Algunas, como la antigua central de los «recaudadores generales» (un grupo de los cuales sería guillotinado en la primavera), así como el espléndido palacio del Luxemburgo, tal vez fueron requisadas teniendo presente la posibilidad de la justicia divina. Sin embargo, la consideración principal fue la disponibilidad de espacio: los cuarteles, los conventos, las escuelas y el famoso seminario y biblioteca jansenista de Port-Royal (rebautizado Port-Libre) fueron reconvertidos en lugares de encarcelamiento.

De todas estas prisiones, la Conciergerie, en la Île de la Cité, era la que tenía la reputación más siniestra (aunque la de Sainte-Pélagie, un

855

lugar húmedo e insalubre, la seguía de cerca). Beugnot la denominó «una vasta antecámara de la muerte», pues no solo era un centro de detención antes del proceso y un lugar de confinamiento de los delincuentes comunes, sino también el alojamiento temporal de los que esperaban la ejecución después de conocer la pena. Beugnot permanecía con frecuencia despierto por la noche, escuchando los sollozos y los gemidos, que procedían indistintamente de los enfermos y los muertos de miedo, mientras los numerosos perros de la prisión ladraban a las sombrías campanas de la torre del reloj, que daban las horas.

Incluso según los estándares contemporáneos, la Conciergerie era un agujero maldito, un lugar que conseguía mostrar un ambiente de enorme sordidez en un recinto de imponente arquitectura (pues también era una antigua residencia principesca). Otro de los detenidos que sobrevivió para relatar su historia, el periodista Claude-François Beaulieu, dijo que muchos de los detenidos comparaban esta prisión con uno de los círculos más bajos del infierno de Dante, un lugar poblado de alimañas, que olía a enfermedad y excrementos. Al ingresar, Beugnot compartió su celda de unos cuatro metros cuadrados y medio (una de las más espaciosas) con un hombre de cuarenta años acusado de asesinar a su madre, de quien Beugnot sospechaba que estaba loco, y con un joven falsificador muy afable, «perteneciente a la aristocracia del delito». No todos se encontraban tan mal. Los prisioneros más adinerados (como María Antonieta) eran alojados *à la pistole*, es decir, podían pagar una cama al precio de veintisiete libras y doce *sous* el primer mes. Como la suma se pagaba por adelantado, el movimiento cada vez mayor provocado por el Tribunal Revolucionario convertía este tráfico en una importante fuente de ingresos de las cárceles. En Sainte-Pélagie, la primera pregunta que se les hacía a los detenidos que llegaban era: «As-tu de la sonnette?». («¿Tienes eso que tintinea»?) Los que no lo tenían (la gran mayoría) dormían *à la paille*, sobre paja, en minúsculos *cachots*, privados de aire y agua, sin más retrete que el propio suelo. Después de un tiempo, los detenidos ya no se preocupaban y dormían al lado de sus propios excrementos y sobre ellos, cubiertos de piojos y de llagas abiertas. Para variar la rutina, podían pasear juntos bajo las bóvedas ojivales del largo y sombrío corredor denominado la «rue de Paris», observar el movimiento de las ratas e intercambiar rumores sobre los recién llegados.

Sin embargo, durante el día había un momento ansiado por todos los prisioneros varones. Alrededor de mediodía las mujeres bajaban de las habitaciones *à la pistole* del segundo piso a un patio abierto, donde se las ingeniaban para lavar sus ropas y lavarse. A través de una reja, los hombres podían intercambiar unas palabras, admirar la cuidada y a la vez desesperada apariencia de las mujeres y hasta galantear un poco. Durante la comida que seguía, los hombres se sentaban en bancos situados justo al lado de los que ocupaban las mujeres, separados solo por los barrotes, de modo que, al menos durante un breve lapso de tiempo, tenían la ilusión de una grata compañía. En una de estas ocasiones Beugnot descubrió a Églé. Estaba muy atareada reprendiendo al duque de Châtelet, un hombre de sesenta y seis años, excomandante de los *gardes françaises*, porque había perdido los estribos y le decía en términos inequívocos que comportarse de ese modo era indigno de un duque. La actitud de desaprobación que Églé mostraba frente al desplome de la dignidad del duque indujo a Beugnot a suponer que ella quizá había sido una mujer de calidad.

En realidad, Églé era prostituta y había vivido los últimos dos años en la rue Fromentaux. Es posible que su negocio se viera perjudicado por la Revolución: en las calles en las que ella trabajaba, mostraba siempre su antipatía por el nuevo orden. A consecuencia de ello, había sido denunciada y arrestada con una amiga que trabajaba en lo mismo, así como llevada a la Conciergerie. Su tosco realismo era tan apasionado y lo expresaba con tanta energía que, según Beugnot, Chaumette concibió la inspiración de someter a proceso a las dos muchachas al mismo tiempo que a María Antonieta. A juicio del *procureur* de la Comuna, el espectáculo de las tres prostitutas compartiendo el mismo carromato sería un elocuente enunciado simbólico acerca de la opinión que los *sans-culottes* tenían de la exreina. Por supuesto, la idea era demasiado estrambótica para el Tribunal Revolucionario. Sin embargo, aunque la reina y la prostituta de la calle no compartieron el mismo carro, sus destinos continuaron entrelazados, ya que, tres meses después de la decapitación de María Antonieta, cuando se leyó la acusación contra Églé, se descubrió que contenía un apartado que la acusaba de «relaciones de conspiración» con la reina. Églé confesó alegremente su contumaz realismo, pero, señaló Beugnot, cuando el interrogador llegó a su «conspiración», la joven se encogió de hombros irónicamente: «Muy bueno, y *ma foi*, usted desde luego tiene ingenio, pero que se piense yo sea cómplice de la persona a quien vos llamáis la "viuda Capeto" y que era la reina, yo, que me ganaba la vida en las esquinas de las calles y nunca habría llegado a ser ni la más humilde doncella de su cocina, eso es realmente digno de una pandilla de canallas e imbéciles como vosotros». Por extraño que parezca, la audacia de esta salida indujo a un miembro del jurado a declarar que debía de estar borracha. La amiga por su parte aprovechó su única verdadera posibilidad de clemencia y confesó que estaba embarazada (y, por tanto, a salvo de la guillotina). En cambio, Églé insistió en que no solo no estaba borracha ni embarazada, sino que había dicho en serio todo lo anterior, por lo que fue debidamente condenada a muerte, aunque antes acusó de ladrón al juez que ordenó la confiscación de su propiedad. Cuando llegó el momento, «saltó al carro —dice Beugnot con galante romanticismo— como un pájaro». Es posible que se tratara de «la prostituta Catherine Albourg» mencionada en la lista oficial de los condenados como guillotinada el 12 de diciembre.

No hay forma de comprobar el relato de Beugnot sobre el plan de Chaumette; pero, dada la violencia de los sentimientos contra la reina en París, no parece nada exagerado. Desde que el Comité de Salud Pública dantonista había mostrado cierta reticencia a procesar a la reina durante la primavera y el verano, Hébert estaba utilizando el asunto como un látigo para castigarle por «modérantisme», el pecado más reciente del catecismo revolucionario. Cuando en julio variaron la política y el personal, se inició un proceso de degradación y de deshumanización sistemática. Se filtraban informes sobre la ternura maternal que María Antonieta mostraba hacia sus hijos (los dos enfermaban con frecuencia), a quienes ella atendía con mucha devoción. El correctivo consistió en separarla de Louis-Charles, de siete años, que en adelante se convirtió en pupilo de la República. Después de una hora de gemidos y de ruegos desesperados, el niño fue llevado a una habitación que estaba justo debajo de la que ocupaba la reina y, desde allí, llegaba a la madre el interminable llanto del hijo. Su educación, en la cual, siguiendo el ejemplo de Luis, ella se había esforzado mucho, fue confiada a un zapatero semianalfabeto llamado Simon, que más adelante sería a su vez guillotinado. Ya enfermo, quizá de tuberculosis, como antes su hermano mayor, después de la muerte de su madre y de su tía, sería tratado como un animal enjaulado y viviría en la oscuridad y en la suciedad hasta morir cierto día de 1795.

Para impedir una posible fuga, así como para mantener la intensidad de su humillación, María Antonieta fue separada después de lo que quedaba de su familia. La despertaron en mitad de la noche del 2 de agosto y la llevaron del Temple a la Conciergerie, donde ocupó una habitación de 300 por 180 centímetros, frente al corredor principal de la planta baja y contigua a la de los dos gendarmes responsables de su permanente vigilancia. A finales de mes hubo una intentona para tratar de salvarla, pero fracasó cuando uno de los guardias se dejó llevar por el pánico y la condujo de regreso a la celda. El 12 de octubre, delgada y agotada, fue sometida a un interrogatorio por el tribunal cercano. Hébert había preparado a la opinión pública acentuando sus invectivas en el *Père Duchesne*. Así, generalmente se la mencionaba como una bestia feroz —la «lobisona austriaca», o la «architigresa», un «monstruo que necesitaba saciar su sed en la sangre de los franceses [...], [que] deseaba asar vivos a todos los parisienses pobres [...], que provocó la masacre de los primeros soldados de la libertad en Nancy», y cosas así—; incluso, si no hubiese cometido todas esas atrocidades, escribió Hébert (haciéndose eco del comentario de Saint-Just: «Es imposible reinar y conservar la inocencia»), el mero hecho de haber sido reina bastaba para condenarla, pues los que reinan son los enemigos mortales de la humanidad. Como tales seres son, por su propia naturaleza, biológicamente peligrosos, «es deber de todo hombre libre matar al rey o a los que están destinados a ser reyes o a los que han compartido los delitos de la realeza». Esta actitud se limitaba a repetir un juicio general extremo, expresado, por ejemplo, en el drama apocalíptico de Sylvain Maréchal titulado *Le dernier jugement des rois*, donde los *sans-culottes* llevan a todos los «monstruos coronados» (un eufemismo habitual), Catalina la Grande, el emperador Francisco II, el Papa, «George Dandin» de Gran Bretaña y sus compañeros de España, Nápoles, Cerdeña y Prusia, a una isla volcánica, de modo que en el último acto acaban devorados convenientemente por una abrasadora erupción.

La obra de Maréchal no solo concedía mucha importancia al despotismo, sino también a la corrupción moral de los príncipes. «¿Ha existido jamás una nación que al mismo tiempo pudiese tener un rey y una moral?», pregunta retóricamente su *sans-culotte*. Antes de la explosión, los monarcas se despojan de su orgullosa apariencia, incurren en sus vicios característicos y riñen unos con otros con cetros y cruces; la

859

libidinosa Catalina, por su parte, invita a todos los interesados a seguirla al interior de una caverna. Esto contrastaba directamente con el *sans-culotte*, que, según se explica a un anciano que ha sido desterrado a una isla: «Es un hombre libre, un patriota por excelencia [...], son ciudadanos puros [...] que comen el pan ganado con el sudor de su frente; que aman el trabajo, que son buenos hijos, buenos padres, buenos esposos, buenos parientes, buenos amigos y buenos vecinos».

El juicio contra María Antonieta (como de hecho el de todos los que la siguieron a la guillotina durante el Terror) se ajustó más o menos a las mismas pautas. En esencia, ella era impura de cuerpo, de pensamiento y de actitud. Por tanto, sus conspiraciones se desprendían de forma incontestable de su infamia moral. En el interrogatorio inicial dirigido por Herman, presidente del tribunal, se la presentó como una esposa ingobernable, que, por ejemplo, había obligado a Luis a vetar la legislación anticlerical y había organizado la fuga de Varennes. Como todas las mujeres incontrolables, era al mismo tiempo un ser que codiciaba el dinero y que lo gastaba a espuertas, «enviando fuera del país el oro de los patriotas». La infame «orgía» de los guardias suizos en Versalles, en 1789, era otro ejemplo de su sed de dominio. Uno de los 41 testigos convocados contra la reina informó haber visto botellas bajo su lecho, lo que, afirmó, le indujo a creer que ella tenía el propósito de emborrachar a los soldados.

El testimonio de su carácter inmoral culminó con la destacada intervención del propio Hébert y con la declaración que Louis-Charles había firmado, persuadido por aquel, donde confesaba que su madre y su tía le habían enseñado a masturbarse y le habían obligado a cometer incesto. Algunos de estos afanes, en realidad, ya le habían perjudicado y solo después de que le separaran de la presencia corruptora de estas mujeres, afirmó Hébert (en abierta contradicción con la verdad), su salud había comenzado a mejorar. Había otros modos en que ella había renunciado al derecho de que la considerasen una buena madre. En lugar de educar a su hijo para que fuera un virtuoso republicano, había intentado inculcarle el ideario del realismo. La prueba era el hecho irrefutable de que le servían primero las comidas, en virtud de sus derechos soberanos como «Luis XVII». Un sagrado corazón, atravesado por una flecha (según dijo la reina —lamentablemente para su cuñada— era un regalo de madame Elisabeth), el conocido tótem de los salteadores vandeanos, había sido hallado entre las posesiones del niño, lo que indicaba que estaban preparándole para que fuese la mascota de esta bárbara horda. No satisfecha con haber destruido a uno de los Capetos de sexo masculino, ahora estaba decidida a utilizar sus peores artes con otro. Esta era la prueba concluyente de su carácter «antinatural», «féconde» (seguramente la palabra no fue elegida por casualidad) solo en las intrigas.

Más oportunas que todo esto eran las cartas, presentadas por el fiscal Fouquier-Tinville, que mostraban a la reina en desleal correspondencia con la corte austriaca, más o menos por la misma época en que los dos países se preparaban para la guerra. Sin embargo, esta prueba irrefutable se vio más o menos absorbida por el papel más amplio de asesina. En efecto, se dijo al jurado que la mujer encogida y de cabellos blancos que tenían ante ellos era una *furie*, una persona que mordía los cartuchos de los guardias suizos el 10 de agosto para que los soldados no necesitaran perder tiempo y pudieran asesinar al mayor número posible de patriotas. Esos animales necesitaban ser exterminados deprisa.

Después de la inevitable condena, María Antonieta fue llevada de regreso a la Conciergerie, donde lloró, escribió la última carta a su cuñada para confiarle el cuidado de sus hijos, y se puso un vestido blanco, un sencillo gorro y los zapatos color ciruela de tacones altos que había conseguido llevar consigo a la prisión. Preparada para la muerte, con los cabellos cortados, se estremeció al ver el carro abierto, pues había supuesto, o al menos esperado, que le concederían el mismo vehículo cerrado que había llevado a Luis a la plaza de la Revolución, lo que le ahorraría los ataques de la multitud. Erguida en su asiento y demacrada, mientras atravesaba las calles, Jacques-Louis David trazó el boceto de su figura como un objeto de curiosidad; solo en el último minuto, sobre el patíbulo, comenzó a temblar. Esto no fue suficiente para el *Père Duchesne*, que había deseado ver un terror mucho más intenso en la cara de María Antonieta (el tipo de terror que, en realidad, demostraría el propio Hébert cuando le llegase el turno). «La perra se mostró audaz e insolente hasta el final. Sin embargo, las piernas se le aflojaron cuando la empujaron hacia delante para obligarla a estrechar la mano caliente» (*jouer la main chaude*), el apelativo favorito que Hébert aplicaba a la guillotina. De todos modos, como anunció en su primera página, fue «la más grande de todas las alegrías del *Père Duchesne*, que con sus propios ojos vio la cabeza de la hembra separada de su condenado cuello de furcia».

María Antonieta no fue en este periodo la única mujer a la que se acusó de conspirar contra el ideario jacobino de la esposa y madre obediente. La desdichada madame Du Barry, la última amante de Luis XV, había demostrado una absurda imprudencia con sus viajes a Londres, donde concertó complicados acuerdos, entre otros con el exministro Bertrand de Moleville, para sacar clandestinamente sus joyas de Francia. Sin embargo, parece probable que, incluso si hubiese mostrado más cautela en estos asuntos, su reputación se habría visto afectada. Cuando la interrogaron, el tribunal tuvo en mente las falsas *Mémoires de Du Barry*, de la condesa de Pidanzat de Mairobert, es decir, una mujer que despilfarraba el dinero del país en joyas, casas y favoritos, y que conspiraba con el célebre abate Terray, de infausta memoria. Unos escritos polémicos y muy venenosos la denominaron «este tonel de infección; este desagüe de iniquidad; esta impura cloaca que, no contenta con devorar las finanzas de Francia, se alimentó de carne humana como los antropófagos».

Madame Roland se vio sometida al mismo grado de patofobia sexual, pero de todos modos, después de atestiguar en el juicio a los girondinos, regresó a Sainte-Pélagie dolida por las «preguntas que ofendían su honor». Como su admirador Buzot había sido uno de los jefes de la intentona de provocar una rebelión federalista en Calvados, parece muy probable que se la interrogara sobre sus relaciones con él. En el juicio de madame Roland, realizado el 8 de noviembre, Fouquier-Tinville se enfrentó a la sencilla tarea de relacionarla con los girondinos, que ya habían sido condenados y ejecutados diez días antes. Sin embargo, también se intentó describirla como una esposa antinatural, una mujer que había convertido su hogar —la casa que, según el faro de la ortodoxia jacobina, habría debido ser la sede de la familia patriótica— en un nido de conspiraciones. Esa casa se parecía mucho al Salón, una institución envuelta en un ambiente de patronazgo y cortesía aristocráticos.

En realidad, el periodo que corresponde a estos juicios es la fase más tormentosa de la política sexual en la Revolución. Habían estallado disputas entre una organización feminista, la Sociedad de Mujeres Republicanas y las *poissardes* sobre la rectitud de las mujeres que usaban la escarapela y el *bonnet rouge*. Claire Lacombe y otras militantes creían que no solo debía permitirse que las mujeres los usaran, sino que era necesario obligarlas y hasta reclamaron el ingreso en la Guardia Nacional. A finales de septiembre la Convención había accedido a algunas de las reclamaciones radicales acerca del atuendo, pero el 28 de octubre hubo un violento encuentro entre los dos grupos, que acabó con atroces castigos infligidos a las feministas. Después, el 5 de noviembre, la Convención dio marcha atrás y ordenó el cierre de todos los clubes revolucionarios de mujeres que había en París. El decreto llegó tres días antes del juicio y ejecución de madame Roland y dos días después de la muerte de la actriz Olympe de Gouges. Esta ya había tenido la osadía de presentarse como defensora de Luis XVI y había agravado esa falta defendiendo abiertamente las soluciones federalistas y reclamando que se convocara un referéndum popular para decidir la forma de gobierno. Incluso después de su arresto, el 20 de julio, intentó difundir sus ataques directos a Robespierre y a Fouquier-Tinville, así como que sus amigos los fijaran en lugares públicos de París.

Debido a los esfuerzos realizados para presentar a estas mujeres como peligrosas desviaciones con respecto a las normas prescritas de la vida familiar, resulta sorprendente que casi todas (a excepción de Jeanne du Barry) se mostrasen, en sus cartas de despedida, como modelos de tierna y concienzuda maternidad. En su apasionada defensa de la reina, Germaine de Staël destacó la generosa devoción de María Antonieta a sus hijos enfermos y apeló a las mujeres de Francia en nombre de la «maternidad sacrificada», para reclamar que se la reuniese con su hijo. Olympe de Gouges escribió a su hijo, que servía en el ejército, para decirle que meditara acerca de lo que ella pensaba sobre la injusta tergiversación de la Revolución. Y en la conmovedora carta a su hija de doce años Eudora, Manon Roland le recordaba los lazos más estrechos que las unían:

> No sé, mi pequeña amiga, si me será concedido verte o escribirte de nuevo. Recuerda a tu madre. Estas pocas palabras son lo mejor que puedo decirte [...]. Sé digna de tus padres, te dejan grandes ejemplos y, si los aprovechas, tu existencia no carecerá de valor. *Adieu,* amada niña, tú, a quien he nutrido con mi leche y a quien desearía acceder con todos mis sentimientos. Llegará el momento en que puedas juzgar el esfuerzo que realizo ahora para no flaquear [ante el pensamiento de] tu dulce rostro. Te abrazo contra mi pecho. *Adieu,* Eudora mía.

Los esposos, incluso aquellos cuyas mujeres tenían un amante, se mostraron igual de capaces a la hora de ofrecer dramáticas demostraciones de *sensibilité*. En el momento de la fuga de los girondinos de París hacia el norte, Roland de La Platière no había ido a Caen, sino a Ruán, y había permanecido allí como fugitivo durante el verano y el otoño. Cuando se enteró, primero, de la ejecución de los girondinos y, después, el 10 de noviembre, de la muerte de su esposa, decidió suicidarse. A pocos kilómetros de Ruán, en el camino hacia París, sentado en el suelo contra un árbol, dejó caer el cuerpo sobre su bastón de estoque. El transeúnte que se lo encontró al día siguiente creyó que estaba dormido, hasta que vio al lado de Roland una nota que terminaba con estas palabras: «Abandoné mi refugio tan pronto como supe que mi esposa había sido asesinada. No deseo continuar en un mundo lleno de crímenes».

Sus aliados, los girondinos, habían soportado un proceso judicial largo y particularmente tergiversado, que había culminado en un considerable esfuerzo por parte de Fouquier-Tinville para abreviar el procedimiento. Cuando sus acusaciones bien planteadas parecían debilitarse, o la defensa comenzaba a impresionar al jurado, tenía el derecho de preguntar a este si «había escuchado lo suficiente para ver claro» con respecto a los hechos mostrados y si creía estar en condiciones de presentar un veredicto. Esto era mucho más urgente en el caso de los girondinos, pues, sobre todo Brissot y Vergniaud, habían ofrecido una enérgica justificación de su propia conducta y habían refutado punto por punto la acusación inicial contenida en un informe de Saint-Just a la Convención, ampliada después por Amar, que, además, era uno de los principales miembros del Comité de Seguridad General. La idea clave de la acusación era que el grupo, al margen de sus afirmaciones públicas, siempre había apoyado el régimen realista y había hecho todo lo posible para conservarlo.

La figura decisiva de este planteamiento era Brissot, de modo que se realizaron todos los esfuerzos para intentar describir su carácter bajo la peor luz posible. Se afirmó que había sido espía policial, algo que él negó, aunque de hecho había desempeñado ese papel antes de la Revolución. También fue descrito como un vulgar falsificador, pues en determinado momento había ido a Suiza para conseguir un pasaporte falso. Sobre la base de que, durante la década de 1780, llevaba una doble vida, fue posible establecer una acusación en la que toda su carrera revolucionaria aparecía como una mentira, como una estratagema destinada a promocionar su propio ascenso; y así, mientras afirmaba ser, como rezaba el nombre de su periódico, el *Patriote Français*, la realidad, según el acta de acusación, era que siempre había sido un agente enemigo. Más aún, en el propio momento en que afirmaba haber sido un ferviente republicano, había conspirado para instaurar al duque de York en el trono de Francia. Incluso si a veces ni él tenía conciencia de ello, Brissot había sido siempre la servil criatura de la estrategia de William Pitt. «Pitt deseaba vilipendiar y disolver a la Convención, y ellos [los Brissotins, como se los denominó durante todo el juicio] han trabajado para disolver la Convención; Pitt deseaba asesinar a los fieles representantes del pueblo, y ellos asesinaron a Marat y a Lepeletier.» Hasta la apasionada defensa de una guerra por Brissot fue interpretada, a través del prisma de la obsesión revolucionaria por el *guêt-apens* —la emboscada—, como un modo de arrastrar prematura y gratuitamente a Francia al conflicto con la coalición, con el objeto de destruir mejor la unidad francesa. Los británicos apuntaron al Imperio francés, y Brissot les ofreció la oportunidad de conquistarlo. Pitt deseaba destruir París, «y ellos hicieron todo lo posible por destruir París».

La mentalidad de la acusación jacobina (como la de todas las restantes dictaduras revolucionarias) era forzosamente totalitaria. Los accidentes, los imprevistos, los cambios de actitud y de planes eran, por definición, imposibles, ardides utilizados para distraer al inquisidor e impedirle que comprendiese la auténtica coherencia, la necesaria interconexión de los hechos y los pensamientos del enemigo. Así como el revolucionario puro era un hombre de una sola pieza, con una orientación moral afianzada en una temprana etapa de la vida y perseguida inflexiblemente, así el contrarrevolucionario, por mucho que intentase representar su propia conducta como algo azaroso o carente de plan, era también un individuo de una sola pieza. Lo único que debía revelarse, como cuando se retira la tapa de un reloj, era el movimiento esencial de la máquina. En el caso de los Brissotins esto resultaba fácil: su motivación era un interés egoísta compartido. Que se los estigmatizara como una «facción» sugería que toda su conducta revolucionaria podía explicarse como una forma de apropiación del poder personal. La egocéntrica inmoralidad de estas carreras era justo lo contrario del auténtico patriotismo, definido por su generosidad. Y los medios mediante los cuales perseguían la riqueza, la vanidad y el poder eran, ante todo, la creación de una dinastía de marionetas, que, una vez descartada, daría paso al desmembramiento de la propia Francia en feudos independientes.

Tan pronto la defensa de los Brissotins fue abreviada a sugerencia de Fouquier, pues el jurado quizá ya había oído suficiente, el veredicto y la pena parecían indudables. De todos modos, el anuncio formal del jurado originó un momento de extraordinario dramatismo. La cabeza de Brissot se hundió tristemente sobre su pecho y, según el relato de uno de los jurados, Camille Desmoulins se sobresaltó y gritó: «Dios mío, no sabes cuánto lamento esto». Mientras Boileau continuaba declarando que era inocente, Dufriche-Valazé cayó de pronto de su asiento. Uno de sus amigos pensó que también él se sentía conturbado, pero unos pocos segundos después se comprobó que se había apuñalado con un cuchillo que tenía oculto entre sus papeles. Murió pocos minutos más tarde, y la sangre manchó el suelo de la sala del tribunal. Molesto por haber perdido una ejecución, Fouquier-Tinville exigió que de todos modos se guillotinase el cadáver junto con el resto de los detenidos; y así se hizo.

Si bien hubo algo parecido a una plaga de suicidios en el grupo de los revolucionarios caídos, parece que los girondinos se mostraron particularmente susceptibles a la poesía de las conductas autodestructivas. Clavière también se quitó la vida y, como veremos, parece probable que más adelante Condorcet se envenenase para evitar la humillación del Tribunal Revolucionario. Vergniaud también había escondido veneno, pero, según Riouffe, que lo vio en la Conciergerie la última noche de su vida, decidió compartir el destino de sus amigos. A la mañana siguiente, 31 de octubre, subieron los peldaños del carro cantando desafiantes «La Marsellesa». Fue su último gesto de *fraternité*. En el patíbulo, Sanson necesitó solo treinta y seis minutos para cortar veintidós cabezas y se sintió muy satisfecho ante esta nueva prueba de la eficacia del *rasoir national*.

EL FIN DE LA INDULGENCIA

Este proceso de limpieza de la casa republicana mediante el asesinato judicial continuó mediante la selección de otras figuras claves que representaban el pasado impuro. Por desgracia para el Tribunal Revolucionario, varios de los candidatos más obvios al castigo expiatorio estaban fuera de su alcance: Dumouriez, en el exilio; Lafayette, en una cárcel austriaca; Mirabeau, en el panteón (aunque no por mucho tiempo).

Había que conformarse con Barnave y Bailly, que pagaron debidamente por sus respectivos intentos de contención del proceso revolucionario. El 7 de noviembre Philippe-Égalité, duque de Orleans, también fue al encuentro de su muerte, en compañía de un cerrajero condenado porque había insultado los colores republicanos. Se dice que, con gran pesar, hizo una declaración pública por su responsabilidad en el derramamiento de la sangre de un inocente, se supone que se refería a su primo.

La pureza se convirtió en un fetiche político. A instancias de Merlin de Thionville, los jacobinos iniciaron un laborioso autoexamen, en el curso del cual cada miembro respondió a estas preguntas: «¿Cuánto teníais en 1789; cuánto tenéis ahora y, si ahora tenéis más, cómo lo habéis conseguido?». A finales de noviembre, cuando estaba en marcha este *scrutin épuratoire*, pareció que los principales beneficiarios de este implacable proceso de autoliquidación serían Hébert y sus aliados. El propio Hébert actuaba en el comité depurador del club. Bouchotte y Vincent controlaban enormes recursos de apoyo en el Ministerio del Ejército; Ronsin estaba firmemente atrincherado como comandante en jefe de las *armées révolutionnaires*. En París, Hanriot era comandante de la Guardia Nacional; Chaumette, *procureur* de la Comuna; y Paché, alcalde (que había pasado sucesivamente de girondino a *montagnard* y hebertista); todo ello proporcionaba a este grupo la posibilidad de desencadenar o de contener la violencia popular a su propio arbitrio.

Por lo tanto, el «hebertismo» disponía de hombres, dinero y autoridad, y comenzaba a utilizarlos con gran intensidad. Como ministro del Ejército, Bouchotte había asignado grandes sumas a la distribución gratuita del *Père Duchesne* en el ejército. No estaba muy claro qué representaban estos hombres, fuera de un estilo acusador brutal, pues se definían más con respecto a las cosas y a las personas que rechazaban que con respecto a las que apoyaban. Estaban contra los «fanáticos» del cristianismo; contra toda forma de compasión en favor de los «salteadores» y los «monstruos» del federalismo y la contrarrevolución de derrotados; y contra los ricos y los *beaux esprits* (los intelectuales que pretendían imponerse al pueblo). Si apoyaban algo, era una anárquica concepción del gobierno popular, siempre armado para imponer la voluntad del pueblo a sus mandatarios. También secundaban la ampliación del poder oficial a la economía. En el número 273 del *Père Duchesne,* Hébert había argüido que «la tierra fue hecha para todas las criaturas vivas y, desde la hormiga hasta el altivo insecto denominado "hombre", cada uno puede obtener su subsistencia de la producción de esta madre común [...], desde luego, el comerciante debe vivir de su industria, pero no ha de engordar con la sangre de los pobres. La propiedad es [sencillamente] la existencia y uno necesita comer, sea cual fuere el precio». Según esta idea del Estado como protector de la subsistencia mínima (más o menos compartido por Robespierre y Saint-Just), Hébert reclamaba una política más agresiva de requisas para atender las crisis locales. Con el fin de garantizar un suministro adecuado y precios bajos, como recurso temporal el Estado debía comprar de manera compulsiva la producción total de vino y cereales (pero indemnizando a los productores). En un discurso pronunciado ante la Comuna el 14 de octubre, Chaumette incluso propuso que el Estado se incautara de los talleres y las fábricas cerrados o abandonados por empresarios emigrados (un plan que sería aplicado seriamente ochenta años más tarde por la Comuna de París de 1871).

Sin embargo, los hebertistas apoyaban sobre todo la continua vigilancia, la denuncia, la acusación, la humillación y la muerte. La imagen de la República que tenía el *Père Duchesne* era una especie de igualitarismo de vestuario, donde los *bous bougres* nada tendrían que ocultarse unos a otros y en donde se abrazarían en una fuerte fraternidad. El «*homme pur* —solía decir Hébert— siempre dice abiertamente lo que piensa y llama al pan, pan, nunca manipula a la gente y, si en su ira golpea por error a un buen tipo, después le pide perdón y repara el daño llevándole a la taberna más próxima para beber unos tragos». (El francés es mucho mejor: *étouffer une demi-douzaine d'enfants de chœur*.)

Sin embargo, el predominio hebertista tropezaba con resistencias. A pesar de toda la apariencia de capitulación ante la intervención popular, el control jacobino de la *journée* del 5 de septiembre indicó la decisión de la Montaña de no quedar a merced de la Comuna. De ahí que una mayoría del Comité de Salud Pública, en particular después de la declaración de Saint-Just del 10 de octubre, según la cual el Gobierno debía ser «revolucionario [es decir, dictatorial] hasta la paz», estuviese decidida a utilizar el poder oficial para neutralizar la amenaza de insurrección. Sin embargo, a lo largo de noviembre y diciembre la Montaña se dividió. Varias figuras importantes, entre ellas Robespierre y Couthon, se mostraban hostiles hacia la descristianización y estaban dispuestas a escuchar las quejas acerca de los excesivos castigos cometidos por *représentants-en-mission* tan militantes como Javogues, Carrier y Fouché. Por otra parte, continuaban obsesionados con el «santo grial» de la pureza republicana. Como por definición este permanecía siempre fuera del alcance, sus paladines se veían enfrentados constantemente por los impuros soldados de las sombras y el delito, que se alzaban entre ellos y su meta y que, si se quería realizar el reino de la Virtud, debían ser eliminados.

Por tanto, el principal reto para los hebertistas tenía que venir de un grupo diferente de jacobinos que estaban más preocupados por la estabilización pragmática de Francia que por su devoción a la República ideal. Danton era la figura suprema de este grupo. Joseph Garat, que había sido su sucesor en el Ministerio de Justicia y, hasta agosto, ministro del Interior, escribió más tarde que hacia finales de 1793 Danton le había sondeado en varias conversaciones privadas. Garat era, a su vez, sospechoso de mantener vínculos demasiado estrechos con los girondinos, de modo que resultaba natural que Danton le confiara su inquietud: al desairar sus propuestas de tregua, Brissot y sus amigos habían dejado la República a merced de Hébert y de los terroristas más fanáticos. Por paradójico que resulte, el propio Danton había sido quien había acuñado el enérgico lema: «El Terror está en el orden del día» el 5 de septiembre, cuando sacó las castañas del fuego en favor de la Convención. Sin embargo, el Gobierno revolucionario que él tenía en mente dependía de la impaciencia militar, y las victorias de Hondschoote y Wattignies habían eliminado esos imperativos del *terrorisme*. Danton confió a Garat una estrategia destinada a cambiar el curso. Se organizaría una campaña de prensa en favor de la clemencia y contra la Comuna hebertista. Robespierre, de cuya confianza aún gozaba, y Barère, de quien también creía que era, en el fondo, un pragmático, serían cortejados en el seno del comité, con el resultado de que se lograría aislar a militantes como Collot y Billaud-Varennes, y más adelante se pasaría a un cambio drástico del personal. El Terror económico sería desmantelado y Francia iniciaría negociaciones de paz con la coalición, a la vez que se mantenía totalmente movilizada ante la posibilidad de que la diplomacia fracasara.

El plan no fue más que otra intentona de encerrar al genio revolucionario en la botella del poder oficial. Un aspecto intrínseco de su realización era el cínico aprovechamiento de la paranoia conspiradora contra quienes eran sus profesionales habituales. Parece probable que Danton aprobase la revelación de una «conspiración extranjera» que hizo Fabre d'Églantine a mediados de octubre; según esta supuesta confabulación, los amigos y partidarios de Hébert estaban implicados en un plan que contemplaba sobornar a la Convención y derrocar a los comités. En otras palabras, los que afirmaban ser los patriotas más agresivos, en realidad, eran agentes extranjeros. Durante un tiempo dio la impresión de que esta táctica producía buenos resultados. En efecto, Stanislas Maillard, Anacharsis Cloots (sobre cuya cuna «prusiana» los dantonistas repetidas veces llamaron la atención) y el belga Van den Ijver fueron arrestados. Para tocar el tambor patriótico, Fabre llegó incluso más lejos y exigió que todos los súbditos británicos que permanecían en Francia fuesen arrestados, así como que se confiscara su propiedad. Extendió la red de la «conspiración extranjera» a otros dos colegas de Hébert, Desfieux y Dubuisson, al excapuchino Chabot, que había contraído matrimonio con la hija de una familia de banqueros judíos moravos, a los demócratas belgas Proly y Walckiers, y hasta a Hérault de Séchelles, acusado de proteger en cierto modo los intereses bancarios extranjeros en el Comité de Salud Pública.

La denuncia era lo bastante absurda como para parecer verosímil a Robespierre, sobre todo porque relacionaba a hombres de la derecha (en términos relativos) como Hérault, que era sospechoso a causa de la cuna aristocrática y el estilo intelectual, con lunáticos y hombres de acción de la izquierda como Maillard y Cloots, que le parecían simplemente repulsivos. Como sucede en un círculo de conspiradores, *les extrêmes se touchent*. Todo tenía sentido. El 16 de octubre Saint-Just no solo denunció a los corruptos, sino también a los «hombres impacientes por los cargos», una observación, sin duda, dirigida a la Comuna; y Robespierre, en una de sus conferencias universitarias que pretendían ser discursos políticos, propuso una nueva geografía de la intriga contrarrevolucionaria. Estaba, al parecer, la rama «angloprusiana», asociada con los anhelos de Brissot, que consistían en elevar al trono al duque de York o al duque de Brunswick; y, además, estaba la rama «austriaca», que se extendía desde el Gobierno de Viena (de uno de los acusados, Proly, se decía que era hijo bastardo del canciller Kaunitz) hasta los banqueros belgas y los contratistas de guerra con quienes Dumouriez había tenido relaciones muy estrechas, así como sus secuaces y agentes diseminados por todo el país e incluso infiltrados en la propia Convención.

Hasta aquí, todo estuvo bien; pero, a mediados de noviembre, sobrevino de pronto un desastre. El 10 de ese mes Chabot y su amigo Claude Basire, sobre quienes recaían muchas sospechas, habían defendido en la Convención la limitación de los poderes de los comités para arrestar a diputados. Antes de que fuera posible enviar a un diputado ante el Tribunal Revolucionario, el acusado debía tener el derecho de defenderse ante toda la Convención. Esta propuesta era un eco de la posición *indulgent* adoptada por el propio Danton. Y cabía prever que la medida, aunque convertida en ley, suscitaría la oposición de los *terroristes* militantes, tanto en la Convención como en el Comité de Salud Pública y, entre ellos, Billaud-Varennes, que insistió: «No, no retrocederemos un paso, nuestro celo se apagará solo en la tumba; o la revolución triunfa o todos moriremos». Barère adoptó una actitud aún más crítica, con el argumento de que semejante ley hacía odiosas distinciones entre los diputados y otros ciudadanos. La ley, aprobada apenas un día antes, fue anulada.

Sin embargo, esta no era la raíz del asunto. Como habían amparado la medida, Chabot y Basire no fueron de ninguna manera personajes desinteresados. Habían abusado de su posición de liquidadores designados del monopolio del comercio colonial, la Compañía de Indias, para especular descaradamente con las acciones y, en secreto, habían extorsionado a los directores como precio por la indulgencia oficial. Este sórdido ejercicio de confiscación de activos había originado sobornos a gran escala y la falsificación de las cuentas y del decreto oficial de liquidación. Todo esto era aún más escandaloso porque Chabot y Basire, así como otros dos colegas de la Convención, como Delaunay y Julien de Toulouse, se habían ufanado durante el verano de azotar de forma implacable al capitalismo corrupto. Al denunciar a los bancos, los especuladores de la Bolsa y los monopolistas del comercio habían llegado a ocupar posiciones estratégicas ideales desde las cuales llevar hasta sus últimas consecuencias su propio pillaje, al mismo tiempo que quedaban fuera de las investigaciones oficiales.

Nada de esto habría perjudicado forzosamente la ofensiva de Danton contra Hébert, de no haber sido por el hecho de que Fabre d'Églantine estaba comprometido en el asunto. Aunque Fabre no había sido el instigador del fraude, había recibido abultados sobornos para asegurar su complicidad y su propia firma aparecía estampada en la falsa acta de liquidación. Sin embargo, eso no le había impedido incluir a Chabot en su «conspiración extranjera», con el propósito de desviar las sospechas de Robespierre y los jacobinos. Además, el matrimonio de Chabot con Léopoldine Frey, hija y hermana de una familia que se había denominado sucesivamente Dobruška y Von Schönfeld, constituía el material idóneo para la «conspiración extranjera», lo que demostraría que el propio Fabre era un superpatriota. Chabot no podía presentar una contradenuncia sin incriminarse también él.

Sin embargo, todo esto comenzó a revelarse a mediados de noviembre. El asunto obligó a Danton a volver rápidamente a París desde su pequeña propiedad de Arcis-sur-Aube, donde durante un mes había gozado feliz de su condición de caballero rural y de los placeres familiares con su segunda esposa. Después de la derrota de su propuesta, Chabot y Basire habían sido perseguidos de forma implacable por el *Père Duchesne*, y así como por los fanáticos del Club de los Jacobinos y de los Cordeliers. Como temía ser denunciado, Chabot trató de atenuar el daño mediante una denuncia preferente. Fue a ver a Robespierre la mañana del 14 de noviembre y le sacó de la cama para ponerle al día sobre una escandalosa conspiración (sin duda, obra de la contrarrevolución), cuyo propósito consistía en saquear los escasos fondos de la nación. Nombró a Delaunay y Julien, pero aseguró a Robespierre que, si bien él había participado en algunos aspectos, lo había hecho para infiltrarse de forma patriótica con el fin atrapar mejor a todos los delincuentes implicados. Dijo que tenía en su poder pruebas materiales (un soborno de cien mil libras), que entregaría al Comité de Seguridad General con los nombres de los conspiradores si se le ofrecía la garantía de que no se vería implicado. Abrumado por la noticia, Robespierre le animó a continuar sobre esa base, pero en pocos días se practicaron los arrestos, tanto del denunciante como de los denunciados.

El propio Fabre se las arregló para evitar la investigación y hasta consiguió poner más distancia entre su persona y los culpables del desfalco al presentar nuevas denuncias contra Chabot. La traición engendró otra traición. Así como Chabot había señalado a Delaunay y a Julien para salvar la cabeza, Fabre vendió ahora a Chabot para salvar la suya. Durante un tiempo esta táctica fue eficaz y pareció que Robespierre depositaba en Fabre la confianza necesaria para encomendarle una parte de la investigación oficial, durante la cual, por supuesto, Fabre consiguió «amañar» más pruebas e intentó implicar a los principales hebertistas (entre ellos Chaumette).

Sin embargo, Danton no era tonto, ni podía considerarse alguien sin mácula cuando se trataba de conseguir ciertas sumas de dinero con algo de inventiva. Fabre era un viejo amigo de los Cordeliers de 1789, su protegido en el club y la asamblea del distrito. A Danton le agradaba el ingenio de Fabre y fingía simpatizar con sus juegos, pero no se hacía ilusiones con respecto a la virtud de su amigo. En todo caso, Danton miraba con desagrado las actitudes virtuosamente morales de la Montaña y las posturas de los hebertistas, y creía que todo el asunto de la corrupción era mucho menos urgente que cualquier otro de los restantes problemas de la República. Incluso él tenía las manos largas y coincidía con Mirabeau, casi podría asegurarse, en que era necesario aceitar de forma rutinaria los engranajes del Gobierno. Su filosofía en este aspecto podría considerarse como la típica del periodo «otomano tardío». Dada la obsesión de los jacobinos por la probidad y la inclinación del propio Robespierre a la política inmaculada, y hasta transparente, el descubrimiento de la conspiración amenazaba con asestar un terrible golpe a la campaña de Danton en favor del fin del Terror.

Por tanto, la mejor defensa era una enérgica ofensiva. Fabre había comenzado arrojando sospechas justo sobre las personas que se disponían a abalanzarse: los hebertistas. Sin embargo, el verdadero ataque debía proceder de alguien que gozara de la estima de Robespierre y que no estuviese comprometido de ningún modo: Camille Desmoulins. Cuando este último publicó el *Vieux Cordelier*, a principios de diciembre, Danton no podía prever qué efecto tan insólito tendría, ni hasta con cuánta brillantez Desmoulins afrontaría la crisis. El nombre del periódico, que aparecía cada cinco días, tendría que haberle proporcionado un indicio, pues se trataba un intento premeditado de diferenciar a los «veteranos» de la libertad, a los hombres que habían sido demócratas en 1789, de los arribistas demagogos (como Hébert).

En cualquier aspecto, el periódico de Desmoulins enfocó la situación en contra del *Père Duchesne*. En la prensa militante había llegado a ser habitual reseñar la historia de la Revolución como un proceso ascendente que, a partir de la impureza y el turbio compromiso, se elevaba a niveles cada vez más altos de pureza y de democracia popular. Desmoulins tuvo el coraje de sobrepasar esa línea, al dotar de una aureola romántica a las virtudes de la Revolución fundadora, al menos según se había llevado a cabo en las calles y en los distritos en 1789. Disfrutó recordando (muchas veces) su propia y célebre intervención en el desencadenamiento de la insurrección parisiense del 12 de julio y la comparó agriamente con la actuación de Hébert en ese momento, cuando practicaba el control de los que entraban en el teatro Variétés. Así, atacó a los «nuevos cordeleros» por usurpar un nombre que había sido muy valioso para los viejos revolucionarios, sin los cuales ellos no habrían tenido ni la posibilidad de actuar, ni libertad para poder imprimir sus sucias calumnias. (Se preocupó de recordar a la gente el papel heroico de Loustalot en la creación de un periodismo auténticamente popular.) Desmoulins también menospreció las pretensiones de Hébert, que afirmaba pertenecer «al pueblo». El lenguaje que eligió para desencadenar este contraataque fue deliberado. Adoptó un estilo lúcido, elegante e irónico, sin las diatribas de Marat, para destacar mejor la honradez de su propia personalidad en comparación con la impostura de Hébert, que pretendía presentarse como uno de los veteranos. El estilo daba a entender: «El modo en que escribo es realmente mi forma de ser». Hébert ofrece el «lenguaje del osario», como si la virtud y el candor de su prosa pudieran medirse por el número de *foutres* y *bougres* que incluye en un solo párrafo. A la acusación de Hébert de que él, Camille, se había casado con una joven rica, respondió con un acto de sinceridad destinado a conquistar el aplauso de Robespierre que esta «fortuna» que su esposa le aportaba consistía exactamente en cuatro mil libras. Su enemigo, que se hacía pasar por pobre, de hecho había utilizado su relación con Bouchotte y Vincent para recibir ciento veinte mil libras por la distribución de su propio papel..., ¡como si este hubiera sido el periódico oficial del ejército! Desmoulins incluso añadía su versión de las facturas de Hébert, para demostrar cuánto se había embolsado en su propio beneficio el viejo *Père Duchesne*.

Sin embargo, Hébert no era el único blanco de Desmoulins. Le interesaba rechazar los ataques contra Danton lanzados por los *terroristes*, que, a su vez, se sentían amenazados por el programa *indulgent*. Y en realidad, defendió a su héroe mejor de lo que el propio Danton había hecho el 1 de diciembre en el Club de los Jacobinos. Desmoulins aferró directamente el cuello del enemigo al celebrar el ataque contra Danton como la hora más gloriosa de William Pitt («¡Oh, Pitt, rindo homenaje a vuestro genio!») y, de ese modo, reforzó la convicción de Robespierre de que los «ultras» no eran más que una rama de la contrarrevolución. En los números siguientes, Desmoulins lanzó sus ataques contra otro espantajo favorito tanto de Danton como de Robespierre: los descristianizadores. La «Libertad», recordó Desmoulins a sus lectores, «no es una ninfa de la Opéra, no es un *bonnet rouge*, o una camisa sucia [...], la libertad es la felicidad, la razón y la igualdad». Y aquí pasó a enfrentarse a las instituciones del propio Terror, comenzando con la ley de Sospechosos. Si el Gobierno exigía que él derramase su sangre por la libertad, aquel debía honrar su compromiso con ese principio abriendo las cárceles y liberando a doscientas mil personas «a quienes llamáis sospechosos, pues, en la declaración de derechos no hay "casas de la sospecha"». Esa medida sería «la más revolucionaria que hayáis adoptado nunca». ¿Cuál era, después de todo, la alternativa?

> ¿Deseáis exterminar a todos vuestros enemigos con la guillotina? Esa sería la locura más grande. ¿Podéis destruir siquiera a uno en el patíbulo sin ganaros diez enemigos en su familia y sus amigos? ¿Creéis realmente que las mujeres, los ancianos, los débiles y los «egoístas» son los peligrosos? De vuestros verdaderos enemigos, solo restan los cobardes y los enfermos,

y estos, como los *rentiers* y los tenderos, que en ese momento llenaban las prisiones, apenas justifican toda la ira gastada en ellos.

En el número 4, Desmoulins sugirió una reforma concreta e inmediata: un «comité de clemencia», que actuase al margen de los comités de Seguridad General y de Salud Pública, y que revisara los casos de acusaciones o condenas discutibles. Por supuesto, sería un desafío directo al Tribunal Revolucionario, dominado por la Comuna. Podía actuar como salvaguarda contra las denuncias intencionadas y corregir caricaturas de la justicia tan claras como el arresto de un amigo de Desmoulins que había sido acusado de invitar a cenar a una persona que más adelante fue considerada políticamente indeseable. En una revolución uno debía poner cuidado, escribió Desmoulins, y no temió citar a Mirabeau (aunque con términos menos terrenales que los del orador): «La libertad es una perra a la que le gusta acurrucarse sobre un colchón de cadáveres».

El *Vieiux Cordelier* causó sensación y fue con mucho el arma más poderosa de los *indulgents*. Su tono indicaba que se dirigía de forma deliberada a la élite revolucionaria, no solo a los miembros de la Convención, sino a los que actuaban en las secciones occidentales y centrales de París, que estaban cansados de verse presionados por la Comuna y que aplaudieron la pregunta retórica de Desmoulins: «¿Hay algo más repulsivo y execrable [*ordurier*] que el *Père Duchesne*?». Y hasta apuntaba a una persona en concreto, de la cual, como sabían Danton y Desmoulins, dependía el éxito o el fracaso de su campaña: Maximilien Robespierre. En el número 4 Desmoulins incluso había invocado el hecho de que ambos habían sido condiscípulos en el liceo Louis-le-Grand, en un llamamiento explícito a Robespierre, con el fin de que tuviese en cuenta las virtudes de la humanidad que armonizaban con el patriotismo.

En realidad, Robespierre se mostró muy receptivo ante este llamamiento. Ya estaba harto de los descristianizadores, que el 11 de noviembre habían llegado hasta el extremo de llevar a la Convención carros llenos de objetos litúrgicos para arrojarlos sin miramientos sobre el suelo de la asamblea. (Los grabados muestran a los guardias *sans-culottes* ataviados con las mitras y las casullas de los obispos.) También había intervenido personalmente para impedir el arresto de los setenta y tres miembros de la Convención que habían firmado en julio una solicitud contra la expulsión de los girondinos. Y algo todavía más sorprendente, si se tiene en cuenta lo que sucedería tres meses después, aún se mostraba firmemente unido a Danton y le defendía vehementemente de las críticas que le habían lanzado en el Club de los Jacobinos el 3 de diciembre. Incluso dio a entender que el simple hecho de impugnar el patriotismo de Danton implicaba hacerle el trabajo sucio a William Pitt, a quien nada podría agradar más que ver cómo los buenos patriotas se atacaban entre ellos.

Ahora que, al parecer, Robespierre se inclinaba hacia los *indulgents*, estos acentuaron su ataque. Philippeaux, otro de los aliados de Danton en la Convención, presentó un feroz informe sobre la brutalidad y la corrupción que, según dijo, habían manifestado Ronsin y las *armées révolutionnaires* en Lyon. En consecuencia, Ronsin y Vincent fueron arrestados y, en efecto, se creó el «comité de clemencia» propuesto por Desmoulins.

Por un momento pareció que se procedería a desmantelar el Terror. Incluso la famosa ley del 14 de frimario (4 de diciembre), erróneamente denominada con frecuencia «la Constitución del Terror, de hecho estaba dirigida contra todos los que habían aplicado el castigo más brutal en nombre de la ortodoxia republicana. Al subordinar «todas las autoridades constituidas» al Comité de Salud Pública, ponía fin al proceso anárquico gracias al cual los fanáticos podían imponer por su cuenta la aplicación de la ley. Ahora se exigía de los comités revolucionarios locales que presentasen cada diez días un informe a la administración del distrito; no se permitía a ningún funcionario público (incluidos los *représentants-en-mission*) la ampliación o el aumento del número de leyes sancionadas por la Convención o la aplicación de préstamos forzosos o impuestos improvisados. Por supuesto, gran parte de todo esto dependía del humor del propio Comité de Salud Pública. Sin embargo, cuando llegó la noticia de la reocupación de Tolón el 15 de diciembre (gracias al general Bonaparte) y, una semana después, la de la última y decisiva batalla en Savenay contra los vandeanos, los *indulgents* tuvieron motivos para suponer que una perspectiva militar más prometedora debía reforzar los argumentos en favor de un Gobierno más benévolo.

Sufrirían una grave desilusión. El 21 de diciembre, Collot d'Herbois, recién llegado de Lyon, se presentó en el Club de los Jacobinos. Allí atacó a quienes eran responsables del encarcelamiento de Ronsin (Fabre en particular) y zahirió a los miembros por la cobardía que se insinuaba en ellos. Hablando con la falsa autoridad de un hombre que ha estado combatiendo en el frente y que regresa y descubre que la guarnición local se ha ablandado, Collot declaró: «Hace dos meses, cuando os dejé, ardíais con la sed de la venganza contra los infames conspiradores de la ciudad de Lyon. Ahora apenas reconozco a la opinión pública; si hubiese llegado dos días más tarde, quizá yo mismo me hubiese visto acusado». Concluyó con una pregunta retórica: «¿Quiénes son estos hombres que reservan su *sensibilité* para los contrarrevolucionarios, que evocan tan inquietantemente las sombras de los asesinos de nuestros propios hermanos, que derraman tantas lágrimas sobre los cadáveres de los enemigos de la libertad mientras destrozan el corazón de la *Patrie*?».

Fue una de las mejores representaciones del actor Collot y señaló el momento exacto en que la campaña de los *indulgents* comenzó a adoptar una actitud defensiva. Ante la pregunta de Collot, Hébert, de muy buena gana, dio nombres: Desmoulins, Fabre, Philippeaux, Bourdon de L'Oise. Aunque el secreto de su implicación en el fraude de la Compañía de Indias aún no había salido a la luz, Fabre era el blanco de ataques cada vez más intensos, entre ellos los que se lanzaron en una demanda del Club de los Cordeliers a la Convención. Sin embargo, el cambio decisivo sobrevino en el propio Comité de Salud Pública. Collot tenía en Billaud-Varennes un aliado leal Saint-Just, que todavía estaba cumpliendo una misión, quizá también actuaría como tal en caso de crisis. El Comité de Seguridad General se mostraba incluso menos favorable a los *indulgents*. Vadier, uno de los más fervientes *terroristes* había comentado que se proponía «destripar a ese gordo rodaballo de Danton», a lo cual, según se afirma, Danton respondió secamente que, si se atrevía a ponerle encima un dedo, se comería los sesos de Vadier y defecaría sobre su cráneo.

Para Robespierre, lo que estaba en juego era el sistema «ordenado» del Gobierno revolucionario, según lo había establecido la ley del 14 de frimario. La cohesión del Comité de Salud Pública no podía resistir un cisma grave, provocado por las influencias rivales de los dantonistas y de los hebertistas. Su autoridad ejecutiva dependía esencialmente de que se considerase a este organismo por encima de las «facciones» y hasta de que fuera capaz de actuar de forma imparcial. Más aún, en cierto momento de finales de enero, o tal vez de principios de febrero, Robespierre obtuvo pruebas inequívocas y abrumadoras de los actos delictivos de Fabre: quizá la propia firma. No había nada por lo que Robespierre sintiera más aversión que por el delito disfrazado de patriotismo. Tampoco le complacía que se le tomase por un idiota. Ya se veía apremiado por Billaud-Varennes, a causa de su acuerdo con el «comité de clemencia», e incluso tuvo que protestar más o menos débilmente y declarar que él no había intervenido en la composición del organismo. Ahora quedaba patente que Fabre le había manipulado, ¡incluso hasta el extremo de inducirle a que le dejara investigar un fraude en el que el propio Fabre estaba implicado! A la luz de estos datos, Robespierre tendió a desechar toda la campaña *indulgent* como una tremenda demostración de hipocresía, concebida sencillamente para cubrir las huellas de los criminales (de Fabre en particular). Aún creía y deseaba creer que el propio Danton no estaba implicado y, cuando a principios de febrero se enteró de la muerte de su esposa, le escribió una afectuosa y conmovedora carta, en la que le recordó la antigua amistad que los unía. En realidad, lo que estaba pidiendo a Danton era que abandonase a sus amigos corruptos y que se sumase al decreto del comité. Por supuesto, en la práctica esto significaba que en cierto momento se reclamaría de Danton que acusara a Fabre y quizá incluso a Desmoulins, algo que él rechazó de plano. Tal vez esta irresponsable devoción a los amigos, incluso cuando parecía claro que se trataba de tramposos, más que a los sacrificios «objetivos» que eran necesarios en bien de la *patrie*, fue lo que, en última instancia, pareció tan imperdonable a Robespierre. Si Danton no podía representar el papel de Bruto, merecía morir como los hijos de Bruto.

Por otra parte, Robespierre tampoco tenía la intención de permitir que la persecución a los *indulgents* se convirtiese en una victoria de los «ultras». Aún no había perdonado a Hébert la descristianización, a pesar de que este había decidido, por razones tácticas, aminorar el ritmo durante un tiempo. Lo que menos deseaba Robespierre era la renovación de la política insurreccional de la Comuna contra los comités, y la liberación de Ronsin y de Vincent, acompañada por escenas de júbilo de los *sans-culottes*, pareció reforzar la posibilidad de que las cosas tomaran ese cariz. El comité, que reconocía que el Terror económico había originado más privaciones e inflación y no menos (exactamente como había pronosticado Barbaroux), también estaba contemplando la modificación del precio límite para incluir los costes del transporte, con lo cual se ofrecería al menos cierto incentivo a los productores con el fin de que transportaran los artículos desde el lugar de origen. Para bloquear las inevitables protestas fundadas en que esa actitud significaba de nuevo descuidar el deber del Gobierno frente a los pobres, Saint-Just se adelantó con los decretos radicales de ventoso (26 de febrero y 3 de marzo). Estos contemplaban la distribución entre los necesitados de la propiedad confiscada a los emigrados; pero también presuponían que los necesitados declararían su propia condición en momentos en que otros miembros de la Convención proponían trasladar a los vagos a Madagascar. En todo caso, los decretos conservaron el carácter de letra muerta, en parte porque muy pocos miembros del Comité los apoyaron (Robespierre estaba enfermo desde principios de febrero), y en parte porque fue necesario adoptar decisiones políticas mucho más urgentes.

Un día después de la propuesta del segundo decreto de Saint-Just, Hébert y Carrier (que había regresado de las ejecuciones de sacerdotes en Nantes) cubrieron el busto de la Libertad en los Cordeliers: con esa señal se instigaba a la insurrección. Sin embargo, como a su tiempo comprobaron, el mecanismo de la movilización popular había sido saboteado eficazmente por el control oficial desde el 14 de frimario. Los comités revolucionarios estaban llenos de espías oficiales que conocían los movimientos de la «insurrección» mejor que sus propios líderes. La Comuna, ahora más deseosa de complacer a los comités que a Hébert, rehusó convocar a sus tropas y el alzamiento se deshizo. Cinco días después, Saint-Just lanzó un demoledor ataque sobre la facción como «enemiga de la soberanía» y, por tanto, como un instrumento de la contrarrevolución. Y durante los días siguientes, casi todos los principales colaboradores de Hébert fueron arrestados, incluso los que en un principio habían sido incluidos por Fabre en la «conspiración extranjera». Entre ellos estaba el estrafalario Anacharsis Cloots, autoproclamado «orador de la raza humana», que había tratado de salvarse confesando lamentablemente en una publicación que «si he pecado, ha sido por exceso de candor e ingenuidad. Marat solía decirme: "Cloots, tu es une foutue bête"». Por lo menos aquí el «amigo del pueblo» no se equivocaba.

El 24 de marzo Hébert y diecinueve de sus amigos fueron a «estrechar la mano caliente»; a «mirar por la ventana republicana»; a «afeitarse con la navaja nacional» (entre otros ocurrentes eufemismos tan del gusto del *Père Duchesne*). Hubo un intenso sentimiento de *Schadenfreude* entre la multitud, a la que sin duda complació ver al hombre que tanto había celebrado a la guillotina temblando visiblemente ante la perspectiva de su propia liquidación. Multitudes enormes y estridentes, aplaudiendo y burlándose, saludaron la marcha de los hebertistas hasta la plaza de la Revolución. «Murieron como cobardes sin huevos», dijo un hombre a quien escuchó un agente del Gobierno. «Creíamos que Hébert demostraría más valor, pero murió como un Jean-Foutre», dijo otro, sugiriendo un agudo sentido de la justicia divina.

Una semana después, Danton y algunos de sus amigos más íntimos, entre ellos Desmoulins, Lacroix, Philippeaux y, otro día, Hérault de Séchelles, también fueron arrestados. La muerte de los hebertistas, por supuesto, siempre había implicado el fin de los *indulgents*, pues atacar a uno sin que otro se viera afectado inevitablemente provocaría la hostilidad de los *terroristes* más duros de ambos comités. El 29 de marzo se celebró la última reunión entre los dos gigantes. Danton trató de persuadir a Robespierre de que la amistad entre ambos había sido destruida de forma premeditada por Collot y Billaud, que habían sembrado la discordia entre ellos para salvarse de la acusación de excesos mediante el Terror. Sin embargo, Robespierre no los escuchaba. A su vez, reclamó que Danton sacrificara a los que manifiestamente eran corruptos como precio por su propia salvación. Se produjo un diálogo de sordos. Un relato convincente de la noche del arresto afirma que Albertine, hermana de Marat, en efecto advirtió a Danton y le instó a que acudiera directamente a la Convención para denunciar al comité. Al principio, Danton se resistió a considerar la idea, pues implicaba reclamar la exclusión de Robespierre; pero, persuadido de que no le quedaba otra alternativa, aceptó. Al entrar en la asamblea, Danton vio a Maximilien en una conversación al parecer tan cordial con Camille Desmoulins que bajó la guardia y volvió a su casa. Fue detenido un poco más avanzada la noche.

Todos los participantes en la cacería sabían que no sería fácil asestar el tiro de gracia. En el caso de Hébert habían liquidado una comadreja (aunque de dientes afilados). En el de Danton, se trataba de un león herido al que había que despachar, y sus rugidos belicosos podían resonar en todo París. La noche del 31 de marzo, los dos comités se reunieron en sesión conjunta para considerar la estrategia que se iba a seguir. Saint-Just llevó la acusación, de la que se sentía injustificadamente orgulloso, y dijo que la leería en la Convención al día siguiente; después, podían arrestar a Danton y a sus amigos. Vadier y Amar le miraron como si hubiese perdido el juicio. Insistieron: primero arrestad a Danton y, después, denunciad lo que os plazca. Proceder de otro modo sería desastroso. Ante esta ofensa a su capacidad de persuasión, o incluso de su masculinidad contrapuesta a la de Danton, Saint-Just mostró un enojo poco habitual en él. Sin embargo, los policías del Comité de Seguridad General se salieron con la suya.

La acusación contra Danton, corregida en su texto definitivo por Robespierre, era, incluso juzgada según las normas del Tribunal Revolucionario, un documento increíblemente inconsistente. (Los cargos contra Hérault de Séchelles eran aún más engañosos.) Acusado de aristócrata, invocó la memoria de su mejor amigo, Michel Lepeletier, un *ci-devant* de linaje más ilustre. Se imputaron a Danton todas las traiciones, desde la acusación de conspirar para llevar al trono al duque de Orleans hasta la salvación de personas, incluso Brissot, de las masacres de septiembre, y hasta de reírse cada vez que se pronunciaba la palabra «vertu». En resumen, era un mal sujeto. Resulta indudable que el comité tenía la esperanza de que, al rodear a Danton y a Desmoulins con los sinvergüenzas del fraude de la Compañía de Indias, incluso con un grupo completo y heterogéneo de extranjeros —los hermanos Frey, el español Guzmán, el danés Friedrichsen, el belga Simon— como culpables de la estafa, podría mancillar a su adversario principal, a pesar de que no tenían pruebas que demostrasen que Danton estaba en absoluto relacionado con el asunto.

Una enorme multitud ocupó la sala del tribunal el 2 de abril, pues los partidarios de Danton todavía formaban un núcleo extraordinario. Fouquier-Tinville había tratado de limitar todo lo posible el interés popular y, para tratar de lograrlo, esperó hasta el último momento antes de anunciar el proceso; aun así corrió el peligro de ser barrido por una sala alborotada. Esta situación ofendió profundamente su sentido de lo que debía ser un procedimiento ordenado. Incluso dio la impresión de que el número de acusados era algo incierto, porque, durante el curso de las actuaciones, Westermann, antiguo camarada de Danton, insistió en que fuera acusado junto a su amigo. Cuando el presidente del tribunal le aseguró que eso era «solo una formalidad», Danton comentó: «Toda nuestra presencia aquí es solo una formalidad». Una interrupción siguió a otra, lo que reveló el temible sentido que Danton tenía de lo que era el escenario pública. Como no consiguió interrumpir uno de los tronantes discursos de Danton, el presidente Herman preguntó: «¿No habéis oído la campanilla?». Danton contestó: «La voz de un hombre que tiene que defender su vida y su honor tiene que imponerse al sonido de vuestra pequeña campanilla». En realidad, Danton estaba completamente decidido a aprovechar la ventaja que el volumen de su voz tenía sobre sus jueces, pues sabía que una voz amplia y profunda no solo ponía en ridículo a sus interrogadores, sino que parecía demostrar los recursos de poder viril que la cultura republicana asociaba con la virtud. Hablar con voz atronadora era ser patriota. Al día siguiente, al comienzo de la defensa, y dirigiéndose al público más que a los jueces o al jurado, Danton declaró: «Pueblo, me juzgaréis cuando me hayáis oído; mi voz no solo será oída por vosotros, sino por toda Francia».

Eso era justo lo que el tribunal temía. No tenía ni la más mínima intención de permitir que Danton dirigiese el proceso según su voluntad y desechó, por ofensiva, su reclamación de citar a una larga serie de testigos, entre ellos a miembros del Comité de Salud Pública, como Robespierre y Robert Lindet, el único de los colegas de Danton que había rehusado firmar la orden de arresto. Aunque no se ha conservado un acta completa de las actuaciones, de todos modos parece que Danton habló casi todo el día y con un extraordinario efecto, pues rechazó las acusaciones planteadas contra él como si hubieran sido insectos que reptaban sobre sus ropas. «¿Los cobardes que me calumnian se atreverán a atacarme frente a frente? —preguntó y, con un tono más romántico y estoico—: Mi domicilio pronto caerá en el olvido y mi nombre, en el panteón [...]. Aquí está mi cabeza para responder por todo.» Hacia el final, pareció que Danton deseaba aliviar la sordidez moral de la ocasión para elevar esta al nivel de la retórica trágica, de modo que su propio fin pareciese algo tan grave y memorable como el de un héroe homérico, un patriota de los anales de Roma.

> Durante los dos últimos días el tribunal ha llegado a conocer a Danton. Tengo la esperanza de dormir mañana en el seno de la gloria. Nunca pidió perdón, y vosotros lo veréis volar hacia el patíbulo con su acostumbrada serenidad y con la tranquilidad de una conciencia limpia.

Durante la detención y el juicio los dantonistas fueron encarcelados en el Luxemburgo. Se trataba quizá de la menos siniestra de todas las prisiones del Terror y los que los vieron allí recuerdan que Danton y Philippeaux simulaban una especie de alegría forzada. Sobre todo Danton pareció resignado a despedirse de su segunda esposa, Louise, una joven de solo dieciséis años. En cambio, Camille Desmoulins se mostraba muy deprimido ante la perspectiva de separarse de Lucile, de quien continuaba apasionadamente enamorado; sus sentimientos seguían muy vivos y, siempre que ella podía, acudía a verle y se detenía a la distancia permitida, de modo que el esposo sentía al mismo tiempo un intenso placer y sufría una terrible tortura emocional. En la última carta escrita antes de la ejecución, Desmoulins dijo a su esposa que, al verla acompañada de su madre, se había abalanzado, apenado, contra los barrotes. La carta resulta sorprendente, la manifestación de un hombre completamente abatido por el pesar y por la angustia, arrojado a las profundidades de una especie de fantasmagoría romántica, la expresión de una persona que desea renunciar a toda su vida pública ante la posibilidad de la paz íntima.

> Mi Lucile, *ma poule*, a pesar de mi tortura, creo que hay un Dios, que mi sangre borrará mis faltas y que un día volveré a verte. Oh, mi Lucile [...], ¿acaso la muerte que me liberará del espectáculo de tantos delitos es una desgracia tan profunda? *Adieu*, Loulou, adiós, mi vida, mi alma, mi divinidad en la tierra [...]. Siento que las orillas del río de la vida retroceden ante mí y vuelvo a verte, Lucile, veo mis brazos que te sujetan, mis manos atadas que te sostienen, mi cabeza cortada que descansa sobre ti. Voy a morir.

Siempre combativo, Danton continuó reclamando el derecho a citar a los testigos. Su insistencia era tan firme y el público le apoyaba de tal modo que, temeroso de que todo el proceso se derrumbase, Saint-Just fue a la Convención y dijo a los diputados que los prisioneros estaban instigando a la insurrección contra la corte y que la esposa de Desmoulins estaba comprometida en una conspiración para asesinar a los miembros del Comité de Salud Pública. Por absurdo que esto fuese, el comité recibió la autoridad necesaria para regresar al tribunal y ordenar a Fouquier que utilizara su método habitual, que era «preguntar» al jurado si el tema ya estaba suficientemente «aclarado». Sí, lo estaba. Consciente de que había perdido definitivamente la batalla, Danton se resignó. En la cárcel, de acuerdo con Riouffe, que, según dijo, le oyó hablar a través de las paredes, expresó su pesar por el hecho de que dejaba a la República en una mísera situación, dirigida por hombres que no tenían ni la más mínima idea de gobernar. «Si por lo menos pudiese dejar mis huevos a Robespierre y mis piernas a Couthon, el comité sobreviviría un poco más.»

El 5 de abril Danton, Hérault, Desmoulins y el resto se dirigieron hacia la muerte. Observados por una multitud amplia y en general silenciosa, se comportaron con mucha dignidad y compostura. Danton estaba decidido a demostrar afecto y amistad. Él y Hérault de Séchelles, el prodigio del Parlamento convertido en jacobino regicida, trataron de abrazarse, pero fueron toscamente separados por el verdugo Sanson. Se dice que Danton afirmó: «No impedirán que nuestras cabezas se reúnan en el cesto». Sin embargo, su última observación aún fue mejor. Mientras estaba frente a la tabla, con la camisa salpicada por la sangre de sus mejores amigos, Danton dijo a Sanson: «No olvides mostrar mi cabeza al pueblo. Merece la pena mirarla».

19

Quilianismo
Abril-julio de 1794

MUERTE DE UNA FAMILIA

Malesherbes estaba angustiado, pero no por él, sino por su familia. En un momento peligroso, durante el proceso al rey, uno de los diputados de la Convención preguntó: «¿Y por qué os mostráis tan audaz?», a lo cual Malesherbes respondió: «Por desprecio a la vida». Era cierto. El Terror carecía de poder para atemorizar a un anciano de setenta y dos años. Puesto que los comités parecían decididos a reescribir la historia francesa mediante la exterminación de aquellos que habían contribuido a plasmarla, Malesherbes suponía que, más tarde o más temprano, le llegaría su turno. Después de todo, el mero hecho de que hubiese sobrevivido hasta la vejez constituía una muestra de osadía, pues Malesherbes encerraba en sí mismo la posibilidad de transmitir la historia de la reforma que había comenzado antes de la Revolución. Que aún se le conociera popularmente como «el virtuoso Malesherbes» agravaba todavía más el asunto. Significaba que el Terror veía en su persona un desafío al precepto de que todos aquellos cuya carrera se remontaba a los dos reinados anteriores forzosamente debían estar marcados por la corrupción y por la tiranía asociada a los Capeto.

De todos modos, solo restaba esperar y ver cómo se desarrollaban los hechos. Después de la ejecución del rey, Malesherbes regresó a su castillo, cerca de Pithiviers, en el departamento del Loiret, y reunió a la familia alrededor de él, como si esa unión hubiese podido aportarles fuerza y seguridad. Su hija menor, Françoise-Pauline, que vivía en Londres con su esposo Montboissier y que escribía cartas atemorizadas e inquietas, era el único de los seres amados que faltaba. Se trataba de cartas muy conmovedoras, pues ella había emigrado dos veces, dado que había viajado a Suiza en 1789, regresado a Francia en la primavera de 1792 y, después de las masacres de septiembre, había decidido viajar a Inglaterra, como parte de la gran oleada de exiliados de octubre. Malesherbes desaprobaba en principio la emigración, pero, como tenía la certeza de que la vida de su hija corría peligro, le rogó que se alejara. Ahora experimentaba de nuevo sentimientos contradictorios. Podía soportar la posibilidad más que cierta de que jamás volvería a verla solo gracias al alivio que sentía cuando pensaba que al menos una rama de la familia estaba a salvo de los acontecimientos.

Su hija mayor, Marguerite, había llegado al castillo con todos sus hijos. Tenía ahora treinta y ocho años y estaba casada con Lepeletier de Rosanbo, *ci-devant* presidente del Parlamento de París. De por sí esto le convertía en un hombre marcado y resultaba improbable que jugase en su favor ese remoto parentesco con Lepeletier, a quien ahora se exaltaba como el primer mártir de la República. Es más, dos de las tres hijas del matrimonio se habían casado con hombres que pertenecían al mismo tipo de clanes distinguidos de la nobleza judicial: Aline-Thérèse con Jean-Baptiste, el mayor de los jóvenes Chateaubriand, y Guillemette con Lepeletier d'Aulnay. El 12 de marzo de 1793 se celebró la última boda Malesherbes, cuando la menor de las jóvenes, llamada Louise, contrajo matrimonio con Hervé Clérel de Tocqueville, miembro de una antigua familia normanda.

A principios de septiembre, Malesherbes se ofreció como defensor de María Antonieta, es decir, repitió el mismo gesto que había mostrado hacia el rey. El ofrecimiento fue rechazado, pero el propio hecho de que diese ese paso sugiere qué poco le importaba su seguridad. En realidad, Rosanbo era quien más temía por su propia seguridad. En 1790 había sido presidente de la Chambre des Vacations del Parlamento de París, que continuó sus funciones judiciales después de haberse suspendido todo el tribunal. Como tal, al igual que sus colegas de muchos otros tribunales soberanos, había redactado una protesta formal contra el decreto de la Constituyente que abolía los parlamentos. Esa actitud determinaba que fuese vulnerable a la habitual acusación de «conspirar contra la libertad y la soberanía del pueblo francés». Y el 16 de diciembre de 1793, una cena de la familia fue interrumpida por un grupo de guardias nacionales que traían una orden del comité revolucionario de la sección de Bondy, donde estaba la casa de Rosanbo en la ciudad. Se había realizado una inspección y se había localizado una copia del documento que lo incriminaba. A la mañana siguiente se revisó la biblioteca en presencia de Rosanbo y Marguerite, y fueron halladas las muchas cartas que la hermana le había escrito desde Londres.

Al día siguiente, el esposo fue llevado a París e ingresó en la nueva cárcel de Port-Libre. El 19 la familia trató de decidir qué podía hacerse. El marido de Guillemette ya había partido (y sería arrestado en Nièvre el mes de mayo). Parecía que Chateaubriand, esposo de Aline, era quien corría mayor peligro, pues se trataba de un emigrado que había regresado. Malesherbes le aconsejó que huyese, pero, después de ocultarse durante un breve periodo de tiempo en una finca local, llegó a la conclusión de que no podía abandonar a su esposa y a los dos niños pequeños, de cinco y tres años, y regresó al castillo para acompañarlos. Aunque el examen de los papeles del propio Malesherbes no había aportado ningún material que lo incriminara, parece claro que ya se había adoptado la decisión de añadir su nombre y los de sus hijos al decreto original de arresto de Rosanbo. El arresto de familias enteras del *ancien régime* estaba convirtiéndose en una cuestión de honor para los comités y para los tribunales revolucionarios, como si el futuro de la República dependiera de destruir en la antigua clase gobernante la capacidad de autorreproducción. Por ejemplo, cuando se arrestó a Loménie de Brienne, fueron detenidos con él cuatro de Brienne de diferentes generaciones, y todos fueron ejecutados. Lo mismo sucedería con los Duplessis e incluso con los Gouvernet de La Tour du Pin que pudieron ser localizados. El 20 de diciembre dos carruajes con una escolta armada fueron a buscar a la familia Malesherbes-Rosanbo para trasladarla a París.

Una vez que estuvieron en la capital, fueron enviados a diferentes prisiones: madame de Rosanbo, al Couvent des Anglaises; sus dos yernos, de Tocqueville y Chateaubriand, a La Force; Malesherbes y su nieto de dieciséis años, Louis, a las Madelonettes; y las tres hijas, a otro convento, que todavía no estaba convertido en prisión y que se encontraba en el Marais. Unos días más tarde, el Comité de Seguridad General respondió favorablemente a la petición de los yernos de que se permitiera la reunión de la familia y todos fueron agrupados en Port-Libre.

Para los prisioneros del Terror había lugares mucho peores. Aunque los jansenistas habían sido famosos por su austeridad, al menos había luz y aire en cantidades que parecían lujosas a quien llegase de Sainte-Pélagie o La Force. Entre los seiscientos detenidos destacaban los grupos de funcionarios del *ancien régime* y los *financiers*, detenidos en tandas por los comités revolucionarios y agrupados como si hubieran sido piezas de un museo contemporáneo de la sociedad corporativa. En ese momento había en Port-Libre veintisiete miembros de los recaudadores generales, incluso Lavoisier; otro nutrido grupo de la Receptoría General; exministros e intendentes —entre ellos Saint-Priest— y varios parlamentarios que, al igual que Rosanbo, pronto fueron transferidos a las Madelonettes a la espera de juicio. Ahora que tantas luminarias del viejo mundo de la cultura parisiense estaban reunidas, parecía inevitable que formasen una especie de salón carcelario; por las noches, escuchaban a Vigée (hermano de la pintora), que recitaba sus poemas más recientes, o a actores como Fleury y Devienne, que declamaban versos de memoria, o escuchaban los tonos melancólicos y profundos de la *viola d'amore* de Witterbach, que resonaban en las celdas abovedadas.

En un grupo así resultaba lógico que prevaleciera un marcado sentido del honor. Todos se horrorizaron cuando supieron que Duviviers, un joven elegante, al parecer de buena familia, había robado un reloj a madame Debar. Lo había sacado de contrabando con una pila de ropa sucia retirada por su amante, una actriz de la Opéra que recibió la orden de venderlo por lo que pudiera conseguir. Sin embargo, el posible comprador dijo estar dispuesto a adquirirlo por quinientas libras solo si se le entregaba un recibo que incluía una declaración escrita de propiedad. Entonces, la joven reconoció que el objeto no era suyo y escribió una carta a su amigo para quejarse de la dificultad del negocio. La nota fue interceptada por uno de los carceleros y el ladrón confesó el delito. Antes de que le trasladasen a una cárcel diferente y menos cómoda, el resto de los detenidos le aisló como si hubiese sido un foco de infección.

En marzo se les unieron unos hombres que habían sido algunos de sus perseguidores más implacables: los hebertistas. Pocos de los *ci-devants* se molestaron en disimular su placer al ver derrotados a sus mayores enemigos, y sobre todo les agradó el manifiesto temor que sentía Hébert ante el destino que le esperaba. La esposa del impresor Momoro, de quien se afirmaba que había representado el papel de la Razón en la fiesta de descristianización de Notre Dame, fue objeto de un maltrato especial.

Otro oficial de la *armée révolutionnaire* parisiense, el grabador Bertaux, aunque llevaba el bigote obligatorio y parecía feroz, fue despreciado porque «lloraba como un niño». (En realidad, parece que le encarcelaron por cierta falta de militancia y porque tenía antecedentes de simpatía hacia Lafayette.) En cambio, su comandante Ronsin mereció grandes elogios porque, al menos, adoptaba la apariencia de despreocupación en el mejor estilo aristocrático.

Tratado por todos con respeto y deferencia, a Malesherbes le gustaba hablar a veces de su propia historia política y de la historia de la monarquía. En una conversación con Hué, antiguo *valet* del delfín, confesó que había aprendido que «para tener buenos ministros, no bastan el saber y la honradez. Turgot y yo fuimos la prueba de lo que digo; toda nuestra ciencia estaba en los libros y no comprendíamos a los hombres». Sin embargo, constantemente volvía a la lamentable historia del propio rey y a su proceso: un hombre desconcertado por la posición en que se hallaba y que, a juicio de Malesherbes, había pagado con su propia sangre por su renuencia a derramar la de otros.

El 18 de abril, de pronto, se aceleraron los procesos. Rosanbo fue llevado a la Conciergerie a esperar su juicio y, mientras estaba allí, Malesherbes decidió por última vez razonar con solidez. Dictó un memorándum sobre su yerno, con destino a Fouquier-Tinville, y le añadió una carta en la que imploraba que leyese el documento, de modo que el caso recibiera la debida consideración. Con mucha astucia, Malesherbes incluso invocó a Saint-Just, pues este había dicho en el juicio contra Danton que en 1790 había existido una conspiración orleanista contra la monarquía constitucional. Al apoyar tan enérgicamente el trono, dijo Malesherbes, Rosanbo de hecho había actuado como un buen patriota. Más aún, en esos tiempos resultaba habitual presentar esas demandas y protestas sin la más mínima intención conspiradora. Concluía describiendo a Rosanbo (al igual que el municipio local de Malesherbes había dicho de él) como un ciudadano sincero y virtuoso *avant la letre*.

Nadie, según el testimonio de todos los que le conocieron, pudo haber sido más escrupuloso o mostrar mayor desinterés en la administración de justicia; más solícito en sus modales o más un *honnête homme* en sus procedimientos. Pues, mucho antes de la Revolución, él ya practicaba esas virtudes privadas, el amor a la humanidad, la consideración por sus semejantes, esa extraña y valiosa fraternidad con sus conciudadanos que es uno de los más grandes beneficios de nuestra regeneración.

Una copia del memorándum (que, no necesitamos decirlo, no influyó en absoluto sobre el fiscal) fue enviada a Rosanbo. Se le adjuntaron unas pocas líneas de su hijo de dieciséis años, que, después de haberse mostrado valiente al principio, había comenzado a llorar mucho durante la noche, así como una última carta de su esposa. Era una expresión características de estos mensajes de despedida, teñidos por toda la ternura familiar que, según el canon jacobino oficial, los aristócratas no podían sentir.

> Sabes que vivir junto a ti, cuidar de tu salud y rodearnos de nuestros hijos y atender la vejez de mi padre han sido siempre mi única preocupación [...], pronto volveremos a reunirnos, *oui, mon bon ami*, así lo espero. *Adieu*, amigo bueno y dulce, piensa en un ser que vive solo para ti y que te ama con todo el corazón. Mi padre, mi tía y los niños que están alrededor de mí comparten estos sentimientos.

El 1 de floreal, el día del roble según el nuevo calendario de Fabre, Rosanbo fue guillotinado. La tarde siguiente Malesherbes fue llevado al interrogatorio. Negó las acusaciones de «conspirar contra la libertad del pueblo francés» y haber dicho que «utilizaría todos los medios para derribar la República». Se acusó a su hija de mantener una correspondencia desleal con «los enemigos internos y externos de la República». La única prueba contra Malesherbes procedió de una persona que había informado a un comité revolucionario de que, cuando la hermana de Malesherbes, la condesa de Senozan, le había dicho que los viñedos de su propiedad estaban helados, él había replicado que así era mejor, pues de ese modo los campesinos no tendrían vino, ya que, de no haber sido por su embriaguez, no se habría llegado a la Revolución. El carácter totalmente ridículo de la prueba no impidió, ni por un instante, que Fouquier-Tinville afirmase que «Lamoignon-Malesherbes muestra todas las características de un contrarrevolucionario». Sus escritos abordan constantemente el antiguo orden de cosas, fue el centro de todo un grupo de conspiradores, muchos de ellos ya juzgados por «el filo de la ley». Su ofrecimiento de defender al rey debía interpretarse a la luz de su permanente relación con un yerno que era un destacado emigrado, lo cual demostraba que Pitt le había encomendado la misión. Pues la hija, al igual que el esposo, siempre había sido enemiga de la Revolución..., y ese tipo de argumentos.

Esa noche, Louis y sus tres hermanas se deshicieron en lágrimas. La madre, que había conservado su entereza, parecía desconcertada y perdida. A la mañana siguiente, pareció que ella reaccionaba y comentó a mademoiselle de Sombreuil (la hija del antiguo comandante de los Inválidos, de quien se dijo que había bebido la famosa copa de sangre para salvar a su padre durante las masacres de septiembre) que «tuvisteis el honor de salvar a vuestro padre; por lo menos yo podré morir con el mío». Compartieron el carro con la princesa de Lubomirski, las duquesas de Châtelet y de Grammont, así como tres exdiputados de la Constituyente: Huel; Thouret, el principal creador, con Mirabeau, del mapa de los departamentos; y Jean-Jacques d'Éprémesnil. Esta última figura, la más famosa, había sido por supuesto la peor espina en el costado de Brienne cuando Malesherbes era uno de sus ministros. Sin embargo, en la primavera de 1794 era habitual que los veteranos de líneas políticas completamente distintas, e incluso hostiles, compartiesen el mismo patíbulo. La economía burocrática de la guillotina se mostraba del todo indiferente a esas pequeñeces.

El anciano, el último de su familia que fue decapitado, tuvo que observar cómo ejecutaban a su hija, a una nieta y al marido Chateaubriand. Los restantes nietos permanecieron encarcelados y fueron liberados después de termidor, pero Fouquier-Tinville no se dio por satisfecho hasta que guillotinó a la hermana de Malesherbes, de setenta y seis años, y a sus dos secretarios, uno de ellos condenado porque hallaron entre sus pertenencias un busto de Enrique IV (el ídolo de 1789).

Entre todas las crueldades que sufrió el anciano, la más dolorosa fue su probable reflexión de que, al abstenerse de escuchar el consejo de su hija menor, que le recomendaba emigrar, había atraído la atención del tribunal y había destruido a su familia. ¿Y quizá caviló sobre el hecho de que, si Luis hubiese escuchado su consejo y hubiera abandonado por completo la dieta de los Estados Generales en favor de una Constitución completamente nueva, que evitara la división de los órdenes, habría sido posible prevenir las peores calamidades de la Revolución? En todo caso, sabía que su afición a la razón no podía llevarle muy lejos, una vez que comenzara a derramarse la sangre y que las cabezas se aturdiesen con la retórica patriótica. En 1790 escribió a Rolland, otro viejo parlamentario, y señaló que «en tiempos de pasiones violentas, debemos abstenernos de invocar la razón. [Porque, en ese caso], incluso podemos dañarla, ya que los entusiastas excitarán a la gente contra las mismas verdades que, en otros momentos, serían recibidas con general asentimiento».

LA ESCUELA DE LA VIRTUD

Los profesores de Robespierre en el liceo Louis-le-Grand seguramente fueron importantes para su educación política, pues hacia el final también él se vio como un maestro de escuela mesiánico, esgrimiendo una vara muy gruesa para inculcar la virtud. Llegó a concebir la propia Revolución como una escuela, pero una en la cual el saber siempre se veía apuntalado por la moral. Más aún, ambas dependían de una disciplina. Solía decir que el terror y la virtud son parte de la misma práctica de progreso personal, «la virtud, sin la cual el terror es dañino, y el terror, sin el cual la virtud es impotente». Una vez eliminados los elementos criminales, hablando en términos morales y políticos —es decir, los libertinos, los ateos, los pródigos—, resultaría posible iniciar este vasto ejercicio de incorporación de toda una nación a la escuela de la virtud.

Por tanto, en ciertos aspectos, para Robespierre el comité más importante de la Convención no fue el Comité de Salud Pública, ni el Comité de Seguridad General (llegó a considerarlos el feudo de policías de baja estofa, como Vadier y Amar), sino el Comité de Instrucción Pública. Es más, se trataba de la institución que había acompañado a la Revolución desde sus propios comienzos, cuando Talleyrand y Sieyès habían sido miembros importantes, hasta el Terror, y que había elaborado proyectos muy extensos y ambiciosos que abarcaban la educación desde el nivel elemental hasta los nuevos colegios técnicos, que generarían una élite de ingenieros cultos. Al morir Michel Lepeletier, de venerada memoria, estaba trabajando en uno de estos planes destinados a crear «casas de la educación nacional» en el nivel elemental y, por su parte, Robespierre había ampliado este grandioso proyecto. Su esencia era reunir los dos pilares de la república moralizada: la escuela y la familia. Quizá esa estructura podían haberla creado únicamente escolares aristocráticos como Lepeletier, cuyos padres solían entregarlos a una tierna edad a los cuidados de los sombríos jesuitas, pues el objeto principal era lograr que los padres y las madres regresaran a la «casa de instrucción». La magnitud de cada escuela no debía determinarse mediante una decisión arbitraria, sino con una especificación del número ideal de familias que incluiría. Se fijaba en cincuenta, cifra que correspondía al número de *décades* del calendario revolucionario. Durante una *décade* del año, cada madre y cada padre irían a vivir a la escuela, como progenitores residentes de los niños, para administrarles el rigor y la ternura materna, según lo requiriesen los niños. De este modo, la adquisición del saber se vería reforzada por la virtud familiar. Se incluían los juegos espartanos, los discursos romanos y un caudal considerable de botánica.

No resulta necesario decir que de estos planes no se obtuvo nada, entre otras cosas porque, como descubrieron los comités de instrucción pública del periodo que siguió a los jacobinos, al diezmar al clero, el Terror había destruido la fuente fiel (y barata) de personal docente utilizable en la educación elemental. Sin embargo, la pasión del perfeccionamiento que animó a Robespierre durante los últimos meses del Terror impregnó todos sus proyectos y sus discursos, hasta que en definitiva la propia política pareció un pasatiempo bastante sórdido en comparación con la trascendente vocación del «misionero de la virtud».

En el caso de los jacobinos que compartían la visión de Robespierre, esta empresa de regeneración moral incluía dos etapas ineludibles. En primer lugar, era necesario frenar la abrumadora anarquía cultural generada por los descristianizadores y los hebertistas; y, en segundo lugar, esa situación debía ceder el sitio a un programa imponente y ordenado de edificación republicana. Este no dejaría sin abordar ningún aspecto de la vida de un ciudadano. Utilizaría la música, los desfiles al aire libre y el teatro, los monumentos públicos colosales, las bibliotecas, las exposiciones, incluso las competiciones deportivas, para estimular las grandes virtudes republicanas: el patriotismo y la fraternidad. La exaltación de la vida colectiva contrastaría del modo más enérgico posible con los actos de destrucción indiscriminada característicos de la fase extrema del Terror.

Henri Grégoire, uno de los más fervorosos partidarios de esta revolución cultural rousseauniana y exobispo constitucional de Blois, había acuñado el término «vandalismo» para denunciar los más crueles ataques a las estatuas, a los cuadros y a los edificios condenados como parte del pasado eclesiástico, feudal y real. Uno de los casos más destacados de este fenómeno había sido la destrucción total de las tumbas reales de la capilla de Saint-Denis. Aunque las anécdotas termidorianas de los *sans-culottes* jugando a los bolos con los huesos de los Valois y los Borbones quizá son apócrifas, un cuadro de Hubert Robert, artista conocedor de las ruinas, muestra los ataúdes retirados de sus tumbas y las lápidas volcadas y removidas. Grégoire debía poner cuidado en su crítica, pues el saqueo de Saint-Denis había sido autorizado por un decreto de la Convención del 1 de agosto de 1793 y, en todo caso, el propio Grégoire no deseaba de ningún modo repudiar el ataque a los tótems del pasado. Ningún jacobino, ni siquiera en esta fase «educativa» del Terror, se habría atrevido a sugerir la devolución de las estatuas de Luis XIV y Luis XV a sus pedestales en París. Sin embargo, a partir de germinal, Grégoire insistió, ante el Comité de Instrucción Pública, sobre la necesidad de aplicar un programa militante que apartaría a las hordas vándalas de las puertas de la nueva Roma y que conseguiría que «los muros hablasen» en el digno lenguaje del republicanismo.

El 20 de germinal, Grégoire dirigió su atención sobre otro grupo de vándalos tan peligrosos como los iconoclastas: los bibliófagos, los devoradores de libros. Eran los hombres que, en nombre de un republicanismo descarriado, deseaban quemar bibliotecas y destruir todo el saber acumulado antes de la Revolución, quizá con unas pocas y honrosas excepciones, como la obra del regicida inglés Algernon Sidney y la de Jean-Jacques Rousseau. Grégoire afirmaba que estos bárbaros estaban ejecutando el trabajo de los enemigos de Francia al privarla de su patrimonio cultural y, muy probablemente, como los peores hebertistas, en realidad eran agentes extranjeros. Lo que Grégoire proponía como contraataque era una gran bibliografía nacional, la *bibliographie française*, que compilaría una lista de todas las adquisiciones de las bibliotecas privadas, que, después, quedarían a disposición de la nación. Podía ampliarse de modo que incluyese objetos afines interesantes: medallas y retratos, colecciones de instrumentos científicos y, lo que era más importante, mapas. Informó a la Convención de que solamente en los ministerios de Versalles había doce mil mapas que esperaban ser catalogados. El Departamento de París estaba aún más «repleto» de estos activos patrióticos: alrededor de un millón ochocientos mil volúmenes, que constituían el inventario básico de una *bibliothèque nationale*. Bien organizados para la promoción de la virtud republicana, las bibliotecas y los museos serían, dijo Grégoire, «talleres de la mente humana», concebidos especialmente para apartar al joven de las habituales trivialidades de su edad y para llevarlo a los lugares donde podría «comulgar con los grandes hombres de todos los tiempos y de todos los países».

La otra figura principal de este programa de educación republicana fue Jacques-Louis David. Ya se había hecho cargo de las comisiones que debían crear monumentos permanentes con algunas de las estatuas utilizadas en la Fête de l'Unité: por ejemplo, un Hércules colosal que representaba al pueblo francés se levantaría sobre el Pont Neuf. En colaboración con su cuñado, el arquitecto Hubert, estaba elaborando un proyecto para rediseñar los Champs Elysées como un enorme Jardin National, con un vasto anfiteatro abovedado en el centro, coronado por una Estatua de la Libertad, apropiado para los espectáculos a gran escala y los juegos patrióticos que Robespierre apoyaba. (Por lo tanto, Albert Speer no fue el primero que planeó una ideología arquitectónica alrededor de este género de colectivismo colosal.) Al mismo tiempo, David estaba atareado diseñando «atuendos nacionales» que expresarían la verdadera dignidad de los auténticos republicanos y que desde luego estaban destinados a corregir la agresiva exhibición de *bonnets rouges* y pantalones de rayas que habían sido el rasgo distintivo del *sans-culotte* militante. Como si todo esto no fuese suficiente, David creó uno de sus diseños más grandiosos para el telón de una compleja producción de la Opéra, titulada *La inauguración de la República francesa*, en la que el acostumbrado y aburrido drama didáctico aparecía animado por canciones, por discursos, por poemas, por marchas militares y por el ocasional cañonazo destinado a despertar a los miembros del público adormecidos por esta implacable avalancha de virtud republicana.

Como espécimen de este enfoque gigantesco de la cultura jacobina, el telón de David fue impactante. Inspirado sin duda en relieves antiguos, muestra una sucesión de preceptos republicanos, en cuyo centro aparece un carro triunfal, con las ruedas que pasan sobre los restos de la realeza y el episcopado. Frente al carro, los musculosos patriotas se disponen a hundir las espadas en los impotentes monarcas caídos y todo el espectáculo aparece dominado por un impasible y gigantesco Hércules, sobre cuyo regazo descansan las figuras femeninas miniaturizadas de la Libertad y la Igualdad. Al lado y detrás del carro, aparecen ejemplos de las virtudes: Cornelia y los Gracos (eliminados en el diseño definitivo de David); Bruto; Guillermo Tell (que rápidamente se convirtió en héroe del culto de París); y un grupo de mártires, incluso Marat con sus estigmas; Lepeletier; y, como últimos añadidos al panteón, dos patriotas ahorcados por los británicos en Tolón.

Todas estas técnicas culturales fueron aportadas por David y Robespierre en su producción política más ambiciosa: la Fiesta del Ser Supremo, celebrado el 8 de junio (20 de prarial). Robespierre había anunciado el credo un mes antes, el 7 de mayo (17 de floreal), en un discurso elaborado con mucho esfuerzo acerca de «las relaciones de la moral y las ideas religiosas con los principios republicanos». «El auténtico sacerdote del Ser Supremo —declaró Robespierre a sus oyentes desconcertados y aturdidos— es la propia Naturaleza misma; su templo es el universo; su virtud, la religión; sus festivales, la alegría de un gran pueblo reunido bajo sus ojos para atar el dulce nudo de la fraternidad universal y presentar ante ella [la Naturaleza] el homenaje de los corazones puros y sensibles.» Al final de su sermón deísta, la Convención decretó que «el pueblo francés reconoce la existencia del Ser Supremo [por lo cual, cabe presumir, se sentía debidamente agradecido] y la inmortalidad del alma».

No es necesario destacar que el decreto acerca del Ser Supremo era un ataque frontal a los descristianizadores, muchos de los cuales, como Fouché, aún eran diputados importantes en la Convención. El festival, anunciado a la vez que el decreto, debía ser la ocasión en que el predominio moral y político del Ser Supremo sobre los infieles llegase a resultar irreversible. Esta vez no habría un Hérault de Séchelles (célebre incrédulo) que despojase de resonancia al asunto. Robespierre fue elegido presidente cuatro días antes del festival para asegurar que él representase, *ex officio*, un papel fundamental.

Tal vez el tiempo del 8 de junio —el día de Pentecostés en el antiguo calendario gregoriano— convenció a los escépticos de que, después de todo, existía un Ser Supremo y de que Robespierre era su profeta. Un sol radiante derramó sus rayos sobre las Tullerías, donde millares de parisienses se reunieron para las ceremonias matutinas. Al contemplar desde una ventana las alfombras de rosas que el equipo de David había reunido, así como los regimientos de niñas vestidas de blanco que portaban cestas de frutas, Robespierre observó a su compañero Vilate, como si estuviera ensayando su discurso: «Contemplad esa interesantísima parte de la humanidad reunida aquí». En colaboración con sus habituales poeta y músico (Marie-Joseph Chénier y Gossec, respectivamente), David había concebido el episodio como un gran oratorio romano. Un enorme grupo coral estaba formado por dos mil cuatrocientos delegados de las secciones de París, cada uno dividido en grupos humanos de ancianos, madres, muchachas, varones y niños pequeños (al parecer, como de costumbre, no había lugar para las mujeres ancianas en el universo de la cultura jacobina). En distintos momentos, cada uno de estos grupos debía entonar coros ajustados a su papel en la nueva Francia y, a continuación, se oiría el eco de sus contrapartes en la amplísima audiencia que escuchaba. En los momentos más dramáticos —como las estrofas inicial y final de «La Marsellesa» y el nuevo «Himno del Ser Supremo»—, las dos mil cuatrocientas voces cantarían juntas, para disolverse después en un inmenso canto del pueblo, cuyos ecos resonarían en el anfiteatro que Hubert había construido para la ocasión. A juicio de Robespierre, el nuevo himno sería la expresión de su religión republicana y, cuando los versos compuestos por Chénier le desagradaron, le separó airado del equipo de producción y lo reemplazó por el poeta Théodor Désorgues. Gossec y David se inquietaron tanto ante la falta de familiaridad del público con el himno que, durante las semanas que precedieron al festival, contrataron a grupos de profesores de música del Institut National para instruir a los patriotas de las secciones en la melodía y la letra.

Cuando se desvanecieron los últimos acordes del himno, Robespierre apareció para pronunciar su discurso matutino. Se había vestido exquisitamente con una chaqueta azul, una faja tricolor y un sombrero emplumado, aunque, debido a su nerviosismo, había olvidado el enorme ramo preparado especialmente para él por una de las jóvenes Duplay. (Cada diputado de la Convención portaba espigas de trigo y ramilletes de flores, aunque parece increíble que, por ejemplo, Barras lo hiciera manteniendo seria la expresión del rostro.) «Republicanos franceses —declamó Robespierre como si estuviera anunciando el retorno de la edad de oro de Ovidio—, a vosotros os toca purificar la tierra que ha sido manchada y traer de nuevo a la tierra la justicia desterrada de ella. La libertad y la virtud nacen juntas del seno de la divinidad, ninguna puede vivir sin la otra.» Al concluir la oración, tomó una antorcha llameante y, en una de las metamorfosis visuales de David, quemó la efigie del Ateísmo, de la cual surgió (algunos dicen que absolutamente blanca; otros que un poco manchada de hollín) la estatua del Saber. «Ha regresado a la nada —afirmó el Incorruptible— este monstruo vomitado sobre Francia por el genio de los reyes.»

Por la tarde, las multitudes formaron una larga procesión hasta el Campo de Marte. En el centro del desfile había un carro triunfal (similar por el diseño al que aparecía en el telón de la Opéra) tirado por ocho bueyes con los cuernos pintados de oro; en el vehículo, una imprenta y un arado, símbolos de los diferentes tipos de trabajo aprobados oficialmente. Más adelante, un carro con niños ciegos cantó un «Himno a la Divinidad», al que seguían columnas de madres que portaban rosas y padres que conducían a sus hijos armados con espadas al estilo de los Horacios de David. En el centro de lo que había sido rebautizado como Champ de Réunion, donde desde 1790 se alzaba el altar de la *patrie*, David había construido, con sorprendente rapidez, una enorme montaña de yeso y cartón (según el modelo de la que se había usado en Lyon para la Fête de la Fédératión). En su cima, de pie sobre una columna de quince metros, había un colosal Hércules con la figura cada vez más pequeña (ahora de hecho una figurilla) de la Libertad en su mano. La libertad no había sido totalmente desterrada del mundo del Ser Supremo, pues estaba representada, también en la cima de una montaña, por un árbol enorme. Su presencia era la respuesta a otra disquisición de Grégoire, en la que él había intentado revivir el culto del Árbol de la Libertad de 1791-1792 y hasta había afirmado que la especie más adecuada para celebrar la resurrección de la libertad primitiva era el roble, «el más bello de todos los vegetales europeos». Era, dijo, el árbol genealógico de la gran familia de los libres, que un día poblarían el universo. Como debía perdurar durante tantas generaciones, los niños que eran pequeños en el momento de plantarlo podrían reunir a sus retoños bajo sus ramas para relatarles los tiempos heroicos de la fundación de la libertad.

Para escuchar la música vespertina los diputados de la Convención, cargados de frutos y flores, subieron a la cima y, desde allí, contemplaron a los dos mil cuatrocientos individuos distribuidos a lo largo de los senderos, las laderas y las terrazas abiertas en la montaña. En un momento decisivo, cuando ya se habían silenciado el canto y el trompeteo de los metales marciales, Robespierre descendió de la montaña como un Moisés jacobino, abriendo las olas de los patriotas de atuendos tricolores, y recibió graciosamente una explosión de aplausos organizados que estalló sobre su cabeza. Sin duda, escuchó los sonidos burlones e irrespetuosos o la expresión de la simple hostilidad procedentes de algunos lugares, pero esto no alcanzó a arruinar la apoteosis. «Oh, día por siempre bendito —exclamaría Robespierre ante la Convención el 26 de julio (8 de termidor)—. ¡Ser de los Seres! ¿Acaso el día de la propia Creación misma —el día en que el mundo surgió de tus manos todopoderosas— brilló con luz más agradable a tus ojos que el día en que, rompiendo el yugo del crimen y el terror, esta nación se presentó ante ti en una actitud digna de tu mirada y de sus destinos?» Por supuesto, la pregunta era rigurosamente retórica.

TERMIDOR

Mientras los colchones de rosas perfumaban el aire en un extremo de París, los charcos de sangre lo contaminaban en el otro. La guillotina nada tenía que hacer en la *mise en scène* visual del Ser Supremo, de manera que Robespierre la desterró de la plaza de la Revolución al espacio abierto que había sobre el extremo de la rue Saint-Antoine, el mismo que se convertiría en la plaza de la Bastilla. Allí continuó su activo trajín, arriba y abajo, durante tres días, hasta que los residentes locales se quejaron con tanta ira del exceso de sangre, de los «olores [peligrosamente] mefíticos», de los cuerpos que se descomponían en el calor de julio, que fue desplazada de nuevo, siempre hacia el este, hacia la barrera del Trône, ahora por supuesto llamada «place du trône renversé».

Allí, Fouquier-Tinville y los Sanson elevarían la productividad hasta niveles industriales. Dos días después de la Fiesta del Ser Supremo, la Convención aprobó un decreto que todavía hoy es la carta fundacional de la justicia totalitaria. Fue sancionado después de frustrados intentos de asesinato, uno contra Collot d'Herbois, el 23 de mayo, y otro contra Robespierre, el 25. En el segundo de los casos, una joven llamada Cécile Renault, fue sorprendida cuando intentaba acercarse a Robespierre armada con dos cuchillos pequeños, animada por la curiosidad de saber «cómo es un tirano». No se esforzó mucho, pero nadie necesitaba que le recordasen el ejemplo de Charlotte Corday. Al proponer el decreto del 22 de prarial, Couthon arguyó que los delitos políticos eran mucho peores que los comunes, porque en el primer caso «se perjudican solo individuos» y en cambio en el segundo «se ve amenazada la existencia de la sociedad libre». (Este género de argumentos anticipaba el comentario de Robespierre del 8 de termidor de que el ateísmo era mucho peor que el hambre, pues, mientras «nosotros» podemos soportar el hambre, nadie lograría soportar el «crimen».)

En estas circunstancias, continuaba diciendo Couthon, cuando las conspiraciones amenazan a la República, «la indulgencia es una atrocidad [...], la clemencia es parricidio». Era necesario modificar los criterios que definían a los conspiradores y el modo de tratarlos. En adelante, todos los que fueran denunciados por «calumniar el patriotismo», «tratar de provocar el desánimo», «difundir falsas noticias» o incluso «depravar la moral, corromper la conciencia pública y menoscabar la pureza y la energía del Gobierno revolucionario» podían ser llevados ante el Tribunal Revolucionario. El tribunal podía pronunciar solo una de dos sentencias: la absolución o la muerte. Para acelerar la marcha de la justicia revolucionaria, no se permitiría llamar a testigos y el acusado no tendría abogado defensor. ¿Acaso los jurados, después de todo, no eran buenos ciudadanos, capaces de emitir un veredicto justo y sin prejuicios sobre la base de su propio criterio?

No a todos los miembros de la Convención les gustó esta medida. El diputado Rouamps reclamó que se postergase la votación y amenazó, si no se aceptaba su moción, con volarse la tapa de los sesos en la Convención. Por supuesto, Robespierre logró insinuar que todos los que se opusieran al proyecto lo hacían porque tenían algo que ocultar y dijo que «aquí no hay nadie que no pueda decidir sobre esta ley con la misma facilidad con que decidió sobre tantas otras de mayor importancia». Insistió en que se debatiera punto por punto y que después se votara, y la moción fue aceptada en un ambiente de tensa renuncia.

La ley de prarial tuvo un efecto inmediato en el ritmo de las ejecuciones, que durante las semanas precedentes ya se habían acelerado. Con el cierre de los tribunales revolucionarios provinciales, excepto una sección sureña en Orange que lidió brutalmente con los culpables de Tolón, los sospechosos de los departamentos eran juzgados ahora en París. Los sombríos resultados fueron estos:

	Ejecuciones	Absoluciones
Germinal	155	59
Floreal	354	159
Prarial	509	164
Mesidor	796	208
Termidor 1-9	342	84

De un promedio de cinco ejecuciones diarias en germinal, el índice ascendió a diecisiete en prarial y a veintiséis en mesidor.

Esta acentuación de lo que llegó a denominarse el Gran Terror fue tanto más significativa porque sobrevino en momentos en que la suerte de las armas francesas estaba mejorando de forma considerable. La *levée en masse* había puesto bajo las armas a más de tres cuartos de millón de hombres y la *amalgame* había sobrevivido al periodo más caótico de integración de los voluntarios con los soldados regulares. Gracias a los prodigiosos esfuerzos logísticos y estratégicos de Carnot, Prieur de La Côte d'Or y Jeanbon Saint-André, estaba a punto de cumplirse la temible profecía de la guerra total vaticinada por el conde de Guibert. Solamente en los talleres de Grenelle se producían treinta mil libras de pólvora al día y gran parte de ella explotaría en la cara de la sorprendida coalición. El 25 de junio, en Fleurus, el general Jourdan, que en cierto momento se elevó en un globo de aire caliente para tener una visión panorámica de la batalla, derrotó decisivamente al principal ejército austriaco de Coburgo. En el campo quedaron ocho mil enemigos muertos, incluso algunos granaderos británicos, un hecho que originó entusiastas manifestaciones de los poetas jacobinos. Poco después, Valenciennes y Condé, ocupadas con tanto esfuerzo por los aliados, fueron reocupadas por los franceses, que avanzaron a través de Bélgica en dirección a Bruselas y Amberes. Pareció que de nuevo estaba abierto el camino que llevaba a Holanda.

Como la crisis militar se había aliviado de un modo tan drástico, resultaba difícil, sobre todo para los dos ingenieros del Comité de Salud Pública, Carnot y Prieur de La Côte d'Or, comprender a qué se refería Robespierre cuando aludía a la omnipresente conspiración de los monstruos. Era indudable que Cécile Renault no representaba una amenaza suficiente para justificar la aprobación de la ley de prarial y les inquietaba sobre todo la suspensión total de la inmunidad de los miembros de la Convención. Con su estilo áspero, Carnot detestaba las posturas virtuosas del culto al Ser Supremo y se lo dijo a Robespierre en términos inequívocos.

En la élite jacobina se percibían otras fisuras. En abril, Robespierre y Saint-Just habían creado un *bureau de surveillance*, un organismo policial de carácter especial subordinado al Comité de Salud Pública, que, por tanto, avanzaba sobre su comité hermano de la Seguridad General. Los hombres más poderosos de esta institución eran Vadier y Amar, quienes, en su carácter de *terroristes* y descristianizadores entusiastas, creían ser los blancos principales de las devociones de Robespierre. Más aún, tenían aliados en el propio Comité de Salud Pública, hombres cuya creciente oposición a la dictadura de la Virtud no se nutría de la leche de la compasión humana, sino de un intenso sentimiento de autoconservación. Después de todo, Collot d'Herbois y Billaud-Varennes siempre habían ocupado un lugar un tanto particular en el comité —creado esencialmente para compensar la insurrección de las secciones el 5 de septiembre de 1793—, una amenaza que ahora en general había desaparecido. Collot había tenido que defender su conducta como *représentant-en-mission* enviado a Lyon y, durante los últimos tiempos, otros colegas se habían sentido obligados injustamente a adoptar una actitud defensiva por haber aplicado medidas que, pocos meses antes, formaban parte de la ortodoxia jacobina. Por ejemplo, Javogues afrontó un *scrutin épuratoire* excesivamente severo en el Club de los Jacobinos y, el 11 de julio (23 de mesidor), Robespierre lanzó un violento ataque contra Fouché y exigió que fuese expulsado del club. (Muy sensatamente, Fouché rehusó responder a la orden de Robespierre de que se presentase en el club para defender su conducta y, durante un tiempo, se mantuvo semioculto, evitando su casa y llevando pistola.)

En realidad, esta fue una de las visitas cada vez menos frecuentes de Robespierre al Club de los Jacobinos. Se le veía todavía con menos frecuencia en la Convención y no asistía ya a las sesiones del Comité de Salud Pública. Parecía claro que, después de una amarga y extraña reunión conjunta con el Comité de Seguridad General, a finales de junio, había llegado a la conclusión de que ya estaba harto de ese organismo en la forma que ahora presentaba. Vadier había descubierto a una anciana maravillosamente excéntrica llamada Catherine Théot, que vivía en la rue Contrescarpe; ella afirmaba ser la madre de un inminente y nuevo Mesías y sostenía que Robespierre era el heraldo de los Últimos Días, el profeta de la Nueva Alborada. Cuando la policía llegó al alojamiento de la dama, también encontró a Dom Gerle, el monje cartujo que había sido diputado en la Constituyente. Para vergüenza de David, que en un momento dado era miembro del Comité de Seguridad General, Gerle ocupaba un lugar muy destacado en el sagrado triángulo de clérigos patriotas de *El Juramento del Juego de Pelota*. (De los restantes, Rabaut Saint-Étienne había sido guillotinado y Grégoire aún gozaba de excelente salud.) Vadier aprovechó el asunto como una magnífica oportunidad para ridiculizar las pretensiones mesiánicas de Robespierre, y su adversario advirtió que el desenmascaramiento de la «conspiración» constituía un pretexto para lanzar un ataque volteriano sobre el Ser Supremo. Después de una discusión furiosa y envenenada, Robespierre logró frustrar el procedimiento, aunque no antes de que la solidaridad de los comités se hubiese visto irreparablemente dañada.

En las últimas semanas de julio, las piezas de una coalición contraria a Robespierre comenzaron gradualmente a organizarse. Los que, como Fouché, habían sido amenazados públicamente como «criminales» y aquellos que, como Collot y Billaud, intuían que pronto llegaría su turno, comenzaron a sentir temor ante la perspectiva de la nueva insurrección. El desmantelamiento parcial de los controles económicos, unido a la liquidación de las *armées révolutionnaires*, había determinado un nuevo desgaste del *assignat*, que descendió otra vez a alrededor del 36 por ciento de su valor nominal. La escasez de alimentos y la elevación de los precios del pan habían originado una grave inquietud en los artesanos y en los asalariados, lo que había provocado que se produjera una oleada de huelgas a finales de junio y julio. Si se movilizaba diestramente este descontento, podía crearse con rapidez una situación muy peligrosa. Como autor de los decretos de ventoso, Saint-Just tenía reputación de defensor de la igualdad social. Si se aliaba con Hanriot, todavía comandante de la Guardia Nacional, y convocaba a las tropas de las secciones militantes, los comités y la Convención podían verse sometidos al asedio, hasta ser obligados a autodepurarse, como había sucedido durante el mes de junio anterior; pero esta vez los propios jacobinos serían las víctimas.

Barère ansiaba en particular que no sucediese nada semejante. No estaba alineado dogmáticamente con el grupo de Robespierre ni con sus enemigos, y previó con acierto que, tan pronto como se rompiera la unidad del Gobierno revolucionario, ese hecho se convertiría en el inicio de su fin. El 22 de julio (4 de termidor) intentó concertar un compromiso que preservara la solidaridad de los comités gobernantes y, lo que era más importante, que anunciara esa cohesión ante la Convención. El plan consistía en interesar a Saint-Just y a Robespierre en la aplicación de los decretos de ventoso a cambio del abandono de todos los planes referidos a una purga. Al principio pareció que el plan funcionaba, pues tanto Saint-Just como Couthon le concedieron su cauta aprobación. Sin embargo, se derrumbó al día siguiente, cuando Robespierre apareció por primera vez en tres semanas en una reunión conjunta de los comités. Robespierre atribuyó menos importancia que Saint-Just al género de ingeniería social implícita en los decretos de ventoso y en las *institutions républicaines* de su joven amigo. Como de costumbre, la virtud y el terror ocupaban el primer lugar en su mente y, lejos de acompañar el compromiso, dejó totalmente claro que continuaría persiguiendo de manera incansable a los canallas de ambos comités.

Robespierre parecía estar aislado, pues Barère persuadió a Saint-Just de que, pese a la intratabilidad de Robespierre, presentase en la Convención un informe que destacara la unidad del Gobierno y dijese poco o nada sobre el Ser Supremo. Además, Saint-Just —quizá fatalmente para él— firmó la orden de despachar unidades de artillería de París al ejército del Norte. Sin embargo, aunque parecía que los propios aliados de Robespierre estaban dividiéndose, él preparó una de sus grandes invocaciones maniqueas en las cuales distinguía entre las fuerzas de la luz y las de la oscuridad. Creía que en definitiva era inconcebible que Saint-Just abandonase al hombre a quien en 1789 había escrito con tanta devoción.

Ese discurso, que duró dos horas, fue pronunciado en la Convención el 26 de julio (8 de termidor). Robespierre comenzó en un tono bastante inocuo y afirmó que «la Revolución francesa es la primera que se habrá basado en los derechos de la humanidad y los principios de la justicia. Otras revoluciones exigían solo ambición; la nuestra reclama virtud». Sin embargo, después continuó, al principio oscuramente y, después, de un modo muy claro, para advertir a la asamblea de que estaba tramándose una conspiración que amenazaba con la ruina de la República. Al defenderse de las acusaciones de dictadura y de tiranía, indujo gradualmente a los diputados a evocar la imagen de los que él mismo tenía en mente con alusiones a los «monstruos» que habían «hundido a los patriotas en las mazmorras e infundido el terror en todas las jerarquías y condiciones». Ellos eran los verdaderos opresores y los tiranos. Apoyándose en las doctrinas básicas de la *sensibilité* revolucionaria, declaró: «Conozco solo dos partidos, el de los buenos ciudadanos y el de los malos. Creo que el patriotismo no es una cuestión de partido, sino del corazón». Hacia el final del discurso, aunque no se había mencionado más nombre que, por extraño que parezca, el de Cambon, jefe del Comité de Finanzas, las alusiones a los herederos de Chabot, Chaumette y Fabre indicaron claramente a todos quiénes eran los autores de la «volcánica» conspiración.

Dio la impresión de que el discurso merecía una acogida cálida, pero, ante el manifiesto asombro de Robespierre, siguió un encarnizado debate sobre la posibilidad de imprimirlo, como era costumbre siempre que se había pronunciado uno importante. Cuando la discusión cobró más impetuosidad, Vadier atacó a Robespierre, porque ridiculizaba la importancia de la «conspiración» de Théot, y Cambon se defendió, pero su enemigo se limitó a decir que los comentarios del propio Cambon eran «tan ininteligibles como extraordinarios». Otro diputado le apremió para que nombrase a los acusados y Robespierre rehusó contestar, de modo que Amar le atacó porque acusaba en bloque a los miembros del comité sin permitirles defenderse. Como la sesión estaba descomponiéndose en una serie de amargos enfrentamientos, Barère intentó dar por terminado el debate, que, según dijo, «puede beneficiar únicamente a Pitt y al duque de York». (Si hubiese llegado a leer las actas de la Convención, el duque se habría asombrado al descubrir qué importante papel representaba en sus debates.)

Esa noche Robespierre pronunció el mismo discurso en el Club de los Jacobinos, donde recibió una tremenda ovación. Collot d'Herbois, que entonces ocupaba la presidencia, y Billaud-Varennes intentaron defenderse y responder al ataque, pero se vieron aislados y acallados por los gritos que reclamaban su expulsión y, lo que era más inquietante, su envío «à la guillotine». Sin embargo, no estaban acabados, ni mucho menos. Mientras pronunciaba su discurso, Robespierre había incluido su acostumbrada táctica retórica de ofrecer su sacrificio personal por el bien de la *patrie*. Esta vez le tomarían la palabra.

A la mañana siguiente, 27 de julio (9 de termidor), Saint-Just, según se había convenido, comenzó a pronunciar un discurso que debía referirse a la situación política que el Gobierno afrontaba; pero, en el lapso que había transcurrido desde el momento en que Barère le sugirió que adoptase esa actitud, la atmósfera política había cambiado bruscamente y, al verle trabajar durante la noche en el discurso, en las oficinas del comité, Billaud y Carnot comprendieron que, lejos de escribir una anodina declaración acerca de la unidad, podían prever una parrafada de peligrosas denuncias. Saint-Just apenas había llegado a la primera y obligada alusión a la roca Tarpeya cuando, en cumplimiento de un acuerdo previo, fue interrumpido por Tallien, que condenó a Robespierre en vista de que se había apartado de la dirección colectiva para pronunciar un discurso «en su propio nombre». Siguió Billaud-Varennes con una denuncia más incisiva de una amenaza formulada por Robespierre contra los miembros de los comités y la Convención. Y hecho asombroso, Saint-Just no lanzó ninguno de los contraataques por los cuales era tan temido y pareció que su elocuencia se diluía. Permaneció sentado e inerte en su silla, mientras las acusaciones se acumulaban. Al ver que su defensa se desintegraba, Robespierre intentó subir a la tribuna, pero fue acallado a gritos. El momento del desplome completo no fue quizá cuando un oscuro diputado pidió su arresto, sino cuando Vadier ridiculizó los habituales recursos de la retórica de Robespierre. «Si escuchamos a Robespierre, es el único defensor de la libertad; teme que se pierda; es un hombre de extraña modestia y dice un refrán constante: "Soy un oprimido, no me escuchan", y es el único que tiene algo útil que decir, pues siempre se hace su voluntad. Afirma: "Este y aquel conspiran contra mí y yo soy el mejor amigo de la República". Vaya novedad.» La única arma frente a la cual Robespierre era impotente ahora cayó sobre él: la risa. Cuando no atinó a encontrar palabras, un diputado gritó: «¡La sangre de Danton le ahoga!».

Sin embargo, la batalla aún no estaba decidida. En una actitud prudente, los termidorianos no solo habían decidido arrestar a Robespierre, Couthon, Saint-Just y Le Bas, sino a Hanriot, comandante de la Guardia Nacional. Sin embargo, cuando la Comuna se enteró de lo sucedido, se negó a abrir sus cárceles para recibir a los hombres y comenzó, con cierto retraso, a movilizar la máquina de la insurrección popular. La dificultad era que el Terror había dañado esa máquina al ejecutar a sus principales activistas y llenar las secciones de espías y de hombres de confianza, de modo que en realidad ya no funcionaba. De las cuarenta y ocho secciones, solo veinticuatro pidieron instrucciones específicas a la Comuna y solo trece enviaron tropas cuando se oyó el toque a rebato. Aun así fueron suficientes para liberar a los cinco hombres y permitieron que el general Coffinhal dirigiese a un número importante contra la propia Convención. Durante un momento, algunos diputados creyeron que estaban perdidos y se prepararon para recibir los disparos; pero la unidad de los enemigos de Robespierre se mantuvo, casi seguramente porque por primera vez sabían que podían movilizar una fuerza contraria reclutada en las secciones centrales y occidentales contra la Comuna. Designaron a Barras comandante de su propia fuerza y declararon a Robespierre y a sus colaboradores fuera de la ley, es decir, proscritos. Esto significaba que podían ser detenidos tras la mera verificación de la identidad, para ejecutarlos sumariamente en el plazo de veinticuatro horas.

Fue el momento decisivo de la jornada. Inquietas ante la perspectiva de enfrentarse a una Convención unida y sin duda intimidadas por la perspectiva de la ilegalidad, las tropas apostadas frente a la Convención comenzaron a inquietarse. No llegaron órdenes de la Comuna, de modo que Hanriot decidió retirar lo que restaba de su fuerza a un lugar que se encontraba frente al Hôtel de Ville. Cuando, a su vez, esa fuerza se desintegró, a las dos de la madrugada, las tropas que estaban a las órdenes de Barras ocuparon su lugar y avanzaron para apoderarse de los diputados proscritos, que se habían refugiado en el edificio. En ese momento un cuerpo cayó de una ventana a los pies de los oficiales. Era Augustin Robespierre, el hermano menor de Maximilien. Dentro encontraron al tullido Couthon, que yacía impotente en la escalera después de caer por los peldaños. En el salón del Consejo General, Le Bas se había suicidado y la cara y el cuerpo de Robespierre estaban cubiertos de sangre, con la mandíbula destrozada, quizá a causa de un frustrado intento de suicidio. Saint-Just se puso en pie y permaneció tranquilo para recibir casi desdeñosamente a quienes iban a detenerle.

A la mañana siguiente, los parisienses se despertaron y descubrieron que la guillotina había vuelto a la plaza de la Revolución. Después de la identificación sumaria por el tribunal, diecisiete defensores de Robespierre fueron guillotinados. Otros ochenta y tres miembros de la Comuna y la *mairie* siguieron durante los dos días posteriores, lo cual demostró que el partido que, por el momento, había vencido aprobaba la afirmación de Couthon de que «la clemencia es parricidio». El fin de los arquitectos del Gran Terror fue particularmente atroz, como una especie de enloquecido exorcismo del horror. El inválido Couthon fue atado a la tabla en medio de terribles dolores, con los miembros torcidos o rotos a causa de la caída. Saint-Just fue a la muerte mostrando una actitud total de estoicismo romano, el papel que él prefería. Robespierre había pasado la noche inmóvil sobre la mesa del Comité de Salud Pública, donde tantas veces había impuesto su fría disciplina. El puntilloso profeta de la virtud fue arrojado sobre la tabla por Sanson, con la chaqueta y los calzones de nanquín manchados de sangre. Con el fin de que la hoja de la guillotina no se viese obstruida, el verdugo arrancó las vendas de papel que inmovilizaban la mandíbula. De los labios de Robespierre brotaron gritos de dolor animal, silenciados solo por la caída de la hoja.

Los días y las semanas que siguieron presenciaron un doble tránsito en las prisiones de París. Cuando vio a Robespierre atacado el 8 de termidor, Jacques-Louis David había insistido en que la vida imitaba al arte (y sobre todo a su arte) y había tomado de su *Muerte de Sócrates* el pasaje: «Robespierre, si bebes la cicuta, te seguiré». Por supuesto, no hizo nada parecido y permaneció oculto durante un tiempo hasta que inevitablemente fue encarcelado en el Luxemburgo. Pudo considerarse afortunado porque los numerosos artistas cuyas órdenes de arresto él había firmado, entre ellos Hubert Robert y Joseph Boze, no le guardaron demasiado rencor. En la cárcel pintó un autorretrato que le mostraba atormentado y desconcertado, así como un paisaje lírico y terapéutico del parque visto desde el ventanuco de su calabozo.

El 24 de octubre, Hervé de Tocqueville salió de las Madelonettes. Tenía solo veintidós años y todos sus cabellos habían encanecido. Reunido con Louise, nieta de Malesherbes, comprobó que la joven se había roto ante la destrucción de su familia. Ella jamás volvería a recobrarse y se vería afectada por accesos de depresión y de melancolía. De regreso en Malesherbes, Hervé consiguió encontrar a sus dos pequeños sobrinos Chateaubriand, es decir, Christian y Louis. Eran huérfanos a la edad de cinco y tres años, y Hervé los acogió como si fueran sus propios hijos; once años más tarde se les sumaría Alexis, un primo de corta edad.

Hubo al menos un superviviente del Terror que continuó agradecido tras los barrotes. En el Jardin des Plantes, vivo de milagro, había un viejo león. Había sido trasladado a París cuando la Revolución destruyó el zoológico real de Versalles y su guardián, que respondía al pertinente nombre de Leroy, falleció en 1789. En el momento cumbre de la Revolución había tenido que soportar ser amenazado, que se riesen de él y que le escupieran, porque no solo era un «animal de la realeza», sino el «rey de los animales». Ahora se le veía descuidado y enjuto; su pelaje estaba consumido por la sarna y en la carne expuesta se veían llagas y ampollas. Sin embargo, estaba vivo y podría gozar de los frutos de la recuperación del saber estruendosamente promovida por Grégoire; una recuperación que incluía a la zoología, por entender que, después de todo, era una actividad patriótica. Entretanto, miraba con un ojo amarillento y sabio al espía inglés que escribió acerca de él (y quizá simpatizó con su derrotada realeza heráldica).

Epílogo

¿Quién puede reprochar a los termidorianos que describiesen la situación de Francia como una hecatombe? Por supuesto, les interesaba presentar las atrocidades del Terror como una responsabilidad particular de Robespierre y sus aliados, pues las manos de hombres como Collot d'Herbois, Tallien y Fouché de ningún modo estaban limpias. Su víctima expiatoria más útil fue Fouquier-Tinville, el fiscal del Tribunal Revolucionario. Cuatro días después de la ejecución de Robespierre, Fréron (que había sido un entusiasta de la ley de prarial) reclamó en la Convención que Fouquier «expiase en el infierno la sangre que ha derramado». Después de su arresto, fue llevado a la Conciergerie y allí, al enterarse de la identidad del nuevo detenido, incluso los curtidos jacobinos comenzaron a golpear las paredes y a proferir invectivas contra el «monstruo». Durante el juicio, Fouquier decepcionó a los que esperaban ver la encarnación del mal abrumado por la vergüenza y el miedo frente a sus juicios. Sin embargo, los lectores del siglo XX identificarán a un instrumento modélico de la matanza a gran escala en el padre de familia de discretos modales que alegó que siempre había obedecido la ley y que había cumplido con su deber. Se dirigió a su ejecución, en mayo de 1795, preocupado por la posibilidad de que su esposa y sus hijos, por quienes había trabajado tan largas horas, se viesen ahora amenazados por la pobreza y el destierro. Su última carta reprodujo exactamente lo mismo que declaraban muchos de sus prisioneros: «Decid a los niños que su padre murió desgraciado pero inocente».

Incluso aceptando que hubo mucho cinismo y mucha hipocresía en los termidorianos que promovieron su producción, no cabe duda de que el caudal de grabados contrarios al Terror constituyó una auténtica

911

expresión de alivio. En una de las imágenes más inquietantes, Robespierre, vestido tal y como se había presentado en la Fiesta del Ser Supremo, guillotina al verdugo, «que ha guillotinado a toda Francia». Cada una de las guillotinas que se extienden detrás como un terrorífico bosque lleva un rótulo que corresponde a una categoría de sus víctimas: «*L*: hebertistas; *O*: ancianos, mujeres y niños; *P*: soldados y generales», etcétera. En el extremo superior del obelisco que muestra la leyenda «Aquí yace toda Francia», un gorro de la libertad invertido ha sido clavado sobre una pica y convertido en la chimenea de un crematorio.

Se trata de una imagen espeluznante y persistente, y hubo muchas más. Pirámides de cráneos coronados por la máscara mortuoria del propio Robespierre que gesticula al observador; Marat danzando en el infierno, rodeado por serpientes que se retuercen; una *danse macabre*, ejecutada por una Francia con los ojos vendados, animada por el esqueleto de la Muerte que baila. En todas se manifiesta el intenso sentimiento de los que han retrocedido cuando ya estaban al borde del apocalipsis.

Sin embargo, la violencia no cesó con el Terror. Richard Cobb ha escrito con elocuencia acerca de las olas del Contraterror, especialmente brutal en el Midi y en el Valle del Ródano; de las bandas anárquicas de asesinos que elegían a sus víctimas implicadas en el jacobinismo. Los funcionarios republicanos; los oficiales militares; los miembros de las administraciones de los *départements*; los militantes destacados de las sociedades populares; y, en el sur, los agricultores y los comerciantes protestantes, todos fueron presa de los *sabreurs* del Año III. Se arrojaban los cadáveres frente a los cafés y las posadas en el Midi o los echaban al Ródano o el Saona. En muchas regiones, los contraterroristas se reunían en una posada, como si se preparasen para salir a cazar, y partían en busca de sus presas.

El invierno de 1794-1795 fue casi tan mortal y condujo a la miseria a los que habían soportado una cosecha disminuida por la sequía y por los altos precios. Con la destrucción de la Iglesia y la lenta recuperación de sus funciones pastorales, habían desaparecido muchos de los tradicionales recursos utilizados para socorrer a los necesitados. En el momento en que el frío se acentuó más, en nivoso del Año III, el Gobierno finalmente anuló lo que restaba del precio límite y de los controles reguladores. El resultado fue la desesperación y una mortalidad anormalmente elevada, no solo en las regiones más pobres de Francia, sino incluso en las áreas costeras de Normandía, donde los puertos helados impedían la importación de embarques urgentes. En las ciudades hambrientas, se reanudaron las luchas por el pan y la leña. El carbón se convirtió en un gran lujo y los hombres formaban largas filas para recibir un número que otorgaba a una familia el derecho a una ración. En París, grupos de hombres, mujeres y niños salían a talar árboles en el Bois de Boulogne, y en los bosques de Vincennes y Meudon para obtener leña. Como todas las fuentes de agua municipales estaban heladas, los aguadores tenían que ir más lejos a buscar el suministro y, cuando volvían a entrar en París, pagaban altos peajes, que, después, trataban de cobrar a sus clientes. El hambre y el frío eran tan extremos que los animales merodeadores —zorros e incluso lobos— comenzaron a aparecer cerca de las ciudades, en busca de alimento. No puede extrañar que durante el invierno del «nonante-cinq» los artesanos comenzaran de nuevo a recordar con nostalgia el Terror, «cuando corría la sangre y había pan», como dijo un participante en los disturbios de germinal del Año III.

Estos eran sufrimientos a corto plazo; pero el daño infligido por la Revolución fue mucho más lejos. Regiones considerables del país —el Midi y el Valle del Ródano, Bretaña y Normandía occidental— permanecieron en un verdadero estado de guerra civil, aunque ahora la violencia tenía un carácter azaroso e inmediato, en lugar de ser una insurrección organizada. Las grandes fábricas de la prosperidad capitalista en la Francia de finales del siglo XVIII, los puertos del Atlántico y el Mediterráneo, fueron destruidos por la represión antifederalista y por el bloqueo naval británico. Cuando Samuel Romilly regresó a Burdeos, durante la paz de 1802, se sintió desalentado al hallar los muelles silenciosos y espectrales, y la hierba que crecía entre las lajas del quai des Chartrons. Marsella y Lyon se recuperaron solo cuando retrocedió la Revolución y la reorientación del Estado bonapartista hacia Italia aportó nuevos mercados y rutas comerciales.

En ciudades textiles como Lille, muchos oficios decayeron bruscamente. Por razones obvias, todos los que trabajaban en los *métiers de luxe* —fabricantes de pelucas, sastres, maestros de danza, profesores, músicos y fabricantes de relojes— vieron desaparecer su clientela. Sin embargo, la investigación de Cobb reveló que también profesiones más populares, como la fabricación de zapatos, padecieron gravemente, a excepción de los pocos afortunados que podían obtener contratos locales para abastecer a la Armée du Nord. En las industrias textiles, los fabricantes se vieron arruinados por el precio límite, que los obligó a vender a precios muy inferiores de los que habían pagado por la materia prima antes de la aplicación de los controles. Y dada la dependencia de los tejedores con respecto del trabajo por piezas que se les entregaba, el perjuicio económico seguramente se extendió a toda la industria. ¿De qué les servía la libertad del mercado de trabajo, de la cual gozaban de forma manifiesta después de la abolición de las corporaciones, si la demanda se había derrumbado? En todo caso, no es seguro, ni mucho menos, que todos los artesanos se sintiesen entusiasmados con su nueva libertad, pues llegaba al mismo tiempo que la severa prohibición de crear cualquier tipo de organización obrera que limitase la competencia. También aquí, al menos en ciertas industrias, se reveló una tendencia a regresar a las pautas de solidaridad y organización colectivas de los antiguos *compagnonnages*, incluso cuando estaban prohibidos legalmente. En las industrias pesadas, como por ejemplo la producción de hierro, las espectaculares oportunidades generadas por la constante ampliación de la guerra a lo sumo aceleraron y reforzaron la concentración del capital y de la fuerza de trabajo, así como las economías de escala promovidas tecnológicamente que ya habían aparecido antes de la Revolución. No nos cansaremos de repetir que De Wendel y los restantes grandes barones de la metalurgia fueron subproductos de la antigua monarquía, no de la nueva revolución.

¿Qué había hecho la Revolución para resolver todas estas dificultades? Sus dos grandes modificaciones sociales —el fin del régimen señorial y la abolición de las corporaciones— prometieron ambas más de lo que aportaron. Aunque resulta indudable que muchos artesanos se sintieron felices al verse liberados de la jerarquía de las corporaciones que limitaban su fuerza de trabajo y sus beneficios, en todo caso se encontraron mucho más expuestos a las desigualdades económicas que persistieron entre los maestros y los oficiales. Asimismo, la abolición del feudalismo fue más un cambio legal que social y solo completó la evolución de señores a terratenientes, que ya era un proceso avanzado durante el Antiguo Régimen. No cabe duda de que los campesinos agradecieron el fin de las exacciones señoriales que representaban una carga aplastante de pagos en desmedro de los ingresos rurales invariables; es también seguro que estaban decididos a evitar a toda costa su restablecimiento. Sin embargo, resulta difícil determinar si se podía percibir que la masa de la población rural estaba mejor en 1799 que en 1789. Aunque, en 1793, se abolieron totalmente los pagos en concepto de amortización de los derechos feudales, los terratenientes trataron con frecuencia de compensar esto mediante diferentes estrategias de renta, que acentuaron el endeudamiento de los *métayers*. Más aún, los impuestos exigidos por la República —entre ellos el impuesto único sobre la tierra, es decir, el *impôt foncier*— no ocasionaron, desde luego, un menor desembolso que los exigidos por el rey. Antes de que pasara mucho tiempo, el Consulado y el Imperio regresarían a los impuestos indirectos en una escala por lo menos tan onerosa como la aplicada bajo el Antiguo Régimen. En el terreno fiscal se anularon como mucho los impuestos extraordinarios de capitación, incluso el antiguo gravamen del mismo nombre, y el *vingtième,* pero este alivio fue solo una consecuencia de la frontera militar cada vez más dilatada. Los impuestos que no recayeron sobre los hombros de los franceses ahora fueron a gravar a los italianos, a los alemanes y a los neerlandeses. Cuando, en 1814, esa frontera de pronto se contrajo y volvió a los antiguos límites de la *patrie* hexagonal, los franceses recibieron la factura y, al igual que en 1789, se negaron a pagarla, con lo cual sellaron la suerte del Imperio.

¿El mundo de la aldea en 1799 era muy distinto de lo que había sido diez años antes? En ciertas regiones de Francia, donde tanto la emigración como la represión fueron intensas, la vida rural en efecto vio desaparecer el dominio de los nobles; pero esta obvia ruptura disfraza una continuidad de cierta relevancia. Justo los sectores de la población que se habían beneficiado económicamente bajo el Antiguo Régimen fueron los que más aprovecharon la venta de las tierras de los nobles y de la Iglesia. Se declaró que esas ventas eran irreversibles, de modo que hubo una importante transferencia de riqueza. Sin embargo, gran parte de esta se realizó en el seno de las clases terratenientes (se extendió de los agricultores acomodados a los nobles «patriotas» que habían conseguido permanecer en Francia y que de hecho se beneficiaron con las confiscaciones). Los peces gordos engordaron todavía más. En Pulseux-Pontoise, en Seine-et-Oise, Charles-Antoine Thomassin, el más importante arrendatario y vecino del marqués de Girardin, ocupaba una posición que le permitió apoderarse de las parcelas disponibles y lo hizo de un modo tan eficaz que compitió con su antiguo terrateniente en la puja por las restantes parcelas. Por supuesto, hubo muchas regiones de Francia donde la nobleza como grupo perdió una considerable parte de su fortuna, pero también hubo otras —en el oeste, el centro y el sur— donde, como ha demostrado Jean Tulard, las tierras sin vender pudieron ser recuperadas por las familias que regresaron en un gran número después de 1796. Así, mientras muchas de las principales figuras de esta historia acabaron su vida en la guillotina, otras muchas permanecieron y resurgieron para convertirse en los principales notables de su departamento. El inexperto y joven *maître de cérémonies* que se encogió ante la ira de Mirabeau el 23 de junio de 1789, es decir, el marqués de Dreux-Brezé, continuó siendo el cuarto hombre, por la magnitud de su riqueza, en el Departamento de Sarthe durante el Consulado y el Imperio. Barral de Montferrat, antiguo presidente del Parlamento del Delfinado, que llegó a ser alcalde de Grenoble durante la Revolución, conservó su estatus de gran potentado del Isère hasta bien entrado el siglo XIX. En el Eure-et-Loir, la familia Noailles continuó siendo la gran dinastía terrateniente; en el Oise, los Rochefoucauld-Liancourt se contaban todavía entre los principales propietarios, a pesar de los desastres que habían sufrido los nobles-ciudadanos del clan.

En cambio, los pobres del campo ganaron muy poco durante la Revolución. Las leyes de ventoso propuestas por Saint-Just continuaron siendo letra muerta y fue más difícil que nunca apacentar animales en la tierra comunal o recoger leña en los bosques sin cercar. En todos estos aspectos, la Revolución no fue más que un interludio en la inexorable modernización de los derechos de propiedad que ya había avanzado bastante antes de 1789. Ningún Gobierno —ni el de los jacobinos, ni el del rey— había contestado realmente a las solicitudes de ayuda que se repitieron en los *cahiers de doléances* rurales en 1789.

Asimismo, la ruptura brutal de los factores de continuidad religiosa bajo el Terror fue solo un fenómeno pasajero (aunque en las aldeas no se olvidó nunca). Los sombreros de la libertad que habían reemplazado a las cruces en los campanarios y las torres fueron retirados bruscamente y destruidos durante el Año III. El culto del Ser Supremo gradualmente cedió el sitio a una abierta manifestación de la antigua fe, con frecuencia por la presión de las mujeres, que en muchas regiones de Francia llevaron a cabo una airada campaña de reconsagración, lo que obligó a los sacerdotes que habían prestado juramento a limpiar con cuidado la lengua de todos los que se hubiesen contaminado con una comunión constitucional. Las campanas comenzaron a repicar de nuevo en los campos y las granjas, y se volvió a las tradicionales festividades, aunque fuera necesario celebrarlas en nivoso y germinal más que en diciembre y abril.

¿La Revolución creó al menos instituciones estatales que resolvieran los problemas que habían sido causa de la caída de la monarquía? También aquí, como destacó De Tocqueville, resulta más fácil observar elementos de continuidad y sobre todo de centralización que abrumadores cambios. En las finanzas públicas, la creación del papel moneda llegó a verse como una catástrofe comparada con la cual la insolvencia del Antiguo Régimen era casi insignificante. Con el tiempo, el Consulado bonapartista (cuyas finanzas fueron administradas en gran parte por burócratas supervivientes del Antiguo Régimen) volvió a un sistema monetario basado en la importante reforma que introdujo Calonne en 1786 y que establecía la relación de la plata con el oro. También en el terreno fiscal la Francia posjacobina regresó de forma inexorable a la antigua mezcla de préstamos e impuestos indirectos y directos. La República y el Imperio financiaron grandes ejércitos y flotas con estos recursos internos, pero no demostraron más eficacia que la monarquía y dependieron esencialmente de la extorsión institucionalizada infligida a los países ocupados para mantener en movimiento la máquina militar.

Los prefectos napoleónicos siempre fueron identificados con los herederos de los intendentes reales (y de los *représentants-en-mission* revolucionarios), la administración que mediaba entre las prioridades del Gobierno central y el interés de los notables locales. Resulta indudable que estos notables habían soportado una violenta conmoción en la cúspide del Terror jacobino, sobre todo en las grandes ciudades de provincias, donde, después de la revolución federalista, fueron casi exterminados. Sin embargo, la Constitución del Año III, con su reintroducción de las calificaciones impositivas para optar a asambleas electorales, devolvió la autoridad a los que en muchos lugares la habían ejercido permanentemente entre mediados de la década de 1780 y 1792. Como hemos visto, en algunas ciudades pequeñas, por ejemplo Calais, donde los alcaldes sagaces mostraron cierto acatamiento formal a los diferentes regímenes, hubo una total continuidad del equipo dirigente desde 1789 hasta la

Restauración. Al examinar el departamento del Orne, Louis Bergeron ha encontrado un nivel extraordinario de continuidad en el grupo de los notables, calificados así según el ingreso, el estatus o el cargo. Por ejemplo, Goupil de Préfelne había sido consejero del Parlamento en Ruán y diputado de la Constituyente y se convirtió en procurador general del tribunal napoleónico de Caen en 1812. Descorches de Sainte-Croix, que había sido mariscal de campo del antiguo ejército real, era ahora prefecto y barón del Imperio. Para estos hombres y muchos otros como ellos, la Revolución había sido una interrupción brutal, aunque felizmente efímera, de su poder social e institucional.

La dictadura de la Virtud también había amenazado la ortodoxia cada vez más firme del reinado de Luis XVI, según la cual los funcionarios públicos debían tener un mínimo de conocimiento profesional y, en los niveles superiores, debían utilizar toda la ayuda de las profesiones «modernas»: ingeniería, química, matemáticas. El gran exponente de un Estado en que la ciencia y la virtud debían reforzarse mutuamente, el marqués de Condorcet, murió abyectamente derrotado, después de escapar del arresto domiciliario en París en mayo de 1794 para dirigirse caminando a Clamart, donde provocó sospechas en una posada cuando pidió una *omelette*. «¿Cuántos huevos? —preguntó la *patronne*—. Doce», replicó Condorcet, dejando entrever una perjudicial falta de familiaridad con la cocina del hombre común y corriente. Fue llevado a prisión para enviarlo después al Tribunal Revolucionario, pero le encontraron muerto en su celda antes de que se le pudiera trasladar a París. Diferentes leyendas explican este fin: un agotamiento fruto del hambre o la versión más dramática, que alude al uso del veneno retirado de un anillo. Si esta última es cierta, encajaría con la obsesión por el suicidio que se manifestó en los girondinos después de su exclusión.

Aunque el autor del *Esquisse d'un... progrès... humain* había muerto, la élite intelectual de las academias continuó la colonización del Gobierno iniciada durante el Gobierno de Luis XVI. Las grandes reformas de la educación superior que reflejaron el pensamiento de la Ilustración tardía sobrevivieron bajo el Directorio con la creación de las *écoles centrales*. Y el mundo de los *musées* y las academias, tanto en París como en las provincias, recuperó su energía intelectual, libre de cualquier intimidación política (aunque no de las luchas intestinas, algo natural dadas las circunstancias), durante la década de 1790. Los consejos de Estado y los ministerios bajo el Consulado y el Imperio incluyeron numerosas eminencias intelectuales de la década de 1780. Algunas habían sido en el camino fervientes revolucionarios; otras, no. Chaptal, inspector real de minas y profesor de química, ennoblecido por Luis XVI en 1788 según el esquema de la acostumbrada escala basada en la meritocracia, se convirtió en ministro napoleónico de Interior. Charles Gaudin, ministro de Finanzas, era hijo de un abogado parlamentario que había trabajado para la administración del *vingtième* antes de 1789. Dos ministros de Justicia, Abrial y Régnier, que también habían sido parlamentarios antes de la Revolución, realizaron carreras públicas al principio de la Revolución, sobrevivieron al Terror y avanzaron hacia el poder y el estatus durante el Directorio y durante el Consulado.

Lo que destruyó a la monarquía fue su incapacidad para crear instituciones representativas gracias a las cuales el Estado pudiese aplicar su programa de reformas. ¿La Revolución actuó mejor? En un plano, la sucesión de legislaturas electas de los Estados Generales a la Convención Nacional fue una de las innovaciones más impactantes de la Revolución. Llevaron el intenso debate acerca de la forma de las instituciones gubernamentales francesas, que se había desarrollado por lo menos durante medio siglo, al escenario de la propia representación y estructuraron sus principios con una elocuencia inigualable. Sin embargo, pese a todas sus virtudes como escenarios de la disputa, ninguna de las legislaturas resolvió nunca la cuestión que había torturado al Antiguo Régimen: ¿cómo crear una asociación viable y eficaz entre el ejecutivo y la legislatura? Tan pronto como la Constitución rechazó la propuesta «británica» de Mounier y de Mirabeau, que consistía en extraer de la asamblea a los ministros, dejó de considerarse al ejecutivo como el Gobierno del país, un cuerpo que actuaba de buena fe, y empezó a vérsele como una «quinta columna» propensa a subvertir la soberanía nacional. Con este fatal comienzo, las secciones ejecutiva y legislativa de la Constitución de 1791 se limitaron a acentuar la guerra que se hacían una a la otra hasta su mutua destrucción en 1792. El Terror invirtió eficazmente los elementos del problema, al poner a la Convención bajo la égida de los comités; pero aun así imposibilitó cambiar los gobiernos como no fuera mediante el uso de la violencia.

Los creadores de la Constitución del Año III (1795) aprendieron sin duda algo de esta ingrata experiencia. Se creó una legislatura bicameral, elegida indirectamente a partir de los colegios en los cuales la propiedad era el criterio de participación. Un consejo gobernante era responsable, en teoría, ante la legislatura (como en efecto había sido el caso de los comités). Sin embargo, en la práctica el experimento se vio oscurecido por la larga sombra de la Revolución, de modo que resultó inevitable que se formaran facciones, pero no alrededor de temas específicos del Gobierno, sino de los planes encaminados al derrocamiento del Estado y concebidos por los realistas o los neojacobinos. Como los diferentes órganos de la Constitución mantenían un conflicto paralizante unos contra otros, la violencia, mucho más que las elecciones, continuó determinando la orientación política del Estado.

Poco después del Año III, la violencia ya no procedió de las calles y de las secciones, sino del ejército uniformado. Si hubiese que buscar una indudable faceta transformadora de la Revolución francesa, esta sería la creación de la entidad jurídica del ciudadano. Sin embargo, apenas esta persona, hipotéticamente libre, fue inventada, ya el poder policial del Estado circunscribió sus libertades. Se hizo siempre en nombre del patriotismo republicano, pero no por eso las restricciones eran menos opresoras. Tal como Mirabeau —y el Robespierre de 1791— habían temido, las libertades se convirtieron en rehenes de la autoridad del Estado guerrero. Aunque esta conclusión pueda ser deprimente, no debe sorprendernos. Después de todo, la Revolución había comenzado como la respuesta a un patriotismo herido por las humillaciones de la guerra de los Siete Años. La decisión de Vergennes de promover al mismo tiempo el imperialismo marítimo y el poder militar continental fue el factor que provocó el sentimiento de pánico fiscal que, a su vez, abrumó a la monarquía durante sus últimos días. Un elemento fundamental —quizá incluso «el» elemento fundamental— en la reivindicación de los revolucionarios de 1789 fue que podían regenerar a la *patrie* mejor que los hombres designados por el rey. Por tanto, desde el principio la gran meta permanente de la militancia tuvo un carácter patriótico. El nacionalismo militarizado no fue, de un modo más o menos casual, la consecuencia involuntaria de la Revolución francesa: fue su corazón y su alma. Era totalmente lógico que los herederos multimillonarios del poder revolucionario —la auténtica «nueva clase» de este periodo de la historia francesa— no estuvieran representados por cierta *bourgeoisie conquérante*, sino por los auténticos conquistadores: los mariscales napoleónicos, cuyas fortunas consiguieron que, en comparación, incluso las que poseían los señores y príncipes supervivientes de la nobleza pareciesen mezquinas.

Para bien o para mal, los «hombres modernos» que parecían dispuestos a apoderarse del Gobierno bajo Luis XVI —los ingenieros, los industriales nobles, los científicos, los burócratas y los generales— reanudaron su marcha hacia el poder tan pronto como quedaron desechadas las molestias de la política revolucionaria. «La tragédie, maintenant, c'est la politique», afirmó Napoleón, que, después del golpe de Estado que le llevó al poder en 1799, añadió su pretensión a la que había sido planteada por tantos gobiernos optimistas antes que él, es decir, que «la Revolución ha terminado».

Sin embargo, en otras ocasiones, no se sintió tan seguro; pues, si entendía que uno de los últimos logros de la Revolución había sido la creación de un Estado militar tecnocrático de inmenso poder y solidaridad emocional, también advertía que la otra creación principal había sido una cultura política que continua y directamente cuestionaba al Estado. Lo que sucedió entre 1789 y 1793 fue una explosión política sin precedentes —en el discurso, en la imprenta, en la imagen e incluso en la música— que echó abajo todas las barreras que tradicionalmente la habían circunscrito. Inicialmente, esto fue consecuencia de la actividad de la propia monarquía, pues justo en las decenas de miles de pequeñas asambleas convocadas para redactar los *cahiers* y elegir diputados a los Estados Generales, los varones franceses (y, a veces, las mujeres) hallaron su propia voz. Al proceder así, se convirtieron en parte de un proceso que unía la satisfacción de sus necesidades inmediatas con el proceso de redefinición de la soberanía.

Se daba al mismo tiempo la posibilidad y la dificultad. De pronto, se dijo a los súbditos que se habían convertido en ciudadanos; una suma de súbditos mantenidos en su lugar mediante la injusticia y la intimidación se había convertido en una nación. A partir de este nuevo hecho, de esta «nación de ciudadanos», no solo podía esperarse, sino exigirse, la justicia, la libertad y la abundancia. Por lo mismo, si no se materializaba, los únicos responsables debían ser los que habían despreciado a su ciudadanía o que eran incapaces de ejercerla a causa de su cuna o de sus irredentas creencias. Antes de que pudiese cumplirse la promesa de 1789, era necesario eliminar a los anticiudadanos.

Así comenzó el ciclo de violencia que culminó en el humeante obelisco y el bosque de guillotinas. Por mucho que en un año de celebración el historiador pueda sentirse tentado de ver en la violencia un «aspecto» ingrato de la Revolución que no debe distraerlo de sus realizaciones, sería absurdo proceder así. Desde el propio comienzo mismo —desde el verano de 1789— la violencia fue el motor de la Revolución. La explotación consciente que el periodista Loustalot hizo del asesinato como castigo y de la mutilación de Foulon y Bertier de Sauvigny no tuvo nada que envidiar por su calculada furia a las arengas más extremas de Marat y Hébert. «Il faut du sang pour cimenter la révolution» (tiene que haber sangre para consolidar la revolución), dijo madame Roland, que, a su vez, moriría en virtud de la aplicación lógica de su entusiasmo. Aunque sería grotesco implicar a la generación de 1789 en las horribles atrocidades perpetradas bajo el Terror, sería igualmente ingenuo abstenerse de reconocer que la primera posibilitó las últimas. Todos los periódicos, todos los festivales revolucionarios, toda la vajilla pintada; todas las canciones y todo el teatro de los bulevares; todos los regimientos de niños levantando el brazo derecho para prestar juramentos patrióticos con voces aflautadas; todos estos rasgos de lo que los historiadores han llegado a designar como la «cultura política de la revolución» fueron producto de la misma preocupación morbosa por la masacre justa y por la muerte heroica.

Los historiadores también son muy propensos a diferenciar entre la violencia «verbal» y la cosa real. Al parecer, se parte de la premisa de que hombres como Javogues y Marat, que eran dados a gritar a la gente, a pedir la muerte, a regodearse con el espectáculo de las cabezas clavadas en las picas o los desfiles de hombres con las manos atadas a la espalda que subían los peldaños del *rasoir national*, se complacían solo en una retórica brutal. Los que así gritaban no deberían compararse con discretos burócratas de la muerte, como Fouquier-Tinville, que cumplían su trabajo con indiferente y silenciosa eficacia. Sin embargo, la historia de la Ville-Affranchie, de la Vendée-Vengé o de las masacres de septiembre sugiere, en realidad, un vínculo directo entre todas esas reclamaciones de sangre, orquestadas o espontáneas, y su copioso derramamiento. Contribuyó mucho a la deshumanización total de los que se convirtieron en sus víctimas. Como «salteadores», o como la «prostituta austriaca», o como los «fanáticos», se convirtieron en nulidades de la nación de ciudadanos, y no solo se podía, sino que se debía, eliminarlos, si la nación quería sobrevivir. Por tanto, la humillación y el abuso no eran meras diversiones jacobinas; eran el anticipo de la matanza.

¿Por qué fue así la Revolución francesa? ¿Por qué, desde el principio, la brutalidad se convirtió en su motor? La pregunta puede volverse contra sí, ya que si, en la práctica, la reforma era todo lo que se necesitaba, no habría habido una Revolución. De todos modos, la pregunta mantiene su relevancia si queremos llegar a entender por qué sucesivas generaciones de los que intentaron estabilizar su curso —Mirabeau, Barnave, Danton— fracasaron de forma tan señalada. ¿Puede decirse que la cultura popular francesa ya estaba embrutecida antes de la Revolución y que respondió al espectáculo de los terroríficos castigos públicos infligidos por la justicia real con sus propias formas de castigo espontáneo y sanguinario? ¿Podría afirmarse que todo lo que los inocentes revolucionarios querían hacer era ofrecer al pueblo la oportunidad de imponer ese castigo para convertirlo en parte de la conducta política regular? Esa puede ser una parte de la explicación, pero incluso un somero examen de los países que se extendían más allá de las fronteras francesas y, en especial, más allá del Canal, hasta Gran Bretaña, no permite comprender fácilmente por qué podía considerarse a Francia un país particularmente perjudicado, ya fuera por la existencia de una distancia más peligrosa entre ricos y pobres o por la manifestación de índices más elevados de delito y de violencia popular que los lugares que consiguieron evitar una revolución violenta.

La violencia revolucionaria popular no fue una especie de hirviente lava subterránea que finalmente se abrió paso hacia la superficie de la política francesa para salpicar a todos los que se le cruzaron en el camino. Quizá sería más apropiado concebir a la élite revolucionaria como a un grupo de temerarios geólogos, decididos a abrir grandes orificios en la costra del discurso cortés, para luego llevar a la superficie la materia volcánica por las cañerías de su retórica. Los Vulcanos y los pozos de vapor no parecen aquí metáforas inadecuadas, porque los contemporáneos las utilizaron sin parar. Muchos de los que debían promover el cambio violento o convertirse en sus víctimas se sintieron fascinados por la violencia sísmica, por las grandes erupciones primigenias que, según decían ahora los geólogos, no eran parte de una sola creación.

Otra obsesión confluía en este matiz romántico de la violencia: la fijación neoclásica por la muerte patriótica. Los anales de Roma (y, a veces, las fatales batallas de Atenas y Esparta) eran los espejos en los que los revolucionarios se miraban constantemente en busca de autorreconocimiento. Su Francia sería una Roma renacida, pero purificada por la gracia del corazón sensible. De lo cual sin duda se desprendía que, si se deseaba que una nación así naciera, muchos debían morir. Y tanto el nacimiento como la muerte serían al mismo tiempo bellos.

REENCUENTROS

Un día claro y fresco de septiembre de 1794, en el valle del Hudson, una joven estaba sentada frente a su casa de troncos, deshuesando una pata de cordero. Sobre ella, las hojas de los robles y los arces se habían convertido en escarlatas y oros brillantes, matices de una intensidad que ella nunca hubiera podido contemplar en Francia. Aunque estaba en América desde hacía menos de un año, ya tenía el aspecto de la esposa de un agricultor modesto, con los cabellos cortos y recogidos bajo un gorro blanco y con la falda cubierta por un delantal. Era el tipo de atuendo que las jóvenes francesas, cultivadas en la *sensibilité* rústica, habían tratado de reproducir durante la década de 1780. Ahora, como habría dicho Jean-Jacques, se manifestaba naturalmente. Una vez deshuesado y preparado el cordero, ella se dispuso a ensartarlo y ponerlo en el asador al aire libre, donde estaría durante la hora o dos que, según el estilo francés (que tanto chocaba a sus vecinos neerlandeses), aseguraría la cocción. Mientras ella ensartaba la carne en el hierro, una voz potente la sobresaltó: «On ne peut embrocher un gigot avec plus de majesté» (es imposible ensartar una pata de cordero con mayor majestad). Lucy de La Tour du Pin levantó la mirada y vio la famosa sonrisa de M. de Talleyrand que se regocijaba de verla y de su propio ingenio, una cualidad que al parecer no se había visto muy deteriorada por el exilio en el Nuevo Mundo.

Como tantos otros —por ejemplo, Fanny Burney—, ella deseaba sentir antipatía por Talleyrand. Más aún, creía que la decencia pública exigía que se le despreciase; pero no podía. Él la había conocido desde que era una niña y «le hablaba con una bondad casi paternal que era encantadora. En su fuero interno —confesaba Lucy— casi se podía la-

EPÍLOGO

mentar que hubiese tantas razones para privarse de respetarle, pero los recuerdos de sus fechorías siempre se desvanecían con una hora de su conversación». Verle allí, de pie cerca de ella, en el otoño estadounidense, con su amigo Beaumetz, no era una completa sorpresa, pues había escrito desde Filadelfia para preguntarle si podía verla después de una de las expediciones que realizaba al interior en busca de tierras para vender a los emigrados franceses. Sin embargo, Lucy no había previsto que le vería tan entero. Con puntillosa consideración se abstenía de ofender el recato de la dama (o por lo menos ofrecía sus sonrientes disculpas, si a eso llegaba, y esa actitud era casi la versión exagerada de la elegante cortesía que ella recordaba de la patria, como si estuviera insistiendo en que América no podía, en lo que él denominaba su «ancianidad» (cuarenta años), reformar a Talleyrand. Más aún, el cumplido acerca del *gigot* delataba cierta hambrienta sinceridad, de modo que ella le invitó a regresar al día siguiente para cenar con su esposo.

Talleyrand estaba pasando dos días en Albany, en casa de un amigo inglés llamado Thomas Law, que había ocupado un cargo en la India británica y con quien estaba trazando un plan comercial que uniría Calcuta con Filadelfia. Si era inevitable que viajase, ¿por qué no aprovechar de forma exhaustiva la situación? El general Schuyler, mentor de Lucy en Albany, había informado a Talleyrand dónde encontrarla y le había encargado que pidiese a los de La Tour du Pin que fueran a cenar con él al día siguiente. Como Talleyrand había aceptado regresar y Lucy, pese a todos sus recelos, deseaba su compañía, decidieron viajar juntos a Albany y dejar a los niños al cuidado de la doncella. Talleyrand y Beaumetz habían venido del Niágara. Aunque de forma abierta sentía indiferencia hacia los toscos esplendores del paisaje estadounidense, Talleyrand, en sus memorias, confesaría las emociones que en él despertó el desierto virgen; pero, durante el camino de regreso a Albany, él y Lucy deseaban hablar sobre todo de Francia y del entrelazamiento de sus historias personales y públicas.

Valía la pena relatar esas historias, llenas de peligro y tristeza. Lucy y su esposo se habían encontrado atrapados en Burdeos en septiembre de 1793 y habían presenciado allí el Terror antifederalista. Aunque la situación no era tan sombría, ni mucho menos, como la de Lyon o incluso Marsella, la guillotina instalada en la place Dauphine mostraba su ajetreo y, en vista de que los dos esposos eran miembros de una familia de la nobleza militar, tenían sobrados motivos para sentirse atemorizados. Había que soportar largas colas para conseguir las raciones de pan y carne, y entretanto ellos veían a los jóvenes servidores llevar los mejores cortes y hogazas a los *représentants-en-mission*. Lucy fijó debidamente sobre la puerta los nombres de los residentes de su casa y, como todos, escribió con la letra más ilegible que estuvo a su alcance y expresó la esperanza de que lloviese. Como su marido era hijo del ministro del Ejército en 1790, el nombre de De La Tour du Pin era muy conocido y las autoridades revolucionarias comenzaron a dejar caer inquietantes indirectas. Próxima al final de su embarazo, Lucy se refugió en la casa que su médico, M. Brouquens, tenía en Cañole, y su marido se ocultó. Primero en un minúsculo cuarto, apenas más grande que un armario, que pertenecía a un cerrajero pariente de uno de sus criados. Cuando este hombre se asustó, por temor al destino que esperaba a quienes sorprendían escondiendo a los hombres buscados, De La Tour du Pin salió de allí y, utilizando una ventana del fondo, entró en su propia casa de campo de Tesson, que había sido cerrada con llave y clausurada. Más tarde, llegó un grupo de soldados y oficiales revolucionarios para practicar un inventario de la propiedad y casi lo descubren.

Los dos cónyuges se salvaron gracias a una combinación de valentía y de corrupción. Uno de los dos *représentants* en Burdeos era Tallien; el otro, el antiguo capuchino Ysabeau, un hombre austero y siniestro. La amante de Tallien era Theresa Cabarrus, ya famosa por su espectacular belleza, que se divorció apenas las leyes revolucionarias se lo permitieron y que ejercía una considerable influencia sobre su amante de veintiséis años. Había visto una sola vez a los De La Tour du Pin, en el teatro, pero se inquietó por el destino de ambos hasta el extremo de que persuadió a Tallien para que tratara de conseguir un salvoconducto a la familia, con el pretexto de que irían a visitar sus propiedades en Martinique. (Esto sucedió apenas unos días antes de que Tallien fuese llamado a París para responder a las quejas de Ysabeau sobre su impropia indulgencia.)

Después de un inquietante viaje por el río desde su escondite, De La Tour du Pin se reunió con su esposa en la casa de Meyer, un mercader y cónsul comercial neerlandés. Al día siguiente, Theresa Cabarrus los vio partir desde el muelle de Chartrons, «su bello rostro humedecido por las lágrimas».

926

Cuando el capitán se sentó al timón y gritó «Vamos», una inenarrable felicidad me invadió. Sentada frente a mi esposo, cuya vida estaba salvando, con mis dos hijos sobre mi regazo, nada parecía imposible. La pobreza, el trabajo, la miseria, nada me parecía difícil. No cabe duda de que el golpe de remo con que el marinero nos apartó de la costa fue el momento más feliz de mi vida.

En camino a Boston a bordo del *Diana*, que con la ayuda de la bruma evitó a los barcos de guerra franceses, Lucy realizó su propia revolución. Cierto día, mientras se peinaba, le pareció absurdo soportar el complicado embrollo de los afeites y los rizos. Tomó un par de tijeras y se cortó los cabellos, «anticipando, como después se vio, la moda "Titus". Mi esposo se enfadó mucho. Arrojé por la borda los cabellos y, con ellos, se fueron las frívolas ideas que mis bonitos rizos rubios habían fomentado». Los ritos de paso continuaron cuando, sentada en la cocina semitechada, hervía habichuelas con el cocinero del barco, mientras trataba de aprender de él cuál era la naturaleza del país adonde se dirigía.

Desde el momento en que Lucy la vio, América fue un refugio maravilloso frente a la sombría turbulencia de la Revolución. Su hijo de cuatro años, Humbert, comprendía lo que había estado sucediendo en Francia en la medida suficiente para saber que la familia huía porque ciertos hombres con sombreros rojos querían matar a su padre. A bordo del barco lloró mucho, «pero cuando desde el estrecho arroyo que estábamos cruzando [en el puerto de Boston] vio los campos verdes, los árboles florecidos y toda la belleza de una frondosa vegetación, su alegría no tuvo límites». Para Lucy, Nueva Inglaterra y Nueva York fueron algo más que un mero asilo. En la amabilidad y la sencillez de las personas a quienes conoció, vio todas las virtudes que le habían enseñado a admirar: la sinceridad, la falta de artificio, la laboriosidad y el trabajo. Fue como si, en una revolución realizada a un lado del Atlántico, la cultura de la *sensibilité* se hubiera convertido en una grotesca caricatura de la amable moral que presuntamente debía expresar, y en cambio al otro lado se hubiese preservado de forma milagrosa. Sin hacer ostentación de ello, América todavía tenía la inocencia y la frescura espontánea que era necesario legislar en Francia. Ante la mirada agradecida de Lucy, el país parecía una sucesión de idilios que no se deterioraban ni siquiera a causa de la auténtica privación material que ella soportaba. En Wrentham (Massachusetts), Lucy se alojó en la casa de un plantador de las Antillas, allí «había lagos con una serie de pequeñas islas boscosas que parecían jardines flotantes». En una finca próxima a Albany, cenaron con tres generaciones de una familia que, sin duda, hubiera debido posar para Greuze: un abuelo de cabellos blancos, el marido y la mujer, «ambos sobresalían por su vigor y su belleza», y los niños, que eran los seres terrenales más parecidos a creaciones de Rafael y Rubens. Después de la cena, el patriarca se puso en pie, se quitó el gorro y anunció que los presentes beberían «a la salud de nuestro bienamado presidente».

La inevitable noticia de la ejecución de su padre, en todo caso, logró que madame de La Tour du Pin se mostrase más decidida que nunca a lograr que su propia familia sobreviviese. Mientras esperaban, primero la compra de una pequeña finca y, después, el traslado a ella, Lucy se consagró a la rutina de una mujer de campo y se levantaba al alba para alimentar a los animales u ordeñar las vacas, atender la cocina o leer a los niños. Una vez instalada, transformó una casa sucia y casi en ruinas en una activa colmena, y estaba orgullosa de la vacada de ocho reses que producían una mantequilla «muy solicitada» en la localidad. Antes eran una familia señorial y ahora los De La Tour du Pin pagaban un alquiler, en forma de sacos de maíz, al *patroon* neerlandés Rensselaer. Lucy vestía las faldas de lana con rayas azules y negras, y los corpiños de percal de las campesinas neerlandesas del Hudson, algo que chocó a La Rochefoucauld-Liancourt cuando llegó para presentar sus saludos, si bien cuando ella se cambió para ir a la ciudad a su vez miró inquieta los calzones de nanquín muy remendados que él usaba.

A veces llegaban paquetes de Talleyrand, que puntuaban la ruta de sus peregrinaciones: algunos de Maine; otros de Pennsylvania; y otros de Nueva York. Eran todos regalos bienvenidos: un grueso y húmedo queso Stilton que impresionaba a los vecinos; una espectacular silla y arreos de montar para dama; una caja de quinina, cuando Talleyrand supo, gracias a los rumores que circulaban en el grupo de los emigrados, que ella de nuevo había caído enferma de fiebre terciana; y, lo que fue más valioso, la oportuna información de que el banquero estadounidense del esposo de Lucy estaba a un paso de la bancarrota. Una pronta visita de Talleyrand, en la que mostró una expresión que indicaba la gravedad del caso (sin hablar de la amenaza de la publicidad), arrancó al financiero las letras de cambio neerlandesas que eran los ahorros de los De La Tour du Pin. Cuando el esposo fue a Filadelfia para liquidar el negocio, ella le acompañó hasta Nueva York, donde de nuevo se reunieron con Talleyrand en la casa del angloindio Law.

Allí, Lucy se encontró con Alexander Hamilton, a quien ya había conocido en Albany. Él acababa de renunciar al Tesoro y se proponía reconstruir la hacienda de la familia con la práctica jurídica privada. Talleyrand se desconcertó ante la idea de que hubiera lugares del mundo en que el cargo oficial, en efecto, empobrecía a los hombres, pero se reanimó de inmediato al verse estimulado por la aguda inteligencia inquisitorial de Hamilton, y así ambos mantuvieron prolongadas discusiones sobre los vicios y las virtudes de las dos revoluciones. Se sirvió el té en la terraza y Lucy se sentó con el grupo de hombres —Law, Talleyrand, Beaumetz y otros que se acercaron, entre ellos Emmery, otro exdiputado de la Constituyente— para hablar de política y de historia, de los caprichos de la fortuna y las locuras de los hombres, hasta que las estrellas aparecieron en el cielo de julio sobre Manhattan.

El encanto estadounidense se disipó con cruel brusquedad, cuando Séraphine, la hija de dos años nacida en Burdeos en la culminación del Terror, murió de fiebre intestinal. Lucy y el esposo trataron de distraerse con nuevos proyectos agrarios, como por ejemplo la explotación de su amplio huerto para obtener sidra de manzanas guardada en viejos barriles Médoc. La noticia de los cambios políticos en Francia comenzó a abrir la posibilidad del regreso. Muchos de los amigos que eran refugiados, entre ellos Talleyrand, ya habían decidido partir, pero Lucy tenía sentimientos contradictorios en este sentido. «Francia me ha dejado solo recuerdos horrorosos. Allí perdí mi juventud, destruida por terrores innumerables e inolvidables.» Sin embargo, consideró que no podía oponerse al manifiesto deseo de regreso de su marido. Para protegerse de lo que temía que podía ser un nuevo capítulo de sensaciones de ansiedad, Lucy decidió adoptar una actitud pública: un gesto de liberación que nada tenía que ver con el Terror revolucionario. En una ceremonia pública liberó a sus cuatro criados negros, con gran desagrado del mayordomo del *patroon*. En mayo de 1796, la familia embarcó para Francia y madame de La Tour du Pin vio alejarse el puerto de Nueva York, con pena y añoranza por su pequeña parcela de libertad en el valle del Hudson.

En cambio, Talleyrand ansiaba regresar. Como de costumbre, Germaine de Staël había arreglado milagrosamente las cosas. Con su insistente capacidad para convencer había conseguido que Boissy d'Anglas pronunciara en el cuerpo legislativo un discurso que incidía en que Talleyrand había sido proscrito de forma injusta, pues no había emigrado en 1792, sino que en realidad había sido enviado en misión oficial. En todo caso, los fugitivos de las masacres de septiembre merecían ahora ser diferenciados de los abyectos lacayos de la vieja monarquía que habían huido con la cola entre las patas, a Coblenza o a Turín, en 1789. Ese seguro y viejo alquilón que era Marie-Joseph Chénier había usado lo que quedaba de su capacidad teatral para presentar una apelación aún más apasionada en defensa del patriota ofendido, y en definitiva el resultado fue que Francia esperaba a Talleyrand: «Citoyen, La France t'ouvre ses bras». Talleyrand jamás negó un abrazo.

En todo caso, para Talleyrand América había sido principalmente una esfera de actividad relacionada con la propiedad inmobiliaria. Apreciaba el refugio que este país significaba y hasta se había aficionado al modo en que absolutos desconocidos se comportaban con una turbadora cordialidad que parecía que se hubiesen conocido desde siempre. A veces tenía la impresión de que quizá habían sido educados por el tutor del *Émile*. A diferencia de Lucy de La Tour du Pin, Talleyrand nunca había concedido a la sinceridad, a la falta de artificio y a la sencillez un lugar elevado en su jerarquía de las cualidades que determinaban que la vida fuese digna de ser vivida. De modo que, al llegar a Filadelfia, notó que sentía un profundo hastío. «Llegué, indiferente del todo a las novedades que generalmente interesaban a los viajeros.» También se deprimió por la actitud de los personajes de la sociedad local, que dieron la espalda al sacrílego disipado, exactamente como habían hecho en Londres. Peor aún, Washington, a quien había deseado conocer, no aceptó recibirle. Fauchet, el embajador francés del Terror, había logrado que Talleyrand fuese *persona non grata*. Con respecto a los cuáqueros de la ciudad de William Penn en Filadelfia, Talleyrand podía ver que, en efecto, eran personas honestas, del mismo modo que el *Bonhomme Richard* lo era, pero detrás de esa máscara de virtud estaba Benjamin Franklin, lo cual por desgracia era más de lo que podía decir de muchos de sus conciudadanos. De modo que Talleyrand se complació ofendiéndolos y caminando por Market Street, con su cojera, la amante negra del brazo y el perrito pisándole los talones. Sin embargo, para él su amante no era solo un modo de molestar a los burgueses. La casa que ella tenía en la North Third Street era uno de los lugares del exilio estadounidense a los que Talleyrand podía denominar su hogar.

El otro era una librería en First Street, propiedad de Moreau de Saint-Méry, su viejo amigo en la Sociedad de los Treinta y la Constituyente. En la trastienda, Moreau imprimía una modesta publicación para la comunidad de emigrados, titulada *Le Courrier de la Frunce et des Colonies*, que cumplía la función de servicio postal periodístico e informaba a la comunidad del lugar en que se encontraba cada uno de sus miembros itinerantes y cuáles eran las posibilidades de regreso, al mismo tiempo que les permitía regocijarse con la noticia del eclipse de sus enemigos, sobre todo después del 9 de termidor. En chez Moreau, Talleyrand se reunía con varios de sus compañeros: Noailles, casi el único de los veteranos de la guerra estadounidense que había conseguido volver; Omer Talon, el obispo constitucional de Chartres; el marqués de Blacon; y el omnipresente La Rochefoucauld-Liancourt. En esas reuniones podían desechar la penosa emisión de su defectuoso inglés y volver al francés verboso y burbujeante de los salones. Las copas y la charla ruidosa continuaban hasta bien entrada la noche y, al final, la esposa de Moreau se quejó de que si, por una parte, estaba muy bien que ellos se divirtiesen y escandalizaran hasta Dios sabía qué hora, por otra, algunas personas tenían que levantarse temprano por la mañana. Era frecuente que Talleyrand durmiese allí, rodeado de los libros de Moreau y del olor de la prensa de imprimir, tan feliz como podía llegar a serlo en el exilio.

En todo caso, ciertos aspectos de América le atrajeron de inmediato y no fue el menos importante la posibilidad que el país le ofrecía de amasar una gran fortuna de forma muy rápida. En el Nuevo Mundo le impresionaba constantemente la gran importancia que la sociedad atribuía a la simple riqueza y, aunque para él el dinero no era nada más que un medio de librarse de la humillante dependencia o de gozar de los placeres de la generosidad, había razones suficientes que le inducían a amasar su propia fortuna en América. No se trataba de que Talleyrand, también en esto a diferencia de su pequeña campesina Lucy de La Tour du Pin, respetase el camino aprobado de la laboriosidad y de la perseverancia, sino que le seducía más el modo, también auténticamente estadounidense, de la aventura especulativa. «Una de las características especiales de las revoluciones de este siglo, favorables o contrarias a la libertad —escribió— es que imponen cautividad al capital.» De Panchaud, en París, había aprendido la importancia de liberarlo y uno de los aspectos del jacobinismo que más detestaba era su irracional odio al mercado monetario. Le parecía característico del utopismo jacobino, de su falta de modernidad sin esperanza, de su dogmática simplicidad; y no le sorprendió saber que la receta de Cambon para detener la inflación había sido el cierre de la Bolsa.

En cambio, él estaba dispuesto a liberar el capital de riesgo para lograr que trabajase tanto para beneficio del propio Talleyrand como en armonía con los intereses de su nueva patria (a la cual había jurado fidelidad en la sala de un magistrado de Filadelfia). Inicialmente intentó lanzar un banco estadounidense y bonos de Estado en el mercado de Londres. Sin embargo, a pesar de los grandes esfuerzos de su amigo Hamilton, las condiciones económicas del Nuevo Mundo todavía no ofrecían bastante seguridad como para atraer a un número suficiente de compradores del Viejo Mundo que justificaran la iniciativa. Después intentó comprar cereal en el antiguo mercado de futuros, casi como si, de forma premeditada, estuviera desafiando a la moral económica impuesta por el Terror. El mercado de tierras parecía más prometedor que cualquiera de estas iniciativas, pues el norte de Nueva Inglaterra y Nueva York tenían millares de hectáreas que podían atraer la inversión del capital para el desarrollo. Talleyrand se proponía obtener una comisión sobre las compras, pagada por los grandes vendedores, entre ellos el general Knox, secretario de Guerra, que tenía extensas posesiones en Maine, u obtener ganancias de transferencias especulativas realizadas con empresas como la Holland Land Company, con sede en Ámsterdam, pero que operaba en América por medio de una oficina en Filadelfia. Con la ayuda de Thomas Law, incluso concibió la original idea de vender tierras estadounidenses en la India a los grandes y acaudalados saqueadores de la British East India Company, que de ese modo podían realizar atractivas inversiones a la vez que evitaban todas las inspecciones (y los impuestos) que hubieran debido afrontar si remitían a Londres los pagos.

El historiador que desee investigar el capitalismo francés no necesita ir más allá de Talleyrand en 1794-1795. Educado por un banquero suizo de la década de 1780, frustrado por lo que él entendió que era el dogma reaccionario de la Revolución acerca de la regulación económica y liberado en América para manipular bonos, futuros, tierras, propiedad inmobiliaria urbana —lo que se cruzara en su camino—, Talleyrand el noble, el obispo, el constitucionalista, el diplomático, fue también Talleyrand el capitalista: el heraldo del mundo moderno.

En función de una paradoja que él apreció abiertamente, la realización de este sueño del dinero fácil conllevó que el propio Talleyrand se convirtiese en un conocedor de las regiones apartadas. Durante el otoño de 1794, antes de que comenzaran las nevadas, inició con su criado Courtiade y con Beaumetz dos viajes de examen y exploración. Uno le llevó por la costa de Maine, más allá de Portland, hasta la Île des Monts Déserts de Champlain. Las extensas notas que recogió se limitan principalmente a explicaciones cuidadosas de las oportunidades económicas para la agricultura, descripciones de la excelencia de los puertos naturales hallados en la boca del Kennebec, así como una crítica descripción de los pescadores, a quienes censuró por su falta de iniciativa, pues rara vez se alejaban más de tres kilómetros de la costa y «asomaban el brazo por la borda de su embarcación». En lugar de racimos de casitas pobres, azotadas por el viento y pegadas a las rocas, Talleyrand concibió un gran territorio agrícola, con abundantes prados y tierras cultivables, que alimentaría tanto a la propia región como a las áreas densamente pobladas de Massachusetts.

La roca desnuda y el denso bosque provocaban en Talleyrand una reacción racionalista, no romántica. Allí donde la sensibilidad revolucionaria podía haberse regodeado con el ambiente natural, o podía haber meditado sombríamente acerca de los orígenes de la libertad que anidaba en los bosques primitivos, o podría haber contemplado, extática, las ruidosas cascadas, el moderno empresario que subyacía en él cavilaba sobre lo que podía «hacerse» con toda esa propiedad raíz. Incluso cuando en un caso se permitió la contemplación de las bellezas del paisaje, sus pensamientos nunca estuvieron muy lejos de los proyectos encaminados a domesticarlo. «Había bosques antiguos como el propio mundo; pastos verdes y abundantes alfombrando las orillas de los ríos; grandes prados naturales; flores extrañas y delicadas completamente nuevas para mí [...], en presencia de estas inmensas soledades dimos rienda suelta a nuestra imaginación. Nuestras mentes construyeron ciudades, aldeas y villorrios.»

Sin embargo, en ciertos momentos, la civilización que Talleyrand llevaba en su cabeza, y a la cual siempre ansiaba regresar, parecía verse casi absorbida por la naturaleza estadounidense. Aun así, cada vez que él se encontraba frente al espectro de Jean-Jacques, lo combatía con la sombra contraria de Voltaire. Cierta vez perdió de vista totalmente a su criado en la oscuridad del bosque y tuvo que gritar: «Courtiade, ¿estás ahí?». Y llegó la respuesta: «Pero, *oui*, Monseigneur, aquí estoy». Que le contestasen formalmente con su título eclesiástico completo les pareció a los dos hombres tan profundamente divertido que las risas atravesaron la arborescente espesura como si hubiera sido el hacha civilizadora de Talleyrand.

Un año después estaba listo para regresar a París. En mayo de 1795, gran parte de su propiedad personal había sido subastada para permitirle que él sobreviviera en Filadelfia. Sotanas violetas, puños de encaje, espectaculares muebles, cuadros y dibujos, todo cayó bajo el martillo por sumas mezquinas que provocaron el amargo resentimiento de ese cumplido especulador que era Talleyrand. El elemento que pareció confirmar su reputación fue un enorme guardarropa lleno de exquisitas prendas femeninas —sedas, tafetanes, muselinas, túnicas, sombreros, incluso medias—. ¿Habían pertenecido a Adélaïde de Flahaut? ¿O eran sencillamente la expresión del excesivo sentido de hospitalidad de Talleyrand? El sentimiento de pérdida personal que tal vez experimentó ante la desaparición de sus posesiones fue quizá aún más intenso, porque, por un golpe de mera suerte, pudo devolver un valioso tesoro a Lucy de La Tour du Pin. Una mujer a quien él conocía en Filadelfia le había mostrado un camafeo de María Antonieta, pues deseaba saber si había un auténtico parecido. Al verlo, Talleyrand se sobresaltó, pues advirtió inmediatamente que pertenecía a su amiga. Había sido «confiado» por los amigos neerlandeses de la familia a un joven diplomático estadounidense, con el propósito de que él lo protegiese; en cambio, ese hombre lo había conservado. Talleyrand se apoderó de la pieza y la envió a su agradecida propietaria.

Quizá esta coincidencia acentuó su deseo de regresar a Francia. Al recibir la noticia de su exculpación, Talleyrand escribió una carta de conmovido agradecimiento a Germaine de Staël y se preparó, no sin demasiada prisa, a partir durante la primavera. Antes de iniciar su viaje, en junio de 1796, paseaba por las murallas de Battery, en Manhattan, con su viejo amigo Beaumetz, tratando de suavizar el golpe de la separación, así como el hecho de que él estaba saboteando los planes cuidadosamente trazados para hacer fortuna en la India. Cuando su amigo se sumió en un extraño silencio romántico, Talleyrand tuvo el súbito presentimiento de que Beaumetz se disponía a hacer algo violento, algo revolucionario: matarle, suicidarse o ambas cosas. Se lo dijo y el apesadumbrado Beaumetz cayó llorando en los brazos de Talleyrand.

Era conmovedor, pero estas pasiones no podían retrasar las cosas serias. El barco danés *Den Ny Proeve* estaba esperando. Su nombre bastante impresionante significaba «La nueva prueba»; pero Talleyrand embarcó, confiado en que ya había afrontado con éxito una abundante cuenta de pruebas. ¿Qué terrores podía depararle el océano Atlántico cuando él había sobrevivido a las masacres de septiembre?

Mientras Talleyrand saboreaba la libertad estadounidense, el francés más honrado por el Nuevo Mundo languidecía en una cárcel austriaca. La generación de 1776 había pasado desastrosamente a manos del Terror. Kersaint y D'Estaing, los ídolos de la nueva Marina de Luis XVI, habían sido guillotinados. Rochambeau debía subir al carro justo después de Malesherbes, pero, no se sabe por qué, lo pasaron por alto y estuvo en la cárcel el resto del Terror; de allí le liberó Termidor. Biron, compañero de armas de Lafayette (el antiguo duque de Lauzun), había caído víctima de la ofensiva hebertista contra los generales nobles de la Vendée y también a él le habían cortado la cabeza en la plaza de la Revolución.

Aunque Lafayette continuaba vivo —al igual que los amigos que le acompañaron cuando, en 1792, se dirigió a las líneas austriacas, como por ejemplo los *constitutionnels* Bureau de Pusy y Alexandre de Lameth, el peor enemigo de Mirabeau— los sufrimientos que afrontó, de todos modos, fueron graves. Resultó característico que la rectitud de Lafayette los agravase aún más. A diferencia del pragmático Talleyrand, Lafayette creía invariablemente que todo lo que hacía se ajustaba por completo a determinados principios. Incluso cuando desertó de su propio ejército, se dijo que estaba huyendo, no de Francia, sino de los sanguinarios individuos que se habían apoderado del país. De modo que él era un patriota, no un traidor. Así, cuando los austriacos y los prusianos le preguntaron primero si había traído el «tesoro» con él, Lafayette rio, incrédulo, porque también ellos habían caído en la caricatura del emigrado según la cual todos los que salían de Francia lo hacían por las razones más deshonestas; después le preguntaron si estaba dispuesto a revelar detalles de la estrategia militar francesa, sugerencia que él recibió indignado.

Puesto que Lafayette parecía decidido a comportarse como republicano, los austriacos llegaron a la conclusión de que bien podían tratarle como tal. Y la declaración oficial proclamó: «La existencia de Lafayette es incompatible con la seguridad de los gobiernos europeos». En un principio, los prusianos se hicieron cargo de él y le llevaron a la prisión de Magdeburgo, donde se le asignó un calabozo húmedo y fétido de cinco pasos y medio de lado. Mantuvo su actitud inflexible e incluso rechazó solicitudes personales del rey Federico Guillermo de Prusia, de modo que fue trasladado en enero de 1794 a la fortaleza de Neisse, donde durante unos meses se les concedió a los prisioneros franceses el lujo de verse e incluso de recibir de vez en cuando una carta.

Sin embargo, hacia final de año Lafayette fue devuelto a los austriacos, como un paquete que en realidad nadie aceptaba, pues su situación estaba provocando críticas hostiles tanto en América como en los círculos *whigs* de Gran Bretaña. Fue llevado al castillo de Olomouc, una sombría ciudadela almenada. Allí se abandonaron todas las pretensiones de tratamiento especial. Le quitaron todas sus posesiones, excepto un reloj y una muda de ropa. Ya no le dejaron ver a nadie, ni comunicarse con el mundo o con sus compañeros de prisión, ni recibir ningún tipo de noticias oficiales acerca de la Revolución o de la guerra (y mucho menos noticias personales de su familia, atrapada en Francia). Se les prohibió a los carceleros usar el nombre de Lafayette. Debía ser una nulidad sepultada en vida, exactamente como le había sucedido a Linguet en la Bastilla.

Sin embargo, en cierto momento, casi con seguridad como reacción a la hostil publicidad transmitida por el embajador estadounidense en Viena, John Jay, la rutina cambió. Se le permitieron dar paseos diarios por los bosques y los campos, con una escolta armada. Y este pequeño alivio de su confinamiento provocó un intento de fuga. El impulsor fue el joven médico alemán Justus Bollmann, que había sido visitante de Juniper Hall y se había sentido muy impresionado por Germaine de Staël, Talleyrand, Narbonne y los demás. Decidido a salvar a Lafayette, cultivó la amistad del médico de la cárcel y consiguió introducir cartas, a las que el marqués replicó utilizando papeles perforados con mondadientes o con una tinta invisible fabricada con jugo de limón, agua y hollín. El día señalado, Bollmann llevó caballos que esperaban exactamente en el límite del camino que Lafayette seguía en sus paseos, pero, cuando el prisionero fingió admirar el sable de su guardia y preguntó si podía verlo, el soldado empezó a sospechar. Hubo una lucha y Lafayette huyó, pero solo después de que el guardia, sin duda un hombre de espíritu poco deportivo, le arrancara parte del dedo. Dominado por el dolor y el pánico, oyó a Bollmann que gritaba «Hoff», y supuso que en el pésimo inglés que ambos compartían significaba «Get off» o «Go away». En realidad, aludía a la aldea de Hoff, donde los esperaban caballos de refresco y auxilios. Lafayette tomó el camino equivocado y, a unos treinta kilómetros de distancia, en el villorrio de Sternberg, fue alcanzado y devuelto a Olomouc.

Ahora comenzó el periodo más desesperado de su encarcelamiento: el confinamiento solitario, las raciones apenas suficientes para sobrevivir, la falta de libros. Enfermaba constantemente, perdió muchos de sus cabellos y adelgazó y perdió fuerzas. Parecía que las sombras comenzaban a cubrir su vida.

Una mañana de octubre de 1795, sin advertencia previa, se abrieron las puertas dobles de su calabozo. A la luz que inundó súbitamente la celda, vio a su esposa Adrienne y a sus dos hijas, Virginie y Anastasie. No era un espejismo de su imaginación carcelaria. Como una aparición fantástica, estaban ante él, con la alegría de la reunión frustrada por la espectral apariencia de Lafayette, un esqueleto raído y apenas vivo, agobiado por una tos persistente. La decisión que llevó a Adrienne a ir a Austria para encontrar a su esposo demostró un valor y una entrega superiores a todo lo que podrían haber evocado los novelistas de la *sensibilité*. En primer lugar, ella tuvo que sobrevivir al Terror y, en efecto, estuvo un tiempo encarcelada en París, antes de que Termidor la salvase de la guillotina. Sin embargo, tuvo que esperar hasta enero de 1795 para recobrar la libertad con la ayuda de James Monroe, embajador estadounidense en París. Se trasladó hasta la casa de Monroe y, utilizando de nuevo sus buenos oficios, logró obtener un visado para ella y para sus hijas; fue a Viena y consiguió una entrevista con el emperador Francisco II. Así, mediante un decreto imperial, consiguió el derecho de compartir el encarcelamiento de su esposo.

Siguió una extraña vida, al mismo tiempo dolorosa y consoladora, durante casi un año y medio. Adrienne y Gilbert compartían una mísera celda. Las jóvenes, de trece y dieciocho años, ocupaban otra. El único miembro ausente de la familia era el hermano de las jóvenes, George Washington Lafayette, que estaba a salvo en Mount Vernon, al cuidado de su ilustre padrino. Era casi imposible recrear en Olomouc el idilio familiar —esa obsesión de la nobleza ciudadana del siglo xviii—, pero las tres mujeres lo intentaban como podían. Los miembros de la familia hacían juntos sus horribles comidas, servidas en cuencos de madera sucios, pero incluso esos pequeños rituales se veían brutalmente interrumpidos por los guardias, que expulsaban a las jóvenes después de poco más o menos diez minutos. A medida que Lafayette mejoró un poco, la salud de Adrienne comenzó a deteriorarse gravemente. Al fin, en mayo de 1796, George Washington, que se había visto limitado por la necesidad de preservar la neutralidad estadounidense, escribió una carta personal al emperador:

> Únicamente deseo, si me permite, someter a la consideración de Su Majestad una pregunta: la prolongada prisión [de Lafayette], la confiscación de su propiedad y la indigencia y dispersión de su familia, así como los dolorosos sentimientos de ansiedad añadidos a todas estas circunstancias, ¿no forman una colección de padecimientos que le recomiendan a la mediación de la humanidad?

¿No podía permitírsele que viajara a América?

Sin embargo, las apelaciones a la conciencia humana influían poco sobre la razón de Estado. Solo durante la primavera siguiente, cuando los ejércitos austriacos en Italia fueron arrasados tan decisivamente por Napoleón Bonaparte que necesitaron pedir la paz, la situación de Lafayette se convirtió en objeto de negociación. Hacia 1797, Talleyrand estaba de regreso en Francia; más aún, era uno de los protagonistas políticos. Sieyès y otros hombres de 1789 otra vez ocupaban posiciones poderosas e influyentes y el nombre de Lafayette ya no producía aversión; pero los franceses que controlaban el Directorio, asediados por los realistas, por una parte, y por los neojacobinos, por otra, no estaban muy seguros de que conviniese correr el riesgo de verle otra vez en Francia. Se pidió su liberación, al igual que la de Latour-Marbourg y la de Bureau de Pusy; se estipuló que Lafayette iría a América y se estableció el compromiso de que no pasara a Francia. Al principio, el canciller austriaco Thugut rechazó la reclamación y, al final, se obtuvo la liberación solo gracias a la insistencia de Bonaparte.

Sin embargo, a un paso de la libertad, como el nervioso cónsul francés en Hamburgo (adonde habían llegado los Lafayette) escribió a Talleyrand, el nuevo ministro de Relaciones Exteriores, el marqués había planteado una cuestión de principios: los austriacos habían aceptado su liberación con la condición de que firmase un documento en el que prometiera no volver a pisar jamás los dominios del emperador, pero Lafayette se negó, pues existía un solo país que tenía «derechos sagrados» sobre él y en el futuro él tendría que ir a donde ese país le enviase. A pesar de esta última e inflexible bobada, los acuerdos para su liberación continuaron sin él, algo que no inquietaba a Lafayette, pues había permanecido fiel a la única fe que le obligaba: el patriotismo y la libertad. Se mantenía firme en estos principios incluso cuando Francia los traicionaba. Más aún, por muchas veces que ella los traicionara, en la revolución o en la reacción, encontraría a Lafayette siempre leal al espíritu de 1790: el hombre montado en el caballo blanco con la tricolor alrededor del cuerpo.

Para Lafayette, durante el curso de su vida, los recuerdos revolucionarios fueron una liberación; para Théroigne de Méricourt significaron la cárcel.

En la primavera de 1793, mientras pronunciaba un discurso en la Terrasse des Feuillants para la Société des Femmes Républicaines, había sido violentamente atacada por mujeres del mercado que eran partidarias de la Montaña. Estaban cansadas de que se las sermonease sobre los deberes de las ciudadanas y detestaban los intentos de defender a los girondinos realizados por Théroigne de Méricourt. Desvestida y golpeada, fue salvada, algunos dijeron que por Marat. Al margen de que estas historias fueran o no ciertas, Théroigne recuperó la conciencia, pero no el equilibrio mental. Fue llevada a un hospital para pobres y desvalidos del faubourg Saint-Marceau. Estuvo encerrada el resto de su vida, que se prolongó veintitrés años más, trasladada de un sombrío hospital al siguiente, y acabó en La Salpêtrière, que era más una prisión que un asilo, donde murió en 1817.

Théroigne había estado antes en la cárcel. Durante un imprudente viaje en el que regresó a su Lieja natal en 1791, fue arrestada por los austriacos y tratada como si hubiera sido una destacada espía. Después de ser interrogada en Bélgica, fue llevada al castillo de Kufstein, en el Tirol (donde dos años más tarde el «aeronauta» Blanchard fue confinado después de un aterrizaje forzoso en las montañas, también por creer que era un espía). Tras un interrogatorio más intenso, los austriacos no pudieron obtener nada de ella y debieron contentarse con el diagnóstico del médico de la cárcel que afirmó que ella padecía de «fiebre revolucionaria».

Cuando le afeitaron el cráneo, la fiebre regresó con toda la intensidad de un incontenible delirio. Permanecía sentada en una celda, con los cabellos cortados, mirando con hostilidad los muros. El sombrío silencio que descendía sobre ella se interrumpía periódicamente con un flujo de denuncias lanzadas con frases revolucionarias inteligibles a medias: «comité de salut public», «liberté», «coquins». En los paroxismos más ásperos de su demencia ella renegaba contra los «moderados». Durante un periodo de relativa lucidez, alrededor de 1808, alguien que recordaba a la *belle liégeoise* de 1789 solicitó verla, y Théroigne le acusó inmediatamente de «traicionar la causa del pueblo». El visitante se retiró sin saber cuán grave era realmente el desequilibrio que ella padecía.

Para algunos, Théroigne se convirtió en motivo de diversión; para otros, fue una extraña forma de museo viviente de lemas semiolvidados y molestos. En distintos periodos, algunos funcionarios bienintencionados intentaron averiguar el rastro de su familia y escribieron al prefecto del Departamento del Ourthe, para tratar de encontrar información. Esquirol, médico y especialista en personas dementes, que estaba escribiendo un tratado titulado *Les Maladies mentales*, la clasificó como *lypémanique*, es decir, afectada por una forma de depresión maniaca. La autopsia que practicó después de la muerte de Théroigne le convenció de que la causa residía en la conformación irregular del colon.

Hacia 1810 había desaparecido del mundo de los vivos en todos los sentidos, salvo el biológico. Detestaba las ropas, de modo que se sentaba desnuda en su celda y rechazaba enfurecida incluso la más sencilla bata de lana que le ofrecían para protegerla del frío invernal. En las escasas ocasiones en que salía de la celda para tomar el aire o para beber de los sucios charcos que se formaban en el patio, a veces aceptaba usar una liviana camisa, pero nada más. Todos los días vertía agua fría sobre la paja de su cama y, en ocasiones, rompía el hielo del patio para conseguirla, como si solo el exceso de frío pudiese enfriar la fiebre de su demencia. Periódicamente aún se la oía murmurar imprecaciones contra los que habían traicionado a la Revolución.

Indiferente a todos los visitantes, preocupados o insensibles, que la veían, Théroigne, según parece, vivía entonces totalmente en el universo de la Revolución, y la Revolución, en ella. No tiene objeto demostrarle simpatía, pues, en cierto sentido, la locura de Théroigne de Méricourt era el desenlace lógico de las compulsiones del idealismo revolucionario. Al descubrir finalmente una persona de apariencia casi sublime y de inocencia presocial, alguien que vivía desnudo y purificado con las salpicaduras del agua helada, la Revolución podía llenarla como si hubiera sido un vaso. En su pequeña celda de La Salpêtrière, había al menos un lugar donde el recuerdo revolucionario podía persistir, imperturbable ante el desorden cotidiano de la condición humana.

Fuentes y bibliografía

PRÓLOGO. CAPACIDAD DE EVOCACIÓN,
CUARENTA AÑOS DESPUÉS

La historia del elefante de la Bastilla puede verse en Marie Biver, *Le París de Napoléon*, París, 1963. Acerca de Talleyrand en 1830, Georges Lacour-Gayet, *Talleyrand*, vol. 3, París, 1931. También la biografía moderna, apropiadamente sarcástica, de Jean Orieux, *Talleyrand ou le Sphinx Incompris*, París, 1970, pp. 737-744. Las propias *Mémoires* de Talleyrand, vols. 3 y 4, duque de Broglie (ed.), París, 1892, son, incluso juzgadas por el autor, excesivamente lacónicas en cuanto al papel que él representó en la revolución de 1830. [Hay trad. cast.: *Memorias del príncipe de Talleyrand*, Barcelona, Desván de Hanta, 2014.] La obra de M. Colmache, *Revelations of the Life of Prince Talleyrand*, Londres, 1850, es mucho más expresiva y tiene el sello de la autenticidad. La autoconciencia que se manifiesta en el recuerdo de Lafayette sobre 1830 es muy clara a partir de una lectura de sus propias *Mémoires, Correspondances et Manuscrits*, París, 1837-38, vol. 6, pp. 386-415, así como en el informe de su secretario durante este periodo, B. Sarrans, *Memoirs of General Lafayette and of the French Revolution of 1830*, 2 vols., Londres, 1830. El mejor relato de los acontecimientos de julio de 1830 en París pertenece a David Pinkney, *The French Revolution of 1830*, Princeton, 1972, y es una espléndida historia de la incursión triunfal de Lafayette en Estados Unidos en 1825. El informe sorprendentemente público acerca del *tumeur monstrueuse* de Charles Delacroix y su extirpación quirúrgica aparece en el *Moniteur* del 24 germinal, año VI, 13 de abril de 1798.

1. Hombres nuevos

Padres e hijos

Acerca de la visita de Talleyrand a Voltaire, véase M. Colmache, *Revelations...*, pp. 82-86. Los últimos meses de Voltaire en París aparecen reflejados de forma vívida en el número 276 de la publicación maravillosamente chismosa de Pidanzat de Mairobert, *L'Espion Anglais ou Correspondance Secrete entre Milord All Eye et Milord All Ear*, publicada en Londres y muy accesible en París. La expedición de Lafayette a América ha sido tratada detalladamente en los dos primeros volúmenes de la monumental biografía de Louis Gottschalk, *Lafayette Comes to America*, Chicago, 1935, y *Lafayette Joins the American Anny*, Chicago, 1937. Las citas de las cartas a su esposa pertenecen al vol. 2. Stanley J. Idzerda, en un artículo muy persuasivo e importante, «When and Why Lafayette Became a Revolutionary», en Morris Slavin y Agnes M. Smith (comps.), *Bourgeois, Sans-culottes and Other Frenchmen. Essays on the French Revolution in Honor of John Hall Stewart*, Waterloo, Ontario, 1981, pp. 7-24, ha atacado la importancia que Gottschalk asigna a las aventuras juveniles y el interés práctico, y ha reafirmado las raíces ideológicas y psicológicas del compromiso de Lafayette. La carta a Vergennes, en la p. 43, aparece citada en Gilbert Bodinier, *Les Officiers de l'Armée Royale Combattants de la Guerre d'Indépendance des États-Unis de Yorktown à l'An II*, Vincennes, 1983, p. 285. La devoción de Lafayette hacia Washington tiene quizá su mejor expresión en la correspondencia entre ambos, compilada por Louis Gottschalk, *The Letters of Lafayette to George Washington 1777-1779*, Nueva York, 1944. Puede obtenerse un mejor conocimiento del compañerismo de la joven nobleza liberal en *Lettres Inédites du Général Lafayette au Vicomte de Noailles 1780-1781*, París, 1924.

Héroes contemporáneos

La historia del patriotismo francés antes de la Revolución continúa siendo un asunto muy mal investigado. Se hallarán esbozos en Jean Lestocquoy, *Histoire du Patriotisme en France*, París, 1968, y en Marie-Madeleine Martin, *Histoire de l'Unité Française. L'Idée de la Patrie en France des Origines à Nos Jours*, París, 1949. Un estudio más específico, que documenta el ascenso de un patriotismo más agresivo después de la guerra de los Siete Años, es el de Frances Acomb, *Anglophobia in France 1763-1789*, Durham, Carolina del Norte, 1950. Una obra contemporánea fundamental es la de J. Rossel, *Histoire du Patriotisme Français*, París, 1769. Se hallará otro relato intensamente romántico de la pasión por la *patrie* en «Discours sur les Événements de l'Année 1776», en *Le Courrier d'Avig-*

non, 1777, p. 6. Gilbert Chinard ha aportado una última introducción a su edición de la obra de Billardon de Sauvigny, *Vashington*, Princeton, 1941, que también describe la historia teatral de su *Hirza ou les Illinois*. La historia de la representación del *Siège de Calais*, de Belloy, podrá encontrarse en la edición de 1787 de la misma obra; véase también F. Acomb, *Anglophobia...*, pp. 58-59, y John Lough, *Paris Theatre Audiences in the 17th and 18th Centuries*, Oxford, 1957. La mejor descripción de la batalla de Couëdic y su culto está en Georges Lacour-Gayet, *La Marine Militaire de la France sous le Règne de Louis XVI*, París, 1901, pp. 297-298, y sobre la decisión de exponer cuadros de la batalla en las academias navales, *ibid.*, p. 575. Respecto del culto similar de la «Belle-Poule», véase *L'Espion Anglais*, 1778, vol. 9, pp. 146-147. Véase también *Brest et l'Indépendance Américaine*, Brest, 1976; Lee Kennett, *The French Forces in America 1780-1783*, Westport, Connecticut, y Londres, 1977; y Jonathan R. Dull, *The French Navy and American Independence*, Princeton, 1975. Hay representaciones de asuntos estadounidenses en la literatura de viajes, en el arte decorativo y en los grabados franceses; véase al respecto el catálogo de exposición de Betty Bright P. Low, *France Views America*, Eleutherian Mills Historical Library, Wilmington, Delaware, y *Les Français dans la Guerre d'Indépendance Américaine*, Musée de Rennes, 1976. El trabajo de Durand Echeverria, *Mirage in the West. A History of the French Image of American Society to 1815*, Princeton, 1956, fue el estudio precursor en este campo. Sobre la recepción ofrecida a Lafayette en Francia y el culto a Franklin en la corte, véase madame de Campan, *Mémoires sur la vie de Marie-Antoinette*, París, 1899, pp. 177-179. Existe una nutrida literatura acerca de la franklinmanía en Francia. Véase sobre todo el fascinante artículo de James Leith, «Le Culte de Franklin avant et pendant la Révolution Française», en *Anuales Historiques de la Révolution Française*, 1976, pp. 543-572; el catálogo de exposición de Louise Todd Ambler, *Benjamin Franklin. A Perspective*, Fogg Museum of Art, Cambridge, Massachusetts, 1975; Gilbert Chinard, «The Apotheosis of Benjamin Franklin», en *Proceedings of the American Academy of Arts and Sciences* (1955); Jonathan R. Dull, «Franklin in France. A Reappraisal», en *Proceedings of the Annual Meeting of the Western Society for French History*, 4 (1976); y Kenneth M. McKee, «The Popularity of the "American" on the French Stage in the French Revolution», en *Proceedings of the American Philosophical Society*, 83, 3 (1940). Gran parte de este material ha sido reunido en Philip Katz, *The Image of Benjamin Franklin in the Politics of the French Revolution 1776-1794*, Harvard University Program for Social Studies Dissertation, 1986. El relato de las «13» celebraciones en Marsella aparece en *L'Espion Anglais*, 1778, vol. 9, pp. 75-76. Los comentarios del abate Robin sobre los estadounidenses aparecen citados en Gilbert Bodinier, *Les Officiers de l'Armée Royale Combattants de la Guerre d'Indépendance des États-Unis de Yorktown à l'An II*,

Vincennes, 1983, p. 345. Con respecto a la política de Vergennes en América, véase Orville T. Murphy, *Charles Gravier, Comte de Vergennes. French Diplomacy in the Age of Revolution 1719-1787*, Albany, 1982; su comparación de la política en Ginebra y en América está en la p. 400.

2. HORIZONTES AZULES, TINTA ROJA

Les beaux jours

Acerca de la coronación de Luis XVI, véase H. Weber, «Le Sacre de Louis XVI», en Actes du Colloque International de Sorèze, *Le Règne de Louis XVI*, 1976, pp. 11-22; *idem*, «Das Sacre Ludwigs XVI vom 11 Juin 1775 und die Krise des Ancien Régime», en Ernst Hinrichs, E. Schmitt y R. Vierhaus (comps.), *Vom Ancien Régime zur Französischen Revolution. Forschungen und Perspektiven*, Gotinga, 1978; también el soberbio ensayo (casi un libro pequeño) de Jacques Le Goff, «Reims, Ville du Sacre», en Pierre Nora (ed.), *Les Lieux de Mémoire*, vol. 2, *La Nation*, París, 1986, parte I, pp. 161-165. Las quejas de Turgot sobre los gastos de la coronación, así como algunos detalles de las decoraciones fueron consignados por Pidanzat de Mairobert en *L'Espion Anglais*, 1775, pp. 320-327.

La crianza de Luis XVI ha sido descrita en P. Girault de Coursac, *L'Education d'un Roi. Louis XVI*, París, 1972; gran parte de su diario fue publicada por L. Nicolardot, *Journal de Louis XVI*, 1873. Sobre la visita real a Cherburgo en junio de 1786, véase *Histoire Sommaire de Cherbourg avec le Journal de Tout Ce Qui s'est Passé au Mois de Juin 1786*, Cherburgo, 1786; *Voyage de Louis XVI dans la Province de Normandie*, «Filadelfia» [París], 1786; *Gazette de France*, 4 de julio de 1786; J. M. Gaudillot, *Le Voyage de Louis XVI en Normandie*, Caen, 1967; y Georges Lacour-Gayet, «Voyage de Louis XVI à Cherbourg», en *Revue des Études Historiques* (1906). Respecto a la familiaridad con la cultura náutica, véase Louis-Petit de Bachaumont, *Mémoires Secrets pour Servir à l'Histoire de la République des Lettres*, 36 vols., Londres, 1781-789, 2, 3 y 9 de julio de 1786.

Acerca de la pasión de Luis por la caza (y para conocer la mejor exposición general de su reinado), véase François Bluche, *La Vie Quotidienne au Temps de Louis XVI*, París, 1980.

Océanos de deuda

El pasaje de Chateaubriand procede de *Mémoires d'Outre-Tombe*, París, 1849, vol. 1, p. 91. [Hay trad. cast.: *Memorias de ultratumba*, Barcelona, Acantilado, 2004.] Las cifras del coste de la Marina francesa han sido tomadas de Dull,

French Navy and American Indépendence; la construcción naval también ha sido útilmente calculada en T. Le Goff y J. Meyer, «Les constructions Navales en France», en *Annales. Economies, Sociétés, Civilisations* (1971), pp. 173 y ss.

Los dos artículos que en conjunto contribuyen abrumadoramente a revisar los supuestos tradicionales sobre la frecuencia y la carga de los gravámenes franceses son Peter Mathias y Patrick O'Brien, «Taxation in Britain and France 1715-1810», en *Journal of European Economic History* (1976), pp. 601-650; y Michel Morineau, «Budgets de l'État et Gestion des Finances Royales au 18e Siècle», en *Revue Historique* (1980), pp. 289-336. Otros estudios importantes sobre las finanzas son J. F. Bosher, *French Government Finance 1770-1795*, Cambridge, Inglaterra, 1970, y C. B. A. Behrens, *Society, Government and Enlightenment. The Experience of Eighteenth-Century France and Prussia*, Nueva York, 1985, en particular el cap. 3. Sin embargo el hincapié que estas obras hacen en los bloqueos estructurales e institucionales opuestos a la solvencia ha sido seriamente cuestionado por una obra excepcionalmente enérgica, aunque un tanto técnica, de James Riley: *The Seven Years' War and the Old Regime in France. The Economic and Financial Toll*, Princeton, 1986. La obra de François Hincker, *Les Français Devant l'Impôt sous l'Ancien Régime*, París, 1971, ofrece una explicación clara y útil del problema. La historia de referencia estándar, ahora un tanto envejecida, es Marcel Marion, *Histoire Financière de la France depuis 1715*, París, 1921. Sobre la venalidad como fuente de ingresos antes de la Revolución, véase la importante contribución de David D. Bien, «Offices, Corps, and a System of State Credit. The Uses of Privilege under the Ancien Régime», en Keith Michael Baker (ed.), *The Political Culture of the Old Regime*, Oxford, 1987; 89-114.

La recaudación monetaria y las guerras de la sal

Acerca de los recaudadores generales, véase George Matthews, *The Royal General Farms in 18th-Century France*, Nueva York, 1958, así como Yves Durand, *Les Fermiers Généraux au XVIIIe Siècle*, París, 1971; también Jean Pasquier, *L'Impôt des Gabelles en France aux XVII et XVIIIe Siécles*, París, 1905. Sobre los contrabandistas de la sal, véase el texto soberbiamente evocador de Olwen Hufton, *The Poor of Eighteenth-Century France*, Oxford, 1974. Con respecto a los estereotipos de los financiers, véase H. Thirion, *La Vie Privée des Financiers au XVIIIe Siècle*, París, 1895, y Jean-Baptiste Darigrand, *L'Anti-Financier*, Ámsterdam, 1763.

Las últimas esperanzas: el promotor

Hay dos excelentes descripciones de la carrera de Turgot: Douglas Dakin, *Turgot and the Ancien Régime in France*, Londres, 1939, y Edgar Fauré, *La Disgrâce de*

Turgot, París, 1961. Un enfoque mucho más hostil (muy persuasivo en ciertos pasajes) es el de Lucien Langier, *Turgot on la Mythe des Réformes*, París, 1979. Parte de la acusación de Langier se basa en R. P. Shepherd, *Turgot and the Six Edicts*, Nueva York, 1903. Con respecto a los efectos de la reforma fisiocrática sobre el comercio de cereales, véase S. L. Kaplan, *Bread, Politics and Political Economy in the Reign of Louis XV*, 2 vols., La Haya, 1976. Sobre la teoría fisiocrática, véase G. Weulersse, *Le Mouvement Physiocratique en France 1756-1770*, 2 vols., París, 1910, y la importante historia intelectual de Elizabeth Fox-Genovese, *The Origins of Physiocracy*, Ithaca, Nueva York, 1976, además de Ronald L. Meek (ed.), *Turgot on Progress, Sociology and Economics*, Cambridge, Inglaterra, 1973.

Las últimas esperanzas: el banquero

Dos obras han contribuido a una nueva e importante valoración de la administración de Necker: Jean Egret, *Necker. Ministre de Louis XVI*, París, 1975, y R. D. Harris, *Necker, Reform Statesman of the Old Regime*, Berkeley, 1979, esta última basada en nuevas investigaciones documentales realizadas en Coppet (Suiza), que confirman muchas de las afirmaciones incluidas en la *Compte Rendu*. Véase también H. Grange, *Les Idées de Necker*, París, 1974, y Édouard Chapuisat, *Necker 1732-1804*, París, 1938.

3. ATAQUE AL ABSOLUTISMO

Las aventuras de M. Guillaume

La biografía estándar de Malesherbes continúa siendo la excelente obra de Pierre Grosclaude, *Malesherbes, Témoin et Interprète de son Temps*, París, 1961. Acerca de la evolución de su ideario político, véase la excelente antología e introducción crítica de Elizabeth Badinter, *Les Rémonstrances de Malesherbes 1771-1775*, París, 1985. Merece la pena consultar al menos otras dos obras: J. M. Allison, *Malesherbes*, New Haven, 1938, y el trabajo de su primer biógrafo, Boissy d'Anglas, *Essai sur la Vie, les Écrits et les Opinions de M. de Malesherbes*, París, 1819.

Redefinición de la soberanía: el desafío de los parlamentos

Una serie de ensayos de la importante obra compilada por Keith Michael Baker, *The Political Culture of the Old Regime*, Oxford, 1987, aborda este tema, sobre todo los trabajos de Dale van Kley y William Doyle. Baker también ha publicado un importante ensayo acerca del cambio de la ideología de la oposición: «French Political Thought at the Accession of Louis XVI», en *Journal of Modern History* (junio de 1978), pp. 279-303. Los preceptos del absolutismo real reformulados por Luis XV han sido examinados en Michel Antoine, «La Monarchie Absolue», incluido en el mismo volumen de la revista. El análisis fundamental del desarrollo del vocabulario y de la ideología que se oponían al discurso parlamentario continúa siendo una destacada obra que se adelantó mucho a su tiempo: E. Carcassonne, *Montesquieu et le Débat sur la Constitution Française*, París, 1927. Sobre la difusión y la popularización de las ideas de Montesquieu, véase Franco Venturi, *Utopia and Reform in the Enlightenment*, Cambridge, Inglaterra, 1971. La única omisión importante de Carcassone es la aportación de la retórica jansenista en la época del ataque a los jesuitas, un asunto tratado por una relevante obra: Dale van Kley, *The Jansenists and the Expulsion of the Jesuits from France 1757-1765*, New Haven y Londres, 1975. Véase también, del mismo autor, *The Damiens Affair and the Unravelling of the Ancien Régime 1750-1770*, Princeton, 1984. J. Flammermont publicó los textos completos de la *Rémontrances du Parlement de Paris au XVIIIe Siècle*, 3 vols., París, 1888-1889. El trabajo del mismo autor acerca de la crisis Maupeou se ha visto superado ahora por Durand Echeverria, *The Maupeou Revolution. A Study in the History of Libertarianism. France 1770-1774*, Baton Rouge, Luisiana, 1985. Véase también Jean Egret, *Louis XV et l'Opposition Parlementaire*, París, 1970, y William Doyle, «The Parlements of France and the Breakdown of the Old Regime 1771-1788», en *French Historical Studies* (1970), p. 429. Sobre la argumentación real en la crisis, véase David Hudson, «In Defence of Reform», en *French Historial Studies* (1973), pp 51-76. Crónicas de las ceremonias del retorno de los Parlamentos de Metz y Pau aparecen en Pidanzat de Mairobert, *L'Espion Anglais*, 1775, vol. 2, p. 200; véase también H. Carré, «Les Fêtes d'une Réaction Parlementaire», en *La Révolution Française* (1892).

Ahora abundan los estudios excelentes que tratan los parlamentos como institución social y política. Los precursores en esta área fueron Franklin Ford, *Robe and Sword. The Regrouping of the French Aristocracy after Louis XIV*, Cambridge, Massachusetts, 1953, y François Bluche, *Les Magistrats du Parlement de Paris 1715-1771*, París, 1960, que continúa siendo una de las obras maestras en este género, pero lamentablemente abarca solo el periodo hasta la crisis Maupeou. La excelente obra de Bailey Stone, *The Parlement of Paris 1774-1789*, Chapel Hill, Carolina del Norte, 1981, continúa la historia a lo largo de la Revolución y muestra exactamente cómo se dividió la nobleza judicial sobre la manera de tomar distancia, tanto en el tono como en el contenido, para hacer valer su concepto de soberanía. La soberbia obra de William Doyle, *The*

Parlement of Bordeaux and the End of the Old Regime 1771-1790, Nueva York, 1974, estudia una de las cortes soberanas más elocuentes, pero también muestra la vacilación de su personal durante la crisis Maupeou. El folleto más importante y trascendente producido por un magistrado de Burdeos fue el *Catéchisme du Citoyen*, Burdeos, 1775, reimpr. en 1788, de Joseph Saige. Otros estudios locales importantes son los de M. Cubells, *La Provence des Lumières. Les Parlementaires d'Aix au XVIIIe Siècle*, París, 1984, y A. Colombet, *Les Parlementaires Bourguignons à la Fin du XVIIIe Siècle*, Dijon, 1937, ahora complementados por el trabajo de Brian Dooley, *Noble Causes. Philanthropy Among the Parlementaires in 18th-Century Dijon*, Disertación en la Universidad de Harvard, 1987.

¿Nobleza obliga?

No existe un estudio moderno de D'Argenson, pero, en todo caso, el mejor modo de conocer a esta figura extraordinaria es estudiarlo en sus propios escritos, sobre todo en las *Considérations sur la Gouvemement de la France*, un trabajo publicado treinta años después de ser escrito, Ámsterdam, 1764.

Ahora hay una amplia bibliografía sobre los asuntos de la movilidad social y el privilegio. Dos puntos de partida tienen que ser Colin Lucas, «Nobles, Bourgeois and the Origins of the French Revolution», en *Past and Present*, 60 (agosto de 1973), pp. 84-126, y la importante obra revisionista de Guy Chaussinand-Nogaret, *The French Nobility in the Eighteenth Century. From Feudalism to Enlightenment* (traducción inglesa de William Doyle, Cambridge, Inglaterra, 1985), cuya posición respecto de la *noblesse commerçante* ha seguido muy de cerca. La Biblioteca Kress de la Harvard Business School posee contratos de comercio y de organización de sindicatos industriales de finales del siglo XVIII que destacan la espectacular y activa participación de la nobleza. Véase, en este contexto, la obra del abate Coyer, *Développement et Défense du Systeme de la Noblesse Commerçante*, Ámsterdam, 1757. La importante obra de Patrice Higonnet *Class, Ideology and the Rights of Nobles During the French Revolution*, Oxford, 1981, comienza con una discusión del grado de separación y fusión de la burguesía y la nobleza, y cuestiona algunos de los supuestos revisionistas. Otros estudios importantes son David Bien, «La Réaction Aristocratique avant 1789», en *Annales. Economies, Sociétés, Civilisations*, 1974; Alfred Cobban, *The Social Interpretation of the French Revolution*, Cambridge, Inglaterra, 1964; R. Forster, *The Nobility of Toulouse in the 18th Century*, Baltimore, 1960; *idem*, *The House of Saulx-Tavannes, Versailles and Burgundy 1700-1830*, Baltimore y Londres, 1971; *idem*, «The Provincial Nobles. A Reappraisal», en *American Historical Review*, 1963; J. Meyer, *La Noblesse Bretonne au XVIIIe Siècle*, París, 1972; y G. V. Taylor, «Non-Capitalist Wealth and the Origins of the French Revolution», en *American Historical Review*, 1967. Gail Bossenga ha ampliado los métodos de David Bien para obtener un enfoque renovado y excepcionalmente esclarecedor de la historia social y política de las instituciones de este periodo. Véase, sobre todo, «From Corps to Citizenship. The *Bureaux des Finances* Before the French Revolution», en *Journal of Modern History*, septiembre de 1986, pp. 610-642, donde la autora muestra cómo los poseedores privilegiados de cargos, paradójicamente, elaboran teorías de solidaridad y de ciudadanía para defender los avances reformistas de la corona sobre su corporación.

El ataque de Gouvelle a Montesquieu aparece citado en E. Carcassonne, *Montesquieu et le Débat...*, p. 620.

4. LA FORMACIÓN CULTURAL DE UN CIUDADANO

La formación de un público

Robert Darnton atrajo por primera vez la atención sobre el globo como una de las novedades científicas que originaron una especie de hipérbole social generalizada, en *Mesmerism and the End of the Enlightenment*, Cambridge, Massachusetts, 1968. Acerca del ascenso en globo realizado en Versalles, véase *L'Art de Voyager dans l'Air*, París, 1784, pp. 68 y ss., y [Rivarol], *Lettre à M. le Président de xxx sur le Globe Airostatique*, Londres, 1783; hay comentarios más irónicos en Framjois Métra, *Correspondance Secréte Politique et Litteraire...*, Londres, 15 de febrero de 1784; la heroica descripción de Montgolfier aparece en B. Pingeron, *L'Art de Faire Soi Même les Ballons*, París, 1784, p. 15. Una de las muchas extáticas odas para alabar a Montgolfier, *Le Globe-Montgolfier*, 1784, de Le Roy, lo compara con el águila:

> *Quel volume! Quel poids! Quel vol majestueux*
> *Quel pompeux appareil dans les airs se deploie.*
> *Paris, j'entends ses cris de surpris et de joie.*

> (¡Qué volumen! ¡Qué peso! ¡Qué vuelo majestuoso!
> Qué pomposo aparato en los aires se despliega.
> París, escucho sus gritos de sorpresa y alegría.)

Los comentarios irónicos sobre el caos social provocado por los ascensos en globo están en [Rivarol], *Lettre*, pp. 12-13. Sobre Pilâtre de Rozier, véase *Vie et Mémoires de Pilâtre de Rozier*, París, 1786; también Léon Babinet, «Notice sur Pilâtre de Rozier», en *Mémoires de l'Académie de Metz* (1865). El diario *Journal de Paris* (1782) incluye noticias de las conferencias de Pilâtre de Rozier sobre *Electricité et Aimant* en el *musée*, así como de otras conferencias de física y química; el número del 11 de febrero de 1782 ofrece demostraciones de su traje impermeable. La reacción del público ante el ascenso en Saint-Cloud ha sido descrita por Linguet en sus *Annales Politiques*, Londres, vol. II, pp. 296-303. El ascenso en Lyon aparece vívidamente descrito en el *supplément* de la segunda edición de *L'Art de Voyager dans l'Air*; el vuelo de Blanchard en Normandía se encuentra en el *Journal de Paris*, 18 de julio de 1784, pp. 893-896; véase también el minucioso grabado en el mismo diario, 28 de julio de 1784, p. 968. La muerte de Pilâtre está descrita en [J.-P. Marat], *Lettres de l'Observateur Bons-Sens [sic]*, Londres, 1785. Las instrucciones acerca de los globos de fabricación casera están en Pingeron.

La descripción del Salón por Pidanzat de Mairobert aparece en *L'Espion Anglais*, vol. 7, p. 72. Thomas Crow, *Painters and Public Life in Eighteenth-Century Paris*, New Haven, 1986, es el análisis más importante del público y de los críticos del Salón. El público de los teatros del bulevar ha sido descrito con brillantez en Robert M. Isherwood, *Farce and Fantasy. Popular Entertainment in Eighteenth-Century Paris*, Nueva York y Oxford, 1986, así como en otro estudio excelente, Michele Root-Bernstein, *Boulevard Theater and Revolution in 18th-Century Paris*, Ann Arbor, 1984, que trata parte del mismo material que utiliza Isherwood, pero se muestra más ambicioso al conferirle implicaciones políticas. El autor también proporciona (p. 80) una espléndida recreación del medio físico de los pequeños teatros en el boulevard du Temple. Los *Annales Politiques* de Linguet de 1779 (p. 236) contienen un elogio del teatro L'Ambigú Comique, de Audinot, y sobre todo de los actores y mimos infantiles «que arrancan lágrimas a los ojos, excitan el terror y la admiración, y provocan todos los efectos que tan a menudo faltan en los grandes teatros y las mejores obras». Linguet también reclamó una *révolution* en el ballet, de modo que los bailarines se convirtiesen en auténticos actores y sus danzas, en historias, más que en «una sucesión de ridículas piruetas sin objeto, ni propósito».

Acerca de los antecedentes teatrales de Ronsin y Grammont, véase Richard Cobb, *The People's Armies (Les Armées Révolutionnaires)* (traducción inglesa de Marianne Elliott, New Haven y Londres, 1987, pp. 68-69). Sobre el público del Palais-Royal, véase François-Marie Mayeur de Saint-Paul, *Tableau du Nouveau Palais-Royal*, 2 vols., París, 1788. Véase también R. M. Isherwood, *Farce and Fantasy...*, pp. 248-250, y Louis-Sébastien Mercier, *Le Tableau de Paris*, 12 vols., París, 1782-1788, vol. 10, p. 242. El comentario de Marmontel acerca del público está citado en la útil obra de John Lough, *Paris Theater Audiences in the 17th and 18th Centuries*, Oxford, 1957, p. 211. El relato de la disputa en la Comédie-Française ha sido tomado de Bailey Stone, *The Parlement of Paris...*, pp.102 y ss.; las *Mémoires...*, pp. 201-204, de madame de Campan ofrecen una descripción de la lectura de *Fígaro* ante el rey; las *Mémoires de la Baronne d'Ober-kirchi*, nueva edición, París, 1970, pp. 303-304, proporcionan una vívida descripción de la atmósfera que rodeaba a la representación de *Fígaro*, así como de la reacción de la autora frente a ella.

Distribución de papeles: los hijos de la naturaleza

Sobre el proyecto de Beaumarchais relacionado con la alimentación del niño por la madre, véase Nancy Senior, *Eighteenth-Century Studies*, 1983, pp. 367-388. El trabajo estándar acerca de esta cuestión fue el de Marie-Angélique Rebours, *Avis aux Mères qui Veulent Nourrir...*, París, 1767. La influencia de Rousseau en las costumbres maternales de amamantamiento y la filosofía moral de la naturaleza ha sido analizada en la destacada obra de Carol Blum, *Jean-Jacques Rousseau and the Republic of Virtue*, Ithaca, Nueva York, 1986; también en Joel Schwartz, *The Sexual Politics of Jean-Jacques Rousseau*, Chicago, 1984. Véase también Susan Okin, *Women in Western Political Thought*, Princeton, 1979, pp. 99-196, que aborda la actitud de Rousseau frente a las mujeres. Se cita la obra de Moissy, *La Vraie Mère*, en Anita Brookner, *Greuze, the Rise and Fall of an Eighteenth-Century Phenomenon*, Greenwich, Connecticut, 1972, que también contiene una excelente descripción del culto de la *sensibilité*. El catálogo de exposición de Edgar Munhal, *Jean-Baptiste Greuze, 1782-1805*, Wadsworth Atheneum, Hartford, Connecticut, 1977, tiene excelentes artículos acerca de, entre otras obras, *La niña llorando...* y *El contrato matrimonial*; véase, del mismo autor, «Greuze and the Protestant Spirit», en *Art Quarterly*, primavera de 1964, pp. 1-21. Los comentarios de Charles Mathon de La Cour acerca de la niña que llora de Greuze están en sus *Lettres à Monsieur xxx sur les Peintures et les Sculptures et les Gravures Exposées dans le sallon [sic] du Louvre en 1765*, París, 1765, pp. 51-52. Michael Fried, *Theatricality and Absorption. Painting and Beholder in the Age of Diderot*, Chicago, 1980, constituye un importante análisis de las técnicas formales de los aspectos morales y dramáticos en la obra de Greuze. El comentario de Mercier acerca del corazón virtuoso está en *Notions Claires sur les Gouvernements*, París, 1787, y ha sido citado por Norman Hampson en su *Will and Circumstance. Montesquieu, Rousseau and the French Revolution*, Londres, 1983, pp. 77. El famoso comentario de Diderot acerca de la *Mère Bien-Aimée* está en J. Seznec, *The Salons of Denis Diderot*, Oxford, 1975, vol. 2, p. 155. Se incluyeron guías del «paisaje moral» no solo en la *Promenade*, de Girardin, en 1788, sino también en un relato del importante *Almanach des Voyageurs* (1785) y en la *Guide de Amateurs* (1788), de Luc-Vincent Thiéry. Los homenajes póstumos a Rousseau, sus obras y memorias han sido descritos en P.-P. Plan,

Jean-Jacques Rousseau Raconté par les Gazettes de Son Temps, París, 1912. Robert Darnton, «Readers Respond to Rousseau», en *The Great Cat Massacre*, proporciona una enérgica valoración de la identificación personal experimentada por los lectores con el autor. D. G. Charlton, *New Images of the Natural in Trance*, Cambridge, Inglaterra, 1984, es un excelente análisis de muchas de las consecuencias del culto romántico de la naturaleza, incluso de las que se relacionan con la concepción y la crianza de los niños. Otras obras útiles sobre temas afines son D. Mornet, *Le Sentiment de la Nature en France de J.-J. Rousseau à Bernardin de Saint-Pierre*, París, 1907; y Paul van Tighem, *Le Sentiment de la Nature dans le pré-Romantisme Européen*, Bruselas. 1912.

Proyectando la voz: el eco de la antigüedad

La reseña sobre el discurso de Hérault de Séchelles aparece en el *Journal de Paris* del 7 de agosto de 1785, p. 897; hay detalles de su carrera y de sus obras tempranas, así como de la crónica del viaje que realizó para conocer Buffon, en Hubert Juin (ed.), *Œuvres Littéraires et Politiques de Jean-Marie Hérault de Séchelles*, Edmonton, Alberta, 1976; véase también Hérault de Séchelles, *Œuvres Littéraires*, Émile Dard (ed.), París, 1907. Jean Starobinski ha publicado dos artículos importantes: «Eloquence Antique, Eloquence Future. Aspects d'un Lieu Commun d'Ancien Régime», en K. M. Baker (ed.), *The Political Culture...*, pp. 311-327, y un trabajo más extenso, «La Chaire, la Tribune, le Barreau», en Pierre Nora (ed.), *Les Lieux de Mémoire*, vol. 2, *La Nation*, París, 1986, parte 3, pp. 425-485. Sobre la permanente tradición humanista de elocuencia, véase la espléndida obra de Marc Fumaroli, *L'Âge de l'Éloquence. Rhétorique et Res Literaria de la Renaissance au Seuil de l'Époque Classique*, París, 1980. (Agradezco mucho a Natasha Staller haber atraído mi atención sobre esta importante obra.) La obra estándar acerca de la elocuencia judicial prerrevolucionaria es P.-L. Gin, *De l'Éloquence du Barreau*, París, 1768. Sobre la elocuencia y la retórica revolucionarias, véase Hans Ulrich Gumbrecht, *Funktionen der Parliamentarischen Rhetorik in der Französischen Revolution*, Múnich, 1978; Simon Schama, «The Self-Consciousness of Revolutionary Elites», en *Consortium on Revolutionary Europe*, Charleston, S. C., 1978; Lynn Hunt, «The Rhetoric of Revolution», en su *Politics, Culture and Class in the French Revolution,* Berkeley y Los Ángeles, 1984. La antología estándar de la elocuencia revolucionaria continúa siendo François-Alphonse Aulard, *Les Orateurs de la Révolution Française*, 2 vols., París 1905, 1906-1907. François Furet y Ran Halevi prepararon recopilaciones de la oratoria revolucionaria; el primer volumen apareció en mayo de 1989. Sobre la turbulenta carrera en el foro de Linguet, véase la excelente biografía de Darline Gay Levy, *The Ideas and Career of Simon-Nicholas Henri Linguet*, Urbana, III,

1980; sus ideas sobre la relación entre la virtud antigua y la oratoria aparecen en las pp. 17-21. Acerca de los discursos y *éloges* de la Académie, véase el *Recueil des Harangues Prononcées par les Messieurs de l'Académie Française* (1760-1789).

Sobre la educación en la oratoria latina y la lectura de Salustio, así como la imitación de Cicerón, véase Harold T. Parker, *The Cult of Antiquity and the French Revolution*, Chicago, 1937, un libro que se adelanta mucho a su tiempo. Respecto del programa neoclásico de virtudes ejemplares en las artes, véase Robert Rosenblum, *Transformations in Late Eighteenth-Century Art*, Princeton, 1967, y Hugh Honour, *Neo-Classicism*, Londres y Nueva York, 1977. Con respecto sobre todo al juramento de los Horacios, véase T. Crow, *Painters...*, y también Norman Bryson, *Word and Image. French Painting of the Ancien Régime*, Cambridge, Inglaterra, 1981. La crónica del *Journal de Paris* acerca de los *Horacios* fue publicada el 17 de septiembre de 1785 (p. 1092). Sobre el programa reformista del conde D'Angiviller, véase la disertación inédita de Barthélemy Jobert, École des Hautes Études en Sciences Sociales (París). Hay otros análisis de la fundamental reinterpretación de las virtudes romanas por David en Robert Herbert, *David, Voltaire, Brutus and the French Revolution*, Nueva York, 1973, y en Warren Roberts, *Jacques-Louis David, Revolutionary Artist. Art, Politics, and the French Revolution*, Chapel Hill, Carolina del Norte, 1989.

La difusión de la palabra

El trabajo de Robert Darnton ha transformado los modos en que los historiadores interpretan la censura, el comercio de libros prohibidos y el área fundamental de la lectura «popular». Véase, sobre todo, *The Literary Underground of the Old Regime*, Cambridge, Massachusetts, 1982; respecto a su extraordinaria crónica de la producción y difusión de la edición *in quarto* de la *Encyclopédie*, véase *The Business of the Enlightenment. A Publishing History of the Encyclopédie, 1775-1800*, Cambridge, Massachusetts, 1979. Acerca de los libros prohibidos aún pueden obtenerse detalles importantes de J.-P. Belin, *Le Commerce des Livres Prohibés à Paris de 1750-1789*, París, 1912. Sobre las gacetas neerlandesas, véase Jeremy Popkin, «The *Gazette de Leyde* in the Reign of Louis XVI», en Jack Censer y Jeremy Popkin (eds.), *The Press and Politics in Pre-Revolutionary France*, Berkeley, 1987; véase también, sobre todo acerca de Linguet, *idem*, «The Prerevolutionary Origins of Popular Journalism», en K. M. Baker (ed.), *The Political Culture...* Con respecto a la importantísima aportación de Panckoucke, véase Suzanne Tucoo-Chala, *Charles-Joseph Panckoucke*, Pau, 1977. En cuanto a los índices de alfabetización, véase Daniel Roche, *Le Peuple de Paris*, París, 1981, pp. 208-209, y de un modo más general el cap. 7; respecto de las academias provinciales, véase del mismo autor la obra clásica *Le Siècle des Lumières en*

Province, 2 vols., París, 1978. La difusión provincial de la cultura también puede ser conocida gracias al estudio clásico de Daniel Mornet, basado en materiales de las bibliotecas, *Les Origines Intelectuelles de la Révolution Française*, París, 1910.

5. EL COSTE DE LA MODERNIDAD

La obra de Fernand Braudel, *L'Identité de la France*, vol. 2, *Les Hommes et les Choses*, París, 1986, en particular las pp. 267-306, destaca la importancia del crecimiento industrial prerrevolucionario en Francia, así como (pp. 238-239) el rápido crecimiento de las posibilidades del mercado por medio de la transformación de las comunicaciones entre las décadas de 1760 y 1780. Se encontrarán más detalles del cambio comercial e industrial en el Antiguo Régimen en Ernest Labrousse *et al.*, *Histoire Économique et Sociale de la France*. vol. 2, 1660-1789, sobre todo las contribuciones de Pierre Léon, «L'Élan Industriel et Commercial» (pp. 499-528). Con respecto al comercio francés en el Atlántico, véase Paul Butel, «Le Commerce Atlantique Français sous Le Règne de Louis XVI», en *Le Règne de Louis XVI*, Actes de Colloque International de Sorèze, 1976, pp. 63-84. Sobre la aplicación de la ciencia a la industria, véase el ensayo de D. J. Sturdy en el mismo volumen. Acerca de otros aspectos, véase C. Ballot, *L'Introduction du Machinisme et l'Industrie Française 1780-1815*, París, 1923; G. Chaussinand-Nogaret, «Capitalisme et Structure Sociale», en *Annales. Economies, Sociétés, Civilisations* (1970); y R. Sedillot, *Les de Wendel et l'Industrie Lorraine*, 1958. Se encontrarán elementos de la ética empresarial en la Francia prerrevolucionaria y una llamada específica a la formación de una nobleza comercial, en [L. H. Dudevant], *L'Apologie du Commerce*, 1777; también la detallada y fascinante reseña de las minas de carbón y mineral de hierro en *Exposition des Mines*, 1772, muchas de las cuales, incluso las de carbón en Anzin, eran propiedad de nobles. El documento más espectacular del interés de la élite por la tecnología industrial (así como por la mecanización de los oficios artesanales y de lujo más antiguos) aparece en la obra, en varios volúmenes, *Descriptions des Arts et Métiers*, Académie Royale des Sciences, París, 1761-1788, y puede verse, por ejemplo, *L'Art du Fabricant de Velours de Coton*, encargado por la Académie des Sciences en 1779, teniendo específicamente en vista la competencia británica y para explotar los suministros de algodón crudo de las Antillas francesas, procedentes de Guadalupe, Santo Domingo y Cayena.

Con respecto a los intendentes, véase Vivian Gruder, *The Royal Provincial Intendants*, Ithaca, Nueva York, 1968; y, acerca de los detalles prácticos de su administración, véase la soberbia colección de documentos y correspondencia publicada por R. Ardascheff con el título de *Pièces Justificatives*, vol. 3, de su obra monumental *Les Intendants de Province sous Louis XVI*, París, 1900–1907, de donde he extraído información sobre Saint-Sauveur en el Rosellón.

Acerca de la escuela para ciegos, véase Valentin Haüy, *Essai sur l'Éducation des Aveugles*, París, 1786, que incluye una descripción de la visita real del 26 de diciembre.

La descripción emblemática de la Francia del siglo XVIII, en L. S. Mercier, *L'An 2440*, 3 vols., ed. de 1786, está en el vol. 2, pág. 68 y ss. Véase también Henry Majewski, *The Pre-Romantic Imagination of Louis-Sébastien Mercier*, Nueva York, 1971. Hay asimismo un interesante análisis referido a Mercier en N. Hampson, *Will and Circumstance...* El trabajo más optimista de Linguet sobre el cambio económico está en sus *Mémoires sur un Objet Intéressant pour la Province de Picardie*, La Haya, 1764, y sus comentarios apocalípticos acerca de la industrialización están citados en D. G. Levy, *The Ideas and Career...*, pp. 86-87. Sus *Annales Politiques* correspondientes a 1777, pp. 83-84, contienen una descripción maravillosamente evocadora de los extremos de riqueza y pobreza en la aceleración económica de Francia.

6. LA POLÍTICA DEL CUERPO

Furias uterinas y obstrucciones dinásticas

El chiste obsceno acerca del *rivière* de diamantes aparece en [Pierre Jean-Baptiste Nougaret], *Spectacle et Tableau Mouvant de Paris*, vol. 3, 1787, p. 7. Esta publicación es una fuente maravillosa de miscelánea, chismes y escándalos de París hacia el final del Antiguo Régimen. Mi relato del *«affaire* del collar de diamantes»* es una reconstrucción a partir de las fuentes básicas impresas, sobre todo las memorias de la defensa reunidas bajo el título *Recueil des Mémoires sur l'Affaire du Collier*, París, 1787. La investigación seria de los libelos pornográficos contra la reina apenas ha comenzado, aunque puede verse Hector Fleischmann, *Les Pamphlets Libertins Contre Marie-Antoinette*, París, 1908. El trabajo de Robert Darnton titulado «The High Enlightenment and the Low Life of Literature», en *Literary Underground,* analiza la importancia política de los *libelles.* El importante ensayo de Chantal Thomas, «L'Héroïne du Crime. Marie-Antoinette dans les Pamphlets», en J.-C. Bonnet *et al.* (ed.), *La Carmagnole des Muses*, París, 1988, apareció lamentablemente demasiado tarde, de modo que no pude tener en cuenta su examen de gran parte de los mismos datos. Los principales títulos considerados aquí son las muchas ediciones del *Essai Historique sur la Vie de Marie-Antoinette, Reine de France. La Vie d'Antoinette; Les Amusements d'Antoinette; Les Passe-temps d'Antoinette;* fueron todas leves variaciones sobre el *Essai. The Memoirs of Antonina Queen d'Abo*, Londres, 1791, fue una versión inglesa de otra variación que apareció poco antes de la Revolución. Otros títulos de este canon fueron la historia espuria *Les Amours d'Anne d'Autriche*, «A Cologne», 1783; *Anandria*, posiblemente de Pidanzat de Mairobert, 1788; *Les Amours de Charlot et Toinette*, 1789; *Le Bordel Royal, Suivi d'Entretien Secret entre la Reine et le Cardinal de Rollan*, 1789; *Le Cadran des Plaisirs de la Cour ou les Aventures du Petit Page Chérubin*, 1789. La información sobre las nuevas ediciones del libro de Bienville, *La Nymphomanie ou Traité sur la Fureur Uterine*, Ámsterdam, 1778, procede del catálogo impreso del librero Théophile Barrois le Jeune, que tenía un negocio en el quai des Augustins y que estaba especializado en obras sexuales y de obstetricia, pues también anunciaba el folleto de Tissot contra la masturbación, titulado *Onanie*, el trabajo de Angélique Rebours acerca del amamantamiento natural, el tratado de Vacher respecto de los tumores del seno, e innumerables libros acerca de las enfermedades venéreas. El acta del proceso de la reina ante el Tribunal Revolucionario fue publicado como *Acte d'Accusation et Interrogatoire Complet et Jugement de Marie-Antoinette*, París, 1793.

Las *Mémoires* de Elisabeth Vigée-Lebrun, aunque no carecen de interés, por desgracia son un modelo de tacto y discreción. La mejor fuente sobre la carrera de la artista es un importante catálogo de exposición de Joseph Baillio, *Elisabeth Vigée-Lebrun*, Kimball Museum, Fort Worth, 1982, de donde he extraído el comentario acerca de ella que figura en las *Mémoires secretes*. Véase también Anne Passez, *Adélaïde Labille-Guiard*, París, 1971. Sin embargo, todavía hay mucho que investigar sobre las artistas de las décadas de 1780 y 1790. La correspondencia de María Antonieta con su madre y su hermano ha sido traducida al inglés y publicada por Olivier Bernier con el título *The Secrets of Marie-Antoinette*, Nueva York, 1985.

Retrato de Calonne

Acerca del trabajo de Talleyrand como agente general del clero, véase Louis S. Greenbaum, *Talleyrand, Statesman-Priest. The Agent-General of the Clergy and the Church at the End of the Old Regime*, Washington, D. C., 1970. La mejor biografía moderna de Calonne es la de Robert Lacour-Gayet, *Calonne*, París, 1963, pero existe un trabajo mucho más antiguo de G. Susane, *La Politique Financière de Calonne*, París, 1901, que es todavía un estudio importante de su Gobierno. El trabajo de Wilma J. Pugh, «Calonne's New Deal», *Journal of Modern History*, 1939, pp. 289-312, ofrece una imagen generosa de sus reformas. La opinión contraria sobre la responsabilidad de Calonne en la crisis financiera aparece en R. D. Harris, «French Finances and the American War 1777-1783», en *Jour-

nal of Modern History, junio de 1976. El importante artículo de James Riley, «Life Annuity Based Loans on the Amsterdam Capital Market Toward the End of the Eighteenth-Century», en *Economisch-en-Sociaal Historich Jaarboek*, 36, pp. 102-130, es la mejor descripción de los esfuerzos franceses encaminados a recaudar fondos de anualidades en el mercado monetario neerlandés y del modo en que Calonne ignoró esta iniciativa en 1786-1787. Mis propias conclusiones derivan, en parte, de una destacada serie de *tableaux* manuscritos de las rentas y los desembolsos ordinarios del reino, de 1786 a 1789, el primero de los cuales parece provenir de la oficina del Contrôle de Calonne y bien puede que fuera preparado para la Asamblea de Notables. Esos documentos se conservan ahora en la Biblioteca Kress de la Harvard Business School.

Excepciones notables

El estudio más importante acerca de la Asamblea de Notables es Vivian Gruder, «Class and Politics in the Pre-Revolution. The Assembly of Notables of 1787», en Ernst Hinrichs *et al., Vom Ancien Régime*. Véase también A. Goodwin, «Calonne, the Assembly of French Notables of 1787 and the Origins of the *Révolte Nobiliaire*», en *English Historical Review*, 1946. Véase también Jean Egret, *The French Pre-Revolution* (traducción inglesa de W. D. Camp, Chicago, 1977, capítulos 1 y 2). P. Chevallier (ed.) ha publicado el *Journal de l'Assemblée des Notables*, París, 1960, redactado por los Brienne.

7. SUICIDIOS

La revolución en la casa vecina

Sobre la Revolución Patriótica Holandesa de 1783-1787, véase Simon Schama, *Patriots and Liberators. Revolution in the Netherlands 1780-1813*, Londres y Nueva York, 1977, cap. 4. Véase también *idem*, «The Past and the Future in Patriot Rhetoric»; Jeremy Popkin, «Print Culture in the Netherlands on the Eve of Revolution»; y Nicolaas C. F. van Sas, «The Patriot Revolution. New Perspectives», todos en Margaret Jacob (ed.), *Enlightenment and Decline. The Dutch Republic in the Eighteenth-Century*, Ithaca, Nueva York, 1992.

El último Gobierno del Antiguo Régimen

La versión más completa y equilibrada del Gobierno de Brienne está en J. Egret, *Pre-Revolution...* Es probable que el mejor estudio de Guibert sea el examen de su propio *Essai sur la Tactique*, París, 1774. Véase también Guibert, *Écrits Militaires 1772-1790*, L. Menard (ed.), París, 1777, y hay un análisis de sus implicaciones en Geoffrey Best, *War and Revolutionary Europe 1770-1870*, Londres, 1982, pp. 56-58. Respecto a Malesherbes y la emancipación de los protestantes, véase P. Grosclaude, *Malesherbes...*, pp. 559-602.

El canto del cisne de los parlamentos

Con respecto al conflicto político véase J. Egret, *Pre-Revolution...* Sobre la literatura panfletaria, véase Boyd C. Shafer, «Bourgeois Nationalism in Pamphlets on the Eve of the French Revolution», en *Journal of Modern History*, 1938, pp. 31-50. Las citas de Pasquier y D'Éprémesnil provienen de B. Stone, *Parlement of Paris...*, pp. 158 y 171. La alocución de La Galaizière y las observaciones de Bertier de Sauvigny y Cordier de Launay aparecen todas en R. Ardascheff, *Intendants...*, vol. 3, p. 187 y ss. Sobre el discurso de Lamoignon, véase J. Egret, *Pre-Revolution...*, p. 168. El folleto anti-Brienne está en *Dialogue entre M. l'Archevêque de Sens et M. le Garde des Sceaux*, 1788. Acerca de otro ataque violento a las reformas de Lamoignon, véase H. M. N. Duveyner, *La Cour Plénière*, 1788, un folleto que fue destrozado y quemado por el verdugo público. La historia de la estatua sangrante procede de Oscar Browning (ed.), *Despatches from Paris 1784-1790*, Londres, 1909-1910, vol. 2, p. 72.

La Jornada de las Tejas

El relato de Stendhal aparece en *Vie de Henry Brulard* (traducción inglesa de B. C. J. G. Knight, Londres, 1958, p. 76). [Hay trad. cast. *Vida de Henry Brulard*, Madrid, Alfaguara, 1988.] Véase también Charles Dufayard, «La Journée des Tuiles», en *Revue Historique*, 38, pp. 305-345. Respecto a Grenoble durante este periodo, véase Vital Chomel (ed.), *Histoire de Grenoble*, Grenoble, 1976; Paul Dreyfus, *Grenoble de César à l'Olympe*, Grenoble, 1967. La obra de Kathryn Norberg, *Rich and Poor in Grenoble 1600-1814*, Berkeley, 1985, es una importante historia social de la ciudad. El aspecto político ha sido tratado en J. Egret, *Pre-Revolution...*, y el papel de Mounier en J. Egret, *La Révolution des Notables. Mounier et les Monarchiens*, París, 1950. Véase también F. Vermale, «Les Années de Jeunesse de Mounier 1758-1787», en *Annales Historiques de la Révolution Française*, enero-febrero de 1939. Sobre la asamblea en Vizille, véase Charles Bellet, *Les Événements de 1788 en Dauphiné*; Champollion-Figéac, *Chroniques Dauphinoises*.

8. QUEJAS

La gran división

La velada con Malesherbes ha sido descrita en Samuel Romilly, *Memoirs,* Londres, 1841, vol. I, pp. 71-72; acerca del memorándum de Malesherbes, véase P. Grosclaude, *Malesherbes...,* pp. 655-663. Respecto a la literatura panfletaria radical en el otoño de 1788, véase en particular E. Carcassonne, *Montesquieu et le Débat...;* el excelente y poco citado estudio de Mitchell B. Garrett, *The Estates-General of 1789,* Nueva York y Londres, 1935; C. Shafer, «Bourgeois Nationalism...»; y una serie de estudios importantes en K. M. Baker (ed.), *The Political Culture,* sobre todo los de Keith M. Baker, François Furet, Ran Helevi y Lynn Hunt, todos los cuales se refieren al tema fundamental de la representación. En cuanto a D'Antraigues, véase E. Carcassonne, *Montesquieu et le Débat...,* pp. 614-615, y su importante *Mémoire sur les États-Généraux,* 1788. Con respecto a los antecedentes de la doble representación, véase George Gordon Andrews, «Double Representation and Vote by Head Before the French Revolution», en *South Atlantic Quarterly,* 26, octubre de 1927, pp. 374-391. El memorándum de Mirabeau *père* acerca de la duplicación de las asambleas provinciales fue publicado como *Précis de l'Organization ou Mémoire sur les États Provinciaux,* 1758. El comentario de Condorcet sobre Lafayette está en Louis Gottschalk, *Lafayette Between the American and the French Revolution,* Chicago, 1950, p. 416. Acerca de la oposición noble, véase Daniel Wick, «The Court Nobility and the French Revolution. The Example of the Society of Thirty», en *Eighteenth-Century Studies,* 1980, pp. 263-284; también Elizabeth Eisenstein, «Who Intervened in 1788?», en *American Historical Review,* 1965, pp. 77-103. La descripción que ofrece Arthur Young del ambiente en Nantes a finales de 1788 está en su libro *Travels in Frailee in the Years 1788 and 1789,* Constantia Maxwell (ed.), Cambridge, Inglaterra, 1929, p. 117. El comentario de Volney está citado en B. Garrett, *The Estates-General,* p. 127; Lanjuinais en *ibid.,* p. 139. El texto del *arrét* del Parlamento de París sobre el 5 de diciembre está en J. M. Roberts (ed.), *French Revolution Documents,* Oxford, 1966, vol. I, pp. 39-42, y el memorándum de los príncipes de sangre en *ibid.,* pp. 46-49. Con respecto a Sieyès, *Qu'est-ce que le Tiers État?,* véase Paul Bastid, *Sieyès et sa Pensée,* París, 1970, pp. 344-349, y el análisis de Roberto Zapperi en su edición, Ginebra, 1970. Véase también Lynn Hunt, «The National Assembly», y Pierre Rosenvallon, «L'Utilitarisme Français et les Ambiguités de la Culture Politique Prérévolutionnaire», que sostiene la tesis de que Sieyès está en deuda con Helvecio en cuanto a una teoría de la representación basada en la utilidad social; ambos ensayos figuran en K. M. Baker (ed.), *The Political Culture...* Con respecto a la política de Necker frente a las elecciones, véase la biografía de R. D. Harris. En relación con una polémica que está desarrollándose rápidamente y que alude a la «inutilidad» de la nobleza, véase por ejemplo la obra *Triomphe du Tiers État ou les Ridicules de la Noblesse* (s. f., pero quizá de principios de 1789), en la que las opiniones del noble que había descrito al «Peuple» como «insectos que pululan a nuestros pies» se ven refutadas por el maestro de escuela de la aldea, que insiste en que «todos somos iguales porque todos somos hermanos» y que concluye su discurso declarando (p. 21) que «nací libre y racional *[raisonnable]*, esas son mis prerrogativas». La solicitud de Guillotin ha sido analizada en C.-L. Chassin, *Les Elections et les Cahiers de Paris en 1789*, París, 1888; vol. 1, 37.

Hambre e ira

Acerca del viaje de Mirabeau a la Provenza en el invierno de 1789 y su carrera durante este periodo, véase la excelente biografía de Guy Chaussinand-Nogaret, *Mirabeau*, París, 1982. Los *Travels* de Arthur Young incluyen vívidas crónicas de la penuria provocada por la mediocre cosecha y el terrible invierno de 1788-1789. La introducción estándar a los 25.000 *cahiers de doléances* es la obra de Beatrice Hyslop, *Guide to the General Cahiers of 1789*, Nueva York, 1936, aunque tanto las categorías de su clasificación como la pátina con que las recubre confieren una tendencia específica a su análisis. Puede estudiarse una muestra pequeña, útil y más o menos representativa, en J. M. Roberts, *Documents...*, pp. 55-95. Durante el año del centenario de 1888-1889, diferentes comisiones en los departamentos de Francia abordaron la enorme empresa de publicar todos los *cahiers* de los tres Estados. Me he basado en esos registros para realizar mis propias interpretaciones y, sobre todo, en los editados por Camille Bloch para Orleans, el Loiret y el Beauce; D. F. Lesueur y A. Cauchie, para Blois y el Loir-et-Cher, Blois, 1907; Émile Bridrey para la Mancha y Cótentin; E. Le Parquier para Le Havre, Le Havre, 1929; V. Malrieu, para Montauban; E. Martin, para el *bailliage* de Mirecourt en Lorena, Épinal, 1928; D. Ligou, para Rivière-Verdún en el Tarn-et-Garonne, Gap, 1961; V. Fourastié, en el Quercy, Cahors, 1908; la disertación inédita de Brian Dooley para el doctorado en la Universidad de Harvard, sobre De la Côte d'Or; y, sobre todo, la espectacular tarea de archivo de C.-L. Chassin acerca de París y la campiña *hors des murs*. Las citas de Ducastelier aparecen publicadas en Chassin (vol. 4, p. 31); con respecto al panfleto de D'Argis, véase *Cahier d'un Magistral sur les Justices Seigneuriales*, 1789.

Conejos muertos, papel pintado roto

Acerca de los disturbios de la primavera de 1789, véase Jean Egret, «The Pre-Revolution in Provence», en J. Kaplow (ed.), *New Perspectives on the French Revolution*, Nueva York, 1965; también «Les Origines de la Révolution en Bretagne» (1788-1789), en *Revue Historique*, 1955, p. 213. Con respecto a los disturbios por la caza, véase Georges Lefebvre, *The Great Fear of 1789. Rural Panic in Revolutionary France*, traducción inglesa de Joan White, Princeton, 1973; cap. 4, y en particular p. 44 y ss.; véase también, del mismo autor, *Paysans du Nord Pendant la Révolution Française*, París y Lille, 1924. El mejor modo de conocer los disturbios de Réveillon es examinar los documentos publicados por Chassin, vol. 4, en particular las pp. 579-586. Acerca de la política orleanista en la primavera de 1789, véase G. A. Kelly, «The Machine of the Duc d'Orleans and the New Politics», en *Journal of Modern History* (1979), pp. 667-684.

9. IMPROVISANDO UNA NACIÓN

Los extractos pertenecientes a De Ferrières pertenecen a Henri Carré (ed.), *Correspondance Inédite, 1789, 1790, 1791*, París, 1932. Se hallarán detalles del papel de Mirabeau en los Estados Generales en G. Chaussinand-Nogaret, *Mirabeau...*, y acerca de los disturbios de la Provenza, en 1789, en J. Egret, «Pre-Revolution in Provence»..., en J. Kaplow (ed..), *New Perspectives...* La biografía popular de Antonia Vallentin (traducción inglesa de E. W. Dickes), *Mirabeau*, Londres, 1948, todavía es una descripción válida y entretenida de su vida y de su política. Sobre la nobleza en los Estados Generales, véase J. Murphy y P. Higonnet, «Les Deputés de la Noblesse au États-Généraux de 1789», en *Revue d'Histoire Moderne et Contemporaine*, 1973. Acerca del clero, véase R. F. Necheles, «The Curés in the Estates General of 1789», en *Journal of Modern History*, 1974; M. G. Hutt, «The Curés and the Third Estate. The Ideas of Reform in the Period 1787-1789», en *Journal of Eccesiastical History*, 1955 y 1957; Pierre Pierrard, *Histoire des Curés de Campagne de 1789 à Nos Jours*, París, 1986, en particular las pp. 15-30; y, sobre todo, la relevante obra de Timothy Tackett, *Priest and Parish in Eighteenth-Century France. A Social and Political Study of the Curés in a Diocese of Dauphiné 1750-1791*, Princeton, 1977. Véase también C. Langlois y T. Tackett, «Ecclesiastical Structures and Clerical Geography on the Eve of the French Revolution», en *French Historical Studies* (1980), pp. 352-370.

Con respecto al ambiente en París durante mayo y junio, véase A. Young, *Travels in France*. Robert D. Harris, *Necker and the Revolution of 1789*, Lanham, Maryland, Nueva York y Londres, 1986, examina atentamente el papel de

Necker durante todos estos meses y corrige las habituales afirmaciones sobre su presunta pasividad. El estudio soberbiamente detallado de Harris también esgrime argumentos poderosos contra la inevitabilidad (y la conveniencia) de la soberanía del Tercer Estado. El libro constituye una lectura indispensable para formular un juicio equilibrado de la política de 1789. Quien desee conocer el texto completo del discurso real del 23 de junio, deberá consultar J. M. Roberts, *Documents...*, vol. 1, pp. 115-123.

10. LA BASTILLA

Dos clases de palacios

Acerca de la historia del Palais-Royal, véase R. M. Isherwood, *Farce and Fantasy...*, cap. 8; también W. Chabrol, *Histoire et Description du Palais-Royal et du Théâtre Français*, París, 1883.

El libro de Jacques Godechot *The Taking of the Bastille* (traducción inglesa de Jean Stewart, Londres, 1970) es una destacada narración del episodio, con el agregado de una serie contemporánea de testigos oculares. Sobre la seguridad militar de la capital, hay dos obras esenciales: Samuel F. Scott, *The Response of the Royal Army to the French Revolution. The Role and Development of the Line Army*, Oxford, 1978, en particular las pp. 46-70; y la monografía definitiva de Jean Chagniot, *Paris et l'Armée au XVIIIe Siècle*, París, 1985, que, entre otras cosas, revisa por completo muchos de los clichés convencionales sobre los *gardes françaises*. Acerca de otros problemas del orden, véase Alan Williams, *The Police of Paris 1718-1789*, Baton Rouge, Luisiana, y Londres, 1979. Con respecto a la muchedumbre revolucionaria, véase George Rudé, *The Crowd in the Freench Revolution 1789-1794*, Oxford, 1959; véase también una obra muy interesante: R. B. Rose, *The Making of the Sans-culottes. Democratic Ideas and Institutions in Paris 1789-1792*, Mánchester, 1983. Véase también Jeffrey Kaplow, *The Names of Kings. The Parisian Laboring Poor in the Eighteenth-Century*, Nueva York, 1972, en particular el cap. 7. La mejor obra acerca de la anatomía social del *faubourg* más revolucionario es la de Raymonde Monnier, *Le Faubourg Saint-Antoine 1789-1815*, París, 1981, que también es importante para comprender los disturbios de Réveillon.

Espectáculos: la batalla por París

Con respecto a Curtius, véase Mayeur de Saint-Paul, *Le Désœuvré au l'Espion du Boulevard du Temple*, Londres, 1781; también *Tableau du Nouveau Palais-Royal*,

1788. Acerca de Desmoulins, véase R. Farge, «Camille Desmoulins au Jardin du Palais-Royal», en *Annales Révolutionnaires* (1914), pp. 446-474.

¿Enterrados vivos? Mitos y realidades de la Bastilla

He extraído mis relatos de las historias de Linguet y de Latude de los textos de las respectivas memorias, reproducidas por J.-F. Barrière, *Mémoires de Linguet et de Latude*, París, 1886; las memorias de Latude fueron publicadas en un principio con el título *Le Despotisme Dévoilé ou Mémoires de Henri Masers de Latude*. Aunque naturalmente los historiadores se han mostrado escépticos frente a las afirmaciones demasiado optimistas de F. Funck-Brentano con respecto a las condiciones de la Bastilla, la investigación meticulosa de Monique Cottret *La Bastille à Prendre*, París, 1986, confirma la opinión de que la prisión estaba cayendo rápidamente en desuso bajo Luis XVI y que las condiciones de la mayoría de los detenidos eran mucho mejores que en otros lugares de encarcelamiento. Cottret también presenta un importante examen de los distintos elementos de la mitología de la Bastilla.

Véase también H.-J. Lüsebrink, «La Bastille dans l'Imaginaire Social de la France à la Fin du XVIIIe Siécle (1774-1799)», en *Revue d'Histoire Moderne et Contemporaine*, 1983. Acerca de la importancia de las *Mémoires* de Linguet, véase D. G. Levy, *The Ideas and Career...*

Con respecto a los episodios del 14, he seguido sobre todo a J. Godechot, *The Taking of the Bastille...*; véase también Jean Dussaulx, *De l'Insurrection Parisienne et de la Prise de la Bastille*, París, 1790.

La vida posterior de la Bastilla: el patriota Palloy y el Nuevo Evangelio

Acerca de Palloy, véase H. Lemoine, *Le Démolisseur de la Bastille*, París, 1929; V. Fournel, *Le Patriote Palloy et l'Exploitation de la Bastille*, París, 1892; y Romi, *Le Livre de Raison du Patriote Palloy*, París, 1956, que es un documento fascinante y poco utilizado.

Las canciones populares que celebran la toma de la Bastilla fueron recopiladas y analizadas en el trabajo inmensamente valioso de Cornwell P. Rogers, *The Spirit of Revolution in 1789*, Princeton, 1949.

11. RAZÓN Y SINRAZÓN

THE GREAT FEAR OF 1789, de Georges Lefebvre, continúa siendo una obra maestra, el mejor de sus libros. (El episodio de Rochechouart está en la p. 148.)

Puede complementarse con su obra *Les Paysans du Nord Pendant la Révolution Française*, París y Lille, 1924, vol. I, pp. 356-374. Con respecto a las raíces culturales y psicológicas del temor a los «salteadores» y la imprecisión de la clasificación oficial del pobre vagabundo, véase Olwen Hufton, *The Poor of Eighteenth-Century France...*, pp. 220-244, y Michel Vovelle, «From Beggary to Brigandage», en J. Kaplow (ed.), *New Perspectives...* Se describen las experiencias de madame de La Tour du Pin en sus *Mémoirs*, edición y traducción inglesa de F. Harcourt, del *Journal d'une Femme de Cinquante Ans*, Londres y Toronto, 1969, pp. 111-114. Con respecto a la destrucción de los castillos en Borgoña, véase Joachim Durandeau, *Les Chateaux Brûlés*, Dijon, 1895.

He extraído mi relato de la noche del 4 de agosto principalmente de los *Archives Parlementaires* y de informes periodísticos contemporáneos, sobre todo el *Point du Jour*, 1789, p. 231 y ss. Sobre la noche del 4 de agosto, véase P. Kessell, *La Nuit du 4 Août*, París, 1969. Con respecto a los debates en relación con el asunto de la Constitución en el otoño de 1789, véase Jean Egret, *La Révolution des Notables. Mounier et les Monarchiens*, París, 1950, y Paul Bastid, *Sieyès et sa Pensée*. Una fuente extremadamente útil para conocer la política de la Constituyente son los *bulletins* escritos por el diputado Poncet-Delpech a sus electores del Quercy; véase Daniel Ligou, *La Première Année de la Révolution Vue par un Témoin*, París, 1961. Respecto a la conducta de Mirabeau durante este periodo, véase E. Dumont, *Souvenirs sur Mirabeau et sur les Deux Premières Assemblées Legislatives*, M. Duval (ed.), París, 1832.

Sobre Lafayette, los problemas de la violencia y la Guardia Nacional, véase Louis Gottschalk y Margaret Maddox, *Lafayette in the French Revolution Through the October Days*, Chicago y Londres, 1969, cap. 8-12. En cuanto a las ceremonias de bendición de la bandera, véase J. Tiersot, *Les Fêtes et les Chants de la Révolution Française*, París, 1908, pp. 14-16; también P. Rogers, *Spirit of Revolution...*, pp. 134-159. Se hallará otro enfoque, expresado con elocuencia, del problema de la violencia y la legitimidad en las *Mémoires* del abate Morellet, París, 1822, p. 362. El extraordinario periodismo de Loustalot y su aprovechamiento de la violencia deben ser estudiados en el original. Por ejemplo, en el número del 2-8 de agosto informa de que las autoridades de París recibieron un cofre con seis cabezas de diferentes regiones de Francia: la Provenza, Flandes, etcétera. El extracto citado por extenso procede del mismo número (pp. 27-29). Véase también Jack Censer, *Prelude to Power. The Parisian Radical Press 1789-1791*, que contiene un importante análisis de estas influyentes publicaciones.

Sobre los días de octubre, véase Albert Mathiez, «Étude Critique sur les Journées des 5 et 6 Octobre 1789», en *Revue Historique*, 1898, pp. 241-281; los vols. 67, 1899, pp. 258-294, y 69, 1899, pp. 41-66 de la *Revue* todavía son importantes. Véase también L. Gottschalk y M. Maddox, *Lafayette in the French*

Revolution..., cap. 14 y 15; Henri Leclerq, *Les Journées d'Octobre et la Fin de l'Année 1789*, París, 1924; R. D. Harris, *Necker and the Revolution of 1789...*, cap. 18; y G. Rudé, *The Crowd...*, cap. 5. Acerca del papel de las mujeres en octubre de 1789, véase Jeanne Bouvier, *Les Femmes Pendant la Révolution de 1789*, París, 1931; Olwen Hufton, «Women and Révolution», Douglas Johnson (ed.), *French Society and the Revolution*, Nueva York y Cambridge, Inglaterra, 1976, pp. 148-166; Adrien Lasserre, *La Participation Collective des Femmes à la Révolution Française. Les Antécédents du Féminisme*, París, 1906; y Dominique Godineau, *Citoyennes Tricoteuses. Les Femmes du Peuple à Paris Pendant la Révolution Française*, Aix-en-Provence, 1988.

12. Actos de fe

Sobre Jean Jacob véase por ejemplo el informe en Desmoulins, *Révolutions de France et de Brabant* (12 de diciembre de 1789), donde se anunciaban retratos grabados por 30 *sous* (3 libras si se deseaban coloreados a mano). Con respecto a los antecedentes y las consecuencias de la Constitución civil del clero, véase J. McManners, *The French Revolution and the Church*, Londres, 1969. Timothy Tackett, *Religion, Revolution and Regional Culture in Eighteenth-Century France. The Ecclesiastical Oath of 1791*, Princeton, 1986, es un sobresaliente estudio que atribuye gran importancia a una geografía religiosa claramente definida de Francia; *La Révolution et l'Église*, París, 1910, una obra de Albert Mathiez a la que no se le concede suficiente importancia, contiene un interesante ensayo sobre la campaña encaminada a politizar el púlpito. Hay un ejemplo de la ideología clerical jansenista y «reformista» prerrevolucionaria en *L'Ecclésiastique Citoyen*, 1787, y en Ruth Necheles, *The Abbé Grégoire 1787-1831. The Odissey of an Egalitarian*, Westport, Connecticut, 1971. Con respecto a las canciones anticlericales en París, véase P. Rogers, *The Spirit of Revolution...*, p. 200 y ss.

A propósito de Talma, véase F. H. Collins, *Talma. Biography of an Actor*, Londres, 1964. La crónica más detallada e interesante de *Charles IX* está en A. Liéby, *Étude dans le Théâtre de Marie-Joseph Chénier*, París, 1901. Con respecto a la política en los Cordeliers, véase Norman Hampson, *Danton*, Londres, 1978, cap. 2; y R. B. Rose, *The Making of the Sans-culottes...* Con respecto a la Fête de la Fédération, véase Mona Ozouf, *Festivals and the French Revolution*, traducción inglesa de Alan Sheridan, Cambridge, Massachusetts, 1988; J. Tiersot, *Les Fêtes et les Chants...*, pp.17-46; y Marie Biver, *Fêtes Révolutionnaires à Paris*, París, 1979. Acerca de la *fête* de Estrasburgo, véase Eugène Seinguerlet, *L'Alsace Française. Strasbourg Pendant la Révolution*, París, 1881. Véase también Albert Mathiez, *Les Origines des Cultes Révolutionnaires 1789-1792*, París y Caen, 1904.

13. Cambios

Algunas de las historias locales más antiguas son muy útiles porque incluyen descripciones de los cambios de personal (o su ausencia) en las revoluciones municipales de 1789-1790. Véase, sobre todo, A. Prudhomme, *Historie de Grenoble*, Grenoble, 1888; y Victor Dérode, *Historie de Lille*, Lille, 1868. Con respecto al epitafio para el Parlamento, véase el *Courrier Patriotique du Grenoble* (2 de octubre de 1790). La historia comparada moderna más importante pertenece a Lynn Hunt, *Revolution and Politics in Provincial France. Troyes and Reims 1786-1790*, Stanford, 1978; véase también *idem, Politics, Culture and Class...*, cap. 5, aunque el autor traza líneas divisorias más claras entre las antiguas y las nuevas clases políticas de lo que, a mi juicio, queda patente en todas partes en las etapas más tempranas de la Revolución. Otros estudios locales importantes que he utilizado son los de J. Sentou, *Fortunes et Groupes Sociaux à Toulouse sous la Révolution*, Toulouse, 1969; Louis Trénard, *Lyon de l'Encyclopédie au Préromantisme*, París, 1958, vol. 2, pp. 229 y ss.; los trabajos más agresivamente antiparisienses de Albert Champdor, *Lyonn Pendant la Révolution*, Lyon, 1983; y Claude Fohlen, *Histoire de Besançon*, Besançon, 1967, p. 229 y ss. Acerca de Estrasburgo, E. Seinguerlet, *L'Alsace Française. Strasbourg Pendant la Révolution...*, p. 352 y ss., y Gabriel G. Ramon, *Frédéric de Dietrich, Premier Maire de Strasbourg sous la Révolution*, París y Estrasburgo, 1919. Sobre la historia rural de Puiseux-Pontoise, véase el interesante ensayo de Albert Soboul en su trabajo *Problèmes Paysans de la Révolution Française*, París, 1976, p. 254. Patrice Higonnet, en *Pont-de-Montvert. Social Structure and Politics in a French Village*, Cambridge, Massachusetts, 1971, descubrió la misma combinación de empecinado revolucionarismo y previsible oportunismo en la adquisición de los *biens nationaux*.

Con respecto a la prensa, véase J. Censer, *Prelude to Power...* El informe de *L'Orateur du Peuple* con respecto a la política conyugal corresponde a 1791, p. 481. La sarcástica felicitación de Brissot a Desmoulins está en el *Patriote Français* del 30 de diciembre de 1790. Los «Batallones de la Esperanza» de Lille están mencionados en V. Dérode, *Histoire de Lille...*, p. 47. Acerca de los almanaques, véase Henri Welschinger, *Les Almanachs de la Révolution*, París, 1884, y G. Gobel y A. Soboul, «Almanachs», en *Annales Historiques de la Révolution Française*, octubre-diciembre de 1978. Acerca de la competencia jacobina de 1791, véase G. Gobel y A. Soboul, *ibid.*, p. 615 y ss.. Con respecto a la correspondencia referida al «coiffure Brutus», véase *Patriote Français*, 31 de octubre de 1791. La oración de Lequinio fue publicada en la *Feuille Villageoise*, 17 de noviembre de 1791, p. 184, al igual que la carta del maestro de escuela, septiembre de 1791, p. 51.

En cuanto a la fundación de los jacobinos, el libro de Michael L. Kennedy,

The Jacobin Clubs in the French Revolution. The First Years, Princeton, 1982, es una obra muy importante. Con respecto a las sociedades populares en París, véase R. B. Rose, *The Making of the Sans-culottes...*, cap. 6; el comentario de Santerre ha sido citado en *ibid.*, p. 114. R. B. Rose también contiene el texto (p. 104) de la solicitud de la Société Fraternelle. Véase, además, la obra más antigua de Isabelle Bourdin, *Les Sociétés Populaires à Paris Pendant la Révolution Française*, París, 1937. La utopía plebiscitaria de Girardin está formulada en su *Discours sur la Ratification de la Loi par la Voix Générale*, París, 1791. Con respecto a los antecedentes de la inquietud de los trabajadores en 1791, véase Michael Sonenscher, «Journeymen Courts and French Trades, 1781-1791», *Past and Present*, febrero de 1987, pp. 77-107.

La correspondencia de Mirabeau con la corte y su estrategia encaminada a devolver su fuerza a la monarquía constitucional queda muy bien reflejada en Guy Chaussinand-Nogaret (ed.), *Mirabeau entre le Roi et la Révolution*, París, 1986. *Mirabeau...*, del mismo autor, describe los últimos días del personaje. Acerca del cortejo fúnebre y en particular de la música de Gossec, compuesta para la ocasión, véase J. Tiersot, *Les Fêtes et les Chants...*, p. 51 y ss. El comentario de Ruault aparece citado en M. Biver, *Fêtes Révolutionnaires...*, p. 35. Sobre la fundación del panteón, véase Mona Ozouf, «Le Panthéon», en P. Nora (ed.), *Les Lieux de Mémoire*, vol. I. *La République*, París, 1984, p. 151. La fría respuesta de Brissot fue incluida en el *Patriote Français*, 5 de abril de 1791.

La petición de los Cordeliers contra el intento de la corte de viajar a Saint-Cloud durante la Semana Santa de 1791 está en J. M. Roberts, *Documents...*, vol. I, pp. 292-293. El desprecio manifestado por Fréron ante la preocupación de la Constituyente por la salud del rey se halla en *L'Orateur*, 1791, p. 215. La mejor crónica de la impresión provocada por la fuga a Varennes se encuentra en la parte I de la soberbia historia de 1791 y 1792 de Marcel Reinhard, *La Chute de la Royauté*, París, 1969; véase el conjunto de apéndices documentales acerca del periodo de la fuga y la campaña de los Cordeliers que llevó a la masacre del Campo de Marte. Sobre la reacción jacobina, véase M. L. Kennedy, *The Jacobin Clubs...*, cap.14. La denuncia contra el rey por Fréron está en *L'Orateur*, 1791, p. 370. La carta de De Ferrières a su esposa acerca de la fuga se encuentra en H. Carré (ed.), *Correspondance...*, vol. I, p. 363, 23 de junio de 1791. Con respecto a los cultos de Voltaire y Bruto, véase Robert Herbert, *David, Voltaire, Brutus*; también el excelente estudio de W. Roberts, *Jacques-Louis David...*. Acerca de la Fête de Voltaire, véase Nicolás Ruault, *Gazette d'un Parisién sous la Révolution*, 15 de julio de 1791; y M. Biver, *Fêtes Révolutionnaires...*, pp. 38-42.

Con respecto a la masacre del Campo de Marte, véase G. Rudé, *The Crowd...*, pp. 80-94, y G. A. Kelly, «Bailly and the Champ de Mars Massacre», en *Journal of Modern History*, 1980. La historia completa del Juramento del Juego de Pelota de David está incluida en una excelente monografía de Philippe Bordes: *Le Serment du Jeu de Paume de Jacques-Louis David*, París, 1983.

14. «LA MARSELLESA»

Los principales elementos de la Constitución de 1791 están en J. M. Roberts, *Documents...*, vol. I, pp. 347-366, y el debate referente a los clubes políticos en la Constituyente, con el discurso de Robespierre, en *ibid.*, pp. 366-376. Con respecto al intento Feuillant de estabilizar la monarquía constitucional, véase Marcel Reinhard, *10 Août 1792. La Chute de la Royauté*, París, 1969, capítulo 8.

Naturalmente, Robespierre ha sido el tema de innumerables biografías. Entre otros estudios mencionaremos el de Norman Hampson, *The Life and Opinions of Maximilien Robespierre*, Londres, 1974, un interesante intento de escribir la biografía en forma de una discusión histórica con diferentes participantes (favorables y contrarios), cada uno de los cuales intenta sostener su propio punto de vista en presencia de un «indeciso» simbólico. Georges Rudé adopta una actitud más ortodoxa y demuestra mayor simpatía en su *Robespierre. Portrait of a Revolutionary Democrat*, Nueva York, 1985. *The Revolutionary Career of Maximilien Robespierre*, Nueva York 1985, de David Jordan, es una exposición más completa de la psicología política y la intensa autoconciencia histórica de Robespierre, pero debe leerse la obra junto con el excelente estudio de Carol Blum sobre Rousseau y el lenguaje revolucionario, *Jean-Jacques Rousseau and the Republic of Virtue*. En *Aspects of the French Revolution*, Londres, 1968, Alfred Cobban también incluye un excelente ensayo acerca de la aplicación de los ideales y el lenguaje rousseaunianos por Robespierre. La enorme edición de las *Œuvres completes* de Robespierre, Eugène Déprez *et al.* (eds.), 10 vols., París, 1910-1968, se concluyó en 1968.

Se encontrará un buen ejemplo de la intensificación de la guerra de la Revolución contra la Iglesia tradicional en Y.-G. Paillard, «Fanatiques et Patriotes dans le Puy-de-Dôme», en *Annales Historiques de la Révolution Française*, abril-junio de 1970. Con respecto a los periodos y la geografía de las oleadas migratorias, véase Donald Greer, *The Incidence of the Emigration During the French Revolution*, Cambridge, Massachusetts, 1951. Acerca de la violencia en el Midi, véase Hubert Johnson, *The Midi in Revolution. A Study of Regional Political Diversity 1789-1793*, Princeton, 1986; también los primeros capítulos de Gwynne Lewis, *The Second Vendée. The Continuity of Counterrevolution in the Department of the Gard 1789-1815*, Oxford, 1978, y un sugerente e importante artículo de Colin Lucas, «The Problem of the Midi in the French Revolution», en *Transactions of the Royal Historical Society*, 1978, pp. 1-25.

Se analizan los orígenes de la guerra de 1792 en la destacada obra de T. C. W. Blanning *The Origins of the French Revolutionary Wars*, Londres, 1986. Sobre los clubes y las legiones extranjeros, véase Albert Mathiez, *La Révolution Française et les Étrangers*, París, 1919; Jacques Godechot, *La Grande Nation. L'Expansion Révolutionnaire de la France dans le Monde 1789-1799*, París, 1956, vol. I; y S. Schama, *Patriots and Liberators...*, introd. y cap. 4. Con respecto a la carrera de Brissot, véase Robert Darnton, «A Spy in Grub Street», en *Literary Underground...*, pp. 41-70, que salda el asunto de la doble fidelidad prerrevolucionaria, pero quizá subestima la intensidad de su retórica patriótica en el decisivo invierno de 1791-1792. Véase también Eloise Ellery, *Brissot de Warville. A Study in the History of the French Revolution*, Boston y Nueva York, 1915. Sobre Vergniaud, véase Claude Bowers, *Pierre Vergniaud. Voice of the French Revolution*, Nueva York, 1950.

El mejor modo de estudiar la extraordinaria oratoria patriótica de este periodo es leerla completa en los *Archives Parlamentaires* o el *Moniteur*, donde cobra una vida, una fuerza y una resonancia sorprendentes. Los historiadores acaban de redescubrir la importancia de la retórica en la Revolución, pero una generación muy anterior tenía ya una clara conciencia del asunto. Véase por ejemplo la obra clásica de Alphonse Aulard, *L'Éloquence Parlementaire Pendant la Révolution Française*, vol. I, *Les Orateurs de l'Assemblée Constituante*, París, 1882, y sobre los grandes oradores de la Asamblea Legislativa, el vol. 2, *Les Orateurs de la Législatif et de la Convention*, París, 1886. Hay una útil introducción en la excelente colección de discursos publicada por H. Morse Stephens, *The Principal Speeches of the Statesmen and Orators of the French Revolution 1789-1795*, 2 vols., Oxford, 1892. Se hallarán otros enfoques en Lynn Hunt, «The Rhetoric of Revolution», en *Politics, Culture and Class...*, pp.19-51; H. U. Gumbrecht, *Funktionen der Parliamentarischen Rhetorik...*; S. Schama, «The Self-Consciousness of Revolutionary Elites», en *Consortium on the French Revolution*; y J. Starobinsky, «La Chaire, la Tribune...», en P. Nora (ed.), *Les Lieux de Mémoire,* vol. 2, *La Nation.* Pierre Trahard, en una obra introductoria injustamente desatendida, *La Sensibilité Révolutionnaire*, París, 1936, también tuvo muchas cosas interesantes que decir acerca de este asunto.

Con respecto a la historia de «La Marsellesa», véase el espléndido ensayo de Michel Vovelle «"La Marseillaise". La guerre ou la Paix», en P. Nora (ed.), *Les Lieux de Mémoire*, vol. I, *La République*, pp. 85-136; también Julien Tiersot, *Rouget de Lisle*, París, 1916. Acerca del efecto de la política en el ejército al principio de la guerra, véase S. F. Scott, *The Response of the Royal Army...*, cap. 3-5.

En cuanto a la crisis económica de la primavera y el verano de 1792, el libro excepcionalmente claro y útil de Florin Aftalion, *L'Économie de la Révo-*

lution Française, París, 1987, cap. 4-6, es una guía indispensable. También demuestra las desastrosas consecuencias inflacionarias de la política monetaria de la Constituyente y las Asambleas Legislativas. Véase también S. E. Harris, *The Assignats*, Cambridge, Massachusetts, 1930. Acerca del desarrollo de la conciencia *sans-culotte*, véase R. B. Rose, *The Making of the Sans-culottes...*, cap. 8 y 9; en cuanto al culto al *bonnet rouge*, véase Jennifer Harris, «The Red Cap of Liberty. A Study of Dress Worn by French Revolutionary Partisans 1789-1794», en *Eighteenth-Century Studies*, 1981, pp. 283-312.

Reinhard alcanza un nivel especialmente elevado cuando trata la preparación de la revolución del 10 de agosto y los detalles de la jornada. La principal obra, muy detallada, sobre la organización de la Comuna insurreccional (aunque no de los hechos del propio día), continúa siendo Fritz Braesch, *La Commune de Dix Août, 1792. Étude sur l'Histoire de Paris de 20 Juin au 2 Décembre 1792*, París, 1911. Morris Slavin ha cuestionado la clasificación que ofrece Braesch de la estructura política de las secciones parisienses: véase su trabajo «Section Roi-de-Sicile and the Fall of the Monarchy», en A. Slavin y A. M. Smith (eds.), *Bourgeois, Sans-culottes and Other Frenchmen...*, pp. 59-74. Otro de los fascinantes microestudios de Slavin es *The French Revolution in Miniature. Section Droits de l'Homme 1789-1795*, Princeton, 1984.

15. La sangre impura

Sobre la invención y la politización de la guillotina, véase el brillante trabajo de Daniel Arasse, *La Guillotine et l'Imaginaire de la Terreur*, París, 1987. Con respecto a la campaña de represión de la Comuna y sus combativas relaciones con la Asamblea Legislativa, véase F. Braesch, *La Commune...*, pp. 334-361.

Durante los últimos ochenta años la obra de referencia acerca de las muertes en las cárceles ha sido Pierre Caron, *Les Massacres de Septembre,* París, 1935. Aunque su interpretación de los datos, a mi juicio, en última instancia manifiesta cierta parcialidad, de todos modos se trata de un trabajo útil por la enorme investigación de archivos. Me sumo a gran parte de la crítica de Frédéric Bluche incluida en *Septembre 1792. Logiques d'un Massacre*, París, 1986. Aunque F. Braesch, *La Commune...*, no asigna a las masacres en las cárceles un lugar fundamental en su interpretación, es más directo en su imputación de la responsabilidad al liderazgo de las secciones (pp. 464 y ss.) y llega a la conclusión de que hubo «complicité d'une grande partie de la population parisienne avec les massacreurs» (pp. 490). Sobre el periodo de Danton como ministro de Justicia, véase N. Hampson, *Danton...*, pp. 67-84.

Alison Patrick, *The Men of the First French Republic*, Baltimore, 1972, sigue siendo el análisis de referencia sobre los componentes de la Convención y es particularmente valioso porque no reduce las creencias políticas a los orígenes profesionales. También representa un correctivo para la obra, excesivamente escéptica, de M. J. Sydenham, *The Girondins*, Londres, 1961, que se caracteriza por defender que, como no podía demostrarse que los girondinos fueran un «partido» unido en el sentido moderno de la palabra, su agrupamiento en la Convención era esencialmente un asunto de relaciones casuales y afinidades electivas. Por supuesto, las amistades y las afinidades electivas podían determinar sentimientos muy firmes de lealtad en una generación romántica en la que el culto a la *amitié* constituía un índice de pureza ideológica. La flexibilidad del grupo y la tendencia de algunos de sus miembros (por ejemplo, Isnard) a adoptar actitudes personales en las votaciones no significaba, sin embargo, que careciera del sentido de su propia solidaridad frente a la Montaña. Es posible que Albert Soboul (ed.), *Actes du Colloque «Girondins et Montagnards»*, París, 1980, haya llegado demasiado lejos en la dirección contraria, en su intento de asignar a los girondinos una ética peculiar de clase, pero el volumen contiene interesantes aportaciones de Alan Forrest sobre los federalistas de Burdeos y de Marcel Dorigny acerca de las ideas económicas de algunos de los principales miembros girondinos.

Con respecto al proceso de Luis XVI, la mejor crónica es la de David Jordan, *The King's Trial*, Berkeley y Los Ángeles, 1979. La edición que preparó Michael Walzer de algunos de los principales discursos, *Regicide and Revolution*, Cambridge, Inglaterra, 1974, es útil por su documentación, pero ofrece una penosa defensa del juicio y la ejecución como «simplemente la forma legal del derrocamiento de la monarquía de derecho divino». Esta tesis parece omitir un hecho importante: en realidad, se juzgaba al rey por delitos cometidos como monarca «constitucional» y, además, el proceso no se centró de ningún modo en la manifiesta y mutua exclusividad de las teorías de la soberanía basadas en la soberanía popular y el derecho divino. El libro de A. Patrick *The Men of the First Republic* es muy bueno en lo que se refiere a la política del proceso. Sobre los últimos días de cautividad del rey, véase J.-B. Cléry, *A Journal of the Terror*, Sidney Scott (ed.), Londres 1955; y Gaston de Beaucourt, *Captivité et Derniers Moments de Louis XVI. Récits Originaux et Documents Officiels*, París, 1892, en particular el vol. 2, que incluye las declaraciones oficiales y los procedimientos de la Comuna, así como crónicas del abate Edgeworth y el contenido del último testamento de Luis. Con respecto a la defensa de Malesherbes, véase P. Grosclaude, *Malesherbes...*, pp. 703-716.

16. ¿ENEMIGOS DEL PUEBLO?

Acerca de Talleyrand en Londres, véase J. Orieux, *Talleyrand...*, pp. 192-209; el encuentro de Fanny Burney con madame de Staël y los «juniperianos» figura en Joyce Hemlow (ed.), *The Journals and Letters of Fanny Burney*, vol. 3, Oxford, 1972. Con respecto al ambiente de la política británica a finales de 1792 y principios de 1793, véase Albert Goodwin, *The Friends of Liberty. The English Democratic Movement in the Age of the French Revolution*, Londres, 1979, en particular el capítulo 7. Los antecedentes y la aproximación a la guerra con Inglaterra, España y los Países Bajos han sido analizados en T. C. W. Blanning, *Origins...* Con respecto al discurso de Kersaint, véase el *Moniteur*, 3 de enero de 1793. Véase también J. Holland Rose, *William Pitt and the Great War*, Londres, 1911. Los documentos referidos al Scheldt y la defensa de los Países Bajos están en H. T. Colenbrander, *Gedenkstukken der Algemeene Geschiedenis van Nederland van 1789 tot 1840*, Gravenhage, 1905, vol. 1, p. 285, Grenville a Auckland, y p. 291, Talleyrand a Grenville. Véase también S. Schama, *Patriots and Liberators...*, pp. 153-163, sobre la campaña de Dumouriez. El texto completo de la carta de Dumouriez a la Convención aparece en el periódico parisiense *Le Batave*, 25 de marzo de 1793.

Existe abundante bibliografía sobre los orígenes y sobre el transcurso de la rebelión en la Vendée. De todos modos, otra obra maestra del trabajo de archivo e investigación, realizado a finales del siglo XIX por un autor en apariencia inagotable, C.-L. Chassin, *La Préparation de la Guerre de Vendée 1789-1793*, 3 vols., París, 1892, constituye el estudio más adecuado para comenzar a entender plenamente el choque entre el republicanismo y la Iglesia en esta región. El relato de Bethuis sobre su experiencia infantil de la masacre de Machecoul pertenece a C.-L. Chassin, vol. 3, p. 337 y ss. La arenga de Laparra en Fontenay está en *ibid.*, p. 220, al igual que los informes de Biret, pp. 213-278. Otra gran compilación documental de este tema realizada por C.-L. Chassin es *La Vendée Patriote 1793-1800*, 4 vols., París, 1893-1895. Aunque *La Vendée*, Cambridge, Massachusetts, 1964, de Charles Tilly, no trata —como se apresuran a señalar los historiadores franceses— la totalidad de la Vendée *militaire*, sino solo de la región dividida por el Layon, tiene de todos modos una importancia y un valor considerables en la descripción de su geografía social. La otra obra importante, más o menos en el mismo estilo, pero con una extraordinaria riqueza descriptiva, es la de Paul Bois, *Les Paysans de l'Ouest*, París, 1960. Sin embargo, dos obras han transformado la historiografía, aunque con estilos muy distintos. Jean-Clément Martin, *La Vendée et la France*, París, 1987, basada sobre todo en fuentes impresas extraídas de Chassin, constituye un modelo de empatía y sensibilidad histórica. Su esfuerzo por contemplar las dos partes del conflicto determina que sus terribles conclusiones sean más escalofriantes y deberían destruir definitivamente el escepticismo acerca de la magnitud de la pérdida de población y de la destrucción en la región. La obra de Reynald Secher, *Le Génocide Franco-Français. La Vendée-Vengé*, París, 1986, tiene un carácter más explícitamente polémico, pero, como se basa en una profunda investigación de los archivos de los *départements* y los nacionales, resulta de todos modos bastante convincente. Sus argumentos muestran una intensidad trágica que determina que las invocaciones académicas a la «objetividad» parezcan cómicamente amorales. En el extremo opuesto del temperamento histórico, la obra impasiblemente sociológica de Marcel Faucheux, *L'Insurrection Vendéenne de 1793*, París, 1964, hace los mayores esfuerzos para explicarlo todo con respecto a las estructuras socioeconómicas, pero, en general, fracasa. En el curso de la propia guerra, el libro de P. Doré-Graslin, *Itinéraire de la Vendée Militaire*, Angers, 1979, es una profunda evocación, mediante documentos y mapas contemporáneos, así como con fotografías actuales, de los lugares que presenciaron los combates y la destrucción. Jean-Clément Martin también ha contribuido con un maravilloso ensayo acerca del eco posterior de la guerra de la Vendée en periodos más tardíos: «La Vendée, Région-Mémoire, Bleus et Blancs», en P. Nora (ed.), *Les Lieux de Mémoire*, vol. I, *La République*, pp. 595-617. Sobre una rebelión afín, pero distinta, en Bretaña, véase Donald Sutherland, *The Chouans. The Social Origins of Popular Counter-Revolution in Upper Brittany 1770-1796*, Oxford 1982); también T. J. A. Le Goff y D. M. G. Sutherland, «The Social Origins of Counter-revolution in Western France», *Past and Present*, 1983.

Acerca de la crisis económica de 1793 y la conversión de los jacobinos a la regulación económica, véase F. Aftalion, *L'Économie de la Révolution...*, cap. 7 y 8. Con respecto a los principios *enragés*, véase R. B. Rose, *The Enragés. Socialists of the French Revolution?*, Melbourne, 1965. Véase también Walter Markov (ed.), *Jacques Roux. Scripta et Acta*, Berlín, República Democrática Alemana, 1969. Sobre los disturbios por los alimentos en febrero, véase George Rudé, «Les Émeutes des 25, 26 Février 1793», en *Annales Historiques de la Révolution Française*, 1953, pp. 33-57; y Albert Mathiez, *La Vie Chère et Mouvement Social sous la Terreur*, 2 vols., París, 1927. Con respecto a la base social y a la organización de los *sans-culottes*, véase Albert Soboul, *The Parisian Sans-culottes and the French Revolution*, Oxford, 1964, y *Artisans and Sans-culottes*, Londres, 1968, el excelente estudio comparado (con los trabajadores ingleses) de Gwynn Williams. La posición clásica de A. Soboul con respecto a una división social entre los jacobinos «burgueses» y los *sans-culottes* artesanales no ha soportado bien el examen más atento a las secciones individuales, donde a menudo se comprueba que los *sans-culottes* están formados exactamente por los mismos grupos sociales —vendedores, intelectuales de taberna, abogados, funcionarios y profesionales, así como asalariados ocasionales— que la base jacobina. Un análisis todavía válido sobre los componentes del grupo jacobino es la sobresaliente obra de Crane Brinton, *The Jacobins*, Nueva York, 1930. El ataque más enérgico a todo el concepto de un «movimiento» *sans-culotte* fue el gran *tour de force* de Richard Cobb, *The Police and the People. French Popular Protest 1789-1820*, Oxford, 1970, y lo actualizó en su trabajo *Reactions to the French Revolution*, Oxford, 1972. Michel Vovelle trata de responder a la pregunta «What was a *sans-culotte?*» en *La Mentalité Révolutionnaire. Societé et Mentalités sous la Révolution Française*, París, 1985, pp. 109-123. Hay una perspectiva muy original y relevante en R. M. Andrews, «The Justices of the Peace of Revolutionary Paris, September 1792-November 1794», en Douglas Johnson, *French Society and the Revolution*, pp. 167-216. Sobre los disturbios antigirondinos de marzo, véase A. M. Boursier, «L'Émeute Parisienne du 10 Mars 1793», en *Annales Historiques de la Révolution Française*, abril-junio 1972. Acerca de la pelea de Marat con los girondinos, el juicio y la absolución, véase la biografía extrañamente descolorida de Louis Gottschalk, *Marat*, Nueva York, 1927, pp. 139-168. Con respecto a la expulsión de los girondinos y a la política jacobina que llevó a ese resultado, véase el relato legible y detallada de Morris Slavin, *The Making of an Insurrection. Parisian Sections and the Gironde*, Cambridge, Massachusetts, 1986.

17. «El Terror en el orden del día»

Para los girondinos en Normandía, véase Albert Goodwin, «The Federalist Movement in Caen During the French Revolution», en *Bulletin of the John Rylands Library*, 1959-1960, pp. 313-344. Acerca de otros (y más importantes) centros de la resistencia federalista, véase Alan Forrest, *Society and Politics in Revolutionary Bordeaux*, Oxford, 1975; W. H. Scott, *Terror and Repression Revolutionary Marseilles*, Londres, 1973; Hubert Johnson, *The Midi in Revolution...*, cap. 7; M. Crook, «Federalism and the French Revolution. The Revolt of Toulon in 1793», *History*, 1980, pp. 383-397; D. Stone, «La Révolte Fédéraliste à Rennes», *Annales Historiques de la Révolution Française*, julio-septiembre de 1971; y el trabajo más importante, en Lyon, C. Riffaterre, *Le Mouvement Anti-Jacobin et anti-Parisien de Lyon et dans le Rhône-et-Loire en 1793*, 2 vols., Lyon, 1912-1928. Se encontrará un análisis de la fuerza regional del federalismo en el Loira y de sus bases urbanas en Colin Lucas, *The Structure of the Terror. The Case of Javogues and the Loire*, Oxford, 1973, pp. 35-60.

El asesinato, el funeral y el culto de Marat constituyen el tema de una fascinante colección de ensayos, recopilados por Jean-Claude Bonnet en *La Mort de Marat*, París, 1986. Véanse, sobre todo, las contribuciones de J. Guilhaumou, J.-C. Bonnet (sobre el periodismo de Marat) y Chantal Thomas sobre la imagen de Charlotte Corday. De un modo quizá bastante sorprendente, el interés moderno por el culto a Marat, el aprovechamiento de la sangre y la invención por parte de David de un martirologio republicano encontraron su preludio en la excelente obra de Eugène Defrance, *Charlotte Corday et le Mort de Marat*, París, 1909, de donde he extraído muchos de los ejemplos más extremos de «maratología». Véase también F. P. Bowman, «Le Sacré Cœur de Marat», *Annales Historiques de la Révolution Française*, julio-septiembre de 1975. El viaje de Charlotte Corday, el asesinato y el proceso aparecen descritos muy detalladamente en la obra un tanto hagiográfica (pero, de todos modos, interesante) de Jean Epois, *L'Affaire Corday-Marat. Prélude à la Terreur*, Les Sables-d'Olonne, 1980.

Para la Fête de l'Unité y, en general, los festivales revolucionarios, la obra fundamental es M. Ozouf, *Festivals and the French Revolution...* Ozouf se muestra muy elocuente cuando se refiere a los intentos oficiales de replantear el sentido cívico del espacio y del tiempo por medio de los festivales. Acerca de la imagen de Hércules, así como en relación con otras cuestiones importantes referidas a las prácticas simbólicas del discurso revolucionario, véase L. Hunt, *Politics, Culture and Class...* Una serie de obras trata el papel de David en la organización de los grandes festivales, sobre todo D. L. Dowd, *Pageant-Master of the Republic. Jacques-Louis David and the French Revolution*, Lincoln, Nebraska, 1948; véase también *idem*., «Jacobinism and the Fine Arts», en *Art Quarterly*, 3, 1953. Sobre David, véase Anita Brookner, *David*, Nueva York, 1980, así como el excelente estudio de Warren Roberts, *Jacques-Louis David...* Una vívida descripción de la *fête* del 10 de agosto de 1793 fue escrita por el artista Georges Wille, *Mémoires et Journal*, G. Duplessis (ed.), París, 1857.

Con respecto a la fase temprana del Comité de Salud Pública y el papel que allí representó Danton, véase N. Hampson, *Danton...*, pp. 117-136. En cuanto a la intervención decisiva, aunque personalmente desastrosa, de Jacques Roux el 25 de junio, véase W. Markov, *Jacques Roux...*, pp. 480-486 y ss. Respecto de las bases y el funcionamiento del Terror económico, véase F. Aftalion, *L'Économie de la Révolution...*; también H. Calvet, *L'Accaparement à París sous la Terreur. Essai sur l'Application de la Loi de 26 Juillet 1793*, París, 1933. Para comprender lo que significó la aplicación del precio límite en las aldeas, véase Richard Cobb, *The Police and the People...*, y su obra clásica *The People's Armies...*

Sobre la *levée en masse*, la mejor obra es la de J.-P. Berthaud, *La Révolution Armée. Les Soldats-Citoyens et la Révolution Française*, París, 1979. He aprovechado ampliamente este soberbio libro para presentar mi propio relato de la movilización. R. R. Palmer, *Twelve Who Ruled. The Year of the Terror in the French Revolution*, Princeton, 1941, es todavía una interpretación muy fácil de leer, aunque un tanto idealizada, del Gobierno revolucionario.

Con respecto a la mentalidad, las instituciones y las prácticas del Terror, *The Structure of the Terror*, de Colin Lucas, es una monografía brillante, persuasiva en su relato de las complicaciones originadas en los sentimientos particulares de fidelidad y vívida hasta resultar inquietante en su retrato de Javogues. Véase también C. Lucas, «La Brève Carrière du Terroriste Jean-Marie Lapalus», *en Annales Historiques de la Révolution Française*, octubre-diciembre de 1968. Hay otros estudios locales excelentes, sobre todo: Martyn Lyons, «The Jacobin Elite of Toulouse», en *European Studies Review* (1977). Véase también el relato de Richard Cobb, sobre la carrera de Nicolas Guénot y otros *terroristes* en su *Reactions to the French Revolution...* La caracterización más brillante de la «mentalidad revolucionaria» compartida por los *terroristes* y los *sans-culottes* es el ensayo de R. Cobb, «Quelques Aspects de la Mentalité Révolutionnaire Avril 1793-Thermidor An II», en su *Terreur et Subsistances 1793-1795*, París, 1964, una versión abreviada de la que apareció también en su trabajo *A Second Identity*, Oxford, 1972. Para la estructura legal de la represión, véase John Black Sirich, *The Revolutionary Committes in the Departments of France 1793-1794*, Nueva York, 1971. En un coloquio del Centro de Estudios Europeos de la Universidad de Harvard, titulado «Republican Patriotism and the French Revolution», Richard Andrews leyó un trabajo muy importante y sugerente que demostró que la base legal de la definición de los derechos políticos de la Revolución no fue establecida en 1793 mediante la ley de Sospechosos (aunque esta la amplió), sino mediante el código penal de 1791. Finalmente, una obra importante, cuyas conclusiones esenciales que correlacionan el Terror con los departamentos franceses afectados por la guerra civil no se han visto muy perjudicadas por la crítica por el empleo que el autor hizo de la estadística, es D. Greer, *The Incidence of the Terror During the French Revolution. A Statistical Interpretation*, Cambridge, Massachusetts, 1935.

Sobre las represiones en perjuicio de los federalistas, véase, para Lyon, el trabajo de Édouard Herriot, *Lyon n'est Plus*, 4 vols., Lyon, 1937-1940. El barón Raverat, *Lyon sous la Révolution*, Lyon, 1883, se muestra previsiblemente (y con buenas razones) hostil a los jacobinos, pero contiene mucho material interesante. Véase también M. Sève, «Sur la Pratique Jacobine. La Mission de Couthon à Lyon», en *Annales Historiques de la Révolution Française*, abril–julio de 1983; Richard Cobb, «La Commission Temporaire de Commune Affranchie», en *Terreur et Subsistances...*, pp. 55-94; y la excelente obra de William Scott, *Terror and Repression in Revolutionanry Marseilles*, Londres, 1973. Con respecto a las «columnas infernales» y a la devastación de la Vendée, y a la devastación de las *noyades* de Nantes, véase R,. Secher, J.-C. Martin y Gaston Martin, *Carrier et sa Mission à Nantes*, París, 1924.

Para la descristianización, la obra esencial es Michel Vovelle, *Religion et*

Revolution, la Déchristianisation de l'An II, París, 1976. En cuanto al calendario revolucionario, véase Bronisław Baczko, «Le Calendrier Républicain», en P. Nora (ed.), *Les Lieux de Mémoire*, vol. I. *La République*, pp. 38-82; véase también James Friguglietti, *The Social and Religious Consequences of the French Revolutionary Calendar*, Universidad de Harvard, disertación para el doctorado, 1966, y Louis Jacob, *Fabre d'Églantine: Chef des Fripons*, París, 1946.

18. LA POLÍTICA DE LA INFAMIA

El relato de Beugnot acerca de su estancia en la Conciergerie y su encuentro con Églé aparece en C. A. Dauban, *Les Prisons de Paris sous la Révolution*, París, 1870, que también posee un caudal de diferentes datos sobre las cárceles del Terror, incluso las espléndidas «Mémoires d'un Détenu», de Riouffe, publicadas originalmente bajo el régimen termidoriano del año III, una fecha que, a mi juicio, no excluye automáticamente que se le conceda una atención seria. Olivier Blanc, *La Dernière Lettre. Prisons et Condamnés 1793-1794*, París, 1984, también proporciona una guía de las condiciones en las distintas prisiones y contiene un dosier con algunas de las cartas más conmovedoras y angustiosas escritas por los condenados. Véase también A. de Maricourt, *Prisonniers et Prisons de Paris Pendant la Terreur*, París, 1927, así como la primera parte de R. Cobb, *The Police and the People...*

Con respecto al encarcelamiento y el proceso de María Antonieta, el lector tiene que elegir entre la hagiografía y la demonización. G. Lenôtre, *La Captivité et la Mort de Marie-Antoinette*, París, 1897, y E. Campardon, *Marie Antoinette à la Conciergerie*, París, 1863, adoptan una actitud de afinidad; Gerard Walter, *Marie-Antoinette*, París, 1948, de hostilidad. En definitiva, los procedimientos del juicio fueron publicados en el *Acte d'Accusation* y en el *Bulletin* del *Tribunal Révolutionnaire*. El periodo que siguió a la muerte de Luis XVI asistió a una renovada irrupción de pornografía violenta, que se ocupó de aspectos anteriores de *L'Autrichienne en Goguettes ou l'Orgie Royale* o pretendió pasar por obras nuevas, como, por ejemplo, *La Journée Amoureuse ou les Derniers Plaisirs de Marie-Antoinette*, en que Lamballe satisface todos los deseos sexuales de la reina, mientras esta masturba al debilitado Luis. Estas piezas pornográficas, a su vez, estimularon un tipo de literatura del odio en que el *Père Duchesne* no fue, de ningún modo, el órgano más corrosivo. Para algunos extractos, véase *J'Attends le Procès de Marie-Antoinette*, donde la propia guillotina se regodea anticipando el destino de la reina: «Ya estás en una celda; avanza un paso más, que yo te espero; una bonita cabeza como la tuya será un hermoso adorno para mi máquina». La *Grande Motion des Citoyennes de Divers Marches* es otro coro que pide la muerte de la «bougresse», pero solicita que, antes de decapitarla, la flagelen y la quemen.

Sobre otras célebres víctimas de sexo femenino, véase Guy Chaussinand-Nogaret, *Madame Roland*, París, 1985, y Olivier Blanc, *Olympe de Gouges*, París, 1981. Darline Gay Levy, Harriet Branson Applewhite y Mary Durham Johnson, en *Women in Revolutionary Paris*, Urbana, III, 1979, examinan la actitud de los jacobinos frente a los clubes políticos y sociedades de mujeres, así como su reacción. Véase también D. Godineau, *Citoyennes Tricoteuses...*

Con respecto al uso de la guillotina como escenario político y a la mecanización de la muerte, véase D. Arasse, *La Guillotine et l'Imaginaire...*, pp. 97-164. Con respecto a Fouquier-Tinville y la rutina del tribunal, véase Albert Croquez y Georges Loubie, *Fouquier-Tinville. L'Accusateur Public*, París, 1945.

Acerca de la estafa inmensamente complicada de los «Pourris», véase Norman Hampson, «François Chabot and His Plot», en *Transactions of the Royal Historical Society*, 1976, pp. 1-14; véase también Louis Jacob, *Fabre d'Églantine...*, pp. 168-274. Albert Mathiez publicó un gran número de artículos en los que atacó la corrupción de Danton y, con igual energía, Alphonse Aulard lo defendió. Se comenta gran parte de esta bibliografía en un ensayo que, en esencia, simpatiza con la postura de Mathiez, aunque el autor se muestra más abierto al debate: Georges Lefebvre, «Sur Danton», reproducido en sus *Études sur la Révolution Française*, París, 1963. Hay un tratamiento más equilibrado del final de la carrera de Danton en la excelente biografía de Norman Hampson y en el vívido y sugerente retrato de Frédéric Bluche, *Danton*, París, 1968. Desmoulins todavía necesita una biografía nueva y moderna. Véase J. Claretie, *Camille Desmoulins, Lucile Desmoulins, Étude sur les Dantonistes*, París, 1875. La brillantez de la estrategia periodística del *Vieux Cordelier* ha sido reconocida al fin en un importante artículo de Georges Benrekassa, «Camille Desmoulins, Écrivain Révolutionnaire: "Le Vieux Cordelier"», en J.-C. Bonnet *et al.* (ed.), *La Carmagnole des Muses...*, pp. 223-241. Los siete números del periódico fueron preparados en una edición crítica por Henri Calvet, París, 1936, aunque es preferible leerlos sin ninguna mediación crítica.

19. Quilianismo

En cuanto a la destrucción de la familia de Malesherbes, véase P. Grosclaude, *Malesherbes...*, cap. 16 y 17. Véanse también las *Mémoires* de Hervé de Tocqueville, utilizadas por André Jardin, *Tocqueville. A Biography*, traducción inglesa de Lydia Davis y Robert Hemenway, Nueva York, 1988; y R. R. Palmer (ed.), *The Two Tocquevilles, Father and Son. Hervé and Alexis de Tocqueville on the Coming of the French Revolution*, Princeton, 1987.

Respecto del ataque al «vandalismo», véase el excelente ensayo de An-
thony Vidler, «Grégoire, Lenoir et les "Monuments Parlants"», en J.-C. Bonnet
et al. (ed.), *La Carmagnole des Muses...*, pp. 131-151. Sobre la Fiesta del Ser
Supremo, véase M. Ozouf, *Festivals...*; M. Biver, *Fêtes...*; y especialmente
J. Tiersot, *Les Fêtes et les Chants...*, pp. 122-168, que explica de un modo muy
completo la concepción esencialmente musical de las asambleas matutina y
vespertina. Se describe el papel de David en D. L. Dowd, *Pageant-Master of the
Republic...*, así como en el estudio de W. Roberts *Jacques-Louis David...* Acerca
del brusco ascenso de Désorgues, véase Michel Vovelle, *Théodore Désorgues ou
la Désorganisation, Aix-Paris 1763-1808*, París, 1985.

Pueden encontrarse cifras de las ejecuciones durante la Grande Terreur
en D. Greer, *The Incidence of the Terror...* Richard T. Bienvenu, *The Ninth of
Thermidor. The Fall of Robespierre*, Nueva York, Londres y Toronto, 1968, es una
útil antología de documentos compilados con una detallada guía crítica de los
hechos. También es posible seguir estos en algunas biografías, sobre todo las ya
citadas de D. Jordan y N. Hampson. Una de las crónicas más vívidas aparece en
la biografía más antigua de J. M. Thompson, *Robespierre*, 2 vols., Oxford, 1935.
Hay un enfoque jacobino ortodoxo en Gerard Walter, *La Conjuration du Neuf
Thermidor*, París, 1974.

El león superviviente del zoológico real lo describió Raoul Hesdin
en *The Journal of a Spy in Paris During the Reign of Terror*, Nueva York, 1986,
pp. 201-202.

Epílogo

No he intentado presentar una visión general de las consecuencias de la Revolución y, en cambio, he tratado de resumir el destino de algunas de las principales iniciativas narradas en la obra, sobre todo el fracasado intento de reconciliar la libertad política con un Estado patriota. De todos modos, hay una serie
de obras importantes que se refieren al periodo entre termidor y brumario,
que, por derecho propio, constituyó un capítulo importante de la Revolución
francesa. Véase, sobre todo, Martyn Lyons, *France under the Directory*, Londres,
1975; M. J. Sydenham, *The First French Republic 1792-1804*, Londres, 1974; y
Denis Woronoff, *The Thermidorean Regime and the Directory 1794-1799*, Londres, 1984. Acerca del destino de la política revolucionaria durante este periodo, véase Isser Woloch, *Jacobin Legacy. The Democratic Movement under the Directory*, Princeton, 1970, y R. B. Rose, *Gracchus Babeuf. The First Revolutionary
Communist*, Londres, 1978.

Sin embargo, todos estos estudios se ven superados por la importante síntesis de D. M. G. Sutherland, *France 1789-1815. Revolution and Counterrevolution*, Londres, 1985. (Véase *infra*.)

Con respecto a los resultados sociales de la revolución jacobina, véase Richard Cobb, «Quelques Conséquences Sociales de la Révolution dans un Milieu Urbain», en su *Terreur et Subsistances...*, donde llega a la conclusión de que, para la mayoría de los habitantes de Lille, el Año II no fue una experiencia feliz. Cobb también ha escrito páginas conmovedoras, en la misma obra, en *The Police and the People...* y en *Reactions to the French Revolution...*, sobre los problemas de escasez que afectaron a muchas regiones de Francia durante el Año III, así como cuando se ocupa del Contraterror en Lyon y en el Midi. Véase asimismo el ensayo de Colin Lucas, «Themes in Southern Violence after 9 Thermidor», en Colin Lucas y Gwynn Lewis, *Beyond the Terror. Essays in French Regional and Social History*, Cambridge, Inglaterra, 1983.

Robert Forster sostuvo de manera firme que la nobleza quedó radicalmente destruida como resultado de la Revolución en «The Survival of the French Nobility During the French Revolution», en *Past and Present*, 1967. Por mi parte, me inclino hacia la opinión más matizada y conservadora —de este y de otros aspectos del intento de reestructuración de las relaciones sociales— propuesta en la excelente obra de Louis Bergeron, *France under Napoleon*, traducción inglesa de R. R. Palmer, Princeton, 1981.

Acerca de Talleyrand en América, véase Michel Poniatowski, *Talleyrand aux États-Unis 1794-1796*, y Hans Huth y Wilma J. Pugh, *Talleyrand in America as a Financial Promoter. Unpublished Letters and Memoirs*, Washington, D. C., 1942. Para el relato de Lafayette en la cárcel, véase Peter Buckman, *Lafayette. A Biography*, Nueva York y Londres, 1977, pp. 217-234. La estancia de madame de La Tour du Pin en América aparece conmovedoramente descrita en su *Journal*. A propósito de la locura de Théroigne de Méricourt, véase J.-F. Esquirol, *Les Maladies Mentales*, 2 vols., París, 1838, vol. I, pp. 445-451.

Pueden recomendarse encarecidamente varias obras generales al estudioso de la Revolución francesa. Con respecto al derrumbe de la monarquía, el libro de William Doyle *Origins of the French Revolution*, Oxford, 1980, es un brillante análisis y una breve narración de los hechos que condujeron hasta 1789. Incluye una excelente introducción a los debates historiográficos (he evitado de forma premeditada la mayor parte de estos). Otra excelente crónica de las interpretaciones enfrentadas se encuentra en J. M. Roberts, *The French Revolution*, Oxford, 1978.

France 1789-1815. Revolution and Counterrevolution, de D. M. G. Sutherland, es una de las historias más relevantes publicadas en mucho tiempo por la sutileza de gran parte de su argumentación, por la abundancia del detalle y por el amplio alcance cronológico (quizá extenderse de 1774 a 1815 era demasiado pedir). Se trata claramente de una historia social, más que política y cultural, y, por tanto, ofrece una interpretación implícita del lugar en que radica la importancia de la Revolución. Salta a la vista que mi propio enfoque va en la dirección opuesta y que, en muchos aspectos, este sigue el camino señalado, primero, por Alfred Cobban, cuyo ensayo «Myth of the French Revolution» fue considerado antaño muy escandaloso y cuya *Social Interpretation of the French Revolution*, Cambridge, Inglaterra, 1964, después, se convirtió en un clásico de la reinterpretación histórica. Gran parte del extraordinario trabajo de Richard Cobb reconstruyó la vida de muchos de los que sobrevivieron y soportaron la Revolución, en lugar de ocupar en ella el centro de la escena. Al sostener la «falta de relevancia» de la Revolución para los que soportaban los ritmos de la abundancia y de la necesidad, del delito y de la desesperación, forzosamente suscitó la pregunta: «Si la Revolución no fue una transformación social, en definitiva, ¿qué fue?».

Se ha tendido cada vez más a encontrar la respuesta en el ámbito de la cultura política y la obra de François Furet, *Penser la Révolution*, París, 1978, tuvo una importancia fundamental a la hora de reorientar la historia revolucionaria hacia el terreno político. Los libros de Lynn Hunt y Mona Ozouf defendieron este fecundo empeño en el poder de los fenómenos culturales —imágenes e iconos, discursos, festivales (y, se podría añadir, periódicos y canciones)— para reestructurar el sentimiento de lealtad. En definitiva, la Revolución creó un nuevo tipo de comunidad política sostenida más por la adrenalina retórica que por instituciones organizadas. Por consiguiente, estaba destinada a autodestruirse debido a sus expectativas excesivamente infladas. Después de todo, Rousseau había advertido (más o menos) que esperar que una república de la Virtud se estructurase en un gran Estado era pedir lo imposible.

Índice alfabético

«Para viajar lejos no hay mejor nave que un libro».

EMILY DICKINSON

Gracias por tu lectura de este libro.

En **penguinlibros.club** encontrarás las mejores
recomendaciones de lectura.

Únete a nuestra comunidad y viaja con nosotros.

penguinlibros.club